DIE GRIECHISCHEN
CHRISTLICHEN SCHRIFTSTELLER
DER ERSTEN JAHRHUNDERTE

CLEMENS ALEXANDRINUS

ZWEITER BAND

CLEMENS ALEXANDRINUS

ZWEITER BAND

Stromata Buch I–VI

HERAUSGEGEBEN
VON
OTTO STÄHLIN

NEU HERAUSGEGEBEN
VON
LUDWIG FRÜCHTEL

4. AUFLAGE MIT NACHTRÄGEN
VON
URSULA TREU

AKADEMIE-VERLAG · BERLIN
1985

Mit Unterstützung des Zentralinstituts für Alte Geschichte und Archäologie
der Akademie der Wissenschaften der DDR

Erschienen im Akademie-Verlag, DDR-1086 Berlin, Leipziger Straße 3—4
© Akademie-Verlag Berlin 1985
Lizenznummer: 202 · 100/129/85
Printed in the German Democratic Republic
Offsetdruck und Bindung: VEB Druckerei „Thomas Müntzer",
5820 Bad Langensalza
LSV 6310
Bestellnummer: 754 503 2 (2031/13)
11000

Inhaltsverzeichnis

Vorwort zur 4. Auflage

Der vorliegende Band II der Stählinschen Clemens-Ausgabe ist der erste, von dem eine 4. Auflage nötig wurde, wie er auch der erste war, der in der Neubearbeitung von Ludwig Früchtel herauskam (1960). In der Zwischenzeit erschien 1970 Band III in 2. Auflage, neu herausgegeben von Früchtel, nach seinem Tode (1963) von mir zum Druck besorgt. 1972 folgte die 3., durchgesehene Auflage von Band I, für die ich Notizen Früchtels benutzen konnte, 1980 die 2. Auflage des 1. Faszikels des Registerbandes (Fasz. 2–3 mit dem Wortregister sind noch in der 1. Auflage von 1936 lieferbar). Dem Registerfaszikel habe ich interimistisch bibliographische Addenda und Zusätze zu den drei Textbänden zugefügt, die nun, soweit sie Band II betreffen, hier ihren richtigen Ort finden können.

Von Band II mit dem Hauptteil des Hauptwerkes hatte Stählin noch selbst 1939 eine verbesserte 2. Auflage herausbringen können. Früchtel hat in der 3. Auflage nicht nur wertvolles eigenes Material beigetragen, sondern auch seine eigenen Prinzipien der Textgestaltung zumindest in den (neu gesetzten) Anmerkungen deutlich gemacht. Seither ist an den ersten 6 Büchern der Stromata weitergearbeitet worden, wie die Addenda am Schluß belegen, doch gibt es keinen Anlaß für tiefere Eingriffe in den Text, der also weiterhin der Stählinsche bleibt.

Dieser Text liegt auch der neuen Ausgabe des 5. Buches der Stromata zugrunde, mit der die Sources Chrétiennes ihre Clemens-Ausgabe fortsetzen (Band 278–279, Paris 1981). Der Herausgeber, Alain Le Boulluec, gibt dankenswerterweise eine Liste der nicht zahlreichen Stellen, an denen er vom GCS-Text abweicht, meist im Sinne einer Rückkehr zur handschriftlichen Überlieferung, wo Stählin konjiziert hatte. Wertvoll ist die Pariser Ausgabe vor allem durch die umfangreichen Anmerkungen, mit denen Le Boulluec die Arbeit des Übersetzers Pierre Voulet s. j. begleitet, der leider 1968 verstorben ist. Auf sie sei besonders hingewiesen.

Verzichtet wurde auf den erneuten Abdruck der Schriftproben aus der Athos-Katene (vgl. S. VIII–IX).

Berlin, 12. Dezember 1983   Ursula Treu

Einleitung

I. Direkte Überlieferung[1])

Die Stromateis[2]) samt ihren Anhängen (Strom. VIII, Excerpta ex Theodoto, Eclogae propheticae) sind nur in einer einzigen älteren Handschrift erhalten, dem codex Laurentianus V 3 des 11. Jahrhunderts.[3]) Dieser ist auf Pergament geschrieben, 26,7 × 19,6 cm groß, Schriftraum 20,4 × 11,6 cm, Zeilenzahl zwischen 29 und 31 wechselnd, 388 Blätter stark, am Anfang fehlt ein Blatt, vielleicht fehlen auch am Schluß mehrere Blätter. Der Schreiber der Handschrift, der wahrscheinlich identisch ist mit demjenigen von cod. Urbinas 124 (Dio von Prusa) und demjenigen von cod. Mutinensis III D 7 (Protrepticus und Paedagogus des Clemens selbst), ist unbekannt, er hat seinen Text wahrscheinlich aus einer Handschrift des Arethas, des berühmten Erzbischofs von Kaisareia in Kappadokien, abgeschrieben; da bekanntlich diesem allein die Erhaltung von Protrepticus und Paedagogus zu verdanken ist, geht auf ihn mit ziemlicher Sicherheit die Gesamtüberlieferung der Hauptwerke des Clemens zurück.

Leider war der Schreiber von L nicht sorgfältig genug; er hat sehr häufig Akzent und Spiritus weggelassen und Schreibfehler mannigfacher Art begangen. Sehr viele dieser Flüchtigkeiten lassen sich leicht berichtigen, aber es finden sich nicht wenige sehr schwere Verderbnisse, die zuweilen durch die indirekte Überlieferung, bei Zitaten auch aus den Autoren selbst oder, wo diese nicht erhalten sind, aus der Parallelüberlieferung geheilt werden können. Viele Fehler hat der

---

1 Da der erste Band der Gesamtausgabe des Clemens Alexandrinus, in welchem Stählin über die Überlieferung referiert hat, nicht in der Hand aller Benützer der vorliegenden Neuausgabe vorausgesetzt werden kann, wird hier eine Zusammenfassung des notwendigsten Materials gegeben, jedoch vielfach in neuer Sicht und auf den jetzigen Stand der Forschung gebracht.

2 Στρωματεύς heißt der Titel bei Clemens selbst; in den Sacra Parallela usw. kommt daneben das bequemere Στρῶμα auf.

3 Die beste Beschreibung der Handschrift bei Girolamo Vitelli e Cesare Paoli, Collezione Fiorentina di facsimili paleografici ... Fasc. 1, Codici greci, tav. X., Firenze 1884—1897.

Schreiber selbst (L¹) oder zwei jüngere Hände (L² und L³) verbessert, L³ hat auf fol. 221—300 Randbemerkungen geschrieben, welche Wiederholungen oder Paraphrasen von Textworten sind; diese Hand ist identisch mit derjenigen, die das nämliche im genannten codex Mutinensis getan hat.

Von vier im 15. Jahrhundert gefertigten Exzerpthandschriften; nämlich cod. Neapolitanus II AA 14, Ottobonianus 94 und 98 und Monacensis 479 hatte man angenommen, daß sie eine selbständige Überlieferung böten, aber Stählin kam nach genauer Prüfung zu dem Ergebnis, daß ihr Text von L abhängig ist; damit scheiden sie aus der Textkritik aus. Im 16. Jahrhundert wurde aus L der cod. Parisinus Suppl. Gr. 250 abgeschrieben; dieser ist für die Textkritik wertlos.

Aus L ließ Petrus Victorius i. J. 1550 zu Florenz die Editio princeps abdrucken. Dann hatte die Handschrift dreihundert Jahre Ruhe; i. J. 1852 verglich sie Theodor Heyse, 1862/63 Heinrich Stein[1]), noch im gleichen Jahrzehnt Joseph Müller für die 1869 erschienene Ausgabe von W. Dindorf, 1902 Otto Stählin. Stählin hatte zur Kontrolle seiner eigenen Kollation auch diejenige von Heyse herangezogen; für die vorliegende Neuausgabe wurde die Kollation von Stein (in das in meinem Besitz befindliche Exemplar der Editio princeps eingetragen) mitverwendet.

II. Indirekte Überlieferung

1. Catenen

Stählin hatte aus Catenen 21 Stellen zu den Stromateis und eine Stelle zu den Eclogae propheticae nachgewiesen; leider ist ihr Ertrag für die Textkritik gering; eine wesentliche Verderbnis ist eigentlich nur an der Stelle Strom. I 89,1 (S. 57, 17 ἔμπαλιν für ἐν πᾶσιν L) geheilt. Zudem boten die einzelnen Catenenhandschriften immer nur ganz wenig Clemenszitate, die höchste Zahl wies die Pauluscatene im cod. Vat. 692 mit vier Zitaten auf.

Da bedeutete es eine Überraschung, als durch Erich Klostermann[2]) der cod. Athous Lawra B 113 entdeckt wurde, in welchem er 23 Zitate aus den Stromateis nachweisen konnte, 12 weitere wurden von mir

---

1 Als Herodotherausgeber bekannt. H. Stein ist übrigens der Entdecker der Protrepticus-Paedagogushandschrift Mut. III D 7; Joseph Müller war dann von Stein mit einer Kollation beauftragt worden. lieferte diese aber statt an Stein an Dindorf.

2 Siehe Klostermanns Bericht in Origenes XII 2 S. 9 ff. und J. Reuß, Die Evangelienkatenen im Cod. Ath. Gr. Lawra B 113, ZntW 42, 1949, 217—228.

identifiziert; auffälligerweise wies der cod. keine Stelle aus Protrepticus oder Paedagogus auf. Der cod. Athous ist eine Pergamenthandschrift des 11. Jahrhunderts und enthält zwei große Catenen zu Matthäus und Johannes, außerdem drei kleinere zu Lukas und eine zu Markus. Die genannten 23 Clemenszitate stehen mit dem Lemma ΚΛΗ in der Matthäuscatene, in der gleichen Catene finden sich zwei Zitate anonym, zwei weitere stecken inmitten von Scholien des Theodoros von Herakleia verborgen; von den sieben Zitaten, die die Johannescatene aufweist, sind fünf mit dem Lemma ΚΛΗ versehen, zwei sind anonym; schließlich erscheint in der Matthäuscatene fol. 69ᵛ ein mit dem Lemma Ἡρακλέωνος bezeichnetes Stück, das ein bei Clemens Strom. IV 71f. stehendes Zitat aus dem Valentinianer Herakleon ist und natürlich nicht aus diesem direkt, sondern aus Clemens stammt[1]).

Der Athous bringt einige Verbesserungen der bisherigen Überlieferung; Strom. I 13,3 (S. 10,8) steht für das in L übrig gebliebene ὡς vollständig φανερωθήσεται τοίνυν κεκαλυμμένως ἡ ἀλήθεια; ferner Strom. I 85,1 (S. 55,5) zwischen ὄντες und ἀλλά das richtige οὐ τοῦ κυρίου, VI 58,2 (S. 461,14) statt καὶ τελειοῖ vollständiger καὶ διδάσκει καὶ τελειοῖ. Diese Zusätze beweisen, daß der Athous nicht aus L stammt. Enttäuschend war, daß der Athous Strom. V 81,3 (S. 380,12) wie L βαθύν bot, besonders ärgerlich, daß er Strom. VI 94,5 einen durch Dittographie verwirrten Text enthielt und nicht die erhoffte Verbesserung brachte. Die Stelle Strom. II 108,3 ist mit gestörter Ordnung exzerpiert. Gewisse Verderbnisse sind also schon älter als L und waren auch in der Quelle des Athous. Andererseits brachte der Athous z. B. Strom. V 2,6 (S. 327, 12) das richtige ἐξαίρετος und in der nächsten Zeile mit richtiger Worttrennung und sinngemäß συναπαρτίζεται αὐτῇ ἡ ἐκ μαθήσεως περιγινομένη, und so ist man um manche andere kleinere Korrektur froh.

Wahrscheinlich aus einer Catene hervorgegangen ist der Matthäuskommentar, der auf den Namen des Petrus von Laodikeia läuft, herausgegeben von G. Heinrici (Beitr. zur Gesch. und Erklärung des N. T., Bd. V, Leipzig 1908); eine große Anzahl von Clemenssätzen in ihm habe ich ZntW 36, 1937, 81—85 nachgewiesen.

Aus einer arabischen Catenenübersetzung stammen fünf Clemenszitate, die H. Fleisch[2]) arabisch und französisch aus den Hss. Vaticanus Arabicus 452 und 410 ohne Identifizierung herausgegeben hat; Fr. 1

---

1 Der Text des Herakleonscholions enthält nicht mehr als was bei Clemens auch steht.
2 Mélanges de l'Université Saint Joseph, Beyrouth, XXVII 4, 1947/48.

ist Strom. IV 38,2; Fr. 2 = Strom. IV 116, 1.2; Fr. 3 = Strom. II 108, 2–4; Fr. 4 = Strom. III 82,3; die Herkunft von Fr. 5 ist noch nicht ermittelt. Fr. 4 bestätigt die Lesung Strom. II 82,3 S. 233,23 ἀπήτει ὁ καιρός = la situation exigeait.

2. Florilegien

a) Die Sacra parallela des Johannes von Damaskos[1]) sind nach der Sammlung von K. Holl (TU Neue Folge I 1[2]) und V 2[3]) angeführt; es handelt sich um 73 Stellen aus den Stromateis und sechs Stellen aus den Eclogae propheticae. Am wichtigsten ist die Ergänzung des Textes von Strom. II 102,4 durch Holl Nr. 227, wo S. 169,10 vor ἐχθρῷ δὲ ἐπικουρητέον aus cod. Vat. 1553f. 72ᵛ die Worte φίλῳ μὲν κοινωνητέον, ἵν' ἔτι μᾶλλον περιμένῃ φίλος aufgenommen sind; diese Worte füllen erst die Antithese richtig auf. 15 Stellen aus Strom. und eine Stelle aus den Ecl. kehren in anderen Florilegien wieder.

b) Das im cod. Parisinus Graecus 1168 überlieferte sog. Corpus Parisinum enthält vier Zitate aus den Strom. und ein Zitat aus den Ecl. proph.; diese Stücke sind nach Aufzeichnungen von A. Elter und H. Stein abgedruckt; sie sind ohne textkritischen Ertrag.

c) Maximus Confessor, Κεφάλαια θεολογικά (PG 91, 721ff.) bietet sechs Stellen aus den Strom. und eine Stelle aus den Ecl. proph., Antonius Melissa (PG 136, 765ff.) neun bzw. eine Stelle; auch diese Exzerpte bringen textkritisch nichts Wichtiges.

d) Das Florilegium Monacense (auch unter dem Namen Melissa Augustana gehend), nach seinem Fundort im cod. Monacensis Gr. 429 (früher in Augsburg) benannt, aber auch im Baroccianus 143, Patmiacus 6 und Hierosolymitanus 255 erhalten, bietet sieben Stellen aus den Strom.; ihr textkritischer Wert ist ebenfalls unbedeutend.

3. Zitate bei Späteren

a) Eusebius hat die Strom. vor allem in seiner Praeparatio evangelica benützt; jedoch hat er, worauf E. Tengblad[4]) hingewiesen hat,

---

1 Gute Zusammenstellung der Hss. in der Philonausgabe von Cohn, Einl. S. LXV; der dort genannte cod. Coislianus 276, ferner cod. Par. 924 waren auch von H. Stein verglichen worden.

2 Karl Holl, Die Sacra parallela des Johannes Damascenus, Leipzig 1897.

3 Karl Holl, Fragmente vornicänischer Kirchenväter aus den Sacra parallela, Leipzig 1899.

4 E. Tengblad, Syntaktisch-stilistische Beiträge zu Kritik und Exegese des Cl. von Al., Lund 1932, S. 3, Anm. 1.

manchmal den Clemenstext eigenmächtig normalisiert und den Autor selbst korrigiert.

b) Theodoretos von Kyrrhos hat in seiner ʽΕλληνικῶν θεραπευτικὴ παθημάτων (ḥerausg. von J. Raeder, Leipzig, Bibl. Teubn. 1905) den Clemens kräftig ausgeschrieben, jedoch auch in seinen anderen Schriften gelegentlich benützt; neue Nachweise hierzu von mir Phil. Woch. 59, 1939, 765f.

c) Isidoros von Pelusion (PG 78) hat in seinen Briefen den Clemens eifrig benützt, worauf zuerst R. Münzel hingewiesen hat. Stählin hatte 18 Textzeugnisse in seine Ausgabe aufgenommen; Ergänzungen von mir Phil. Woch. 58, 1938, 61f.

d) Kyrillos von Alexandreia ist mit Clemens vertraut; aus seiner Schrift gegen Julian hatte schon Stählin sechs Stellen angeführt, an denen Clemensbenützung vorliegt. Neue Nachweise von mir ZntW 36, 1937, 88–90, davon am interessantesten PG 76, 773 = Strom. I 93,4, leider wieder ein Beispiel, wo der Text des Benützers ebenso wie der des Benützten entstellt überliefert sind. In Catenen stehen unter dem Lemma Kyrillos drei Stellen, die sich in den Strom. des Clemens finden: Reuß, Matth.-Kommentare (TU 61) fr. 57 = Strom. IV 116,1; fr. 67 = Strom. IV 93,3 und fr. 118 = Strom. IV 73,5; zu diesen Stellen vgl. meine Bemerkungen ZntW 36, 1937, 88.82.88. Die Verwirrung der Lemmata ist durch die alphabetische Nachbarschaft der beiden Namen entstanden.

e) Bei Synesios von Kyrene konnte ich Würzb. Jahrb. 2, 1947, S. 149 eine Stelle aus den Strom. (I 86,3 [S. 55, 25–30] = Syn. Brief 57, S. 663, 46 Hercher) ziemlich wörtlich wiederkehrend nachweisen; da es sich aber um einen Gemeinplatz handelt, der ähnlich z. B. bei Sextus Empiricus, Adv. Math. XI 70 steht, und sonst keine Clemensspuren bei Synesios zu finden sind, scheidet der sonst so gelehrte Mann aus den Clemenskennern aus.

f) Theophylaktos von Bulgarien (PG 123–125) hat einige Anklänge (ZntW 36, 1937, 85ff.), die wohl auch kaum auf direkte Benützung zurückgehen.

g) Bei Lateinern, wie Arnobius und Firmicus Maternus, finden sich stoffliche Parallelen.

III. Ausgaben

a) Die Editio princeps, besorgt von Petrus Victorius, Florenz 1550, hat die Stromateis aus Laur. V 3 übernommen; das geht daraus hervor, daß manche in L nicht sicher lesbare Buchstaben im Druck möglichst genau nachgeformt sind. Victorius hat schon viele Fehler verbessert.

b) Die zweite Ausgabe des Clemens stammt von Fr. Sylburg, Heidelberg 1592; in ihr sind viele Fehler der Ed. pr. beseitigt. Sylburg war der erste, der daranging, Zitate und Anklänge an die Bibel und Benützung von Profanschriftstellern nachzuweisen.

c) Der dritte Herausgeber, Daniel Heinsius, Leyden 1616, tat nicht viel mehr als den Sylburgschen Text nachzudrucken, nur fügte er die lateinische Übersetzung von G. Hervet bei. Die Ausgabe wurde 1629 und 1641 in Paris und 1688 in Köln nachgedruckt.

d) Die Ausgabe von J. Potter, zwei Bände, Oxford 1715, hat ihr Verdienst im fleißigen Nachweis von Parallelen und Zitaten, besonders aus Philon; auf Grund dieses Materials konnte ·Potter, auch dank der eifrigen Hilfe des Stiftsherrn W. Lowth, den Text bedeutend verbessern, auch die lateinische Übersetzung wurde in eine erträgliche Form umgestaltet. Ein Nachdruck der Potterschen Ausgabe erschien in Venedig 1757; Potter war auch die Vorlage von PG 8 und 9.

e) Eine Handausgabe des griechischen Textes besorgte R. Klotz (Leipzig bei Schwickert, 4 Bde., 1831—34) ohne Benützung von Hss., aber unter Rückkehr zur Sylburgschen Ausgabe; so hat er viele seit Heinsius eingedrungene Fehler vermieden, aber für die Emendation nicht viel geleistet.

f) Die sauber gedruckte Ausgabe von W. Dindorf (Oxford, Clarendon Press, 4 Bde., 1869) ist besser als ihr Ruf; mag auch die Emendation bei Dindorf noch nicht gefördert sein, so hat er durch Neuvergleichung der Hss. eine Grundlage für kritische Weiterarbeit geliefert; ferner ist auch durch Abdruck der Potterschen Anmerkungen ein bequemes Nachschlagemittel entstanden. Man darf nicht vergessen, daß Dindorf seinerzeit manche wichtigen Hilfsmittel noch nicht hatte, z. B. noch keinen Index Aristotelicus, keine brauchbaren Sammlungen von Philosophenfragmenten (die im Gegenteil erst durch seine Ausgabe möglich wurden). Die Register freilich hätte Dindorf neu fertigen müssen.

g) O. Stählin hat seiner Ausgabe (1. Bd. 1905, 2. Bd. 1906, 3. Bd. 1909, 4. Bd. [Register] erst nach langem Abstand 1936) nochmals eine Neuvergleichung der Hss. zugrunde gelegt und an vielen Stellen die Angaben Dindorfs berichtigt. Um die Emendation hat er sich auf das gewissenhafteste bemüht, die Sigel St erscheint oft genug im Apparat. Eine bedeutende Förderung gewann die Ausgabe auch durch die sachkundige Mitarbeit von Joseph B. Mayor (Kingston Hill, Surrey) und besonders von U. v. Wilamowitz-Moellendorff·und Eduard Schwartz, für Quellen- und Literaturnachweise flossen ihr die Vorarbeiten von Theodor Heyse und Eduard Hiller und Beiträge anderer Gelehrter zu. So entstand eine Ausgabe, die höchsten Ansprüchen genügte und die Anerkennung der erfahrensten Kritiker fand.

h) Claude Mondésert, S. J., hat neuerdings in Verbindung mit einigen Mitarbeitern eine neue Ausgabe der Stromateis in den Sources Chrétiennes (Édition du Cerf, Paris) begonnen; erschienen sind bisher Bd. 1 und 2 mit Strom. I und II, Paris 1951 und 1954. Der Text der Ausgabe ist allzu konservativ (vgl. meine Rezension in ThLZ 80, 1955, Sp. 748—50).

IV. Die Neuauflage der Ausgabe

1. Nachdem O. Stählin i. J. 1936 eine zweite Auflage des 1. Bandes seiner Clemensausgabe mit zahlreichen Nachträgen und Berichtigungen hatte erscheinen lassen, war es ihm noch gelungen, bei Kriegsbeginn 1939 eine zweite Auflage des 2. Bandes (= Strom. I—VI) herauszubringen. Für diese Auflage hatte er benützt:

a) die Verbesserungsvorschläge von R. Münzel, die im Anhang der 1. Auflage S. 519 nachgetragen waren,

b) die Rezensionen der 1. Auflage von E. Klostermann, P. Koetschau, M. Pohlenz und P. Wendland,

c) den Aufsatz von J. Jackson[1]), Minutiae Clementinae (Journal of Theological Studies 32, 1931, S. 257—270 und S. 394—407),

d) die Untersuchungen von J. Scham, Der Optativgebrauch bei Clemens von Al., Paderborn 1913, und von E. Tengblad, Syntaktisch-stilistische Beiträge zu Kritik und Exegese des Clemens von Al., Lund 1932,

e) Aufsätze von mir:

1. Griechische Fragmente zu Philons Quaestiones in Genesin et Exodum, ZatW 55, 1937, 108—115,
2. Neue Textzeugnisse zu Clemens Al., ZntW 36, 1937, 81—90,
3. Clemens Al. und Albinus, Ph. Woch. 57, 1937, 591f.,
4. Isidoros von Pelusion als Benützer des Clemens Al. und anderer Quellen, Ph. Woch. 58, 1938, 61—64.

Ferner hatte Stählin die Numerierung der Philozitate nach der inzwischen fertig gewordenen Ausgabe von L. Cohn – P. Wendland – S. Reiter revidiert, die Fragmente der sog. Vorsokratiker nach der in den Jahren 1934—1937 erschienenen 5. Auflage der Sammlung von H. Diels – W. Kranz, die Historikerfragmente nach der Neuausgabe von F. Jacoby (soweit sie darin bearbeitet waren), die sogenannten Agrapha nach der 2. Auflage der Sammlung von A. Resch bezeichnet.

---

1 Nicht zu verwechseln mit Henry Jackson, der im Journal of Philology 24, 1896, 263—271; 27, 1899, 136—144 und 28, 1900, 131—134 Beiträge zu Clemens veröffentlicht hatte.

Für die Revision des Textes der 2. Aufl. waren am einflußreichsten die genannten Schriften von Scham und besonders die von Tengblad, die Stählin an vielen Stellen Veranlassung gaben, zur Überlieferung zurückzukehren oder an verdorbenen Stellen solche Verbesserungen einzusetzen, die sich paläographisch oder nach dem Sprachgebrauch des Clemens besser begründen ließen. Als Stählin in den Jahren 1936/37 seine deutsche Übersetzung der Stromateis fertigte (Bibl. der Kirchenväter, 2. Reihe, Bd. 17, 19, 20), ließ er sich bei den zwischen uns beiden geführten Besprechungen (s. Bd. 17 S. 8) vielfach zur Rückkehr zur Überlieferung bestimmen (z. B. Strom. I 181, 2 S. 111,4). So erhielt die 2. Auflage bereits eine stark berichtigte Gestalt.

2. Da die Bestände der 2. Auflage in den Kriegswirren zugrunde gegangen waren, beschloß die Kommission für spätantike Religionsgeschichte bei der Deutschen Akademie der Wissenschaften nach Kriegsende, den 2. Band wiederherzustellen und ihm eine Neuauflage des ebenfalls nicht mehr vorhandenen 3. und 4. Bandes folgen zu lassen. Nach Stählins Tod[1] übernahm ich die Weiterführung der Ausgabe. Dabei sollte nach Möglichkeit die Grundgestalt der Ausgabe gewahrt bleiben. Es hätte z. B. der textkritische Apparat durch Weglassen mancher mittelalterlicher Schreibmanieren von L (z. B. $\alpha\iota$ für ε, υ für $o\iota$) vereinfacht werden können, ebenso hätten die überreichlichen Literaturangaben sich beschränken lassen, aber vielleicht ist es doch für manchen Benützer der Ausgabe wertvoll, diese Hilfen auch in der Neuauflage wiederzufinden.

Für die Neubearbeitung habe ich meine Sammlungen von Parallelen aus Autoren, die ich eigens mit dem Blickpunkt auf Clemens durchgearbeitet habe, ausgeschöpft (einiges wenige hatte ich in den Würzburger Jahrbüchern 2, 1947, S. 148–151 veröffentlicht). Ich hatte auch als neue Textquelle den oben erwähnten cod. Athous zur Verfügung. Was die Textkritik betrifft, so habe ich im Lauf der Jahre Konjektur um Konjektur auf ihre Notwendigkeit geprüft und so manche Stelle entdeckt, wo man zur Überlieferung zurückkehren konnte. Andererseits führte die Beobachtung, daß Strom. I 13,3 (S. 10,8) durch den Athous, Strom. I 102,4 (S. 66,1) durch Eusebius, Strom. I 179,3 (S. 110,6) durch Psalmenscholien, Strom. II 102,4 (S. 169,9) durch eine Vatikancatene, ja Strom. IV 8,6 (S. 251, 18) sogar durch einen Profanautor (6. Rede des Maximus von Tyrus) richtig ergänzt werden konnte, zu dem unabweislichen Schluß, daß auch an anderen verdorbenen Stellen die Heilung eher durch Ergänzung als durch Streichung zu

---

1 Gest. 14. 6. 1949; Nachruf Gnomon 22, 1950, 93f.

suchen ist; so glaube ich auch für Strom. VI 125,5 (S. 495,11) das Richtige gefunden zu haben.

Auch in der 3. Auflage sind Zitate revidiert:

a) Vorsokratiker nach der 6. Auflage von H. Diels — W. Kranz und ihren Anhängen,

b) Lyriker nach der Anthologia von Diehl,

c) Alexandrinische Dichter nach J. Powell, Collectanea Alexandrina, Oxford 1925; Kallimachos nach R. Pfeiffer, Oxford 1949ff.

d) Ältere Peripatetiker nach F. Wehrli, Die Schule des Aristoteles, Basel 1944ff.

Ferner hat Ursula Treu den Text der Philonzitate nach der Ausgabe von Cohn-Wendland-Reiter nicht ohne beachtenswerte Ergebnisse revidiert und die Menanderzitate nach der Koerteschen Ausgabe berichtigt.

In den folgenden Nachträgen sind Stählins Bemerkungen mit St, meine Zusätze mit Fr bezeichnet, die beiden Apparate sind so gestaltet, daß der Grundbestand Stählins Eigentum ist, nur meine Zusätze sind mit Fr versehen.

Für freundliche Hilfe habe ich den Mitarbeitern der Kommission für spätantike Religionsgeschichte herzlichst zu danken, besonders Frau Dr. Ursula Treu, die sich der Druckgestaltung mit unermüdlichem Eifer gewidmet und auch sonst manchen Beitrag geleistet hat.

Es ist erfreulich, daß in den letzten Jahren die Clemensstudien im In- und Ausland wieder auflebten; den Verehrern dieses Schriftstellers will auch die vorliegende Auflage dienen, und vielleicht sieht sich der eine oder andere, der zunächst Clemens bloß um eines Zitates willen aufschlägt, beim Weiterlesen verlockt, tiefer in das Werk einzudringen.

Mai 1959   *L. Früchtel*

Verzeichnis der Handschriften und Abkürzungen

Handschriften der Stromata

L   Laur. V 3
Ath   Cod. Athous (Codex Lawra B 113)

Handschriften von Eusebius' Praeparatio Evangelica

B   Paris. graec. 465
I   Venet. Marc. 341
O   Bonon. Univ. 3643

Abkürzungen

Di   Dindorf
Fr   Früchtel
He   Heinsius
Ja¹   H. Jackson
Ja²   J. Jackson
Kl   Klotz
Klst   Klostermann
Ma   Mayor
Mü   Münzel
Po   Potter
Schw   Schwartz
St   Stählin
Sy   Sylburg
Vi   Victorius
W.   v. Wilamowitz-Moellendorff

Bywater   I. Bywater in Journal of Philology 4, Cambridge 1872
Chadwick   Selected Translations of Clement and Origen by J. E. L. Oulton and H. Chadwick (Stromata III) in The Library of Christian Classics, II, London 1954
Cobet   C. G. Cobet, Διορθωτικὰ εἰς τὰ τοῦ Κλήμεντος τοῦ Ἀλεξανδρέως .Aufsätze im Λόγιος Ἑρμῆς 1, Athen 1866/67

Deiber   A. Deiber, Clément d'Alexandrie et l'Égypte, Mémoires
            publiés par les membres de l'Institut Français d'Archéologie
            Orientale du Caire X, Le Caire 1904

Fleisch   H. Fleisch, S. J., Mélanges de l'Université S. Joseph Bey-
            routh XXVII, fasc. 4, 1947, S. 63–71

Mondésert Cl. Mondésert, S. J., Clément d'Alexandrie, Stromata
            I. II, Sources Chrét. 30, 38, Paris 1951, 1954

Powell   J. Powell, Collectanea Alexandrina, Oxford 1925

Reinkens   H. J. Reinkens, De Clemente presbytero Alexandrino ho-
            mine, scriptore, philosopho, theologo liber, Vratislaviae
            1851

Schmid   W. Schmid und O. Stählin, Geschichte der griechischen
            Literatur II 1, 2 im Handbuch der Altertumswissenschaft
            VII. Abteilung

Wehrli   F. Wehrli, Die Schule des Aristoteles, Basel 1944 ff.

Witt   R. E. Witt, Albinus, Cambridge 1937

Zahn   Th. Zahn, Supplementum Clementinum. Forschungen zur
            Geschichte des neutestamentlichen Kanons und der alt-
            kirchlichen Literatur, III. Teil, Erlangen 1884

CAF   Th. Kock, Comicorum Atticorum Fragmenta, Leipzig 1880
            bis 1888

EGF   E. Kinkel, Epicorum Graecorum Fragmenta I, Leipzig
            1877

FGrH   F. Jacoby, Fragmente der griechischen Historiker, Berlin
            1923 ff.

FHG   C. Müller, Fragmenta Historicorum Graecorum, Paris
            1841–1870

FPG   F. W. A. Mullach, Fragmenta Philosophorum Graecorum,
            Paris 1860–1881

PLG   Th. Bergk, Poetae Lyrici Graeci[4], Leipzig 1882

PPF   H. Diels, Poetarum Philosophorum Fragmenta, Berlin 1901

TGF   A. Nauck, Tragicorum Graecorum Fragmenta[2], Leipzig
            1889

PhW   Philologische Wochenschrift (Berliner Philologische
            Wochenschrift; seit 1926 zusammen mit der Wochenschrift
            für klass. Philologie), Berlin bis 1898, dann Leipzig

ThLZ   Theologische Literaturzeitung, Leipzig

TU(NF)   Texte und Untersuchungen zur Geschichte der altchristl.
            Literatur (Neue Folge), Leipzig-Berlin

WbJb   Würzburger Jahrbücher für die klassische Philologie,
            Würzburg

ZatW   Zeitschrift für die alttestamentliche Wissenschaft, Gießen-
            Berlin
ZntW   Zeitschrift für die neutestamentliche Wissenschaft und die
            Kunde der älteren Kirche, Berlin
ZwTh   Zeitschrift für wissenschaftliche Theologie, Leipzig.

Erläuterung der Zeichen

<	Auslassung, läßt aus
+	Hinzufügung, fügt hinzu
~	Umstellung, stellt um
×	Lücke
» «	wörtliches Zitat
( )	Parenthese, Einschaltung des Autors
⟨ ⟩	durch Konjektur gewonnener Zusatz
[ ]	zu beseitigender Einschub
†	nicht sicher zu heilende Textverderbnis
*	(nur vor Apparat) = Nachtrag zum Apparat, befindet

sich hinten unter „Nachträge und Berichtigungen".

ΚΛΗΜΕΝΤΟΣ

ΤΩΝ ΚΑΤΑ ΤΗΝ ΑΛΗΘΗ ΦΙΛΟΣΟΦΙΑΝ ΓΝΩΣΤΙΚΩΝ ΥΠΟΜΝΗΜΑΤΩΝ ΣΤΡΩΜΑΤΕΙΣ

———

ΚΛΗΜΕΝΤΟΣ

ΤΩΝ ΚΑΤΑ ΤΗΝ ΑΛΗΘΗ ΦΙΛΟΣΟΦΙΑΝ ΓΝΩΣΤΙ-ΚΩΝ ΥΠΟΜΝΗΜΑΤΩΝ ΣΤΡΩΜΑΤΕΩΝ ΠΡΩΤΟΣ

I. ** **** ἵνα ὑπὸ χεῖρα ἀναγινώσκῃς αὐτὰς καὶ δυνηθῇς φυλάξαι 116 S 316 P
αὐτάς.« πότερον δ' οὐδ' ὅλως ἢ τισὶ καταλειπτέον συγγράμματα; καὶ 1, 1
εἰ μὲν τὸ πρότερον, τίς ἡ τῶν γραμμάτων χρεία; εἰ δὲ τὸ ἕτερον,
ἤτοι τοῖς σπουδαίοις ἢ τοῖς μή; γελοῖον μεντἂν εἴη τὴν τῶν σπου-
δαίων ἀποδοκιμάζοντα γραφὴν τοὺς μὴ τοιούτους ἀποδέχεσθαι συν-
τάττοντας. ἀλλ' ἆρα Θεοπόμπῳ μὲν καὶ Τιμαίῳ μύθους καὶ βλασφη- 2
μίας συντάττουσιν, πρὸς δὲ καὶ Ἐπικούρῳ ἀθεότητος κατάρχοντι, ἔτι
δὲ Ἱππώνακτι καὶ Ἀρχιλόχῳ αἰσχρῶς οὕτως ἐπιτρεπτέον γράφειν,
τὸν δὲ τὴν ἀλήθειαν κηρύσσοντα κωλυτέον τοῖς ὕστερον ἀνθρώποις
ὠφέλειαν ἀπολιπεῖν; καλὸν δ' οἶμαι καὶ παῖδας ἀγαθοὺς τοῖς ἔπειτα
καταλείπειν. οἱ μέν γε παῖδες σωμάτων, ψυχῆς δὲ ἔγγυοι οἱ λόγοι.
αὐτίκα πατέρας τοὺς κατηχήσαντάς φαμεν, κοινωνικὸν δὲ ἡ σοφία 317 P 3
καὶ φιλάνθρωπον. λέγει γοῦν ὁ Σολομών· ›υἱέ, ἐὰν δεξάμενος ῥῆσιν
ἐντολῆς ἐμῆς κρύψῃς παρὰ σεαυτῷ ὑπακούσεται σοφίας τὸ οὖς σου.«
σπειρόμενον τὸν λόγον κρύπτεσθαι μηνύει καθάπερ ἐν γῇ τῇ τοῦ
μανθάνοντος ψυχῇ, καὶ αὕτη πνευματικὴ φυτεία. διὸ καὶ ἐπιφέρει· 2, 1
›καὶ παραβαλεῖς καρδίαν σου εἰς σύνεσιν, παραβαλεῖς δὲ αὐτὴν εἰς
νουθέτησιν τῷ υἱῷ σου.« ψυχὴ γάρ, οἶμαι, ψυχῇ καὶ πνεῦμα πνεύ-
ματι συναπτόμενα κατὰ τὴν τοῦ λόγου σπορὰν αὔξει τὸ καταβληθὲν
καὶ ζωογονεῖ· υἱὸς δὲ πᾶς ὁ παιδευόμενος καθ' ὑπακοὴν τοῦ παι-

---

* 4f. Herm. Vis. V 5   9 ·vgl. Corn. Nepos Alc. 11 Theopompus et Timaeus qui
quidem duo maledicentissimi; FGrHist. 115 T 26b   14 vgl. Plato Symp. p. 209
A—D; Phaedr. p. 278 A; Theaet. p. 150 D; Aristot. Eth. Nic. IX 7, 3 p. 1168ᵃ 1—3
15 vgl. I Cor 4, 15   16f. 20f. Prov 2, 1f.

1—4 das erste Blatt von L fehlt; vgl. I. Band Einl. p. XL — Zum Titel des
gesamten Werks vgl. Strom. I 182, 3; III 110, 3; V 141, 4; VI 1, 1; Euseb. H. E.
VI 13, 1; Photius Cod. 111 (abgekürzt z. B. Strom. V 10, 1; 95, 1; VI 4, 1; Euseb.
H. E. V 11, 2; Photius Cod. 109. 111)   10 ἀθεότητῖ (τηῖ in Ras.) L¹

1*

δεύοντος. ›υἱέ‹ φησίν, ›ἐμῶν θεσμῶν μὴ ἐπιλανθάνου.‹ εἰ δὲ μὴ 2
πάντων ἡ γνῶσις, ὄνος λύρας, ᾗ φασιν οἱ παροιμιαζόμενοι, τοῖς πολ-
λοῖς τὰ συγγράμματα. ὕες γοῦν ›βορβόρῳ ἥδονται‹ μᾶλλον ἢ καθαρῷ
ὕδατι. ›διὰ τοῦτο‹, φησὶν ὁ κύριος, ›ἐν παραβολαῖς αὐτοῖς λαλῶ, 3
5 ὅτι βλέποντες οὐ βλέπουσι καὶ ἀκούοντες οὐκ ἀκούουσι καὶ οὐ συνιᾶσι.‹
τὴν ἄγνοιαν αὐτοῖς [ὡς] μὴ παρέχοντος τοῦ κυρίου (μὴ γὰρ οὐ θεμι-
τὸν οὕτω φρονεῖν), ἀλλὰ τὴν ὑπάρχουσαν διελέγξαντος προφητικῶς
καὶ ἀσυνέτους τῶν λεγομένων ἐσομένους μηνύσαντος.

Ἤδη δὲ καταφαίνεται ἐκ περιουσίας ὁ σωτὴρ αὐτός, κατὰ τὴν τοῦ 3, 1
10 λαμβάνοντος δύναμιν, ἣν δεῖ ἐκ συνασκήσεως αὔξειν, τοῖς δούλοις τὰ
ὑπάρχοντα διανείμας. αὖθις ἐπανελθὼν τιθέναι λόγον μετ᾽ αὐτῶν.
ὁπηνίκα τοὺς μὲν αὐξήσαντας τὸ ἀργύριον αὐτοῦ, τοὺς ›ἐν ὀλίγῳ
πιστούς‹, ἀποδεξάμενος καὶ ἐπαγγειλάμενος ›ἐπὶ πολλῶν καταστή-
σειν‹ ›εἰς τὴν τοῦ κυρίου χαρὰν‹ προσέταξεν εἰσελθεῖν, τῷ δὲ ἀπο- 2
15 κρυψαμένῳ τὸ πιστευθὲν ἀργύριον εἰς τὸ ἐκδανεῖσαι καὶ αὐτὸ ὅπερ
ἔλαβεν ἀποδιδόντι ἀργόν, ›πονηρὲ δοῦλε‹ εἶπεν ›καὶ ὀκνηρέ, ἔδει σε
βαλεῖν τὸ ἀργύριόν μου τοῖς τραπεζίταις, καὶ ἐλθὼν ἐγὼ ἐκομισάμην
ἂν τὸ ἐμόν‹· ἐπὶ τούτοις ὁ ἀχρεῖος δοῦλος ›εἰς τὸ ἐξώτερον‹ ἐμβλη-
θήσεται ›σκότος‹. ›σὺ οὖν ἐνδυναμοῦ‹, καὶ Παῦλος λέγει, ›ἐν χάριτι 3
20 τῇ ἐν Χριστῷ Ἰησοῦ, καὶ ἃ ἤκουσας παρ᾽ ἐμοῦ διὰ πολλῶν μαρτύρων,
ταῦτα παράθου πιστοῖς ἀνθρώποις, οἵτινες ἱκανοὶ ἔσονται καὶ ἑτέρους
διδάξαι.‹ καὶ πάλιν· ›σπούδασον | σεαυτὸν δόκιμον παραστῆσαι τῷ 318 P 4
θεῷ, ἐργάτην ἀνεπαίσχυντον, ὀρθοτομοῦντα τὸν λόγον τῆς ἀληθείας.‹

Εἰ τοίνυν ἄμφω κηρύττουσι τὸν λόγον, ὃ μὲν τῇ γραφῇ, ὃ δὲ 4, 1
25 τῇ φωνῇ, πῶς οὐχ ἄμφω ἀποδεκτέοι, ἐνεργὸν τὴν πίστιν διὰ τῆς
ἀγάπης πεποιημένοι; τῇ δὲ αἰτίᾳ τοῦ μὴ τὸ βέλτιστον ἑλομένου
θεὸς ἀναίτιος. αὐτίκα τῶν μὲν ἐκδανεῖσαι τὸν λόγον ἔργον ἐστίν,
τῶν δὲ δοκιμάσαι καὶ ἤτοι ἑλέσθαι ἢ μή, ἡ κρίσις δὲ ἐν αὐτοῖς κρι-

1 Prov 3, 1　1f. vgl. I Cor 8, 7　2 vgl. Leutsch, Philol. 3 (1848) S. 567 und zu
Diogenian. VII 33; Arsen. Viol. p. 384,5 Walz; Menander Fr. 460 (Körte), auch
Misum. 41　3 vgl. Heraklit Fr. 13 Diels; Protr. 92, 4; Strom. II 68; II Petr 2, 22
4f. Mt 13, 13　6f. vgl. Aristot. Metaph. I 2 p. 983ᵃ 2 ἀλλ᾽ οὔτε τὸ θεῖον φθονερὸν
ἐνδέχεται εἶναι.　9—19 vgl. Mt 25, 14—30; Lc 19, 12—27　19—22 II Tim 2, 1f.
22f. II Tim 2, 15　25f. vgl. Gal 5, 6　26f. vgl. Plato Rep. X p. 617 E αἰτία ἑλομένου·
θεὸς ἀναίτιος. Vgl. zu Paed. I 69, 1; Porph. ad Marcell. 12 p. 282, 7 N.²

6 τὴν ἄγνοιαν αὐτοῖς ὡς μὴ] μὴ (müßte οὐχ heißen) ὡς τὴν ἄγνοιαν αὐτοῖς Sy
[ὡς] Wi ⟨εἰκότ⟩ως Fr　7 διελέγξαντος Sy διελέγξοντος L　8 μηνύσαντος (a aus o
corr.) L¹　10 ἣν δεῖ ἐκ συνασκήσεως αὔξειν, Jackson¹ vgl. Strom. II 26, 4; I 26, 5
ἢ δὴ ἐκ συνασκήσεως, αὔξειν L　19 χάριτι] χαρί (τι übergeschrieben) L²　26 τῇ δὲ
αἰτίᾳ L richtig, vgl. S. 315, 10 (Fr)　28 ἐν] ἐπ᾽ Schw

νεται. ἀλλ᾽ ἡ μὲν κηρυκικὴ ἐπιστήμη ἤδη πως ἀγγελική, ὁποτέρως 2
ἂν ἐνεργῇ, διά τε τῆς χειρὸς διά τε τῆς γλώττης, ὠφελοῦσα· ›ὅτι ὁ
σπείρων εἰς τὸ πνεῦμα ἐκ τοῦ πνεύματος θερίσει ζωὴν αἰώνιον· τὸ
δὲ καλὸν ποιοῦντες μὴ ἐκκακῶμεν·‹ συμβάλλεται γοῦν τὰ μέγιστα 3
5 τῷ περιτυχόντι κατὰ τὴν θείαν πρόνοιαν, ἀρχὴν πίστεως, πολιτείας
προθυμίαν, ὁρμὴν τὴν ἐπὶ τὴν ἀλήθειαν, κίνησιν ζητητικήν, ἴχνος
γνώσεως, συνελόντι εἰπεῖν ἀφορμὰς δίδωσι σωτηρίας. οἱ δὲ ἐντρα-
φέντες γνησίως τοῖς τῆς ἀληθείας λόγοις ἐφόδια ζωῆς | ἀιδίου λα- 117 S
βόντες εἰς οὐρανὸν πτεροῦνται. θαυμασιώτατα τοίνυν ὁ ἀπόστολος 4
10 ›ἐν παντὶ‹ φησὶ ›συνιστάντες ἑαυτοὺς ὡς θεοῦ διάκονοι, ὡς πτωχοί,
πολλοὺς δὲ πλουτίζοντες, ὡς μηδὲν ἔχοντες καὶ πάντα κατέχοντες·
τὸ στόμα ἡμῶν ἀνέῳγε πρὸς ὑμᾶς.‹ ›διαμαρτύρομαι δέ‹, τῷ Τιμο-
θέῳ φησὶν ἐπιστέλλων, ›ἐνώπιον τοῦ θεοῦ καὶ Χριστοῦ Ἰησοῦ καὶ
τῶν ἐκλεκτῶν ἀγγέλων, ἵνα ταῦτα φυλάξῃς χωρὶς προκρίματος, μηδὲν
15 ποιῶν κατὰ πρόσκλισιν.‹
     Ἀνάγκη τοίνυν ἄμφω τούτω δοκιμάζειν σφᾶς αὐτούς, τὸν μὲν 5, 1
εἰ ἄξιος λέγειν τε καὶ ὑπομνήματα καταλιμπάνειν, τὸν δὲ εἰ ἀκροᾶ-
σθαί τε καὶ ἐντυγχάνειν δίκαιος· ἢ καὶ τὴν εὐχαριστίαν τινὲς διανεί-
μαντες, ὡς ἔθος, αὐτὸν δὴ ἕκαστον τοῦ λαοῦ λαβεῖν τὴν μοῖραν ἐπι-
20 τρέπουσιν. ἀρίστη γὰρ πρὸς τὴν ἀκριβῆ αἵρεσίν τε καὶ φυγὴν ἡ 2
συνείδησις, θεμέλιος δὲ αὐτῆς βέβαιος ὀρθὸς βίος ἅμα μαθήσει τῇ
καθηκούσῃ τό τε ἕπεσθαι ἑτέροις δοκιμασθεῖσιν ἤδη καὶ κατωρθω-
κόσιν ἄριστον πρός τε τῆς ἀληθείας τὴν νόησιν καὶ τὴν κατάπραξιν
τῶν ἐντολῶν. ›ὥστε ὃς ἂν ἐσθίῃ τὸν ἄρτον καὶ πίνῃ τὸ ποτήριον 3
25 τοῦ κυρίου ἀναξίως, ἔνοχος ἔσται τοῦ σώματος καὶ τοῦ αἵματος τοῦ
κυρίου. δοκιμαζέτω δὲ ἄνθρωπος ἑαυτὸν καὶ οὕτως ἐκ τοῦ ἄρτου
ἐσθιέτω καὶ ἐκ τοῦ ποτηρίου πινέτω.‹ σκοπεῖσθαι οὖν ἀκόλουθον 6, 1
ἄρα τῷ τὴν | ὠφέλειαν τῶν πλησίον ἐπανῃρημένῳ, εἰ μὴ θρασέως 319 P
καὶ τισιν ἀντιζηλούμενος ἐπεπήδησεν τῇ διδασκαλίᾳ, εἰ μὴ φιλόδοξος
30 ἡ κοινωνία τοῦ λόγου, εἰ τοῦτον μόνον καρποῦται τὸν μισθόν, τὴν
σωτηρίαν τῶν ἐπαϊόντων, τό τε μὴ πρὸς χάριν ὁμιλεῖν δωροδοκίας
τε αὖ διαβολὴν διαπέφευγεν ὁ δι᾽ ὑπομνημάτων λαλῶν· ›οὔτε γάρ 2
ποτε ἐν λόγῳ κολακείας ἐγενήθημεν, καθὼς οἴδατε,‹ φησὶν ὁ ἀπό-
στολος, ›οὔτε προφάσει πλεονεξίας, θεὸς μάρτυς, οὔτε ζητοῦντες ἐξ

2—4 Gal 6, 8f.   9 εἰς οὐρανὸν πτεροῦνται vgl. Plato Phaedr. p. 248 B—E
10—12 II Cor 6, 4. 10f.   12—15 I Tim 5, 21   24—27 I Cor 11, 27f.   31 πρὸς χάριν
ὁμιλεῖν vgl. Plato Gorg. p. 521 A   32—S. 6, 3 I Thess 2, 5—7

     1 ἤδη Schw ἤ δὲ L   12 ὑμᾶς L¹ ἡμᾶς L*   16 τούτω Sy τοῦτο L   18 δίκαιος ἢ· L
δίκαιος· ἢ schon Sy (Fr)   28 ἄρα L richtig, vgl. S. 18, 10 (Fr) ἂν εἴη St   τῷ—ἐπανῃρη-
μένῳ L¹ τῶν—ἐπανῃρημένων L* τὸν—ἐπανῃρημένον Heyse   31 σωτηρίαν Sy σωτήριον
L   ἐπαϊόντων * * Schw. etwa zu ergänzen ⟨μᾶλλον γὰρ τῶν ῥητόρων⟩ Fr

ἀνθρώπων δόξαν, οὔτε ἀφ᾽ ὑμῶν οὔτε ἀπ᾽ ἄλλων. δυνάμενοι ἐν βάρει
εἶναι ὡς Χριστοῦ ἀπόστολοι· ἀλλ᾽ ἐγενήθημεν ἤπιοι ἐν μέσῳ ὑμῶν,
ὡς ἂν τροφὸς θάλπῃ τὰ ἑαυτῆς τέκνα.‹ κατὰ ταὐτὰ δὲ καὶ τοὺς 8
τῶν θείων μεταλαμβάνοντας λόγων παραφυλακτέον, εἰ μὴ περιεργίας
5 ἕνεκεν ἱστορήσοντες, ὥσπερ τῶν πόλεων τὰ οἰκοδομήματα, εἰς τόδε
ἀφικνοῦνται, εἰ μὴ μεταλήψεως χάριν τῶν κοσμικῶν προσίασιν κοι-
νωνικοὺς τῶν ἐπιτηδείων μαθόντες τοὺς καθωσιωμένους τῷ Χριστῷ.
ἀλλ᾽ οἱ μὲν ὑποκριταί, καὶ δὴ ἐάσθωσαν· εἰ δέ τις ›οὐ δοκεῖν δί-
καιος, ἀλλ᾽ εἶναι θέλει‹, συνειδέναι τὰ κάλλιστα τοῦτον αὐτῷ προσήκει.
10 Εἰ γοῦν ›ὁ μὲν θερισμὸς πολύς, οἱ δὲ ἐργάται βραχεῖς‹, τῷ ὄντι 7,1
δεῖσθαι καθήκει, ὅπως ὅτι μάλιστα πλειόνων ἡμῖν ἐργατῶν εὐπορία
γένηται. ἡ γεωργία δὲ διττή· ἢ μὲν γὰρ ἄγραφος, ἢ δ᾽ ἔγγραφος.
ὁποτέρως δ᾽ ἂν ὁ τοῦ κυρίου ἐργάτης σπείρῃ τοὺς εὐγενεῖς πυροὺς
καὶ τοὺς στάχυς αὐξήσῃ τε καὶ θερίσῃ, θεῖος ὄντως ἀναφανήσεται
15 γεωργός. ›ἐργάζεσθε‹, φησὶν ὁ κύριος, ›μὴ τὴν ἀπολλυμένην βρῶσιν, 2
ἀλλὰ τὴν μένουσαν εἰς ζωὴν αἰώνιον.‹ τροφὴ δὲ καὶ ἡ διὰ σιτίων
καὶ ἡ διὰ λόγων λαμβάνεται. καὶ τῷ ὄντι ›μακάριοι οἱ εἰρηνο-
ποιοί‹, οἱ τοὺς ἐνταῦθα κατὰ τὸν βίον καὶ τὴν πλάνην πρὸς τῆς ἀγνοίας
πολεμουμένους μεταδιδάσκοντες καὶ μετάγοντες εἰς εἰρήνην τὴν ἐν λόγῳ
20 καὶ βίῳ τῷ κατὰ τὸν θεὸν καὶ τοὺς πεινῶντας δικαιοσύνην τρέφοντες
τῇ τοῦ ἄρτου διανομῇ. εἰσὶ γὰρ καὶ ψυχαὶ ἰδίας ἔχουσαι τροφάς, αἱ 3
μὲν κατ᾽ ἐπίγνωσιν καὶ ἐπιστήμην αὔξουσαι, αἱ δὲ κατὰ τὴν Ἑλλη-
νικὴν νεμόμεναι φιλοσοφίαν, ἧς καθάπερ καὶ τῶν καρύων οὐ τὸ
πᾶν ἐδώδιμον. ›ὁ φυτεύων δὲ καὶ ὁ ποτίζων‹, τοῦ αὔξοντος ὄντες 4
25 διάκονοι, ›ἕν εἰσι‹ κατὰ τὴν διακονίαν, ›ἕκαστος δὲ τὸν ἴδιον μισθὸν
λήψεται κατὰ τὸν ἴδιον κόπον. θεοῦ | γάρ ἐσμεν συνεργοί· θεοῦ 320 P
γεώργιον, θεοῦ οἰκοδομή ἐστε‹, κατὰ τὸν ἀπόστολον. οὔκουν οὐδὲ 8,1
ἀπὸ συγκρίσεως τὸ δοκίμιον ποιεῖσθαι τοῖς ἀκροωμένοις ἐπιτρεπτέον
οὐδὲ εἰς ἐξέτασιν ἔκδοτον παραδοτέον τὸν λόγον τοῖς ἐντεθραμμένοις
30 λόγων παντοδαπῶν τέχναις καὶ δυνάμεσιν ἐπιχειρημάτων ὠγκω-
μένων, τοῖς προκατειλημμένοις ἤδη τὴν ψυχὴν καὶ μὴ προκεκενω-
μένοις. ὅταν δ᾽ ἐκ πίστεως ἕληταί τις ἑστιᾶσθαι, βέβαιος οὗτος εἰς 2

8 f. vgl. Aesch. Sept. 592 οὐ γὰρ δοκεῖν ἄριστος, ἀλλ᾽ εἶναι θέλει u. Plato Rep. II
p. 362 A   10—12 vgl. Mt 9, 37 f.; Lc 10, 2   15 f. Io 6, 27   16 f. vgl. Mt 4, 4   17 f. Mt
5, 9   18 vgl. Strom. IV 40, 4 S. 266, 19   20 vgl. Mt 5, 6   24—27 I Cor 3, 8 f.

3 ταῦτα L   9 θέλει Di θέλῃ L   συνειδέναι Arcerius u. Canter συνιέναι L   αὐτῷ L
10 δ᾽ οὖν Ma   16 f. vgl. Tengblad S. 46   23 νεμόμεναι sc. τὴν τροφήν „welche im
Einklang mit der gr. Philosophie ihre Nahrung abweiden" (Fr)   30 f. ὀγκωμένων Sy
ὀγκωμένων L   32 ὅταν δ᾽ Heyse ὃ δ᾽ ἂν L ὃς δ᾽ ἂν—[τις] Ma ἑστιᾶσθαι Ma ἑστιᾶσαι L
vielleicht richtig, sc. τὴν ψυχήν (Fr)

θείων λόγων παραδοχήν, κρίσιν εὔλογον τὴν πίστιν κεκτημένος. ἕπε-
ται δὲ ἐνθένδε αὐτῷ ἡ πειθὼ ἐκ περιουσίας. καὶ τοῦτ' ἦν ἄρα τὸ
προφητικὸν ἐκεῖνο· »ἐὰν μὴ πιστεύσητε, οὐδὲ μὴ συνῆτε.« »ἆρ' οὖν
ὡς καιρὸν ἔχομεν, ἐργαζόμεθα τὸ ἀγαθὸν πρὸς πάντας, μάλιστα δὲ
5 πρὸς τοὺς οἰκείους τῆς πίστεως.« ἕκαστος δὲ τούτων κατὰ τὸν μα- 3
κάριον Δαβὶδ εὐχαριστῶν ψαλλέτω· »ῥαντιεῖς με ὑσσώπῳ καὶ καθα-
ρισθήσομαι, πλυνεῖς με καὶ ὑπὲρ χιόνα λευκανθήσομαι. ἀκουτιεῖς με
εὐφροσύνην καὶ ἀγαλλίασιν· ἀγαλλιάσονται ὀστᾶ τεταπεινωμένα. ἀπό-
στρεφον τὸ πρόσωπόν σου ἀπὸ τῶν ἁμαρτιῶν μου, καὶ τὰς ἀνομίας
10 μου ἐξάλειφον. καρδίαν καθαρὰν κτίσον ἐν ἐμοί, ὁ θεός, καὶ πνεῦμα 4
εὐθὲς ἐγκαίνισον ἐν τοῖς ἐγκάτοις μου. μὴ ἀπορρίψῃς με ἀπὸ τοῦ
προσώπου σου, καὶ τὸ πνεῦμά σου τὸ ἅγιον μὴ ἀντανέλῃς ἀπ' ἐμοῦ.
ἀπόδος μοι τὴν ἀγαλλίασιν τοῦ σωτηρίου σου, καὶ πνεύματι ἡγεμο-
νικῷ στήριξόν με.«
15 Ὁ μὲν οὖν πρὸς παρόντας λέγων καὶ χρόνῳ δοκιμάζει καὶ κρίσει 9, 1
δικάζει καὶ διακρίνει τῶν ἄλλων τὸν οἷόν τε ἀκούειν, ἐπιτηρῶν τοὺς
λόγους, τοὺς τρόπους, τὰ ἤθη, τὸν βίον, τὰς κινήσεις, τὰς σχέσεις,
τὸ βλέμμα, τὸ φθέγμα, τὴν τρίοδον, τὴν πέτραν, τὴν πατουμένην
ὁδόν, τὴν | καρποφόρον γῆν, τὴν ὑλομανοῦσαν χώραν, τὴν εὔφορον 118 S
20 καὶ καλὴν καὶ γεωργουμένην, τὴν πολυπλασιάσαι τὸν σπόρον δυνα-
μένην. ὁ δὲ δι' ὑπομνημάτων λαλῶν πρὸς τὸν θεὸν ἀφοσιοῦται ταῦτα 2
κεκραγὼς ἐγγράφως, μὴ κέρδους ἕνεκα, μὴ κενοδοξίας χάριν ⟨γράφειν⟩,
μὴ προσπαθείᾳ νικᾶσθαι, μὴ φόβῳ δουλοῦσθαι, μὴ ἡδονῇ ἐπαίρεσθαι,
μόνης δὲ τῆς τῶν ἐντυγχανόντων ἀπολαύειν σωτηρίας, ἧς οὐδὲ κατὰ
25 τὸ παρὸν μεταλαμβάνει, ἀλλὰ ἐλπίδι ἀπεκδεχόμενος τὴν ἀποδοθησο-
μένην πάντως ἀμοιβὴν παρὰ τοῦ τὸν μισθὸν τοῖς ἐργάταις κατ' ἀξίαν
ἀποδόσειν ὑπεσχημένου. ἀλλ' οὐδὲ ἀντιμισθίας ἐφίεσθαι χρὴ τῷ εἰς 3
ἄνδρας ἐγγραφομένῳ. οὐ γὰρ ὁ μὲν καυχησάμενος εὐποιΐαν τὴν ἀμοι-
βὴν ἀπείληφεν δι' εὐδοξίας, ὁ δὲ τῶν προσηκόντων δι' ἀντιμισθίαν
30 πράσσων τι, ἤτοι ὡς εὐερ|γὸς σπεύδων ἀπολαβεῖν ἢ ὡς κακοεργὸς 321 P
τὴν ἀμοιβὴν περιστάμενος, οὐχὶ τῇ κοσμικῇ ἐνέχεται συνηθείᾳ· δεῖ
δὲ ὡς οἷόν τε τὸν κύριον μιμεῖσθαι. οὗτος δ' ἂν εἴη ὁ τῷ θελήματι 4
τοῦ θεοῦ ἐξυπηρετῶν, δωρεὰν λαβών, δωρεὰν διδούς. μισθὸν ἀξιό-
λογον ἀπολαμβάνων τὴν πολιτείαν αὐτήν· »οὐκ εἰσελεύσεται δὲ εἰς
35 τὰ ἅγια μίσθωμα πόρνης« φησίν. ἀπείρηται γοῦν προσφέρειν τῷ 10, 1

3 Is 7, 9　3—5 Gal 6, 10　6—14 Ps 50, 9—14　15ff. vgl. Plato Phaedr. p. 275 DE
18—21 vgl. Mt 13, 3—8; Mc 4, 3—8; Lc 8, 4—8　25—27 vgl. Mt 20, 4　28f. vgl. Mt 6, 2
33 vgl. Mt 10, 8　34—S. 8, 1 vgl. Deut 23, 18 mit 23, 2f.

19 τὴν καρποφόρον γῆν ~ Ma nach χώραν　22 χιριν ⟨γράφειν⟩ unnötig von St
eingefügt; wohl leicht erklärbare Ellipse von λαλεῖν (Fr)

θυσιαστηρίῳ ›ἄλλαγμα κυνός‹· ὅτῳ δὲ ἀπήμβλυται κακῇ τροφῇ τε
καὶ διδασκαλίᾳ ›τὸ τῆς ψυχῆς ὄμμα‹ πρὸς τὸ οἰκεῖον φῶς, βαδιζέτω
ἐπὶ τὴν ἀλήθειαν τὴν ἐγγράφως τὰ ἄγραφα δηλοῦσαν· ›οἱ διψῶντες,
πορεύεσθε ἐφ᾽ ὕδωρ‹, Ἡσαΐας λέγει, καὶ ›πῖνε τὸ ὕδωρ ἀπὸ σῶν
5 ἀγγείων‹, ὁ Σολομὼν παραινεῖ. ἐν γοῦν τοῖς Νόμοις ὁ ἐξ Ἑβραίων 2
φιλόσοφος Πλάτων κελεύει τοὺς γεωργοὺς μὴ ἐπαρδεῦσαι μηδὲ λαμ-
βάνειν ὕδωρ παρ᾽ ἑτέρων. ἐὰν μὴ πρότερον ὀρύξαντες παρ᾽ αὑτοῖς
ἄχρι τῆς παρθενίου καλουμένης ἄνυδρον εὕρωσι τὴν γῆν. ἀπορίᾳ 3
γὰρ ἐπαρκεῖν [οὐ] δίκαιον, ἀργίαν δὲ ἐφοδιάζειν οὐ καλόν· ἢ καὶ φορτίον
10 συνεπιτιθέναι μὲν εὔλογον, συγκαθαιρεῖν δὲ οὐ προσήκειν ὁ Πυθαγό-
ρας ἔλεγεν. συνεξάπτει δὲ ἡ γραφὴ τὸ ζώπυρον τῆς ψυχῆς καὶ συν- 4
τείνει τὸ οἰκεῖον ὄμμα πρὸς θεωρίαν, τάχα μέν τι καὶ ἐντιθεῖσα,
οἷον ὁ ἐγκεντρίζων γεωργός, τὸ δὲ ἐνυπάρχον ἀνακινοῦσα. ›πολλοὶ 5
γὰρ ἐν ἡμῖν‹ κατὰ τὸν θεῖον ἀπόστολον ›ἀσθενεῖς καὶ ἄρρωστοι, καὶ
15 κοιμῶνται ἱκανοί. εἰ δὲ | ἑαυτοὺς διεκρίνομεν, οὐκ ἂν ἐκρινόμεθα.‹ 322 P
  Ἤδη δὲ οὐ γραφὴ εἰς ἐπίδειξιν τετεχνασμένη ἥδε ἡ πραγματεία, 11, 1
ἀλλά μοι ὑπομνήματα εἰς γῆρας θησαυρίζεται, λήθης φάρμακον, εἴδω-
λον ἀτεχνῶς καὶ σκιαγραφία τῶν ἐναργῶν καὶ ἐμψύχων ἐκείνων, ὧν
κατηξιώθην ἐπακοῦσαι, λόγων τε καὶ ἀνδρῶν μακαρίων καὶ τῷ ὄντι
20 ἀξιολόγων. τούτων ὃ μὲν ἐπὶ τῆς Ἑλλάδος, ὁ Ἰωνικός, οἳ δὲ ἐπὶ τῆς 2
Μεγάλης Ἑλλάδος (τῆς κοίλης θάτερος αὐτῶν Συρίας ἦν, ὃ δὲ ἀπ᾽
Αἰγύπτου), ἄλλοι δὲ ἀνὰ τὴν ἀνατολήν· καὶ ταύτης ὃ μὲν τῆς τῶν Ἀσσυ-
ρίων, ὃ δὲ ἐν Παλαιστίνῃ Ἑβραῖος ἀνέκαθεν· ὑστάτῳ δὲ περιτυχὼν (δυνά-
μει δὲ οὗτος πρῶτος ἦν) ἀνεπαυσάμην, ἐν Αἰγύπτῳ θηράσας λεληθότα.

---

2 vgl. Plato Rep. VII p. 533 D 3f. Is 55, 1 4f. Prov 5, 15 5—8 vgl. Plato
Leg. VIII p. 844 AB; vgl. Plut. Mor. p. 827 DE 8f. aus Plut. Solon 23 ἀπορίᾳ γὰρ
ᾤετο δεῖν βοηθεῖν, οὐκ ἀργίαν ἐφοδιάζειν. 8—11 vgl. Maass, De biogr. graec. quaest.
sel. p. 98 (Philol. Untersuch. herausg. von Kießling u. v. Wilamow.-Moell. III)
9f. Pyth. Symb. 18 Mull. FPG I 505 13—15 I Cor 11, 30f. 16 Ἤδη—24 λεληθότα
u. S. 9, 4—8 Ἀλλ᾽—σπέρματα Euseb. H. E. V 11, 3—5 17f. vgl. Plato Phaedr. 276 D
(ὑπομνήματα θησαυριζόμενος εἰς τὸ λήθης γῆρας); 274 E (μνήμης καὶ σοφίας φάρ-
μακον); 276 A (εἴδωλον); vgl. auch λήθης φάρμακ᾽ bei Eurip. Palamedes Fr. 578, 1

---

1 ἄλλαγμα] ἄλμα L¹ ἄγαλμα L* 1f. κακῇ τροφῇ τε καὶ διδασκαλίᾳ Höschel κακῇ
τροφῇ τε καὶ διδασκαλίᾳ L 4 πῖνε τὸ Di πίνετ᾽ L 7 αὑτοῖς Ma αὑτῶν L 8 ἄνυδρον
Vi ἔννυδρον L 9 [οὐ] Po ἦ Wi εἰ L 16 οὐ γραφὴ Eus. ἡ γραφὴ L*, aber ἡ von L¹
gestrichen [γραφὴ] Markland ἥδε (ἡ in Ras.) L¹ 17f. εἴδωλον Eus. ἢ δόλον L
18 ‚σκιαγραφία Eus. σκιογραφία L 20 οἳ δὲ] ὃ δὲ Eus. 21 ἄτερος Eus. 22 ταύτης]
τούτων Reinkens p. 8 Anm. 3 τῆς τῶν] τις τῶν oder τις τῆς Eus. 23 ἐν] + τῇ Eus.
24 οὗτος] ἄρα Eus.

Σικελικὴ τῷ ὄντι ἦν μέλιττα προφητικοῦ τε καὶ ἀποστολικοῦ λειμῶνος
τὰ ἄνθη δρεπόμενος ἀκήρατόν τι γνώσεως χρῆμα ταῖς τῶν ἀκροω-
μένων ἐνεγέννησε ψυχαῖς.

Ἀλλ' οἳ μὲν τὴν ἀληθῆ τῆς μακαρίας σῴζοντες διδασκαλίας 8
5 παράδοσιν εὐθὺς ἀπὸ Πέτρου τε καὶ Ἰακώβου Ἰωάννου τε καὶ Παύλου
τῶν ἁγίων ἀποστόλων, παῖς παρὰ πατρὸς ἐκδεχόμενος (ὀλίγοι δὲ οἱ
πατράσιν ὅμοιοι), ἧκον δὴ σὺν θεῷ καὶ εἰς ἡμᾶς τὰ προ|γονικὰ ἐκεῖνα 323 P
καὶ ἀποστολικὰ καταθησόμενοι σπέρματα. καὶ εὖ οἶδ' ὅτι ἀγαλλιά- 12, 1
σονται, οὐχὶ τῇ ἐκφράσει ἡσθέντες λέγω τῇδε, μόνῃ δὲ τῇ κατὰ τὴν
10 ὑποσημείωσιν τηρήσει. ποθούσης γὰρ οἶμαι ψυχῆς τὴν μακαρίαν παρά-
δοσιν ἀδιάδραστον φυλάττειν ἡ τοιάδε ὑποτύπωσις· ›ἀνδρὸς δὲ φι-
λοῦντος σοφίαν εὐφρανθήσεται πατήρ.‹ τὰ φρέατα ἐξαντλούμενα 2
διειδέστερον ὕδωρ ἀναδίδωσι, τρέπεται δὲ εἰς φθορὰν ὧν μεταλαμ-
βάνει οὐδείς. καὶ τὸν σίδηρον ἡ χρῆσις καθαρώτερον φυλάσσει, ἡ δὲ
15 ἀχρηστία ἰοῦ τούτῳ γεννητική. συνελόντι γὰρ φάναι ἡ συγγυμνασία
ἕξιν ἐμποιεῖ ὑγιεινὴν καὶ πνεύμασι καὶ σώμασιν. ›οὐδεὶς ἅπτει λύχνον 8
καὶ ὑπὸ τὸν μόδιον τίθησιν,‹ ἀλλ' ἐπὶ τῆς λυχνίας φαίνειν τοῖς τῆς
ἑστιάσεως τῆς αὐτῆς κατηξιωμένοις. τί γὰρ ὄφελος σοφίας μὴ
σοφιζούσης τὸν οἷόν τε ἐπαΐειν; ἔτι τε καὶ ὁ σωτὴρ σῴζει ἀεὶ καὶ
20 ἀεὶ ἐργάζεται, ὡς βλέπει τὸν πατέρα. διδάσκων τις μανθάνει πλεῖον
καὶ λέγων συνακροᾶται πολλάκις τοῖς ἐπακούουσιν αὐτοῦ· ›εἷς γὰρ
ὁ διδάσκαλος‹ καὶ τοῦ λέγοντος καὶ τοῦ ἀκροωμένου, ὁ ἐπιπη-
γάζων καὶ τὸν νοῦν καὶ τὸν λόγον. ἦ καὶ οὐ κεκώλυκεν ὁ κύριος 18, 1
ἀπὸ ἀγαθοῦ σαββατίζειν, μεταδιδόναι δὲ τῶν θείων μυστηρίων καὶ
25 τοῦ φωτὸς ἐκείνου τοῦ ἁγίου ›τοῖς χωρεῖν δυναμένοις‹ συγκεχώ-

1–3 vgl. Eurip. Hippol. 73—81 (μέλιττα, λειμών, ἀκήρατος, δρέπεσθαι); Paed. II
70, 2   4f. vgl. Clem. Hypotyp. VII bei Euseb. H. E. II, 1, 4   6f. vgl. β 276
11f. Prov 29, 3   12—14 vgl. Philo De Gigant. 25 (II p. 47) τοὺς γὰρ φοιτητὰς καὶ
γνωρίμους ἀποφήνασα (ἡ ἐπιστήμη) ἐμπείρους πάντας κατ' οὐδὲν μέρος ἐλαττοῦται,
πολλάκις δὲ καὶ πρὸς τὸ ἄμεινον ἐπιδίδωσιν, ὥσπερ φασὶ τὰς ἀπαντλουμένας πηγάς·
καὶ γὰρ ἐκείνας λόγος ἔχει τότε μᾶλλον γλυκαίνεσθαι.   12f. vgl. Basil. M. PG 31
col. 272 τὰ φρέατα ἐξαντλούμενα εὐρούτερα γίνεται, ἐναφιέμενα δὲ κατασήπεται (Fr)
14f. vgl. A. Otto, Sprichw. S. 134f.   16—18 vgl. Mt 5, 15; Mc 4, 21; Lc 8, 16;
11, 33   17f. vgl. viell. Lc 14, 24   19f. vgl. Io 5, 17. 19   20—23 διδάσκων—λόγον
Sacr. Par. 206 Holl   20f. vgl. A. Otto, Sprichw. S. 118 (discere 2)   21f. vgl. Mt 23, 8
23f. vgl. Mt 12, 12; Mc 3, 4; Lc 6, 9   25 vgl. Mt 19, 11f.

*   1—3 Σικελικὴ—ψυχαῖς < Eus.   1 ἦν Münzel ἡ L [ἡ] Ma   5 τε¹ < Eus.   6 ἐκ-
δεχόμενος] ἐκδεξάμενος Eus.   9 τῇ² ⟨τῶν⟩ Markland   13 διηδέστερον L   15 γενητική L
16 nach ἐμποιεῖ ist γε getilgt L¹   17 ⟨ὥστε⟩ φαίνειν Schw   18 [τῆς] Ma   20 πλέον
Sacr. Par.   21 ὑπακούουσιν Sacr. Par.   23 καί¹ < Sacr. Par.   ἦ] ἡ L   24 vgl. Mt
12, 12; Lc 6, 9

ρηκεν. αὐτίκα οὐ πολλοῖς ἀπεκάλυψεν ἃ μὴ πολλῶν ἦν, ὀλίγοις δέ, 2
οἷς προσήκειν ἠπίστατο, τοῖς οἵοις τε ἐκδέξασθαι καὶ τυπωθῆναι πρὸς
αὐτά· τὰ δὲ ἀπόρρητα, καθάπερ ὁ θεός, λόγῳ πιστεύεται, οὐ γράμ-
ματι. κἂν τις λέγῃ γεγράφθαι »οὐδὲν κρυπτὸν ὃ οὐ φανερωθήσεται, 3
5 οὐδὲ κεκαλυμμένον ὃ οὐκ ἀποκαλυφθήσεται«, ἀκουσάτω καὶ παρ'
ἡμῶν, ὅτι τῷ κρυπτῶς ἐπαίοντι τὸ κρυπτὸν φανερωθήσεσθαι διὰ
τοῦδε προεθέσπισεν τοῦ λογίου, καὶ τῷ παρακεκαλυμμένως τὰ παρα-
διδόμενα οἵῳ τε παραλαμβάνειν δηλωθήσεται τὸ κεκαλυμμένον ὡς ἡ
ἀλήθεια, καὶ τὸ τοῖς | πολλοῖς κρυπτόν, τοῦτο τοῖς ὀλίγοις φανερὸν 119 S
10 γενήσεται· ἐπεὶ διὰ τί μὴ πάντες ἴσασι τὴν ἀλήθειαν; διὰ τί δὲ μὴ 4
ἠγαπήθη ἡ δικαιοσύνη, εἰ πάντων ἡ δικαιοσύνη; ἀλλὰ γὰρ τὰ μυ-
στήρια μυστικῶς παραδί|δοται, ἵνα ᾖ ἐν στόματι λαλοῦντος καὶ ᾧ λαλεῖ- 324 P
ται, μᾶλλον δὲ οὐκ ἐν φωνῇ, ἀλλ' ἐν τῷ νοεῖσθαι. »δέδωκεν δὲ ὁ θεὸς« 5
τῇ ἐκκλησίᾳ »τοὺς μὲν ἀποστόλους, τοὺς δὲ προφήτας, τοὺς δὲ εὐαγγε-
15 λιστάς, τοὺς δὲ ποιμένας καὶ διδασκάλους, πρὸς τὸν καταρτισμὸν τῶν
ἁγίων, εἰς ἔργον διακονίας, εἰς οἰκοδομὴν τοῦ σώματος τοῦ Χριστοῦ.«

Ἡ μὲν οὖν τῶνδέ μοι τῶν ὑπομνημάτων γραφὴ ἀσθενὴς μὲν εὖ 14, 1
οἶδ' ὅτι παραβαλλομένη πρὸς τὸ πνεῦμα ἐκεῖνο τὸ κεχαριτωμένον,
οὗ κατηξιώθημεν ὑπακοῦσαι, εἰκὼν δ' ἂν εἴη ἀναμιμνήσκουσα τοῦ
20 ἀρχετύπου τὸν θύρσῳ πεπληγότα· »σοφῷ γάρ«, φησί, »λάλει, καὶ
σοφώτερος ἔσται,« καὶ »τῷ ἔχοντι δὲ προστεθήσεται«. ἐπαγγέλλεται 2
δὲ οὐχ ὥστε ἑρμηνεῦσαι τὰ ἀπόρρητα ἱκανῶς, πολλοῦ γε καὶ δεῖ,
μόνον δὲ τὸ ὑπομνῆσαι, εἴτε ὁπότε ἐκλαθοίμεθα εἴτε ὅπως μηδ'
ἐκλανθανόμεθα. πολλὰ δὲ εὖ οἶδα παρερρύηκεν ἡμᾶς χρόνου μήκει
25 ἀγράφως διαπεσόντα. ὅθεν τὸ ἀσθενὲς τῆς μνήμης τῆς ἐμῆς ἐπι-
κουφίζων, κεφαλαίων συστηματικὴν ἔκθεσιν μνήμης ὑπόμνημα σω-
τήριον πορίζων ἐμαυτῷ, ἀναγκαίως κέχρημαι τῇδε τῇ ὑποτυπώσει.
ἔστι μὲν οὖν τινα μηδὲ ἀπομνημονευθέντα ἡμῖν (πολλὴ γὰρ ἡ παρὰ 3
τοῖς μακαρίοις δύναμις ἦν ἀνδράσιν), ἔστιν δὲ καὶ ἃ ἀνυποσημείωτα
30 μεμενηκότα τῷ χρόνῳ [ἃ] νῦν ἀπέδρα, τὰ δὲ ὅσα ἐσβέννυτο ἐν αὐτῇ
μαραινόμενα τῇ διανοίᾳ, ἐπεὶ μὴ ῥᾴδιος ἡ τοιάδε διακονία τοῖς μὴ
δεδοκιμασμένοις. ταῦτα δὲ ἀναζωπυρῶν ὑπομνήμασι τὰ μὲν ἑκὼν

4f. Mt 10, 26   6—11 τῷ κρυπτῶς—ἡ δικαιοσύνη Ath fol. 68ᵛ   11—13 ἀλλὰ γὰρ—
νοεῖσθαι Sacr. Par. 207 Holl   13—16 Eph 4, 11f.   18 τὸ πνεῦμα—κεχαρ. vgl.
O. Bardenhewer, Bibl. Stud. 10 (1905) S. 96   20f. Prov 9, 9   21 vgl. Mt 13, 12;
25, 29; Mc 4, 25; Lc 8, 18; 19, 26

*   7 τῷ Sy τὸ L   8f. τὸ κεκαλυμμένον· φανερωθήσεται τοίνυν κεκαλυμμένως ἡ ἀλ.
Ath richtig   12 παραδέδοται Sacr. Par. R   φ̄ St (u. Sacr. Par. C) ὁ L   19 ὑπα-
κοῦσαι] ἐπακοῦσαι Zahn, Forsch. III S. 159¹; vgl. aber Protr. 99, 4; Strom. VII 107, 1
19f. τοῦ ἀρχετύπου Ja¹ τοὺς ἀρχετύπους L   23 τὸ Wi τοῦ L   ὁπότε Wi ποτὲ L   ἐκλα-
θοίμεθα] ἐξελαθόμεθα Hiller   24 ἐκλανθανώμεθα St ἐκλανθανοίμεθα L   μήκει L¹
μήκη L*   30 [ἃ] Di

παραπέμπομαι ἐκλέγων ἐπιστημόνως, φοβούμενος γράφειν ἃ καὶ λέγειν
ἐφυλαξάμην, οὔ τί που φθονῶν (οὐ γὰρ θέμις), δεδιὼς δὲ ἄρα περὶ
τῶν ἐντυγχανόντων, μή πῃ ἑτέρως σφαλεῖεν καὶ παιδὶ μάχαιραν, ᾖ
φασιν οἱ παροιμιαζόμενοι, ὀρέγοντες εὑρεθῶμεν. ›οὐ γὰρ ἔστι τὰ 4
5 γραφέντα μὴ ⟨οὐκ⟩ ἐκπεσεῖν‹ καίτοι ἀνέκδοτα ὑπό γ᾽ ἐμοῦ μεμενη-
κότα, κυλιόμενα δὲ ἀεὶ μόνῃ μιᾷ χρώμενα τῇ ἐγγράφῳ φωνῇ πρὸς
τὸν ἐπανερόμενον οὐδὲν πλέον παρὰ τὰ γεγραμμένα ἀποκρίνεται·
δεῖται γὰρ ἐξ ἀνάγκης βοηθοῦ ἤτοι τοῦ συγγραψαμένου ἢ καὶ ἄλλου
του εἰς τὸ αὐτὸ ἴχνος ἐμβεβηκότος. ἔστι δὲ ἃ καὶ αἰνίξεταί μοι γραφή, 15, 1
10 καὶ τοῖς μὲν παραστήσεται, τὰ δὲ μόνον ἐρεῖ, πειράσεται δὲ καὶ λανθά-
νουσα εἰπεῖν καὶ ἐπικρυπτομένη ἐκφῆναι καὶ δεῖξαι σιωπῶσα. τά τε 2
παρὰ τῶν ἐπισήμων δογματιζόμενα αἱρέσεων παραθήσεται, καὶ τού-
τοις ἀντερεῖ πάνθ᾽ ὅσα προοικονομηθῆναι καθήκει τῆς κατὰ τὴν
ἐποπτικὴν | θεωρίαν γνώσεως, ἣ προβήσεται ἡμῖν κατὰ ›τὸν εὐκλεῆ 325 P
15 καὶ σεμνὸν τῆς παραδόσεως κανόνα‹ ἀπὸ τῆς τοῦ κόσμου γενέσεως
προϊοῦσιν, ⟨τὰ⟩ ἀναγκαίως ἔχοντα προδιαληφθῆναι τῆς φυσικῆς
θεωρίας προπαρατιθεμένη καὶ τὰ ἐμποδὼν ἱστάμενα τῇ ἀκολουθίᾳ
προαπολυομένη, ὡς ἑτοίμους ἔχειν τὰς ἀκοὰς πρὸς τὴν παραδοχὴν
τῆς γνωστικῆς παραδόσεως προκεκαθαρμένης τῆς γῆς ἀπό τε τῶν
20 ἀκανθῶν καὶ τῆς πόας ἁπάσης γεωργικῶς εἰς καταφύτευσιν ἀμπε-
λῶνος. ἀγὼν γὰρ καὶ ὁ προαγὼν καὶ μυστήρια τὰ πρὸ μυστηρίων. 8
οὐδὲ ὀκνήσει συγχρήσασθαι φιλοσοφίας καὶ τῆς ἄλλης προπαιδείας
τοῖς καλλίστοις τὰ ὑπομνήματα ἡμῖν. οὐ γὰρ μόνον δι᾽ Ἑβραίους 4
καὶ τοὺς ὑπὸ νόμον κατὰ τὸν ἀπόστολον εὔλογον Ἰουδαῖον γενέσθαι,
25 ἀλλὰ καὶ διὰ τοὺς Ἕλληνας Ἕλληνα, ἵνα πάντας κερδάνωμεν. κἂν 5
τῇ πρὸς Κολασσαεῖς ἐπιστολῇ ›νουθετοῦντες‹ γράφει ›πάντα ἄνθρω-
πον καὶ διδάσκοντες ἐν πάσῃ σοφίᾳ, ἵνα παραστήσωμεν πάντα ἄν-
θρωπον τέλειον ἐν Χριστῷ.‹ ἁρμόζει δὲ καὶ ἄλλως τῇ τῶν ὑπομνη- 16, 1
μάτων ὑποτυπώσει τὸ γλαφυρὸν τῆς θεωρίας. αὐτίκα καὶ ἡ τῆς

3f. Leutsch zu Diogenian. VI 46   **4f.** Plato Epist. II p. 314 C; vgl. Strom. V
65, 3   **6—9** vgl. Plato Phaedr. p. 275 DE ἐὰν δέ τι ἔρῃ τῶν λεγομένων βουλόμενος
μαθεῖν, ἕν τι σημαίνει (ἡ γραφὴ) μόνον ταὐτὸν ἀεί. ὅταν δ᾽ ἅπαξ γραφῇ, κυλινδεῖται
μὲν πανταχοῦ πᾶς λόγος ὁμοίως παρὰ τοῖς ἐπαΐουσιν ... ἀεὶ δεῖται βοηθοῦ ... 276 D
παντὶ τῷ ταὐτὸν ἴχνος μετιόντι ...   **14f.** I Clem. ad Cor. 7, 2.   **16—23** vgl. Strom.
IV 3; V 71, 1; VII 27, 6   **21** μυστήρια τὰ πρὸ μυστηρίων vgl. Pl. Gorg. 52 p. 497 C u.
Schol. (Fr)   **23—25** vgl. I Cor 9, 20f.   **26—28** Col 1, 28

1 καὶ] κἂν Markland   3 ἑτέρως ⟨ἐκδεξάμενοι⟩ Mü   5 ⟨οὐκ⟩ aus Plato u. Strom. V
8 συγγραφαμένου Cobet S. 495 ἐγγραφαμένου L   9 τοῦ L   γραφή Sy γραφῆι L
13 ἀντερεῖ L¹ ἀνταιρεῖ L*   14 ἢ Sy ἢ L   16 ⟨τὰ⟩ Ma   ⟨τὸ⟩ τῆς Markland

χρηστομαθίας περιουσία οἷον ἥδυσμά τί ἐστιν παραπεπλεγμένον
ἀθλητοῦ βρώματι, οὐ τρυφητιῶντος, ὄρεξιν δὲ ἀγαθὴν ⟨διὰ⟩ φιλοτιμίαν
λαμβάνοντος. ψάλλοντες γοῦν τὸ ὑπέρτονον τῆς σεμνότητος ἐμμε-
λῶς ἀνίεμεν. καθάπερ δὲ οἱ βουλόμενοι δήμῳ προσομιλῆσαι διὰ 2
5 κήρυκος τοῦτο πολλάκις ποιοῦσιν ὡς μᾶλλον ἐξάκουστα γενέσθαι τὰ
λεγόμενα, οὕτω κἀνταῦθα (πρὸς πολλοὺς γὰρ ἡμῖν ὁ λόγος ὁ πρὸ
αὐτῆς τῆς παραδόσεως λεγόμενος) τὰς συνήθεις [διὸ δὴ] παραθετέον
δόξας τε καὶ φωνὰς τὰς ἐμβοώσας παρ᾽ ἕκαστα αὐτοῖς δι᾽ ὧν μᾶλλον
οἱ ἀκούοντες ἐπιστραφήσονται. καὶ δὴ συνελόντι φάναι (ἐν πολλοῖς 8
10 γὰρ τοῖς μαργαρίταις τοῖς μικροῖς ὁ εἷς, ἐν δὲ πολλῇ τῇ τῶν ἰχθύων
ἄγρᾳ ὁ κάλλιχθυς) χρόνῳ τε καὶ πόνῳ τἀληθὲς ἐκλάμψει ἀγαθοῦ
παρατυχόντος βοηθοῦ· δι᾽ ἀνθρώπων γὰρ θεόθεν αἱ πλεῖσται εὐεργ-
εσίαι χορηγοῦνται. πάντες μὲν οὖν ὅσοι ταῖς ὄψεσι κεχρήμεθα, θεω- 17, 1
ροῦμεν τὰ προσπίπτοντα αὐταῖς; ἄλλοι δὲ ἄλλων ἕνεκα. αὐτίκα οὐχ
15 ὁμοίως θεωρεῖ τὸ πρόβατον ὁ μάγειρός τε καὶ ὁ ποιμήν· ὁ μὲν γὰρ 326 P
εἰ πίον ἐστι πολυπραγμονεῖ, ὃ δὲ εἰς εὐγένειαν τηρεῖ. τὸ γάλα τοῦ
προβάτου ὃ μέν τις ἀμελξάτω, εἰ χρῄζει τροφῆς, τὸν μαλλὸν κειράτω,
εἰ σκέπης δεῖται. ὧδέ μοι καὶ τῆς Ἑλληνικῆς χρηστομαθίας ὁ καρπὸς 2
προχωρείτω. οὐκ οἶμαι γάρ τινα οὕτως εὐτυχῆ γραφὴν ἡγεῖσθαι ἢ
20 μηδεὶς ἀντερεῖ, ἀλλ᾽ ἐκείνην εὔλογον νομιστέον ἢ μηδεὶς εὐλόγως
ἀντερεῖ. καὶ πρᾶξιν ἄρα καὶ αἵρεσιν | ἀποδεκτέον οὐ τὴν ἀμεμφῆ, 120 S
ἀλλ᾽ ἣν οὐδεὶς εὐλόγως καταμέμφεται. οὐκ εὐθὺς δ᾽ εἴ τις μὴ προη- 8
γουμένως ἐπιτελεῖ, κατὰ περίστασιν αὐτὸ ποιεῖ, ἀλλὰ οἰκονομούμενός
τι θεοσόφως καὶ συμπεριφερόμενος ἐνεργήσει. οὔτε γὰρ ὁ ἔχων τὴν
25 ἀρετὴν χρῄζει τῆς ἐπὶ τὴν ἀρετὴν ἔτι ὁδοῦ οὔθ᾽ ὁ ἐρρωμένος ἀνα-
λήψεως. καθάπερ δ᾽ οἱ γεωργοὶ προαρδεύσαντες τὴν γῆν, οὕτω δὴ 4
καὶ ἡμεῖς τῷ ποτίμῳ τῶν παρ᾽ Ἕλλησι λόγων προαρδεύομεν τὸ
γεῶδες αὐτῶν, ὡς παραδέξασθαι τὸ καταβαλλόμενον σπέρμα πνευ-
ματικὸν καὶ τοῦτο εὐμαρῶς ἐκθρέψαι δύνασθαι.

9f. vgl. Mt 13, 46   10f. vgl. Athen. VII p. 282 und Pitra Spicil. Solesm. III
p. 520   11 vgl. Plato Rep. II p. 369 E   13f. πάντες μὲν ὅσοι–ἕνεκα Sacr. Par. 208
Holl   13f. vgl. Ecl. proph. 28   15 vgl. Aesop fab. 377 Halm   22 vgl. Arrian Diss.
Epict. III 14, 7 τῶν πραττομένων τὰ μὲν προηγουμένως πράττεται, τὰ δὲ κατὰ περί-
στασιν, τὰ δὲ κατ᾽ οἰκονομίαν, τὰ δὲ κατὰ συμπεριφοράν, τὰ δὲ κατ᾽ ἔνστασιν, von
Ma zu Strom. VII 59 angeführt (Fr)

1 χριστομαθίας L   2 ἀθλητοῦ (θλη in Ras.) L¹   φιλοτιμίαν L   φιλοτιμίᾳ Schw
⟨διὰ φ.⟩ Fr   7 [διὸ δὴ] Schw   11 καλλιχθύς L   τε Markland δὲ L   14 ὑποπίπτοντα
Sacr. Par.   20 ἀντερεῖ L² ἀνταιρεῖ L*   21 ἀνταιρεῖ L   ἄρα Markland ἅμα L   22 κατα-
μέμφεται Cobet S. 495 καταμέμφεται L   23 ἐπιτελεῖ ⟨τι⟩ St   26 δ᾽ Wi γὰρ L   27
πότιμος λόγος Plat. Phaedr. 21 p. 243 D (Fr)

Περιέξουσι δὲ οἱ Στρωματεῖς ἀναμεμιγμένην τὴν ἀλήθειαν τοῖς 18, 1
φιλοσοφίας δόγμασι, μᾶλλον δὲ ἐγκεκαλυμμένην καὶ ἐπικεκρυμμένην,
καθάπερ τῷ λεπύρῳ τὸ ἐδώδιμον τοῦ καρύου· ἁρμόζει γάρ, οἶμαι,
τῆς ἀληθείας τὰ σπέρματα μόνοις φυλάσσεσθαι τοῖς τῆς πίστεως
5 γεωργοῖς. οὐ λέληθεν δέ με καὶ τὰ θρυλούμενα πρός τινων ἀμαθῶς 2
ψοφοδεῶν χρῆναι λεγόντων περὶ τὰ ἀναγκαιότατα καὶ συνέχοντα τὴν
πίστιν καταγίνεσθαι, τὰ δὲ ἔξωθεν καὶ περιττὰ ὑπερβαίνειν μάτην
ἡμᾶς τρίβοντα καὶ κατέχοντα περὶ τοῖς οὐδὲν συμβαλλομένοις πρὸς
τὸ τέλος. οἳ δὲ καὶ πρὸς κακοῦ ἂν τὴν φιλοσοφίαν εἰσδεδυκέναι 3
10 τὸν βίον νομίζουσιν ἐπὶ λύμῃ τῶν ἀνθρώπων πρός τινος εὑρετοῦ
πονηροῦ. ἐγὼ δὲ ὅτι μὲν ἡ κακία κακὴν φύσιν ἔχει καὶ οὔποτ᾽ ἂν 4
καλοῦ τινος ὑποσταίη γεωργὸς γενέσθαι, παρ᾽ ὅλους ἐνδείξομαι τοὺς
Στρωματεῖς, αἰνισσόμενος ἀμῇ γέ πῃ θείας ἔργον προνοίας καὶ φιλοσο- 327 P
φίαν. II. ὑπὲρ δὲ τῶν ὑπομνημάτων τῶν περιειληφότων κατὰ τοὺς 19, 1
15 ἀναγκαίους καιροὺς τὴν Ἑλληνικὴν δόξαν τοσοῦτόν φημι τοῖς φιλεγ-
κλήμοσι· πρῶτον μὲν εἰ καὶ ἄχρηστος εἴη φιλοσοφία, εἰ εὔχρηστος ἡ
τῆς ἀχρηστίας βεβαίωσις, εὔχρηστος· ἔπειτα οὐδὲ καταψηφίσασθαι τῶν 2
Ἑλλήνων οἷόν τε ψιλῇ τῇ περὶ τῶν δογματισθέντων αὐτοῖς χρω-
μένους φράσει, μὴ συνεμβαίνοντας εἰς τὴν κατὰ μέρος ἄχρι συγγνώ-
20 σεως ἐκκάλυψιν. πιστὸς γὰρ εὖ μάλα ὁ μετ᾽ ἐμπειρίας ἔλεγχος, ὅτι 3
καὶ τελειοτάτη ἀπόδειξις εὑρίσκεται ἡ γνῶσις τῶν κατεγνωσμένων.
πολλὰ δ᾽ οὖν καὶ μὴ συμβαλλόμενα εἰς τέλος συγκοσμεῖ τὸν τεχνίτην, 4
καὶ ἄλλως ἡ πολυμαθία διασυστατικὴ τυγχάνει τοῦ παρατιθεμένου
τὰ κυριώτατα τῶν δογμάτων πρὸς πειθὼ τῶν ἀκροωμένων,   θαυ-
25 μασμὸν ἐγγεννῶσα τοῖς κατηχουμένοις, καὶ πρὸς τὴν ἀλήθειαν συνί-
στησιν. ἀξιόπιστος δὲ ἡ τοιαύτη ψυχαγωγία, δι᾽ ἧς κεκαλυμμένην οἱ 20, 1
φιλομαθεῖς παραδέχονται τὴν ἀλήθειαν, πρὸς τὸ μήτε αὐ⟨τοὺς δοκεῖν⟩
τὴν φιλοσοφίαν λυμαίνεσθαι τὸν βίον, ψευδῶν πραγμάτων καὶ φαύ-
λων ἔργων δημιουργὸν ὑπάρχουσαν, ἥ τινες διαβεβλήκασιν, ἀληθείας
30 οὖσαν εἰκόνα ἐναργῆ, θείαν δωρεὰν Ἕλλησι δεδομένην, μήτε ἡμᾶς ἀπο- 2

---

20 f. πιστὸς εὖ–κατεγνωσμένων Sacr. Par. 209 Holl; Antonius Melissa p. 125
Gesner

3 καρύου L¹ καρρύου L*   5 θρυλούμενα L¹ θρυλλούμενα L*   9 ἂν L σποράν Fr
κακοῦ αὐτήν φ. Ja²   12 γεωργὸς] αἰτία Markland χορηγὸς Nauck, Bull. de l᾽Acad.
de St. Pétersb. 26 (1880) S. 231 Anm.   16 εἴη ⟨ἡ⟩ Markland   19 φράσει] κρίσει Wi
[συγ]γνώσεως Ja   20 ἐμπειρίας] ἐπιστήμης Sacr. Par. Ant.   ὅτι] ὅτε Sacr. Par. Ant.
25 ἐγγεννῶσα Sy ἐγγενῶσα L   25 f. συνίστησιν] συναίσθησιν oder σύνεσιν Markland
συνάσκησιν Schw κατηχουμένοις, ⟨ἐν οἷς⟩ καὶ Ja²   26 κεκαλυμμένην (vgl. Z. 2) Wi
κακουμένην L δι᾽ ἧς ἀκουομένη οἱ φιλομαθεῖς παραδ. τ. ἀλ., πρὸς τὸ μ. αὐτὴν φιλο-
σοφίαν Ja²   27 αὐ⟨τοὺς δοκεῖν⟩ Wi αὐ L αὐ⟨τοὺς αἰτιᾶσθαι⟩ τὴν φ. Fr   29 ἥ St ἦν L

σπᾶσθαι τῆς πίστεως, οἷον ἀπό τινος ἀπατηλοῦ τέχνης καταγοητευο-
μένους, ἀλλ' ὡς ἔπος εἰπεῖν, περιβολῇ πλείονι χρωμένους, ἀμῇ γέ πῃ
συγγυμνασίαν τινὰ πίστεως ἀποδεικτικὴν ἐκπορίζεσθαι. ναὶ μὴν καὶ ⟨ἡ⟩ 3
συναφὴ τῶν δογμάτων διὰ τῆς ἀντιπαραθέσεως τὴν ἀλήθειαν μνη-
5 στεύεται, δι' ἧς ἐξηκολούθηκεν ἡ γνῶσις, οὐ κατὰ προηγούμενον λόγον
τῆς φιλοσοφίας παρεισελθούσης, διὰ δὲ τὸν ἀπὸ τῆς γνώσεως καρπόν.
ἡμῶν βέβαιον λαμβανόντων πεῖσμα τῆς ἀληθοῦς καταλήψεως διὰ τῆς
τῶν ὑπονοουμένων ἐπιστήμης. σιωπῶ γὰρ ὅτι οἱ Στρωματεῖς τῇ 4
πολυμαθίᾳ σωματοποιούμενοι κρύπτειν ἐντέχνως τὰ τῆς γνώσεως βού-
10 λονται σπέρματα. καθάπερ οὖν ὁ τῆς ἄγρας ἐρωτικὸς ζητήσας, 21, 1
ἐρευνήσας, ἀνιχνεύσας, κυνοδρομήσας αἱρεῖ τὸ θηρίον, οὕτω καὶ τἀ-
ληθὲς γλυκύτητι φαίνεται ζητηθὲν καὶ πόνῳ πορισθέν. τί δή ποτ' 2
οὖν ὧδε διατετάχθαι φίλον ἔδοξεν εἶναι τοῖς ὑπομνήμασιν; ὅτι μέγας
ὁ κίνδυνος τὸν ἀπόρρητον ὡς | ἀληθῶς τῆς ὄντως φιλοσοφίας 328 P
15 λόγον ἐξορχήσασθαι ⟨τού⟩τοις, ⟨οἳ⟩ ἀφειδῶς πάντα μὲν ἀντιλέγειν
ἐθέλουσιν οὐκ ἐν δίκῃ, πάντα δὲ ὀνόματα καὶ ῥήματα ἀπορρίπτουσιν
οὐδαμῶς κοσμίως, αὐτούς τε ἀπατῶντες καὶ τοὺς ἐχομένους αὐτῶν
γοητεύοντες. ›Ἑβραῖοι μὲν γὰρ σημεῖα αἰτοῦσιν,‹ ᾗ φησιν ὁ ἀπόστο- 3
λος, ›Ἕλληνες δὲ σοφίαν ζητοῦσι.‹
20 III. Πολὺς δὲ ὁ τοιόσδε ὄχλος· οἳ μὲν αὐτῶν, ἡδοναῖς δεδουλω- 22, 1
μένοι, ἀπιστεῖν ἐθέλοντες, γελῶσι τὴν ἁπάσης σεμνότητος ἀξίαν ἀλή-
θειαν, τὸ βάρβαρον ἐν παιδιᾷ τιθέμενοι, οἳ δέ τινες σφᾶς αὐτοὺς 2
ἐπαίροντες διαβολὰς τοῖς λόγοις ἐξευρίσκειν βιάζονται, ζητήσεις ἐρι-
στικὰς ἐκπορίζοντες, λεξειδίων θηράτορες, ζηλωταὶ τεχνυδρίων, ›ἐρι-
25 δαντέες καὶ ἱμαντελικτέες,‹ ὡς ὁ Ἀβδηρίτης ἐκεῖνός φησιν·

  στρεπτὴ γὰρ γλῶσσα, 3
φησί,

  βροτῶν· πολέες δ' ἔνι μῦθοι·
  παντοίων ἐπέων δὲ πολὺς νομὸς ἔνθα καὶ ἔνθα.
30 καί·

  ὁπποῖόν κ' εἴπῃσθα ἔπος, τοῖόν κ' ἐπακούσαις.

7 vgl. Plato Leg. X p. 893 B ἀσφαλοῦς πείσματος 18 f. I Cor 1, 22 24 f. Demo-
krit Fr.; 150 Diels⁶ II 172, 12; vgl. Plut. Mor. p. 614 E 26—31 Y 248—250; vgl.
Elter Gnom. hist. 78

1 ἀπό L ὑπό St 3 ⟨ἡ⟩ Ma 7 πεῖσμα Sy πίσμα L 11 ἀνιχνεύσας ἐρευνήσας
(Zeichen der Umstellung L¹) αἱρεῖ L² αἴρει L* 12 γλυκύτητι] γλυκύ τι He γλυκύ-
τατον Cobet S. 496 γλυκὺ τῇ⟨ι χαλεπότη⟩τι φαίνεται, Wi [kann γλυκύτητι ζητηθὲν
soviel bedeuten wie Lucretius II 730 dulci quaesita labore? (Fr)] 15 ⟨τού⟩τοις,
⟨οἳ⟩ St τοῖς L ⟨πρὸς⟩ πάντα Wi 17 αὐτούς—τοὺς ἐχομένους Höschel αὐτοῖς—τοῖς
ἐχομένοις L 22 παιδιᾷ Sy παιδείαι L 31 ὁποῖον L

ταύτῃ γοῦν ἐπαιρόμενοι τῇ τέχνῃ οἱ κακοδαίμονες σοφισταὶ τῇ σφῶν 4
αὐτῶν στωμυλλόμενοι τερθρείᾳ, ἀμφὶ τὴν διάκρισιν τῶν ὀνομάτων
καὶ τὴν ποιὰν τῶν λέξεων σύνθεσίν τε καὶ περιπλοκὴν τὸν πάντα
πονούμενοι βίον τρυγόνων ἀναφαίνον⟨ται⟩ λαλίστεροι· κνήθοντες καὶ 5
5 ?αργαλίζοντες οὐκ ἀνδρικῶς, ἐμοὶ δοκεῖν, τὰς ἀκοὰς τῶν κνήσασθαι
γλιχομένων, ποταμὸς ἀτεχνῶς ῥημάτων, νοῦ δὲ σταλαγμός. ἀμέλει
καὶ καθάπερ τῶν παλαιῶν ὑποδημάτων τὰ μὲν ἄλλα αὐτοῖς ἀσθενεῖ
καὶ διαρρεῖ, μόνη δὲ ἡ γλῶσσα ὑπολείπεται. παγκάλως ὁ Ἀθηναῖος 23, 1
ἀποτείνεται καὶ γράφει Σόλων· |

10   εἰς γὰρ γλῶσσαν ὁρᾶτε καὶ εἰς ἔπη αἱμύλου ἀνδρός· | 121 S
        ὑμῶν δὲ εἷς ⟨μὲν⟩ ἕκαστος ἀλώπεκος ἴχνεσι βαίνει,   329 P
        σύμπασι⟨ν⟩ δὲ ὑμῖν χαῦνος ἔνεστι νόος.

τοῦτό που αἰνίσσεται ἡ σωτήριος ἐκείνη φωνή· »αἱ ἀλώπεκες φωλεοὺς 2
ἔχουσιν, ὁ δὲ υἱὸς τοῦ ἀνθρώπου οὐκ ἔχει ποῦ τὴν κεφαλὴν κλίνῃ·«
15 μόνῳ γάρ, οἶμαι, τῷ πιστεύοντι, διακεκριμένῳ τέλεον τῶν ἄλλων
τῶν πρὸς τῆς γραφῆς θηρίων εἰρημένων, ἐπαναπαύεται τὸ κεφάλαιον
τῶν ὄντων, ὁ χρηστὸς καὶ ἥμερος λόγος, »ὁ δρασσόμενος τοὺς σοφοὺς 3
ἐν τῇ πανουργίᾳ αὐτῶν· κύριος γὰρ μόνος γινώσκει τοὺς διαλογισμοὺς
τῶν σοφῶν, ὅτι εἰσὶ μάταιοι,« σοφοὺς δή που τοὺς σοφιστὰς τοὺς
20 περὶ τὰς λέξεις καὶ τὰς τέχνας περιττοὺς καλούσης τῆς γραφῆς.
ὅθεν οἱ Ἕλληνες καὶ αὐτοὶ τοὺς περὶ ὁτιοῦν πολυπράγμονας σοφοὺς 24, 1
ἅμα καὶ σοφιστὰς παρωνύμως κεκλήκασι. Κρατῖνος γοῦν ἐν τοῖς 2
Ἀρχιλόχοις ποιητὰς καταλέξας ἔφη·

---

1 vgl. Dio Chrys. Or. XI p. 309 R οἱ δέ τινες ἐπιχειρήσουσιν ἐξελέγχειν,
μάλιστα δὲ οἶμαι τοὺς κακοδαίμονας σοφιστάς   4 vgl. Aelian Hist. an. 12, 10 τρυγόνος
λαλίστερον. Zenob. 6, 8; Diogen. 8, 34; Arsen. Viol. p. 451f. Walz. Andere Stellen bei
Kock CAF II p. 326sq. zu Alexis Fr. 92   4f. vgl. II Tim 4, 3 κνηθόμενοι τὴν ἀκοήν
6 vgl. Theokrit von Chios bei Stob. Flor. 36, 20 Θεόκριτος Ἀναξιμένους λέγειν
μέλλοντος »ἄρχεται« εἶπε »λέξεων μὲν ποταμός, νοῦ δὲ σταλαγμός.« Synesius, De
insomniis p. 156 A νοῦ μὲν αὐχμός, ἐπομβρία δὲ λέξεων   7f. vgl. Paed. II 59, 3
10—12 Solon Fr. 8, 7. 5. 6 Diehl³ (Anth. lyr. I p. 33f.) (aus Plut. Sol. 30); vgl. v. Wi-
lamowitz, Aristot. u. Athen II S. 311 Anm.   13f. Mt 8, 20; Lc 9, 58   17—19 I Cor
3, 19f. (Iob 5, 13; Ps 93, 11)   21f. vgl. Timon Sill. Fr. 1 Wachsmuth u. Diels
ἔσπετε νῦν μοι ὅσοι πολυπράγμονές ἐστε σοφισταί

1 ἐπαιρόμενοι L¹ ἐπαιρόμενος L*   2 τερθρείᾳ Sy (im Index) τερθρῖαι L
4 ἀναφαίνον L   κνήθοντες (η corr. aus ι) L²   5 κνήσασθαι Cobet S. 232 κνίσασθαι L
κνίζεσθαι oder κνήθεσθαι Ma   6 ἀτεχνῶς Cobet u. a. ἀτέχνων L   νοῦ δὲ Leopardus
Emend. IX 3 p. 229 οὐδὲ L ⟨νοῦ δὲ⟩ οὐδὲ Nauck a. a. O. S. 291   7 [καὶ] Wi   10 ἔπη
αἱμύλου L Plut. ἔπος αἴολον Diog. Laert. I 52 Diod. Exc. Vat. VII 24 p. 24, 9
11 ⟨μὲν⟩ Plut.   12 χαῦνος L Plut. κοῦφος Diog. Diod.   14 κλίνῃ Mt Lc κλίνει L
23 Ἀρχιλόχοις He ἀρχιλοχείοις L   ποιητὰς Hervet ποιηταῖς L

οἷον σοφιστῶν σμῆνος ἀνεδιφήσατε.

Ἰοφῶν τε ὁμοίως ⟨ὡς⟩ ὁ κωμικὸς ἐν Αὐλῳδοῖς σατύροις ἐπὶ ῥαψῳδῶν 3
καὶ ἄλλων τινῶν λέγει·

καὶ γὰρ εἰσελήλυθεν
5   πολλῶν σοφιστῶν ὄχλος ἐξηρτυμένος.

ἐπὶ τούτων καὶ τῶν παραπλησίων ὅσοι τοὺς κενοὺς μεμελετήκασι 4
λόγους ἡ θεία γραφὴ παγκάλως λέγει· ›ἀπολῶ τὴν σοφίαν τῶν
σοφῶν, καὶ τὴν σύνεσιν τῶν συνετῶν ἀθετήσω.‹

IV. Ὅμηρος δὲ καὶ τέκτονα σοφὸν καλεῖ καὶ περὶ τοῦ Μαργίτου, 25, 1
10 εἰ δὴ αὐτοῦ, ὧδέ πως γράφει· |

τὸν δ᾽ οὔτ᾽ ἂρ σκαπτῆρα θεοὶ θέσαν οὔτ᾽ ἀροτῆρα,   330 P
οὔτ᾽ ἄλλως τι σοφόν, πάσης δ᾽ ἡμάρτανε τέχνης.

Ἡσίοδος γὰρ τὸν κιθαριστὴν Λίνον ›παντοίας σοφίας δεδαηκότα‹ 2
εἰπὼν καὶ ναύτην οὐκ ὀκνεῖ λέγειν σοφόν, ›οὔτε τι ναυτιλίης σεσο-
15 φισμένον‹ γράφων. Δανιὴλ δὲ ὁ προφήτης ›τὸ μυστήριον‹ φησὶν 3
›ὃ ὁ βασιλεὺς ἐρωτᾷ, οὐκ ἔστι σοφῶν, μάγων, ἐπαοιδῶν, Γαζαρηνῶν
δύναμις τοῦ ἀναγγεῖλαι τῷ βασιλεῖ, ἀλλ᾽ ἔστι θεὸς ἐν οὐρανῷ ἀπο-
καλύπτων.‹ καὶ δὴ τοὺς Βαβυλῶνος   σοφοὺς προσαγορεύει. ὅτι δὲ 4
σοφίαν ὁμωνύμως καλεῖ ἡ γραφὴ πᾶσαν τὴν κοσμικὴν εἴτε ἐπιστήμην
20 εἴτε τέχνην, πολλαὶ δέ εἰσιν αἱ κατ᾽ ἐπισύνθεσιν ἀνθρωπίνῳ λογισμῷ
ἐπινενοημέναι, καὶ ὡς θεόθεν ἡ τεχνικὴ καὶ ἡ σοφὴ ἐπίνοια, σαφὲς
ἔσται παραθεμένοις τήνδε τὴν λέξιν· ›καὶ ἐλάλησεν κύριος πρὸς Μω-
σῆν λέγων· ἰδοὺ ἀνακέκληκα τὸν Βεσελεὴλ τὸν τοῦ Οὐρί, τὸν Ὤρ,
τῆς φυλῆς Ἰούδα, καὶ ἐνέπλησα αὐτὸν πνεῦμα θεῖον σοφίας καὶ συνέ-
25 σεως καὶ ἐπιστήμης ἐν παντὶ ἔργῳ, διανοεῖσθαι καὶ ἀρχιτεκτονῆσαι,
ἐργάζεσθαι τὸ χρυσίον καὶ τὸ ἀργύριον καὶ τὸν χαλκόν, καὶ τὴν
ὑάκινθον καὶ τὴν πορφύραν καὶ τὸ κόκκινον, καὶ τὰ λιθουργικὰ καὶ
τεκτονικὴν τῶν ξύλων, ἐργάζεσθαι [ἕως] κατὰ πάντα τὰ ἔργα.‹ ἔπειτα 26, 1
ἐπιφέρει καθολικὸν δὴ λόγον· ›καὶ παντὶ τῷ συνετῷ καρδίᾳ δέδωκα

---

1 Kratinos Fr. 2 CAF I p. 12   4 Iophon Fr. 1 TGF p. 761   7f. I Cor 1, 19
(Is 29, 14)   9 vgl. O 411f. τέκτονος δαήμονος κτλ.   11f. Margites Fr. 2 Kinkel
13 Hesiod Fr. 193 Rzach²   14f. Hesiod Op. 649   15—18 Dan. 2, 27f.   20f. vgl.
Plato Gorg. 2 p. 448 C (Fr)   22—28 Exod 31, 1-5   29f. Exod 31, 6

1 ἀνεδειφήσατε L   2 ἰοφῶν L   ⟨ὡς⟩ Schw   ἐπιῥαψῳδῶν L   5 ὄχλον Cobet
ἐξηρτυμένος (vgl. Anaxilas Fr. 15 CAF II p. 267)] ἐξηρτημένος Vi (vgl. Cobet S. 427)
9 Μαργίτου Kl ἀργείτου L Μαργείτου Vi   12 ἄλλως τι Vi mit Aristot. Eth. Nic. VI 7
p. 1141ᵃ 15 ἄλλό τι L   18 τοὺς Βαβυλῶνος erweist U. Treu durch Vergleich mit
Dan 2, 12 als richtig   20 πολλαὶ Schw ἄλλαι L   28 [ἕως] Di   κατὰ πάντα Sept.
καὶ ἅπαντα L

σύνεσιν,« τουτέστιν τῷ οἵῳ τε ἐπιδέξασθαι πόνῳ καὶ συνασκήσει.
πάλιν τε αὖ διαρρήδην ἐξ ὀνόματος κυρίου γέγραπται· »καὶ σὺ λά-
λησον πᾶσι τοῖς σοφοῖς τῇ διανοίᾳ, οὓς ἐνέπλησα πνεῦμα αἰσθήσεως·«
ἔχουσι μέν τι οἰκεῖον φύσεως ἰδίωμα οἱ »σοφοὶ τῇ διανοίᾳ,« λαμβά- 2
5 νουσι δὲ »πνεῦμα αἰσθήσεως« παρὰ τῆς κυριωτάτης σοφίας διττόν,
ἐπιτηδείους σφᾶς αὐτοὺς παραστήσαντες. οἱ μὲν γὰρ τὰς βαναύσους 3
μετιόντες τέχνας τοῦ περὶ τὰς αἰσθήσεις ἀπολαύουσι περιττοῦ, ἀκοῆς
μὲν ὁ κοινῶς λεγόμενος μουσικός, ἁφῆς δὲ ὁ πλαστικός, καὶ φωνῆς
ὁ ᾠδικός, ὀσφρήσεως ὁ μυρεψικός, ὄψεως ὁ τῶν ἐν ταῖς σφραγῖσιν
10 ἐντυπωμάτων τορευτικός. οἱ δὲ ἀμφὶ τὴν παιδείαν διατρίβοντες 4
τὴν συναίσθησιν χορηγοῦνται, καθ᾽ ἣν τῶν μέτρων οἱ ποιηταὶ καὶ
τῆς λέξεως οἱ σοφισταὶ καὶ τῶν συλλογισμῶν οἱ διαλεκτικοὶ καὶ οἱ
φιλόσοφοι τῆς κατ᾽ αὐτοὺς θεωρίας ἀντιλαμβάνονται. εὑρετικὸν γὰρ 5
καὶ ἐπινοητικὸν ἡ συναί|σθησις ἐπιβάλλειν πιθανῶς ἀναπείθουσα, 331 P
15 συναύξει δὲ τὴν ἐπιβολὴν ἡ εἰς ἐπιστήμην συνάσκησις. εἰκότως τοίνυν 27, 1
ὁ ἀπόστολος »πολυποίκιλον« εἴρηκεν τὴν σοφίαν τοῦ θεοῦ, »πολυ-
μερῶς καὶ πολυτρόπως,« διὰ τέχνης, διὰ ἐπιστήμης, διὰ πίστεως, διὰ
προφητείας, τὴν ἑαυτῆς ἐνδεικνυμένην δύναμιν εἰς τὴν ἡμετέραν
εὐεργεσίαν, ὅτι »πᾶσα σοφία παρὰ κυρίου καὶ μετ᾽ αὐτοῦ ἐστιν εἰς
20 τὸν αἰῶνα,« ᾗ φησιν ἡ τοῦ Ἰησοῦ σοφία. »ἐὰν γὰρ τὴν φρόνησιν 2
τήν τε αἴσθησιν ἐπικαλέσῃ μεγάλῃ τῇ φωνῇ καὶ ζητήσῃς αὐτὴν
ὥσπερ ἀργυρίου θησαυροὺς καὶ προθύμως ἐξιχνιάσῃς, νοήσεις θεοσέ-
βειαν καὶ αἴσθησιν θείαν εὑρήσεις,« πρὸς ἀντιδιαστολὴν τῆς κατὰ
φιλοσοφίαν αἰσθήσεως εἴρηκεν ὁ προφήτης, ἣν μεγαλοφυῶς καὶ μεγα-
25 λοπρεπῶς ἐξερευνᾶν διδάσκει εἰς τὴν ἐπὶ τὴν θεοσέβειαν προκοπήν.
ἀντέθηκεν οὖν αὐτῇ τὴν ἐν θεοσεβείᾳ αἴσθησιν, τὴν γνῶσιν αἰνισσό- 3
μενος καὶ τάδε λέγων· »ὁ γὰρ θεὸς δίδωσι σοφίαν ἐκ τοῦ ἑαυτοῦ
στόματος αἴσθησίν τε ἅμα καὶ φρόνησιν, καὶ θησαυρίζει δικαίοις
βοήθειαν·« τοῖς γὰρ ὑπὸ φιλοσοφίας δεδικαιωμένοις βοήθεια θησαυ-
30 ρίζεται καὶ ἡ εἰς θεοσέβειαν συναίσθησις.

    V. Ἦν μὲν οὖν πρὸ τῆς τοῦ κυρίου παρουσίας εἰς δικαιοσύνην 28, 1
Ἕλλησιν ἀναγκαία φιλοσοφία, νυνὶ δὲ χρησίμη πρὸς θεοσέβειαν γίνεται,
προπαιδεία τις οὖσα τοῖς τὴν πίστιν δι᾽ ἀποδείξεως καρπουμένοις,
ὅτι »ὁ πούς σου« φησὶν »οὐ μὴ προσκόψῃ,« ἐπὶ τὴν πρόνοιαν τὰ
35 καλὰ ἀναφέροντος, ἐάν τε Ἑλληνικὰ ᾖ ἐάν τε ἡμέτερα. πάντων μὲν 2
γὰρ αἴτιος τῶν καλῶν ὁ θεός, ἀλλὰ τῶν μὲν κατὰ προηγούμενον ὡς
τῆς τε διαθήκης τῆς παλαιᾶς καὶ τῆς νέας, τῶν δὲ κατ᾽ ἐπα|κολού- 122 S

2—5 Exod 28, 3   16 Eph 3, 10   16f. Hebr 1, 1   19f. Sir 1, 1   20—23. 27—29
Prov 2, 3—7   34 Prov 3, 23

33 προπαιδεία L
Clemens II.   2

θῆμα ὡς τῆς φιλοσοφίας. τάχα δὲ καὶ προηγουμένως τοῖς Ἕλλησιν 3
ἐδόθη τότε πρὶν ἢ τὸν κύριον καλέσαι καὶ τοὺς Ἕλληνας· ἐπαιδαγώγει
γὰρ καὶ αὐτὴ τὸ Ἑλληνικὸν ὡς ὁ νόμος τοὺς Ἑβραίους εἰς Χριστόν.
προπαρασκευάζει τοίνυν ἡ φιλοσοφία προοδοποιοῦσα τὸν ὑπὸ Χριστοῦ
5 τελειούμενον. αὐτίκα »τὴν σοφίαν« ὁ Σολομὼν »περιχαράκωσον« 4
φησίν, »καὶ ὑπερυψώσει σε· στεφάνῳ δὲ τρυφῆς ὑπερασπίσει σε,«
ἐπεὶ καὶ σὺ τῷ θριγκῷ ὑπεροχυρώσας αὐτὴν διὰ φιλοσοφίας καὶ πολυ-
τελείας ὀρθῆς ἀνεπίβατον τοῖς σοφισταῖς τηρήσαις. μία μὲν οὖν ἡ τῆς 29, 1
ἀληθείας ὁδός, ἀλλ᾽ εἰς αὐτὴν καθάπερ εἰς ἀέναον ποταμὸν ἐκρέουσι
10 τὰ ῥεῖθρα ἄλλα ἄλλοθεν. ἐνθέως οὖν ἄρα εἴρηται· »ἄκουε, υἱέ μου, 2
καὶ δέξαι ἐμοὺς λόγους,« φησίν, »ἵνα σοι | γένωνται πολλαὶ ὁδοὶ βίου· 332 P
ὁδοὺς γὰρ σοφίας διδάσκω σε, ὅπως μὴ ἐκλίπωσίν σε αἱ πηγαί,« αἱ
τῆς αὐτῆς ἐκβλύζουσαι γῆς. οὐ δὴ μόνον ἑνός τινος δικαίου ὁδοὺς 3
πλείονας σωτηρίους κατέλεξεν, ἐπιφέρει δὲ ἄλλας πολλῶν πολλὰς
15 δικαίων ὁδοὺς μηνύων ὧδέ πως· »αἱ δὲ ὁδοὶ τῶν δικαίων ὁμοίως
φωτὶ λάμπουσιν.« εἶεν δ᾽ ἂν καὶ αἱ ἐντολαὶ καὶ αἱ προπαιδεῖαι ὁδοὶ
καὶ ἀφορμαὶ τοῦ βίου. »Ἱερουσαλὴμ Ἱερουσαλήμ, ποσάκις ἠθέλησα 4
ἐπισυναγαγεῖν τὰ τέκνα σου ὡς ὄρνις τοὺς νεοσσούς.« Ἱερουσαλὴμ
δὲ »ὅρασις εἰρήνης« ἑρμηνεύεται. δηλοῖ τοίνυν προφητικῶς τοὺς
20 εἰρηνικῶς ἐποπτεύσαντας πολυτρόπως εἰς κλῆσιν πεπαιδαγωγῆσθαι.
τί οὖν; ἠθέλησε μέν, οὐκ ἠδυνήθη δέ· ποσάκις δὲ ἢ ποῦ; δίς, διά τε 5
προφητῶν καὶ διὰ τῆς παρουσίας. πολύτροπον μὲν οὖν τὴν σοφίαν
ἡ »ποσάκις« ἐνδείκνυται λέξις, καὶ καθ᾽ ἕνα ἕκαστον τρόπον ποιότητός
τε καὶ ποσότητος πάντως σῴζει τινὰς ἔν τε τῷ χρόνῳ ἔν τε τῷ
25 αἰῶνι, »ὅτι πνεῦμα κυρίου πεπλήρωκε τὴν οἰκουμένην.« κἄν τις 6
βιαζόμενος λέγῃ· »μὴ πρόσεχε φαύλῃ γυναικί, μέλι γὰρ ἀποστάζει
ἀπὸ χειλέων γυναικὸς πόρνης,« τὴν Ἑλληνικὴν εἶναι παιδείαν, ἐπα-
κουσάτω τῶν ἑξῆς· »ἢ πρὸς καιρὸν λιπαίνει σὸν φάρυγγα,« φησί,
φιλοσοφία δὲ οὐ κολακεύει. τίνα τοίνυν αἰνίσσεται τὴν ἐκπορνεύσα- 7
30 σαν; ἐπιφέρει ῥητῶς· »τῆς γὰρ ἀφροσύνης οἱ πόδες κατάγουσι τοὺς
χρωμένους αὐτῇ μετὰ θανάτου εἰς Ἅιδην, τὰ δὲ ἴχνη αὐτῆς οὐκ ἐρεί-

---

2f. vgl. Gal 3, 24   5f. Prov 4, 8ᵃ. 9ᵇ   7f. vgl. Philo De agric. 15f. (II p. 98 M)
9 ἀέν. ποτ. vgl. z. B. Hesiod Op. 737   10—12 Prov 4, 10ᵃᶜ. 11ᵃ. 21ᵃ   15f. Prov 4, 18
17f. Mt 23, 37; Lc 13, 34   18f. vgl. Philo De somniis II 250 (III p. 298 M)   24 vgl.
1. Cor 9, 22   25 Sap 1, 7   26—S. 19, 6 Prov 5, 3. 5. 8. 9. 11. 20

3 αὕτη St   7 καί] κἂν Schw   7f. ὑπερωχύρωσας—τηρήσας Sy   πολυτελείας
(Erklärung von τρυφῆς)] πολιτείας Petau Theolog. dogm. (1664) I Prol. IV 8 πολυ-
μαθείας Hervet u. Reinkens p. 331 Anm. 3   10 [ἄρα] St   13 οὐ Sy' οὐ L   16 προ-
παίδειαι L   20 πεπαιδαγῆσθαι L¹ παιδαγωγεῖσθαι L*   31 θανάτου St (vgl. LXX
u. Paed. III 68, 2 HS P) θάνατον L

δεται. μακρὰν οὖν ποίησον ἀπὸ τῆς ἄφρονος ἡδονῆς τὴν σὴν ὁδόν,
μὴ ἐπιστῆς θύραις οἴκων αὐτῆς, ἵνα μὴ προῇ ἄλλοις τὴν σὴν ζωήν.‹
καὶ ἐπιμαρτυρεῖ· ›εἶτα μεταμελήσει σοι ἐπὶ γήρως, ἡνίκα ἂν κατατρι- 8
βῶσί σου σάρκες σώματος.‹ τοῦτο γὰρ τέλος τῆς ἄφρονος ἡδονῆς.
5 καὶ ταῦτα μὲν ταύτῃ· ὁπηνίκα δ᾽ ἂν φῇ· ›μὴ πολὺς ἴσθι πρὸς ἀλλο- 9
τρίαν,‹ χρῆσθαι μέν, οὐκ ἐνδιατρίβειν δὲ καὶ ἐναπομένειν τῇ κοσμικῇ
παιδείᾳ παραινεῖ· προπαιδεύει γὰρ τῷ κυριακῷ λόγῳ τὰ κατὰ τοὺς
προσήκοντας καιροὺς ἑκάστῃ γενεᾷ συμφερόντως δεδομένα. ›ἤδη γὰρ 10
τινες τοῖς φίλτροις τῶν θεραπαινίδων δελεασθέντες ὠλιγώρησαν τῆς
10 δεσποίνης, φιλοσοφίας, καὶ κατεγήρασαν‹ οἳ μὲν αὐτῶν ἐν μουσικῇ,
οἳ δὲ ἐν | γεωμετρίᾳ, ἄλλοι δὲ ἐν γραμματικῇ, οἱ πλεῖστοι δὲ ἐν 333 P
ῥητορικῇ.

    ᾿Αλλ᾽ ὡς τὰ ἐγκύκλια μαθήματα συμβάλλεται πρὸς φιλοσοφίαν 30, 1
τὴν δέσποιναν αὐτῶν, οὕτω καὶ φιλοσοφία αὐτὴ πρὸς σοφίας κτῆσιν
15 συνεργεῖ. ἔστι γὰρ ἡ μὲν φιλοσοφία ἐπιτήδευσις ⟨σοφίας⟩, ἡ σοφία
δὲ ἐπιστήμη θείων καὶ ἀνθρωπίνων καὶ τῶν τούτων αἰτίων. κυρία
τοίνυν ἡ σοφία τῆς φιλοσοφίας ὡς ἐκείνη τῆς προπαιδείας. εἰ γὰρ 2
ἐγκράτειαν φιλοσοφία ἐπαγγέλλεται γλώσσης τε καὶ γαστρὸς καὶ τῶν
ὑπὸ γαστέρα, καὶ ἔστιν δι᾽ αὐτὴν αἱρετή, σεμνοτέρα φανεῖται καὶ
20 κυριωτέρα, εἰ θεοῦ τιμῆς τε καὶ γνώσεως ἕνεκεν ἐπιτηδεύοιτο.

    Τῶν εἰρημένων μαρτυρίαν παρέξει ἡ γραφὴ διὰ τῶνδε· Σάρρα 3
στεῖρα ἦν πάλαι, ᾿Αβραὰμ δὲ γυνή. μὴ τίκτουσα ἡ Σάρρα τὴν ἑαυτῆς
παιδίσκην ὀνόματι ῎Αγαρ τὴν Αἰγυπτίαν εἰς παιδοποιίαν ἐπιτρέπει τῷ
᾿Αβραάμ. ἡ σοφία τοίνυν ἡ τῷ πιστῷ σύνοικος (πιστὸς δὲ ἐλογίσθη 4
25 ᾿Αβραὰμ καὶ δίκαιος) στεῖρα ἦν ἔτι καὶ ἄτεκνος κατὰ τὴν γενεὰν

---

*   8—12 vgl. Stob. Flor. 4, 110 Mein. (p. 246, 1 Hense); Philo De congr. erud. gr. 77
(III p. 87 M) τινὲς γὰρ τοῖς φίλτροις τῶν θεραπαινίδων δελεασθέντες ὠλιγώρησαν
τῆς δεσποίνης, φιλοσοφίας, καὶ κατεγήρασαν οἳ μὲν ἐν ποιήμασιν, οἳ δὲ ἐν γραμμαῖς,
οἳ δὲ ἐν χρωμάτων κράσεσιν, οἱ δὲ ἐν ἄλλοις μυρίοις, οὐ δυνηθέντες ἐπὶ τὴν ἀστὴν
ἀναδραμεῖν. 13—20 vgl. Philo a. a. O. 79 καὶ μὴν ὥσπερ τὰ ἐγκύκλια συμβάλλεται
πρὸς φιλοσοφίας ἀνάληψιν, οὕτω καὶ φιλοσοφία πρὸς σοφίας κτῆσιν. ἔστι γὰρ φιλοσοφία
ἐπιτήδευσις σοφίας, σοφία δὲ ἐπιστήμη θείων καὶ ἀνθρωπίνων καὶ τῶν τούτων αἰτίων.
γένοιτ᾽ ἂν οὖν ὥσπερ ἡ ἐγκύκλιος μουσικὴ φιλοσοφίας, οὕτω καὶ φιλοσοφία δούλη
σοφίας. 80. φιλοσοφία δὲ ἐγκράτειαν μὲν γαστρός, ἐγκράτειαν δὲ τῶν μετὰ γαστέρα,
ἐγκράτειαν δὲ καὶ γλώττης ἀναδιδάσκει. ταῦτα λέγεται μὲν εἶναι δι᾽ αὐτὰ αἱρετά, σεμ-
νότερα δὲ φαίνοιτ᾽ ⟨ἄν⟩, εἰ θεοῦ τιμῆς καὶ ἀρεσκείας ἕνεκα ἐπιτηδεύοιτο. 15f. zur
Definition vgl. Paed. II 25, 3 mit Anm.; Philo Quaest. in Gen. III 43 p. 213 Auch.
(Fr in ZatW 14, 1937, 113); Albinus in C. F. Hermanns Plato VI p. 152, 4 (Fr in
PhW 57, 1937, 592); vgl. Sext. Emp. Adv. Math. IX 13 (Fr in PhW 58, 1938,
1000) 21—24 vgl. Gen 11, 30; 16, 1f. 24f. vgl. Gen 15, 6 (Rom 4, 3)

    14 σοφίας Philo φιλοσοφίας L 15 ⟨σοφίας⟩ aus Philo

2*

ἐκείνην, μηδέπω μηδὲν ἐνάρετον ἀποκνήσασα τῷ Ἀβραάμ, ἠξίου δὲ
εἰκότως τὸν ἤδη καιρὸν ἔχοντα προκοπῆς τῇ κοσμικῇ παιδείᾳ (Αἴγυ-
πτος δὲ ὁ κόσμος ἀλληγορεῖται) συνευνασθῆναι πρότερον, ὕστερον δὲ
καὶ αὐτῇ προσελθόντα κατὰ τὴν θείαν πρόνοιαν γεννῆσαι τὸν Ἰσαάκ.
5 ἑρμηνεύει δὲ ὁ Φίλων | τὴν μὲν Ἀγὰρ παροίκησιν (ἐνταῦθα γὰρ εἴρηται· 334 P 81
,μὴ πολὺς ἴσθι πρὸς ἀλλοτρίαν‹), τὴν Σάραν δὲ ἀρχήν μου. ἔνεστιν
οὖν προπαιδευθέντα ἐπὶ τὴν ἀρχικωτάτην σοφίαν ἐλθεῖν, ἀφ᾽ ἧς τὸ
Ἰσραηλιτικὸν γένος αὔξεται. ἐξ ὧν δείκνυται διδακτικὴν εἶναι τὴν 2
σοφίαν, ἣν μετῆλθεν Ἀβραάμ, ἐκ τῆς τῶν οὐρανίων θέας μετιὼν εἰς
10 τὴν κατὰ θεὸν πίστιν τε καὶ δικαιοσύνην. Ἰσαὰκ δὲ τὸ αὐτομαθὲς 3
ἐνδείκνυται· διὸ καὶ Χριστοῦ τύπος εὑρίσκεται. οὗτος μιᾶς γυναικὸς
ἀνὴρ τῆς Ῥεβέκκας, ἣν ὑπομονὴν μεταφράζουσιν. πλείοσι δὲ συνέρ- 4
χεσθαι ὁ Ἰακὼβ λέγεται ὡς ἂν ἀσκητὴς ἑρμηνευόμενος (διὰ πλειόνων
δὲ καὶ διαφερόντων αἱ ἀσκήσεις δογμάτων), ὅθεν καὶ Ἰσραὴλ οὗτος
15 μετονομάζεται ὁ τῷ ὄντι διορατικὸς ὡς ἂν πολύπειρός τε καὶ ἀσκη-
τικός. εἴη δ᾽ ἄν τι καὶ ἄλλο δηλούμενον διὰ τῶν τριῶν προπατό- 5
ρων, κυρίαν εἶναι τὴν σφραγῖδα τῆς γνώσεως, ἐκ φύσεως καὶ μαθήσεως

2f. vgl. Philo De congr. er. gr. 20 (III p. 76) ... τῷ γεώδει καὶ Αἰγυπτίῳ
προσκεκληρῶσθαι σώματι. Auch sonst Αἴγυπτος = σῶμα bei Philo vgl. Leg. all.
II 59 (I p. 102); 77 (p. 105); De sacr. Ab. et C. 48 (I p. 221); De migr. Abr. 77
(I p. 283); παθῶν σύμβολον De congr. er. gr. 83 (III p. 88). [Die allegor. Gleich-
setzung von Ägypten mit der Welt findet sich bei Philo nicht (Fr)] 5 vgl. Philo
a. a. O. 20 Ἀγάρ, τοῦτο δὲ ἑρμηνευθέν ἐστι παροίκησις. Leg. alleg. III 244 (I p. 167)
Ἀγάρ, ὃ λέγεται παροίκησις [vgl. auch Philo Qu. in Gen. III Agar explicatur pere-
grinatio. Fr] 6 Prov 5, 20 vgl. Philo De Cherub. 5 (I p. 171) Σάρα δὲ σύμ-
βολον ἀρχῆς ἐμῆς· καλεῖται γὰρ ἀρχή μου. De congr. er. gr. 2 (III p. 72) τὸ Σάρας
ὄνομα μεταληφθέν ἐστιν ἀρχή μου. De mut. nom. 77 (III p. 170) 8–16 vgl. Philo
De congr. er. gr. 34–37 (III p. 79) τῷ δὲ Ἰσαὰκ οὔτε πλείους γυναῖκες οὔτε συνόλως
παλλακή, μόνη δ᾽ ἡ κουρίδιος ἄχρι παντὸς συνοικεῖ. διὰ τί; ὅτι καὶ ἡ διδακτικὴ ἀρετή,
ἣν Ἀβραὰμ μέτεισι, πλειόνων δεῖται ... καὶ ἡ δι᾽ ἀσκήσεως τελειουμένη, περὶ ἣν
Ἰακὼβ ἐσπουδακέναι φαίνεται· διὰ πλειόνων γὰρ καὶ διαφερόντων αἱ ἀσκήσεις δογμά-
των ... τὸ δὲ αὐτομαθὲς [vgl. auch De sacr. Ab. et C. 6 (I p. 104); Quod deus s.
i. 4 (II p. 76); De somn. I 68 (III p. 219); 168 (III p. 241)] γένος, οὐ κεκοινώνηκεν
Ἰσαάκ, ..., μήτε ἀσκήσεως μήτε διδασκαλίας δεόμενον· ... καλεῖται δὲ παρὰ μὲν
Ἕλλησιν ὑπομονή, παρὰ δὲ Ἑβραίοις Ῥεβέκκα. vgl. De plant. 169 (II p. 167); Paed.
1 21, 3. Zur Erklärung Ῥεβέκκα = ὑπομονή vgl. E. Nestle ZatW 25 (1905) S. 221f.
9f. vgl. Gen. 15, 5f.; Strom. V 8, 6 11 μιᾶς γυναικὸς ἀνήρ aus Tit 1, 6 13 vgl.
auch De Abrah. 52 (IV p. 13) 15 διορατικός vgl. Anm. zu Paed. I 57, 2 16–S. 21, 1
vgl. Philo De somn. I 167 (III p. 240) τὴν ἀρετὴν ἢ φύσει ἢ ἀσκήσει ἢ μαθήσει
περιγίνεσθαί φησι, διὸ καὶ τρεῖς τοὺς γενάρχας τοῦ ἔθνους σοφοὺς πάντας ἀνέγραφεν.
vgl. De Abrah. 52 (IV p. 13)

4 αὐτῆι L 6 Σάραν aus Gen 17, 15 σάρραν L (nach Philo III p. 170 u. ö. ist
Σάρρα = ἄρχουσα)

καὶ ἀσκήσεως συνεστῶσαν. ἔχοις δ' ἂν καὶ ἄλλην εἰκόνα τῶν εἰρη- 6
μένων τὴν Θάμαρ ἐπὶ τριόδου καθεσθεῖσαν καὶ πόρνης δόξαν παρα-
σχοῦσαν, | ἣν ὁ φιλομαθὴς | Ἰούδας (δυνατὸς δὲ ἑρμηνεύεται) ὁ μηδὲν 123 S 335 P
ἄσκεπτον καὶ ἀδιερεύνητον καταλιπὼν ἐπεσκέψατο καὶ »πρὸς αὐτὴν
5 ἐξέκλινεν«, σῴζων τὴν πρὸς τὸν θεὸν ὁμολογίαν. διὰ τοῦτο καὶ ὁ 32, 1
Ἀβραάμ, παραζηλούσης τῆς Σάρρας τὴν Ἄγαρ παρευδοκιμοῦσαν αὐτήν,
ὡς ἂν τὸ χρήσιμον ἐκλεξάμενος μόνον τῆς κοσμικῆς φιλοσοφίας, »ἰδοὺ
ἡ παιδίσκη ἐν ταῖς χερσί σου, χρῶ αὐτῇ ὡς ἂν σοι ἀρεστὸν ᾖ« φησί.
δηλῶν ὅτι ἀσπάζομαι μὲν τὴν κοσμικὴν παιδείαν καὶ ὡς νεωτέραν
10 καὶ ὡς σὴν θεραπαινίδα, τὴν δὲ ἐπιστήμην τὴν σὴν ὡς τελείαν
δέσποιναν τιμῶ καὶ σέβω. »καὶ ἐκάκωσεν αὐτὴν Σάρρα« ἴσον τῷ 2
ἐσωφρόνισε καὶ ἐνουθέτησεν. εὖ γοῦν εἴρηται »παιδείας θεοῦ, υἱέ,
μὴ ὀλιγώρει, μηδὲ ἐκλύου ὑπ' αὐτοῦ ἐλεγχόμενος· ὃν γὰρ ἀγαπᾷ κύριος
παιδεύει, μαστιγοῖ δὲ πάντα υἱὸν ὃν παραδέχεται.« κατ' ἄλλους 3
15 μέντοι γε τόπους ἐξεταζόμεναι αἱ προειρημέναι γραφαὶ ἄλλα μυστήρια
μηνύουσι παρίστανται.

Φαμὲν τοίνυν ἐνθένδε γυμνῷ τῷ λόγῳ τὴν φιλοσοφίαν ζήτησιν 4
ἔχειν περὶ ἀληθείας καὶ τῆς τῶν ὄντων φύσεως (ἀλήθεια δὲ αὕτη, περὶ
ἧς ὁ κύριος αὐτὸς εἶπεν »ἐγώ εἰμι ἡ ἀλήθεια«), τήν τε αὖ προπαιδείαν
20 τῆς ἐν Χριστῷ ἀναπαύσεως γυμνάζειν τὸν νοῦν καὶ διεγείρειν τὴν
σύνεσιν ἀγχίνοιαν γεννῶσαν ζητητικὴν διὰ φιλοσοφίας ἀληθοῦς. ἣν
εὑρόντες, μᾶλλον δὲ εἰληφότες παρ' αὐτῆς τῆς ἀληθείας, ἔχουσιν οἱ
μύσται. VI. πολλὰ δ' ἡ ἑτοιμότης πρὸς τὸ τὰ δέοντα ὁρᾶν διὰ τῆς προ- 33, 1
γυμνασίας συμβάλλεται. εἴη δ' ἂν γυμνασία τῷ νῷ τὰ νοητά. τριττὴ

1–5 vgl. Gen 38, 14—16; Philo De congr. er. gr. 124f. (III p. 97) ἔστι δ'
ὅτε ... ὥσπερ Θάμαρ ἐπὶ τριόδου καθέζεται, πόρνης δόξαν παρασχοῦσα τοῖς ὁδῷ
βαδίζουσιν ... τίς οὖν ὁ ἐξεταστικὸς καὶ φιλομαθὴς καὶ μηδὲν ἄσκεπτον καὶ ἀδιερεύνητον
τῶν ἐγκεκαλυμμένων πραγμάτων παραλιπεῖν ἀξιῶν ἐστιν, ὅτι μὴ ὁ ἀρχιστράτηγος καὶ
βασιλεὺς καὶ ταῖς πρὸς θεὸν ὁμολογίαις ἐμμένων τε καὶ χαίρων, ὄνομα Ἰούδας;
3 Ἰούδας-δυνατός vgl. vielleicht Onom. sacra 193, 4 Ἰούδας ἐξομολόγησις ἢ ἱκάνωσις
κυρίου (Klst) 5 vgl. auch Gen 29, 35 u. Philo De plant. 134 (II p. 160) Ἰούδας, ὃς
ἑρμηνεύεται κυρίῳ ἐξομολόγησις; Leg. alleg. I 80 (I p. 82) τοῦ ἐξομολογουμένου ὁ
Ἰούδας σύμβολον. 5—11 vgl. Gen 16, 6; Philo de congr. er. gr. 154 (III p. 104)
μονονοῦ βοῶν ἄντικρυς, ὅτι τὴν μὲν ἐγκύκλιον παιδείαν καὶ ὡς νεωτέραν καὶ ὡς θερα-
παινίδα ἀσπάζομαι, τὴν δὲ ἐπιστήμην καὶ φρόνησιν ὡς τελείαν καὶ δέσποιναν ἐκτετίμηκα.
11f. vgl. Philo a. a. O. 158 (III p. 105) »καὶ ἐκάκωσεν αὐτὴν« ἴσον τῷ ἐνουθέτησε καὶ
ἐσωφρόνισε. 12—14 Prov 3, 11f. (= Hebr 12, 5f.); Philo a. a. O. 177 (III p. 109)
19 Io 14, 6

2 Θάμαρ Philo θήμαρ L   11 τῷ Philo τὸ L   12 ἐσώφρόνησε L   18 μηδὲ] καὶ
μὴ Philo   14 παιδεύει (wie Hebr 12, 6 u. Paed. I 78, 4)] ἐλέγχει Philo   15 τόπους]
τύπους Ρο τρόπους Ma   16 μηνύουσαι L¹ μηνύουσι L*   παρίστανται Schw παρεστάναι L
19 εἶπεν Sy εἰπὼν L

δὲ ἡ τούτων φύσις, ἔν τε ποσοῖς καὶ πηλίκοις καὶ λεκτοῖς θεωρου- 2
μένη. ὁ γὰρ ἀπὸ τῶν ἀποδείξεων λόγος ἀκριβῆ πίστιν ἐντίθησι τῇ
ψυχῇ τοῦ παρακολουθοῦντος, ὥστε μηδ' ἂν ἄλλως ἔχειν τὸ ἀπο-
δειχθὲν οἴεσθαι, τοῖς τε αὖ δι' ἀπάτην ὑποτρέχουσιν ἡμῖν ὑποπίπτειν
5 οὐκ ἐᾷ. ἐν τούτοις οὖν τοῖς μαθήμασιν ἐκκαθαίρεταί τε τῶν αἰσθη- 3
τῶν καὶ ἀναζωπυρεῖται ἡ ψυχή, ἵνα δή ποτε ἀλήθειαν διιδεῖν δυνηθῇ.
»τροφὴ γὰρ καὶ ἡ παίδευσις ἡ χρηστὴ σῳζομένη φύσεις ἀγαθὰς ποιεῖ, | 4
καὶ αἱ φύσεις αἱ χρησταὶ τοιαύτης παιδείας ἀντιλαμβανόμεναι ἔτι 336 P
βελτίους τῶν πρότερον φύονται εἴς τε τὰ ἄλλα καὶ εἰς τὸ γεννᾶν,
10 ὥσπερ καὶ ἐν τοῖς ἄλλοις ζῴοις.« διὸ καί φησιν· »ἴσθι πρὸς τὸν 5
μύρμηκα, ὦ ὀκνηρέ, καὶ γενοῦ ἐκείνου σοφώτερος « ὃς πολλὴν καὶ
παντοδαπὴν ἐν τῷ ἀμήτῳ παρατίθεται πρὸς τὴν τοῦ χειμῶνος ἀπει-
λὴν τὴν τροφήν, »ἢ πορεύθητι πρὸς τὴν μέλισσαν καὶ μάθε ὡς 6
ἐργάτις ἐστί·« καὶ αὐτὴ γὰρ πάντα τὸν λειμῶνα ἐπινεμομένη ἓν
15 κηρίον γεννᾷ.

Εἰ δὲ ἐν τῷ ταμείῳ εὐχῇ, ὡς ὁ κύριος ἐδίδαξε, πνεύματι προσκυ- 34, 1
νῶν, οὐκέτι περὶ τὸν οἶκον εἴη ἂν μόνον ἡ οἰκονομία, ἀλλὰ καὶ περὶ
τὴν ψυχήν, τίνα τε ἐπινεμητέον αὐτῇ καὶ ὅπως καὶ ὁπόσον, τίνα τε
ἀποθετέον καὶ ἀποθησαυριστέον εἰς αὐτήν, καὶ ὅτε ταῦτα προχο-
20 μιστέον, καὶ πρὸς οὕστινας. οὐ γὰρ φύσει, μαθήσει δὲ οἱ καλοὶ κἀ-
γαθοὶ γίνονται, καθάπερ ἰατροὶ καὶ κυβερνῆται. ὁρῶμεν γοῦν κοινῶς 2
οἱ πάντες τὴν ἄμπελον καὶ τὸν ἵππον, ἀλλ' ὁ μὲν γεωργὸς εἴσεται,
εἰ ἀγαθὴ πρὸς καρποφορίαν ἢ κακὴ ἡ ἄμπελος, καὶ ὁ ἱππικὸς ἄθυ-
μον ἢ ταχὺν διακρινεῖ ῥᾳδίως. τὸ δ' ἄλλους παρ' ἄλλους εὖ πεφυ- 3
25 κέναι πρὸς ἀρετὴν ἐπιτηδεύματα μέν τινα τῶν οὕτω πεφυκότων
παρὰ τοὺς ἑτέρους ἐνδείκνυται, τελειότητα δὲ κατ' ἀρετὴν οὐδ' ἡντιν-
οῦν τῶν ἄμεινον φύντων κατηγορεῖ, ὁπότε καὶ οἱ κακῶς πεφυκότες
πρὸς ἀρετὴν τῆς προσηκούσης παιδείας τυχόντες ὡς ἐπίπαν καλο-

---

2f. vgl. Strom. II 49, 3 (S. 139, 5—8) u. VIII 5, 3 (Bd. III 82, 16); über die Be-
ziehungen zu Strom. VIII vgl. W. Ernst, De Cl. Strom. libro octavo qui fertur, Diss.
Gött. 1910, S. 27 (Fr)   5f. Plato Rep. VII p. 527 DE ἐν τούτοις τοῖς μαθήμασιν
ἑκάστου ὄργανόν τι ψυχῆς ἐκκαθαίρεταί τε καὶ ἀναζωπυρεῖται ἀπολλύμενον καὶ τυφλού-
μενον ὑπὸ τῶν ἄλλων ἐπιτηδευμάτων, κρεῖττον ὂν σωθῆναι μυρίων ὀμμάτων· μόνῳ γὰρ
αὐτῷ ἀλήθεια ὁρᾶται.   7—10 Plato Rep. IV p. 424 A   10—14 Prov 6, 6. 8. 8ᵃ   11f. vgl.
Hor. Sat. I 1, 33 (Fr)   16 vgl. Mt 6, 6   16f. vgl. Io 4, 23f.   19 vgl. Mt 6, 19; I Tim
6, 19   19f. Mt 12, 35; Lc 6, 45   20—S. 23, 6 Chrysipp Fr. mor. 225 Arnim   20f. vgl.
Plato Menon p. 89 B ᾿Αρ᾿ οὖν ἐπειδὴ οὐ φύσει οἱ ἀγαθοὶ γίγνονται, ἆρα μαθήσει;

6 ἀναζωπυρεῖται Di (wie Plato; vgl. S. 23, 4; Strom. I 169, 1) ἀναζωπυροῦται L
7 ἡ παίδευσις ἡ χρηστὴ] παίδευσις χρηστὴ Plato ποιεῖ] ἐμποιεῖ Plato   8 αἱ φύσεις
αἱ χρησταί] αἱ φύσεις χρησταί Plato   ἔτι Sy (wie Plato) ἐπὶ L   9 προτέρων Plato
10 ἴσθι L* ἴθι Lᶜᵒʳʳ.   16f. προσκυνῶν Schw προσκυνεῖν L   17 μόνον Ma μόνη L
23 nach πρὸς ein Wort ausradiert (wohl ἀρετὴν) L   24 διακρινεῖ Ma διακρίνει L

κἀγαθίας ἤνυσαν, καὶ αὖ τὰ ἐναντία οἱ ἐπιτηδείως φύντες ἀμελείᾳ
γεγόνασι κακοί. φύσει δ' αὖ κοινωνικοὺς καὶ δικαίους ὁ θεὸς ἡμᾶς
ἐδημιούργησεν. ὅθεν οὐδὲ τὸ δίκαιον ἐκ μόνης φαίνεσθαι τῆς θέ- 35, 1
σεως ῥητέον, ἐκ δὲ τῆς ἐντολῆς ἀναζωπυρεῖσθαι τὸ τῆς δημιουργίας
5 ἀγαθὸν νοητέον, μαθήσει παιδευθείσης τῆς ψυχῆς ἐθέλειν αἱρεῖσθαι
τὸ κάλλιστον. ἀλλὰ καθάπερ καὶ ἄνευ γραμμάτων πιστὸν εἶναι δυ- 2
νατὸν φαμεν, οὕτως συνιέναι τὰ ἐν τῇ πίστει λεγόμενα οὐχ οἷόν τε
μὴ μαθόντα ὁμολογοῦμεν. τὰ μὲν γὰρ εὖ λεγόμενα προσίεσθαι, τὰ
δὲ ἀλλότρια μὴ προσίεσθαι οὐχ ἁπλῶς ἡ πίστις, ἀλλ' ἡ περὶ τὴν
10 μάθησιν πίστις ἐμποιεῖ. εἰ δ' ἡ ἄγνοια ἀπαιδευσία τε ἅμα καὶ ἀμαθία. 3
τὴν ἐπιστήμην τῶν θείων καὶ ἀνθρωπίνων ἐντίθησιν ἡ διδασκαλία.
ἀλλ' ὡς ἐν -πενίᾳ βίου ὀρθῶς ἔστι βιοῦν, οὕτω δὲ καὶ ἐν περιουσίᾳ 4
ἔξεστιν, καὶ ῥᾷον ἅμα καὶ θᾶττον σὺν τῇ προπαιδείᾳ θηρᾶσαι ἄν
τινα τὴν ἀρετὴν ὁμολογοῦμεν οὐδὲ δίχα τούτων ἀθήρατον οὖσαν,
15 πλὴν καὶ τότε τοῖς μεμαθηκόσι καὶ ›τὰ αἰσθητήρια συγγεγυμνα-
σμένοις‹. | ›μῖσος μὲν γάρ‹, φησὶν ὁ Σολομῶν, ›ἐγείρει νεῖκος, ὁδοὺς 337 P 5
δὲ ζωῆς φυλάσσει παιδεία,‹ ὡς μὴ ἀπατηθῆναι, ὡς μὴ κλαπῆναι
πρὸς τῶν ἐπὶ βλάβῃ τῶν ἀκροωμένων κακοτεχνίαν ἠσκηκότων. ›παι- 6
δεία δὲ ἀνεξέλεγκτος πλανᾶται‹, φησίν, καὶ χρὴ μετιέναι τὸ ἐλεγκτι-
20 κὸν εἶδος ἕνεκα τοῦ τὰς δόξας τὰς ἀπατηλὰς διακρούεσθαι τῶν
σοφιστῶν.

Εὖ γοῦν καὶ Ἀνάξαρχος ὁ Εὐδαιμονικὸς ἐν τῷ περὶ βασιλείας 36, 1
γράφει· ›πολυμαθίη κάρτα μὲν ὠφελεῖ, κάρτα δὲ βλάπτει τὸν
ἔχοντα· ὠφελέει μὲν τὸν δεξιὸν ὄντα, βλάπτει δὲ τὸν ῥηϊδίως φω-
25 νέοντα πᾶν ἔπος καὶ ἐν παντὶ δήμῳ. χρὴ δὲ καιροῦ μέτρα εἰδέναι·
σοφίης γὰρ οὗτος ὅρος. ὅσοι δὲ ‹ἔξω› καιροῦ ῥήσιν ἀείδουσιν, κἤν πῃ

*   6 vgl. Päd. III 78, 2 (St)   11 vgl. Anm. zu Paed. II 25, 3   15f. vgl. Hebr 5, 14
16—19 Prov 10, 12ᵃ. 17   23f. vgl. Sternbach Gnom. Vatic. 469   23—S. 24, 2 Anax.
Fr. 1 Diels⁶ II 239, 21; im Text sind die Stobaeus entnommenen Ergänzungen der
verworrenen Überlieferung von L eingesetzt (Fr)

7 συνιέναι Höschel συνεῖναι L   10 πίστιν μάθησις St   εἰ δ' ἤ] ἡ δ' Ma οὐδ' Wi
11 ἐντίθησιν ἡ διδασκαλία Jackson¹ ἐντίθησι τῇ διδασκαλίᾳ L   15 αἰσθητήρια L¹
αἰσθηταίμια L*   19 μετιέναι St μετεῖναι L   22 ὁ Εὐδαιμονικὸς Höschel εὐδαιμονικῶς L
23 πολυμαθίη Stob. Flor. 34, 19 πολυμαθείη L   ὠφελέει Stob. -εῖ L   23f. [τὸν ἔχοντα]
Bergk   24 τὸν δεξιὸν Stob. τόνδε ἄξιον L   ὄντα] ἄνδρα Stob.   24f. φωνέοντα] φωνεῦντα
oder φωνοῦντα Stob.   25 καὶ ἐν Stob. χ' ἐν L   26 ὅρος] οὖρος Bergk   ὅσοι δέ] οἳ
(οἷ) δὲ oder εἰ δὲ οἱ Stob.   26f. καὶ θύρησιν (θῦ ῥῆσιν Monac. 479 Ottob. 94, daher
θεοῦ ῥῆσιν Sy Di) ἀείδουσιν, χ' ἵν πῃ (ἢ ἵν πῃ Vi) πεπυμμένην (so L¹ für πεπνευμένην)
ἀείδωσιν L   ἔξω καιροῦ ῥῆσιν μουσικὴν πεπνυμένως ἀείσσων (ἀάσουσιν Μ ἀείσουσιν Α)
Stob. HSS ἔξω καιροῦ ῥῆσιν μουσικὴν ⟨ἀείδουσιν, κἢν⟩ πεπνυμένως ἀείσωσιν Hense καὶ
θύρησιν ἀείδουσιν, ἥνπερ πεπνυμένα ἀείδωσιν Bernays ⟨ἔξω καιροῦ⟩ θύρησιν ἀείδουσι,
κἤν πεπνυμένα ἀείσωσιν Bergk

πεπνυμένην ἀείδωσιν, οὐ τιθέμενοι ἐν σοφίῃ γνώμην,⟨αἰτίην⟩ ἔχουσι
μωρίης.« καὶ Ἡσίοδος· | 2

      Μουσάων, αἵτ' ἄνδρα πολυφραδέοντα τιθεῖσι   124 S
      θέσπιον, αὐδήεντα·

5 εὔπορον μὲν γὰρ ἐν λόγοις τὸν πολυφράδμονα λέγει, δεινὸν δὲ τὸν
αὐδήεντα, καὶ θέσπιον τὸν ἔμπειρον καὶ φιλόσοφον καὶ τῆς ἀληθείας
ἐπιστήμονα.

     VII. Καταφαίνεται τοίνυν προπαιδεία ἡ Ἑλληνικὴ σὺν καὶ αὐτῇ   37, 1
φιλοσοφίᾳ θεόθεν ἥκειν εἰς ἀνθρώπους οὐ κατὰ προηγούμενον, ἀλλ'
10 ὃν τρόπον οἱ ὑετοὶ καταρρήγνυνται εἰς τὴν γῆν τὴν ἀγαθὴν καὶ εἰς
τὴν κοπρίαν καὶ ἐπὶ τὰ δώματα. βλαστάνει δ' ὁμοίως καὶ πόα καὶ
πυρός, φύεται δὲ καὶ ἐπὶ τῶν μνημάτων συκῆ καὶ εἴ τι τῶν ἀναι-
δεστέρων δένδρων, καὶ τὰ φυόμενα ἐν τύπῳ προκύπτει τῶν
ἀληθῶν, ὅτι τῆς αὐτῆς τοῦ ὑετοῦ ἀπέλαυσε δυνάμεως, ἀλλ' οὐ
15 τὴν αὐτὴν ἔσχηκε χάριν τοῖς ἐν τῷ πίονι φυεῖσιν ἤτοι ξηρανθέντα   2
ἢ ἀποτιλθέντα. καὶ δὴ κἀνταῦθα χρησιμεύει ἡ τοῦ σπόρου παραβολή,
ἣν ὁ κύριος ἡρμήνευσεν. εἷς γὰρ ὁ τῆς ἐν ἀνθρώποις γῆς γεωργὸς
ὁ ἄνωθεν σπείρων ἐκ καταβολῆς κόσμου τὰ θρεπτικὰ σπέρματα, ὁ
τὸν κύριον καθ' ἕκαστον καιρὸν ἐπομβρίσας λόγον, οἱ καιροὶ δὲ καὶ
20 οἱ τόποι οἱ δεκτικοὶ τὰς διαφορὰς ἐγέννησαν. ἄλλως τε ὁ γεωργὸς   8
οὐ πυροὺς μόνον (καίτοι καὶ τούτων πλείους εἰσὶ διαφοραί), σπείρει
δὲ καὶ τὰ ἄλλα σπέρματα, κριθάς τε καὶ κυάμους καὶ πίσον καὶ   338 P
ἄρακα καὶ τὰ κηπευόμενα καὶ τὰ ἀνθητικὰ σπέρματα· τῆς αὐτῆς δὲ   4
γεωργίας καὶ ἡ φυτουργία, ἐργάζεσθαι ὅσα εἰς αὐτά τε τὰ φυτώρια
25 καὶ εἰς παραδείσους καὶ τὰ ὡραῖα καὶ ὅλως παντοίων δένδρων
φύσιν καὶ τροφήν. ὡσαύτως δὲ οὐχ ἡ ποιμενικὴ μόνη, ἀλλὰ καὶ ἡ   5
βουκολικὴ ἱπποτροφική τε καὶ κυνοτροφικὴ καὶ μελισσουργικὴ τέχναι
πᾶσαι, συνελόντι δ' εἰπεῖν ἀγελοκομική τε καὶ ζῳοτροφικὴ ἀλλήλων
μὲν τῷ μᾶλλον καὶ ἧττον διαφέρουσι, πλὴν αἱ πᾶσαι βιωφελεῖς.
30 φιλοσοφίαν δὲ οὐ τὴν Στωικὴν λέγω οὐδὲ τὴν Πλατωνικὴν ἢ τὴν   6
Ἐπικούρειόν τε καὶ Ἀριστοτελικήν, ἀλλ' ὅσα εἴρηται παρ' ἑκάστῃ

3f. Hesiod Fr. 197 Rzach² 5f. vgl. x 136 (δεινὴ θεὸς αὐδήεσσα) 10—12 frei
bei Theodoret Gr. aff. cur. I 124 (Fr) 12f. φύεται ... συκῆ vgl. Juvenal X 145
16—18 vgl. Mt 13, 3—8; Mc 4, 2—8; Lc 8, 5—8

1f. οὐ τιθέμενοι ἐν σοφίῃ, γνώμην δ' (δ' < Bernays αἰτίην Diels) ἔχουσι μωρίης L
οὐ παραδέχονται ἐν ἀργίῃ γνώμην (γνώμῃ SM) αἰτίην (αἰτεῖν S) δ' ἔχουσι (δ' ἔχωσι
M) μωρίας Stob. 8 τιθεῖσαι L 6 θέσπειον L 12 δὲ Wi τε L 14 ἀληθῶν] ἄλλων Ma,
aber ἐν τύπῳ τῶν ἀληθῶν gehört zusammen, προκύπτειν abs. emporwachsen vgl. Orig.
comm. in Joh. XX 34 (332, 31) (Fr) 19 ἐπομβρήσας Di 20 ἐγέννησαν L 23 ἄρακον
Sy (Index) ἀνθητικὰ Hemsterhuys im Thes. ἀνθεντικὰ L 24 ὅσα ⟨δεῖ⟩ St 27f.
τῷ μᾶλλον καὶ ἧττον Terminus d. Aristot. s. Index v. Bonitz Sp. 444ᵇ 52 (Fr)
81 ἐπικούριον L

τῶν αἱρέσεων τούτων καλῶς, δικαιοσύνην μετὰ εὐσεβοῦς ἐπιστήμης
ἐκδιδάσκοντα, τοῦτο σύμπαν τὸ ἐκλεκτικὸν φιλοσοφίαν φημί. ὅσα
δὲ ἀνθρωπίνων λογισμῶν ἀποτεμόμενοι παρεχάραξαν, ταῦτα οὐκ ἂν
ποτε θεῖα εἴποιμ᾽ ἄν.

5　　Ἤδη δὲ κἀκεῖνο σκοπῶμεν, ὡς εἴ ποτε οἱ μὴ ἐπιστάμενοι δια-　38, 1
βιοῦσι καλῶς †εὖ ποιεῖν· εὐποιΐᾳ γὰρ περιπεπτώκασιν, ἔνιοι δὲ καὶ
εὐστοχοῦσι διὰ συνέσεως εἰς τὸν περὶ ἀληθείας λόγον, ›Ἀβραὰμ δὲ
οὐκ ἐξ ἔργων ἐδικαιώθη, ἀλλ᾽ ἐκ πίστεως.‹ οὐδὲν οὖν ὄφελος αὐτοῖς　2
μετὰ τὴν τελευτὴν τοῦ βίου, κἂν εὐεργεῖς ὦσι νῦν, εἰ μὴ πίστιν
10 ἔχοιεν. διὰ τοῦτο γὰρ Ἑλλήνων φωνῇ ἡρμηνεύθησαν αἱ γραφαί, ὡς　3
μὴ πρόφασιν ἀγνοίας προβάλλεσθαι δυνηθῆναί ποτε αὐτούς, οἵους
τε ὄντας ἐπακοῦσαι καὶ τῶν παρ᾽ ἡμῖν, ἢν μόνον ἐθελήσωσιν. ἄλλως 4
τις περὶ ἀληθείας λέγει, ἄλλως ἡ ἀλήθεια ἑαυτὴν ἑρμηνεύει. ἕτερον
στοχασμὸς ἀληθείας, ἕτερον ἡ ἀλήθεια, ἄλλο ὁμοίωσις, ἄλλο αὐτὸ
15 τὸ ὄν, καὶ ἡ μὲν μαθήσει καὶ ἀσκήσει περιγίνεται, ἣ δὲ δυνάμει καὶ
πίστει. δωρεὰ γὰρ ἡ διδασκαλία τῆς θεοσεβείας, χάρις δὲ ἡ πίστις. 5
ποιοῦντες γὰρ τὸ θέλημα τοῦ θεοῦ τὸ θέλημα γινώσκομεν. ›ἀνοίξατε
οὖν‹, φησὶν ἡ γραφή, ›πύλας δικαιοσύνης, ἵνα ἐν αὐταῖς εἰσελθὼν
ἐξομολογήσωμαι τῷ κυρίῳ.‹ ἀλλ᾽ αἱ μὲν εἰς δικαιοσύνην ὁδοί, πο- 6
20 λυτρόπως σῴζοντος τοῦ θεοῦ (ἀγαθὸς γάρ), πολλαί τε καὶ ποικίλαι
καὶ φέρουσαι | εἰς τὴν κυρίαν ὁδόν τε καὶ πύλην. ἐὰν δὲ τὴν βασι- 339 P
λικήν τε καὶ αὐθεντικὴν εἴσοδον ζητῇς, ἀκούσῃ· ›αὕτη ἡ πύλη τοῦ
κυρίου, δίκαιοι εἰσελεύσονται ἐν αὐτῇ.‹ ›πολλῶν τοίνυν ἀνεῳγμένων 7
πυλῶν ⟨ἡ⟩ ἐν δικαιοσύνῃ αὕτη ἦν ἐν Χριστῷ, ἐν ᾗ μακάριοι πάντες
25 οἱ εἰσελθόντες καὶ κατευθύνοντες τὴν πορείαν αὐτῶν ἐν ὁσιότητι‹
γνωστικῇ. αὐτίκα ὁ Κλήμης ἐν τῇ πρὸς Κορινθίους ἐπιστολῇ κατὰ 8
λέξιν φησὶ τὰς διαφορὰς ἐκτιθέμενος τῶν κατὰ τὴν ἐκκλησίαν δοκί-
μων· ›ἤτω τις πιστός, ἤτω δυνατὸς γνῶσιν ἐξειπεῖν, ἤτω σοφὸς ἐν
διακρίσει λόγων, ἤτω γοργὸς ἐν ἔργοις.‹

30　　VIII. Ἡ δὲ σοφιστικὴ τέχνη, ἣν ἐζηλώκασιν Ἕλληνες, δύναμίς 39, 1
ἐστι φανταστική, διὰ λόγων δοξῶν ἐμποιητικὴ ψευδῶν ὡς ἀληθῶν·
παρέχει γὰρ πρὸς μὲν πειθὼ τὴν ῥητορικήν, πρὸς τὸ ἀγωνιστικὸν

7f. Rom 4, 2. 16　17 vgl. Io 7, 17　17—19. 22f. Ps 117, 19f. (aus I Clem. ad
Cor. 48, 2f.); vgl. Strom. VI 64, 2　23—25. 28f. I Clem. ad Cor. 48, 4f.　30—S. 26, 1
vgl. Plato Sophist. p. 239 C; 236 C (φανταστικὴ τέχνη); 240 D (ψευδὴς δόξα); 226 A
(ἐριστική, ἀγωνιστική)

*　　2 τὸ ἐκλεκτικὸν vgl. Diog. L. prooem. 21 (Fr)　6 εὖ ποιεῖν ~ vor διαβιοῦσι Hervet
[εὖ ποιεῖν] Ma ⟨οὐδὲν ὄφελος τὸ⟩ εὖ ποιεῖν St ⟨οὐ τέλειοι γίγνονται μόνῳ τῷ⟩ Schw
10 ἑρμηνεύθησαν L　24 ⟨ἡ⟩ aus I Clem. u. Strom. VI 64, 3　ἢν] ἐστιν ἡ I Clem. u.
Strom.　29 γοργὸς (so auch Strom. VI 65, 3)] ἁγνὸς I Clem.

δὲ τὴν ἐριστικήν. αἱ τοίνυν τέχναι ⟨αὗται⟩ ἐὰν μὴ μετὰ φιλοσοφίας
γένωνται, βλαβερώτεραι παντί που εἶεν ἄν. ἄντικρυς γοῦν ὁ Πλάτων 2
κακοτεχνίαν προσεῖπεν τὴν σοφιστικὴν ὅ τε Ἀριστοτέλης ἑπόμενος κλε-
πτικήν τινα αὐτὴν ἀποφαίνεται, ἅτε τὸ ὅλον τῆς σοφίας ἔργον πι-
5 θανῶς ὑφαιρουμένην καὶ ἐπαγγελλομένην σοφίαν ἣν οὐκ ἐμελέτησεν.
ἐν βραχεῖ δὲ εἰπεῖν, καθάπερ τῆς ῥητορικῆς ἀρχὴ μὲν τὸ πιθανόν, 8
ἔργον δὲ τὸ ἐπιχείρημα καὶ τέλος ἡ πειθώ, οὕτω τῆς ἐριστικῆς ἀρχὴ
μὲν τὸ δόξαν, ἔργον δὲ τὸ ἀγώνισμα καὶ τέλος ἡ νίκη. τὸν αὐτὸν 4
γὰρ τρόπον καὶ τῆς σοφιστικῆς ἀρχὴ μὲν τὸ φαινόμενον, ἔργον δὲ
10 διττόν, τὸ μὲν ἐκ ῥητορικῆς διεξοδικὸν φαινόμενον, τὸ δὲ ἐκ δια-
λεκτικῆς ἐρωτητικόν, τέλος δὲ αὐτῆς ἡ ἔκπληξις. ἥ τε αὖ θρυλου- 5
μένη κατὰ τὰς διατριβὰς διαλεκτικὴ γύμνασμα φιλοσόφου περὶ τὸ
ἔνδοξον δείκνυται ἀντιλογικῆς ἕνεκεν δυνάμεως· οὐδαμοῦ δ' ἐν τού-
τοις ἡ ἀλήθεια. εἰκότως τοίνυν ὁ γενναῖος ἀπόστολος, ἐκφαυλίζων 40, 1
15 τὰς περιττὰς ταύτας τῶν λέξεων τέχνας, »εἴ τις μὴ προσέρχεται
ὑγιαίνουσι λόγοις« | φησί, »διδασκαλίᾳ δέ τινι τετύφωται μηδὲν ἐπι- 340 P
στάμενος, ἀλλὰ νοσῶν περὶ ζητήσεις καὶ λογομαχίας, ἐξ ὧν γίνεται
ἔρις, | φθόνος, βλασφημία, ὑπόνοιαι πονηραί, διαπαράτριβαὶ διεφθαρ- 125 S
μένων ἀνθρώπων τὸν νοῦν καὶ ἀπεστερημένων τῆς ἀληθείας.« ὁρᾷς 2
20 ὅπως πρὸς αὐτοὺς κεκίνηται, νόσον ὀνομάζων τὴν λογικὴν τέχνην
αὐτῶν, ἐφ' ᾗ σεμνύνονται οἷς φίλη ἡ στωμύλος αὕτη κακοτεχνία,
εἴτε Ἕλληνες εἶεν εἴτε καὶ βάρβαροι σοφισταί. παγκάλως οὖν ὁ τρα- 8
γικὸς Εὐριπίδης ἐν ταῖς Φοινίσσαις λέγει·

ὁ δὲ ἄδικος λόγος
25   νοσῶν ἐν αὑτῷ φαρμάκων δεῖται σοφῶν.

»ὑγιαίνων« μὲν γὰρ ὁ σωτήριος εἴρηται λόγος αὐτὸς ὢν ἀλήθεια, 4
καὶ τὸ ὑγιαῖνον ἀεὶ ἀθάνατον μένει, ἡ δὲ ἀπὸ τοῦ ὑγιεινοῦ τε καὶ

2f. nicht bei Plato; aber vgl. Sext. Emp. Adv. Math. II 12 οἱ περὶ ·Πλάτωνα
ἐκάκισαν αὐτήν (τὴν ῥητορικήν), ὡς κακοτεχνίαν μᾶλλον ἢ τέχνην καθεστηκυῖαν.
Ähnlich Adv. Math. II 49. 68. Amm. Marc. XXX 4, 3 professionem oratorum foren-
sium ... Epicurus ·:· κακοτεχνίαν nominans inter artes numerat malas (Usener,
Epicurea p. 112); vgl. Prächter, Philol. 51 (1892) p. 290 **3f.** nicht bei Aristoteles;
aber vgl. Topic. IV 5 p. 126ᵃ 30 ... οἷον τὸν σοφιστὴν ἢ διάβολον ἢ κλέπτην τὸν
δυνάμενον τὰ ἀλλότρια ὑφαιρεῖσθαι ἢ δυνάμενον διαβάλλειν ἢ σοφίζεσθαι **6f.** vgl. Cic.
de invent. I 5, 6 (Fr)   9—11 vgl. Strom. VIII 11, 4   **12f.** vgl. Aristot. Top. I 2
p. 101ᵃ 27ff. Metaph. B 1 p. 995ᵇ 23ff.   15—19 I Tim 6, 3—5   22—S. 28, 2 vgl. Elter
Gnom. hist. 107sq.   22—25 Theodoret Gr. aff. c. I 87   **24f.** Eurip. Phoen. 471f.
26 vgl. I Tim 6, 3

1 αἱ τοίνυν] αὗται οὖν Markland   ⟨αὗται⟩ ἐὰν St εἰ L   2 γοῦν Markland γὰρ
οὖν L   9 [γὰρ] Wi   ἀρχὴ Sy ἀρχὴν L   10 φαινόμενον L φαινομένου (oder -ων) Fr

θείου διάκρισις ἀθεότης τε καὶ πάθος θανατηφόρον. λύκοι οὗτοι 5
ἅρπαγες προβάτων κῳδίοις ἐγκεκρυμμένοι, ἀνδραποδισταί τε καὶ
ψυχαγωγοὶ εὔγλωσσοι, κλέπτοντες μὲν ἀφανῶς, διελεγχόμενοι δὲ
λῃσταί, αἱρεῖν ἀγωνιζόμενοι καὶ δόλῳ καὶ βίᾳ ἡμᾶς δὴ τοὺς ἀπερίτ-
5 τους, ὡς ἂν εἰπεῖν ἀδυνατωτέρους.

ἀγλωσσίᾳ δὲ πολλάκις ληφθεὶς ἀνὴρ   41, 1
δίκαια λέξας ἧσσον εὐγλώσσου φέρει.

νῦν δ᾽ εὐρόοισι στόμασι τἀληθέστατα
κλέπτουσιν, ὥστε μὴ δοκεῖν ἃ χρὴ δοκεῖν,

10 ἡ τραγῳδία λέγει. τοιοῦτοι δὲ οἱ ἐριστικοὶ οὗτοι εἴτε αἱρέσεις μετ- 2
ίοιεν εἴτε καὶ διαλεκτικὰ συνασκοῖεν τεχνύδρια, οὗτοι οἱ τὰ κατάρτια
κατασπῶντες καὶ μηθὲν ὑφαίνοντες, φησὶν ἡ γραφή, ματαιοπονίαν
ἐζηλωκότες, ἣν κυβείαν ἀνθρώπων ὁ ἀπόστολος ἐκάλεσεν καὶ παν-
ουργίαν, »πρὸς τὴν μεθοδείαν τῆς πλάνης« ἐπιτήδειον. »εἰσὶ γάρ«, 3
15 φησί, »πολλοὶ ἀνυπότακτοι, ματαιολόγοι, φρεναπατοῦντες.« οὐκοῦν
οὐ πᾶσιν εἴρηται· »ὑμεῖς ἐστε οἱ ἅλες τῆς γῆς.« εἰσὶ γάρ τινες τῶν 4
καὶ τοῦ λόγου ἐπακηκοότων τοῖς ἰχθύσι τοῖς θαλασσίοις ἐοικότες,
οἳ δὴ ἐν ἅλμῃ ἐκ γενετῆς τρεφόμενοι ἁλῶν ὅμως πρὸς τὴν σκευασίαν
δέονται. ἐγὼ γοῦν καὶ πάνυ ἀποδέχομαι τὴν τραγῳδίαν λέγουσαν· 5

20   ὦ παῖ, γένοιντ᾽ ἂν εὖ λελεγμένοι λόγοι
        ψευδεῖς, ἐπῶν δὲ κάλλεσι⟨ν⟩ νικῷεν ἂν |
        τἀληθές· ἀλλ᾽ οὐ τοῦτο τἀκριβέστατον,   341 P
        ἀλλ᾽ ἡ φύσις καὶ τοὐρθόν· ὃς δὲ εὐγλωσσίᾳ
        νικᾷ, σοφὸς μέν, ἀλλὰ γὰρ τὰ πράγματα
25   κρείσσω νομίζω τῶν λόγων ἀεί ποτε.

οὔποτε ἄρα ὀρεκτέον τοῖς πολλοῖς ἀρέσκειν. ἃ μὲν γὰρ ἐκείνους 6

* 1f. vgl. Mt 7, 15   2 vgl. I Tim 1, 10 (ἀνδραποδισταί)   3 Io 10, 8   6f. Eurip.
Alexander Fr. 56; vgl. Stob. Flor. 42, 3   8f. Eurip. Hippol. prior Fr. 439; vgl. Stob.
Flor. 82, 1 (= Ecl. II 2, 8 p. 21, 19 Wachsm.)   11f. Resch, Agrapha² S. 181f.; Ropes,
Sprüche Jesu S. 31f.   13f. vgl. Eph 4, 14   14f. Tit 1, 10   16 Mt 5, 13   20—25 Eurip.
Antiope Fr. 206; vgl. Stob. Ecl. II 15, 12 p. 187, 10 Wachsm.   26—S. 28, 2 vgl. Epi-
kur Fr. 187 Usener S. 157   26 vgl. Stob. flor. 45, 22 (IV p. 190, 10 Hense) Δημοσθένης
(fr. 38 Sauppe) εἶπε »πάντων ἐστὶν δυσχερέστατον·τὸ πολλοῖς ἀρέσκειν« (Fr)

    4 αἱρεῖν Sy αἴρειν L   7 φέρει Vi φέρειν L   8 εὐρόοισι στόμασι] εὐρύθμοις πιστώ-
μασι Stob.   13 ἀνθρώπων Sy aus Ephes. αὐτὴν L ἀνθρωπίνην Di   20 λελεγμένοι
λόγοι Markland λεγόμενοι λόγοι οἱ L   21 καλλονῇ Nauck   23f. εὐγλωσσίᾳ νικᾷ Stob.
εὐγλωσσίαν εἰ καὶ L   24 ἀλλὰ γὰρ Stob. ἀλλά γε L ἀλλ᾽ ἐγὼ Sy   25 κρείσσον Stob.
26f. ἐκείνους ᾔδει Sy (vgl. Hervet) ἐκείνους εἰδείην L ἐκείνοις ἐδόκει Schw ἐκεῖνοι ἴσασιν St

ἤδει, οὐκ ἀσκοῦμεν ἡμεῖς· ἃ δὲ ἡμεῖς ἴσμεν, μακράν ἐστι τῆς ἐκείνων
διαθέσεως. ,μὴ γινώμεθα κενόδοξοι,‹ φησὶν ὁ ἀπόστολος, ,ἀλλήλους
προκαλούμενοι, ἀλλήλους φθονοῦντες.‹ ταύτῃ τοι ὁ φιλαλήθης 42, 1
Πλάτων οἷον θεοφορούμενος ,ὡς ἐγὼ τοιοῦτος‹ φησίν, ,ὁποῖος
5 οὐδενὶ ἄλλῳ ἢ τῷ λόγῳ πείθεσθαι, ὃς ἄν μοι σκοπουμένῳ βέλτιστος
φαίνοιτο.‹ αἰτιᾶται γοῦν· τοὺς ἄνευ νοῦ καὶ ἐπιστήμης δόξαις 2
πιστεύοντας, ὡς μὴ προσῆκον ἀφεμένους τοῦ ὀρθοῦ καὶ ὑγιοῦς λόγου
τῷ κοινωνοῦντι τοῦ ψεύδους πιστεύειν. τὸ μὲν γὰρ ἐψεῦσθαι τῆς
ἀληθείας κακόν ἐστι, τὸ δὲ ἀληθεύειν καὶ τὰ ὄντα δοξάζειν ἀγαθόν.
10 τῶν δὲ ἀγαθῶν ἀκουσίως μὲν στέρονται ἄνθρωποι, στέρονται δὲ 3
ὅμως ἢ κλαπέντες ἢ γοητευθέντες ἢ βιασθέντες καὶ εἰκῆ πιστεύσαντες.
ὁ μὲν δὴ πιστεύσας ἑκὼν ἤδη παραναλίσκεται· κλέπτεται δὲ ὁ μετα- 4
πεισθεὶς ⟨καὶ ὁ⟩ ἐκλαθόμενος, ὅτι τῶν μὲν ὁ χρόνος, τῶν δὲ ὁ λόγος
ἐξαιρούμενος λανθάνει· βιάζεταί τε πολλάκις ὀδύνη τε καὶ ἀλγηδὼν
15 φιλονικία τε αὖ καὶ θυμὸς μεταδοξάσαι, καὶ ἐπὶ πᾶσι γοητεύονται
οἱ ἤτοι ὑφ᾽ ἡδονῆς κηληθέντες ἢ ὑπὸ φόβου δείσαντες· πᾶσαι δὲ
ἀκούσιοι τροπαί, καὶ τούτων οὐδὲν ἄν ποτε ἐπιστήμην ἐκβάλοι.

IX. Ἔνιοι δὲ εὐφυεῖς οἰόμενοι εἶναι ἀξιοῦσι μήτε φιλοσοφίας 43, 1
ἅπτεσθαι μήτε διαλεκτικῆς, ἀλλὰ μηδὲ τὴν φυσικὴν θεωρίαν ἐκμαν-
20 θάνειν, μόνην δὲ καὶ ψιλὴν τὴν πίστιν ἀπαιτοῦσιν, ὥσπερ εἰ μηδε-
μίαν ἠξίουν ἐπιμέλειαν ποιησάμενοι τῆς ἀμπέλου εὐθὺς ἐξ ἀρχῆς τοὺς

2f. Gal 5, 26   4—6 Plato Kriton p. 46 B [Theodor. Gr. aff. cur. I 83 (Fr)]   6f. vgl.
Plato Alkib. II p. 146 A. C ἄνευ νοῦ δόξῃ πεπιστευκότα   8—16 Plato Rep. III p. 413
A—C οὐ σὺ ἡγεῖ, ἔφην ἐγώ, τῶν μὲν ἀγαθῶν ἀκουσίως στέρεσθαι τοὺς ἀνθρώπους, τῶν
δὲ κακῶν ἑκουσίως; ἢ οὐ τὸ μὲν ἐψεῦσθαι τῆς ἀληθείας κακόν, τὸ δ᾽ ἀληθεύειν ἀγαθόν;
ἢ οὐ τὸ τὰ ὄντα δοξάζειν ἀληθεύειν δοκεῖ σοι εἶναι; Ἀλλ᾽, ἦ δ᾽ ὅς, ὀρθῶς λέγεις, καί
μοι δοκοῦσιν ἄκοντες ἀληθοῦς δόξης στερίσκεσθαι. Οὐκοῦν κλαπέντες ἢ γοητευθέντες
ἢ βιασθέντες τοῦτο πάσχουσιν; Οὐδὲ νῦν, ἔφη, μανθάνω. Τραγικῶς, ἦν δ᾽ ἐγώ, κινδυνεύω
λέγειν. κλαπέντας μὲν γὰρ τοὺς μεταπεισθέντας λέγω καὶ τοὺς ἐπιλανθανομένους, ὅτι
τῶν μὲν χρόνος, τῶν δὲ λόγος ἐξαιρούμενος λανθάνει. νῦν γάρ που μανθάνεις; Ναί. Τοὺς
τοίνυν βιασθέντας λέγω οὓς ἄν ὀδύνη τις ἢ ἀλγηδὼν μεταδοξάσαι ποιήσῃ. — Τοὺς μὴν
γοητευθέντας, ὡς ἐγῷμαι, κἂν σὺ φαίης εἶναι, οἳ ἄν μεταδοξάσωσιν ἢ ὑφ᾽ ἡδονῆς
κηληθέντες ἢ ὑπὸ φόβου τι δείσαντες.

5 ὅς Plato ὡς L   6 φαίνοιτο L Theod. φαίνηται Plato   10 τῶν (ν über d. Z.) L[1]
11 εἰκῆ Pohlenz μὴ L   12 δὴ] δόξῃ oder ψεύδει St μὴ Cobet p. 528; Jackson, Journ.
of Philol. 24 (1896) p. 265   παραναλίσκεται stammt aus Num 17, 27 (Fr)   13 ⟨καὶ ὁ⟩
(oder ⟨ἢ⟩) Jackson[1]   15 μεταδοξάσαι aus Plato μετὰ τὸ δοξάσαι L   16 κηληθέντες Sy
(wie Plato) κληθέντες L   17 ἀκούσιοι Hervet (Commentar), Jackson[1] ἑκούσιοι L ἐπι-
στήμην ἐκβάλοι Jackson[1] (vgl. ἐκβάλλουσιν, ἐκβολή Plato a. a. O. p. 412 E) ἐπιστήμη
ἐκλάβοι L

βότρυας λαμβάνειν. »ἄμπελος« δὲ ὁ κύριος ἀλληγορεῖται, παρ' οὗ 2
μετ' ἐπιμελείας καὶ τέχνης γεωργικῆς τῆς κατὰ τὸν λόγον τὸν καρ-
πὸν τρυγητέον. κλαδεῦσαι δεῖ, σκάψαι, ἀναδῆσαι καὶ τὰ λοιπὰ
ποιῆσαι, δρεπάνου τε, | οἶμαι, καὶ μακέλλης καὶ τῶν ἄλλων ὀργάνων 342 P
5 τῶν γεωργικῶν πρὸς τὴν ἐπιμέλειαν τῆς ἀμπέλου χρεία, ἵνα ἡμῖν
τὸν ἐδώδιμον καρπὸν ἐκφήνῃ. καθάπερ δὲ ἐν γεωργίᾳ [οὕτω] καὶ 3
ἐν ἰατρικῇ χρηστομαθὴς ἐκεῖνος ὁ ποικιλωτέρων μαθημάτων ἁψά-
μενος, ὡς βέλτιον γεωργεῖν τε καὶ ὑγιάζειν δύνασθαι, οὕτω κἀνταῦθα 4
χρηστομαθῆ φημι τὸν πάντα ἐπὶ τὴν ἀλήθειαν ἀναφέροντα, ὥστε
10 καὶ ἀπὸ γεωμετρίας καὶ μουσικῆς καὶ ἀπὸ γραμματικῆς καὶ φιλο-
σοφίας αὐτῆς δρεπόμενον τὸ χρήσιμον ἀνεπιβούλευτον φυλάσσειν
τὴν πίστιν. παρορᾶται δὲ καὶ ὁ ἀθλητής, † ὡς προείρηται, ἀλλ' εἰς
τὴν σύνταξιν συμβαλλόμενος. αὐτίκα καὶ κυβερνήτην τὸν πολύπειρον 44, 1
ἐπαινοῦμεν, ὃς »πολλῶν ἀνθρώπων« εἶδεν »ἄστεα«, καὶ ἰατρὸν τὸν
15 ἐν πείρᾳ πολλῶν γεγενημένον· ᾗ τινες καὶ τὸν ἐμπειρικὸν ἀναπλάτ-
τουσιν. ὁ δὲ πρὸς τὸν βίον ἀναφέρων ἕκαστα τὸν ὀρθὸν ἔκ τε τῶν
Ἑλληνικῶν καὶ τῶν βαρβαρικῶν ὑποδείγματα κομίζων πολύπειρος 2
οὗτος τῆς ἀληθείας ἰχνευτὴς καὶ τῷ ὄντι »πολύμητις«, δίκην τῆς
βασάνου λίθου (ἣ δ' ἐστὶ Λυδὴ διακρίνειν πεπιστευμένη τὸ νόθον
20 ἀπὸ τοῦ ἰθαγενοῦς χρυσίου) [καὶ] ἱκανὸς ὢν χωρίζειν, ὁ »πολύιδρις«
ἡμῶν καὶ γνωστικός, σοφιστικὴν μὲν φιλοσοφίας, κομμωτικὴν δὲ
γυμναστικῆς καὶ ὀψοποιικὴν ἰατρικῆς καὶ ῥητορικὴν | διαλεκτικῆς 126 S
καὶ μετὰ τὰς ἄλλας ⟨καὶ⟩ τὰς κατὰ τὴν βάρβαρον φιλοσοφίαν σἰοέσεις
αὐτῆς τῆς ἀληθείας. πῶς δὲ οὐκ ἀναγκαῖον περὶ νοητῶν φιλο- 3
25 σοφοῦντα διαλαβεῖν τὸν ἐπιποθοῦντα τῆς τοῦ θεοῦ δυνάμεως ἐπή-
βολον γενέσθαι; πῶς δὲ οὐχὶ καὶ διαιρεῖσθαι χρήσιμον τάς τε ἀμφι-
βόλους φωνὰς τάς τε ὁμωνύμως ἐκφερομένας κατὰ τὰς διαθήκας;
παρ' ἀμφιβολίαν γὰρ ὁ κύριος τὸν διάβολον κατὰ τὸν τοῦ πειρασμοῦ 4
σοφίζεται χρόνον, καὶ οὐκέτι ἔγωγε ἐνταῦθα συνορῶ, ὅπως ποτὲ ὁ
30 τῆς φιλοσοφίας καὶ τῆς διαλεκτικῆς εὑρετής, ὥς τινες ὑπολαμβάνου-
σιν, παράγεται τῷ κατ' ἀμφιβολίαν ἀπατώμενος τρόπῳ.

1 vgl. Io 15, 1   12f. vgl. viell. Paed. II 2, 1; Plato Rep. III p. 404 A   14 vgl. α 3
15f. vgl. Schol. Dionys. Thr. p. 113, 3ff. Hilgard   18 vgl. Α 311 u. a.   19 βάσανος
λίθος vgl. Plato Gorg. p. 486 D; Arsen. Viol. p. 138, 12 Walz   20 vgl. ο 459   21f. vgl.
Plato Gorg. p. 465 C ὁ κομμωτικὴ πρὸς γυμναστικήν, τοῦτο σοφιστικὴ πρὸς νομο-
θετικήν, καὶ ... ὁ ὀψοποιικὴ πρὸς ἰατρικήν, τοῦτο ῥητορικὴ πρὸς δικαιοσύνην.   28f. vgl.
Mt 4, 4

6 [οὕτω] St   12 [ὡς προείρηται] ⟨ὃς νεῦρα μόνον καὶ σάρκας παρέχει; μηδὲν⟩
ἄλλο Ma ⟨ἐκτὸς ῥώμης οὐδὲν⟩ ἀλλ' St   15 πολλῶν ⟨νόσων⟩ Markland γεγενημένον
Höschel γεγενημένων L   20 [καὶ] Ma   21 φιλοσοφίας St φιλοσόφου L   23 μετὰ St
ματὸ (sic) L   ⟨καὶ⟩ St   τὰς² Sy τῆς L

Εἰ δὲ οἱ προφῆται καὶ οἱ ἀπόστολοι οὐ τὰς τέχνας ἐγνώκεσαν, 45, 1
δι᾽ ὧν τὰ κατὰ φιλοσοφίαν ἐμφαίνεται γυμνάσματα, ἀλλ᾽ ὁ νοῦς γε
τοῦ προφητικοῦ καὶ τοῦ διδασκαλικοῦ πνεύματος ἐπικεκρυμμένως
λαλούμενος διὰ τὸ μὴ πάντων εἶναι τὴν συνιεῖσαν ἀκοήν, τὰς ἐντέ-
5 χνους ἀπαιτεῖ πρὸς σσφήνειαν διδασκαλίας. ἀσφαλῶς γὰρ ἐγνώκεσαν 2
τὸν νοῦν ἐκεῖνον οἱ προφῆται καὶ οἱ τοῦ πνεύματος μαθηταί· ἐκ
γὰρ πίστεως καὶ ὡς οὐχ οἷόν τε ῥαδίως γνῶναι τὸ πνεῦμα εἴρηκεν,
ἀλλ᾽ οὐχ οὕτως <ὡς>   ἐκδέξασθαι | μὴ μεμαθηκότας. »τὰς δὲ 343 P 3
ἐντολάς‹, φησίν, »ἀπόγραψαι δισσῶς βουλήσει καὶ γνώσει τοῦ ἀπο-
10 κρίνασθαι λόγους ἀληθείας τοῖς προβαλλομένοις σοι.« τίς οὖν ἡ 4
γνῶσις τοῦ ἀποκρίνασθαι; ἥτις καὶ τοῦ ἐρωτᾶν· εἴη δ᾽ ἂν αὕτη
διαλεκτική. τί δ᾽; οὐχὶ καὶ τὸ λέγειν ἔργον ἐστὶ καὶ τὸ ποιεῖν ἐκ 5
τοῦ λόγου γίνεται; εἰ γὰρ μὴ λόγῳ πράττοιμεν, ἀλόγως ποιοῖμεν ἄν.
τὸ λογικὸν δὲ ἔργον κατὰ θεὸν ἐκτελεῖται· »καὶ οὐδὲν χωρὶς αὐτοῦ
15 ἐγένετο,« φησί, τοῦ λόγου τοῦ θεοῦ. ἢ οὐχὶ καὶ ὁ κύριος λόγῳ
πάντα ἔπρασσεν; ἐργάζεται δὲ καὶ τὰ κτήνη ἐλαυνόμενα ἀναγκάζοντι 6
τῷ φόβῳ. οὐχὶ δὲ καὶ οἱ ὀρθοδοξασταὶ καλούμενοι ἔργοις προσφέ-
ρονται καλοῖς, οὐκ εἰδότες ἃ ποιοῦσιν;
   X. Διὰ τοῦτο οὖν ὁ σωτὴρ ἄρτον λαβὼν πρῶτον ἐλάλησεν καὶ 46, 1
20 εὐχαρίστησεν· εἶτα κλάσας τὸν ἄρτον προέθηκεν, ἵνα δὴ φάγωμεν
λογικῶς, καὶ τὰς γραφὰς ἐπιγνόντες πολιτευσώμεθα καθ᾽ ὑπακοήν.
καθάπερ δὲ οἱ λόγῳ χρώμενοι πονηρῷ οὐδὲν τῶν ἔργῳ χρωμένων 2
πονηρῷ διαφέρουσιν (εἰ γὰρ διαβολὴ ξίφους διάκονος καὶ λύπην
ἐμποιεῖ βλασφημία, ἐξ ὧν αἱ τοῦ βίου ἀνατροπαί, ἔργα τοῦ πονηροῦ
25 λόγου εἶεν ἂν ταῦτα), οὕτω καὶ οἱ λόγῳ ἀγαθῷ κεχρημένοι συνεγ-
γίζουσι τοῖς τὰ καλὰ τῶν ἔργων ἐπιτελοῦσιν. ἀνακτᾶται γοῦν καὶ 3
ὁ λόγος τὴν ψυχὴν καὶ ἐπὶ καλοκαγαθίαν προτρέπει· μακάριος δὲ ὁ
περιδέξιος. οὔτ᾽ οὖν βλασφημητέος ὁ εὐποιητικὸς πρὸς τοῦ εὖ λέγειν
δυναμένου οὐδὲ μὴν κακιστέος ὁ οἷός τε εὖ λέγειν πρὸς τοῦ εὖ ποιεῖν
30 ἐπιτηδείου· πρὸς δὲ ὃ ἑκάτερος πέφυκεν ἐνεργούντων. ὃ δ᾽ οὖν τὸ 4
ἔργον δείκνυσιν, τοῦτο ἄτερος λαλεῖ, οἷον ἑτοιμάζων τῇ εὐποιίᾳ τὴν
ὁδὸν καὶ ἐπὶ τὴν εὐεργεσίαν ἄγων τοὺς ἀκούοντας. ἔστι γὰρ καὶ

*   4 vgl. I Cor 8, 7 8—10 Prov 22, 20. 21ᵇ   12f. vgl. Isokrates 3, 9; Orig. in Mt
XIII 5 S. 191, 23 Kl (Fr)   14f. Io 1, 3   15 vgl. Gen 1, 3ff.   18 vgl. Lc 23, 34
19f. vgl. Mt 26, 26; Mc 14, 22; Lc 22, 19; 24, 30; I Cor 11, 23f.   23f. woher?
27f. ein Agraphon?   30 vgl. Plato Rep. IV p. 423 D πρὸς ὅ τις πέφυκε, πρὸς τοῦτο
ἕνα πρὸς ἓν ἕκαστον ἔργον δεῖ κομίζειν.

   4 συνιεῖσαν Wi συνεῖσαν L   6 ἐκεῖνον St ἐκείνων L   7 γνῶναι Fr ὡς L   8 οὕ-
τως ⟨ὡς⟩ Schw   9 ἀπόγραψαι Prov. ἀπογράψαι L   11 ἥτις] ἢ τίς L   21 ἐπαναγνόντες
Ma zu Strom. VII p. 381   28 εἰ Jackson² ἢ L   24 ⟨καὶ⟩ ἔργα Hiller   30 ὃ Sy ὧι L

σωτήριος λόγος ὡς καὶ ἔργον σωτήριον. ἡ δικαιοσύνη γοῦν οὐ χωρὶς
λόγου συνίσταται. ὡς δὲ τὸ εὖ πάσχειν περιαιρεῖται, ἐὰν τὸ εὖ 47, 1
ποιεῖν ἀφέλωμεν, οὕτως ἡ ὑπακοὴ καὶ πίστις ἀναιρεῖται μήτε τῆς
ἐντολῆς μήτε τοῦ τὴν ἐντολὴν σαφηνιοῦντος συμπαραλαμβανομένων.
5 νυνὶ δὲ ἀλλήλων ἕνεκα εὐποροῦμεν καὶ λόγων καὶ ἔργων. τὴν δὲ 2
ἐριστικήν τε καὶ σοφιστικὴν τέχνην παραιτητέον παντελῶς, ἐπεὶ καὶ
αἱ λέξεις αὐταὶ τῶν σοφιστῶν οὐ μόνον γοη⟨τεύουσι ⟨καὶ⟩ κλέπτουσι 344 P
τοὺς πολλούς, βιαζόμεναι δὲ ἔσθ᾽ ὅτε Καδμείαν νίκην ἀπηνέγκαντο.
παντὸς γὰρ μᾶλλον ἀληθὴς ὁ ψαλμὸς ἐκεῖνος· ›ὁ δίκαιος ζήσεται εἰς 3
10 τέλος, ὅτι οὐκ ὄψεται καταφθοράν, ὅταν ἴδη σοφοὺς ἀποθνήσκοντας.‹
τίνας δὴ σοφοὺς λέγει; ἄκουσον ἐκ τῆς σοφίας Ἰησοῦ· ›οὐκ ἔστι
σοφία πονηρίας ἐπιστήμη.‹ ταύτην δὴ λέγει, ἣν ἐπενόησαν τέχναι
λεκτικαί τε καὶ διαλεκτικαί. ›ζητήσεις οὖν σοφίαν παρὰ κακοῖς καὶ 4
οὐχ εὑρήσεις.‹ κἂν πύθῃ πάλιν· ποίαν ταύτην; ›στόμα δικαίου‹
15 φήσει σοι ›ἀποστάξει σοφίαν‹. σοφία δὲ ὁμωνύμως τῇ ἀληθείᾳ ἡ
σοφιστικὴ λέγεται τέχνη. ἐμοὶ δὲ εἰκότως, οἶμαι, πρόκειται βιοῦν 48, 1
μὲν κατὰ τὸν λόγον καὶ νοεῖν τὰ σημαινόμενα, εὐγλωττίαν δὲ μή
ποτε ζηλοῦντα ἀρκεῖσθαι μόνῳ τῷ αἰνίξασθαι τὸ νοούμενον. ὁποίῳ
δὲ ὀνόματι δηλοῦται τοῦτο ὅπερ παραστῆσαι βούλομαι, οὐθέν μοι
20 μέλει. σωθῆναι γὰρ εὖ οἶδ᾽ ὅτι καὶ συνάρασθαι τοῖς σῴζεσθαι γλι-
χομένοις βέλτιστόν ἐστιν, οὐχὶ συνθεῖναι τὰ λεξείδια καθάπερ τὰ
κόσμια. ›κἂν φυλάξῃς‹, φησὶν ὁ Πυθαγόρειος ἐν τῷ Πλάτωνος 2
Πολιτικῷ, ›τὸ μὴ σπουδάζειν ἐπὶ τοῖς ὀνόμασι, πλουσιώτερος εἰς
γῆρας ἀναφανήσῃ φρονήσεως.‹ καὶ ἔν γε τῷ Θεαιτήτῳ εὕροις ἂν 3
25 πάλιν· ›τὸ δὲ εὐχερὲς τῶν ὀνομάτων τε καὶ ῥημάτων καὶ μὴ δι᾽
ἀκριβείας ἐξεταζόμενον τὰ μὲν πολλὰ οὐκ ἀγεννές, ἀλλὰ μᾶλλον τὸ
τούτου ἐναντίον ἀνελεύθερον, ἔστιν δ᾽ ὅτε ἀναγκαῖον.‹ ταῦτα ὡς 4
ἕνι μάλιστα διὰ βραχέων ἐξήνεγκεν ἡ γραφή; ›μὴ πολὺς ἐν ῥήμασι
γίνου‹ λέγουσα· ἡ μὲν γὰρ λέξις οἷον ἐσθὴς ἐπὶ σώματος, τὰ δὲ πρά-
30 γματα σάρκες εἰσὶ καὶ νεῦρα. οὐ χρὴ τοίνυν τῆς ἐσθῆτος πρὸ τῆς
τοῦ σώματος σωτηρίας κήδεσθαι. εὐτελῆ γὰρ οὐ μόνον δίαιταν, 5

6—8 vgl. Strom. I 42, 3 (Plato Rep. III p. 413 A)   8 vgl. Zenobius IV 45; Diog.
V 34; Arsen. Viol. p. 315f. Walz 9f. Ps 48, 10f. 11f. Sir 19, 22 13f. Prov 14, 6
14f. Prov 10, 31 22—24 Plato Polit. p. 261 E 25—27 Plato Theaet. p. 184 BC
28f. Iob 11, 3 aus I Clem. 30, 5 30f. vgl. Mt 6, 25; Lc 12, 22f. 31 οὐ μόνον
εὐτελῆ δίαιταν — S. 32. 2 ἐπανῃρημένῳ Sacr. Par. 210 Holl; Maximus Conf. in Laur.
VII 15f. 251ʳ

3 ἀφέλωμεν Kl ἀφελοῦμεν L 5 εὐπορῶμεν Schw 7 ⟨καὶ⟩ Ma 22 διαφυλάξῃς
Plato πυθαγόριος L 24 ἀναφανήσῃ Sy ἀναφανείσηι L γε Sy τε L

ἀλλὰ καὶ λόγον ἀσκητέον ἀπέριττόν τε καὶ ἀπερίεργον τῷ τὸν ἀληθῆ
βίον ἐπανῃρημένῳ, εἴ γε τὴν τρυφὴν ὡς δολεράν τε καὶ ἄσωτον
παραιτοίμεθα, καθάπερ τὸ μύρον καὶ τὴν πορφύραν οἱ παλαιοὶ
Λακεδαιμόνιοι, δολερὰ μὲν τὰ εἵματα, δολερὰ δὲ τὰ χρίσματα ὑπολα-
5 βόντες ὀρθῶς καὶ ὀνομάσαντες, ἐπεὶ μήτε | ἐκείνη καλὴ σκευασία 127 S
τροφῆς ἡ πλείω | τῶν τρεφόντων ἔχουσα τὰ ἡδύσματα μήτε λόγου 345 P
χρῆσις ἀστεία ἡ τέρπειν μᾶλλον ἢ ὠφελεῖν τοὺς ἀκούοντας δυναμένη.
Μούσας Σειρήνων ἡδίους ἡγεῖσθαι Πυθαγόρας παραινεῖ, τὰς σοφίας 6
ἀσκεῖν μὴ μετὰ ἡδονῆς διδάσκων, ἀπατηλὸν δὲ τὴν ἄλλην διελέγχων
10 ψυχαγωγίαν. Σειρῆνας δὲ παραπλεύσας εἷς ἀρκεῖ, καὶ τῇ Σφιγγὶ
ὑποκρινάμενος ἄλλος εἷς, εἰ δὲ βούλεσθε μηδὲ εἷς. οὔκουν »πλατύ- 49, 1
νειν τὰ φυλακτήρια« χρή ποτε κενοδοξίαν ζηλοῦντας, ἀρκεῖ δὲ τῷ
γνωστικῷ κἂν εἷς μόνος ἀκροατὴς εὑρεθῇ. ἔστι γοῦν ἀκοῦσαι καὶ 2
Πινδάρου τοῦ Βοιωτίου γράφοντος·

15   μὴ πρὸς ἅπαντας ἀναρρῆξαι τὸν ἀρχαῖον λόγον·
        ἔσθ᾽ ὅτε πιστόταται σιγᾶς ὁδοί, κέντρον δὲ μάχας
        ὁ κρατιστεύων λόγος.

διατείνεται οὖν εὖ μάλα ὁ μακάριος ἀπόστολος παραινῶν ἡμῖν »μὴ 3
λογομαχεῖν τε δι᾽ οὐδὲν χρήσιμον ἐπὶ καταστροφῇ τῶν ἀκουόντων,
20 τὰς δὲ βεβήλους κενοφωνίας περιίστασθαι. ἐπὶ πλεῖον γὰρ προ-
κόπτουσιν ἀσεβείας, καὶ ὁ λόγος αὐτῶν ὡς γάγγραινα νομὴν ἕξει.«
XI. Αὕτη οὖν »ἡ σοφία τοῦ κόσμου μωρία παρὰ θεῷ ἐστιν,« 50, 1
καὶ τούτων »τῶν σοφῶν κύριος γινώσκει τοὺς διαλογισμοὺς ὅτι εἰσὶ
μάταιοι.« μηδεὶς τοίνυν καυχάσθω ἐν ἀνθρωπίνῃ προανέχων διανοίᾳ.
25 εὖ γάρ τοι ἐν τῷ Ἱερεμίᾳ γέγραπται· »μὴ καυχάσθω ὁ σοφὸς ἐν τῇ 2
σοφίᾳ αὐτοῦ, καὶ μὴ καυχάσθω ὁ ἰσχυρὸς ἐν τῇ ἰσχύι αὐτοῦ, καὶ μὴ
καυχάσθω ὁ πλούσιος ἐν τῷ πλούτῳ αὐτοῦ, ἀλλ᾽ ἢ ἐν τούτῳ καυ-
χάσθω ὁ καυχώμενος, συνιέναι καὶ γινώσκειν ὅτι ἐγώ εἰμι κύριος ὁ
ποιῶν ἔλεος καὶ κρίμα καὶ δικαιοσύνην ἐπὶ τῆς γῆς, ὅτι ἐν τούτοις
30 τὸ θέλημά μου, λέγει κύριος.« »ἵνα μὴ πεποιθότες ὦμεν ἐφ᾽ ἑαυτοῖς, 3
ἀλλ᾽ ἐπὶ τῷ θεῷ τῷ ἐγείροντι τοὺς νεκρούς,« ὁ ἀπόστολός φησιν,

3–5 vgl. Athenaeus XV p. 686 F; Paed. II 65, 1 u. bes. Seneca Nat. quaest.
IV 13, 9 4f. vgl. Herodot 3, 22; Plut. Mor. p. 270 E; 646 B; 863 DE; Cobet S. 471
8f. Pyth. sent. 12 Mullach FPG I 500; vgl. Theodor. Gr. aff. VIII 1 11f. Mt 23, 5
13 vgl. Herakl. fr. 49 Diels⁶ I S. 161, 9; Cic. Brutus 191 (Fr) 13–15 Theodoret
Gr. aff. c. I 115 15–17 Pindar Fr. 180 Schröder 18–21 II Tim 2, 14. 16f. 22–24
vgl. I Cor 3, 19–21 25–30 Ier 9, 23f. 30–S. 33, 3 II Cor 1, 9f.; I Cor 2, 5. 15

* 1 ἀπέριττόν τε καὶ ἀπερίεργον < Sacr. Par. 4 εἵματα Paed. ἵματα L 8 ἡδείους L
9 [μὴ] Ma μὲν Po (μὴ richtig) 11 ὑποκρινάμενος L ἀποκρινάμενος Sy 15 ἀναρρῆξαι L
ἀρχαῖον (so auch Theod.)] ἀχρεῖον Boeckh 16 ὅτε Sy ὅτι L πιστόταται σιγᾶς ὁδοί
Bergk πιστοτάταις σιγᾶς (sic) ὁδοῖς L πιστοτάτα σιγᾶς ὁδός Sy

›ὃς ἐκ τηλικούτου θανάτου ἐρρύσατο ἡμᾶς, ἵνα ἡ πίστις ἡμῶν μὴ ᾖ
ἐν σοφίᾳ ἀνθρώπων, ἀλλ᾽ ἐν δυνάμει θεοῦ. ὁ γὰρ πνευματικὸς 346 P
ἀνακρίνει πάντα, αὐτὸς δὲ ὑπ᾽ οὐδενὸς ἀνακρίνεται.‹ ἐπαΐω δὲ κά- 4
κείνων αὐτοῦ· ›ταῦτα δὲ λέγω, ἵνα μηδεὶς ὑμᾶς παραλογίζηται ἐν
5 πιθανολογίᾳ‹ μηδὲ ὑπεισέρχηται ›ὁ συλαγωγῶν‹. καὶ πάλιν· ›βλέ- 5
πετε οὖν μή τις ἔσται ὑμᾶς ὁ συλαγωγῶν διὰ τῆς φιλοσοφίας καὶ
κενῆς ἀπάτης κατὰ τὴν παράδοσιν τῶν ἀνθρώπων, κατὰ τὰ στοιχεῖα
τοῦ κόσμου καὶ οὐ κατὰ Χριστόν,‹ φιλοσοφίαν μὲν οὐ πᾶσαν, ἀλλὰ ⁶
τὴν Ἐπικούρειον, ἧς καὶ μέμνηται ἐν ταῖς Πράξεσιν τῶν ἀποστόλων
10 ὁ Παῦλος, διαβάλλων, πρόνοιαν ἀναιροῦσαν καὶ ἡδονὴν ἐκθειάζουσαν,
καὶ εἰ δή τις ἄλλη τὰ στοιχεῖα ἐκτετίμηκεν μὴ ἐπιστήσασα τὴν
ποιητικὴν αἰτίαν τούτοις, μηδὲ ἐφαντάσθη τὸν δημιουργόν. ἀλλὰ 51, 1
καὶ οἱ Στωϊκοί, ὧν καὶ αὐτῶν μέμνηται, σῶμα ὄντα τὸν θεὸν διὰ
τῆς ἀτιμοτάτης ὕλης πεφοιτηκέναι λέγουσιν, οὐ καλῶς. ›παράδοσιν‹ 2
15 δὲ ›ἀνθρωπίνην‹ τὴν λογικὴν τερθρείαν λέγει. διὸ κάκεῖνα ἐπι-
στέλλει· ›τὰς νεωτέρας ζητήσεις φεύγετε‹ μειρακιώδεις γὰρ αἱ τοι-
αῦται φιλονικίαι. ›ἀρετὴ δὲ οὐ φιλομειράκιον,‹ ὁ φιλόσοφος λέγει
Πλάτων· καὶ ›τὸ ἀγώνισμα‹ ἡμῶν κατὰ τὸν Λεοντῖνον Γοργίαν ³
›διττῶν [δὲ] ἀρετῶν δεῖται, τόλμης καὶ σοφίας· τόλμης μὲν τὸ κίν-
20 δυνον ὑπομεῖναι, σοφίας δὲ τὸ αἴνιγμα γνῶναι. ὁ γάρ τοι λόγος
καθάπερ τὸ κήρυγμα‹ τὸ Ὀλυμπίασι ›καλεῖ μὲν τὸν βουλόμενον,
στεφανοῖ δὲ τὸν δυνάμενον.‹

Ἀκίνητον μὲν οὖν πρὸς ἀλήθειαν καὶ τῷ ὄντι ἀργὸν οὐ βούλεται 4
εἶναι τὸν πιστεύσαντα ὁ λόγος· ›ζητεῖτε‹ γὰρ ›καὶ εὑρήσετε‹ λέγει,
25 ἀλλὰ τὴν ζήτησιν εἰς εὕρεσιν περαιοῖ, τὴν κενὴν ἐξελάσας φλυαρίαν,
ἐγκρίνων δὲ τὴν ὀχυροῦσαν τὴν πίστιν ἡμῖν θεωρίαν. ›τοῦτο δὲ 5
λέγω, ἵνα μή τις ὑμᾶς παραλογίζηται ἐν πιθανολογίᾳ,‹ φησὶν ὁ
ἀπόστολος, διακρίνειν δηλονότι τὰ ὑπ᾽ αὐτοῦ λεγόμενα μεμαθηκόσι
καὶ ἀπαντᾶν πρὸς τὰ ἐπιφερόμενα δεδιδαγμένοις. ›ὡς οὖν παρελά- 52, 1

---

* 4—8. 14f. Col 2, 4. 8 9f. 13 Act 17, 18 11f. vgl. Protr. 64; Strom. I 52, 4
13f. Chrysipp Fr. phys. 1040 Arnim; vgl. Protr. 66, 3; Strom. V 89, 3 16 vgl.
II Tim 2, 22f. (τὰς νεωτερικὰς ἐπιθυμίας φεῦγε, . . . τὰς μωρὰς . . . ζητήσεις παραιτοῦ)
17 nicht bei Plato 18—22 Gorgias Fr. 8 Diels⁶ II S. 287, 7 23 vgl. Plut. Mor.
p. 84 C ἀργὸν καὶ ἀκίνητον πρὸς μίμησιν 24 Mt 7, 7; Lc 11, 9 25 vgl. Cicero Ac.
pr. 26 quaestionis´ finis inventio (PhW 58, 1938, 999) 26—S. 34, 9 Col 2, 4—8

8 οὖ² L¹ οὖν L* 9 ἐπικούριον L 14 ἀτιμωτάτης L πεφυτηκέναι L 15 τερ-
θρειαν Sy τενθρίαν L 19 ⟨διττόν,⟩ διττῶν δὲ Cobet S. 499 [δὲ] Wi δὴ Bernays
19f. τὸ κίνδυνον—τὸ αἴνιγμα (πλίγμα Diels)] τὸν κίνδυνον—τὰ αἴσιμα (vgl. O 207)
Bernays, Rh. Mus. 8 (1853) S. 432f. = Ges. Abh. I S. 121f. 23 μὲν οὖν St μὲν
ὅτι L 24 ζητεῖτε (ει aus η corr., τε in Ras.) L¹ 25 κενὴν Sy καινὴν L 26 ἡμῶν
Markland 28 αὐτοῦ Lowth αὐτῶν L

βετε Ἰησοῦν Χριστὸν τὸν κύριον, ἐν αὐτῷ περιπατεῖτε, ἐρριζωμένοι
καὶ ἐποικοδομούμενοι ἐν αὐτῷ καὶ βεβαιούμενοι ἐν τῇ πίστει,« πειθὼ
δὲ ἡ βεβαίωσις τῆς πίστεως· »βλέπετε μή τις ὑμᾶς ἔσται ὁ συλα-
γωγῶν« ἀπὸ τῆς πίστεως τῆς εἰς τὸν Χριστὸν »διὰ τῆς φιλοσοφίας
5 καὶ κενῆς ἀπάτης«, τῆς ἀναιρούσης τὴν πρόνοιαν, »κατὰ τὴν παρά-
δοσιν τῶν ἀνθρώπων « ἡ γὰρ κατὰ τὴν θείαν παράδοσιν φιλοσοφία 2
ἵστησι τὴν πρόνοιαν καὶ βεβαιοῖ, ἧς ἀναιρεθείσης μῦθος ἡ | περὶ τὸν 347 P
σωτῆρα οἰκονομία φαίνεται, »κατὰ τὰ στοιχεῖα τοῦ κόσμου καὶ οὐ
κατὰ Χριστὸν« φερομένων ἡμῶν. ἡ γὰρ ἀκόλουθος Χριστῷ διδα- 3
10 σκαλία καὶ τὸν δημιουργὸν ἐκθειάζει καὶ τὴν πρόνοιαν μέχρι τῶν
κατὰ μέρος ἄγει καὶ τρεπτὴν καὶ γενητὴν οἶδεν τὴν τῶν στοιχείων
φύσιν καὶ πολιτεύεσθαι εἰς δύναμιν ἐξομοιωτικὴν τῷ θεῷ διδάσκει
καὶ τὴν οἰκονομίαν ὡς ἡγεμονικὸν τῆς ἁπάσης προσίεσθαι παιδείας.
στοιχεῖα δὲ σέβουσι Διογένης μὲν τὸν ἀέρα, Θαλῆς δὲ τὸ ὕδωρ, 4
15 Ἵππασος δὲ τὸ πῦρ, καὶ οἱ τὰς ἀτόμους ἀρχὰς ὑποτιθέμενοι, φιλο-
σοφίας ὄνομα ὑποδυόμενοι, ἄθεοί τινες ἀνθρωπίσκοι καὶ φιλήδονοι.
»διὰ τοῦτο προσεύχομαι,« φησίν, »ἵνα ἡ ἀγάπη ὑμῶν ἔτι μᾶλλον καὶ 53, 1
μᾶλλον περισσεύῃ ἐν ἐπιγνώσει καὶ πάσῃ αἰσθήσει, εἰς τὸ δοκιμάζειν
ὑμᾶς τὰ διαφέροντα·« ἐπεὶ »ὅτε ἦμεν νήπιοι,« φησὶν ὁ αὐτὸς ἀπό-
20 στολος, »ὑπὸ τὰ στοιχεῖα τοῦ κόσμου ἦμεν δεδουλωμένοι. ὁ δὲ
νήπιος, κἂν κληρονόμος ᾖ, οὐδὲν δούλου διαφέρει ἄχρι τῆς προ-
θεσμίας τοῦ πατρός.« νήπιοι οὖν καὶ οἱ φιλόσοφοι, ἐὰν μὴ ὑπὸ τοῦ 2
Χριστοῦ ἀπανδρωθῶσιν. εἰ γὰρ »οὐ κληρονομήσει ὁ υἱὸς τῆς παι-
δίσκης μετὰ τοῦ υἱοῦ τῆς ἐλευθέρας,« ἀλλὰ γοῦν σπέρμα ἐστὶν
25 Ἀβραὰμ τὸ μὴ | ἐξ ἐπαγγελίας, τὸ ἴδιον εἰληφὸς δωρεάν. »τελείων 128 S 3
δέ ἐστιν ἡ στερεὰ τροφή, τῶν διὰ τὴν ἕξιν τὰ αἰσθητήρια γεγυμνα-
σμένα ἐχόντων πρὸς διάκρισιν καλοῦ τε καὶ κακοῦ. πᾶς γὰρ ὁ μετέ-
χων γάλακτος ἄπειρος λόγου δικαιοσύνης,« νήπιος ὢν καὶ μηδέπω
ἐπιστάμενος τὸν λόγον καθ᾽ ὃν πεπίστευκέ τε καὶ ἐνεργεῖ, μηδὲ
30 ἀποδοῦναι δυνάμενος τὴν αἰτίαν ἐν αὐτῷ. »πάντα δὲ δοκιμάζετε,«
ὁ ἀπόστολός φησι, »καὶ τὸ καλὸν κατέχετε«, τοῖς πνευματικοῖς λέγων
τοῖς ἀνακρίνουσι πάντα, κατὰ ἀλήθειαν λεγόμενα πότερον δοκεῖ ἢ

---

* 5 vgl. S. 33, 10   7 μῦθος vgl. II Clem. ad Cor. 13, 3   10f. Gegensatz zu Protr.
66, 4; Strom. V 90, 3   11f. vgl. Plut. Mor. p. 882 C   12 vgl. Plato Rep. X p. 613 AB;
Theaet. p. 176 B   14f. vgl. Protr. 64 mit Anm.; Hippasos 8 Diels⁶ I S. 109, 13
17—19 Phil 1, 9f.   19—22 Gal 4, 3. 1. 2   23f. Gal 4, 30 (Gen 21, 10)   24f. vgl.
Gen 21, 12f.; 25, 6   25—28 Hebr 5, 14. 13   30f. I Thess 5, 21   32 vgl. I Cor 2, 15

12 ἐξομοιωτικὸν Ma ⟨κατ᾽⟩ ἐξομοίωσιν Schw   13 προσίεσθαι Ma προΐεσθαι L
17 ὑμῶν Vi ἡμῶν L   29 μηδὲ Di μήτε L   30 αὐτῷ L   32 πάντα ⟨τὰ ὡς⟩ Schw

ὄντως ἔχεται τῆς ἀληθείας. »παιδεία δὲ ἀνεξέλεγκτος πλανᾶται, καὶ 54, 1
αἱ πληγαὶ καὶ οἱ ἔλεγχοι διδόασι παιδείαν σοφίας,« οἱ μετ᾽ ἀγάπης
δηλονότι ἔλεγχοι· »καρδία γὰρ εὐθεῖα ἐκζητεῖ γνῶσιν,« ὅτι »ὁ ζητῶν
τὸν θεὸν εὑρήσει γνῶσιν μετὰ δικαιοσύνης, οἱ δὲ ὀρθῶς ζητήσαντες
5 αὐτὸν εἰρήνην εὗρον.« »καὶ γνώσομαι«, φησίν, »οὐ τὸν λόγον τῶν 2
πεφυσιωμένων, ἀλλὰ τὴν δύναμιν,« τοὺς δοκησισόφους καὶ οἰομένους
εἶναι, οὐκ ὄντας δὲ σοφοὺς ἐπιρραπίζων γράφει. »οὐ γὰρ ἐν λόγῳ 3
ἡ βασιλεία τοῦ θεοῦ,« οὐ τῷ μὴ ἀληθεῖ, ἀλλὰ καθ᾽ ὑπόληψιν 348 P
πιθανῷ, »ἐν δυνάμει δὲ« εἶπεν· μόνη γὰρ ἡ ἀλήθεια δυνατή. καὶ 4
10 πάλιν· »εἴ τις δοκεῖ ἐγνωκέναι τι, οὔπω ἔγνω καθὸ δεῖ γνῶναι·«
οὐ γάρ ποτε ἡ ἀλήθεια οἴησις, ἀλλ᾽ ἡ μὲν ὑπόληψις τῆς γνώσεως
»φυσιοῖ« καὶ τύφου ἐμπίπλησιν, »οἰκοδομεῖ δὲ ἡ ἀγάπη.« μὴ περὶ
τὴν οἴησιν, ἀλλὰ περὶ τὴν ἀλήθειαν ἀναστρεφομένη. ὅθεν »εἴ τις
ἀγαπᾷ, οὗτος ἔγνωσται« λέγει.
15　　 XII. Ἐπεὶ δὲ μὴ κοινὴ ἡ παράδοσις καὶ πάνδημος τῷ γε αἰσθο- 55, 1
μένῳ τῆς μεγαλειότητος τοῦ λόγου, ἐπικρυπτέον οὖν »τὴν ἐν μυ-
στηρίῳ λαλουμένην σοφίαν«, ἣν ἐδίδαξεν ὁ υἱὸς τοῦ θεοῦ. ἤδη γοῦν 2
καὶ Ἡσαΐας ὁ προφήτης πυρὶ καθαίρεται τὴν γλῶτταν, ὡς εἰπεῖν
δυνηθῆναι τὴν ὅρασιν, καὶ οὐδὲ τὴν γλῶτταν μόνον, ἀλλὰ καὶ τὰς
20 ἀκοὰς ἁγνίζεσθαι προσήκει ἡμῖν, εἴ γε τῆς ἀληθείας μεθεκτικοὶ εἶναι
πειρώμεθα. ταῦτα ἦν ἐμποδὼν τοῦ γράφειν ἐμοί, καὶ νῦν ἔτι εὐλα- 3
βῶς ἔχω, ᾗ φησιν, »ἔμπροσθεν τῶν χοίρων τοὺς μαργαρίτας βάλλειν
μή ποτε καταπατήσωσι τοῖς ποσὶ καὶ στραφέντες ῥήξωσιν ὑμᾶς.«
χαλεπὸν γὰρ τοὺς περὶ τοῦ ἀληθινοῦ φωτὸς καθαροὺς ὄντως καὶ 4
25 διαυγεῖς ἐπιδεῖξαι λόγους ἀκροατῶν τοῖς ὑώδεσί τε καὶ »ἀπαιδεύτοις·
σχεδὸν γὰρ οὐκ ἔστι τούτων πρὸς τοὺς πολλοὺς καταγελαστότερα
ἀκούσματα, οὐδ᾽ αὖ πρὸς τοὺς εὐφυεῖς θαυμασιώτερά τε καὶ ἐνθου-
σιαστικώτερα.« »ψυχικὸς δὲ ἄνθρωπος οὐ δέχεται τὰ τοῦ πνεύματος 56, 1
τοῦ θεοῦ, μωρία γὰρ αὐτῷ ἐστιν.« »σοφοὶ δὲ οὐκ ἐκφέρουσιν ἐκ
30 στόματος, ἃ διαλογίζονται ἐν συνεδρίῳ.« ἀλλ᾽ »ὃ ἀκούετε εἰς τὸ 2
οὖς,« φησὶν ὁ κύριος, »κηρύξατε ἐπὶ τῶν δωμάτων,« τὰς ἀποκρύφους
τῆς ἀληθοῦς γνώσεως παραδόσεις ὑψηλῶς καὶ ἐξόχως ἑρμηνευομένας

1f. Prov 10, 17; 29, 15　3 Prov 27, 21ᵃ　3—5 Prov 16, 8　5f. 7—9 I Cor 4, 19f.
10—14 I Cor 8, 2. 1. 3　16f. I Cor 2, 7　17f. vgl. Is 6, 6f.　22f. Mt 7, 6　24f. vgl.
Petrus Laod. p. 71, 11 H; Fr in ZntW 36 (1937) 84　25—28 Plato Ep. II p. 314 A
28f. I Cor 2, 14　29f. Prov 24, 7f.　30f. Mt 10, 27　31—S. 36, 1 κηρύξατε—κελεύων
Ath fol. 68ᵛ

* 　1 ὄντως Canter οὕτως L　5 αὐτὸν Prov. u. Strom. II 91, 5 αὐτὴν L　6 δοκη-
σισόφους Kl δοκήσει σοφοὺς L　7 [γράφει] Schw　8 [οὐ] Ma　15 Ἐπεὶ—πάνδημος]
Ὅτι—πάνδημος, ⟨δῆλον⟩ Schw　κοινὴ Heyse μόνη L　20 μεθεκτικοὶ Po μεθεκτοὶ L
22 ᾗ L　ᾗ φησιν ∼ nach βάλλειν Barnard. The Bibl. Text p. 11 »μήᾗ«, φησιν Schw

3*

ἐκδέχεσθαι κελεύων, καὶ καθάπερ ἠκούσαμεν εἰς τὸ οὖς, οὕτω καὶ παραδιδόναι οἷς δέον, οὐχὶ δὲ πᾶσιν ἀνέδην ἐκδιδόναι τὰ ἐν παραβολαῖς εἰρημένα πρὸς αὐτοὺς παραγγέλλων. ἀλλ᾽ ἔστι τῷ ὄντι ἡ 3 τῶν ὑπομνημάτων ὑποτύπωσις †ὅσα διασποράδην καὶ διερριμμένως 5 ἐγκατεσπαρμένην ἔχουσι τὴν ἀλήθειαν, ὅπως ἂν λάθοι τοὺς δίκην κολοιῶν σπερμολόγους. ἐπὰν δὲ ἀγαθοῦ τύχῃ γεωργοῦ, ἐκφύσεται ἕκαστον αὐτῶν καὶ τὸν πυρὸν. ἀναδείξει.

XIII. Μιᾶς τοίνυν οὔσης τῆς ἀληθείας (τὸ γὰρ ψεῦδος μυρίας 57, 1 ἐκτροπὰς ἔχει), καθάπερ αἱ βάκχαι τὰ τοῦ Πενθέως διαφορήσασαι 10 μέλη αἱ τῆς φιλοσοφίας τῆς τε βαρβάρου τῆς τε Ἑλληνικῆς αἱρέσεις, 349 P ἑκάστη ὅπερ ἔλαχεν ὡς πᾶσαν αὐχεῖ τὴν ἀλήθειαν· φωτὸς δ᾽, οἶμαι, ἀνατολῇ πάντα φωτίζεται. ξύμπαντες οὖν Ἕλληνές τε καὶ βάρβαροι, 2 ὅσοι τἀληθοῦς ὠρέχθησαν, οἳ μὲν οὐκ ὀλίγα, οἳ δὲ μέρος τι, εἴπερ ἄρα, τοῦ τῆς ἀληθείας λόγου ἔχοντες ἀναδειχθεῖεν. ὁ γοῦν αἰὼν τοῦ 3 15 χρόνου τὸ μέλλον καὶ τὸ ἐνεστός, ἀτὰρ δὴ καὶ τὸ παρῳχηκὸς ἀκαριαίως συνίστησι, πολὺ δὲ πλέον δυνατωτέρα τοῦ αἰῶνος ἡ ἀλήθεια συναγαγεῖν τὰ οἰκεῖα σπέρματα, κἂν εἰς τὴν ἀλλοδαπὴν ἐκπέσῃ γῆν. πάμπολλα γὰρ τῶν παρὰ ταῖς αἱρέσεσι δοξαζομένων εὕροιμεν ἂν 4 (ὅσαι μὴ τέλεον ἐκκεκώφηνται μηδὲ ἐξετμήθησαν τὴν φυσικὴν ἀκολουθίαν, καθάπερ τὸν ἄνδρα αἱ γυναικωνίτιδες ἀποκοψάμεναι τὸν 20 λόγον), εἰ καὶ ἀλλήλοις ἀνόμοια εἶναι δοκεῖ, τῷ γένει γε καὶ ὅλῃ τῇ ἀληθείᾳ ὁμολογοῦντα· ἢ γὰρ ὡς μέλος ἢ ὡς μέρος ἢ ὡς εἶδος ἢ ὡς γένος εἰς ἓν συνάπτεται. ἤδη δὲ καὶ ἡ ὑπάτη ἐναντία τῇ νεάτῃ οὖσα, ἀλλ᾽ ἄμφω γε ἁρμονία μία, ἔν τε ἀριθμοῖς ὁ ἄρτιος τῷ περιττῷ 5 25 διαφέρεται, ὁμολογοῦσι δὲ ἄμφω ἐῇ ἀριθμητικῇ, ὡς τῷ σχήματι ὁ κύκλος καὶ τὸ τρίγωνον καὶ τὸ τετράγωνον καὶ ὅσα τῶν σχημάτων ἀλλήλων διενήνοχεν. ἀτὰρ καὶ ἐν τῷ κόσμῳ παντὶ τὰ μέρη σύμπαντα, κἂν διαφέρηται πρὸς ἄλληλα, τὴν πρὸς τὸ ὅλον οἰκειότητα διαφυλάττει. οὕτως οὖν ἥ τε βάρβαρος ἥ τε Ἑλληνικὴ φιλοσοφία 6 30 τὴν ἀίδιον ἀλήθειαν σπαραγμόν τινα, οὐ τῆς Διονύσου μυθολογίας, τῆς δὲ τοῦ λόγου τοῦ ὄντος ἀεὶ θεολογίας πεποίηται. ὁ δὲ τὰ διηρη-

5f. vgl. Apostolios XV 61   4f. vgl. Strom. VI 2, 1; VII 110, 4   8f. vgl. A. Otto, Sprichw. S. 367 (veritas 1); Arch. f. lat. Lex. 13 (1904) S. 403   9f. vgl. Euseb. Praep. ev. XII 2 p. 509 c (Attikos) XIV 9 p. 729 a (Numenios) (Fr)   11f. vgl. Io 1, 9   14—16 vgl. Plato Tim. p. 37 E. 38 A   30 vgl. Protr. 17, 2 [vgl. Kallim. fr. 643 Pfeiffer (Fr)]

2 ἀναίδην L   4 ὅσα διασποράδην] ἐν λόγοις σποράδην (vgl. Strom. VII 110, 4) ὡς ὕλη ἀγρία σποράδην—ἔχουσα Schw ἄρουρα ... ἔχουσα Fr   5 λάθῃ Wi   6 ἐκφύσεται St ἐκφύσει τε L ἐκφύσῃ τε Wi   7 ἀναδείξῃ Wi   14 ἂν δειχθεῖεν Cobet S. 486 ⟨ἂν⟩ ἀναδειχθεῖεν Ma   15f. ἀκαριαίως Sy (im Index) ἀκαριέως L ἀκεραίως St   21 λόγον Valckenaer zu Eurip. Hipp. 490 χριστὸν L   ἀνόμοια Sy ἀνόμοιοι L   22 ὁμολογοῦντα Sy ὁμολογοῦνται L   23 συνάπτεται Markland συνέπεται L   25 nach ἄμφω ist γε ausradiert u. ἁρμονία μία durch Punkte getilgt L¹

μένα συνθεὶς αὖθις καὶ ἑνοποιήσας τέλειον τὸν λόγον ἀκινδύνως εὖ
ἴσθ᾽ ὅτι κατόψεται, τὴν ἀλήθειαν. γέγραπται γοῦν ἐν τῷ Ἐκκλη- 58, 1
σιαστῇ· »καὶ προσέθηκα σοφίαν ἐπὶ πᾶσιν, οἳ | δὴ ἐγένοντο ἔμπροσθέν 350 P
μου ἐν Ἱερουσαλήμ· καὶ ἡ καρδία μου εἶδεν πολλά, σοφίαν καὶ γνῶσιν,
5 παραβολὰς καὶ ἐπιστήμην ἔγνων. ὅτι καί γε τοῦτό ἐστι προαίρεσις
πνεύματος, ὅτι ἐν πλήθει σοφίας πλῆθος γνώσεως.« ὁ δὲ τῆς παν- 2
το|δαπῆς σοφίας ἔμπειρος, οὗτος κυρίως ἂν εἴη γνωστικός. αὐτίκα 129 S
γέγραπται· »περισσεία γνώσεως τῆς σοφίας ζωοποιήσει τὸν παρ᾽
αὐτῆς.« πάλιν τε αὖ βεβαιοῖ σαφέστερον τὰ εἰρημένα ἥδε ἡ ῥῆσις· 3
10 »πάντα ἐνώπια τοῖς νοοῦσι« (τὰ δὲ πάντα Ἑλληνικά ἐστι καὶ βαρ-
βαρικά, θάτερα δὲ οὐκέτι πάντα), »ὀρθὰ δὲ τοῖς βουλομένοις ἀπε-
νέγκασθαι αἴσθησιν. ἀνθαιρεῖσθε παιδείαν καὶ μὴ ἀργύριον, καὶ 4
γνῶσιν ὑπὲρ χρυσίον δεδοκιμασμένον, ἀνθαιρεῖσθε δὲ καὶ αἴσθησιν
χρυσίου καθαροῦ· κρεῖσσων γὰρ σοφία λίθων πολυτελῶν, πᾶν δὲ
15 τίμιον οὐκ ἄξιον αὐτῆς.«

XIV. Φασὶ δὲ Ἕλληνες μετά γε Ὀρφέα καὶ Λίνον καὶ τοὺς πα- 59, 1
λαιοτάτους παρὰ σφίσι ποιητὰς ἐπὶ σοφίᾳ πρώτους θαυμασθῆναι
τοὺς ἑπτὰ τοὺς ἐπικληθέντας σοφούς, ὧν τέσσαρες μὲν ἀπὸ Ἀσίας
ἦσαν, Θαλῆς τε ὁ Μιλήσιος καὶ Βίας ὁ Πριηνεὺς καὶ Πιττακὸς ὁ
20 Μιτυληναῖος καὶ Κλεόβουλος ὁ Λίνδιος, δύο δὲ ἀπὸ Εὐρώπης, Σόλων
τε ὁ Ἀθηναῖος καὶ Χίλων ὁ Λακεδαιμόνιος, τὸν δὲ ἕβδομον οἱ μὲν
Περίανδρον εἶναι λέγουσιν τὸν Κορίνθιον, οἳ δὲ Ἀνάχαρσιν τὸν
Σκύθην, οἳ δὲ Ἐπιμενίδην τὸν Κρῆτα ([ὃν Ἑλληνικὸν οἶδε προφή- 2
την,] οὗ μέμνηται ὁ ἀπόστολος Παῦλος ἐν τῇ πρὸς Τίτον ἐπιστολῇ,
25 λέγων οὕτως· »εἶπέν τις ἐξ αὐτῶν ἴδιος προφήτης οὕτως·

Κρῆτες ἀεὶ ψεῦσται, κακὰ θηρία, γαστέρες ἀργαί·

καὶ ἡ μαρτυρία αὕτη ἐστὶν ἀληθής.« ὁρᾷς ὅπως κἂν τοῖς Ἑλλήνων 3
προφήταις δίδωσί τι τῆς ἀληθείας καὶ οὐκ ἐπαισχύνεται πρός τε

3—6 Eccl 1, 16—18   8f. Eccl 7, 13   10—15 Prov 8, 9—11   § 59—69 vgl. Maass,
De biogr. graec. quaest. sel. p. 107ff. (Philol. Unters. herausg. von Kiessling und
v. Wilam.-Moell. III)   16—S. 38, 9 vgl. Diog. Laert. I 13. 41; Zeller, Phil. d. Gr. I⁵
S. 110 Anm. 2; Jos. Mikołajczak, De septem sap. fab. quaest. sel. (Bresl. phil. Abh.
IX); Christ, Philol. Stud. zu Clem. Alex. S. 37 Anm. 2, vermutet Hippobotos als
Quelle, vgl. Diog. Laert. I 42   21—23 u. S. 38, 7—9 Theodoret Gr. aff. c. V 63
25—27 Tit 1, 12f.   26 Epimenides Orac. Fr. 5 Kinkel; fr. 1 Diels⁶ I S. 32, 1

5 ὅτι Eccl. ἔτι L   12 ἀνθαιρεῖσθε Sy ἀνθαιρεῖσθαι L   22f. τὸν Σκύθην] οἱ
δὲ (aber von L¹ getilgt) τὸν Σκύθην   23f. [ὃν (entstanden aus ὅρα oder ση⟨μεί-
ωσαι⟩)—προφήτην,] Wi   24 [οὗ μέμνηται] Ma   25 οὕτως Sy οὗτος L   27 κἂν L

οἰκοδομὴν καὶ πρὸς ἐντροπὴν διαλεγόμενός τινων Ἑλληνικοῖς συγχρῆ-
σθαι ποιήμασι; πρὸς γοῦν Κορινθίους, οὐ γὰρ ἐνταῦθα μόνον, περὶ 4
τῆς τῶν νεκρῶν ἀναστάσεως διαλεγόμενος ἰαμβείῳ συγκέχρηται τρα-
γικῷ ›τί μοι ὄφελος;‹ λέγων, ›εἰ νεκροὶ οὐκ ἐγείρονται, φάγωμεν
5 καὶ πίωμεν· αὔριον γὰρ ἀποθνήσκομεν. μὴ πλανᾶσθε·

φθείρουσιν ἤθη χρηστὰ ὁμιλίαι κακαί‹)·

οἳ δὲ Ἀκουσίλαον τὸν Ἀργεῖον ἐγκατέλεξαν τοῖς ἑπτὰ σοφοῖς, ἄλλοι 5
δὲ | Φερεκύδην τὸν Σύριον. Πλάτων δὲ ἀντὶ Περιάνδρου ὡς ἀναξίου 351 F
σοφίας διὰ τὸ τετυραννηκέναι ἀντικατατάττει Μύσωνα τὸν Χηνέα.
10 ὡς μὲν οὖν κάτω που τῆς Μωυσέως ἡλικίας οἱ παρ᾽ Ἕλλησι σοφοὶ 60, 1
γεγόνασι, μικρὸν ὕστερον δειχθήσεται· ὁ δὲ τρόπος τῆς παρ᾽ αὐτοῖς
φιλοσοφίας, ὡς Ἑβραϊκὸς καὶ αἰνιγματώδης, ἤδη ἐπισκεπτέος. βραχυ- 2
λογίαν γοῦν ἠσπάζοντο τὴν παραινετικήν, τὴν ὠφελιμωτάτην.
αὐτίκα Πλάτων πάλαι [τὸ] διὰ σπουδῆς γεγονέναι τόνδε τὸν τρόπον
15 λέγει, κοινῶς μὲν πᾶσιν Ἕλλησιν, ἐξαιρέτως δὲ Λακεδαιμονίοις καὶ
Κρησὶ τοῖς εὐνομωτάτοις.

Τὸ μὲν οὖν ›γνῶθι σαυτὸν‹ οἳ μὲν Χίλωνος ὑπειλήφασι, Χαμαι- 3
λέων δὲ ἐν τῷ περὶ θεῶν Θαλοῦ, Ἀριστοτέλης δὲ τῆς Πυθίας.
δύναται δὲ τὴν γνῶσιν ἐγκελεύεσθαι μεταδιώκειν. οὐκ ἔστι γὰρ ἄνευ 4
20 τῆς τῶν ὅλων οὐσίας εἰδέναι τὰ μέρη· δεῖ δὴ τὴν γένεσιν τοῦ κόσμου
πολυπραγμονῆσαι, δι᾽ ἧς καὶ τὴν τοῦ ἀνθρώπου φύσιν καταμαθεῖν
ἐξέσται. πάλιν αὖ Χίλωνι τῷ Λακεδαιμονίῳ ἀναφέρουσι τὸ ›μηδὲν 61, 1
ἄγαν‹ Στράτων δὲ ἐν τῷ περὶ εὑρημάτων Σωδάμῳ τῷ Τεγεάτῃ
προσάπτει· τὸ ἀπόφθεγμα, Δίδυμος δὲ Σόλωνι αὐτὸ ἀνατίθησιν,

3–6 1 Cor 15, 32 f.   4 vgl. Ies 22, 13   6 Menander. Thais Fr. 218 CAF III p. 62;
nach andern Euripides (Fr. inc. 1024); vgl. Paed. II 50, 4 [vgl. Bursian Jb. Bd. 238,
1933, 161 (Fr)]   8 f. vgl. Plato Protag. p. 343 A   11 δειχθ. vgl. Strom. I 107
11–16 vgl. Plato a. a. O. p. 343 B οὗτος ὁ τρόπος ἦν τῶν παλαιῶν τῆς φιλοσοφίας,
βραχυλογία τις Λακωνική. Leg. I p. 641 E ὑπολαμβάνουσιν ... Λακεδαίμονα καὶ Κρή-
την, τὴν μὲν βραχύλογον, τὴν δὲ πολύνοιαν μᾶλλον ἢ πολυλογίαν ἀσκοῦσαν   17 ff. über
die Sprüche der sieben Weisen vgl. Brunco, Acta Sem. phil. Erlang. III p. 299 ff.
17 f. vgl. Bekker, Anecd. graeca I p. 233, 13–16   17 f. Chamaileon Fr. 36 Koepke
18 Aristot. Fr. 3 Rose³; vgl. Stob. Flor. 21, 26 Mein.   23 f. Straton Fr. 1 FHG II
p. 369; vgl. Wendling, De Peplo Aristot. Diss. Strassb. 1891 p. 65 sqq.   Straton
fr. 147 Wehrli Heft 5 S. 40, 11 ff.   vgl. Preger, Inscr. graec. metr. p. 52 Nr. 65 (Epi-
gramm auf Sodamos)   24 u. S. 39, 5 f. Didymus (vgl. M. Schmidt, Did. Fr. p. 380;
R. Volkmann, Jahrbb. für Philol. 103 (1871) S. 684; Diels, Doxogr. gr. p. 79),
Συμποσιακά Fr. 4 Schmidt p. 372 ff.

4 εἰ] οἱ Vi   13 τὴν¹] τινα Schw   14 [τὸ] St   23 Στράτων Vi στρωμάτων L Σω-
δάμῳ Schol. zu Eurip. Hipp. 264 στρατοδήμωι L Σωδήμῳ Wilamowitz, Comm.
gramm. II (1880) S. 6

ὥσπερ ἀμέλει Κλεοβούλῳ τὸ »μέτρον ἄριστον«. τὸ δ' »ἐγγύα, πάρα 2
δ' ἄτα« Κλεομένης μὲν ἐν τῷ περὶ Ἡσιόδου Ὁμήρῳ φησὶ προειρῆ-
σθαι διὰ τούτων·

δειλαί τοι δειλῶν γε καὶ ἐγγύαι ἐγγυάασθαι·

5 οἳ δὲ περὶ Ἀριστοτέλη Χίλωνος αὐτὸ νομίζουσι, Δίδυμος δὲ Θαλοῦ
φησιν εἶναι τὴν παραίνεσιν. ἔπειτα ἑξῆς τὸ »πάντες ἄνθρωποι 3
κακοὶ« ἢ »οἱ πλεῖστοι τῶν ἀνθρώπων κακοὶ« (διχῶς γὰρ ἐκφέρεται
τὸ αὐτὸ ἀπόφθεγμα) οἱ περὶ Σωτάδαν τὸν Βυζάντιον Βίαντος λέ-
γουσιν εἶναι καὶ τὸ »μελέτη πάντα καθαιρεῖ« Περιάνδρου τυγχάνειν
10 βούλονται, ὁμοίως δὲ τὴν »γνῶθι καιρὸν« παραίνεσιν Πιττακοῦ καθε-
στάναι. ὁ μὲν οὖν Σόλων Ἀθηναίοις, Πιττακὸς δὲ Μιτυληναίοις 4
ἐνομοθέτησαν. ὀψὲ δὲ Πυθαγόρας ὁ Φερεκύδου γνώριμος φιλόσοφον
ἑαυτὸν πρῶτος ἀνηγόρευσεν.

Φιλοσοφίας τοίνυν | μετὰ τοὺς προειρημένους ἄνδρας τρεῖς γεγό- 62,1 352 P
15 νασι διαδοχαὶ ἐπώνυμοι τῶν τόπων περὶ οὓς διέτριψαν, Ἰταλικὴ μὲν
ἡ ἀπὸ Πυθαγόρου, Ἰωνικὴ δὲ ἡ ἀπὸ Θαλοῦ, Ἐλεατικὴ δὲ ἡ ἀπὸ
Ξενοφάνους. Πυθαγόρας μὲν οὖν Μνησάρχου Σάμιος, ὥς φησιν 2
Ἱππόβοτος, ὡς δὲ Ἀριστόξενος ἐν τῷ Πυθαγόρου βίῳ καὶ †Ἀρίσταρχος
καὶ Θεόπομπος, Τυρρηνὸς ἦν, ὡς δὲ Νεάνθης, Σύριος ἢ Τύριος, ὥστε
20 εἶναι κατὰ τοὺς πλείστους τὸν Πυθαγόραν βάρβαρον τὸ γένος. ἀλλὰ 3
καὶ Θαλῆς, ὡς Λέανδρος καὶ Ἡρόδοτος ἱστοροῦσι, Φοῖνιξ ἦν, ὡς δέ
τινες ὑπειλήφασι, Μιλήσιος. μόνος οὗτος δοκεῖ τοῖς τῶν Αἰγυπτίων 4
προφήταις συμβεβληκέναι, διδάσκαλος δὲ αὐτοῦ οὐδεὶς ἀναγράφεται,
ὥσπερ οὐδὲ Φερεκύδου τοῦ Συρίου, ᾧ Πυθαγόρας ἐμαθήτευσεν. ἀλλ' 63, 1
25 ἡ μὲν ἐν Μεταποντίῳ τῆς Ἰταλίας ἡ κατὰ Πυθαγόραν φιλοσοφία ἡ
Ἰταλικὴ κατεγήρασεν.

---

4 ϑ 351   5 Aristot. Fr. 4 Rose³   6 vgl. Strom. V 59, 4   12f. vgl. Strom. IV 9,1;
Diog. Laert. I 12; Zeller, Phil. d. Gr. I⁵ S. 458³   14—S. 41, 4 vgl. Schwartz RE V
Col. 751ff.; E. Howald, Hermes 55, 1920, S. 76ff.   17—20 vgl. Diels⁶ I 99, 13—18
17—24 Theodoret Gr. aff. c. I 24. 50. 55   17ff. vgl. Diels, Doxogr. gr. p. 244f. (Galen,
Hist. phil. 3)   18f. Aristoxenos fr. 1 FHG II p. 272; fr. 11b Wehrli 2, 11, 1—3; vgl.
Diog. Laert. VIII 1   Arist. Fr. 190 Rose³   19 Theopompos FGrHist. 115 F 72   Ne-
anthes FGrHist. 84 F 29   21 Maiandrios von Milet (identisch mit Leandros)
Fr. 2 FHG II p. 335   Herodot 1, 170   22—24 vgl. Diog. Laert. I 27   24 vgl. Suidas
s. v. Φερεκύδης

1. 4 ἐγγύαι L   4 γε aus Hom. τε L   7 ἐκφέρεται Vi ἐμφέρεται L   9 καθαιρεῖ St
(vgl. Aesch. Eumen. 286 χρόνος καθαιρεῖ πάντα)] καθαίρει L   12 φερεκύδους L   17 ὥς
φησιν Σάμιος ~ L* corr. L¹   18 Ἀρίσταρχος (so auch Theodor.) Irrtum des Clemens
Ἀριστοτέλης Preller zu Polemon p. 59 u. Rose a. a. O. (richtig)   19 Νεάνθης (so auch
Theodor.)] Κλεάνθης Porph. Vit. Pyth. 1 p. 14, 5; 2 p. 14, 16 Nauck, das Müller FHG
III p. 9 richtig in Νεάνθης ändert   22 μόνοις Po ⟨ἐκ Φοινίκης ὡρμη⟩μένος (vgl. Diog.
Laert. I 22) Schw τὸ γένος St

Ἀναξίμανδρος δὲ Πραξιάδου Μιλήσιος Θαλῆν διαδέχεται, τοῦτον 2
δὲ Ἀναξιμένης Εὐρυστράτου Μιλήσιος, μεθ' ὃν Ἀναξαγόρας Ἡγησι-
βούλου Κλαζομένιος. οὗτος μετήγαγεν ἀπὸ τῆς Ἰωνίας Ἀθήναζε τὴν
διατριβήν. τοῦτον διαδέχεται Ἀρχέλαος, οὗ Σωκράτης διήκουσεν. | 3

5   ἐκ δ' ἄρα τῶν ἀπέκλινε λαοξόος, ἐννομολέσχης.   353 P
        Ἑλλήνων ἐπαοιδός,

ὁ Τίμων φησὶν ἐν τοῖς Σίλλοις διὰ τὸ ἀποκεκλικέναι ἀπὸ τῶν φυσι-
κῶν ἐπὶ τὰ ἠθικά. Σωκράτους δὲ ἀκούσας Ἀντισθένης μὲν ἐκύνισε, 4
Πλάτων δὲ εἰς τὴν Ἀκαδημίαν ἀνεχώρησε. παρὰ Πλάτωνι Ἀριστο- 130 S
10 τέλης φιλοσοφήσας μετελθὼν εἰς τὸ Λύκειον κτίζει τὴν Περιπατη-
τικὴν αἵρεσιν. τοῦτον διαδέχεται Θεόφραστος, ὃν Στράτων, ὃν
Λύκων, εἶτα Κριτόλαος, εἶτα Διόδωρος. Σπεύσιππος δὲ Πλάτωνα 6
διαδέχεται, τοῦτον δὲ Ξενοκράτης, ὃν Πολέμων. Πολέμωνος δὲ
ἀκουσταὶ Κράτης τε καὶ Κράντωρ, εἰς οὓς ἡ ἀπὸ Πλάτωνος κατέ-
15 ληξεν ἀρχαία Ἀκαδημία. Κράντορος δὲ μετέσχεν Ἀρκεσίλαος, ἀφ' οὗ
μέχρι Ἡγησίνου ἤνθησεν Ἀκαδημία ἡ μέση. εἶτα Καρνεάδης διαδέχεται 64, 1
Ἡγησίνουν καὶ οἱ ἐφεξῆς· Κράτητος δὲ Ζήνων ὁ Κιτιεὺς ὁ τῆς
Στωικῆς ἄρξας αἱρέσεως γίνεται μαθητής. τοῦτον διαδέχεται Κλε-
άνθης, ὃν Χρύσιππος καὶ οἱ μετ' αὐτόν.
20   Τῆς δὲ Ἐλεατικῆς ἀγωγῆς Ξενοφάνης ὁ Κολοφώνιος κατάρχει, 2
ὅν φησι Τίμαιος κατὰ Ἱέρωνα τὸν Σικελίας δυνάστην καὶ Ἐπίχαρμον
τὸν ποιητὴν γεγονέναι, Ἀπολλόδωρος δὲ κατὰ τὴν † τεσσαρακοστὴν
ὀλυμπιάδα γενόμενον παρατετακέναι ἄχρι τῶν Δαρείου τε καὶ Κύρου
χρόνων. Παρμενίδης τοίνυν Ξενοφάνους ἀκουστὴς γίνεται, τούτου 3

2—4 vgl. Diog. Laert. II 16; Diels⁶ II S. 44, 28 ff. 5 f. Timon Sill. Fr. 50, 1 f.
Wachsm. 25, 1 f. Diels; vgl. Diog. Laert. II 19; Sext. Emp. Adv. Math. VII 8; vgl.
auch Krische, Forsch. S. 211 Anm. 17 der Akademiker Krates (Z. 14; vgl. Diog.
Laert. IV 21 ff.) ist mit dem Kyniker Krates (Diog. VI 85 ff.;· VII 3) verwechselt
20—24 vgl. Diels⁶ I S. 21, 26—30 21 Timaeus Fr. 92 FHG I p. 215 22—24 Apollodor
FGrHist. 244 F 68

1 Πραξιάδου Po aus Diog. Laert. II 1 πραξιδάμου L 5 λαοξόος L Sext. λιθοξόος
Diog. ⟨ὁ⟩ λαξόος Meineke Philol. 15 (1860) S. 333 16 Ἡγησίνου Dindorf, Praef. zu
Euseb. Praep. Ev. vol. I p. XIV u. Diels, Rhein. Mus. 31 (1876) S. 47 Anm. [ebenso
statt σιγῆς bei Galen, Hist. Phil. p. 227 Kühn]; vgl. Cicero Acad. prior. II 16; Diog.
Laert. IV 60; Euseb. Praep. Ev. XIV 8, 1 ἡγησιλάου L 17 Ἡγησίνουν] ἡγησί-
λαον L κητιεύς L 22 πεντηκοστὴν Ritter vgl. Diog. Laert. IX 20; aber τεσσ. auch
Sext. Emp. Adv. Math. I 257 23 Δαρείου τε καὶ Κύρου (verkehrte Stellung wegen
des Metrums vgl. Diels, Rhein. Mus. 31 (1876) S. 23; anders Unger, Abh. der philos.-
philol. Kl. d. k. bayr. Ak. d. W. 16 (1882) S. 265)

δὲ Ζήνων, εἶτα Λεύκιππος, εἶτα Δημόκριτος. Δημοκρίτου δὲ ἀκουσταὶ 4
Πρωταγόρας ὁ Ἀβδηρίτης καὶ Μητρόδωρος ὁ Χῖος, οὗ Διογένης ὁ
Σμυρναῖος, οὗ Ἀνάξαρχος, τούτου δὲ Πύρρων, οὗ Ναυσιφάνης. τούτου
φασὶν ἔνιοι μαθητὴν Ἐπίκουρον γενέσθαι.

5　　Καὶ ἡ μὲν διαδοχὴ τῶν παρ' Ἕλλησι φιλοσόφων ὡς ἐν ἐπιτομῇ 5
ἥδε, οἱ χρόνοι δὲ τῶν προκαταρξάντων τῆς φιλοσοφίας αὐτῶν ἑπο-
μένως λεκτέοι, ἵνα δὴ ἐν συγκρίσει ἀποδείξωμεν πολλαῖς γενεαῖς
πρεσβυτέραν τὴν κατὰ Ἑβραίους φιλοσοφίαν. καὶ περὶ μὲν Ξενο- 65, 1
φάνους εἴρηται, ὃς τῆς Ἐλεατικῆς ἦρξε φιλοσοφίας, Θαλῆν δὲ Εὔδημος 354 P
10 ἐν ταῖς Ἀστρολογικαῖς ἱστορίαις τὴν γενομένην ἔκλειψιν τοῦ ἡλίου
προειπεῖν φησι καθ' οὓς χρόνους συνῆψαν μάχην πρὸς ἀλλήλους
Μῆδοί τε καὶ Λυδοὶ βασιλεύοντος Κυαξάρους μὲν τοῦ Ἀστυάγους
πατρὸς Μήδων, Ἀλυάττου δὲ τοῦ Κροίσου Λυδῶν. συνᾴδει δὲ αὐτῷ
καὶ Ἡρόδοτος ἐν τῇ πρώτῃ. εἰσὶ δὲ οἱ χρόνοι ἀμφὶ τὴν πεντη-
15 κοστὴν ὀλυμπιάδα. Πυθαγόρας δὲ κατὰ Πολυκράτη τὸν τύραννον 2
περὶ τὴν ἑξηκοστὴν δευτέραν ὀλυμπιάδα εὑρίσκεται. Σόλωνος δὲ 3
ζηλωτὴς Μνησίφιλος ἀναγράφεται, ᾧ Θεμιστοκλῆς συνδιέτριψεν.
ἤκμασεν οὖν ὁ Σόλων κατὰ τὴν τεσσαρακοστὴν ἕκτην ὀλυμπιάδα.
Ἡράκλειτος γὰρ ὁ Βλύσωνος Μελαγκόμαν τὸν τύραννον ἔπεισεν 4
20 ἀποθέσθαι τὴν ἀρχήν. οὗτος βασιλέα Δαρεῖον παρακαλοῦντα ἥκειν
εἰς Πέρσας ὑπερεῖδεν.

　　XV. Οἵδε μὲν οἱ χρόνοι τῶν παρ' Ἕλλησι πρεσβυτάτων σοφῶν 66, 1
τε καὶ φιλοσόφων. ὡς δὲ οἱ πλεῖστοι αὐτῶν βάρβαροι τὸ γένος καὶ
παρὰ βαρβάροις παιδευθέντες, τί δεῖ καὶ λέγειν, εἴ γε Τυρρηνὸς ἢ
25 Τύριος ὁ Πυθαγόρας ἐδείκνυτο, Ἀντισθένης δὲ Φρὺξ ἦν καὶ Ὀρφεὺς
Ὀδρύσης ἢ Θρᾷξ; Ὅμηρον γὰρ οἱ πλεῖστοι Αἰγύπτιον φαίνουσιν.
Θαλῆς δὲ Φοῖνιξ ὢν τὸ γένος καὶ τοῖς Αἰγυπτίων προφήταις συμ- 2
βεβληκέναι εἴρηται, καθάπερ καὶ ὁ Πυθαγόρας αὐτοῖς γε τούτοις, δι'
οὓς καὶ περιετέμετο, ἵνα δὴ καὶ εἰς τὰ ἄδυτα κατελθὼν τὴν | μυστι- 355 P
30 κὴν παρ' Αἰγυπτίων ἐκμάθοι φιλοσοφίαν, Χαλδαίων τε καὶ Μάγων

* 　1f. Protagor. Vorsokr.⁶ iI S. 253, 21; Metrodor. S. 231, 3—6　　9—15 Eudemos
von Rhodos Fr. 94 Mullach FPG III p. 276; vgl. Diog. Laert. I 23; Diels⁶ I S. 74,
22—28 fr. 143 Wehrli 8, 67, 23—26　14 Herodot 1, 74　14—18 vgl. Strom. I 129, 3;
Tatian 41 p. 43, 2—7 Schwartz　15f. vgl. Apollodor FGrHist. 244 F 339 (= Diog.
Laert. II 2; VIII 45)　16f. vgl. Plut. Mor. p. 154 C; Vita Themist. 2　17 vgl.
Schmid I 2 S. 676 A 10 (Fr)　18 vgl. Diog. Laert. I 62　19—21 vgl. Diels⁶ I 9,
143, 28—30　26 Αἰγύπτιον vgl. Chalcid. Comm. in Plat. Tim. c. 126　28f. Theodoret
Gr. aff. c. I 15　29f. vgl. Diog. Laert. VIII 3

　　19 γὰρ] δὲ Bernays, Herakl. Briefe S. 14　Βλύσωνος Canter aus Diog. Laert.
IX 1 βαύσωνος L　25 Τύριος Sy aus S. 39, 19 τυρρήνιος L　26 [ἢ] Cobet S. 500
29 περιετέμνετο Di

τοῖς ἀρίστοις συνεγένετο καὶ τὴν ἐκκλησίαν τὴν νῦν οὕτω καλουμένην τὸ παρ' αὐτῷ ὁμακοεῖον αἰνίττεται. Πλάτων δὲ οὐκ ἀρνεῖται 3
τὰ κάλλιστα εἰς φιλοσοφίαν παρὰ τῶν βαρβάρων ἐμπορεύεσθαι εἴς
τε Αἴγυπτον ἀφικέσθαι ὁμολογεῖ· δύνασθαι γοῦν ἐν τῷ Φαίδωνί ⟨φησι⟩
5 πανταχόθεν τὸν φιλόσοφον ὠφελεῖσθαι γράφων· »πολλὴ μὲν ἡ
Ἑλλάς, [ἔφη,] ὦ Κέβης, ἦ δ' ὅς, ἐν ᾗ εἰσι πάμπαν ἀγαθοὶ ἄνδρες,
πολλὰ δὲ καὶ τὰ τῶν βαρβάρων γένη.« οὕτως οἴεται ὁ Πλάτων καὶ 67, 1
βαρβάρων φιλοσόφους τινὰς εἶναι, ὁ δὲ Ἐπίκουρος ἔμπαλιν ὑπολαμβάνει μόνους φιλοσοφῆσαι Ἕλληνας δύνασθαι. ἔν τε τῷ Συμποσίῳ 2
10 ἐπαινῶν Πλάτων τοὺς βαρβάρους ὡς διαφερόντως ἀσκήσαντας
† μόνους ἀληθῶς φησι »καὶ ⟨ἄλλοι⟩ ἄλλοθι πολλαχοῦ καὶ ἐν Ἕλλησι καὶ
βαρβάροις, ὧν καὶ ἱερὰ πολλὰ ἤδη γέγονε διὰ τοὺς τοιούτους παῖδας.«
δῆλοι δέ εἰσιν οἱ βάρβαροι διαφερόντως τιμήσαντες τοὺς αὐτῶν 3
νομοθέτας τε καὶ διδασκάλους θεοὺς προσειπόντες. ψυχὰς γὰρ ἀγαθὰς 4
15 κατὰ Πλάτωνα καταλιπούσας τὸν ὑπερουράνιον τόπον ὑπομεῖναι
ἐλθεῖν εἰς τόνδε τὸν τάρταρον καὶ σῶμα ἀναλαβούσας τῶν ἐν γενέσει
κακῶν ἁπάντων μετασχεῖν ὑπολαμβάνουσι, κηδομένας τοῦ τῶν ἀνθρώπων γένους, αἳ νόμους τε ἔθεσαν καὶ φιλοσοφίαν ἐκήρυξαν, »οὗ
μεῖζον ἀγαθὸν τῷ τῶν ἀνθρώπων γένει οὔτ' ἦλθέν ποτε ἐκ θεῶν
20 οὔτ' ἀφίξεται.« καί μοι δοκοῦσιν αἰσθόμενοι τῆς μεγάλης εὐποιίας 68, 1
τῆς διὰ τῶν σοφῶν σεβασθῆναί τε τοὺς ἄνδρας καὶ δημοσίᾳ φιλοσοφῆσαι Βραχμᾶνές τε σύμπαντες καὶ Ὀδρύσαι καὶ Γέται καὶ τὸ τῶν
Αἰγυπτίων γένος ⟨καὶ⟩ ἐθεολόγησαν ἀκριβῶς τὰ ἐκείνων, Χαλδαῖοί
τε καὶ Ἀράβιοι οἱ κληθέντες εὐδαίμονες καὶ ὅσοι γε τὴν Παλαιστίνην
25 κατῴκησαν καὶ τοῦ Περσικοῦ γένους οὐ τὸ ἐλάχιστον μέρος καὶ ἄλλα
πρὸς τούτοις γένη μυρία. ὁ δὲ Πλάτων δῆλον ὡς σεμνύνων αἰεὶ 2
τοὺς βαρβάρους εὑρίσκεται, μεμνημένος αὑτοῦ τε καὶ Πυθαγόρου τὰ
πλεῖστα | καὶ γενναιότατα τῶν δογμάτων ἐν βαρβάροις μαθόντος. 356 P
διὰ τοῦτο καὶ »γένη βαρβάρων« εἶπεν, γένη φιλοσόφων ἀνδρῶν βαρ- 3

---

* 5—7 Plato Phaedon p. 78 A   8f. Epik. Fr. 226 Usener 170, 12   9—12 vgl. Plato
Sympos. p. 209 DE τίμιος δὲ παρ' ὑμῖν καὶ Σόλων διὰ τὴν τῶν νόμων γέννησιν, καὶ
ἄλλοι ἄλλοθι πολλαχοῦ ἄνδρες κτλ.   13—18 nicht bei Plato (Phaedr. p. 247 C steht
τὸν ὑπερουράνιον τόπον)   18—20 Plato Tim. p. 47 AB   29 Plato Phaedon p. 78 A

4 ⟨φησι⟩ Schw   6 [ἔφη] Schw   [ἦ δ' ὅς] Po   10f. ἀσκήσαντας μόνους ἀληθῶς
φησι] ἀσκήσαντας νόμους, ἄλλοι, φησί, Po ἀσκήσαντας ⟨τὴν φιλοσοφίαν⟩, μόνους ἀληθῶς
φησιν ⟨ἔκγονα ἑαυτῶν καταλείπειν τοὺς φιλοσόφους τὰ γράμματα⟩ Ma ἀσκήσαντας
⟨νομοθεσίαν· »τίμιος δὲ παρ' ὑμῖν Σόλων διὰ⟩ νόμους ἀγαθούς«, φησί, St ⟨παντοίαν
ἀρετὴν καὶ παῖδας καταλιπο⟩ μένους ἀληθῶς φησι Schw ἀσκήσαντας νόμους ἀληθῶς
⟨θεῖα τίκτουσι⟩ φησί κτλ. Fr in Wb. Jb. 1947 S. 149   11 ⟨ἄλλοι⟩ aus Plato   15 καταλειπούσας L   17 κηδομένας St κηδεμόνας L κηδεμόνας ⟨οὖσας⟩ Ma   28 μαθόντος Sy
μαθόντας L

βάρων γινώσκων, ἔν τε | τῷ Φαίδρῳ τὸν Αἰγύπτιον βασιλέα καὶ τοῦ 131 S
Θωὺθ ἡμῖν σοφώτερον δείκνυσιν, ὅντινα Ἑρμῆν οἶδεν ὄντα. ἀλλὰ
κἂν τῷ Χαρμίδῃ Θρᾷκάς τινας ἐπιστάμενος φαίνεται, οἳ λέγονται
ἀθανατίζειν τὴν ψυχήν.

5   Ἱστορεῖται δὲ Πυθαγόρας μὲν Σώγχιδι τῷ Αἰγυπτίῳ ἀρχιπρο- 69, 1
φήτῃ μαθητεῦσαι, Πλάτων δὲ Σεχνούφιδι τῷ Ἡλιοπολίτῃ, Εὔδοξος
δὲ ὁ Κνίδιος Κονούφιδι τῷ καὶ αὐτῷ Αἰγυπτίῳ. ἐν δὲ τῷ περὶ 2
ψυχῆς Πλάτων ** πάλιν προφητείαν γνωρίζων φαίνεται, προφήτην
εἰσάγων τὸν τῆς Λαχέσεως λόγον ἐξαγγέλλοντα πρὸς τὰς κληρου-
10 μένας ψυχὰς ⟨καὶ⟩ προθεσπίζοντα. κἂν τῷ Τιμαίῳ τὸν σοφώτατον 3
Σόλωνα μανθάνοντα εἰσάγει πρὸς τοῦ βαρβάρου. ἔχει δὲ τὰ τῆς
λέξεως ὧδε· »ὦ Σόλων, Σόλων, Ἕλληνες ὑμεῖς αἰεὶ παῖδές ἐστε,
γέρων δὲ Ἕλλην οὐδείς· οὐ γὰρ ἔχετε μάθημα χρόνῳ πολιόν.« Δημό- 4
κριτος γὰρ τοὺς Βαβυλωνίους λόγους ⟨προσλαβὼν τοὺς⟩ ἠθικοὺς πεποίηται· λέγεται
15 γὰρ τὴν Ἀκικάρου | στήλην ἑρμηνευθεῖσαν τοῖς ἰδίοις συντάξαι συγγράμ- 357 P
μασι κἄστιν ἐπισημήνασθαι ⟨τὰ⟩ παρ' αὐτοῦ, »τάδε λέγει Δημόκριτος«
γράφοντος. ναὶ μὴν καὶ περὶ αὐτοῦ [ἢ] σεμνυνόμενός φησί που ἐπὶ τῇ 5
πολυμαθίᾳ· »ἐγὼ δὲ τῶν κατ' ἐμαυτὸν ἀνθρώπων γῆν πλείστην
ἐπεπλανησάμην, ἱστορέων τὰ μήκιστα, καὶ ἀέρας τε καὶ γέας πλεί-
20 στας εἶδον, καὶ λογίων ἀνθρώπων πλείστων ἐπήκουσα, καὶ γραμμέων

---

*   1f. Plato Phaedr. p. 274 E   2 Θωύθ = Ἑρμῆς nicht bei Plato; aber vgl. Cic.
De deor. nat. III 56; Suidas s. v.; Euseb. Praep. Ev. I 9, 24; 10, 14   3f. Plato Charm.
p. 156 D   5—7 vgl. Plut. Mor. p. 354 DE; p. 578 F; Diog. Laert. VIII 90; vgl. Kees
RE II A Sp. 976, 15   8—10 vgl. Plato Rep. X p. 617 D   10. 13 Plato Tim. 22 B;
Euseb. Praep. Ev. X 4, 19; Theodoret Gr. aff. c. I 51   13—S. 44, 4 Euseb. Praep. Ev.
X 4, 23f.   13—16 vgl. FHG II p. 26; Natorp, Die Ethik des Demokr. S. 4   15 zu
Ἀλίκαρος vgl. W. Studemund, Jahrb. d. deutsch. arch. Instit. 5 (1890) S. 4f.; vgl.
Schmid II 558; I 1, 674 A 6 (Fr)   18—S. 44, 3 Demokrit Fr. 299 Diels⁶ II 208f. u.
Nachtrag 424; Schmid I 5, 240 A 5. — Das Fr. ist ein Pseudodemocriteum hellenist.
Ursprungs, aus dem Cobet vergeblich bedenkl. Verbalformen entfernen wollte (Fr).
Vgl. B. ten Brink, Philol. 7 (1852) S. 354ff.; Cantor, Geschichte der Mathematik I
S. 55; zur Echtheitsfrage Gomperz, SBW Phil.-hist. Kl. 152 (1905) S. 23f.

5 Σώγχιδι Sy σώγχηδι L   7 Χονούφιδι Menage zu Diog. Laert. VIII 90   8 * * St
nach Πλάτων scheint eine Stelle aus Phaedon ausgefallen zu sein, an die sich ⟨καὶ
ἐν τῇ Πολιτείᾳ⟩ πάλιν anschloß   10 ⟨καὶ⟩ St   11 πρὸς τοῦ] πρός του Rittershausen
zu Porph. Vit. Pyth. p. 9, 10   14 ἠθικοὺς L Eus. ἰδίους Cobet S. 531 Ἑλληνικοὺς
Diels ἠθ. ⟨ἰδίους⟩ Smend ⟨προσλαβὼν τοὺς⟩ Fr   14—18 πεποίηται—πολυμαθίᾳ] πε-
ποιῆσθαι λέγεται. καί που σεμνύμενος περὶ ἑαυτοῦ φησιν Eus.   14 λέγεται] λέγει Cobet
16f. κἄστιν—γράφοντος L κάτα—γράφων Bernays   16 ⟨τὰ⟩ Ja²   αὐτῷ Sy   17 αὐτοῦ L
[ἢ] St ἢ L δὴ Schw   18 πλείστην γῆν Eus.   19 ἐπεπλανήθην Cobet S. 531   γαίας Eus.
20 ἀνθρώπων] ἀνδρῶν Eus.   ἐπήκουσα Eus. ἐσήκουσα L   καὶ ⟨περὶ⟩ γρ. συνθέσιος Schw

συνθέσι μετὰ ἀποδείξεως οὐδείς κώ με παρήλλαξεν, οὐδ᾽ οἱ Αἰγυ-
πτίων καλεόμενοι Ἀρπεδονάπται, σὺν τοῖς δ᾽ ἐπὶ πᾶσιν ἐπ᾽ ἔτε᾽
ὀγδώκοντα ἐπὶ ξείνης ἐγενήθην.‹ ἐπῆλθε γὰρ Βαβυλῶνά τε καὶ 6
Περσίδα καὶ Αἴγυπτον τοῖς τε Μάγοις καὶ τοῖς ἱερεῦσι μαθητεύων.
5 Ζωροάστρην δὲ τὸν Μάγον τὸν Πέρσην ὁ Πυθαγόρας ἐζήλωσεν, ⟨καὶ⟩
βίβλους ἀποκρύφους τἀνδρὸς τοῦδε οἱ τὴν Προδίκου μετιόντες αἵρεσιν
αὐχοῦσι κεκτῆσθαι. Ἀλέξανδρος δὲ ἐν τῷ περὶ Πυθαγορικῶν συμ- 70, 1
βόλων Ζαράτῳ | τῷ Ἀσσυρίῳ μαθητεῦσαι ἱστορεῖ τὸν Πυθαγόραν 358 P
(Ἰεζεκιὴλ τοῦτον ἡγοῦνταί τινες, οὐκ ἔστι δέ, ὡς ἔπειτα δηλω-
10 θήσεται), ἀκηκοέναι τε πρὸς τούτοις Γαλατῶν καὶ Βραχμάνων τὸν
Πυθαγόραν βούλεται. Κλέαρχος δὲ ὁ Περιπατητικὸς εἰδέναι φησί 2
τινα Ἰουδαῖον, ὃς Ἀριστοτέλει συνεγένετο. Ἡράκλειτος γὰρ οὐκ 8
ἀνθρωπίνως φησίν, ἀλλὰ σὺν θεῷ ⟨τὸ⟩ μέλλον Σιβύλλῃ πεφάνθαι.
φασὶ γοῦν ἐν Δελφοῖς παρὰ τὸ βουλευτήριον δείκνυσθαι πέτραν τινά.

*   5 vgl. Porphyr. vita Plot. 16, 5 ἀποκαλύψεις Ζωροάστρου (Fr) 5—8 vgl. Cyr.
v. Alex. c. Jul. II (PG 76, 633 C); Fr in ZntW 36 (1937) 88   6 zu Prodikos vgl.
Strom. III 30; Hilgenfeld, Ketzergeschichte S. 552f. 7—S. 47, 16 excerpiert von
Cyr. v. Alex. c. Jul. IV PG 76, 705 B (Fr) 8 zu Zaratos vgl. auch Plut. Mor.
p. 1012 E 7—11 Alexander Polyhistor Fr. 138 FHG III p. 239 11f. Κλέαρχος—
συνεγένετο Euseb. Praep. Ev. IX 6, 2; vgl. Joseph. c. Ap. I 176 Klearch von Soli
Fr. 69 FHG II 323sq. (aus der Schrift περὶ ὕπνου vgl. Joseph. c. Ap. I 22 = Euseb.
Praep. Ev. IX 5) fr. 5 Wehrli 3, 10, 18—20 12f. Heraklit Fr. 92 Diels; vgl.
Plut. Mor. p. 397 A. Aus ihm schöpft Clem.; vgl. Rohde, Psyche² II S. 69. Zu der
hergestellten Lesart τὸ μέλλον Σιβύλλῃ πεφάνθαι vgl. Plut. Mor. p. 397 C ἐκεῖνος (ὁ
θεός) δὲ μόνας τὰς φαντασίας παρίστησι καὶ φῶς ἐν τῇ ψυχῇ ποιεῖ πρὸς τὸ μέλλον
(in Beziehung auf die Sibylle). 14—S. 45, 11 Plut. Mor. p. 398 CD ἐπειδὴ γὰρ ἕστημεν
κατὰ τὴν πέτραν γενόμενοι τὴν κατὰ τὸ βουλευτήριον, ἐφ᾽ ἧς λέγεται — Ποσειδῶνος, ὁ
μὲν Σαραπίων ἐμνήσθη τῶν ἐπῶν, ἐν οἷς ὕμνησεν ἑαυτήν, ὡς οὐδ᾽ ἀποθανοῦσα λήξει
μαντικῆς· ἀλλ᾽ αὐτὴ μὲν ἐν τῇ σελήνῃ περίεισι τὸ [καλούμενον] φαινόμενον γενομένη
πρόσωπον (vgl. Plut. Mor. p. 566 D ᾄδειν γὰρ αὐτὴν περὶ τῶν μελλόντων ἐν τῷ προσώπῳ
τῆς σελήνης περιφερομένην), τῷ δ᾽ ἀέρι τὸ πνεῦμα συγκραθὲν ἐν φήμαις ἀεὶ φορήσεται
καὶ κληδόσιν· ἐκ δὲ τοῦ σώματος μεταβαλόντος ἐν τῇ γῇ πόας καὶ ὕλης ἀναφυομένης,
βοσκήσεται ταύτην ἱερὰ θρέμματα, χρόας τε παντοδαπὰς ἴσχοντα καὶ μορφὰς καὶ ποι-
ότητας ἐπὶ τῶν σπλάγχνων, ἀφ᾽ ὧν αἱ προδηλώσεις ἀνθρώποις τοῦ μέλλοντος.

1 συνθέσι Di συνθέσιος L Eus. κώ L¹ κῶ L* 1f. οὐδ᾽ οἱ Αἰγ.] οὔτ᾽ Αἰγ. οἱ
Eus. 2 ἀρπεδονάπται L σὺν τοῖς **Wi σὺν τοῖς δ᾽] οἷς Eus. 3 ὀγδώκοντα L
Eus. Ο ὀγδοήκοντα Eus. J [vgl. Schmid I 5, 240 A 4 (Fr)]; vielleicht Irrtum für
πέντε (π = πεντε, π᾽ = 80); vgl. Diodor I 98; Dindorf, Praef. zu Eus. Praep. Ev.
vol. I p. XVIII; Zeller, Phil. d. Gr. I⁵ S. 842f. Anm. ξένης Eus. ἐγενόμην Cobet
S. 531 5 ἐζήλωσεν Cyr. ἐδήλωσεν L ⟨καὶ⟩ aus Cyr. 8 Ζαράτῳ Huet Demonstr.
evang. (Paris 1679) p. 220 ναζαράτωι L ζάρᾳ Cyr. Ζαράτᾳ Hullemann in Miscell.
philol. et paed. (Traiecti ad Rhen. 1849) Fasc. I p. 176¹ u. Zeller, Phil. d. Gr. I⁵ S. 301¹
18 ⟨τὸ⟩ μέλλον Ma μᾶλλον L Σιβύλλαν Di mit Hervet πεφάνθαι Sy πεφάνσθαι L

ἐφ' ἧς λέγεται καθίζεσθαι τὴν πρώτην Σίβυλλαν ἐκ τοῦ Ἑλικῶνος
παραγενομένην ὑπὸ τῶν Μουσῶν τραφεῖσαν. ἔνιοι δέ φασιν ἐκ
Μαλιέων ἀφικέσθαι Λαμίας οὖσαν θυγατέρα τῆς Ποσειδῶνος. Σαρα- 4
πίων δὲ ἐν τοῖς ἔπεσι μηδὲ ἀποθανοῦσαν λῆξαι μαντικῆς φησι τὴν
5 Σίβυλλαν, καὶ τὸ μὲν εἰς ἀέρα χωρῆσαν αὐτῆς μετὰ τελευτὴν, τοῦτ'
εἶναι τὸ ἐν φήμαις καὶ κληδόσι μαντευόμενον, ⟨ἐκ⟩ δὲ τοῦ εἰς γῆν
μεταβαλόντος σώματος πόας ὡς εἰκὸς ἀναφυείσης, ὅσα ἂν αὐτὴν
ἐπινεμηθῇ θρέμματα κατ' ἐκεῖνον δήπουθεν γενόμενα τὸν τόπον,
ἀκριβῆ τὴν διὰ τῶν σπλάγχνων τοῖς ἀνθρώποις προφαίνειν τοῦ
10 μέλλοντος δήλωσιν γράφει, τὴν δὲ ψυχὴν αὐτῆς εἶναι τὸ ἐν τῇ
σελήνῃ φαινόμενον πρόσωπον οἴεται.

　　Τάδε μὲν περὶ Σιβύλλης· Νουμᾶς δὲ ὁ Ῥωμαίων βασιλεὺς Πυθα- 71, 1
γόρειος μὲν ἦν, ἐκ δὲ τῶν Μωυσέως | ὠφεληθεὶς διεκώλυσεν ἀνθρω- 359 P
ποειδῆ καὶ ζῳόμορφον εἰκόνα θεοῦ Ῥωμαίους κτίζειν. ἐν γοῦν
15 ἑκατὸν καὶ ἑβδομήκοντα τοῖς πρώτοις ἔτεσι ναοὺς οἰκοδομούμενοι
ἄγαλμα οὐδὲν οὔτε πλαστὸν οὔτε μὴν γραπτὸν ἐποιήσαντο. ἐπεδεί- 2
κνυτο γὰρ αὐτοῖς ὁ Νουμᾶς δι' ἐπικρύψεως ὡς οὐκ ἐφάψασθαι τοῦ
βελτίστου δυνατὸν ἄλλως ἢ μόνῳ τῷ νῷ.

　　Φιλοσοφία τοίνυν πολυωφελές τι χρῆμα πάλαι μὲν ἤκμασε παρὰ 3
20 βαρβάροις κατὰ τὰ ἔθνη διαλάμψασα, ὕστερον δὲ καὶ εἰς Ἕλληνας
κατῆλθεν. προέστησαν δ' αὐτῆς Αἰγυπτίων τε οἱ προφῆται καὶ 4
Ἀσσυρίων οἱ Χαλδαῖοι καὶ Γαλατῶν οἱ Δρυίδαι καὶ Σαμαναῖοι Βάκ-
τρων καὶ Κελτῶν οἱ φιλοσοφήσαντες καὶ Περσῶν οἱ Μάγοι (οἳ μα-
γείᾳ καὶ τοῦ σωτῆρος προεμήνυσαν τὴν γένεσιν, ἀστέρος αὐτοῖς καθη-
25 γουμένου εἰς τὴν Ἰουδαίαν ἀφικνούμενοι γῆν) Ἰνδῶν τε οἱ γυμνοσο-
φισταί, ἄλλοι γε φιλόσοφοι βάρβαροι. διττὸν δὲ τούτων τὸ γένος, 5
οἳ μὲν Σαρμᾶναι αὐτῶν, οἳ δὲ Βραχμᾶναι καλούμενοι. καὶ τῶν

*　　12—18 Νουμᾶς—νῷ aus Plut. Num. 8; Euseb. Praep. Ev. IX 6, 3; vgl. Doehner,
Quaest. Plut. III 43; IV 18　19—26 vgl. Diog. Laert. I 1　21—25 Cyrill l. c. 705
23—25 vgl. Mt 2, 1—6; F. Dickamp, Hippolytos von Theben S. 63　26—S. 46, 6 Mega-
sthenes Fr. 43 Schwanbeck; 41 Müller FHG II p. 437; vgl. Strabo XV 1, 60 p. 713
27—S. 46, 9 Theodoret Gr. aff. c. I 25; V 58; XII 44. 45

　　2f. ἐκ Μαλιέων Meineke, Anal. Alex. p. 290 ἐκ μαλιαίων L εἰς Μαλεῶνα (was
Cobet S. 504 in ἐκ Μαλιέων ändert) Plut.　3 Λαμίας} μαλίας λαμίας L　Ποσειδῶνος
aus Plut. u. Pausan. X 12, 1 σιδῶνος L　5 ⟨τὴν⟩ τελευτὴν Sy　6 ⟨ἐκ⟩ δὲ τοῦ aus
Plut. τοῦ δὲ L　8 τὸν τόπον Sy τῶν τόπων L　12f. πυθαγόριος L　13 ἐκ δὲ—ὠφε-
ληθεὶς (Zusatz des Clem.) < Plut.　14 κτίζειν] νομίζειν Plut.　17 δι' ἐπικρύψεως
(Zusatz des Clem.) < Plut.　18 ἄλλως ἢ] verderbt zu γλύσσῃ Eus.　μόνῳ] + δὲ Eus.
23 περσῶν (περσ in Ras.) L¹　23f. μαγείᾳ Schw μέν γε L　24 αὐτοῖς Sy αὐτῆς L
26 γε St τε L　27 σαρμᾶναι L Σαρμᾶνες oder Γαρμᾶνες (wie Strabo a. a. O.) Cobet S. 501
βραχμᾶναι L Βραχμᾶνες Di vgl. Strom. III 60; Orig. c. Cels. I 24 (I 74, 20 K) HSS

Σαρμανῶν οἱ ὑλόβιοι προσαγορευόμενοι οὔτε πόλεις οἰκοῦσιν οὔτε
στέγας ἔχουσιν, δένδρων δὲ ἀμφιέννυνται φλοιοῖς καὶ ἀκρόδρυα
σιτοῦνται καὶ ὕδωρ ταῖς χερσὶ πίνουσιν, οὐ γάμον, οὐ παιδοποιίαν
ἴσασιν, ὥσπερ οἱ νῦν Ἐγκρατηταὶ καλούμενοι. εἰσὶ δὲ τῶν Ἰνδῶν οἱ 6
5 τοῖς Βούττα πειθόμενοι παραγγέλμασιν, ὃν δι᾽ ὑπερβολὴν σεμνότητος
ὡς θεὸν τετιμήκασι. Σκύθης δὲ καὶ Ἀνάχαρσις ἦν, καὶ πολλῶν παρ᾽ 72, 1
Ἕλλησι διαφέρων οὗτος ἀναγράφεται φιλοσόφων. τοὺς δὲ Ὑπερ- 2
βορέους Ἑλλάνικος ὑπὲρ τὰ Ῥίπαια ὄρη οἰκεῖν ἱστορεῖ, διδάσκεσθαι
δὲ αὐτοὺς δικαιοσύνην μὴ κρεοφαγοῦντας, ἀλλ᾽ ἀκροδρύοις χρωμένους. 360 P
10 τοὺς ἑξηκονταετεῖς οὗτοι ἔξω πυλῶν ἄγοντες ἀφανίζουσιν. εἰσὶ δὲ 3
καὶ παρὰ Γερμανοῖς αἱ ἱεραὶ καλούμεναι γυναῖκες, αἳ ποταμῶν δίναις
προσβλέπουσαι καὶ ῥευμάτων ἑλιγμοῖς καὶ ψόφοις τεκμαίρονται καὶ
προθεσπίζουσι τὰ μέλλοντα. αὗται γοῦν οὐκ εἴασαν αὐτοὺς τὴν
μάχην θέσθαι πρὸς Καίσαρα πρὶν ἐπιλάμψαι σελήνην τὴν νέαν.
15 τούτων ἀπάντωι πρεσβύτατον μακρῷ τὸ Ἰουδαίων γένος, καὶ τὴν 4
παρ᾽ αὐτοῖς φιλοσοφίαν ἔγγραπτον γενομένην προκατάρξαι τῆς παρ᾽
Ἕλλησι φιλοσοφίας διὰ πολλῶν ὁ Πυθαγόρειος | ὑποδείκνυσι Φίλων, 132 S
οὐ μὴν ἀλλὰ καὶ Ἀριστόβουλος ὁ Περιπατητικὸς καὶ ἄλλοι πλείους,
ἵνα μὴ κατ᾽ ὄνομα ἐπιὼν διατρίβω. φανερώτατα δὲ Μεγασθένης ὁ 5
20 συγγραφεὺς ὁ Σελεύκῳ τῷ Νικάτορι συμβεβιωκὼς ἐν τῇ τρίτῃ τῶν
Ἰνδικῶν ὧδε γράφει· »ἅπαντα μέντοι τὰ περὶ φύσεως εἰρημένα παρὰ
τοῖς ἀρχαίοις λέγεται καὶ παρὰ τοῖς ἔξω τῆς Ἑλλάδος φιλοσοφοῦσι,
τὰ μὲν παρ᾽ Ἰνδοῖς ὑπὸ τῶν Βραχμάνων, τὰ δὲ ἐν τῇ Συρίᾳ ὑπὸ
τῶν καλουμένων Ἰουδαίων.« τινὲς δὲ μυθικώτερον τῶν Ἰδαίων 73, 1
25 καλουμένων δακτύλων σοφούς τινας πρώτους γενέσθαι λέγουσιν, εἰς
οὓς ἥ τε τῶν Ἐφεσίων λεγομένων γραμμάτων καὶ ἡ τῶν κατὰ μου-

---

*   7—9 Hellanikos FGrHist. 4 F 187 [auch bei Cyrill l. c. (Fr)]   10—14 Plut. Caes. 19
ἔτι δὲ μᾶλλον αὐτοὺς ἤμβλυνε τὰ μαντεύματα τῶν ἱερῶν γυναικῶν, αἳ ποταμῶν δίναις
προσβλέπουσαι καὶ ῥευμάτων ἑλιγμοῖς καὶ ψόφοις τεκμαιρόμεναι προεθέσπιζον, οὐκ
ἐῶσαι μάχην τίθεσθαι πρὶν ἐπιλάμψαι νέαν σελήνην. vgl. Cobet S. 504f.   15—17 vgl.
Wendland, Jahrbb. f. Ph. Suppl. XXII (1896) p. 770, der die Stelle auf die Ὑπο-
θετικά bezieht. 18f. vgl. Valckenaer, Diatr. de Aristob. p. 67   19—24 φανερώτατα
—Ἰουδαίων Euseb. Praep. Ev. IX 6, 5   21—24 Megasthenes Fr. 41 FHG II 437
24—S. 47, 3 vgl. Kinkel EGF I p. 150sq.; Lobeck, Aglaoph. p. 1156   26 Ἐφέσια
γράμματα RE V 2771ff.; vgl. auch A. Deissmann, Festschr. f. A. Baudissin, Gießen
1918, 121—124

1 ὑλόβιοι aus Strabo ἀλλόβιοι L   2 φλοιοῖς Sy φλυοῖς L   4 οἱ] οἵ L   5 βούττα L
6 ὡς Po εἰς L   8 διδάσκεσθαι] ἀσκεῖν Theodor.   12 προσβλέπουσαι L* (wie Plut.)
πρόβλέπουσαι (ϱο in Ras.) L¹   ἑλιγμοῖς L   15 Ἰουδαίων Wendland ἰουδαῖον L   17 πυθα-
γόριος L   19 Μεγασθένης] Ὀνησίκριτος Cyr.   20 Νικάτορι] Νικάνορι Eus.; vgl. FHG
II p. 397   23 παρ᾽] παρὰ τοῖς Eus. BJ   τῇ < Eus.   24 Ἰδαίων Vi ἰουδαίων L
26 τῶν² über d. Z. L¹

σικὴν εὕρεσις ῥυθμῶν ἀναφέρεται· δι᾽ ἣν αἰτίαν οἱ παρὰ τοῖς μουσι-
κοῖς δάκτυλοι τὴν προσηγορίαν εἰλήφασι. Φρύγες δὲ ἦσαν καὶ
βάρβαροι οἱ Ἰδαῖοι δάκτυλοι. Ἡρόδωρος δὲ τὸν Ἡρακλέα μάντιν καὶ 2
φυσικὸν γενόμενον ἱστορεῖ παρὰ Ἄτλαντος τοῦ βαρβάρου τοῦ Φρυγὸς
5 διαδέχεσθαι τοὺς τοῦ κόσμου κίονας, αἰνιττομένου τοῦ μύθου τὴν
τῶν οὐρανίων ἐπιστήμην μαθήσει διαδέχεσθαι. ὁ δὲ Βηρύτιος 3
Ἕρμιππος Χείρωνα τὸν Κένταυρον σοφὸν καλεῖ, ἐφ᾽ οὗ καὶ ὁ τὴν
Τιτανομαχίαν γράψας φησίν, ὡς πρῶτος | οὗτος
361 P

εἴς τε δικαιοσύνην θνητῶν γένος ἤγαγε[ν] δείξας
10 ὅρκους καὶ θυσίας ἱλαρὰς καὶ σχήματα Ὀλύμπου.

παρὰ τούτῳ Ἀχιλλεὺς παιδεύεται ὁ ἐπ᾽ Ἴλιον στρατεύσας, Ἱππὼ δὲ 4
ἡ θυγάτηρ τοῦ Κενταύρου συνοικήσασα Αἰόλῳ ἐδιδάξατο αὐτὸν τὴν
φυσικὴν θεωρίαν, τὴν πάτριον ἐπιστήμην. μαρτυρεῖ καὶ Εὐριπίδης 5
περὶ τῆς Ἱπποῦς ὧδέ πως·

15 ἣ πρῶτα μὲν τὰ θεῖα προὐμαντεύσατο
χρησμοῖσι ⟨σαφέσιν⟩ ἀστέρων ἐπ᾽ ἀντολαῖς.

παρὰ τῷ Αἰόλῳ τούτῳ Ὀδυσσεὺς μετὰ τὴν Ἰλίου ἅλωσιν ξενίζεται. 6
παρατήρει μοι τοὺς χρόνους εἰς σύγκρισιν τῆς Μωυσέως ἡλικίας καὶ
τῆς κατ᾽ αὐτὸν ἀρχαιοτάτης φιλοσοφίας.

20   XVI. Οὐ μόνης δὲ φιλοσοφίας, ἀλλὰ καὶ πάσης σχεδὸν τέχνης 74, 1
εὑρεταὶ βάρβαροι.

Αἰγύπτιοι γοῦν πρῶτοι ἀστρολογίαν εἰς ἀνθρώπους ἐξήνεγκαν, 2

*   3–6 Herodorus aus Heraklea FGrHist. 31 F 13   6f. Theodoret Gr. aff. c. XII 46.
Über Hermippus (Clemens verwechselt den Berytier mit dem Smyrnäer) vgl. FHG
III p. 35 Anm. und Fr. 82 III p. 54   7–10 Titanomachia Fr. 6 Kinkel   11 vgl.
Λ 832; Theodoret Gr. aff. c. VIII 21   11 Ἱππώ Irrtum f. Ἵππη, vgl. RE VIII 1688;
[s. auch Kallim. fr. 569 Pfeiff. (Fr)]   11–16 Cyrill l. c. 705 (Fr)   15f. Eurip. Melanippe
sap. Fr. 482; vgl. E. Pfeiffer, Studien z. ant. Sternglauben, Lpz. 1916, 9ff.
17 vgl. κ 1ff.   20f. über Erfinderkataloge vgl. Brusskern, De rer. inv. script. Graec.
Bonn 1864 Diss.; Eichholtz, De script. περὶ εὑρημάτων Halle 1867 Diss.; Kremmer,
De catal. heurematum Leipz. 1890; Knaack, Studien zu Hygin, Hermes 16 (1881)
S. 593; Wendling, De Peplo Aristotelico quaest. sel. Straßburg 1891 Diss.   22—S.
50, 16 Αἰγύπτιοι–ὠφέληνται Euseb. Praep. Ev. X 6, 1–14 in folgender Ordnung:
S. 48, 13–16 ἰατρικὴν–ἔπλευσεν. S. 47, 22f. καὶ ἀστρολογίαν δὲ πρῶτοι εἰς ἀνθρώπους
ἐξήνεγκαν Αἰγύπτιοι, ὁμοίως δὲ καὶ Χαλδαῖοι. S. 48, 4–10 εἰσὶ δὲ–Μαρσύας. S. 48, 1–4
λύχνους–γεγόνασιν. S. 48, 17–S. 50, 16 Κέλμις–ὠφέληνται.   22—S. 48, 16 Theodoret
Graec. aff. c. I 19. 20 (V 58. 71)   22—S. 48, 13 vgl. Tatian 1 p. 1, 4–14 Schw.   22f.
vgl. Plinius Nat. Hist. VII 203 astrologiam ... Aegyptii, ut alii Assyri

4 ἄτλαντος L   6 βηρύττιος L   10 ἱλαρὰς] ἱερὰς Köchly, Coni. ep. I p. 10   σχή-
ματα] falsch σήματ᾽ W. T(euffel) in Zimmermanns Ztschr. f. d. Alterthumswiss. 2
(1835) S. 86; vgl. Parmenides Fr. 10, 2 Diels   16 χρησμοῖσι σαφέσιν ἀστέρων ἐπ᾽
ἀντολαῖς Cyr. χρησμοῖσιν ἠδ᾽ ἀστέρων ἐπαντολάς L   18f. [παρατήρει–φιλοσοφίας] Di

ὁμοίως δὲ καὶ Χαλδαῖοι. Αἰγύπτιοι λύχνους τε αὖ καίειν πρῶτοι
κατέδειξαν καὶ τὸν ἐνιαυτὸν εἰς δώδεκα μῆνας διεῖλον καὶ ἐν ἱεροῖς
μίσγεσθαι γυναιξὶν ἐκώλυσαν μηδ᾽ εἰς ἱερὰ εἰσιέναι ἀπὸ γυναικὸς ἀλού-
τους ἐνομοθέτησαν γεωμετρίας τε αὖ εὑρεταὶ ⟨οἱ αὐτοὶ⟩ γεγόνασιν. εἰσὶν 3
5 δὲ οἳ Κᾶρας [οἳ] τὴν δι᾽ ἀστέρων πρόγνωσιν ἐπινενοηκέναι λέγουσιν.
πτήσεις δὲ ὀρνίθων παρεφυλάξαντο πρῶτοι Φρύγες, καὶ θυτικὴν 4
ἠκρίβωσαν Τοῦσκοι, Ἰταλίας γείτονες. Ἴσαυροι δὲ καὶ Ἄραβες ἐξε- 5
πόνησαν τὴν οἰωνιστικήν, ὥσπερ ⟨ἀμέλει⟩ Τελμισεῖς τὴν δι᾽ ὀνείρων
μαντικήν. Τυρρηνοὶ ⟨δὲ⟩ σάλπιγγα ἐπενόησαν καὶ Φρύγες αὐλόν· 6
10 Φρύγες γὰρ ἤστην | Ὄλυμπός τε καὶ Μαρσύας. Κάδμος δὲ Φοῖνιξ 75,1 36
ἦν ὁ τῶν γραμμάτων Ἕλλησιν εὑρετής, ὥς φησιν Ἔφορος, ὅθεν καὶ
Φοινικήια τὰ γράμματα Ἡρόδοτος κεκλῆσθαι γράφει· οἳ δὲ Φοίνικας
καὶ Σύρους γράμματα ἐπινοῆσαι πρώτους λέγουσιν. ἰατρικὴν δὲ Ἆπιν 2
Αἰγύπτιον αὐτόχθονα πρὶν εἰς Αἴγυπτον ἀφικέσθαι τὴν Ἰώ, μετὰ
15 δὲ ταῦτα Ἀσκληπιὸν τὴν τέχνην αὐξῆσαι λέγουσιν. Ἄτλας δὲ ὁ 3
Λίβυς πρῶτος ναῦν ἐναυπηγήσατο καὶ τὴν θάλασσαν ἔπλευσεν.
Κέλμις τε αὖ καὶ Δαμναμενεὺς οἱ τῶν Ἰδαίων δάκτυλοι πρῶτοι σί- 4

* 2–4 Herodot 2, 64   10–13 Κάδμος–λέγουσιν vgl. Euseb. Praep. Ev. X 5, 1. 2;
Schol. Dionys. Thrac. p. 190, 19 ff. (vgl. 183, 1 ff.) Hilgard τῶν στοιχείων ὁ Κάδμος
εὑρετής ἐστιν, ὥς φησιν Ἔφορος καὶ Ἀριστοτέλης. ἄλλοι δὲ λέγουσιν ὅτι Φοινίκων
εἰσὶν εὑρήματα, Κάδμος δὲ ταῦτα διεπόρθμευσεν εἰς τὴν Ἑλλάδα (Arist. Fr. 501 Rose³);
vgl. auch Plinius Nat. hist. VII 192 und Wendling a. a. O. p. 61 sq., der die Nach-
richten auf Stratons Schrift gegen die εὑρήματα des Ephorus zurückführt 10f. Epho-
rus FGrHist. 70 F 105   10–15 ziemlich wörtlich bei Suidas s. v. γράμματα (Fr)
11f. Herodot 5, 58   12f. vgl. Cramer, An. Oxon. IV p. 400, 12   13f. Theodoret Gr.
aff. c. III 26   17–S. 49, 2 Hesiod Dactyli Idaei Fr. 176 Rzach², vgl. Plinius Nat.
hist. VII 197 aes conflare et temperare Aristoteles Lydum (Lyncum Knaack) Scythen
monstrasse, Theophrastus Delan Phrygem (i. e. Idaeum cf. Strabo X 22) putant
(Aristot. Fr. 602 Rose³) . . . ferrum Hesiodus in Creta eos qui vocati sunt Dactyli
Idaei. — Ein Referat über die id. Daktylen bei Apoll. Rhod. Schol. zu I 1129 (Fr)

3 γυναιξὶ μίσγεσθαι Eus. γυναικὸς] γυναικῶν Eus. 4 ⟨οἱ αὐτοὶ⟩ aus Eus.
5 [οἳ] < Eus. 6 παρεφύλαξαν Eus. φρύγες (ρ über d. Z.) L¹ 7 Τοῦσκοι Eus.
ὅσοι L 8 ⟨ἀμέλει⟩ aus Eus. τελμισεῖς (corr. aus τλεμισεῖς) L³ Eus. G τελμησεῖς Di
9 τυρρηνοὶ (ρ² über d. Z.) L¹ ⟨δὲ⟩ aus Eus. 11 Ἔφορος Reinesius Var. lect. II 6
p. 166 εὔφορος L 14 αὐτόχθονα—Ἰώ < Eus. 15 τὴν τέχνην αὐξῆσαι λέγουσιν]
αὐξῆσαι τὴν τέχνην ἱστοροῦσιν Eus. 16 ἐναυπαγήσατο L 17 Κέλμις] Τέλμις Eus.
αὖ < Eus. Δαμναμενεὺς Eus. δαμνανεὺς L Δυναμενεὺς Sittl, Wien. Stud. 12 (1890)
S. 62 οἱ τῶν Ἰδαίων δακτύλων oder δύο τῶν Ἰδαίων δακτύλων ⟨σοφοὶ⟩ Kaibel bei
Wendling p. 4¹

δηρον εὗρον ἐν Κύπρῳ, Δέλας δὲ ἄλλος Ἰδαῖος εὗρε χαλκοῦ κρᾶσιν,
ὡς δὲ Ἡσίοδος, Σκύθης. ναὶ μὴν Θρᾷκες πρῶτοι τὴν καλουμένην 5
ἅρπην εὗρον (ἔστι δὲ μάχαιρα καμπύλη) καὶ πρῶτοι πέλταις ἐπὶ τῶν
ἵππων ἐχρήσαντο. ὁμοίως δὲ καὶ Ἰλλυριοὶ τὴν καλουμένην πάρμην 6
5 ἐξεῦρον. ἔτι φασὶ Τουσκανοὺς πλαστικὴν ἐπινοῆσαι, Ἰτα|νόν τε 7 363 P
(Σαυνίτης οὗτος ἦν) πρῶτον θυρεὸν κατασκευάσαι. Κάδμος γὰρ 8
ὁ Φοῖνιξ λιθοτομίαν ἐξεῦρεν καὶ μέταλλα χρυσοῦ τὰ περὶ τὸ Πάγ-
γαιον ἐπενόησεν ὄρος. ἤδη δὲ καὶ ἄλλο ἔθνος Καππάδοκες πρῶτοι 9
εὗρον τὸν νάβλαν καλούμενον, ὃν τρόπον καὶ τὸ δίχορδον Ἀσσύριοι.
10 Καρχηδόνιοι γὰρ πρῶτοι τετρήρη κατεσκεύασαν, ἐναυπήγησε δὲ αὐτὴν 10
Βόσπορος αὐτοσχέδιον. Μήδειά τε ἡ Αἰήτου ἡ Κολχὶς πρώτη βαφὴν 76, 1
τριχῶν ἐπενόησεν. ἀλλὰ καὶ Νόροπες (ἔθνος ἐστὶ Παιονικόν, νῦν 2
δὲ Νωρικὸν καλοῦνται) κατειργάσαντο χαλκὸν καὶ σίδηρον ἐκάθηραν
πρῶτοι. Ἄμυκός τε ὁ Βεβρύκων βασιλεὺς ἱμάντας πυκτικοὺς πρῶτος 3
15 εὗρεν. περί τε μουσικὴν Ὄλυμπος ὁ Μυσὸς τὴν Λύδιον ἁρμονίαν 4
ἐφιλοτέχνησεν· οἵ τε Τρωγλοδύται καλούμενοι σαμβύκην εὗρον, ὄρ-
γανον μουσικόν. φασὶ δὲ καὶ τὴν πλαγίαν σύριγγα Σάτυρον εὑρεῖν 5
τὸν Φρύγα· ⟨τρίχορδον δὲ ὁμοίως καὶ τὴν διάτονον ἁρμονίαν Ἄγνιν

5 vgl. Tatian 1 p. 1, 11 Schw. 5f. vgl. Athen. VI p. 273 F 6—8 vgl. Plinius
Nat. hist. VII 195 lapicidinas Cadmus Thebis (invenit); VII 197 auri metalla et fla-
turam Cadmus Phoenix ad Pangaeum montem (Aristot. Fr. 459 Rose²). Zu letz-
terem vgl. auch Némethy, Euhemeri rell. Budapest 1889 p. 9 und Euhem. Fr. 45
Ném. 10f. Aristot. Fr. 600 Rose³; vgl. Plinius Nat. hist. VII 207 quadriremem Ari-
stoteles (auctor est fecisse) Carthaginienses. Carthaginienses und Καρχηδόνιοι halten
(wohl nicht richtig) für Irrtum der gemeinsamen Quelle statt Chalcedonii und Καλ-
χηδόνιοι Rose a. a. O. u. Riemann, Rev. de philol. 5 (1881) p. 150 11f. vgl. Palaeph.
de incred. 43 p. 64, 7 Festa 14f. vgl. Schol. Plat. VI p. 380 Herm. (zu Leg. VII
p. 796 A) 17—S. 50, 1 vgl. Cramer, Anecd. Oxon. IV p. 400, 16—19

1 ἐν Κύπρῳ ~ nach πρῶτοι Eus. Δέλας δὲ Eus. ὁ δὲ L Ἰδαῖος] Λύδιος Kaibel,
Gött. Nachr. Phil.-hist. Kl. 1901 S. 505 3 ἅρπην Eus. πάρμην L 4 πάρμην aus Z. 3
Wi πέλταν L πέλτην Eus. 5 Τουσκανοὺς Tat. τοὺς κάνους L τοὺς κανοὺς Eus. Ἰτα-
νόν (so auch Eus.)] die wahre Form des Namens war wohl Tritannus 6 Σαυ-
νίτης L* Σανίτης Lcorr. κατασκευάσαι Eus. κατασκευάσας L 7 ἐξεῦρεν L τε ἐξεῦρε
Eus. 8 ἐπενόησεν ὄρος] ὄρος ἐπενόησεν Eus. Καππαδόκαι Eus. 9 τὴν νάβλαν κα-
λουμένην Eus. 10 Καρχηδόνιοι] Χαλκηδόνιοι Müller FHG IV p. 490 καλχηδόνιοι
Rose vgl. oben 11 αὐτοσχέδιον] αὐτόχθων Eus. Μήδειά] μήδιά L 11f. τριχῶν
βαφὴν Eus. 12 ἐστὶ] δ' ἐστὶ Eus. 14 πρῶτος < Eus. 18f. ⟨τρίχορδον—Φρύγα⟩ aus
Eus. 18 Ἄγνιν Eus. (vgl. Studemund, Jahrb. des deutsch. arch. Instit. 5 [1890]
S. 3f.) Ὑαγνιν (vgl. Athen. XIV p. 624 B) Scaliger

τὸν καὶ αὐτὸν Φρύγα·⟩ κρούματα δὲ Ὄλυμπον ὁμοίως τὸν Φρύγα, 6
καθάπερ Φρύγιον ἁρμονίαν καὶ μιξοφρύγιον καὶ μιξολύδιον Μαρσύαν,
τῆς αὐτῆς ὄντα τοῖς προειρημένοις χώρας, καὶ τὴν Δώριον Θάμυριν
ἐπινοῆσαι τὸν Θρᾷκα. Πέρσας τε πρώτους ἀκηκόαμεν ἀπήνην καὶ 7
5 κλίνην | καὶ ὑποπόδιον ἐργάσασθαι τούς τε Σιδονίους τρίκροτον 364 P
ναῦν κατασκευάσαι. Σικελοί τε οἱ πρὸς τῇ Ἰταλίᾳ πρῶτοι φόρμιγγα 8
εὗρον οὐ πολὺ τῆς κιθάρας λειπομένην καὶ κρόταλα ἐπενόησαν. ἐπί 9
τε †Σεμιράμεως βασιλέως Αἰγυπτίων τὰ βύσσινα ἱμάτια εὑρῆσθαι
ἱστοροῦσιν. καὶ πρώτην ἐπιστολὰς συντάξαι Ἄτοσσαν τὴν Περσῶν 10
10 βασιλεύσασάν φησιν Ἑλλάνικος. Σκάμων μὲν οὖν ὁ Μιτυληναῖος καὶ 77, 1
Θεόφραστος ὁ Ἐρέσιος Κύδιππός τε ὁ Μαντινεύς, ἔτι τε | Ἀντιφάνης 133 8
καὶ Ἀριστόδημος καὶ Ἀριστοτέλης, πρὸς τούτοις δὲ Φιλοστέφανος,
ἀλλὰ καὶ Στράτων ὁ Περιπατητικὸς ἐν τοῖς Περὶ εὑρημάτων ταῦτα
ἱστόρησαν. παρεθέμην δὲ αὐτῶν ὀλίγα εἰς σύστασιν τῆς παρὰ βαρ- 2
15 βάροις εὑρετικῆς καὶ βιωφελοῦς φύσεως, παρ᾽ ὧν Ἕλληνες τὰ ἐπιτη-
δεύματα ὠφέληνται.

Εἰ δέ τις τὴν φωνὴν διαβάλλει τὴν βάρβαρον, ›ἐμοὶ δέ‹, φησὶν 8
ὁ Ἀνάχαρσις, ›πάντες Ἕλληνες σκυθίζουσιν‹. οὗτος ἦν ὁ παρ᾽ 4
Ἕλλησι θαυμασθεὶς ὁ φήσας ›ἐμοὶ περίβλημα χλαῖνα, δεῖπνον γάλα,
20 τυρός‹. ὁρᾷς φιλοσοφίαν βάρβαρον ἔργα ἐπαγγελλομένην, οὐ λόγους.
ὁ δὲ ἀπόστολος ›οὕτω‹ φησὶν ›καὶ ὑμεῖς διὰ τῆς γλώσσης ἐὰν μὴ 78, 1
εὔσημον λόγον δῶτε, πῶς γνωσθήσεται τὸ λαλούμενον; ἔσεσθε γὰρ
εἰς ἀέρα λαλοῦντες. τοσαῦτα, εἰ τύχοι, γένη φωνῶν εἰσιν ἐν κόσμῳ,
καὶ οὐδὲν ἄφωνον· ἐὰν οὖν μὴ εἰδῶ τὴν δύναμιν τῆς φωνῆς, ἔσομαι
25 τῷ λαλοῦντι βάρβαρος καὶ ὁ λαλῶν ἐμοὶ βάρβαρος.‹ καὶ ›ὁ λαλῶν
γλώσσῃ προσευχέσθω, ἵνα διερμηνεύῃ.‹

Ναὶ μὴν ὀψέ ποτε εἰς Ἕλληνας ἡ τῶν λόγων παρῆλθε διδα- 2
σκαλία τε καὶ γραφή.

*   2–4 vgl. Plinius Nat. hist. VII 204 Phrygios (modulos) Marsyas Phryx, Dorios
Thamyris Thrax; Schol. Plat. a. a. O.   8 vgl. Plinius VII 196 Aegyptii textilia; zu
Semir. vgl. A. Wiedemann, Herodots zweites Buch, Lpz. 1890, 359   9f. Hellanikos
FGrHist. 4 F 178b; vgl. Tatian 1 p. 1, 15f. Schw.   10–14 vgl. FHG IV p. 490
(Skamon Fr. 5); Diog. Laert. V 47; M. Schmidt, Comm. de Theophr. rhet. (Halis
S. 1839) S. 37 (Theophrast); FHG IV p. 376 (Kydippos); III p. 311 (Aristodemos
Fr. 13); II p. 181 (Aristoteles); III p. 32 (Philostephanos); II p. 369 (Straton)
fr. 145 Wehrli, Heft 5, 40, 1   11 wohl Antiphanes v. Berge 17 f. Anacharsis Ep. 1
p. 102 Hercher; Theodoret Gr. aff. c. V·69; Cramer, Anecd. Oxon. IV p. 252, 12f.;
Gnomol. Vatic. ed. Sternbach 16   19f. Anacharsis Ep. 5 p. 103 Hercher [lat. bei
Cic. Tusc. V 90 (Fr)]   21–26 I Cor 14, 9–11. 13

1 [τὸν²] Wi; vgl. aber S. 49, 4. 18   5 τρίκροτον Eus. ΒΟ τριήροτον L τρίκωπον
Eus. I   8 βασιλέως L Eus. IO βασιλίδος Eus. B   Αἰγυπτίων] Ἀσσυρίων Eus.   9 ἐπι-
στολὰς Eus. ἐπιστολαῖς L   10 σκάμμων Eus. IO   11 ερέσιος corr. aus αιρέσιος L
ἐφέσιος Eus. HSS   13 εὑρεμάτων L   22 δότε L

Ἀλκμαίων γοῦν Περίθου Κροτωνιάτης πρῶτος φυσικὸν λόγον 8
συνέταξεν. οἳ δὲ Ἀναξαγόραν Ἡγησιβούλου Κλαζομένιον πρῶτον διὰ 4
γραφῆς ἐκδοῦναι βιβλίον ἱστοροῦσιν. μέλος τε αὖ πρῶτος | περιέ- 5 365 P
θηκε τοῖς ποιήμασι καὶ τοὺς Λακεδαιμονίων νόμους ἐμελοποίησε
5 Τέρπανδρος ὁ Ἀντισσαῖος, διθύραμβον. δὲ ἐπενόησεν Λᾶσος Ἑρμιονεύς,
ὕμνον Στησίχορος Ἱμεραῖος, χορείαν Ἀλκμὰν Λακεδαιμόνιος, τὰ ἐρω-
τικὰ Ἀνακρέων Τήιος, ὑπόρχησιν Πίνδαρος Θηβαῖος νόμους τε πρῶτος
ᾖσεν ἐν χορῷ καὶ κιθάρᾳ Τιμόθεος ὁ Μιλήσιος. ναὶ μὴν ἴαμβον μὲν 79, 1
ἐπενόησεν Ἀρχίλοχος ὁ Πάριος, χωλὸν δὲ ἴαμβον Ἱππῶναξ ὁ Ἐφέσιος,
10 καὶ τραγῳδίαν μὲν Θέσπις ὁ Ἀθηναῖος, κωμῳδίαν δὲ Σουσαρίων ὁ
Ἰκαριεύς. τοὺς χρόνους τούτων παῖδες παραδιδόασι γραμματικῶν, 2
μακρὸν δ᾽ ἂν εἴη τούτους ἀκριβολογούμενον παραθέσθαι αὐτοῦ δεικνυ-
μένου τοῦ Διονύσου, δι᾽ ὃν καὶ Διονυσιακαὶ θέαι, μεταγενεστέρου
Μωυσέως [ἢ] αὐτίκα μάλα. φασὶ δὲ καὶ τοὺς κατὰ διατριβὴν λόγους 8
15 καὶ τὰ ῥητορικὰ ἰδιώματα εὑρεῖν καὶ μισθοῦ συνηγορῆσαι πρῶτον
δικανικὸν λόγον εἰς ἔκδοσιν γραψάμενον Ἀντιφῶντα ⟨Σω⟩φίλου Ῥα-
μνούσιον, ὥς φησι Διόδωρος, Ἀπολλόδωρος δὲ ὁ Κυμαῖος πρῶτος
⟨τοῦ γραμματικοῦ ἀντὶ⟩ τοῦ κριτικοῦ εἰσηγήσατο τοὔνομα καὶ γραμ-
ματικὸς προσηγορεύθη, ἔνιοι δὲ Ἐρατοσθένη τὸν Κυρηναῖον φασιν,
20 ἐπειδὴ ἐξέδωκεν οὗτος βιβλία δύο »γραμματικὰ« ἐπιγράψας. ὠνο-
μάσθη δὲ γραμματικός, ὡς νῦν ὀνομάζομεν, πρῶτος Πραξιφάνης
Διονυσοφάνους Μιτυληναῖος. Ζάλευκός τε ὁ Λοκρὸς πρῶτος ἱστό- 4

1f. Theodoret Gr. aff. c. I 24; vgl. Wachtler, De Alcm. Crot. p. 19; Zeller I⁵
S. 489¹; Diels ⁶I 211, 1f   2f. vgl. Diels⁶ II 14, 29   2 Anaxagoras; Verwechslung
mit Anaximander nimmt an Zeller I⁵ S. 196²; vgl. aber Plato Apol. p. 26 D (erste
Nachricht über ein verkauftes Buch); Plut. Nic. 23; Diog. Laert. II 11, wo statt
συγγραφῆς Kothe, Neue Jahrbb. f. Philol. 133 (1886) S. 769 σὺν γραφῇ zu lesen vor-
schlägt.   3—5 vgl. Schmid I 1, 404 A 7, wo zur Erklärung auf Plut. de mus. 3 und 5
(p. 1132 CF) verwiesen ist (Fr)   5 vgl. Cramer, Anecd. Oxon. IV p. 400, 20   12—14
vgl. Strom. I 105, 1   14—17 Diodor Fr. 19 Dindorf (Diodori opp. vol. IV p. 187)
16f. vgl. Vita Antiphontis 4 (Antiph. orat. et fragm. ed. Blass praef. p. XXXII)
19f. vgl. Bernhardy, Eratosth. p. X   20—22 vgl. Preller, Ausgew. Aufsätze S. 98f.
22f. vgl. M. Mühl, Klio 22, 1929, S. 457

1 Ἀλκμὰν ὁ Πειρίθου Theodor.   5 Λᾶσος Di λάσσος L   7 πρῶτος Sy πρώτους L
10 Σουσαρίων Po σισαρίων L   13 Διονυσιακαὶ θέαι (oder Διονυσιακὴ θέα) Hiller
διονυσία καὶ θέα L Διονύσια ἡ θέα Sy Διονύσια καὶ θέατρα Bernays   μεταγενεστέρου
Sy μεταγενεστέρους L   14 [ἢ] Hiller   16 Σωφίλου Po φίλου L   17 Διόδωρος] Ἀπολ-
λόδωρος Wi (aber vielleicht Irrtum des Clemens)   Ἀπολλόδωρος] Ἀντίδωρος oder
Ἀντόδωρος Schol. Dionys. Thr. p. 3, 24; 448, 6 Hilgard   κυμμαῖος L   18 ⟨τοῦ
γραμματικοῦ ἀντὶ⟩ M. H. E. Meier, Opusc. acad. II (1863) p. 19⁵⁴   20 ἐπιγράψας
⟨ὠνομάσθαι οὕτως πρῶτον⟩ M. H. E. Meier a. a. O.

4*

ρηται νόμους θέσθαι, οἳ δὲ Μίνω τὸν Διὸς ἐπὶ Λυγκέως. οὗτος μετὰ 5
Δα|ναὸν γίνεται ἐνδεκάτῃ ἄνωθεν ἀπὸ Ἰνάχου καὶ Μωσέως γενεᾷ, 366 P
ὡς ὀλίγον ὑποβάντες δείξομεν. Λυκοῦργος δὲ μετὰ πολλὰ τῆς Ἰλίου 6
ἁλώσεως γεγονὼς ἔτη πρὸ τῶν ὀλυμπιάδων ἔτεσιν ἑκατὸν [πεντή-
5 κοντα] νομοθετεῖ Λακεδαιμονίοις· Σόλωνος γὰρ τοὺς χρόνους προ-
ειρήκαμεν. Δράκων δὲ ὁ καὶ αὐτὸς νομοθέτης περὶ τὴν τριακοστὴν 80, 1
καὶ ἐνάτην ὀλυμπιάδα γεγονὼς εὑρίσκεται. Ἀντίλοχος δὲ αὖ ὁ τοὺς 2
ἵστορας πραγματευσάμενος ἀπὸ τῆς Πυθαγόρου ἡλικίας ἐπὶ τὴν Ἐπι-
κούρου τελευτήν, * * γαμηλιῶνος δὲ δεκάτῃ ἱσταμένου γενομένην, ἔτη
10 φέρει τὰ πάντα τριακόσια δώδεκα. ἔτι φασὶ τὸ ἡρῷον τὸ ἑξάμετρον 8
Φανοθέαν τὴν γυναῖκα Ἰκαρίου, οἳ δὲ Θέμιν μίαν τῶν Τιτανίδων
εὑρεῖν. Δίδυμος δ᾽ ἐν τῷ περὶ Πυθαγορικῆς φιλοσοφίας Θεανὼ τὴν 4
Κροτωνιᾶτιν πρώτην γυναικῶν φιλοσοφῆσαι καὶ ποιήματα γράψαι
ἱστορεῖ.
15 Ἡ μὲν οὖν Ἑλληνικὴ φιλοσοφία, ὡς μέν τινες, κατὰ περίπτωσιν 5
ἐπήβολος τῆς ἀληθείας ἀμῇ γέ πῃ, ἀμυδρῶς δὲ καὶ οὐ πάσης, γίνεται·
ὡς δὲ ἄλλοι βούλονται, ἐκ τοῦ διαβόλου τὴν κίνησιν ἴσχει. ἔνιοι δὲ
δυνάμεις τινὰς ὑποβεβηκυίας ἐμπνεῦσαι τὴν πᾶσαν φιλοσοφίαν ὑπει-
λήφασιν. ἀλλ᾽ εἰ καὶ μὴ καταλαμβάνει ἡ Ἑλληνικὴ φιλοσοφία τὸ 6
20 μέγεθος τῆς ἀληθείας, ἔτι δὲ ἐξασθενεῖ πράττειν τὰς κυριακὰς ἐντολάς,
ἀλλ᾽ οὖν γε προκατασκευάζει τὴν ὁδὸν τῇ βασιλικωτάτῃ διδασκαλίᾳ,
ἀμῇ γέ πῃ σωφρονίζουσα καὶ τὸ ἦθος προτυποῦσα καὶ προστύφουσα
εἰς παραδοχὴν τῆς ἀληθείας ⟨τὸν⟩ τὴν πρόνοιαν δοξάζοντα.
XVII. Ναί φασι γεγράφθαι· »πάντες οἱ πρὸ τῆς παρουσίας τοῦ 81, 1
25 κυρίου κλέπται εἰσὶ καὶ λῃσταί.« πάντες μὲν οὖν οἱ ἐν λόγῳ, οὗτοι

1—7 vgl. Tatian 41 p. 42, 18—43, 1 Schw. 3 δείξομεν Strom. I 106 3—5 vgl.
Gelzer, Rh. Mus. 28 (1873) S. 10; Rohde, Rh. Mus. 36 (1881) S. 530 = Kl. Schr. I
S. 65, die auf Dion. Hal. Antiqu. II 49 verweisen; dagegen s. Jacoby, Apollodors
Chronik S. 109[4]; 114[22] 5f. προειρήκαμεν Strom. I 65, 3 7—10 Antilochos Fr. 1
FHG IV p. 306 9f. vgl. Dion. Hal. Antiqu. II 59; Rohde a. a. O. 12—14 vgl. M.
Schmidt, Did. fr. p. 381[1] u. die Bem. zu Strom. I 61, 1 17—19 vgl. Strom. VII 6, 4
24—S. 53, 11 Ath fol. 194[v] (etwas gekürzt) 24f. vgl. Io 10, 8

1 Μίνω τὸν Leopardus, Emend. II 11 p. 45 μήνωτον L 2 Δαναὸν ⟨βασιλεύσας⟩
Hiller aus Tat. 4f. [πεντήκοντα] (Dittographie von ν) < Tat. (= Eus. Praep. Ev.
X 11, 32) ὀκτὼ (ρη᾽ statt ρν᾽) Jacoby, Apollodors Chronik S. 109 7 Ἀντίλοχος]
wenn τοὺς ἵστορας richtig, vielleicht Ἀντίοχος (von Askalon); oder wenn τὰς ἱστο-
ρίας zu lesen, vielleicht Ἀντίγονος FHG IV p. 305; vgl. Schwartz, RE I col. 2431
9 γαμηλιῶνος δὲ] δὲ (das Müller u. Ma streichen) weist darauf hin, daß nach τελευ-
τήν etwas fehlt; ⟨τὴν ἐπὶ Πυθαράτου ἄρχοντος⟩ Cobet S. 502; besser ⟨ἄρχοντος μὲν
Πυθαράτου⟩ Wi; vgl. Diog. Laert. X 15 10f. nach anderen (vgl. Strabo IX 3, 5
p. 419; Paus. X 5, 7; 6, 7.; 12, 10) war Φημονόη Erfinderin des Hexameters 16 δὲ
Wi τε L 23 ⟨τὸν⟩ Ma δοξάζον Schw δοξάζουσαν Scaliger bei Villoison, Epist.
Vin. 93 [τὴν πρ. δοξ.] Heyse, Hiller

δὴ οἱ πρὸ τῆς τοῦ λόγου σαρκώσεως, ἐξακούονται καθολικώτερον.
ἀλλ᾽ οἱ μὲν προφῆται, ἅτε ἀποσταλέντες καὶ ἐμπνευσθέντες ὑπὸ τοῦ 2
κυρίου, οὐ κλέπται, ἀλλὰ διάκονοι. φησὶ γοῦν ἡ γραφή· ›ἀπέστειλεν 8
ἡ σοφία τοὺς ἑαυτῆς δούλους, συγκαλοῦσα μετὰ ὑψηλοῦ κηρύγματος
5 ἐπὶ κρατῆρα οἴνου.‹ φιλοσοφία δὲ οὐκ ἀπεστάλη ὑπὸ κυρίου, ἀλλ᾽ 4
ἦλθε, φασί, κλαπεῖσα ἢ παρὰ κλέπτου δοθεῖσα, εἴτ᾽ οὖν δύναμις ἢ
ἄγγελος μαθών τι τῆς ἀλη θείας καὶ μὴ καταμείνας ἐν αὐτῇ, ταῦτα 367 P
ἐνέπνευσε καὶ κλέψας ἐδίδαξεν, οὐχὶ μὴ εἰδότος τοῦ κυρίου τοῦ καὶ
τὰ τέλη τῶν ἐσομένων πρὸ καταβολῆς τοῦ ⟨κόσμου καὶ τοῦ⟩ ἕκαστον
10 εἶναι ἐγνωκότος, ἀλλὰ μὴ κωλύσαντος· εἶχεν γάρ τινα ὠφέλειαν τότε 5
ἡ εἰς ἀνθρώπους ἐρχομένη κλοπή, οὐ τοῦ ὑφελομένου τὸ συμφέρον
σκοπουμένου, κατευθυνούσης δὲ εἰς τὸ συμφέρον τῆς προνοίας τὴν
ἔκβασιν τοῦ τολμήματος.

Οἶδα πολλοὺς ἀδιαλείπτως ἐπιφυομένους ἡμῖν καὶ τὸ μὴ κωλῦον 82, 1
15 αἴτιον εἶναι | λέγοντας· φασὶ γὰρ αἴτιον εἶναι κλοπῆς τὸν μὴ φυλά- 134 S
ξαντα ἢ τὸν μὴ κωλύσαντα, ὡς τοῦ ἐμπρησμοῦ τὸν μὴ σβέσαντα τὸ
δεινὸν ἀρχόμενον καὶ τοῦ ναυαγίου τὸν κυβερνήτην μὴ στείλαντα
τὴν ὀθόνην. αὐτίκα κολάζονται πρὸς τοῦ νόμου οἱ τούτων αἴτιοι. 2
ᾧ γὰρ κωλῦσαι δύναμις ἦν, τούτῳ καὶ ἡ αἰτία τοῦ συμβαίνοντος
20 προσάπτεται. φαμὲν δὴ πρὸς αὐτοὺς τὸ αἴτιον ἐν τῷ ποιεῖν καὶ 8
ἐνεργεῖν καὶ δρᾶν νοεῖσθαι, τὸ δὲ μὴ κωλῦον κατά γε τοῦτο ἀνενέρ-
γητον εἶναι. ἔτι τὸ μὲν αἴτιον πρὸς τῇ ἐνεργείᾳ ἐστί, καθάπερ ὁ 4
μὲν ναυπηγὸς πρὸς τῷ γίγνεσθαι τὸ σκάφος, ὁ δὲ οἰκοδόμος πρὸς τῷ
κτίζεσθαι τὴν οἰκίαν· τὸ δὲ μὴ κωλῦον κεχώρισται τοῦ γινομένου.
25 διὰ τοῦτο γοῦν ἐπιτελεῖται, ὅτι τὸ κωλῦσαι δυνάμενον οὐκ ἐνεργεῖ 5
οὐδὲ κωλύει. τί γὰρ ἐνεργεῖ ὁ μὴ κωλύων; ἤδη δὲ καὶ εἰς ἀπέμφασιν 6
αὐτοῖς ὁ λόγος χωρεῖ, εἴ γε τῆς τρώσεως οὐχὶ τὸ βέλος, ἀλλὰ τὴν
ἀσπίδα τὴν μὴ κωλύσασαν τὸ βέλος διελθεῖν αἰτιάσονται· οὐδὲ γὰρ
τὸν κλέπτην, ἀλλὰ τὸν μὴ κωλύσαντα τὴν κλοπὴν καταμέμφονται.
30 καὶ τὰς ναῦς τοίνυν τῶν Ἑλλήνων μὴ τὸν Ἕκτορα ἐμπρῆσαι λεγόν- 88, 1

*　　3—5 Prov 9, 3　6—8 vgl. Enoch 6—8　12 vgl. Strom. IV 87, 1 (Fr)　14ff. vgl.
Strom. VIII 27. 28; IV 86. 87　14—S. 54, 3 Chrysipp Fr. phys. 353 Arnim　17f. vgl.
Demosth. 18, 194 (Fr)　30f. vgl. O 716ff.; Π 122ff.

6 φασί Ath φησί L　9f. πρὸ ... κωλύσαντος] πρὸ καταβολῆς ⟨τοῦ κόσμου⟩ ἐγ-
νωκότος, ἀλλὰ μὴ κωλύσαντος ἕκαστον εἶναι Bywater bei Mayor, The Class. Rev. 8
(1894) S. 281　9 ⟨κόσμου καὶ τοῦ⟩ Schw　16 κωλύσαντα Sy κωλύσοντα L　17 κυ-
βερνίτην L　22 τὴν ἐνέργειαν Bywater p. 205 u. Arnim, De oct. Clem. Strom. libro
p. 13　23f. τῷ γίγνεσθαι—τῷ κτίζεσθαι Arnim, Stoic. vet. fragm. II p. 122 τὸ
γίγνεσθαι—τὸ ἐκτίσθαι L　25f. διὰ τοῦτο—κωλύει ~ nach προσάπτεται Z. 20 Ma
29 κωλύσαντα D. . . . . οντα L

των, ἀλλὰ τὸν Ἀχιλλέα, διότι κωλῦσαι τὸν Ἕκτορα δυνάμενος οὐ
κεκώλυκεν· ἀλλ᾿ ὃ μὲν διὰ μῆνιν (ἐπ᾿ αὐτῷ δὲ ἦν καὶ μηνίειν καὶ
μὴ) [καὶ μὴν] οὐκ ἀπεῖρξε τὸ πῦρ, καὶ ἴσως συναίτιος· ὁ δὲ διάβολος 2
αὐτεξούσιος | ὧν καὶ μετανοῆσαι οἷός τε ἦν καὶ κλέψαι, καὶ [ὁ] αἴτιος 368 P
5 αὐτὸς τῆς κλοπῆς, οὐχ ὁ μὴ κωλύσας κύριος. ἀλλ᾿ οὐδ᾿ ἐπιβλαβὴς ἡ
δόσις ἦν, ἵνα ἡ κώλυσις παρέλθῃ. εἰ δὲ χρὴ ἀκριβολογεῖσθαι πρὸς 3
αὐτούς, ἴστωσαν τὸ μὲν μὴ κωλυτικόν, ὅπερ φαμὲν ἐπὶ τῆς κλοπῆς
γεγονέναι, μηδ᾿ ὅλως αἴτιον εἶναι, τὸ δὲ κωλυτικὸν ἐνέχεσθαι τῷ
τοῦ αἰτίου ἐγκλήματι. ὁ γὰρ προασπίζων αἴτιός ἐστι τῷ προασπι- 4
10 ζομένῳ τοῦ μὴ τιτρώσκεσθαι κωλύων τὸ τρωθῆναι αὐτόν, καὶ τῷ
Σωκράτει τὸ δαιμόνιον αἴτιον ἦν οὐχὶ μὴ κωλῦον, ἀλλ᾿ ἀποτρέπον,
εἰ καὶ μὴ προέτρεπεν. οὔτε δὲ οἱ ἔπαινοι οὔτε οἱ ψόγοι οὔθ᾿ αἱ 5
τιμαὶ οὔθ᾿ αἱ κολάσεις δίκαιαι, μὴ τῆς ψυχῆς ἐχούσης τὴν ἐξουσίαν
τῆς ὁρμῆς καὶ ἀφορμῆς, ἀλλ᾿ ἀκουσίου τῆς κακίας οὔσης. ὅθεν ὁ 84, 1
15 μὲν κωλύσας αἴτιος, ὁ δὲ μὴ κωλύσας τὴν αἵρεσιν τῆς ψυχῆς κρίνει
δικαίως, ἵν᾿ ὅτι μάλιστα ὁ θεὸς μένῃ ἡμῖν κακίας ἀναίτιος. ἐπεὶ 2
δὲ τῶν ἁμαρτημάτων προαιρέσεις καὶ ὁρμὴ κατάρχει, διημαρτημένη
δὲ ὑπόληψις ἔσθ᾿ ὅτε κρατεῖ, ἧς, ἀγνοίας καὶ ἀμαθίας οὔσης, ὀλι-
γωροῦμεν ἀποστῆναι, εἰκότως ἂν κολάσειε (καὶ γὰρ τὸ πυρέττειν 3
20 ἀκούσιον· ἀλλ᾿ ὅταν δι᾿ ἑαυτόν τις καὶ δι᾿ ἀκρασίαν πυρέττῃ, αἰτιώ-
μεθα τοῦτον) [ὡς δὲ] καὶ τῆς κακίας ἀκουσίου οὔσης· οὐ γὰρ αἱρεῖ- 4
ταί τις κακὸν ᾗ κακόν, τῇ δὲ περὶ αὐτὸ ἡδονῇ συναπαγόμενος,
ἀγαθὸν ὑπολαβών, ληπτὸν ἡγεῖται. ὧν οὕτως ἐχόντων τὸ ἀπαλλάτ- 5
τεσθαι τῆς τε ἀγνοίας τῆς τε αἱρέσεως τῆς φαύλης καὶ ἐπιτερποῦς
25 καὶ πρὸ τούτων τὸ μὴ συγκατατίθεσθαι ταῖς ἀπατηλαῖς ἐκείναις
φαντασίαις ἀπόκειται ἐφ᾿ ἡμῖν. λῃστὴς δὲ καὶ κλέπτης ὁ διάβολος 6
λέγεται ψευδοπροφήτας ἐγκαταμίξας τοῖς προφήταις, καθάπερ τῷ

10—12 vgl. Plato Theag. p. 128 D ἔστι γάρ τι θείᾳ μοίρᾳ παρεπόμενον ἐμοὶ ἐκ
παιδὸς ἀρξάμενον δαιμόνιον· ἔστι δὲ τοῦτο φωνή, ᾗ ὅταν γένηται, ἀεί μοι σημαίνει, ὃ
ἂν μέλλω πράττειν, τούτου ἀποτροπήν, προτρέπει δὲ οὐδέποτε. Apolog. p. 31 D
ἐμοὶ δὲ τοῦτ᾿ ἔστιν ἐκ παιδὸς ἀρξάμενον φωνή τις γιγνομένη, ᾗ ὅταν γένηται, ἀεὶ ἀπο-
τρέπει με τοῦτο ὃ ἂν μέλλω πράττειν, προτρέπει δὲ οὔποτε. 12—14. 16—23 Chrysipp
Fr. mor. 236 Arnim 16 vgl. S. 4, 26f. 26—S. 55, 5 λῃστὴς—ψεύστου Ath fol. 194ᵛ
26 vgl. Io 10, 8 27f. vgl. Mt 13, 25

1 ἀχιλλέα L¹ ἀχιλέα L* 2 μηνιεῖν L 3 [καὶ μήν] St ἀπεῖρξε L² ἀπεῖργε L*,
aber ξε L¹ am Rand 4 καὶ ὁ] καθ᾿ ὃ Schw [ὁ] Hiller 6 παρέλκῃ Schw 11 κω-
λῦον, ἀλλ᾿ ἀποτρέπον St Observ. crit. p. 38 sq. κωλύον, ἀλλὰ προτρέπον L 16 μένῃ
Wi Schw μὲν L 19 ἂν κολάσειε Schw αἱ κολάσεις L ἐκόλασεν Wi 21 [ὡς δὲ] St
⟨εἰκότ⟩ως δὲ Wi ⟨οὕτ⟩ως δὲ Arnim 21f. αἱρεῖται L 22 ᾗ] ἢ L αὐτὸ Sy αὐτῷ L
26 ἐπίκειται Ma κεῖται St

πυρῷ τὰ ζιζάνια. ›πάντες‹ οὖν ›οἱ πρὸ κυρίου κλέπται καὶ λῃσταί,‹ 7
οὐχ ἁπλῶς πάντες ἄνθρωποι, πάντες δὲ οἱ ψευδοπροφῆται καὶ πάντες
οἱ μὴ κυρίως ὑπ᾽ αὐτοῦ ἀποσταλέντες.

Εἶχον δὲ καὶ οἱ ψευδοπροφῆται τὸ κλέμμα, τὸ ὄνομα τὸ προ- 85, 1
5 φητικόν, τροφῆται ὄντες, οὐ τοῦ κυρίου, ἀλλὰ τοῦ ψεύστου· λέγει ὁ κύριος 2
›ὑμεῖς ἐκ τοῦ πατρὸς ὑμῶν τοῦ διαβόλου ἐστὲ καὶ τὰς ἐπιθυμίας 369 P
τοῦ πατρὸς ὑμῶν θέλετε ποιεῖν. ἐκεῖνος ἀνθρωποκτόνος ἦν ἀπ᾽
ἀρχῆς, καὶ ἐν τῇ ἀληθείᾳ οὐχ ἕστηκεν, ὅτι οὐκ ἔστιν ἀλήθεια ἐν
αὐτῷ. ὅταν λαλῇ τὸ ψεῦδος, ἐκ τῶν ἰδίων λαλεῖ, ὅτι ψεύστης ἐστὶ
10 καὶ ὁ πατὴρ αὐτοῦ.‹ ἐν δὲ τοῖς ψεύδεσι καὶ ἀληθῆ τινα ἔλεγον οἱ 3
ψευδοπροφῆται, καὶ τῷ ὄντι οὗτοι ἐν ἐκστάσει προεφήτευον ὡς ἂν
ἀποστάτου διάκονοι. λέγει δὲ καὶ ›ὁ ποιμήν‹, ὁ ἄγγελος τῆς μετα- 4
νοίας‹ τῷ Ἑρμᾷ περὶ τοῦ ψευδοπροφήτου· ›τινὰ γὰρ ῥήματα ἀληθῆ
λαλεῖ· ὁ γὰρ διάβολος αὐτὸν πληροῖ τῷ ἑαυτοῦ πνεύματι, εἴ τινα
15 δυνήσεται ῥῆξαι τῶν δικαίων.‹ πάντα μὲν οὖν οἰκονομεῖται ἄνωθεν 5
εἰς καλόν, ›ἵνα γνωρισθῇ διὰ τῆς ἐκκλησίας ἡ πολυποίκιλος σοφία
τοῦ θεοῦ, κατὰ πρόγνωσιν τῶν αἰώνων ἣν ἐποίησεν ἐν Χριστῷ.‹
τῷ θεῷ δὲ οὐδὲν ἀντίκειται οὐδὲ ἐναντιοῦταί τι αὐτῷ, κυρίῳ καὶ 6
παντοκράτορι ὄντι. ἀλλὰ καὶ αἱ τῶν ἀποστατησάντων βουλαί τε 86, 1
20 καὶ ἐνέργειαι, μερικαὶ οὖσαι, γίνονται μὲν ἐκ φαύλης διαθέσεως, κα-
θάπερ καὶ αἱ νόσοι αἱ σωματικαί· κυβερνῶνται δὲ ὑπὸ τῆς καθόλου
προνοίας ἐπὶ τέλος ὑγιεινόν, κἂν νοσοποιὸς ᾖ ἡ αἰτία. μέγιστον 2
γοῦν τῆς θείας προνοίας τὸ μὴ ἐᾶσαι τὴν ἐξ ἀποστάσεως ἑκουσίου
φυεῖσαν κακίαν ἄχρηστον καὶ ἀνωφελῆ μένειν μηδὲ μὴν κατὰ πάντα
25 βλαβερὰν αὐτὴν γενέσθαι· τῆς γὰρ θείας σοφίας καὶ ἀρετῆς καὶ 3
δυνάμεως ἔργον ἐστὶν οὐ μόνον τὸ ἀγαθοποιεῖν (φύσις γὰρ ὡς εἰπεῖν
αὕτη τοῦ θεοῦ ὡς τοῦ πυρὸς τὸ θερμαίνειν καὶ τοῦ φωτὸς τὸ φω-
τίζειν), ἀλλὰ κἀκεῖνο μάλιστα τὸ διὰ κακῶν τῶν ἐπινοηθέντων πρός
τινων ἀγαθόν τι καὶ χρηστὸν τέλος ἀποτελεῖν καὶ ὠφελίμως τοῖς
30 δοκοῦσι φαύλοις χρῆσθαι καθάπερ καὶ τῷ ἐκ πειρασμοῦ μαρτυρίῳ.
ἔστιν οὖν κἂν φιλοσοφίᾳ, τῇ κλαπείσῃ καθάπερ ὑπὸ Προμηθέως, 87, 1
πῦρ ὀλίγον εἰς φῶς ἐπιτήδειον χρησίμως ζωπυρούμενον, ἴχνος τι

1 Io 10, 8　1f. vgl. Isid. Pel. III 119 (PG 78, 821 C); Fr in PhW 58 (1938) 62
6—10 Io 8, 44　12f. vgl. Herm. Vis. V 7　13—15 Herm. Mand. XI 3　16f. Eph 3, 10f.
19—30 Chrysipp Fr. phys. 1184 Arnim　25—30 τῆς ... χρῆσθαι wörtl. bei Synes. ep. 57
(PG 66, 1384 B, Epist. Gr. ed. Hercher 663, 46) (Fr)　26—28 s. u. S. 513, 27f. (Fr)
31—S. 56, 1 vgl. Plato Phileb. p. 16 C θεῶν μὲν εἰς ἀνθρώπους δόσις, ὥς γε κατα-
φαίνεται ἐμοί, ποθὲν ἐκ θεῶν ἐρρίφη διά τινος Προμηθέως ἅμα φανοτάτῳ τινὶ πυρί.
32f. vgl. Strom. I 4, 3 κίνησιν ζητητικήν, ἴχνος γνώσεως

1 πυρῷ (nach ρ ein Buchst. ausr.) L¹　4 εἶχον (ι in Ras.) L¹　τὸ¹] κατὰ Heyse
οὐ τοῦ κυρίου Ath < L　11 ψευδοπροφῆται] προφῆται L, aber ψευδο am Rand L¹

σοφίας καὶ κίνησις περὶ θεοῦ. τάχα δ' ἂν εἶεν ›κλέπται καὶ λῃσταί‹ 2
οἱ παρ' Ἕλλησι φιλόσοφοι καὶ οἱ πρὸ τῆς τοῦ κυρίου παρουσίας παρὰ |
τῶν Ἑβραϊκῶν προφητῶν μέρη τῆς ἀληθείας οὐ κατ' ἐπίγνωσιν 135 S
λαβόντες, ἀλλ' ὡς ἴδια σφετερισάμενοι δόγματα, καὶ τὰ μὲν παρα-
5 χαράξαντες, τὰ δὲ ὑπὸ περιεργίας ἀμαθῶς σοφισάμενοι, τὰ δὲ καὶ
ἐξευρόντες· ἴσως γὰρ καὶ ›πνεῦμα | αἰσθήσεως‹ ἐσχήκασιν. ὡμολόγησε 370 P 8
δὲ καὶ Ἀριστοτέλης τῇ γραφῇ, κλεπτικὴν σοφίας τὴν σοφιστικὴν
εἰπών, ὡς προεμηνύσαμεν. ὁ δὲ ἀπόστολος ›ἃ καὶ λαλοῦμεν‹ λέγει 4
›οὐκ ἐν διδακτοῖς ἀνθρωπίνης σοφίας λόγοις, ἀλλ' ἐν διδακτοῖς
10 πνεύματος.‹ ἐπὶ μὲν γὰρ τῶν προφητῶν ›πάντες‹ φησὶν ›ἐκ τοῦ 5
πληρώματος αὐτοῦ ἐλάβομεν,‹ δηλονότι τοῦ Χριστοῦ. ὥστε οὐ
κλέπται οἱ προφῆται. καὶ ›ἡ διδαχὴ ἡ ἐμὴ οὐκ ἔστιν ἐμὴ· ὁ κύριος 6
λέγει, ›ἀλλὰ τοῦ πέμψαντός με πατρός.‹ ἐπὶ δὲ τῶν κλεπτόντων
›ὁ δὲ ἀφ' ἑαυτοῦ‹ φησὶ ›λαλῶν τὴν δόξαν τὴν ἰδίαν ζητεῖ.‹ τοιοῦτοι 7
15 δὲ οἱ Ἕλληνες, οἱ ›φίλαυτοι καὶ ἀλαζόνες‹. σοφοὺς δὲ αὐτοὺς λέγουσα
ἡ γραφὴ οὐ τοὺς ὄντως σοφοὺς διαβάλλει, ἀλλὰ τοὺς δοκησισόφους.

XVIII. Καὶ τούτων, φησίν, ›ἀπολῶ τὴν σοφίαν τῶν σοφῶν, καὶ 88, 1
τὴν σύνεσιν τῶν συνετῶν ἀθετήσω.‹ ἐπιφέρει γοῦν ὁ ἀπόστολος·
›ποῦ σοφός; ποῦ γραμματεύς; ποῦ συζητητὴς τοῦ αἰῶνος τούτου;‹
20 πρὸς ἀντιδιαστολὴν τῶν γραμματέων τοὺς τοῦ αἰῶνος τούτου ζητη-
τάς, τοὺς ἐξ ἐθνῶν φιλοσόφους τάξας. ›οὐχὶ ἐμώρανεν ὁ θεὸς τὴν 2
σοφίαν τοῦ κόσμου;‹ ἐπ' ἴσης τῷ ›μωρὰν ἔδειξε‹ καὶ οὐκ ἀληθῆ,
ὡς ᾤοντο. κἂν πύθῃ τὴν αἰτίαν τῆς δοξοσοφίας αὐτῶν, ›διὰ τὴν 3
πώρωσιν τῆς καρδίας αὐτῶν‹ ἐρεῖ. ›ἐπειδὴ ἐν τῇ σοφίᾳ τοῦ θεοῦ‹,
25 τουτέστι διὰ τῶν προφητῶν κατηγγελμένη, ›οὐκ ἔγνω ὁ κόσμος διὰ
τῆς σοφίας‹, τῆς διὰ τῶν προφητῶν λαλούσης, ›αὐτόν,‹ δηλονότι
τὸν θεόν, ›εὐδόκησεν οὗτος ὁ θεὸς διὰ τοῦ κηρύγματος τῆς μωρίας‹,
τῆς δοκούσης Ἕλλησιν εἶναι μωρίας, ›σῶσαι τοὺς πιστεύοντας·

1–21 τάχα δὲ – τάξας Ath fol. 194ᵛ (leicht gekürzt) 1 vgl. Io 10, 8 1–6 vgl.
Tatian 40 p. 41, 2–10 Schw. 3 vgl. Rom 10, 2 6 Exod 28, 3; vgl. S. 17, 3. 5
6–8 vgl. Strom. I 39, 2 mit Anm. 8–10 I Cor 2, 13 10f. Io 1, 16 12–14 Io 7, 16.
18 15 II Tim 3, 2 15f. vgl. z. B. I Cor 1, 19; 3, 19f. 17f. I Cor 1, 19 (Is 29, 14)
19–22 I Cor 1, 20 20f. πρὸς–θεὸς, S. 57, 14–24 ἀποφατικὸν–ὠνομάσθησαν Cat. z.
I Cor 1, 20 bei Cramer V p. 22, 21–32; Vatic. 762 fol. 224ᵛ (mehrfach gekürzt).
Inc. Κλήμεντος· πρὸς ἀντιδιαστολὴν expl. ὠνομάσθησαν 23f. Eph 4, 18 24–27 ἐπει-
δὴ–μωρίας Cat. zu I Cor 1, 21 bei Cramer V p. 25, 19–21; Vatic. 762 fol. 225ᵛ.
Inc. Κλήμεντος· ἐπεὶ ἐν expl. μωρίας 24–S. 57, 5. 12–14 I Cor 1, 21–24

1 παρὰ Sy τάχα Ath ταῦτα L 2 οἳ² Ath < L 15 οἳ² Ath < L 16 δοκήσει
σοφούς L 17 τούτων] ‹ἐπὶ› τούτων Sy; aber vgl. S. 32, 23 24 ἐπεὶ Cat. 25 του-
τέστι διὰ] ἐν τῇ Cat. 25–27 οὐκ–θεόν < Cat. 27 οὗτος ὁ θεὸς und τοῦ κηρύγ-
ματος < Cat.

ἐπειδὴ Ἰουδαῖοι‹, φησί, ›σημεῖα αἰτοῦσι‹ πρὸς πίστιν, ›Ἕλληνες δὲ 4
σοφίαν ζητοῦσι,‹ τοὺς ἀναγκαστικοὺς καλουμένους λόγους καὶ τοὺς
ἄλλους συλλογισμοὺς δηλονότι, ›ἡμεῖς δὲ κηρύσσομεν Ἰησοῦν Χριστὸν
ἐσταυρωμένον, Ἰουδαίοις μὲν σκάνδαλον‹ διὰ τὸ εἰδότας τὴν προφη-
5 τείαν μὴ πιστεύειν τῇ ἐκβάσει, ›Ἕλλησι δὲ μωρίαν·‹ μυθῶδες γὰρ 5
ἡγοῦνται οἱ δοκησίσοφοι διά τε ἀνθρώπου υἱὸν θεοῦ λαλεῖν υἱόν τε
ἔχειν τὸν θεὸν καὶ δὴ καὶ πεπονθέναι τοῦτον· ὅθεν αὐτοὺς ἡ πρό-
ληψις τῆς οἰήσεως ἀναπείθει ἀπιστεῖν· ἡ γὰρ παρουσία τοῦ σωτῆρος 6
οὐ μωροὺς ἐποίησεν καὶ σκληροκαρδίους καὶ ἀπίστους, ἀλλὰ συνε-
10 τοὺς καὶ εὐπειθεῖς καὶ πρὸς ἔτι πιστούς. ἐδείχθησαν δὲ ἐκ τῆς τῶν 7
ὑπακουσάντων ἑκουσίου προσκλίσεως χωρισθέντες οἱ μὴ ἐθελήσαντες
πείθεσθαι ἀσύνετοί τε καὶ ἄπιστοι καὶ μωροί· ›αὐτοῖς δὲ τοῖς κλη- 8
τοῖς Ἰουδαίοις τε καὶ Ἕλλησι Χριστὸς θεοῦ | δύναμίς ἐστι καὶ θεοῦ 371 P
σοφία.‹ μή τι οὖν, ὅπερ καὶ ἄμεινον, ἀποφατικὸν ἡγητέον τὸ ›οὐχὶ 89, 1
15 ἐμώρανεν ὁ θεὸς τὴν σοφίαν τοῦ κόσμου‹ ἐπ᾽ ἴσης τῷ ›οὐκ ἐμώ-
ρανεν‹, ἵνα μὴ ἡ αἰτία τῆς σκληροκαρδίας αὐτοῖς παρὰ τοῦ θεοῦ
φαίνηται γενομένη, τοῦ μωράναντος τὴν σοφίαν; ἔμπαλιν γὰρ καίτοι
σοφοὶ ὄντες ἐν μείζονι αἰτίᾳ γεγόνασι μὴ πιστεύσαντες τῷ κηρύγματι·
ἑκούσιος γὰρ ἥ τε αἵρεσις ἥ τε τῆς ἀληθείας ἐκτροπή. ἀλλὰ καὶ τῷ 2
20 ›ἀπολῶ τὴν σοφίαν τῶν σοφῶν‹ τῇ τῆς καταφρονουμένης ⟨καὶ⟩
ὑπερορωμένης βαρβάρου φιλοσοφίας ἀντιπαραθέσει καταλάμψαι φησίν,
ὡς καὶ ὁ λύχνος ὑπὸ τοῦ ἡλίου καταλαμπόμενος ἀπολωλέναι λέγεται
τῷ μὴ τὴν ἴσην ἐκτελεῖν ἐνέργειαν. πάντων τοίνυν ἀνθρώπων 3
κεκλημένων οἱ ὑπακοῦσαι βουληθέντες ›κλητοὶ‹ ὠνομάσθησαν. οὐ
25 γάρ ἐστιν ›ἀδικία παρὰ τῷ θεῷ‹. αὐτίκα ἐξ ἑκατέρου γένους οἱ
πιστεύσαντες, οὗτοι ›λαὸς περιούσιος‹. κἂν ταῖς Πράξεσι τῶν ἀπο-
στόλων εὕροις ἂν κατὰ λέξιν· ›οἱ μὲν οὖν ἀποδεξάμενοι τὸν λόγον
αὐτοῦ ἐβαπτίσθησαν,‹ οἱ δὲ μὴ θελήσαντες πείθεσθαι ἑαυτοὺς ἀπέ-
στησαν δηλαδή. πρὸς τούτους ἡ προφητεία λέγει· ›κἂν θέλητε καὶ 90, 1
30 εἰσακούσητέ μου, τὰ ἀγαθὰ τῆς γῆς φάγεσθε,‹ ἐφ᾽ ἡμῖν κείμενα
διελέγχουσα καὶ τὴν αἵρεσιν καὶ τὴν ἐκτροπήν· ›θεοῦ δὲ ⟨σοφίαν⟩‹

14f. I Cor 1, 20　20 I Cor 1, 19　22 vgl. Philostr. epist. 9 p. 470 Herch. (Fr)
24 I Cor 1, 24　25 Rom 9, 14　26 Tit 2, 14　27f. Act 2, 41　29f. Is 1, 19　31 I Cor
1. 24

14f. οὐχὶ—κόσμου < Cat.　15 ἐπ᾽ ἴσης τῷ] ἐπὶ γῆς τὸ Cat.　16 ἡ < Cat.　17 φαί-
νηται Cat.　γενομένη < Cat.　ἔμπαλιν Cat. ἐν πᾶσι L　καίτοι] καὶ οἱ Cat.　19 ἑκού-
σιος—ἐκτροπή < Cat.　ἐκτροπή Reinkens p. 110 Anm. vgl. unten Z. 31 ἐκλογή L
⟨ἀπ⟩εκλογή Schw　τῷ Hiller τὸ L　20 ⟨καὶ⟩ aus Cat.　21f. καταλάμψαι L Vat
κατακάλυψαι Cram. καταλάμψας Schw καταλάμπειν Pohlenz　22 ἀπολωλεκέναι Cat.
23 ἀποτελεῖν Cat.　24 κεκλημένων L Vat ἠσκημένων Cram.　31 ⟨σοφίαν⟩ St

εἴρηκεν ὁ ἀπόστολος τὴν κατὰ τὸν κύριον διδασκαλίαν, σοφίαν ἵνα
δείξῃ τὴν ἀληθῆ φιλοσοφίαν δι' υἱοῦ παραδιδομένην. ἀλλὰ γὰρ καὶ 2
ὁ δοκησίσοφος παραινέσεις ἔχει τινὰς τὰς παρὰ τῷ ἀποστόλῳ
κελευούσας ›ἐνδύσασθαι τὸν καινὸν ἄνθρωπον τὸν κατὰ θεὸν κτι-
5 σθέντα ἐν δικαιοσύνῃ καὶ ὁσιότητι τῆς ἀληθείας. διὸ ἀποθέμενοι τὸ
ψεῦδος λαλεῖτε ἀλήθειαν· μὴ δίδοτε τόπον τῷ διαβόλῳ. ὁ κλέπτων
μηκέτι κλεπτέτω, μᾶλλον δὲ κοπιάτω ἐργαζόμενος τὸ ἀγαθόν.‹
ἐργάζεσθαι δέ ἐστι τὸ προσεκπονεῖν ζητοῦντα τὴν ἀλήθειαν, σὺν 3
γὰρ τῇ λογικῇ εὐποιίᾳ, ›ἵνα ἔχητε μεταδοῦναι τῷ χρείαν ἔχοντι‹ καὶ
10 τῆς κοσμικῆς περιουσίας καὶ τῆς θείας σοφίας. βούλεται γὰρ ἐκδι- 4
δάσκεσθαι τὸν λόγον καὶ εἰς τὰς τραπέζας τὸ ἀργύριον βάλλεσθαι
δεδοκιμασμένον ἀκριβῶς εἰς τὸ ἐκδανείζεσθαι. ὅθεν ἐπιφέρει· ›λόγος 5
σαπρὸς ἐκ τοῦ στόματος ὑμῶν μὴ ἐκπορευέσθω,‹ σαπρὸς λόγος οὗτος
ὁ ἐξ οἰήσεως, ›ἀλλ' εἴ τις ἀγαθὸς πρὸς οἰκοδομὴν τῆς χρείας, ἵνα
15 δῷ χάριν τοῖς ἀκούουσιν.‹ ἀγαθοῦ δ' ἂν ἀνάγκη θεοῦ ἀγαθὸν
⟨εἶναι⟩ τὸν λόγον. πῶς δὲ οὐκ ἀγαθὸς ὁ σῴζων;

XIX. Ὅτι οὖν μαρτυροῦνται ἀληθῆ τινα δογματίζειν καὶ Ἕλληνες, 91, 1
ἔξεστι κἀντεῦθεν σκοπεῖν. ὁ Παῦλος ἐν ταῖς Πράξεσι τῶν ἀποστό-
λων ἀναγράφεται λέγων πρὸς τοὺς Ἀρεοπαγίτας ›δεισιδαιμονεστέρους 372 P
20 ὑμᾶς θεωρῶ. διερχόμενος γὰρ καὶ ἱστορῶν τὰ σεβάσματα ὑμῶν εὗρον 2
βωμὸν ἐν ᾧ | ἀνεγέγραπτο· ,ἀγνώστῳ θεῷ.‛ ὃν οὖν ἀγνοοῦντες 136 S
εὐσεβεῖτε, τοῦτον ἐγὼ καταγγέλλω ὑμῖν. ὁ θεὸς ὁ ποιήσας τὸν 3
κόσμον καὶ πάντα τὰ ἐν αὐτῷ, οὗτος οὐρανοῦ καὶ γῆς ὑπάρχων
κύριος οὐκ ἐν χειροποιήτοις ναοῖς κατοικεῖ οὐδὲ ὑπὸ χειρῶν ἀνθρω-
25 πίνων θεραπεύεται προσδεόμενός τινος, αὐτὸς δοὺς πᾶσι ζωὴν καὶ
πνοὴν καὶ τὰ πάντα· ἐποίησέ τε ἐξ ἑνὸς πᾶν γένος ἀνθρώπων κατ- 4
οικεῖν ἐπὶ παντὸς προσώπου τῆς γῆς, ὁρίσας προστεταγμένους και-
ροὺς καὶ τὰς ὁροθεσίας τῆς κατοικίας αὐτῶν, ζητεῖν τὸ θεῖον, εἰ
ἄρα ψηλαφήσειαν ἢ εὕροιεν [ἂν], καίτοι οὐ μακρὰν ἀπὸ ἑνὸς ἑκάστου
30 ἡμῶν ὑπάρχοντος· ἐν αὐτῷ γὰρ ζῶμεν καὶ κινούμεθα καὶ ἐσμέν, ὡς
καί τινες τῶν καθ' ὑμᾶς ποιητῶν εἰρήκασιν·

    τοῦ γὰρ καὶ γένος ἐσμέν.‹

ἐξ ὧν δῆλον ὅτι καὶ ποιητικοῖς χρώμενος παραδείγμασιν ἐκ τῶν 5

4—15 Eph 4. 24f. 27—29 11f. vgl. Mt 25, 27; Lc 19,23 19 -32 Act 17. 22—28
32 Arat. Phaen. 5

1 [σοφίαν] St 8f. σὺν γὰρ (durch beabsichtigtes μεταδοτέον veranlaßt)] συνάμα
Schw 9 ἔχητε] ἔχῃ Paed. III 94, 3; aber vgl. Χ* 15 [ἂν] Hiller εἶναι Ma 15f. ἀγα-
θὸν ⟨εἶναι⟩ Heyse 16 λόγον ⟨εἶναι⟩ Hiller 17 Ὅτι St ἐπεὶ L ὅτι ⟨μὲν⟩ Ma 26 τὰ
üb. d. Z. L¹ 29 εὕροιεν Sy εὕροιαν L [ἂν] Ma 33f. [ἐκ τῶν Ἀράτου Φαινομένων]
Cobet S. 192; vgl. Valckenaer, Diatr. de Aristob. p. 31

Ἀράτου Φαινομένων δοκιμάζει τὰ παρ' Ἕλλησι καλῶς εἰρημένα καὶ
διὰ τοῦ ἀγνώστου θεοῦ τιμᾶσθαι μὲν κατὰ περίφρασιν πρὸς τῶν
Ἑλλήνων τὸν δημιουργὸν θεὸν ἠνίξατο, κατ' ἐπίγνωσιν δὲ δεῖν δι'
υἱοῦ παραλαβεῖν τε καὶ μαθεῖν. »ἀπέστειλα οὖν διὰ τοῦτό σε εἰς τὰ 92, 1
5 ἔθνη, ἀνοῖξαι«, φησίν, »ὀφθαλμοὺς αὐτῶν, τοῦ ἐπιστρέψαι ἀπὸ σκό-
τους εἰς φῶς καὶ τῆς ἐξουσίας τοῦ σατανᾶ ἐπὶ θεόν, τοῦ λαβεῖν
αὐτοὺς ἄφεσιν ἁμαρτιῶν καὶ κλῆρον ἐν τοῖς ἡγιασμένοις πίστει τῇ
εἰς ἐμέ« οὗτοι οὖν »οἱ ἀνοιγόμενοι τυφλῶν ὀφθαλμοὶ« ἡ δι' υἱοῦ 2
ἐπίγνωσίς ἐστι τοῦ πατρός, ἡ τῆς περιφράσεως τῆς Ἑλληνικῆς κατά-
10 ληψις, τό τε »ἀπὸ τῆς ἐξουσίας τοῦ σατανᾶ ἐπιστρέψαι« τὸ ἀπὸ τῆς
ἁμαρτίας ἐστὶ μεταβάλλεσθαι, δι' ἣν ἡ δουλεία ἐγεγόνει. οὐ μὴν 3
ἁπλῶς πᾶσαν φιλοσοφίαν ἀποδεχόμεθα, ἀλλ' ἐκείνην περὶ ἧς καὶ ὁ
παρὰ Πλάτωνι λέγει Σωκράτης· »εἰσὶ γὰρ δή, ὥς φασι⟨ν οἱ⟩ περὶ τὰς
τελετάς, ναρθηκοφόροι μὲν πολλοί, βάκχοι δέ τε παῦροι,« πολλοὺς
15 μὲν τοὺς κλητούς, ὀλίγους δὲ τοὺς ἐκλεκτοὺς αἰνιττόμενος. ἐπιφέρει 4
γοῦν σαφῶς· »οὗτοι δέ εἰσι κατὰ τὴν ἐμὴν δόξαν οὐκ ἄλλοι ἢ οἱ
πεφιλοσοφηκότες ὀρθῶς. ὧν δὴ κἀγὼ κατά γε τὸ δυνατὸν οὐδὲν
ἀπέλιπον ἐν τῷ βίῳ, ἀλλὰ παντὶ τρόπῳ προὐθυμήθην γενέσθαι. εἰ
δὲ ὀρθῶς προὐθυμήθην καί τι ἠνύσαμεν, | ἐκεῖσε ἐλθόντες τὸ σαφὲς 373 P
20 εἰσόμεθα, ἐὰν θεὸς θέλῃ, ὀλίγον ὕστερον.« ἆρ' οὐ δοκεῖ σοι [πίστεως] 93, 1
ἐκ τῶν Ἑβραϊκῶν γραφῶν τὴν μετὰ θάνατον ἐλπίδα τοῦ δικαίου
σαφηνίζειν; κἂν τῷ Δημοδόκῳ, εἰ δὴ τοῦ Πλάτωνος τὸ σύγγραμμα,
»μὴ οὐκ ᾖ τοῦτο φιλοσοφεῖν« λέγει, »περὶ τὰς τέχνας κυπτάζοντα
ζῆν οὐδὲ πολυμαθοῦντα, ἀλλὰ ἄλλο τι, ἐπεὶ ἔγωγε ᾤμην καὶ ὄνειδος
25 εἶναι.« ᾔδει γάρ, οἶμαι, ὡς ἄρα ἤδη »πολυμαθίη νόον ἔχειν οὐ δι- 2
δάσκει« καθ' Ἡράκλειτον. ἔν τε τῷ πέμπτῳ τῆς Πολιτείας »τούτους 3

---

*   4—8. 10 Act 26, 17f.   13f. 16—20 Platon Phaedon p. 69 CD   14f. vgl. Mt 22, 14
(20, 16)   20 πίστεως erklärt H. Jackson, Journ. of Philol. 27 (1899) p. 137 aus
Plato Phaedon p. 70 B ἀλλὰ τοῦτο δὴ ἴσως οὐκ ὀλίγης παραμυθίας δεῖται καὶ
πίστεως, ὡς ἔστι τε ἡ ψυχὴ ἀποθανόντος τοῦ ἀνθρώπου καί τινα δύναμιν ἔχει καὶ
φρόνησιν· Aber diese Anspielung wäre nicht verständlich.   23—25 Plato Amat.
p. 137 B   25f. Heraklit Fr. 40 Diels   26—S. 60, 7 Theodoret Gr. aff. c. I 33
26—S. 60, 8 vgl. Cyrill v. Alex. c. Jul. V (PG 76, 773 D); Fr in ZntW 36 (1937) 89f.
26—S. 60, 4 Plato Rep. V·p. 475 ED

2 περίφρασιν (vgl. Z. 9) Sy   περίφασιν L   9 ἡ τῆς L¹ ἢ τῆς L* ⟨καὶ⟩ ἡ τῆς
Hiller 13 ⟨οἱ⟩ aus Plato   19 καὶ τί L   20 [πίστεως] St πεπιστευκὼς Schw πιστι-
κῶς oder πιθανῶς Ma πιστεύων oder πιστευθεὶς Bywater (bei Mayor, Class. Rev. 8
(1894) p. 281) πίστεως ⟨εἶναι⟩ vgl. Strom. II 85, 1 Fr ἐπιστάμενος Klst πεισθεὶς
Mü 23 μὴ οὐκ ᾖ τοῦτο Jackson¹ μηδὲ ἡγοῦ τὸ L   λέγει St λέγειν L   κυπτάζοντα
Plato κυπτάζοντας L   25 [ἤδη] Ma (als Randglosse zu ᾔδει) ἡ δὴ Ja¹ ἡ Menage zu
Diog. Laert. IX 1 ἤδε ἡ Bernays   πολυμαθίη Diog. πολυμαθῇ L Athen. XIII p. 610 B
HSS ἔχειν οὐ Athen. ἔχει ὁ L οὐ (ohne ἔχειν) Diog.

οὖν πάντας‹ φησὶ ›καὶ ἄλλους τοιούτων τινῶν μαθηματικοὺς καὶ
⟨τοὺς⟩ τῶν τεχνυδρίων φιλοσόφους θήσομεν; οὐδαμῶς, εἶπον, ἀλλ᾿
ὁμοίους μὲν φιλοσόφοις. τοὺς δ᾿ ἀληθινούς, ἔφη, τίνας λέγεις; τοὺς
τῆς ἀληθείας, ἦν δ᾿ ἐγώ, φιλοθεάμονας.‹ οὐ γὰρ ἐν γεωμετρίᾳ αἰτή- 4
5 ματα καὶ ὑποθέσεις ἐχούσῃ φιλοσοφία, οὐδ᾿ ἐν μουσικῇ, στοχαστικῇ
γε οὔσῃ, οὐδ᾿ ἐν ἀστρονομίᾳ, φυσικῶν καὶ ῥεόντων καὶ εἰκότων
βεβυσμένῃ λόγων. ἀλλ᾿ αὐτοῦ τἀγαθοῦ δὴ ἐπιστήμη καὶ τῆς ἀληθείας,
⟨ἐκείνων⟩ ἑτέρων μὲν ὄντων τἀγαθοῦ, ὁδῶν ὥσπερ δὲ ἐπὶ τἀγαθόν.
ὥστ᾿ οὐδ᾿ αὐτὸς τὴν ἐγκύκλιον παιδείαν συντελεῖν πρὸς τἀγαθὸν 5
10 δίδωσι, συνεργεῖν δὲ πρὸς τὸ διεγείρειν καὶ συγγυμνάζειν πρὸς τὰ
νοητὰ τὴν ψυχήν.

Εἶτ᾿ οὖν κατὰ περίπτωσίν φασιν ἀποφθέγξασθαί τινα τῆς ἀλη- 94, 1
θοῦς φιλοσοφίας τοὺς Ἕλληνας, θείας οἰκονομίας ἡ περίπτωσις (οὐ
γὰρ ταὐτόματον ἐκθειάσει τις διὰ τὴν πρὸς ἡμᾶς φιλοτιμίαν), εἴτε
15 κατὰ συντυχίαν, οὐκ ἀπρονόητος ἡ συντυχία· εἴτ᾿ αὖ φυσικὴν ἔννοιαν 2
ἐσχηκέναι τοὺς Ἕλληνας λέγοι, τὸν τῆς φύσεως δημιουργὸν ἕνα
γινώσκομεν, καθὸ καὶ τὴν δικαιοσύνην φυσικὴν εἰρήκαμεν, εἴτε μὴν
κοινὸν ἐσχηκέναι | νοῦν, τίς ὁ τούτου πατὴρ καὶ τῆς κατὰ ›τὴν τοῦ 374 P
νοῦ διανομὴν‹ δικαιοσύνης σκοπήσωμεν. ἂν γὰρ προαναφώνησίν τις 3
20 εἴπῃ καὶ συνεκφώνησιν αἰτιάσηται, προφητείας εἴδη λέγει. ναὶ μὴν
κατ᾿ ἔμφασιν ἀληθείας ἄλλοι θέλουσιν εἰρῆσθαί τινα τοῖς φιλοσό-
φοις. ὁ μὲν οὖν θεσπέσιος ἀπόστολος ἐφ᾿ ἡμῶν γράφει· ›βλέπομεν 4
γὰρ νῦν ὡς δι᾿ ἐσόπτρου‹, κατ᾿ ἀνάκλασιν ἐπ᾿ αὐτοῦ ἑαυτοὺς γινώ-
σκοντες κἀκ τοῦ ἐν ἡμῖν θείου τὸ ποιητικὸν αἴτιον ὡς οἷόν τε
25 συνθεωροῦντες· ›εἶδες γάρ‹, φησί, ›τὸν ἀδελφόν σου, εἶδες τὸν θεόν 5
σου.‹ τὸν σωτῆρα οἶμαι θεὸν εἰρῆσθαι ἡμῖν τὰ νῦν· μετὰ δὲ τὴν 6
τῆς σαρκὸς ἀπόθεσιν ›πρόσωπον πρὸς πρόσωπον‹, τότε ἤδη ὁριστι-

* 7 τἀγαθοῦ ἐπιστήμη vgl. Plato Rep. VII p. 534 BC 17 vgl. Strom. I 34, 4
18f. vgl. Plato Leg. IV p. 714 A; Anon. Jambl. p. 98, 14 Pistelli 22f. 27 I Cor 13, 12
25f. vgl. Strom. II 70, 5; ebenso Tert. de orat. 26; E. Kurtz, Die Sprichwörter-
sammlung des Max. Plan. Nr. 29 S. 17 (hier φίλον statt ἀδελφόν); vgl. Zahn, Gesch.
d. neut. Kan. I 174²; Resch, Agrapha² 182, Agraph. 144; Ropes, Sprüche Jesu S. 49
27f. vgl. Mt 5, 8

1 μαθηματικούς (so auch Theod.)] μαθητικούς Plato (bess. HSS) 2 ⟨τοὺς⟩ aus
Plato u. Theod. θήσομεν (so auch Theod.)] φήσομεν Plato εἶπον Plato Theod. εἶπεν
L 7 αὐτοῦ τἀγαθοῦ Theod. αὖ τοῦ ἀγαθοῦ L δὴ. Wi δι᾿ L δεῖ Theod. ἐπιστήμη Wi
᾿πιστήμης L 8 ⟨ἐκείνων⟩ Wi Schw ἑτέρων μὲν ὄντων τἀγαθοῦ ὁδῶν, ὥσπερ δὲ ἐπὶ
ἀγαθὸν L Komma vor ὁδῶν und [ὥσπερ] St vgl. Jackson, Journ. of Philol. 27 p. 137;
᾿8 p. 31 ἑτέρων μὲν ὄντων τῶν ἀγαθῶν, ἑτέρων δὲ ὁδῶν ἐπὶ τἀγαθόν Po ἑτέρου μὲν
ὄντος τἀγαθοῦ, ἑτέρων δὲ τῶν ὥσπερ ἐπὶ τἀγαθὸν ὁδῶν Ma ἑτέρων—τἀγαθοῦ, ὁδῷ δ᾿
ὥσπερ ἀγ⟨όντων⟩ ἐπὶ τἀγ. Schw 10 δίδωσι L¹ δίδωσιν L* εἰς] πρὸς L εἰς am
Rand L¹ 16 λέγοι ⟨τις⟩ Ma 18 τῆς] τίς .... δικαιοσύνη Sy τὴν über d. Z L¹
19 δικαιοσύνης St δικαιοσύνη L 23 ἐπ᾿] ἀπ᾿ Schw

κῶς καὶ καταληπτικῶς, ὅταν καθαρὰ ἡ καρδία γένηται. καὶ κατ᾽ 7
ἔμφασιν δὲ καὶ διάφασιν οἱ ἀκριβῶς παρ᾽ Ἕλλησι φιλοσοφήσαντες
διορῶσι τὸν θεόν· τοιαῦται γὰρ αἱ κατ᾽ ἀδυναμίαν φαντασίαι ἀλη-
θείας, ὡς φαντασία καθορᾷ τὰ ἐν τοῖς ὕδασιν   ὁρώμενα καὶ τὰ διὰ
5 τῶν διαφανῶν καὶ διαυγῶν σωμάτων. καλῶς οὖν ὁ Σολομὼν ﹦ὁ 95, 1
σπείρων﹢ φησὶ ﹢δικαιοσύνην ἐργάζεται πίστιν. εἰσὶ δὲ οἱ τὰ ἴδια
σπείροντες οἳ πλείονα ποιοῦσιν.﹢ καὶ πάλιν· ﹢ἐπιμελοῦ τῶν ἐν τῷ
πεδίῳ χλωρῶν καὶ κερεῖς πόαν, καὶ συνάγαγε χόρτον ὥριμον, ἵνα
ἔχῃς πρόβατα εἰς ἱματισμόν.﹢ ὁρᾷς ὅπως καὶ τῆς ἔξωθεν σκέπης τε 2
10 καὶ φυλακῆς φροντιστέον. ﹢γνωστῶς δὲ ἐπιγνώσῃ ψυχὰς ποιμνίου
σου.﹢ ﹢ὅταν γὰρ ἔθνη τὰ μὴ νόμον ἔχοντα φύσει τὰ τοῦ νόμου 3
ποιῶσιν, οὗτοι νόμον μὴ ἔχοντες ἑαυτοῖς εἰσι νόμος﹢, ﹢τῆς ἀκρο-
βυστίας τὰ δικαιώματα τοῦ νόμου φυλασσούσης﹢ κατὰ τὸν ἀπόσιο-
λον | καὶ πρὸ τοῦ νόμου καὶ πρὸ τῆς παρουσίας. οἱονεὶ δὲ σύγκρισιν 137 S 4
15 ποιούμενος ὁ λόγος τῶν ἀπὸ φιλοσοφίας πρὸς τοὺς αἱρετικοὺς κα-
λουμένους, ἐμφανῶς πάνυ ﹢κρείσσων﹢ φησὶ ﹢φίλος ἐγγὺς ἢ ἀδελφὸς
μακρὰν οἰκῶν·﹢ ﹢ὃς δὲ ἐρείδεται ἐπὶ ψεύδεσιν, οὗτος ποιμαίνει ἀνέ-
μους καὶ διώκει ὄρνεα πτερωτά.﹢ οὐκ οἶμαι φιλοσοφίαν λέγειν τὰ 5
νῦν τὸν | λόγον, καίτοι ἐν πολλοῖς τὰ εἰκότα ἐπιχειρεῖ καὶ πιθανεύ- 375 P
20 εται φιλοσοφία, ἀλλὰ τὰς αἱρέσεις ἐπιρραπίζει. ἐπιφέρει γοῦν· 6
﹢ἀπέλιπεν γὰρ ὁδοὺς τοῦ ἑαυτοῦ ἀμπελῶνος, τὰς δὲ τροχιὰς τοῦ
ἰδίου γεωργίου πεπλάνηται.﹢ αὗται δέ εἰσιν αἱ τὴν ἐξ ἀρχῆς ἀπο-
λείπουσαι ἐκκλησίαν. αὐτίκα ὁ εἰς αἵρεσιν ὑποπεσὼν ﹢διέρχεται δι᾽
ἐρημίας ἀνύδρου,﹢ τὸν ὄντως ὄντα θεὸν καταλιπών, ἔρημος θεοῦ,
25 ὕδωρ ἄνυδρον ζητῶν, ﹢τὴν ἀοίκητον καὶ δίψιον ἐπερχόμενος γῆν,
συνάγων χερσὶν ἀκαρπίαν.﹢ ﹢καὶ τοῖς ἐνδεέσι φρενῶν παρακελεύομαι 96, 1
λέγουσα,﹢ φησὶν ἡ σοφία, τοῖς ἀμφὶ τὰς αἱρέσεις δηλονότι, ﹢ἄρτων
κρυφίων ἡδέως ἅψασθε, καὶ ὕδατος κλοπῆς γλυκεροῦ,﹢ ἄρτον καὶ
ὕδωρ οὐκ ἐπ᾽ ἄλλων τινῶν, ἀλλ᾽ ἢ ἐπὶ τῶν ἄρτῳ καὶ ὕδατι κατὰ
30 τὴν προσφορὰν μὴ κατὰ τὸν κανόνα τῆς ἐκκλησίας χρωμένων αἱρέ-
σεων ἐμφανῶς ταττούσης τῆς γραφῆς. εἰσὶ γὰρ οἳ καὶ ὕδωρ ψιλὸν

2 vgl. Plut. Mor. 354 C ἀμυδρὰς ἐμφάσεις τῆς ἀληθείας καὶ διαφάσεις ἔχειν (Fr)
3 vgl. Plato Rep. VII 13, 532 C; 2, 515 E, 516 B   4f. vgl. Plato Rep. VI p. 510 A
τὰ ἐν τοῖς ὕδασι φαντάσματα (als zweite Stufe der Erkenntnis); Stob. Ecl. I 49, 50
p. 420, 15ff. Wachsm.   5—7 Prov 11, 21. 24   7—9 Prov 27, 25f.   10f. Prov 27, 23
11—13 Rom 2, 14. 26   16f. Prov 27, 10   17—S. 62, 5 Prov 9, 12 a b c. 16. 17. 18 a
31f. vgl. Joh. Chrys. hom. in Mt. 82 (PG 57/58, 740) εἰσί τινες ἐν τοῖς μυστηρίοις
ὕδατι κεχρημένοι (Fr)

* 3 ἀληθείας Markland — θεῖς L   καθορᾷ τὰ Fr καθορᾶται L   ὁρώμενα καὶ Fr —
ὦμεν καὶ L   τὰ über der Z. L¹ 8 χλωρῶν L   ὀρεινόν Prov. ὥριμον L   17 ψευδέσιν
Lagarde, Anm. z. griech. Übers. d. Prov. S. 32   29 τῶν Sy τῷ L

εὐχαριστοῦσιν. »ἀλλὰ ἀποπήδησον, μὴ χρονίσῃς ἐν τῷ τόπῳ αὐτῆς.« 2
τόπον τὴν συναγωγήν, οὐχὶ δὲ ἐκκλησίαν ὁμωνύμως προσεῖπεν. εἶτα 3
ἐπιφωνεῖ· »οὕτω γὰρ διαβήσῃ ὕδωρ ἀλλότριον«, τὸ βάπτισμα τὸ
αἱρετικὸν οὐκ οἰκεῖον καὶ γνήσιον ὕδωρ λογιζομένη, »καὶ ὑπερβήσῃ 4
5 ποταμὸν ἀλλότριον« τὸν παραφέροντα καὶ κατασύροντα εἰς θάλασ-
σαν, εἰς ἣν ἐκδίδοται ὁ παρεκτραπεὶς ἐκ τῆς κατ᾽ ἀλήθειαν ἑδραιό-
τητος, συνεκρυεὶς αὖθις εἰς τὰ ἐθνικὰ καὶ ἄτακτα τοῦ βίου κύματα.

XX. Ὡς δὲ οἱ πολλοὶ ἄνθρωποι οἱ καθέλκοντες τὴν ναῦν οὐ 97, 1
πολλὰ αἴτια λέγοιντ᾽ ἄν, ἀλλ᾽ ἐκ πολλῶν αἴτιον ἓν (οὐκ ἔστι γὰρ
10 αἴτιος ἕκαστος τοῦ καθέλκεσθαι τὴν ναῦν, ἀλλὰ σὺν τοῖς ἄλλοις),
οὕτω καὶ ἡ φιλοσοφία πρὸς κατάληψιν τῆς ἀληθείας, ζήτησις οὖσα
ἀληθείας, συλλαμβάνεται, οὐκ αἰτία οὖσα καταλήψεως, σὺν δὲ τοῖς
ἄλλοις αἰτία καὶ συνεργός. τάχα δὲ καὶ τὸ συναίτιον αἴτιον. ὡς δὲ 2
ἑνὸς ὄντος τοῦ εὐδαιμονεῖν, αἴτιαι τυγχάνουσιν αἱ ἀρεταὶ πλείονες ὑπάρ-
15 χουσαι, καὶ ὡς τοῦ θερμαίνεσθαι ὅ τε ἥλιος τό τε πῦρ βαλανεῖόν τε
καὶ ἐσθής, οὕτω μιᾶς οὔσης τῆς ἀληθείας πολλὰ τὰ συλλαμβανόμενα
πρὸς ζήτησιν αὐτῆς, ἡ δὲ εὕρεσις | δι᾽ υἱοῦ. εἰ γοῦν σκοποῖμεν, μία 376 P 3
κατὰ δύναμίν ἐστιν ἡ ἀρετή, ταύτην δὲ συμβέβηκεν τούτοις μὲν τοῖς
πράγμασιν ἐγγενομένην λέγεσθαι φρόνησιν, ἐν τούτοις δὲ σωφρο-
20 σύνην, ἐν τούτοις δὲ ἀνδρείαν ἢ δικαιοσύνην. ἀνὰ τὸν αὐτὸν οὖν 4
λόγον, καὶ μιᾶς οὔσης ἀληθείας, ἐν γεωμετρίᾳ μὲν γεωμετρίας ἀλήθεια,
ἐν μουσικῇ δὲ μουσικῆς, κἂν φιλοσοφίᾳ τῇ ὀρθῇ Ἑλληνικὴ εἴη ἂν
ἀλήθεια. μόνη δὲ ἡ κυρία αὕτη ἀλήθεια ἀπαρεγχείρητος, ἣν παρὰ
τῷ υἱῷ τοῦ θεοῦ παιδευόμεθα. τοῦτόν φαμεν τὸν τρόπον μιᾶς καὶ 98, 1
25 τῆς αὐτῆς δραχμῆς τῷ μὲν ναυκλήρῳ δοθείσης λέγεσθαι ναῦλον, τῷ
δὲ τελώνῃ τέλος καὶ ἐνοίκιον μὲν τῷ σταθμούχῳ, μισθὸν δὲ τῷ
διδασκάλῳ καὶ τῷ πιπράσκοντι ἀρραβῶνα. ἑκάστη δὲ εἴτε ἀρετὴ
εἴτε καὶ ἀλήθεια συνωνύμως καλουμένη μόνου τοῦ καθ᾽ ἑαυτὴν ἀπο-
τελέσματός ἐστιν αἰτία. κατὰ σύγχρησιν δὲ τούτων γίνεται τὸ εὐδαι- 2
30 μόνως ζῆν (μὴ γὰρ δὴ εὐδαιμονῶμεν πρὸς τὰ ὀνόματα), ὅταν τὸν
ὀρθὸν βίον εὐδαιμονίαν λέγωμεν καὶ εὐδαίμονα τὸν κεκοσμημένον
τὴν ψυχὴν ἐναρέτως. εἰ δὲ καὶ πόρρωθεν συλλαμβάνεται φιλοσοφία 3
πρὸς τὴν ἀληθείας εὕρεσιν, κατὰ διαφόρους ἐπιβολὰς διατείνουσα
ἐπὶ τὴν προσεχῶς ἁπτομένην τῆς ἀληθείας τῆς καθ᾽ ἡμᾶς εἴδησιν,

8ff. vgl. Strom. VIII 31, 1 vgl. W. Ernst a. a. O. 41 [Orig. in Joh. XXXII 16
(452, 21) (Fr)]   17—20. 24—32 Ariston Fr. 376 Stoic. vet. fr. I p. 86   19f. vgl.
Plato Leg. XII p. 963 CD; Phaedon p. 69 BC u. ä. Stellen   25 ναῦλον vgl. auch
Stoic. vet. fr. II p. 28, 29

13 δέ²] καὶ Markland   14 αἴτιαι (so Strom. VIII)] αἰτίαι L   33 πρὸς τὴν ἀλη-
θείας εὕρεσιν (vgl. oben Z. 11f. 16f.) St τῇ πρὸς τὴν ἀλήθειαν εὑρέσει L τῇ πρὸς
[τὴν] ἀλήθειαν εὑρέσει Schw   24 τῆς καθ᾽ ἡμᾶς St τὴν καθ᾽ ἡμᾶς L

ἀλλὰ συλλαμβάνεταί γε τῷ λογικῶς ἐπιχειρεῖν ἐσπουδακότι ἀνθά-
πτεσθαι γνώσεως. χωρίζεται δὲ ἡ Ἑλληνικὴ ἀλήθεια τῆς καθ᾽ ἡμᾶς, 4
εἰ καὶ τοῦ αὐτοῦ μετείληφεν ὀνόματος, καὶ μεγέθει γνώσεως καὶ
ἀποδείξει κυριωτέρᾳ καὶ θείᾳ δυνάμει καὶ τοῖς ὁμοίοις· »θεοδίδακτοι‹
5 γὰρ ἡμεῖς, ἱερὰ ὄντως γράμματα παρὰ τῷ υἱῷ τοῦ θεοῦ παιδενό-
μενοι· ἔνθεν οὐδ᾽ ὡσαύτως κινοῦσι τὰς ψυχάς, ἀλλὰ διαφόρῳ διδα-
σκαλίᾳ. εἰ δὲ καὶ διαστέλλεσθαι ἡμᾶς διὰ τοὺς φιλεγκλήμονας δεήσει, 99, 1
συναίτιον ⟨τὴν⟩ φιλοσοφίαν καὶ συνεργὸν λέγοντες τῆς ἀληθοῦς
καταλήψεως, ζήτησιν οὖσαν ἀληθείας, προπαιδείαν αὐτὴν ὁμολογήσο-
10 μεν τοῦ γνωστικοῦ, οὐκ αἴτιον τιθέμενοι τὸ συναίτιον οὐδὲ μὴν τὸ
συνεργὸν συνεκτικὸν οὐδ᾽ ὡς οὐ οὐκ ἄνευ τὴν φιλοσοφίαν, ἐπεὶ
σχεδὸν οἱ πάντες ἄνευ τῆς ἐγκυκλίου παιδείας καὶ φιλοσοφίας τῆς
Ἑλληνικῆς, οἳ δὲ καὶ ἄνευ γραμμάτων, τῇ θείᾳ καὶ βαρβάρῳ κινη-
θέντες φιλοσοφίᾳ, »δυνάμει‹ τὸν περὶ θεοῦ διὰ πίστεως παρειλή-
15 φαμεν λόγον, αὐτουργῷ σοφίᾳ πεπαιδευμένοι. ὃ δὲ μεθ᾽ | ἑτέρου 2 377 P
ποιεῖ, ἀτελὲς ὂν καθ᾽ αὑτὸ ἐνεργεῖν, συνεργὸν φαμεν καὶ συναίτιον
ἀπὸ τοῦ σὺν αἰτίῳ αἴτιον ὑπάρχειν ⟨ἢ⟩ ἀπὸ τοῦ ἑτέρῳ συνελθὸν αἴτιον
γίγνεσθαι ὠνομασμένον, καθ᾽ ἑαυτὸ δὲ μὴ δύνασθαι τὸ ἀποτέλεσμα
τὸ κατ᾽ ἀλήθειαν παρέχειν. καίτοι καὶ καθ᾽ ἑαυτὴν ἐδικαίου ποτὲ 8
20 καὶ ἡ φιλοσοφία τοὺς Ἕλληνας, οὐκ εἰς τὴν καθόλου δὲ δικαιοσύνην
(εἰς ἣν εὑρίσκεται συνεργός, καθάπερ καὶ ὁ πρῶτος καὶ ὁ δεύτερος
βαθμὸς τῷ εἰς τὸ ὑπερῷον ἀνιόντι καὶ ὁ γραμματιστὴς τῷ φιλο-
σοφήσοντι), οὐδ᾽ ὡς κατὰ τὴν ἀφαίρεσιν αὐτῆς ἤτοι ἐλλείπειν τῷ
καθόλου | λόγῳ ἢ ἀναιρεῖσθαι τὴν ἀλήθειαν, ἐπεὶ καὶ ἡ ὄψις συμ- 138 8
25 βάλλεται καὶ ἡ ἀκοὴ καὶ ἡ φωνὴ πρὸς ἀλήθειαν, νοῦς δὲ ὁ γνωρίζων
αὐτὴν προσφυῶς. ἀλλὰ τῶν συνεργῶν τὰ μὲν πλείονα, τὰ δ᾽ ἐλάσ-
σονα προσφέρεται δύναμιν. ἡ γοῦν σαφήνεια συνεργεῖ πρὸς τὴν
παράδοσιν τῆς ἀληθείας καὶ ἡ διαλεκτικὴ πρὸς τὸ μὴ ὑποπίπτειν
ταῖς κατατρεχούσαις αἱρέσεσιν. αὐτοτελὴς μὲν οὖν καὶ ἀπροσδεὴς ἡ 100, 1
30 κατὰ τὸν σωτῆρα διδασκαλία, »δύναμις‹ οὖσα καὶ σοφία τοῦ θεοῦ,‹
προσιοῦσα· δὲ φιλοσοφία ἡ Ἑλληνικὴ οὐ δυνατωτέραν ποιεῖ τὴν ἀλή-
θειαν, ἀλλ᾽ ἀδύνατον παρέχουσα τὴν κατ᾽ αὐτῆς σοφιστικὴν ἐπιχεί-

---

4 vgl. I Thess 4, 9   10ff. vgl. Strom. VIII 28   14 vgl. I Thess 1, 5   15ff. vgl.
Strom. VIII 33 a. E.   15—19. 26f. Chrysipp Fr. phys. 352 Arnim [vgl. Strom. VIII
33, 8f. dazu W. Ernst a. a. O. 44 (Fr)]   80 vgl. I Cor. 1, 24

2 δὲ Wi τε L   8 ⟨τὴν⟩ Sy   9 προπαίδειαν L   11 οὐ οὐκ ἄνευ Schw οὐκ οὔσης
ἄνευ L   17 [ἀπὸ—ὑπάρχειν] Arnim, Stóic. vet. fr. II p. 122 σὺν αἰτίῳ St vgl. Strom.
VIII 33 (so auch Arnim, De oct. Clem. Strom. libro p. 13)] συναιτίου L   ὑπάρχειν]
ὑπάρχον Sy   ⟨ἢ⟩ Schw   συνελθὸν St συνελθεῖν L   28 οὐδ᾽ Schw οὐχ L   ἤτοι] ἢ
τι St   29 ἀπροσδεὴς L¹ am Rand ἀπρόσδεκτος L im Text

ρησιν καὶ διακρουομένη τὰς δολερὰς κατὰ τῆς ἀληθείας ἐπιβουλὰς
φραγμὸς οἰκείως εἴρηται καὶ θριγχὸς εἶναι τοῦ ἀμπελῶνος. καὶ ἢ 2
μὲν ὡς ἄρτος ἀναγκαία πρὸς τὸ ζῆν, ἡ κατὰ τὴν πίστιν ἀλήθεια·
ἡ προπαιδεία δὲ προσοψήματι ἔοικεν καὶ τραγήματι,

5   δείπνου δὲ λήγοντος γλυκὺ τρωγάλιον

κατὰ τὸν Θηβαῖον Πίνδαρον. ἄντικρυς δὲ ἐξεῖπεν ἡ γραφή· »παν- 3
ουργότερος ἔσται ἄκακος συνίων, ὁ δὲ σοφὸς δέξεται γνῶσιν.« καὶ
»ὁ μὲν ἀφ᾿ ἑαυτοῦ λαλῶν τὴν δόξαν τὴν ἰδίαν ζητεῖ,« φησὶν ὁ
κύριος, »ὁ δὲ ζητῶν τὴν δόξαν τοῦ πέμψαντος αὐτὸν ἀληθής ἐστι
10 καὶ ἀδικία οὐκ ἔστιν ἐν αὐτῷ.« ἔμπαλιν οὖν ἀδικεῖ ὁ σφετερισάμενος 4
τὰ βαρβάρων καὶ ὡς ἴδια αὐχῶν, τὴν ἑαυτοῦ δόξαν αὔξων καὶ ψευ-
δόμενος τὴν ἀλήθειαν. οὗτος »κλέπτης« ὑπὸ τῆς γραφῆς εἴρηται.
φησὶ γοῦν· »υἱέ, μὴ γίνου ψεύστης· ὁδηγεῖ γὰρ τὸ ψεῦσμα πρὸς τὴν
κλοπήν.« ἤδη δὲ ὁ κλέπτης ὅπερ ὑφελόμενος ἔχει ἀληθῶς ἔχει, κἂν 5
15 χρυσίον ἦ | κἂν ἄργυρος κἂν λόγος κἂν δόγμα. ἐκ μέρους τοίνυν, ἃ 378 P
κεκλόφασιν, ἀληθῆ μέν, στοχαστικῶς δὲ καὶ ταῖς τῶν λόγων ἀνάγκαις
ἴσασι. μαθητευθέντες οὖν καταληπτικῶς ἐπιγνώσονται.

XXI. Καὶ περὶ μὲν τοῦ παρ᾿ Ἑβραίων τὰ τῶν φιλοσόφων 101, 1
ἐσκευωρῆσθαι δόγματα μικρὸν ὕστερον διαληψόμεθα, πρότερον δέ,
20 ὅπερ ἀκόλουθον ἦν, περὶ τῶν κατὰ Μωυσέα χρόνων ἤδη λεκτέον, δι᾿
ὧν δειχθήσεται ἀναμφηρίστως πάσης σοφίας ἀρχαιοτάτη ἡ κατὰ
Ἑβραίους φιλοσοφία. εἴρηται μὲν οὖν περὶ τούτων ἀκριβῶς Τατιανῷ 2
ἐν τῷ Πρὸς Ἕλληνας, εἴρηται δὲ καὶ Κασσιανῷ ἐν τῷ πρώτῳ τῶν
Ἐξηγητικῶν· ἀπαιτεῖ δὲ ὅμως τὸ ὑπόμνημα καὶ ἡμᾶς ἐπιδραμεῖν τὰ

---

2 vgl. Mt 21, 33; Mc 12, 1; Strom. I 28, 4 [Strom. VI 81, 4; Schmid II⁶ 956 A. 2
M. Pohlenz, a. a. O. (S. 53, 22) 111 (39) A. 1 (Fr)]   5 Pindar Fr. 124ᶜ Schröder; vgl.
Athen. XIV p. 641 C   6f. Prov 21, 11   8—10 Io 7, 18   12 vgl. Io 10, 8   13f. Apostel-
lehre III 5; vgl. Reliquiae iur. eccl. graece ed. Lagarde p. 76,7   18 zu Cap. XXI
vgl. Gutschmid, Jahrbb. f. klass. Phil. 81 (1860) S. 703—708 = Kl. Schr. II S. 196—203;
Lagarde, Septuagintastudien II in Abh. d. k. Ges. d. Wiss. z. Gött. 37 (1891) S. 73—92;
Schürer, Gesch. d. jüd. Volkes III³ S. 409; Christ, Philol. Studien zu Clem. Alex.
S. 40—72; Wachsmuth, Einl. in das Stud. d. alt. Gesch. S. 155—157; zu § 101—107
vgl. Euseb. Chr. pr. II p. 4 Schoene   19 διαληψ. vgl. Strom. V Cap. XIV   22—S. 69, 15
εἴρηται—πρεσβύτερος Euseb. Praep. Ev. X 12, 1—30

2 οἰκείως Lowth οἰκεῖος L   4 προπαίδεια L   7 συνιὼν L   8 λαλῶν Joh. u.
Strom. I 87, 6 λαβὼν L   11 ἴδια St (vgl. Strom. I 87, 2; VI 35, 1; Bywater p. 205)
ἰδίαν L   19 διαληψόμεθα L¹ (wie Sy) διαληψώμεθα L*   23 Ἕλληνας] τοὺς Ἕλληνας
Eus. Κασσιανῷ Eus. κασιανῶι L

κατὰ τὸν τόπον εἰρημένα. Ἀπίων τοίνυν ὁ γραμματικός, ὁ Πλει- 8
στονίκης ἐπικληθείς, ἐν τῇ τετάρτῃ τῶν Αἰγυπτιακῶν ἱστοριῶν,
καίτοι φιλαπεχθημόνως πρὸς Ἑβραίους διακείμενος, ἅτε Αἰγύπτιος
τὸ γένος, ὡς καὶ κατὰ Ἰουδαίων συντάξασθαι βιβλίον, Ἀμώσιος τοῦ
5 Αἰγυπτίων βασιλέως μεμνημένος καὶ τῶν κατ' αὐτὸν πράξεων, μάρ-
τυρα παρατίθεται Πτολεμαῖον τὸν Μενδήσιον. καὶ τὰ τῆς λέξεως 4
αὐτοῦ ὧδε ἔχει· »κατέσκαψε δὲ τὴν Ἀουαρίαν Ἄμωσις κατὰ τὸν Ἀργεῖον
γενόμενος Ἴναχον, ὡς ἐν τοῖς Χρόνοις ἀνέγραψεν ὁ Μενδήσιος Πτο-
λεμαῖος.« ὁ δὲ Πτολεμαῖος | οὗτος ἱερεὺς μὲν ἦν, τὰς δὲ τῶν Αἰγυ- 5 379 P
10 πτίων βασιλέων πράξεις ἐν τρισὶν ὅλαις ἐκθέμενος βίβλοις κατὰ
Ἄμωσίν φησιν Αἰγύπτου βασιλέα Μωυσέως ἡγουμένου γεγονέναι
Ἰουδαίοις τὴν ἐξ Αἰγύπτου πορείαν, ἐξ ὧν συνᾶπται κατὰ Ἴναχον
ἠκμακέναι τὸν Μωσέα. παλαίτατα δὲ τῶν Ἑλληνικῶν τὰ Ἀργολικά, 102, 1
τὰ ἀπὸ Ἰνάχου λέγω, ὡς Διονύσιος ὁ Ἁλικαρνασσεὺς ἐν τοῖς Χρόνοις
15 διδάσκει. τούτων δὲ † τεσσαράκοντα μὲν γενεαῖς νεώτερα τὰ Ἀττικὰ 2
τὰ ἀπὸ Κέκροπος τοῦ διφυοῦς δὴ καὶ αὐτόχθονος, ὡς φησι κατὰ
λέξιν ὁ Τατιανός, ἐννέα δὲ τὰ Ἀρκαδικὰ τὰ ἀπὸ Πελασγοῦ· λέγεται
δὲ καὶ οὗτος αὐτόχθων. τούτων δὲ ἄλλαιν δυοῖν νεώτερα τὰ Φθιω- 3
τικὰ τὰ ἀπὸ Δευκαλίωνος. εἰς δὲ τὸν χρόνον τῶν Τρωικῶν ἀπὸ Ἰνάχου
20 γενεαὶ μὲν εἴκοσι ἢ ⟨μιᾷ⟩ πλείους διαριθμοῦνται, ἔτη δέ, ὡς ἔπος
εἰπεῖν, τετρακόσια καὶ πρόσω. εἰ δὲ τὰ Ἀσσυρίων πολλοῖς ἔτεσι 4

1–13 vgl. Tatian 38 p. 39, 7–17 Schw. (= Euseb. Praep. Ev. X 11, 14); vgl.
Gaul, ThLz 1903 Sp. 520 1–12 Vet. script. de reb. Aegypt. . . . fragmenta coll.
Bunsen p. 53 (Ägyptens Stelle in der Weltgeschichte II); vgl. A. Deiber S. 121f.
1–9 Apion Fr. 2 FHG III p. 509; vgl. Africanus bei Euseb. Praep. Ev. X 10,16;
[Justin] Coh. ad Gr. 9; Georg Synk. p. 64 C; 148 D (p. 119, 20; 281, 3 ed. Bonn.);
Cod. Fuld. des Tertullian Apolog. 19; Theophilus ad Autol. III 20; Cyr. v. Alex.
c. Jul. I p. 15 Aubert 6–12 vgl. Ptolemaeus Fr. 1 FHG IV p. 485 12f. vgl. Orig.
c. Cels. IV 11 p. 281, 26 Koetschau; Hieron. Chron. 76, 7–20 Helm 13–15 vgl.
Dion. Antiqu. Rom. I 74, 2 FGrHist 251 F 1 16f. vgl. Tatian 39 p. 40, 15
Schw. 19–21 vgl. Tatian 38 p. 39, 18f.; 39 p. 40, 5f. Schw. 21f. Ktesias Fr. 24
Müller p. 41

2 ἱστοριῶν < Tat. 6 παρατίθεται] παρατίθεσθαι L; aber τ zu σθ am Rand L[1]
7 Ἀουαρίαν] ἀθυρίαν L ἀούαριν Eus. λυαρίαν Tat. HSS αὔαριν Tat. bei Eus. (vgl.
Jos. c. Ap. I 14 = Eus. Pr. Ev. X 13, 6) 10 ἐκτιθέμενος Tat. 13 παλαίτατα Christ,
Philol. Stud. S. 55 παλαίτερα L Ἑλληνικῶν] + μνημονεύεσθαι Eus. ἀργολογικὰ L
Eus. O 14 ὡς < Eus. Ἁλικαρνασεὺς Eus. 15 τεσσαράκοντα] τέσσαρσι Hervet,
Lagarde; vgl. Gelzer, Sext. Afr. I S. 21⁵; ἑπτὰ Christ, Philol. Stud. S. 55 17 ἐννέα]
τέσσαρσι Christ S. 57 vgl. Dionys. Antiqu. I 11. 17 18 ἄλλαιν Eus. O ἄλλα πεντή-
κοντα (= ν') L ἄλλων Eus. I 20 εἴκοσιν ἢ μιᾷ πλείους Eus. εἴκοσι ἢ πλείους L εἴκοσι
Tat. 21f. εἰ δὲ κτλ.] ὅτι δὲ Ἑλληνικῶν, ἀφ' ὧν Κτησίας λέγει φανήσεται, ⟨εἴ γε⟩
St vgl. S. 67, 20 εἰ δέ ⟨τῳ⟩—. . . . φανήσεται, . . . κίνησις (S. 66, 5) ⟨γίνεται⟩ Lagarde

πρεσβύτερα τῶν Ἑλληνικῶν ἀφ' ὧν Κτησίας λέγει, φανήσεται ⟨τῷ
δευτέρῳ καὶ τετρακοσιοστῷ ἔτει τῆς Ἀσσυρίων ἀρχῆς, τῆς δὲ Βη-
λούχου τοῦ ὀγδόου δυναστείας⟩ τῷ δευτέρῳ καὶ τριακοστῷ ἡ Μωυ-
σέως κατὰ Ἄμωσιν τὸν Αἰγύπτιον καὶ κατὰ Ἴναχον τὸν Ἀργεῖον ἐξ
5 Αἰγύπτου κίνησις. ἦν δὲ κατὰ τὴν Ἑλλάδα κατὰ μὲν Φορωνέα τὸν 5
μετὰ Ἴναχον ὁ ἐπὶ | Ὠγύγου κατακλυσμὸς καὶ ἡ ἐν Σικυῶνι βασιλεία, 380 P
πρώτου μὲν Αἰγιαλέως, εἶτα Εὔρωπος, εἶτα Τελχῖνος, καὶ ἡ Κρητὸς
ἐν Κρήτῃ. Ἀκουσίλαος γὰρ Φορωνέα πρῶτον ἄνθρωπον γενέσθαι 6
λέγει· ὅθεν καὶ ὁ τῆς Φορωνίδος ποιητὴς εἶναι αὐτὸν ἔφη »πατέρα
10 θνητῶν ἀνθρώπων«. ἐντεῦθεν ὁ Πλάτων ἐν Τιμαίῳ κατακολουθήσας 108, 1
Ἀκουσιλάῳ γράφει· »καὶ ποτε προαγαγεῖν βουληθεὶς αὐτοὺς περὶ τῶν
ἀρχαίων εἰς λόγους τῶν τῇδε τῇ πόλει τὰ ἀρχαιότατα λέγειν ἐπι-
χειρεῖ, περὶ Φορωνέως τε τοῦ πρώτου λεχθέντος καὶ Νιόβης, καὶ
τὰ μετὰ τὸν κατακλυσμόν.« »κατὰ δὲ Φόρβαντα Ἀκταῖος, ἀφ' οὗ 2
15 Ἀκταία ἡ Ἀττική. κατὰ δὲ Τριόπαν Προμηθεὺς καὶ Ἄτλας καὶ
Ἐπιμηθεὺς καὶ ὁ διφυὴς Κέκροψ καὶ Ἰώ. κατὰ δὲ Κρότωπον ἡ
ἐπὶ Φαέθοντος ἐκπύρωσις καὶ ⟨ἡ⟩ ἐπὶ Δευκαλίωνος ἐπομβρία. κατὰ 3
δὲ Σθένελον ἥ τε Ἀμφικτύονος βασιλεία καὶ ἡ εἰς Πελοπόννησον
Δαναοῦ παρουσία καὶ ⟨ἡ⟩ ὑπὸ Δαρδάνου τῆς Δαρδανίας κτίσις,« ὃν
20 »πρῶτον«, φησὶν Ὅμηρος, | »τέκετο νεφεληγερέτα Ζεύς,« »ἥ τε 381 P
⟨τῆς Εὐρώπης⟩ εἰς Κρήτην ἐκ Φοινίκης ἀνακομιδή. κατὰ δὲ Λυγκέα 4
τῆς Κόρης ἡ ἁρπαγὴ καὶ ἡ τοῦ ἐν Ἐλευσῖνι τεμένους καθίδρυσις
Τριπτολέμου τε γεωργία καὶ ἡ Κάδμου εἰς Θήβας παρουσία Μίνωός

5f. vgl. Tatian 39 p. 40, 11—13 Schw.; Euseb. Chron. 1 p. 182 Schoene, Georg.
Synk. p. 63 D (p. 118, 11 ed. Bonn.) 5—9 Diels⁶ I 56, 7—11 8—10 Akusilaos
FGrHist 2 F 23 vgl. Africanus bei Euseb. Praep. Ev. X 10, 7 9f. Phoronis
Fr. 1 Kinkel 11—14 Plato Tim. p. 22 A 14—19 κατὰ—κτίσις. 20—S. 67, 4 ἥ τε—
Μουσαῖος Tatian 39 p. 40, 13—26 Schw. (= Euseb. Praep. Ev. X 11, 20—23) 20 Υ 215

1 ἀφ' ὧν < Eus. 1—3 ⟨τῷ δευτέρῳ—δυναστείας⟩ aus Eus. 2 τριακοσιοστῷ
Lagarde; vgl. dagegen J. Marquart, Philol. 6 Suppl. S. 583 3 τριακοστῷ] + ἔτει L,
aber von L¹ durch Punkte getilgt τριακοσιοστῷ Eus. Ο 6 μετὰ] μετ' Eus. 7 αἰ-
γιάλεως L εἶτα¹] + δὲ Eus. 8 ἀνθρώπων Eus. 12 τῇ πόλει < Plato 12f. ἐπι-
χειρεῖ] ἐπιχειρεῖν Plato Eus. (bei Plato abhängig von Σόλων ἔφη) 13 Νιόβης Plato
Eus. νεόβης corr. aus νεώβης L¹ 14 τὰ über d. Z. L¹ < Plato 15 καὶ ἀκταία Tat.
(καὶ < Tat. bei Eus.) 16 Ἰώ Tat. Eus. ἰνώ L Κροτωπὸν Eus. 17 φαέθοντος L ⟨ἡ⟩
aus Tat. Eus. 18 Σθένελον L Tat. MP Eus. Ι Σθένελαον Eus. Ο u. Tat. bei Eus. Ἀμ-
φικτύονος Tat. Eus. — νόνος L 19 ⟨ἡ⟩ aus Tat. Eus. 21 ⟨τῆς Εὐρώπης⟩ aus Tat.
εἰς Κρήτην ἐκ Φοινίκης nach Tat. (hier ἐκ Φοινίκης τῆς Εὐρώπης εἰς τὴν Κρήτην) ἐκ
Κρήτης εἰς Φοινίκην L Eus. Λυγκέα Tat. Eus. λυγκαῖα L 23 Τριπτολέμου τε] καὶ ἡ
Τριπτολέμου Tat. Eus.

τε βασιλεία. κατὰ δὲ Προῖτον ὁ Εὐμόλπου πρὸς Ἀθηναίους πόλεμος. 5
κατὰ δὲ Ἀκρίσιον Πέλοπος ἀπὸ Φρυγίας διάβασις καὶ Ἴωνος εἰς 139 8
Ἀθήνας ἄφιξις καὶ ὁ δεύτερος Κέκροψ αἵ τε Περσέως καὶ Διονύσου
πράξεις Ὀρφεύς τε καὶ Μουσαῖος.‹ κατὰ δὲ τὸ ὀκτωκαιδέκατον ἔτος 104, 1
5 τῆς Ἀγαμέμνονος βασιλείας Ἴλιον ἑάλω, Δημοφῶντος τοῦ Θησέως
βασιλεύοντος Ἀθήνησι τῷ πρώτῳ ἔτει, θαργηλιῶνος μηνὸς δευτέρᾳ
ἐπὶ δέκα, ὥς φησι Διονύσιος ὁ Ἀργεῖος, Ἀγίας δὲ καὶ Δερκύλος ἐν 2
τῇ τρίτῃ μηνὸς πανήμου ὀγδόῃ φθίνοντος, Ἑλλάνικος γὰρ δωδεκάτῃ
θαργηλιῶνος μηνός, καί τινες τῶν τὰ Ἀττικὰ συγγραψαμένων ὀγδόῃ
10 φθίνοντος, βασιλεύοντος τὸ τελευταῖον ἔτος Μενεσθέως, πληθνού-
σης σελήνης·

νὺξ μὲν ἔην,

φησὶν ὁ τὴν μικρὰν Ἰλιάδα πεποιηκώς,

μεσάτα, λαμπρὰ δὲ ἐπέτελλε σελάνα·

15 ἕτεροι ⟨δὲ⟩ σκιροφοριῶνος τῇ αὐτῇ ἡμέρᾳ. Θησεὺς δὲ [ὁ] Ἡρακλέους 3
ζηλωτὴς ὢν πρεσβύτερός ἐστι τῶν Τρωϊκῶν μιᾷ γενεᾷ. τοῦ γοῦν
Τληπολέμου, ὃς ἦν υἱὸς Ἡρακλέους, Ὅμηρος μέμνηται ἐπὶ Ἴλιον
στρατεύσαντος.

Προτερεῖν ἄρα Μωυσῆς ἀποδείκνυται τῆς μὲν Διονύσου ἀπο- 105, 1
20 θεώσεως ἔτη ἑξακόσια τέσσαρα, εἴ γε τῆς Περσέως βασιλείας τῷ
τριακοστῷ δευτέρῳ ἔτει | ἐκθεοῦται, ὥς φησιν Ἀπολλόδωρος ἐν τοῖς 382 P
Χρονικοῖς. ἀπὸ δὲ Διονύσου ἐπὶ Ἡρακλέα καὶ τοὺς περὶ Ἰάσονα 2
ἀριστεῖς τοὺς ἐν τῇ Ἀργοῖ πλεύσαντας συνάγεται ἔτη ἑξήκοντα τρία·
Ἀσκληπιός τε καὶ Διόσκουροι συνέπλεον αὐτοῖς, ὡς μαρτυρεῖ ὁ Ῥό-

4f. vgl. Tatian 39 p. 39, 23f. Schw. 4—7 Dionysios von Argos Fr. 10 FHG III
p. 26 7 Agias Fr. 2 FHG IV p. 292. Derkylos Fr. 3 FHG IV p. 387 8 Hellanikos
FGrHist 4 F 152a Zum Tag der Eroberung Trojas vgl. FHG I p. 568; Paul
Tannery, Rev. de Philol. N. S. 13 (1889) S. 66—69 12. 14 Kleine Ilias Fr. 11 Kinkel
15—18 vgl. Tatian 41 p. 42, 1—3 Schw. 16f. vgl. B 657 20—S. 68, 5 Apollodor.
FGrHist 244 F 87 24f. Apoll. Rhod. Arg. 1, 146f.; Theodoret Gr. aff. c. VIII 21

1 βασιλεία] ἡ βασιλεία Tat. (ἡ < Tat. bei Eus.) 2 Πέλοπος] ἡ Πέλοπος Tat.
(ἡ < Tat. bei Eus.) 3 τὰς Ἀθήνας Tat. 4 Ὀρφεύς τε καὶ M.] Ὀρφέως μαθητὴς
M. Tat. < Tat. bei Eus. 7 Διονύσιος] Δεινίας Valckenaer vgl. F. Jacoby, Beitr.
z. alt. Gesch. 2 (1902) p. 423[1] Ἀγίας Valckenaer αἰγίας L ἄγις Eus. Δερκύλλος
Eus. O 8 πανήμου] πανέμου Eus. γὰρ < Eus. [γὰρ] Tannery 9 μηνὸς < Eus.
10f. vielleicht [πληθνούσης σελήνης] Tannery 12 ἔην Eus. ἤν L 14 ἐπέτελε L
15 ⟨δὲ⟩ aus Eus. σκιροφωριῶνος L ὁ < Eus. 19 ἀποδείκνυται] ἐπιδείκνυσι Eus.
21 ἐκθεοῦται] ἀποθεοῦται Eus. 22 Ἰάσωνα L

5*

διος Ἀπολλώνιος ἐν τοῖς Ἀργοναυτικοῖς. ἀπὸ δὲ τῆς Ἡρακλέους ἐν 3
Ἄργει βασιλείας ἐπὶ τὴν Ἡρακλέους αὐτοῦ καὶ Ἀσκληπιοῦ ἀποθέωσιν
ἔτη συνάγεται τριάκοντα ὀκτὼ κατὰ τὸν χρονογράφον Ἀπολλόδωρον.
ἐντεῦθεν δὲ ἐπὶ τὴν Κάστορος καὶ Πολυδεύκους ἀποθέωσιν ἔτη πεν- 4
5 τήκοντα τρία. ἐνταῦθά που καὶ ἡ Ἰλίου κατάληψις. εἰ δὲ χρὴ 5
πείθεσθαι καὶ Ἡσιόδῳ τῷ ποιητῇ, ἀκούσωμεν αὐτοῦ·

Ζηνὶ δ᾽ ἄρα Ἀτλαντὶς Μαίη τέκε κύδιμον Ἑρμῆν,
κήρυκ᾽ ἀθανάτων, ἱερὸν λέχος εἰσαναβᾶσα·
Καδμείη δ᾽ ἄρα οἱ Σεμέλη τέκε φαίδιμον υἱόν,
10   μιχθεῖσ᾽ ἐν φιλότητι, Διώνυσον πολυγηθῆ.

Κάδμος μὲν ὁ Σεμέλης πατὴρ ἐπὶ Λυγκέως εἰς Θήβας ἔρχεται καὶ 106, 1
τῶν Ἑλληνικῶν γραμμάτων εὑρετὴς γίνεται, Τριόπας δὲ συγχρονεῖ
Ἴσιδι ἑβδόμῃ γενεᾷ ἀπὸ Ἰνάχου (Ἶσιν δὲ τὴν καὶ Ἰώ φασιν διὰ τὸ
ἰέναι αὐτὴν διὰ πάσης τῆς γῆς πλανωμένην), ταύτην δὲ Ἴστρος ἐν
15 τῷ περὶ τῆς Αἰγυπτίων ἀποικίας Προμηθέως θυγατέρα φησί. Προ- 2
μηθεὺς δὲ κατὰ Τριόπαν ἑβδόμῃ γενεᾷ μετὰ Μωυσέα, ὥστε καὶ πρὸ
τῆς καθ᾽ Ἕλληνας ἀνθρωπογονίας ὁ Μωυσῆς ἠκμακέναι φαίνεται.
Λέων δὲ ὁ τὰ περὶ τῶν κατ᾽ Αἴγυπτον θεῶν πραγματευσάμενος τὴν 3
Ἶσιν ὑπὸ Ἑλλήνων Δήμητρα καλεῖσθαί φησιν, ἣ κατὰ | Λυγκέα γίνεται 383 P
20 ἐνδεκάτῃ ὕστερον Μωυσέως γενεᾷ. Ἆπίς τε ὁ Ἄργους βασιλεὺς 4
Μέμφιν οἰκίζει, ὥς φησιν Ἀρίστιππος ἐν πρώτῃ Ἀρκαδικῶν. τοῦτον 5
δὲ Ἀριστέας ὁ Ἀργεῖος ἐπονομασθῆναί φησι Σάραπιν καὶ τοῦτον
εἶναι ὃν Αἰγύπτιοι σέβουσιν, Νυμφόδωρος δὲ ὁ Ἀμφιπολίτης ἐν 6
τρίτῳ Νομίμων Ἀσίας τὸν Ἆπιν τὸν ταῦρον τελευτήσαντα καὶ ταρι-
25 χευθέντα εἰς σορὸν ἀποτεθεῖσθαι ἐν τῷ ναῷ τοῦ τιμωμένου δαίμονος,
κἀντεῦθεν Σορόαπιν κληθῆναι καὶ Σάραπιν συνηθείᾳ τινὶ τῶν ἐγ-
χωρίων ὕστερον. Ἆπις δὲ τρίτος ἐστὶν ἀπὸ Ἰνάχου. καὶ μὴν ἡ 107, 1
Λητὼ κατὰ Τιτυὸν γίνεται,

7—10 Hesiod. Theog. 938—941; Apostolios Cent. VIII 34 I   13 Ἴσιν ... Ἰώ]
es liegt das bekannte »ὁ καί« bei Doppelnamen vor, z. B. Σαῦλος ὁ καὶ Παῦλος,
Strom. I 121, 1 (Fr).   Zur Ableitung des Namens Io von ἰέναι vgl. Et. Magn. s. v.
βούβασις   14f. Istros Fr. 40 FHG I p. 423; vgl. Plut. Mor. p. 352 A πολλοὶ μὲν
Ἑρμοῦ, πολλοὶ δὲ Προμηθέως ἱστορήκασιν αὐτὴν θυγατέρα   18f. Leon von Pella Fr. 2
FHG II p. 331   19f. vgl. Tatian 41 p. 42, 19f. Schw.   20—23 Aristippos Fr. 1
FHG IV p. 327 (hier auch über Aristeas von Argos)   23—27 Nymphodoros Fr. 20
FHG II p. 380

3 τριάκοντα ὀκτώ] τριάκοντα δύο Müller, Castor. rell. p. 173 τριάκοντα andere
10 διόνυσον L   12 συγχρονεῖ Eus.   13 Ἴσιδι < Eus.   Ἴσιν (ἴσιν L) δὲ τὴν καὶ Ἰώ
φασιν] εἰσὶ δὲ οἳ τὴν Ἰώ φασι Eus.   [τὴν] St   15 φησί corr. aus φασί L¹   17 ἠκ-
μακέναι φαίνεται < Eus.   19 ἴσην L   Δήμητραν Eus   25 ἀποτεθεῖσθαι ἐν Eus.
ἀποτίθεσθαι L   26f. συνηθείᾳ—ἐγχωρίων < Eus.   27 ἐστὶν < Eus.

Λητὼ γὰρ ἥλκησε, Διὸς κυδρὴν παράκοιτιν,

Τιτυὸς δὲ συνεχρόνισεν Ταντάλῳ. εἰκότως ἄρα καὶ ὁ Βοιώτιος Πίν- 2
δαρος γράφει· »ἐν χρόνῳ δὲ γένετ᾽ Ἀπόλλων,« καὶ οὐδὲν θαυμαστόν,
ὅπου γε καὶ Ἀδμήτῳ θητεύων εὑρίσκεται σὺν καὶ Ἡρακλεῖ »μέγαν
5 εἰς ἐνιαυτόν«. Ζῆθος δὲ καὶ Ἀμφίων οἱ μουσικῆς εὑρεταὶ περὶ τὴν 3
Κάδμου γεγόνασιν ἡλικίαν. κἂν τις ἡμῖν λέγῃ Φημονόην πρώτην 4
χρησμῳδῆσαι Ἀκρισίῳ, ἀλλ᾽ ἴστω γε ὅτι μετὰ Φημονόην ἔτεσιν ὑστε-
ρον εἴκοσι ἑπτὰ οἱ περὶ Ὀρφέα καὶ Μουσαῖον καὶ Λίνον τὸν
Ἡρακλέους διδάσκαλον. Ὅμηρος δὲ καὶ Ἡσίοδος πολλῷ νεώτεροι τῶν 5
10 Ἰλιακῶν, μεθ᾽ οὓς μακρῷ νεώτεροι οἱ παρ᾽ Ἕλλησι νομοθέται,
Λυκοῦργός τε καὶ Σόλων, καὶ οἱ ἑπτὰ σοφοί, οἵ τε ἀμφὶ τὸν Σύριον
Φερεκύδην καὶ Πυθαγόραν τὸν μέγαν κάτω που περὶ τὰς ὀλυμπιάδας
γενόμενοι, ὡς παρεστήσαμεν. καὶ θεῶν ἄρα τῶν πλείστων παρ᾽ 6
Ἕλλησιν, οὐ μόνον τῶν λεγο|μένων σοφῶν τε καὶ ποιητῶν, ὁ Μωυ- 384 P
15 σῆς ἡμῖν ἀποδέδεικται πρεσβύτερος.

Καὶ οὔτι γε μόνος οὗτος, ἀλλὰ καὶ ἡ Σίβυλλα Ὀρφέως παλαιο- 108, 1
τέρα· λέγονται γὰρ καὶ περὶ τῆς ἐπωνυμίας αὐτῆς καὶ περὶ τῶν
χρησμῶν τῶν καταπεφημισμένων ἐκείνης εἶναι λόγοι πλείους, Φρυ-
γίαν τε οὖσαν κεκλῆσθαι Ἄρτεμιν καὶ ταύτην παραγενομένην εἰς
20 Δελφοὺς ᾆσαι·

ὦ Δελφοί, θεράποντες ἑκηβόλου Ἀπόλλωνος, 2
ἦλθον ἐγὼ χρήσουσα Διὸς νόον αἰγιόχοιο,
αὐτοκασιγνήτῳ κεχολωμένη Ἀπόλλωνι.

ἔστι δὲ καὶ ἄλλη Ἐρυθραία Ἡροφίλη καλουμένη· μέμνηται τούτων 3
25 Ἡρακλείδης ὁ Ποντικὸς ἐν τῷ Περὶ χρηστηρίων. ἐῶ δὲ τὴν Αἰγυπτίαν
καὶ τὴν Ἰταλήν, ἣ τὸ ἐν Ῥώμῃ Κάρμαλον ᾤκησεν, ἧς υἱὸς Εὔ-

---

1 λ 580   3 Pindar Fr. 147 Schroeder   3—5 vgl. Tatian 21 p. 23, 9 f. Schw.;
Euseb. Chron. II p. 7 Schöne; Plut. Mor. p. 761 E *λέγεται δὲ (Ἡρακλῆς) καὶ τὴν*
Ἄλκηστιν ... σῶσαι τῷ Ἀδμήτῳ χαριζόμενος ... καὶ γὰρ τὸν Ἀπόλλωνα μυθολογοῦσιν
ἐραστὴν γενόμενον »Ἀδμήτῳ παραθητεῦσαι μέγαν εἰς ἐνιαυτόν« (Nachahmung von
Φ 444; viell. von Rhianos, vgl. Schol. Eur. Alk. 2; Meineke, Anal. Al. S. 180 u.
ähnlich Panyasis, Herakl. Fr. 16 Kinkel); Apollodor Bibl. III 10,4 Rhianos fr.
incert. 10 Powell 11   11—13 vgl. Strom. I 59—65   16—S. 70, 2 vgl. Hesychius s. v.
Σίβυλλα; E. Maass, De Sibyll. ind. und De biogr. graec. quaest. p. 123 sq   17—25 Hera-
kleides Pont. Fr. 96 Voss, fr. 130 Wehrli 7, 40, 20—29; vgl. FHG II p. 197 Anm.

3 δὲ γένετ᾽] δ᾽ ἔγεντ᾽ Boeckh   5 μουοικῆς (η in Ras.) L¹   7 φιμονόην L   8 εἰ-
κοσιεπτὰ L κζ᾽ Eus.   10 οὓς] + δὲ L, aber von L¹ getilgt   13 γενόμενοι Eus. γενο-
μένους L   17 λέγονται Di λέγεται L   18 καταπεφηνισμένων L   24 τούτων] vgl.
Maass, Herm. 18 (1883) S. 335¹.

ανδρος ὁ τὸ ἐν Ῥώμῃ τοῦ Πανὸς ἱερὸν τὸ Λουπέρκιον καλούμενον κτίσας.

Ἄξιον δὴ ἐνταῦθα γενομένους διερευνῆσαι καὶ τῶν ἄλλων τῶν 109, 1 μετὰ Μωσέα παρὰ τοῖς Ἑβραίοις προφητῶν τοὺς χρόνους.

5 Μετὰ τὴν Μωυσέως τοῦ βίου τελευτὴν διαδέχεται τὴν ἡγεμονίαν 2 τοῦ λαοῦ Ἰησοῦς πολεμῶν μὲν ἔτη † ξε′, ἐν δὲ τῇ γῇ τῇ ἀγαθῇ ἄλλα πέντε καὶ | εἴκοσι ἀναπαυσάμενος. ὡς δὲ τὸ βιβλίον τοῦ Ἰησοῦ πε- 3 140 S ριέχει, διεδέξατο τὸν Μωυσέα ὁ προειρημένος ἀνὴρ ἔτη κϛ′. ἔπειτα 4 ἁμαρτόντες οἱ Ἑβραῖοι παραδίδονται Χουσαχὰρ βασιλεῖ Μεσοποτα- 10 μίας ἔτεσιν ὀκτώ, ὡς ἡ τῶν Κριτῶν ἱστορεῖ βίβλος· δεηθέντες δὲ 5 ὕστερον τοῦ θεοῦ λαμβάνουσιν ἡγεμόνα Γοθονιὴλ τὸν ἀδελφὸν τοῦ Χαλὲβ τὸν νεώτερον ἐκ φυλῆς Ἰούδα, ὃς ἀποκτείνας τὸν τῆς Μεσο- ποταμίας βασιλέα ἦρξε τοῦ λαοῦ ἔτεσιν ἐφεξῆς ν′. καὶ πάλιν ἁμαρ- 6 τόντες παρεδόθησαν Αἰγλὼμ βασιλεῖ Μωαβιτῶν ἔτεσιν ὀκτωκαίδεκα, 15 ἐπιστρεψάντων δὲ | αὐτῶν αὖθις ἡγήσατο αὐτῶν Ἀὼδ ἔτεσιν ὀγδοή- 385 P κοντα, ἀνὴρ ἀμφοτεροδέξιος ἐκ φυλῆς Ἐφραΐμ· οὗτός ἐστιν ὁ ἀνελὼν τὸν Αἰγλώμ. τελευτήσαντος δὲ Ἀὼδ ἁμαρτήσαντες αὖθις παρεδό- 110, 1 θησαν βασιλεῖ Χαναὰν Ἰαβεὶμ ἔτεσιν εἴκοσι· ἐπὶ τούτου προφητεύει Δεββώρα γυνὴ Λαβιδὼθ ἐκ φυλῆς Ἐφραΐμ, καὶ ἦν ἀρχιερεὺς Ὀζιοῦς 20 ὁ τοῦ Ῥινσοῦ. διὰ ταύτης ἡγησάμενος τῆς στρατιᾶς Βαρὰκ ὁ τοῦ 2 Βεννὴρ ἐκ φυλῆς Νεφθαλὶμ παραταξάμενος Σισάρᾳ τῷ ἀρχιστρατήγῳ τοῦ Ἰαβεὶμ ἐνίκησε, καὶ ἦρξεν ἐντεῦθεν τοῦ λαοῦ διακρίνουσα ἡ Δεββώρα ἔτη τεσσαράκοντα. τελευτησάσης δὲ αὐτῆς ἁμαρτὼν αὖθις 3 ὁ λαὸς παραδίδοται Μαδιηναίοις ἔτη ἑπτά. ἐπὶ τούτοις Γεδεὼν ἐκ 4 25 φυλῆς Μανασσῆ ὁ τοῦ Ἰωᾶς τριακοσίους ἐκστρατεύσας καὶ δώδεκα

3ff. zu den bibl.-chronol. Angaben vgl. J. Raška, Chronologie der Bibel (Wien 1878), bes. S. 322ff. 5 § 109—§ 136 benützt im Liber Generationis d. h. in der Chronik des Hippolytos (Chron. min. ed. Mommsen I). Vgl. die Zusammenstellung in Chronica minora coll. et em. C. Frick I praef. p. VI—XXV 6 vgl. Exod 20, 12 7f. nicht bei Josua; aber vgl. die Masoretenbemerkung am Schluß des Buches Josua (ed. Bär p. 129); Augustin De civ. Dei 18, 11; Euseb. Chronic. p. 104. 112 Schoene; Sulpic. Sever. Chron. I 23, 8 8—17 vgl. Iud 3, 8. 9. 10. 11. 14. 15. 21. 30. 12 ἐκ φυλῆς Ἰούδα vgl. Num 13, 7 17—22 vgl. Iud 4 19f. vgl. Paral I 6, 5. 51; ἐκ φυλῆς Ἐφραΐμ vgl. Iud 5, 14 22f. vgl. Iud 5, 31 23—S. 71, 1 vgl. Iud 6, 1. 11; 7, 7; 8, 10 24f. ἐκ φυλῆς Μανασσῆ vgl. Iud 6, 15

1 Πανὸς Vi παντὸς L Λούπερκον Sibyll. Prol. S. 2, 41 Geffcken; Schol. zu Plato Phaedr. p. 244 B Λουπερκάλιον Maass, De Sib. ind. p. 34 (vgl. Dion. Hal. Antiqu. Rom. I 32,3) 6 ἰησοῦς τὸν λαοῦ L (Stellung geändert von L¹) ξε′] ε′ Clinton, Fast. Hell. I p. 302 (dazu stimmte Ios 14, 7ff.) β′ St ξξ (sex Lib. Gen.) Anonymus in Misc. Obs. Amstel. 1734 vol. 4 I p. 103 9 ἁμαρτόντες (ὁ corr. aus ῶ) L¹ 16 nach ἀμφοτεροδέξιος ist ἔτεσιν ὀγδοήκοντα von L¹ getilgt 21 Βεννὴρ] Aminoen Lib. Gen. Ἀβινεὲμ Richt. 4, 6 ἀρχιστρατήγωι (ωι in Ras.) L¹ 23 δεββώρα L τεσσεράκοντα L

μυριάδας αὐτῶν ἀπολέσας ἦρξεν ἔτη τεσσαράκοντα, μεθ᾽ ὃν ὁ υἱὸς
αὐτοῦ Ἀβιμέλεχ ἔτη τρία. διαδέχεται τοῦτον Βωλεᾶς υἱὸς Βηδᾶν 5
υἱοῦ Χαρρὰν ἐκ φυλῆς Ἐφραῒμ ἄρξας ἔτη τρία πρὸς τοῖς εἴκοσι. μεθ᾽
ὃν ἐξαμαρτὼν πάλιν ὁ λαὸς ἔτεσιν ὀκτωκαίδεκα Ἀμμανίταις παρα-
5 δίδοται. μετανοησάντων δὲ αὐτῶν ἡγεῖται Ἰεφθαὲ ὁ Γαλααδίτης ἐκ 111, 1
φυλῆς Μανασσῆ καὶ ἦρξεν ἔτη ἕξ, μεθ᾽ ὃν ἦρξεν Ἀβατθὰν ὁ ἐκ
Βηθλεὲμ φυλῆς Ἰούδα ἔτη ἑπτά, ἔπειτα Ἑβρὼν ὁ Ζαβουλωνίτης ἔτη
ὀκτώ, ἔπειτα Ἐγλὼμ Ἐφραῒμ ἔτη ὀκτώ. ἔνιοι δὲ τοῖς τοῦ Ἀβατθὰν
ἔτεσιν ἑπτὰ συνάπτουσι τὰ Ἑβρὼν ὀκτὼ ἔτη. καὶ μετὰ τοῦτον ἐξα- 2
10 μαρτὼν πάλιν ὁ λαὸς ὑπὸ ἀλλοφύλοις γίνεται τοῖς Φυλιστιεὶμ ἔτη
τεσσαράκοντα. ἐπιστρεψάντων δὲ αὐτῶν Σαμψὼν ἡγεῖται ἐκ φυλῆς
Δάν, νικήσας ἐν πολέμῳ τοὺς ἀλλοφύλους. οὗτος ἦρξεν ἔτεσιν εἴκοσι.
καὶ μετὰ τοῦτον ἀναρχίας οὔσης διέκρινε τὸν λαὸν Ἠλὶ ὁ ἱερεὺς 8
τεσσαράκοντα ἔτη. τοῦτον δὲ διαδέχεται Σαμουὴλ ὁ προφήτης, σὺν 4
15 οἷς Σαοὺλ ἐβασίλευσεν, ἔτη εἴκοσι ἑπτὰ | κατασχών. οὗτος καὶ τὸν 386 P
Δαβὶδ ἔχρισεν. ἐτελεύτα δὲ Σαμουὴλ δυοῖν ἐτῶν πρότερος τοῦ Σαοὺλ 112, 1
ἐπὶ ἀρχιερέως Ἀβιμέλεχ. οὗτος τὸν Σαοὺλ εἰς βασιλέα ἔχρισεν, ὃς
πρῶτος ἐβασίλευσεν ἐπὶ Ἰσραὴλ μετὰ τοὺς κριτάς, ὧν ὁ πᾶς ἀριθμὸς
ἕως τοῦ Σαμουὴλ γίνεται ἔτη τετρακόσια ἑξήκοντα τρία μῆνες ἑπτά.
20 ἔπειτα διὰ τῆς πρώτης βίβλου τῶν Βασιλειῶν τοῦ Σαοὺλ ἔτη εἴκοσι, 2
ἐπεὶ ἀνακαινισθεὶς ἐβασίλευσε. μετὰ δὲ τὴν τελευτὴν Σαοὺλ βασιλεύει 8
Δαβὶδ τὸ δεύτερον ἐν Χεβρὼν ὁ τοῦ Ἰεσσαὶ ἐκ φυλῆς Ἰούδα ἔτη
τεσσαράκοντα, ὡς περιέχει ἡ δευτέρα τῶν Βασιλειῶν, καὶ ἦν ἀρχιε-
ρεὺς Ἀβιάθαρ ὁ τοῦ Ἀβιμέλεχ ἐκ συγγενείας Ἡλί, προφητεύουσι δὲ
25 Γὰδ καὶ Νάθαν ἐπ᾽ αὐτοῦ. γίνονται οὖν ἀπὸ Ἰησοῦ τοῦ Ναυῆ ἕως 4
παρέλαβε τὴν βασιλείαν Δαβίδ, ὡς μέν τινες, ἔτη τετρακόσια πεντή-
κοντα, ὡς δὲ ἡ προκειμένη δείκνυσι χρονογραφία, συνάγονται ἔτη
πεντακόσια εἴκοσι τρία μῆνες ἑπτὰ εἰς τὴν τοῦ Δαβὶδ τελευτήν. καὶ 113, 1
μετὰ ταῦτα ἐβασίλευσε Σολομὼν υἱὸς Δαβὶδ ἔτη τεσσαράκοντα. διαμένει

1—5 vgl. Iud 8, 28; 9, 22; 10, 1. 2. 8　5—12 vgl. Iud 12; 13, 1f.; 16, 31　6 „6
Jahre" auch im masor. Text und A; die anderen Hss „60 Jahre"　7 Ἑβρὼν] Ἐγλὼμ
E. Nestle ZatW 28, 1908, 150　13f. vgl. I Reg 4, 18　14—21 vgl. I Reg 16, 13;
25, 1; 21, 1; 10, 1; 11, 15 u. Joseph. Ant. VI 14, 9　14 „40" auch im mas. Text, die
Septuag.-Hss haben „20"　21—25 vgl. II Reg 2, 1; III Reg 2, 11. 26; I Reg 22, 20. 5;
II Reg 12, 1　26f. vgl. Act 13, 20　28—S. 72, 4 vgl. III Reg 11, 42. 29; 2, 35; 4, 4

2 Ἀβιμέλεχ Po aus Iud 9, 22 ἀχιμέλεχ L　Βωλεᾶς] Θωλεᾶς Lowth Thole Lib.
Gen. Θωλᾶ Iud 10, 1　Βηδᾶν (Bedan heißt ein Richter I Reg 12, 11, wo LXX
dafür Βαράκ haben)] Falae Lib. Gen. Φονά Iud 10, 1　6 Ἀβατθὰν] Ἀβαισὰν
Iud 12, 8　7 ἑπτά (α in Ras.) L¹　Ἑβρὼν] Αἰλὼμ Iud 12, 12　8 Ἐγλὼμ] Ἀβδὼν
Iud 12, 13　9 ὀκτὼ Lowth τεσσαράκοντα (d. i. μ statt η) L　14 τεσσαράκοντα] so
auch I Reg 4, 18 Hebr. εἴκοσι LXX　21 ἐπεὶ ἀνακαινισθεὶς Sy ἐπιανακαινισθεὶς L
27 χρονογραφία (χρ in Ras.) L¹

ἐπὶ τούτου Νάθαν προφητεύων, ὃς καὶ παρεκάλει αὐτὸν περὶ τῆς
τοῦ ναοῦ οἰκοδομῆς· ὁμοίως καὶ Ἀχίας ἐκ Σηλὼμ προφητεύει, ἦσαν
δὲ καὶ οἱ βασιλεῖς ἄμφω, ὅ τε Δαβὶδ ὅ τε Σολομών, προφῆται. Σαδὼκ 2
δὲ ὁ ἀρχιερεὺς πρῶτος ἐν τῷ ναῷ, ὃν ᾠκοδόμησε Σολομών, ἱεράτευσεν,
5 ὄγδοος ὢν ἀπὸ Ἀαρὼν τοῦ πρώτου ἀρχιερέως. γίνονται οὖν ἀπὸ 3
Μωυσέως ἐπὶ τὴν Σολομῶνος ἡλικίαν, ὡς μέν τινές φασιν, ἔτη πεν-
τακόσια ἐνενήκοντα πέντε, ὡς δὲ ἕτεροι, πεντακόσια ἑβδομήκοντα ἕξ.
εἰ δέ τις τοῖς ἀπὸ Ἰησοῦ μέχρι Δαβὶδ τετρακοσίοις πεντήκοντα ἔτεσι 4
συγκαταριθμῆσαι τὰ τῆς Μωυσέως στρατηγίας τεσσαράκοντα καὶ τὰ
10 ἄλλα τὰ ὀγδοήκοντα ἔτη, ἃ γεγόνει ὁ Μωυσῆς πρὸ τοῦ τὴν ἔξοδον
τοῖς Ἑβραίοις ἀπὸ Αἰγύπτου γεγονέναι, προσθείη τε τούτοις τὰ τῆς
βασιλείας τῆς Δαβὶδ τεσσαράκοντα ἔτη, συνάξει ἔτη τὰ πάντα ἑξα-
κόσια δέκα. ἀκριβέστερον δὲ ἡ καθ' ἡμᾶς χρονογραφία πρόεισιν, εἰ 114, 1
τοῖς πεντακοσίοις εἴκοσι καὶ τρισὶ καὶ μησὶν ἑπτὰ μέχρι τῆς Δαβὶδ
15 τελευτῆς προσθείη τις τά τε τοῦ Μωυσέως ἑκατὸν εἴκοσι ἔτη τά τε
τοῦ Σολομῶνος τεσσαράκοντα· συνάξει γὰρ τὰ πάντα ἐπὶ τὴν Σολο-
μῶνος τελευτὴν ἔτη ἑξακόσια ὀγδοήκοντα τρία μῆνας ἑπτά. Εἴραμος 2
τὴν ἑαυτοῦ θυγατέρα Σολομῶνι δίδωσι καθ' οὓς | χρόνους μετὰ τὴν 387 P
Τροίας ἅλωσιν Μενελάῳ εἰς Φοινίκην ἄφιξις, ὥς φησι Μένανδρος ὁ
20 Περγαμηνὸς καὶ Λαῖτος ἐν τοῖς Φοινικικοῖς. μετὰ δὲ Σολομῶνα 3
βασιλεύει Ῥοβοὰμ υἱὸς αὐτοῦ ἔτη ἑπτακαίδεκα, καὶ ἦν ἀρχιερεὺς
Ἀβιμέλεχ ὁ τοῦ Σαδώκ. ἐπὶ τούτου μερισθείσης τῆς βασιλείας ἐν 4
Σαμαρείᾳ βασιλεύει Ἱεροβοὰμ ἐκ φυλῆς Ἐφραῒμ ὁ δοῦλος Σολομῶνος,
προφητεύει δὲ ἔτι Ἀχίας ὁ Σηλωνίτης καὶ Σαμαίας υἱὸς Αἰλαμὶ καὶ
25 ὁ ἐξ Ἰούδα ἀπελθὼν ἐπὶ Ἱεροβοὰμ καὶ προφητεύσας ἐπὶ τοῦ θυσια-
στηρίου. μετὰ τοῦτον βασιλεύει Ἀβιοὺμ | υἱὸς αὐτοῦ ἔτη [εἴκοσι] 115,1 14
τρία, καὶ ὁμοίως ὁ τούτου υἱὸς Ἄσα μα'· οὗτος ἐπὶ γήρως ἐποδάγρησε,

   5 vgl. Paral 1 6, 8. 53 (ὄγδοος ist falsch) 6f. vgl. Euseb. Chron. p. 101 Schoene
At Clemens a Jesu Mosis successore usque ad templi aedificationem colligit annos
DLXXIV, quod a primo eius libro (Stromatum) ediscere licet. — Daraus stammt:
Ἐκλογὴ ἱστοριῶν bei Cramer, Anecd. Paris. II p. 178, 19—21 ὁ δὲ Κλήμης τὰ ἀπὸ
Ἰησοῦ τοῦ Μωσέως διαδόχου ἐπὶ τὴν τοῦ ναοῦ κατασκευὴν ἔτη συνάγει φοδ', ὡς καλῶς
τινα (ἔστιν Schw) ἀπὸ τοῦ πρώτου Στρωματέως αὐτοῦ μαθεῖν. 17f. vgl. viell.
III Reg 5, 12; 11, 1 17—20 vgl. Tatian 37 p. 38, 18—39, 6 Schw.; Menandros von
Ephesus Fr. 3 FHG IV p. 447; Laitos Fr. 1 FHG IV p. 437 20—26 vgl. III Reg
14, 21; 12, 20. 22; 13, 1 22f. vgl. III Reg 11, 26; 12, 24b 24 Ἀχίας . . . vgl. III
Reg 14, 2 26f. vgl. III Reg 15, 1f. 10; Paral II 13, 1f.; 16, 13. 12

   17 Εἴραμος L Tat. bei Eus. Χείραμος Tat. HSS 20 λαιτος L χαῖτος Tat. HSS
ἄδιτος oder ἄσιτος Tat. bei Euˢ 24 Αἰλαμὶ Rahlfs ἀμαμὶ L Aelami Lib. Gen.
25 Ἱεροβοὰμ aus III Reg 13, 1 ῥοβοὰμ L 26 [εἴκοσι] Po vgl. Paral II 13, 2 27 Ἄσα
μα' Anonymus in Misc. Obs. Amstel. vol. 4 I p. 105 vgl. III Reg 15, 10; Paral II
16, 13 ἀσαμὰν L

προφητεύει δὲ ἐπ᾽ αὐτοῦ Ἰοὺ υἱὸς Ἀνανίου. μετὰ τοῦτον βασιλεύει
Ἰωσαφὰτ υἱὸς αὐτοῦ ἔτη ⟨κ⟩ε᾽· ἐπὶ τούτου προφητεύουσιν Ἠλίας ὁ
Θεσβίτης καὶ Μιχαίας υἱὸς Ἰεβλᾶ καὶ Ἀβδίας υἱὸς Ἀνανίου. ἐπὶ δὲ 2
Μιχαίου καὶ ψευδοπροφήτης ἦν Σεδεκίας ὁ τοῦ Χαναάν. ἔπεται 8
5 τούτοις ἡ βασιλεία Ἰωρὰμ τοῦ υἱοῦ Ἰωσαφὰτ ἐπὶ ἔτη ὀκτώ, ἐφ᾽ οὗ
προφητεύει Ἠλίας καὶ μετὰ Ἠλίαν Ἐλισσαῖος ὁ τοῦ Σαφάτ. ἐπὶ τούτου 4
οἱ ἐν Σαμαρείᾳ κόπρον ἔφαγον περιστερῖ καὶ τὰ τέκνα τὰ ἑαυτῶν. ὁ
δὲ χρόνος Ἰωσαφὰτ ἀπὸ τῶν ὑστάτων τῆς τρίτης τῶν Βασιλειῶν ἄχρι
τῆς τετάρτης ἐπεκτείνει. ἐπὶ δὲ τοῦ Ἰωρὰμ ἀνελήφθη μὲν Ἠλίας, 5
10 ἤρξατο δὲ προφητεύειν Ἐλισσαῖος υἱὸς Σαφὰτ ἔτη ἓξ, ὢν ἐτῶν τεσ-
σαράκοντα. εἶτα Ὀχοζίας ἐβασίλευσεν ἔτος ἕν, ἐπὶ τούτου ἔτι προ-
φητεύει Ἐλισσαῖος καὶ σὺν αὐτῷ Ἀβδαδωναῖος. μετὰ τοῦτον | ἡ 116,1388P
μήτηρ Ὀζίου Γοθολία βασιλεύει ἔτη ὀκτώ, κατακτείνασα τὰ τέκνα
τοῦ ἀδελφοῦ αὐτῆς· ἐκ γὰρ τοῦ γένους ἦν Ἀχαάβ. ἡ δὲ ἀδελφὴ
15 Ὀζίου Ἰωσαβαία ἐξέκλεψε τὸν υἱὸν Ὀζίου Ἰωὰν καὶ τούτῳ περιέθηκεν
ὕστερον τὴν βασιλείαν. ἐπὶ τῆς Γοθολίας ταύτης ἔτι ὁ Ἐλισσαῖος 2
προφητεύει, μεθ᾽ ἣν βασιλεύει, ὡς προεῖπον, Ἰωὰς ὁ περισωθεὶς ὑπὸ
Ἰωσαβαίας τῆς Ἰωδὰε τοῦ ἀρχιερέως γυναικός, καὶ τὰ πάντα γίνεται
ἔτη τεσσαράκοντα. συνάγεται οὖν ἀπὸ Σολομῶνος ἐπὶ Ἐλισσαίου 8
20 τοῦ προφήτου τελευτὴν ἔτη, ὡς μέν τινές φασιν, ἑκατὸν ε᾽, ὡς δὲ
ἕτεροι, ἑκατὸν δύο, ὡς δὲ ἡ προκειμένη δηλοῖ χρονογραφία, ἀπὸ
βασιλείας τῆς Σολομῶνος ἔτη ἑκατὸν ὀγδοήκοντα ἕν.
   Ἀπὸ δὲ τῶν Τρωϊκῶν ἐπὶ τὴν Ὁμήρου γένεσιν κατὰ μὲν Φιλό- 117,1
χορον ἑκατὸν ὀγδοήκοντα ἔτη γίνεται ὕστερον τῆς Ἰωνικῆς ἀποικίας·
25 Ἀρίσταρχος δὲ ἐν τοῖς Ἀρχιλοχείοις ὑπομνήμασι κατὰ τὴν Ἰωνικὴν 2

1 vgl. III Reg 16, 1 (16, 7); Paral II 19, 2   1—4 vgl. III Reg 22, 41f.; 17, 1;
22, 8. 11; 18, 3; Paral II 20, 31; 18, 8. 10; 17, 7 (Hs A); in der Bibel Vater des Abdias
nicht genannt   4—7 vgl. IV Reg 8, 16f.; III Reg 19, 16; IV Reg 6, 25. 28f.   9—11
vgl. Paral II 2, 11; III Reg 19, 16   10f. vgl. S. Krauss, Jew. Quart. Rev. 5 (1893) S. 138
(in Seder Olam R. XIX ist erzählt, daß Elisa 60 Jahre lang Prophet war)   11f. vgl.
IV Reg 8, 26   12 vgl. S. 84, 12   12—19 vgl. IV Reg 11, 1—3; 12, 1; Paral II 22, 12.
10f.; 23, 11; 24, 1   14 vgl. IV Reg 8, 18; sie heißt IV Reg 8, 26 Tochter Omris,
dessen Enkelin sie ist   23—S. 74, 22 vgl. Plut. De vita et poesi Hom. II 3
23—S. 74, 19 vgl. Tatian 31 p. 32, 1—15 Schw.; vgl. auch Hieron. Chr. p. 66, 9ff.
Helm   23f. Philochoros Fr. 54a FHG I p. 393   25f. vgl. RE II 872, 28

   2 κε᾽ Lowth XXV Lib. Gen. vgl. Paral II 20, 31 ε᾽ L   .3 Ἰεβλᾶ] vielleicht
nur Schreibfehler für Ἰεμλᾶ (Paral II 18, 8)   4 μηχαίου L   10 ἕξ] ξ᾽ = ἑξήκοντα
S. Krauss a. a. O.   13. 15 Ὀζίου] Fehler für Ὀχοζίου IV Reg 11, 1; Paral II 22, 10);
zur Verwechslung vgl. Paral I 3, 11; Mt 1, 9; Allen, Expository Times 11 (1899/
1900) S. 135f.; Nestle, ebenda S. 191   13 γοθολιὰ L   ὀκτώ] ἓξ St (vgl. unten
Z. 22 u. Paral II 23, 1)   14 ἀδελφοῦ] Fehler für υἱοῦ   15 Ἰωὰν St vgl. S. 74, 25
ἰωᾶς L   16 ἐλισαῖος L   19. S. 74, 8 ἐλισαίου L   23f. Φιλόχορον Sy φιλόχωρον L
24 ἀποικίας ⟨γενομένην⟩ Fr

ἀποικίαν φησὶ φέρεσθαι αὐτόν, ἢ ἐγένετο μετὰ ἑκατὸν τεσσαράκοντα
ἔτη τῶν Τρωϊκῶν. Ἀπολλόδωρος δὲ μετὰ ἔτη ἑκατὸν τῆς Ἰωνικῆς 8
ἀποικίας Ἀγησιλάου τοῦ Δορυσσαίου Λακεδαιμονίων βασιλεύοντος,
ὥστε ἐπιβαλεῖν αὐτῷ Λυκοῦργον τὸν νομοθέτην | ἔτι νέον ὄντα. 389 P
5 Εὐθυμένης δὲ ἐν τοῖς Χρονικοῖς συνακμάσαντα Ἡσιόδῳ ἐπὶ Ἀκάστου 4
ἐν Χίῳ γενέσθαι περὶ τὸ διακοσιοστὸν ἔτος ὕστερον τῆς Ἰλίου ἁλώ-
σεως. ταύτης δέ ἐστι τῆς δόξης καὶ Ἀρχέμαχος ἐν Εὐβοϊκῶν τρίτῳ· 5
ὡς εἶναι αὐτόν τε καὶ τὸν Ἡσίοδον καὶ Ἐλισσαίου τοῦ προφήτου
νεωτέρους. κἂν ἕπεσθαί τις βουληθῇ τῷ γραμματικῷ Κράτητι καὶ 6
10 λέγῃ περὶ τὴν Ἡρακλειδῶν κάθοδον Ὅμηρον γεγονέναι μετὰ ἔτη
ὀγδοήκοντα τῆς Ἰλίου ἁλώσεως, εὑρεθήσεται πάλιν Σολομῶνος
μεταγενέστερος, ἐφ' οὗ ἡ Μενελάου εἰς Φοινίκην ἄφιξις, ὡς προεί-
ρηται. Ἐρατοσθένης δὲ μετὰ τὸ ἑκατοστὸν ἔτος τῆς Ἰλίου ἁλώσεως 7
τὴν Ὁμήρου ἡλικίαν φέρει. καὶ μὴν Θεόπομπος μὲν ἐν τῇ τεσσαρα- 8
15 κοστῇ τρίτῃ τῶν Φιλιππικῶν μετὰ ἔτη πεντακόσια τῶν ἐπὶ Ἰλίῳ
στρατευσάντων γεγονέναι τὸν Ὅμηρον ἱστορεῖ. Εὐφορίων δὲ ἐν τῷ 9
περὶ Ἀλευαδῶν κατὰ Γύγην αὐτὸν τίθησι γεγονέναι, ὃς βασιλεύειν
ἤρξατο ἀπὸ τῆς ὀκτωκαιδεκάτης ὀλυμπιάδος, ὃν καὶ φησι πρῶτον
ὠνομάσθαι τύραννον. Σωσίβιος δὲ ὁ Λάκων ἐν χρόνων ἀναγραφῇ 10
20 κατὰ τὸ ὄγδοον ἔτος τῆς Χαρίλλου τοῦ Πολυδέκτου βασιλείας Ὅμηρον
φέρει. βασιλεύει μὲν οὖν Χάριλλος ἔτη ἑξήκοντα τέσσαρα, μεθ' ὃν
υἱὸς Νίκανδρος ἔτη τριάκοντα ἐννέα· τούτου κατὰ τὸ τριακοστὸν
τέταρτον ἔτος τεθῆναί φησι τὴν πρώτην ὀλυμπιάδα. ὡς εἶναι ἐνενή-
κοντά που ἐτῶν πρὸ τῆς τῶν Ὀλυμπίων θέσεως Ὅμηρον.

25 Μετὰ δὲ τὸν Ἰωὰν διαδέχεται τὴν βασιλείαν Ἀμασίας ὁ υἱὸς 118, 1
αὐτοῦ ἔτη τριάκοντα ἐννέα, τοῦτον Ὀζίας ὁμοίως ὁ υἱὸς αὐτοῦ ἐπὶ

2—4 Apollodor FGrHist 244 F 63ᵇ; vgl. E. Rohde, Kl. Schr. I S. 64ff. 5—7
vgl. Rohde, Kl. Schr. I S. 47ff. Euthymenes FGrHist 243 F 1 7 Archemachos
Fr. 2 FHG IV p. 315 9—11 vgl. Wachsmuth, De Cratete Mallota p. 39 9f. etwas
anders Tatian. der mit Plut. übereinstimmt 12f. προείρηται vgl. S. 72, 19 13f.
Eratosthenes FGrHist 241 F 9ᵃ 14—16 Theopompos FGrHist 115 F 205 16—19
Euphorion Fr. 1 FHG III p. 72 (Fr. 29 Meineke Anal. Alex. p. 65) 19—24 Sosibios
Fr. 2 FHG II p. 625 25—S. 75,6 vgl. IV Reg 14, 1f.; 15, 1f. 5; Amos 1, 1; Is 1, 1;
Os 1, 1; IV Reg 14, 25; Ion 1, 1; 3, 4; 2, 11; IV Reg 15, 32f.; Mich 1, 1; Ioel 1, 1;
vgl. auch Paral II 25, 1; 26, 1. 3. 21; 27, 1

3 Δορυσσόου Cobet S. 503 Δορύσσου St (vgl. Herodot 7, 204; Paus. III 2, 4)
14f. ἐν τῇ τεσσαρακοστῇ τρίτῃ Hervet ἔτη τεσσαρακονταετρία L 15 πεντακόσια +
τέσσαρα Müller, Eratosth. fragm. chronol. p. 197 17 Ἀλευαδῶν Meineke ἁλιαδῶν L
26 τριάκοντα ἐννέα] εἴκοσι καὶ ἐννέα IV Reg 14, 2

ἔτη πεντήκοντα δύο, καὶ λεπρῶν οὗτος ἐτελεύτα· προφητεύουσι δὲ
ἐπ᾽ αὐτοῦ Ἀμὼς καὶ Ἡσαΐας ὁ υἱὸς αὐτοῦ καὶ Ὠσηὲ | ὁ τοῦ Βεηρὶ 390 P
καὶ Ἰωνᾶς ὁ τοῦ Ἀμαθὶ ὁ ἐκ Γὲθ Χοβὲρ ὁ κηρύξας Νινευίταις, ὁ ἐκ
τοῦ κήτους προελθών. ἔπειτα βασιλεύει Ἰωναθὰν ὁ υἱὸς Ὀζίου ἔτη 2
5 ἑκκαίδεκα· ἐπὶ τούτου ἔτι Ἡσαΐας προφητεύει καὶ Ὠσηὲ καὶ Μιχαίας
ὁ Μωρασθίτης καὶ Ἰωὴλ ὁ τοῦ Βαθουήλ. τοῦτον διαδέχεται ὁ υἱὸς 119. 1
αὐτοῦ Ἄχαζ ἐπὶ ἔτη ἑκκαίδεκα· ἐπὶ τούτου πεντεκαιδεκάτῳ ἔτει ὁ
Ἰσραὴλ εἰς Βαβυλῶνα ἀπήχθη Σαλμανασάρ τε ὁ βασιλεὺς τῶν Ἀσ-
συρίων μετῴκισε τοὺς ἐν Σαμαρείᾳ εἰς Μήδους καὶ Βαβυλῶνα. πάλιν 2
10 τὸν Ἄχαζ διαδέχεται Ὠσηὲ ἐπὶ ἔτη ὀκτώ, ἶτα Ἐζεκίας ἐπὶ ἔτη
εἴκοσι ἐννέα. τούτῳ δι᾽ ὁσιότητα πρὸς τῷ τέλει τοῦ βίου γενομένῳ
διὰ Ἡσαΐου δωρεῖται ὁ θεὸς ἄλλα ἔτη βιῶσαι πεντεκαίδεκα δι᾽ ἀνα-
ποδισμοῦ ἡλίου. μέχρι τούτου διατείνουσι προφητεύοντες Ἡσαΐας 8
καὶ Ὠσηὲ καὶ Μιχαίας. λέγονται δὲ οὗτοι μετὰ τὴν Λυκούργου τοῦ
15 νομοθέτου Λακεδαιμονίων ἡλικίαν γεγονέναι· Διευχίδας γὰρ ἐν τε- 4
τάρτῳ Μεγαρικῶν περὶ τὸ διακοσιοστὸν ἐνενηκοστὸν ἔτος ὕστερον
τῆς Ἰλίου ἁλώσεως τὴν ἀκμὴν Λυκούργου φέρει· Ἡσαΐας δὲ ἀπὸ τῆς 5
Σολομῶντος βασιλείας, ἐφ᾽ οὗ Μενέλεως εἰς Φοινίκην γενόμενος
ἐδείχθη, τριακοσιοστῷ ἔτει προφητεύων ἔτι φαίνεται Μιχαίας τε σὺν
20 αὐτῷ καὶ Ὠσηὲ καὶ Ἰωὴλ ὁ τοῦ Βαθουήλ. μετὰ δὲ Ἐζεκίαν ὁ υἱὸς 120, 1
αὐτοῦ Μανασσῆς βασιλεύει ἔτη πεντήκοντα πέντε, ἔπειτα ὁ τούτου
υἱὸς Ἀμὼς ἔτη δύο, μεθ᾽ ὃν Ἰωσίας ὁ υἱὸς αὐτοῦ ὁ νομικώτατος ἔτη
τριάκοντα καὶ ἕν. οὗτος ἐπέθηκε τὰ κῶλα τῶν ἀνθρώπων ἐπὶ τὰ
κῶλα τῶν εἰδώλων, καθὼς ἐν τῷ | Λευιτικῷ γέγραπται. ἐπὶ τούτου 142 S 2

---

2 Der Prophet עמוש mit dem Vater des Jesaias אמוץ verwechselt 6—9 vgl.
IV Reg 16, 1f.; 17, 6; 18, 10f. 7f. falsche Angabe, vielleicht entstanden aus IV Reg
17, 1. 5 9—13 vgl. IV Reg 17, 1. 6 (Hosea, König von Israel, ist durch einen Irrtum
des Autors oder durch Interpolation [so Wachsmuth] hier in die Reihe der Könige
von Juda geraten); 18, 1f.; 20, 6. 11 12 zu ἀναποδισμοῦ ἡλίου vgl. Sir 48, 23
15—17 Dieuchidas Fr. 4 FHG IV p. 389 19 ἐδείχθη vgl. S. 72, 19 20—23 vgl.
IV Reg 21, 1. 19; 22, 1; vgl. auch Paral II 33, 1. 21; 34, 1f. 23f. vgl. Lev 26, 30 u.
IV Reg 23, 14. 20; vgl. auch Paral II 34, 5 24—S. 76,4 vgl. IV Reg 23, 22; 22, 3. 8;
Paral II 35, 18; 34, 8. 14

2 Βεηρὶ] βεὶρ (η übergeschr., nach ι Ras.) L¹ 4 ἰωνάθαν für יותם L (wie LXX B)
ἰωαθὰμ LXX A, IV Reg 15, 7 ἰωαθὰν IV Reg 15, 32 Joatham Lib. Gen. 6 Μω-
ρασθίτης aus Mich 1, 1 μωραθίτης L Morathita Lib. Gen. Βαθονήλ aus Ioel 1, 1
u. unten Z. 20 μαθονήλ L 7 ἄχαζ (τ übergeschr.) L¹ 9 μετῴκισε Sy μετοίκησε L
10 ἄχατζ L [Ὠσηὲ—εῖτα] Wachsmuth vgl. Frick p. XVI 11 δι᾽ Sy δ᾽ L 14 nach
τὴν ist το von L¹ getilgt μετά] κατά Ja² 15 nach νομοθέτου ist ἤ von L¹ getilgt
19 τριακοσιοστῷ Bentley, Briefe des Phalaris (Deutsch v. Ribbeck) p. 118⁰ δια-
κοσιοστῷ L 21 μανασσῆς L¹ μανασῆς L* 21 πέντε] ε̄ L

ὀκτωκαιδεκάτῳ ἔτει τὸ πάσχα ἤχθη, ἐξ οὗ † ἀπὸ Σαμουήλ, μήτε ἐν
τῷ μεταξὺ χρόνῳ τελεσθέν. τότε καὶ Χελκίας ὁ ἱερεὺς ὁ τοῦ προ-
φήτου Ἱερεμίου πατὴρ περιτυχὼν τῷ τοῦ νόμου βιβλίῳ | ἐν τῷ 391 P
ἱερῷ ἀποκειμένῳ ἀναγνοὺς ἐτελεύτησεν. ἐπὶ τούτου προφητεύει
5 Ὀλδᾶ καὶ Σοφονίας καὶ Ἱερεμίας. ἐπὶ δὲ Ἱερεμίου ψευδοπροφήτης 8
γίνεται Ἀνανίας. ὁ Ἰωσίας οὗτος παρακούσας Ἱερεμίου τοῦ προ-
φήτου ὑπὸ Νεχαὼ βασιλέως Αἰγύπτου ἀνῃρέθη κατὰ ποταμὸν
Εὐφράτην, ὁρμῶντι αὐτῷ πρὸς Ἀσσυρίους ἀπαντήσας. Ἰωσίαν δια-121, 1
δέχεται Ἰεχονίας, ⟨ὁ⟩ καὶ Ἰωάχας, ὁ υἱὸς αὐτοῦ μῆνας τρεῖς καὶ
10 ἡμέρας δέκα. τοῦτον Νεχαὼ βασιλεὺς Αἰγύπτου δήσας ἀπήγαγεν εἰς
Αἴγυπτον, καταστήσας ἀντ᾽ αὐτοῦ βασιλέα τὸν ἀδελφὸν αὐτοῦ Ἰωα-
κεὶμ ἐπὶ φόρῳ τῆς γῆς ἔτη ἕνδεκα. μετὰ τοῦτον ὁ ὁμώνυμος αὐτοῦ 2
Ἰωακεὶμ τρίμηνον βασιλεύει, εἶτα Σεδεκίας ἔτη ἕνδεκα. καὶ μέχρι 8
τούτου προφητεύων διατείνει Ἱερεμίας, προφητεύουσι δὲ καὶ Βουζὶ
15 καὶ Οὐρίας ὁ υἱὸς Σαμαίου καὶ Ἀμβακοὺμ σὺν αὐτῷ, καὶ τέλος ἔχει
τὰ τῶν Ἑβραϊκῶν βασιλέων. γίνονται οὖν ἀπὸ μὲν τῆς Μωυσέως 4
γενέσεως ἕως τῆς μετοικεσίας ταύτης ἔτη, ὡς μέν τινες, ἐννακόσια
ἑβδομήκοντα δύο, κατὰ δὲ τὴν ἀκριβῆ χρονογραφίαν χίλια ὀγδοή-
κοντα πέντε μῆνες ἓξ ἡμέραι δέκα· ἀπὸ δὲ τῆς Δαβὶδ βασιλείας ἕως
20 τῆς αἰχμαλωσίας τῆς ὑπὸ Χαλδαίων γενομένης ἔτη τετρακόσια πεν-
τήκοντα δύο μῆνες ἕξ, ὡς δὲ ἡ καθ᾽ ἡμᾶς τῶν χρόνων ἀκρίβεια
συνάγει, ἔτη τετρακόσια ὀγδοήκοντα δύο μῆνες ἓξ ἡμέραι δέκα.

Ἐν δὲ τῷ δωδεκάτῳ ἔτει τῆς Σεδεκίου βασιλείας Ναβουχοδονόσορ 122, 1
πρὸ τῆς Περσῶν | ἡγεμονίας ἔτεσιν ἑβδομήκοντα ἐπὶ Φοίνικας καὶ 392 P
25 Ἰουδαίους ἐστράτευσεν, ὡς φησι Βήρωσσος ἐν ταῖς Χαλδαϊκαῖς ἱστο-

---

*   4–6 vgl. IV Reg 22, 14; Soph 1, 1; Ier 1, 2; 35 (28), 1; vgl. auch II Paral 34, 22
6–8 vgl. IV Reg 23, 29   8–12 vgl. IV Reg 23, 31 (zu Ἰεχωνίας = Ἰωάχας vgl. Mt
1, 11); 23; 34. 36 vgl. auch Paral II 36, 2. 5   9 zu der falschen Gleichsetzung vgl.
A. Rahlfs Septuagintastudien III 122   12f. vgl. IV Reg 24, 8. 18   12 ὁμώνυμος,
nicht im Hebräischen, wo der Vater יְהוֹיָקִים, der Sohn יְהוֹיָכִין heißt   13–15 vgl.
Ier 27, 3; Ez 1, 2; Ier 33 (26), 20; Hab 1, 6   23–S. 77, 2 vgl. Tatian 36, p. 38, 4–15
Schw.   23–S. 77, 1 Berossos Fr. 14a FHG II p. 508

1 ἐξ οὗ ἀπὸ Σαμουήλ, μήτε] οἷον οὐκ ἀπὸ Σαμουὴλ μήτε Ρο ἐξ οὗ ἀπὸ Σαμουὴλ
⟨ἐβασιλεύθη Ἰσραὴλ⟩ μήτε (vgl. Paral II 35, 18) Wachsmuth ἐξ οὗ ἐπὶ Σαμουήλ,
μηκέτι St   5 σοφωνίας L   6 Ἀνανίας. ὁ Ἰωσίας οὗτος St Ἀνανίας ὁ Ἰωσίου. οὗτος L
Ἀνανίας [ὁ Ἰωσίου]. οὗτος Ρο (Ananias' Vater heißt Ἀζώρ Ier 35 (28), 1)   9 ⟨ὁ⟩
Ρο [Ἰεχωνίας καὶ] Lowth   14 ⟨Ἰεζεκιήλ⟩ Βουζὶ Lowth; doch vgl. S. 84, 13, wo
Βουζὶ auch als Prophet aufgeführt ist, u. S. Krauss, Jew. Quart. Rev. 5 (1893)
S. 138 (Hinweis auf Seder Olam R. XX, wo Zephania, Jeremia, Uria u. Ezechiel,
Sohn des Buzi, als gleichzeitige Propheten genannt werden)   25 Βήρωσσος] βη-
ρωσσὸς Tat. V u. Tat. bei Eus. βηρωσὸς Tat. MP

ρίαις. Ἰόβας δὲ περὶ Ἀσσυρίων γράφων ὁμολογεῖ τὴν ἱστορίαν παρὰ 2
Βηρώσσου εἰληφέναι, μαρτυρῶν τὴν ἀλήθειαν τἀνδρί. ὁ τοίνυν 3
Ναβουχοδονόσορ τυφλώσας τὸν Σεδεκίαν εἰς Βαβυλῶνα ἀπάγει καὶ
τὸν λαὸν πάντα μετοικίζει (καὶ γίνεται ἡ αἰχμαλωσία ἐπὶ ἔτη ἑβδο-
5 μήκοντα) πλὴν ὀλίγων, οἳ εἰς Αἴγυπτον κατέφυγον. προφητεύουσι 4
δὲ καὶ ἐπὶ Σεδεκίου ἔτι Ἱερεμίας καὶ Ἀμβακούμ, ἐν δὲ τῷ πέμπτῳ
ἔτει τῆς βασιλείας αὐτοῦ ἐν Βαβυλῶνι προφητεύει Ἰεζεκιήλ, μεθ' ὃν
Ναοὺμ ὁ προφήτης, ἔπειτα Δανιήλ, πάλιν αὖ μετὰ τοῦτον προφη-
τεύουσιν Ἀγγαῖος καὶ Ζαχαρίας ἐπὶ Δαρείου τοῦ πρώτου ἔτη δύο,
10 μεθ' ὃν ὁ ἐν τοῖς δώδεκα Ἄγγελος. μετὰ δὲ Ἀγγαῖον καὶ Ζαχαρίαν 123, 1
Νεεμίας ὁ ἀρχιοινοχόος Ἀρταξέρξου, υἱὸς δὲ Ἀχηλὶ τοῦ Ἰσραηλίτου,
οἰκοδομεῖ τὴν πόλιν Ἱερουσαλὴμ καὶ τὸν νεὼν ἐπισκευάζει. ἐν τῇ 2
αἰχμαλωσίᾳ ταύτῃ γίνεται Ἐσθὴρ καὶ Μαρδοχαῖος, οὗ φέρεται βιβλίον
ὡς καὶ τὸ τῶν Μακκαβαϊκῶν. κατὰ τὴν αἰχμαλωσίαν ταύτην τῇ 3
15 εἰκόνι λατρεῦσαι μὴ θελήσαντες Μισαὴλ Ἀνανίας τε καὶ Ἀζαρίας εἰς
κάμινον ἐμβληθέντες πυρὸς δι' ἐπιφανείας ἀγγέλου σῴζονται. τότε 4
διὰ δράκοντα Δανιὴλ εἰς λάκκον λεόντων βληθεὶς ὑπὸ Ἀμβακούμ
προνοίᾳ θεοῦ τραφεὶς ἑβδομαῖος ἀνασῴζεται. ἐνταῦθα καὶ τὸ σημεῖον 5
ἐγένετο Ἰωνᾶ, καὶ Τωβίας διὰ Ῥαφαὴλ τοῦ ἀγγέλου Σάρραν ἄγεται
20 γυναῖκα, τοῦ δαίμονος αὐτῆς ἑπτὰ τοὺς πρώτους μνηστῆρας ἀνε-
λόντος, καὶ μετὰ τὸν γάμον Τωβίου ὁ πατὴρ αὐτοῦ Τωβὶτ ἀναβλέπει.
ἐνταῦθα Ζοροβάβελ σοφίᾳ νικήσας τοὺς ἀνταγωνιστὰς τυγχάνει παρὰ 124, 1
Δαρείου ὠνησάμενος ἀνάνεωσιν Ἱερουσαλὴμ καὶ μετὰ Ἔσδρα εἰς τὴν
πατρῴαν γῆν ἀναζεύγνυσι· δι' ὃν γίνεται ἡ ἀπολύτρωσις τοῦ λαοῦ 2
25 καὶ ὁ τῶν θεοπνεύστων ἀναγνωρισμὸς καὶ ἀνακαινισμὸς λογίων καὶ
τὸ σωτήριον ἄγεται πάσχα καὶ λύσις ὀθνείας ἐπιγαμβρείας. προ- 3
κεκηρύχει δὲ καὶ Κῦρος | τὴν Ἑβραίων ἀποκατάστασιν, τελεσθείσης 393 P
δὲ ἐπὶ Δαρείου τῆς ὑποσχέσεως ἡ τῶν ἐγκαινίων ἄγεται ἑορτή,
καθὼς καὶ ἐπὶ τῆς σκηνῆς. καὶ γίνεται τὰ πάντα ἔτη σὺν τοῖς τῆς 4

1f. Juba Fr. 21 FHG III p. 472   2—10 vgl. IV Reg 25, 7. 11. 26; Ier 50 (43), 7;
Ez 1, 2; I Esdr 6, 1   10f. vgl. II Esdr 11, 1; 12, 1   14—16 vgl. Dan 3, 21. 92. 95
16—18 vgl. Bel et Dr 31. 37—40 (Theod.); C. Julius, Bibl. Stud. VI 3/4 S. 47   18f.
vgl. Ion 2, 11   19—21 vgl. Tob 6, 12ff.; 3, 8; 11, 11—13   22—29 vgl. I Esdr 3. 4;
II Esdr 18—20. 23   26f. vgl. II Esdr 1, 1—4   28 vgl. II Esdr 6, 16f.   29 vgl.
II Esdr 18, 14ff.

1 Ἰόβας Tat. ἰοάβας L   vor παρὰ ist β von L¹ getilgt   2 τὴν ἀλήθειαν Di τἀλή-
θειαν L ἀλήθειαν Sy   6 πέμπτῳ] ε L   7 προφητεύει Scaliger (Histor. Synag.) προ-
φητεύουσιν L   9 ἔτει δευτέρῳ Scaliger bei Villoison, Epist. Vinar. 93 vgl. S. 79, 14;
80, 8   10 ἄγγελος Vi vgl. S. 79, 17; 80, 9; 84, 15; Const. Apost. II 28, 7 (Nestle,
Septuagintastudien III S. 13 Anm.); Chrysost. zu Röm. 1, 1 p. 427 D u. ö. ἀγγαῖος L
13 αἰσθὴρ L   21 τωβῆτ L   25 καὶ³] καθ' ἃ Schw ⟨ὅτε⟩ καὶ St   26 ἐπιγαμβρίας L
29 ⟨ἡ⟩ ἐπὶ Po

αἰχμαλωσίας μέχρι τῆς ἀποκαταστάσεως τοῦ λαοῦ ἀπὸ μὲν τῆς
Μωυσέως γενέσεως ἔτη χίλια ἑκατὸν νε´ μῆνες ἓξ ἡμέραι δέκα, ἀπὸ
δὲ τῆς Δαβὶδ βασιλείας ἔτη, ὡς μέν τινες, πεντακόσια πεντήκοντα
δύο, ὡς δὲ ἀκριβέστερον, πεντακόσια ἑβδομήκοντα δύο μῆνες ἓξ
5 ἡμέραι δέκα.

Πεπλήρωται τοίνυν ἐκ τῆς αἰχμαλωσίας τῆς ἐπὶ Ἱερεμίου τοῦ 125, 1
προφήτου εἰς Βαβυλῶνα γενομένης τὰ ὑπὸ Δανιὴλ τοῦ προφήτου
εἰρημένα οὕτως ἔχοντα· ›ἑβδομήκοντα ἑβδομάδες συνετμήθησαν ἐπὶ 2
τὸν λαόν σου καὶ ἐπὶ τὴν πόλιν τὴν ἁγίαν τοῦ συντελεσθῆναι ἁμαρ-
10 τίαν, καὶ τοῦ σφραγίσαι ἁμαρτίας καὶ τοῦ ἀπαλεῖψαι τὰς ἀδικίας,
καὶ τοῦ ἐξιλάσασθαι καὶ τοῦ ἀγαγεῖν δικαιοσύνην αἰώνιον, καὶ τοῦ
σφραγίσαι ὅρασιν καὶ προφήτην, καὶ τοῦ χρῖσαι ἅγιον ἁγίων. καὶ 3
γνώσῃ καὶ συνήσεις ἀπὸ ἐξόδου λόγου τοῦ ἀποκρίνασθαι καὶ τοῦ
οἰκοδομῆσαι Ἱερουσαλὴμ ἕως χριστοῦ ἡγουμένου ἑβδομάδες ἑπτὰ καὶ
15 ἑβδομάδες ἑξήκοντα δύο, καὶ ἐπιστρέψει καὶ οἰκοδομηθήσεται πλατεῖα
καὶ τεῖχος, καὶ κενωθήσονται οἱ καιροί. καὶ μετὰ τὰς ἑξήκοντα δύο 4
ἑβδομάδας ἐξολοθρευθήσεται χρῖσμα, καὶ κρίμα οὐκ ἔστιν αὐτῷ. καὶ
τὴν πόλιν καὶ τὸ ἅγιον διαφθερεῖ σὺν τῷ ἡγουμένῳ τῷ ἐρχομένῳ·
ἐκκοπήσονται ἐν κατακλυσμῷ· καὶ ἕως τέλους πολέμου συντετμημένου
20 ἀφανισμοῖς. καὶ δυναμώσει | διαθήκην πολλοῖς ἑβδομὰς μία· καὶ 5 394 P
ἡμίσει τῆς ἑβδομάδος ἀρθήσεταί μου θυσία καὶ σπονδή· | καὶ ἐπὶ τὸ 143 S
ἱερὸν βδέλυγμα τῶν ἐρημώσεων, καὶ ἕως συντελείας καιροῦ συντέλεια
δοθήσεται ἐπὶ τὴν ἐρήμωσιν. καὶ ἥμισυ τῆς ἑβδομάδος καταπαύσει 6
θυμίαμα θυσίας καὶ πτερυγίου ἀφανισμοῦ ἕως συντελείας καὶ σπου-
25 δῆς τάξιν ἀφανισμοῦ.‹

Ὅτι μὲν οὖν ἐν ἑπτὰ ἑβδομάσιν ᾠκοδομήθη ὁ ναός, τοῦτο φανε- 126, 1
ρόν ἐστι· καὶ γὰρ ἐν τῷ Ἔσδρᾳ γέγραπται, καὶ οὕτως ἐγένετο χριστὸς
βασιλεὺς Ἰουδαίων ἡγούμενος πληρουμένων τῶν ἑπτὰ ἑβδομάδων ἐν
Ἱερουσαλήμ, καὶ ἐν ταῖς ἑξήκοντα δύο ἑβδομάσιν ἡσύχασεν ἅπασα ἡ
30 Ἰουδαία καὶ ἐγένετο ἄνευ πολέμων, καὶ ὁ κύριος ἡμῶν Χριστός, 2
›ἅγιος τῶν ἁγίων,‹ ἐλθὼν καὶ πληρώσας ›τὴν ὅρασιν καὶ τὸν προ-
φήτην‹ ἐχρίσθη τὴν σάρκα τῷ τοῦ πατρὸς αὐτοῦ πνεύματι ἐν ταύ-

---

* 8–25 Dan 9, 24–27 (Theod.); vgl. Reusch, Tüb. Theol. Quartalsschr. 50 (1868)
S. 541; Schlatter, der Chronograph aus dem 10. Jahre Antonins TU XII 1 S. 2ff.
u. St, Clem. Alex. u. die Sept. S. 72f. 26ff. vgl. Hieron. in Dan 9 p. 690f. (PL 25
549) 27 γέγραπται wo? 31—S. 79, 8 vgl. Dan 9, 24—27

3 πεντακόσια Lowth τριακόσια L 6—25 [πεπλήρωται—ἀφανισμοῦ] Valckenaer,
Diatr. de Aristob. p. 32 14 χρηστοῦ L 19 ⟨καὶ⟩ ἐκκοπήσονται Sy 19 κατακλυσμῷ
Vi κατακλεισμῶι L 20 πολλοῖς aus Dan πολλὴν L 22 τῶν] τὸ Vi 27 χριστὸς L¹
χρηστὸς L* 28 [βασιλεὺς Ἰουδαίων] Schlatter

ταις »ταῖς ἑξήκοντα δύο ἑβδομάσι,« καθὼς εἶπεν ὁ προφήτης. καὶ 8
»ἐν τῇ μιᾷ ἑβδομάδι,« ἧς ἑβδομάδος τὸ ἥμισυ κατέσχεν Νέρων βασι-
λεύων καὶ ἐν τῇ ἁγίᾳ πόλει Ἰερουσαλὴμ ἔστησεν τὸ »βδέλυγμα,« καὶ
ἐν τῷ »ἡμίσει τῆς ἑβδομάδος« ἀνῃρέθη καὶ αὐτὸς καὶ Ὄθων καὶ
5 Γάλβας καὶ Οὐιτέλλιος, Οὐεσπεσιανὸς δὲ ἐκράτησε καὶ καθεῖλεν τὴν
Ἰερουσαλὴμ καὶ τὸ ἅγιον ἠρήμωσεν. καὶ ὡς ταῦθ᾽ οὕτως ἔχει, τῷ
γε συνιέναι δυναμένῳ δῆλον καθ᾽ ἃ καὶ ὁ προφήτης εἴρηκεν.

Τοῦ ἑνδεκάτου τοίνυν ἔτους πληρουμένου κατὰ τὴν ἀρχὴν τοῦ 127, 1
ἑπομένου βασιλεύοντος Ἰωακεὶμ ἡ αἰχμαλωσία εἰς Βαβυλῶνα γίνεται
10 ὑπὸ βασιλέως Ναβουχοδονόσορ τῷ ἑβδόμῳ ἔτει βασιλεύοντος αὐτοῦ
Ἀσσυρίων, Αἰγυπτίων δὲ | Οὐαφροῦς βασιλεύοντος τῷ δευτέρῳ ἔτει, 395 P
Φιλίππου δὲ Ἀθήνησιν ἄρχοντος τῷ πρώτῳ ἔτει τῆς ὀγδόης καὶ
τεσσαρακοστῆς ὀλυμπιάδος, καὶ ἔμεινεν ἡ αἰχμαλωσία ἐπὶ ἔτη ἑβδο- 2
μήκοντα καταλήξασα εἰς τὸ δεύτερον ἔτος τῆς Δαρείου τοῦ Ὑστάσπου
15 τοῦ Περσῶν καὶ Ἀσσυρίων καὶ Αἰγυπτίων γεγενημένον βασιλέως,
ἐφ᾽ οὗ, ὡς προεῖπον, Ἀγγαῖος καὶ Ζαχαρίας καὶ ὁ ἐκ τῶν δώδεκα
Ἄγγελος προφητεύουσι, καὶ ἦν ἀρχιερεὺς Ἰησοῦς ὁ τοῦ Ἰωσεδέκ. κἂν 3
τῷ δευτέρῳ ἔτει τῆς Δαρείου βασιλείας, ὃν φησιν Ἡρόδοτος κατα-
λῦσαι τὴν τῶν Μάγων ἀρχήν, ἀποστέλλεται Ζοροβάβελ ὁ τοῦ Σαλα-
20 θιὴλ ἐγεῖραι καὶ ἐπικοσμῆσαι τὸν νεὼν τὸν ἐν Ἱεροσολύμοις.

Συνάγονται οὖν καὶ τῶν Περσῶν οἱ χρόνοι οὕτως· Κῦρος ἔτη 128, 1
τριάκοντα, Καμβύσης δεκαεννέα, Δαρεῖος ἓξ καὶ τεσσαράκοντα, Ξέρξης
ἓξ καὶ εἴκοσι, Ἀρταξέρξης ἓν καὶ τεσσαράκοντα, Δαρεῖος ὀκτώ,
Ἀρταξέρξης τεσσαράκοντα δύο, Ὧχος η΄, Ἀρσῆς τρία. * * * συνά- 2
25 γεται ἐπὶ τὸ αὐτὸ τῶν Περσικῶν ἔτη διακόσια τριάκοντα πέντε.
καθελὼν δὲ τὸν Δαρεῖον τοῦτον Ἀλέξανδρος ὁ Μακεδὼν κατὰ τὰ
προκείμενα ἔτη βασιλεύειν ἄρχεται. ὁμοίως οὖν καὶ τῶν Μακεδονι- 8
κῶν βασιλέων οἱ χρόνοι οὕτω κατάγονται. Ἀλέξανδρος ἔτη δεκαοκτώ,
Πτολεμαῖος ὁ Λάγου ἔτη τεσσαράκοντα, Πτολεμαῖος ὁ Φιλάδελφος 396 P
30 ἔτη εἴκοσι ἑπτά, εἶτα ὁ Εὐεργέτης ἔτη πέντε καὶ εἴκοσι, εἶτα ὁ Φιλο-
πάτωρ ἔτη ἑπτακαίδεκα, μεθ᾽ ὃν ὁ Ἐπιφανὴς ἔτη τέσσαρα καὶ εἴκοσι·

8 vgl. S. 76, 13   8—15 vgl. J. Raška, Chronologie der Bibel S. 100   11—14 vgl.
Hier. Chr. p. 100, 6—13 Helm · 13—17 citiert von Euseb. Chron. I p. 121 Schöne; vgl.
Hier. Chr. p. 105, 5—14   16f. vgl. S. 77, 9   17 vgl. II Esdr 3, 2. 8; 5, 2; Agg 1, 1. 12;
Sir 49, 11f.   17—20 vgl. Agg 1, 1   18 vgl. Herodot 3, 79

* 4f. καὶ Γάλβας καὶ Ὄθων Sy   22 δεκαεννέα] die falsche Zahl, damit Kyros u.
Kamb. zusammen die 7 Jahrwochen Daniels ergeben; vgl. Strom. I 124—126   24 η΄
Anon. in Misc. Obs. Amstel. vol. 4 I p. 107 ἢ L   τρία] es scheint ein Satz aus-
gefallen zu sein, in dem 6 Jahre des Darius Kodomannus (vgl. unten Z. 26) u.
6 Jahre Alexanders des Großen gezählt waren   25 τριάκοντα πέντε] δεκαπέντε Po;
aber vgl. Strom. I 140, 5   29 λαγοῦ L   30 εἴκοσι¹] τριάκοντα Anon. a. a. O. p. 109
wegen S. 80, 7; 87, 10

τοῦτον διαδέχεται ὁ Φιλομήτωρ καὶ βασιλεύει ἔτη πέντε καὶ τριά- 4
κοντα, μεθ᾽ ὃν ὁ Φύσκων ἔτη ἐννέα καὶ εἴκοσι, εἶτα ὁ Λάθουρος
ἔτη ἓξ καὶ τριάκοντα, εἶτα ὁ ἐπικληθεὶς Διόνυσος ἔτη ἐννέα καὶ
εἴκοσι. ἐπὶ πᾶσιν ἡ Κλεοπάτρα ἐβασίλευσεν ἔτη δύο καὶ εἴκοσι, μεθ᾽ 129, 1
5 ἣν ἡ τῶν Κλεοπάτρας παίδων βασιλεία ἡμερῶν ὀκτωκαίδεκα. γίνον- 2
ται τοίνυν ἐπὶ τὸ αὐτὸ καὶ οἱ τῶν Μακεδόνων βασιλέων χρόνοι ἔτη
τριακόσια δώδεκα ἡμέραι ὀκτωκαίδεκα. ἀποδείκνυνται τοίνυν οἱ ἐπὶ 3
Δαρείου τοῦ Ὑστάσπου προφητεύσαντες κατὰ τὸ δεύτερον ἔτος τῆς
βασιλείας αὐτοῦ Ἀγγαῖος καὶ Ζαχαρίας καὶ ὁ ἐκ τῶν δώδεκα Ἄγγελος
10 κατὰ τὸ πρῶτον ἔτος τῆς ὀγδόης καὶ τεσσαρακοστῆς ὀλυμπιάδος
προφητεύσαντες πρεσβύτεροι εἶναι Πυθαγόρου τοῦ κατὰ τὴν δευτέραν
καὶ ἑξηκοστὴν ὀλυμπιάδα φερομένου καὶ τοῦ πρεσβυτάτου τῶν παρ᾽
Ἕλλησι σοφῶν Θαλοῦ περὶ τὴν πεντηκοστὴν ὀλυμπιάδα γενομένου.
συνεχρόνισαν δὲ οἱ συγκαταλεγέντες σοφοὶ τῷ Θαλεῖ, ὥς φησιν 4
15 Ἄνδρων ἐν τῷ Τρίποδι. Ἡράκλειτος γὰρ μεταγενέστερος ὢν Πυθα-
γόρου μέμνηται αὐτοῦ ἐν τῷ συγγράμματι. ὅθεν ἀναμφιλέκτως τῆς 130, 1
τῶν προειρημένων προφητῶν ἡλικίας σὺν καὶ τοῖς ἑπτὰ λεγομένοις
σοφοῖς προγενεστέρα ἂν εἴη ἡ ὀλυμπιὰς ἡ πρώτη, ἢ καὶ ὑστέρα τῶν
Ἰλιακῶν δείκνυται ἔτεσι τετρακοσίοις ἑπτά. ῥᾴδιον τοίνυν συνιδεῖν 2
20 Σολομῶνα τὸν κατὰ Μενέλαον γενόμενον (ὃ δὲ κατὰ τὰ Ἰλιακὰ ἦν)
πολλοῖς ἔτεσι πρεσβύτερον τῶν παρ᾽ Ἕλλησι σοφῶν. τούτου δ᾽ αὖ
ὁπόσοις ἔτεσι Μωυσῆς προτερεῖ, ἐν τοῖς ἔμπροσθεν ἡμῖν δεδήλωται.
Ἀλέξανδρος δὲ ὁ Πολυΐστωρ ἐπικληθεὶς ἐν τῷ περὶ Ἰουδαίων συγ- 3
γράμματι ἀνέγραψέν τινας ἐπιστολὰς Σολομῶνος μὲν πρός τε Οὐάφρην
25 τὸν Αἰγύπτου βασιλέα πρός τε τὸν Φοινίκης Τυρίων τάς τε αὐτῶν
πρὸς Σολομῶντα, καθ᾽ ἃς δείκνυται ὁ μὲν Οὐάφρης ὀκτὼ μυριάδας
ἀνδρῶν Αἰγυπτίων ἀπεσταλκέναι αὐτῷ εἰς οἰκοδομὴν τοῦ νεώ, ἅτε-
ρος δὲ τὰς ἴσας σὺν ἀρχιτέκτονι Τυρίῳ ἐκ μητρὸς Ἰουδαίας ἐκ τῆς
φυλῆς Δαβίδ, ὡς ἐκεῖ | γέγραπται, Ὑπέρων τοὔνομα. 397 P

6f. vgl. S. 87, 10 11–13. 16–19 vgl. Strom. I 65; Tatian 41 p. 43, 2–7 Schw.
14f. Andron von Ephesus Fr. 3 FHG II p. 347; vgl. Diog. Laert. I 30 15f. vgl.
Heraklit Fr. 129 Diels; vgl. Diog. Laert. IX 1 22 δεδήλωται Strom. I 113 23–29
vgl. Alexander Polyhistor Fr. 18 FHG III p. 225 (Eupolemos Fr. 2 Freudenthal) =
Euseb. Praep. Ev. IX 30–34

2 Φύσκων Sy φούσκων L 5 Κλεοπάτρας παίδων Anon. p. 109 καππαδοκῶν L
13 Θαλοῦ] Θάλητος Tat. 14 Θαλεῖ] Θαλῆ Bywater, The Academy 2 (1871) S. 25
24. 26 Οὐάφρην — Οὐάφρης Sy οὐάφρην — οὐάφρης L 29 Δαβίδ (so auch Eus.) alter
Fehler: ΔΑΔ für ΔΑΝ vgl. Par II 2, 14 Ὑπέρων] von Clemens selbst ver-
schuldetes Mißverständnis der Worte ὑπὲρ ὧν ἂν αὐτὸν ἐρωτήσῃς (Eus. Praep.
Ev. IX 34, 2)

Ναὶ μὴν Ὀνομάκριτος ὁ Ἀθηναῖος, οὗ τὰ εἰς Ὀρφέα φερόμενα 181, 1
ποιήματα λέγεται εἶναι, κατὰ τὴν τῶν Πεισιστρατιδῶν ἀρχὴν περὶ
τὴν πεντηκοστὴν ὀλυμπιάδα εὑρίσκεται, Ὀρφεὺς δὲ, ὁ συμπλεύσας
Ἡρακλεῖ, Μουσαίου διδάσκαλος· Ἀμφίων γὰρ δυσὶ προάγει γενεαῖς 2
5 τῶν Ἰλιακῶν, Δημόδοκος δὲ καὶ Φήμιος μετὰ τὴν Ἰλίου ἅλωσιν 144 S
(ὃ μὲν γὰρ παρὰ τοῖς Φαίαξιν, ὃ δὲ παρὰ τοῖς μνηστῆρσι) κατὰ τὸ
κιθαρίζειν εὐδοκίμουν. καὶ τοὺς μὲν ἀναφερομένους εἰς Μουσαῖον 3
χρησμοὺς Ὀνομακρίτου εἶναι λέγουσι, τὸν Κρατῆρα δὲ τὸν Ὀρφέως
Ζωπύρου τοῦ Ἡρακλεώτου τήν τε Εἰς Ἅιδου κατάβασιν Προδίκου
10 τοῦ Σαμίου. Ἴων δὲ ὁ Χῖος ἐν τοῖς Τριαγμοῖς καὶ Πυθαγόραν εἰς 4
Ὀρφέα ἀνενεγκεῖν τινα ἱστορεῖ. Ἐπιγένης δὲ ἐν τοῖς Περὶ τῆς εἰς 5
Ὀρφέα ποιήσεως Κέρκωπος εἶναι λέγει τοῦ Πυθαγορείου τὴν Εἰς
Ἅιδου κατάβασιν καὶ τὸν Ἱερὸν λόγον, τὸν δὲ Πέπλον καὶ τὰ Φυσικὰ
Βροντίνου. ναὶ μὴν καὶ Τέρπανδρον ἀρχαΐζουσί τινες· Ἑλλάνικος 6
15 γοῦν τοῦτον ἱστορεῖ κατὰ | Μίδαν γεγονέναι, Φανίας δὲ πρὸ Τερ- 398 P
πάνδρου τιθεὶς Λέσχην τὸν Λέσβιον Ἀρχιλόχου νεώτερον φέρει τὸν
Τέρπανδρον, διημιλλῆσθαι δὲ τὸν Λέσχην Ἀρκτίνῳ καὶ νενικηκέναι·
Ξάνθος δὲ ὁ Λυδὸς περὶ τὴν ὀκτωκαιδεκάτην ὀλυμπιάδα (ὡς δὲ 7
Διονύσιος, περὶ τὴν πεντεκαιδεκάτην) Θάσον ἐκτίσθαι, ὡς εἶναι συμ-
20 φανὲς τὸν Ἀρχίλοχον μετὰ τὴν εἰκοστὴν ἤδη γνωρίζεσθαι ὀλυμπιάδα.

1—7 vgl. Tatian 41 p. 42, 4—12 Schw. 1f. 7f. vgl. Kinkel EGF I p. 222. 238
1—14 vgl. Suidas s. v. Ὀρφεύς; Maass, De biogr. graec. quaest. sel. p. 127 3f. Theo-
doret Gr. aff. c. II 47; III 29 4 Musaios: Diels⁶ I 2, 15—17 6f. vgl. ϑ 43. 254;
α 154 8 zu Orpheus vgl. Diels⁶ I 379, 9 9 über Zopyros von Herakl. vgl.
FHG IV p. 533 10f. Ion von Chios Fr. 12 FHG II p. 49; Diels I 379, 9;
Blumenthal, Ion v. Chios, Stgt 1939 fr. 24; vgl. Diog. Laert. VIII 8 11 über
Epigenes vgl. Lobeck, Aglaoph. p. 340f. 11—14 Kerkops vgl. Diels⁶ I 105, 31ff.
Brontinos 107, 10; Schmid I 1 (1929) 306 14f. Hellanikos FGrHist 4 F 85b; vgl.
Athen. XIV p. 635 EF 15—17 Phanias Fr. 18 FHG II p. 299; vgl. Kinkel EGF I
p. 38 18 Xanthos Fr. 27 FHG I p. 43 18—20 vgl. Dionysios von Chalkis (auf den
Fabricius und Westermanns dies Fr. zurückführen) Fr. (14) FHG IV p. 396; gemeint
ist Dionysios von Halik. (vgl. auch Rohde, Rh. Mus. 33 [1878] S. 195¹ = Kl. Schr. I
S. 151¹)

3 δὲ Wi τε L [ὁ] Schw 4 Μουσαίου διδάσκαλος Lobeck, Aglaoph. p. 353
Μουσαίου μαθητής L ⟨οὗ⟩ Μουσαῖος μαθητής Po Μουσαίου καθηγητής Ja² 6 [γὰρ] Di
7 εὐδοκίμουν Sy εὐδοκιμοῦν L εὐδοκιμοῦντε Di 8 Κρατῆρα Canter κράτητα L 9f.
Προδίκου τοῦ Σαμίου] Ἡροδίκου τοῦ Περινθίου Suidas s. v. Ὀρφεύς vgl. Bergk,
Opusc. II S. 38 Anm. 18 10 Τριαγμοῖς Reinesius, Var. lect. p. 93 τριγράμμοις L
12 ⟨ἀναφερομένης⟩ ποιήσεως Hiller κέρκοπος L πυθαγορίου L 15 μῆδαν L φα-
νείας L 16f. Ἀρχίλοχον—τοῦ Τερπάνδρου Unger, Abhandl. d. Philos.-philol. Kl. d.
K. bayr. Ak. d. Wiss. 17 (1885) S. 530; vgl. dagegen Jacoby, Appollodors Chronik
S. 148¹³ 19f. συμφανὲς Sy συμπαθὲς L 20 μετά] κατὰ Christ, Philol. Stud. S. 55

μέμνηται γοῦν καὶ τῆς Μαγνήτων ἀπωλείας προσφάτως γεγενημένης.
Σιμωνίδης μὲν οὖν κατὰ Ἀρχίλοχον φέρεται, Καλλῖνος δὲ πρεσβύ- 8
τερος οὐ μακρῷ· τῶν γὰρ Μαγνήτων ὁ μὲν Ἀρχίλοχος ἀπολωλότων,
ὃ δὲ εὐημερούντων μέμνηται· Εὔμηλος δὲ ὁ Κορίνθιος πρεσβύτερος
5 ὢν ἐπιβεβληκέναι Ἀρχίᾳ τῷ Συρακούσας κτίσαντι.

   Καὶ ταῦτα μὲν προήχθημεν εἰπεῖν, ὅτι μάλιστα ἐν τοῖς πάνυ 132, 1
παλαιοῖς τοὺς τοῦ Κύκλου ποιητὰς τιθέασιν. ἤδη δὲ καὶ παρ᾽
Ἕλλησι χρησμολόγοι συχνοὶ γεγονέναι φέρονται, ὡς οἱ Βάκιδες (ὃ μὲν
Βοιώτιος, ὃ δὲ Ἀρκάς), πολλὰ πολλοῖς προαγορεύσαντες. τῇ δὲ τοῦ 2
10 Ἀθηναίου Ἀμφιλύτου συμβουλῇ καὶ Πεισίστρατος ἐκράτυνε τὴν
τυραννίδα τὸν καιρὸν τῆς ἐπιθέσεως δηλώσαντος. σιγάσθω γὰρ 3
Κομήτης ὁ Κρής, Κινύρας ὁ Κύπριος, Ἄδμητος ὁ Θετταλός, Ἀρι-
σταῖος ὁ Κυρηναῖος, Ἀμφιάραος ὁ Ἀθηναῖος, Τιμόξενος ὁ Κερκυραῖος, 399 P
Δημαίνετος ὁ Φωκαεύς, Ἐπιγένης ὁ Θεσπιεύς, Νικίας ὁ Καρύστιος,
15 Ἀρίστων ὁ Θετταλός, Διονύσιος ὁ Καρχηδόνιος, Κλεοφῶν ὁ Κορίν-
θιος, Ἱππώ τε ἡ Χείρωνος καὶ Βοιὼ καὶ Μαντὼ καὶ τῶν Σιβυλλῶν
τὸ πλῆθος, ἡ Σαμία ἡ Κολοφωνία ἡ Κυμαία ἡ Ἐρυθραία ἡ Φυτὼ
ἡ Ταραξάνδρα ἡ Μακέτις ἡ Θετταλὴ ἡ Θεσπρωτίς, Κάλχας τε αὖ
καὶ Μόψος, οἳ κατὰ τὰ Τρωϊκὰ γεγόνασι, πρεσβύτερος δὲ ὁ Μόψος,
20 ὡς ἂν συμπλεύσας τοῖς Ἀργοναύταις. φασὶ δὲ τὴν Μόψου καλου- 133, 1
μένην Μαντικὴν συντάξαι τὸν Κυρηναῖον Βάττον, Δωρόθεός τε ἐν
τῷ πρώτῳ πανδέκτῃ ἀλκυόνος καὶ κορώνης ἐπακοῦσαι τὸν Μόψον
ἱστορεῖ. προγνώσει δὲ καὶ Πυθαγόρας ὁ μέγας προσανεῖχεν αἰεὶ 2
Ἄβαρίς τε ὁ Ὑπερβόρειος καὶ Ἀριστέας ὁ Προκοννήσιος Ἐπιμενίδης
25 τε ὁ Κρής, ὅστις εἰς Σπάρτην ἀφίκετο, καὶ Ζωροάστρης ὁ Μῆδος
Ἐμπεδοκλῆς τε ὁ Ἀκραγαντῖνος καὶ Φορμίων ὁ Λάκων, ναὶ μὴν
Πολύαρατος ὁ Θάσιος Ἐμπεδότιμός τε ὁ Συρακούσιος ἐπί τε τούτοις
Σωκράτης ὁ Ἀθηναῖος μάλιστα· ›ἔστι γάρ μοι‹, φησὶν ἐν τῷ Θεάγει, 3

---

*   2—4 vgl. Strabo XIV 40 p. 647 Καλλῖνος μὲν οὖν ὡς εὐτυχούντων ἔτι τῶν
Μαγνήτων μέμνηται καὶ κατορθούντων ἐν τῷ πρὸς Ἐφεσίους πολέμῳ. Ἀρχίλοχος
δὲ ἤδη φαίνεται γνωρίζων τὴν γενομένην αὐτοῖς συμφοράν ... ἐξ οὗ καὶ τὸ νεώτερον
εἶναι τοῦ Καλλίνου τεκμαίρεσθαι πάρεστιν. Kallinos fr. 3 Diehl, Archil. fr. 19 und
Diehls Noten hierzu (Anth. lyr.³ I p. 4, III p. 10)   4f. vgl. J. Rizzo, Riv. di stor.
ant. 1897 fasc. 4 p. 9 sq   9—11 vgl. Herodot 1, 62   17f. vgl. Suidas s. v. Σίβυλλα;
Maass, De Sibyll. indic. p. 54 sq. u. De biogr. graec. quaest. sel. p. 123   21—23
Dorotheos; FGrHist. 145 F 4 vgl. Rosc, Aristot. pseudep. p. 537; Hiller, Hermes 21
(1886) p. 128 ff.   24f. vgl. Tatian 41 p. 41, 18f. Schw.   27 zu Empedotimos vgl.
Bergk, Opusc. II p. 41   28—S. 83, 3 Plato Theag. p. 128 D

   1. 3 μαγνιτῶν L   10 Ἀμφιλύτου Po ἀμφιλήτου L   13 Ἀμφιάραος Vi ἄμφραος
L Ἀθηναῖος] wohl Irrtum oder Fehler statt Ἀργεῖος   Τιμόξενος Sy τιμόξεος L
19 Μόψος²] μόμψος L   21 Βάττον Vi βάττονι I   24 ὑπερβόριος L Ἀριστέας Po
ἀρισταίας L   27 τε² über d. Z. L¹

›ἐκ παιδὸς ἀρξάμενον θεία μοίρα παραγινόμενον δαιμόνιον σημεῖον,
τοῦτο δέ ἐστι φωνή, ἢ ὅταν γένηται, ἐπίσχει τοῦτο ὃ μέλλω πράτ-
τειν, προτρέπει δὲ οὐδέποτε.‹ Ἐξήκεστός τε ὁ Φωκέων τύραννος 4
δύο δακτυλίους φορῶν γεγοητευμένους τῷ ψόφῳ τῷ πρὸς ἀλλήλους
5 διῃσθάνετο τοὺς καιροὺς τῶν πράξεων, ἀπέθανεν δὲ ὅμως δολοφο-
νηθείς, καίτοι προσημήναντος τοῦ ψόφου, ὥς φησιν Ἀριστοτέλης ἐν
τῇ Φωκέων πολιτείᾳ. ἀλλὰ καὶ τῶν παρ' Αἰγυπτίοις ἀνθρώπων 134, 1
ποτέ, γενομένων δὲ ἀνθρωπίνῃ δόξῃ θεῶν, Ἑρμῆς τε ὁ Θηβαῖος καὶ
Ἀσκληπιὸς ὁ Μεμφίτης, Τειρεσίας τε αὖ καὶ Μαντὼ ἐν Θήβαις, ὥς
10 φησιν Εὐριπίδης, Ἕλενος ἤδη καὶ Λαοκόων καὶ Οἰνώνη Κεβρῆνος ἐν
Ἰλίῳ· † Κρῆνος γὰρ εἷς τῶν Ἡρακλειδῶν ἐπιφανὴς φέρεται μάντις 2
καὶ Ἴαμος ἄλλος ἐν Ἤλιδι, ἀφ' οὗ οἱ Ἰαμίδαι, Πολύιδός τε ἐν Ἄργει
καὶ ἐν Μεγάροις, οὗ μέμνηται ἡ τραγῳδία. τί μοι Τήλεμον κατα- 3
λέγειν, | ὃς Κυκλώπων μάντις ὢν Πολυφήμῳ θεοπίζει τὰ κατὰ τὴν 400 P
15 Ὀδυσσέως πλάνην, ἢ τὸν Ἀθήνησιν Ὀνομάκριτον ἢ τὸν Ἀμφιάρεων
τὸν σὺν τοῖς ἑπτὰ τοῖς ἐπὶ Θήβας στρατεύσασι μιᾷ γενεᾷ τῆς Ἰλίου
ἁλώσεως πρεσβύτερον φερόμενον ἢ Θεοκλύμενον ἐν Κεφαλληνίᾳ ἢ
Τελμησσὸν ἐν Καρίᾳ ἢ Γαλεὸν ἐν Σικελίᾳ; εἶεν δ' ἂν καὶ ἕτεροι πρὸς 4
τούτοις, Ἴδμων ὁ σὺν τοῖς Ἀργοναύταις, Φημονόη Δελφίς, Μόψος ὁ
20 Ἀπόλλωνος καὶ Μαντοῦς ἐν Παμφυλίᾳ καὶ Κιλικίᾳ, Ἀμφίλοχος Ἀμ-
φιαράου ἐν Κιλικίᾳ, Ἀλκμέων ἐν Ἀκαρνᾶσιν, Ἄνιος ἐν Δήλῳ Ἀρι-
στανδρός τε ὁ Τελμησσεὺς ὁ σὺν Ἀλεξάνδρῳ γενόμενος. ἤδη δὲ καὶ
Ὀρφέα Φιλόχορος μάντιν ἱστορεῖ γενέσθαι ἐν τῷ πρώτῳ Περὶ μαν-
τικῆς. Θεόπομπος δὲ καὶ Ἔφορος καὶ Τίμαιος Ὀρθαγόραν τινὰ 135, 1
25 μάντιν ἀναγράφουσι, καθάπερ ὁ Σάμιος Πυθοκλῆς ἐν τετάρτῳ Ἰτα-

3—7 Aristot. Fr. 599 Rose³ (FHG II p. 146) 8f. vgl. Cyrill v. Alex. c. Jul. VI
(PG 76, 812 D); Fr. in ZntW 36 (1937) 89 9f. vgl. Eurip. Phoen. 834 12 Iamos:
Pindar Ol. VI 43. 71; Wilamowitz, Pindar 308 (Fr) 12f. vgl. Eurip. Polyid. 13—15
vgl. ι 509ff. · 20f. nach anderen Nachrichten hat nur Amphilochos ein Traumorakel
in Akarnanien; vgl. Rohde, Psyche² I S. 189¹; Immisch, Jahrbb. f. Philol. Suppl.
XVII S. 185 22—24 Philochoros Fr. 190 FHG I p. 415; vgl. Schol. zu Eur. Alc. 968
21 Alkmeon Thuk. II 102, 5; Anios Kallim. fr. 188 Pfeiffer (Fr) 24 Theopompos
FGrHist 115 F 334b Ephoros FGrHist 70 F 221b Timaios Fr. 130 FHG I p. 225
24f. vgl. Plut. Timol. 4 μάντιν, ὃν Σάτυρον μὲν Θεόπομπος, Ἔφορος δὲ καὶ Τίμαιος
Ὀρθαγόραν ὀνομάζουσιν 25f. Pythokles Fr. 2 FHG IV p. 488; vgl. [Plut.] Parall.
min. 14 p. 309 B u. 41 p. 316 A

1 θεία μοίρα Plato θεία μοίρα L 3. 7 Φωκαιέων Rose 10 ἤδη (vgl. unten Z. 22)]
ἔτι Sy λαοκόων L³ ὁ λακόων L* Κεβρῆνος W. Canter καὶ βρῆνος L Κεφρῆνος (u.
Κεφρὴν) Cobet S. 213 11 κρῆνος] Κρῖος (vgl. Paus. III 13, 3) Schw St Κεβρὴν Di
Κάρνος Hiller, Hermes 21 (1886) p. 131 Anm. 4 [γὰρ] Wi 12 Ἴαμος Sy ἴαμβος
L Ἰλίδι L Ἰαμίδαι Vi ἀμίδαι L 13 τελμησὸν L γάλεον L 19 μόμψος L 20 Μαν-
τοῦς Sy μαντεὺς L 21 Ἄνιος Po ἀνίας L 23 φιλόχορος L 24 Ἔφορος Vi ἔμ-
φορος L τιμαῖος L

6*

λικῶν Γάιον Ἰούλιον Νέπωτα. ἀλλ' οἳ μὲν ⸴κλέπται πάντες καὶ 2
λησταί,⸴ ὥς φησιν ἡ γραφή, τὰ πλεῖστα ἐκ παρατηρήσεως καὶ ἐξ
εἰκότων προειρηκότες, καθάπερ οἱ φυσιογνωμονοῦντες ἰατροί τε καὶ
μάντεις, οἳ δὲ καὶ ὑπὸ δαιμόνων κινηθέντες ἢ ὑδάτων καὶ θυμια-
5 μάτων καὶ ἀέρος ποιοῦ ἐκταραχθέντες· παρὰ Ἑβραίοις δὲ οἱ προ- 3
φῆται δυνάμει θεοῦ καὶ ἐπιπνοίᾳ, πρὸ μὲν τοῦ νόμου Ἀδὰμ ἐπί τε
τῆς γυναικὸς ἐπί τε τῆς ζῴων ὀνομασίας προθεσπίσας καὶ Νῶε
μετάνοιαν κηρύξας Ἀβραάμ τε καὶ | Ἰσαὰκ καὶ Ἰακὼβ ἄντικρυς οὐκ 145 S
ὀλίγα τῶν μελλόντων καὶ ἤδη ἐνεστώτων προφαίνοντες. σὺν δὲ τῷ 4
10 νόμῳ Μωυσῆς τε καὶ Ἀαρών, μεθ' οὓς προφητεύουσιν Ἰησοῦς ⟨ὁ⟩ τοῦ
Ναυῆ, Σαμουήλ, Γάδ, Νάθαν, Ἀχίας, Σαμαίας, Ἰού, Ἠλίας, Μιχαίας,
Ἀβδιού, Ἐλισσαῖος, Ἀβδαδωναΐ, Ἀμώς, Ἡσαΐας, Ὠσηέ, Ἰωνᾶς, Ἰωήλ,
Ἱερεμίας, Σοφονίας, Βουζί, Ἰεζεκιήλ, Οὐρίας, Ἀμβακούμ, Ναούμ,
Δανιήλ, Μισαήλ, ὁ τοὺς συλλογισμούς, Ἀγγαῖος, Ζαχαρίας καὶ ὁ ἐν
15 τοῖς δώδεκα Ἄγγελος. γίνονται δὲ οἱ πάντες προφῆται πέντε καὶ 186, 1
τριάκοντα. γυναικῶν δὲ (καὶ γὰρ καὶ αὗται προεφήτευον) Σάρρα τε
καὶ Ῥεβέκκα καὶ Μαριὰμ Δεββώρα τε καὶ Ὀλδά. * * ἔπειτα περὶ 401 P
τοὺς αὐτοὺς χρόνους Ἰωάννης προφητεύει μέχρι τοῦ σωτηρίου βα-
πτίσματος, μετὰ δὲ τὴν γένεσιν τοῦ Χριστοῦ Ἄννα καὶ Συμεών·
20 Ζαχαρίας γὰρ ὁ Ἰωάννου πατὴρ καὶ πρὸ τοῦ παιδὸς προφητεύειν ἐν
τοῖς εὐαγγελίοις λέγεται.

Ἄνωθεν οὖν ἀπὸ Μωυσέως συναγάγωμεν τὴν καθ' Ἕλληνας 3
χρονογραφίαν· ἀπὸ τῆς Μωυσέως γενέσεως ἐπὶ τὴν ἐξ Αἰγύπτου
τῶν Ἰουδαίων ἔξοδον ἔτη ὀγδοήκοντα καὶ τὰ μέχρι τῆς τελευτῆς
25 αὐτοῦ ἄλλα τεσσαράκοντα· γίνεται ἡ ἔξοδος κατὰ Ἴναχον πρὸ τῆς
Σωθιακῆς περιόδου ἐξελθόντος ἀπ' Αἰγύπτου Μωυσέως ἔτεσι πρό-
τερον τριακοσίοις τεσσαράκοντα ε'. ἀπὸ δὲ τῆς Μωυσέως στρατηγίας 4
καὶ Ἰνάχου ἐπὶ τὸν Δευκαλίωνος κατακλυσμόν, τὴν δευτέραν λέγω
ἐπομβρίαν, καὶ ἐπὶ τὸν Φαέθοντος ἐμπρησμόν, ἃ δὴ συμβαίνει κατὰ

1f. Io 10, 8 6f. vgl. Gen 2, 23. 20 7f. vgl. Sir 44, 16f Ἐνὼχ . . . ὑπόδειγμα
μετανοίας, Νῶε . . τέλειος δίκαιος. II Petr 2, 5 Νῶε δικαιοσύνης κήρυκα 11—15 vgl.
S. 71, 14. 25; 72, 1f. 24; 73, 1—3. 6. 10. 12; 75, 2f. 5f. 13f. 19f.; 76, 5. 14f.;
77, 6—10. 15 17 vgl. S. 70, 19; 76, 5 19 vgl. Lc 2, 36. 34 20f. vgl. Lc 1, 67
25—S. 85, 4 vgl. Th. Reinach, Texts d'auteurs grecs et romains relativs au Judaïsme
p. 113f. 25—27 vgl. Unger, Chronologie des Manetho S. 54. 167 29f. vgl. S. 66, 16f.

1 Νέπωτα Vi νέπωπα L 10 ⟨ὁ⟩ Wi 11 Σαμαίας Sy vgl. S. 72, 24 ἀμαίας L
13 σοφωνίας L Σοφονίας Χουσί Sy aus Zephan. 1, 1; doch vgl. S. 76, 14 (Βουζί ist
selbst Prophet) 15f. die Zahl stimmt nicht; vielleicht [Μισαήλ, ὁ τοὺς συλλογισ-
μούς,] vgl. S. 77, 6—10 St; vielleicht ὁ τοὺς εὐλογισμούς, vgl. Dan 3, 51ff 17 Ὀλδά
* * * ⟨Ἐλισάβετ τε καὶ Μαριὰμ ἣ ἔτεκε τὸν Χριστόν⟩ aus Lib. Gen. Frick, Chron.
min. praef. p. XXIV² 27 τετρακοσίοις τεσσαράκοντα ε' Pessl, Das chronol. System
Manethos S. 51 τετρακοσίοις τριάκοντα ε' Unger p. 167

Κρότωπον, γενεαὶ † τεσσαράκοντα ἀριθμοῦνται· εἰς μέντοι τὰ ἑκατὸν
ἔτη τρεῖς ἐγκαταλέγονται γενεαί. ἀπὸ δὲ τοῦ κατακλυσμοῦ ἐπὶ τὸν　5
Ἴδης ἐμπρησμὸν καὶ τὴν εὕρεσιν τοῦ σιδήρου καὶ Ἰδαίους δακτύλους
ἔτη ἑβδομήκοντα τρία, ὥς φησι Θράσυλλος. καὶ ἀπὸ Ἴδης ἐμπρησμοῦ
5 ἐπὶ Γανυμήδους ἁρπαγὴν ἔτη ἑξήκοντα πέντε. ἐντεῦθεν δὲ ἐπὶ τὴν　137, 1
Περσέως στρατείαν, ὅτε καὶ Γλαῦκος ἐπὶ Μελικέρτῃ τὰ Ἴσθμια ἔθηκεν,
ἔτη πεντεκαίδεκα. ἀπὸ δὲ Περσέως στρατείας ἐπὶ Ἰλίου κτίσιν ἔτη
τριάκοντα τέσσαρα. ἐντεῦθεν ἐπὶ τὸν ἔκπλουν τῆς Ἀργοῦς ἔτη
ἑξήκοντα τέσσαρα. ἐκ τούτου ἐπὶ Θησέα καὶ Μινώταυρον ἔτη τριά-　2
10 κοντα δύο, εἶτα ἐπὶ τοὺς ἑπτὰ ἐπὶ Θήβαις ἔτη δέκα, ἐπὶ δὲ τὸν
Ὀλυμπίασιν ἀγῶνα, ὃν Ἡρακλῆς ἔθηκεν ἐπὶ Πέλοπι, ἔτη τρία, εἴς τε
τὴν Ἀμαζόνων εἰς Ἀθήνας στρατείαν καὶ τὴν Ἑλένης ὑπὸ Θησέως
ἁρπαγὴν ἔτη ἐννέα. ἐντεῦθεν ἐπὶ τὴν Ἡρακλέους ἀποθέωσιν ἔτη　3
ἕνδεκα, εἶτα ἐπὶ τὴν Ἑλένης ὑπὸ Ἀλεξάνδρου ἁρπαγὴν ἔτη τέσσαρα.
15 ⟨εἶτα ἐπὶ τὴν Τροίας ἅλωσιν ἔτη εἴκοσι.⟩ ἀπὸ δὲ Τροίας ἁλώσεως　4
ἐπὶ τὴν Αἰνείου κάθοδον καὶ κτίσιν Λαουινίου ἔτη δέκα, ἐπί τε | τὴν　402 P
Ἀσκανίου ἀρχὴν ἔτη ὀκτώ, καὶ ἐπὶ τὴν Ἡρακλειδῶν κάθοδον ἔτη
ἑξήκοντα ἕν, ἐπί τε τὴν Ἰφίτου ὀλυμπιάδα ἔτη τριακόσια τριά-
κοντα ὀκτώ.
20 Ἐρατοσθένης δὲ τοὺς χρόνους ὧδε ἀναγράφει· ἀπὸ μὲν Τροίας　138, 1
ἁλώσεως ἐπὶ Ἡρακλειδῶν κάθοδον ἔτη ὀγδοήκοντα· ἐντεῦθεν δὲ ἐπὶ
τὴν Ἰωνίας κτίσιν ἔτη ἑξήκοντα· τὰ δὲ τούτοις ἑξῆς ἐπὶ μὲν τὴν
ἐπιτροπίαν τὴν Λυκούργου ἔτη ἑκατὸν πεντήκοντα ἐννέα· ἐπὶ δὲ　2
⟨τὸ⟩ προηγούμενον ἔτος τῶν πρώτων Ὀλυμπίων ἔτη ἑκατὸν ὀκτώ·
25 ἀφ' ἧς ὀλυμπιάδος ἐπὶ τὴν Ξέρξου διάβασιν ἔτη διακόσια ἐνενήκοντα
ἑπτά· ἀφ' ἧς ἐπὶ τὴν ἀρχὴν τοῦ Πελοποννησιακοῦ πολέμου ἔτη τεσ-
σαράκοντα ὀκτώ· καὶ ἐπὶ τὴν κατάλυσιν καὶ Ἀθηναίων ἧτταν ἔτη　3
εἴκοσι ἑπτά· καὶ ἐπὶ τὴν ἐν Λεύκτροις μάχην ἔτη τριάκοντα τέσσαρα·

1f. vgl. Herodot 2, 142　2—4 Thrasyllos FGrHist 253 F 1, wo S. 85, 2—19 auf
Thras. zurückgeführt ist; FHG I p. 567; vgl. auch C. F. Hermann, Ind. schol. Gott.
1852 3 p. 8; A. v. Gutschmid, Kleine Schriften I S. 153f.　3 vgl. Lucrez 5, 1241.
661　20—S. 86, 2 Eratosthenes FGrHist 241 F 1 a　20—24 vgl. Apollodor FGrHist
244 F 61

1 †τεσσαράκοντα] τέσσαρες Hervet u. Müller ὀκτώ (η' statt μ') Christ, Philol.
Stud. S. 58 Anm. 1 ἑπτά Unger p. 167; Pessl S. 51　3 ἰδαίους Lcorr. ἰουδαίους L*
8 ἔκπλουν Wi εἴσπλουν L　10 Θήβας Di　11 Πέλοπα Di　15 ⟨εἶτα—εἴκοσι.⟩ Müller
⟨ἐντεῦθεν ἐπὶ Τροίας ἅλωσιν δέκα⟩ Scaliger, Histor. Synt.　16 Λαουινίου Sy
Λαουίννου L　17. 21 Ἡρακλειδῶν Sy ἡμυκλειτῶν L　24 ⟨τὸ⟩ Jacoby, Apollodors
Chronik p. 108　ὀλυμπίων] ὀλυμπιάδων Bernhardy, Eratosth. p. 239　27 zu κατά-
λυσις vgl. Thuk. 8, 18　28 λέκτροις L

μεθ᾽ ἣν ἐπὶ τὴν Φιλίππου τελευτὴν ἔτη τριάκοντα πέντε· μετὰ δὲ
ταῦτα ἐπὶ τὴν Ἀλεξάνδρου μεταλλαγὴν ἔτη δώδεκα.

Πάλιν ἀπὸ τῆς πρώτης ὀλυμπιάδος ἔνιοί φασιν ἐπὶ Ῥώμης κτίσιν 4
συνάγεσθαι ἔτη εἴκοσι τέσσαρα. ἐντεῦθεν ἐπὶ τὴν βασιλέων ἀναιρεσιν.
5 ⟨ὅτε⟩ ὕπατοι ἐγένοντο, [ἐπὶ] ἔτη διακόσια τεσσαράκοντα τρία, ἀπὸ
δὲ τῆς βασιλέων ἀναιρέσεως ἐπὶ τὴν Ἀλεξάνδρου τελευτὴν ἔτη ἑκατὸν
ὀγδοήκοντα ἕξ. ἐντεῦθεν ἐπὶ τὴν Αὐγούστου νίκην, ὅτε Ἀντώνιος 139. 1
ἀπέσφαξεν ἑαυτὸν ἐν Ἀλεξανδρείᾳ, ἔτη διακόσια ἐνενήκοντα τέσσαρα,
⟨ὅτε⟩ ὑπάτευεν Αὔγουστος τὸ τέταρτον. ἀφ᾽ οὗ χρόνου ἐπὶ τὸν 2
10 ἀγῶνα, ὃν ἔθηκε Δομετιανὸς ἐν Ῥώμῃ, ἔτη ἑκατὸν δεκατέσσαρα, ἀπὸ
δὲ τοῦ πρώτου ἀγῶνος ἐπὶ τὴν Κομόδου τελευτὴν ἔτη ἑκα-
τὸν ἕνδεκα.

Εἰσὶ δὲ οἳ ἀπὸ Κέκροπος μὲν ἐπὶ Ἀλέξανδρον τὸν Μακεδόνα 3
συνάγουσιν ἔτη χίλια † ὀκτακόσια εἴκοσι ὀκτώ, ἀπὸ δὲ Δημοφῶντος 403 P
15 χίλια διακόσια πεντήκοντα, καὶ ἀπὸ Τροίας ἁλώσεως ἐπὶ τὴν Ἡρα-
κλειδῶν κάθοδον ἔτη ἑκατὸν εἴκοσι ἢ ἑκατὸν ὀγδοήκοντα. ἀπὸ τού- 4
του ἐπὶ Εὐαίνετον ἄρχοντα, ἐφ᾽ οὗ φασιν Ἀλέξανδρον εἰς τὴν Ἀσίαν
διαβῆναι, ὡς μὲν Φανίας ἔτη ἑπτακόσια δεκαπέντε, ὡς δὲ Ἔφορος
ἑπτακόσια τριάκοντα πέντε, ὡς δὲ Τίμαιος καὶ Κλείταρχος ὀκτακόσια
20 εἴκοσι, ὡς δὲ Ἐρατοσθένης ἑπτακόσια ἑβδομήκοντα [τέσσαρα], ὡς δὲ
Δοῦρις ἀπὸ Τροίας ἁλώσεως ἐπὶ τὴν Ἀλεξάνδρου εἰς Ἀσίαν διάβασιν
ἔτη χίλια. ἐντεῦθεν ἐπὶ † Εὐαίνετον τὸν Ἀθήνησιν ἄρχοντα, ἐφ᾽ οὗ 5
θνήσκει Ἀλέξανδρος, ἔτη ιά. ἐντεῦθεν ἐπὶ τὴν ἡγεμονίαν Γερμανικοῦ
Κλαυδίου Καίσαρος ἔτη τριακόσια ἑξήκοντα πέντε, ἀφ᾽ οὗ χρό-
25 νου δῆλα γίνεται καὶ τὰ ἐπὶ τὴν Κομόδου τελευτὴν ἔτη ὅσα γε
συνάγεται.

11 vgl. Euseb. H. E. VI 6   13ff. vgl. Müller FHG I p. 572   13—16 vgl. Brandis,
De temp. Gr. ant. rat. p. 36; C. Frick, Die Quellen Augustins S. 24f.   18 Phanias
Fr. 2 FHG II p. 294   18f. Ephoros FGrHist 70 F 223 [das Fragm. steht bei Müller
unter 150 a (Fr)]   19 Timaios Fr. 153 FHG I p. 232; vgl. I p. LVI; Joh. Geffcken,
Timaios᾽ Geogr. des Westens S. 49 Anm.   Kleitarchos FGrHist 137 F 7   20 Era-
tosthenes Fr. FGrHist 241 F 1 d   21f. Duris von Samos FGrHist 76 F 41

2 ἐπὶ Sy μετὰ L   4. 6. βασιλέων Scaliger Βαβυλῶνος L   5 ⟨ὅτε⟩—[ἐπὶ] Bywater,
The Acad. 2 (1871) S. 25   6 ἀναιρέσεως Scaliger ἁλώσεως L ἐλάσεως Bywater   7 ἀν-
τώνιος L* ἀντωνῖνος L¹   9 ⟨ὅτε⟩ Lowth   13 Κέκροπος] Ὠγύγου Brandis   14 χίλια
ὀκτακόσια εἴκοσι ὀκτώ] χίλια διακόσια πεντήκοντα Gutschmid, Kl. Schr. IV S. 9
χίλια διακόσια εἴκοσιν ὀκτώ St   Δημοφῶντος] Κέκροπος Brandis   15 χίλια διακόσια
πεντήκοντα] ὀκτακόσια τεσσαράκοντα ὀκτώ Gutschmid ὀκτακόσια πεντήκοντα St

16 [ἑκατὸν²] Gutschmid   17 Εὐαίνετον Vi εὐναιτον L (έ übergesch. L¹)   18 φα-
νείας L   19 τίμαιος (τί in Ras. für 4 Buchst.) L¹   20 [τέσσαρα] Müller   22 [Εὐ-
αίνετον] Schw Ἡγησίαν Po (richtig)

Μετὰ δὲ τὰ Ἑλληνικὰ καὶ ἀπὸ τῶν κατὰ τοὺς ⟨βαρ⟩βάρους χρό- **140,** 1
νων ἀποδοτέον κατὰ τὰ μέγιστα· διαστήματα. ἀπὸ μὲν Ἀδὰμ ἕως 2
τοῦ κατακλυσμοῦ συνάγεται ἔτη δισχίλια ἑκατὸν τεσσαράκοντα ὀκτὼ
ἡμέραι τέσσαρες, | ἀπὸ δὲ Σὴμ ἕως Ἀβραὰμ ἔτη χίλια διακόσια ν΄, 146 S
5 ἀπὸ δὲ Ἰσαὰκ ἕως τῆς κληροδοσίας ἔτη ἑξακόσια δέκα ἕξ. ἔπειτα 3
ἀπὸ κριτῶν ἕως Σαμουὴλ ἔτη τετρακόσια ἑξήκοντα τρία μῆνες ἑπτά.
καὶ μετὰ τοὺς κριτὰς βασιλειῶν ἔτη πεντακόσια ἑβδομήκοντα δύο 4
μῆνες ἓξ ἡμέραι δέκα. μεθ᾽ οὓς χρόνους Περσικῆς βασιλείας ἔτη 5
διακόσια τριάκοντα πέντε, ἔπειτα τῆς Μακεδονικῆς ἕως Ἀντωνίου
10 ἀναιρέσεως ἔτη τριακόσια δώδεκα ἡμέραι δεκαοκτώ. μεθ᾽ ὃν χρόνον 6
ἡ Ῥωμαίων βασιλεία ἕως τῆς Κομόδου τελευτῆς ἔτη διακόσια εἴκοσι
δύο. πάλιν τε αὖ ἀπὸ τῆς ἑβδομηκονταετοῦς αἰχμαλωσίας καὶ τῆς 7
τοῦ λαοῦ εἰς πατρῷαν γῆν ἀποκαταστάσεως εἰς τὴν αἰχμαλωσίαν
τὴν ἐπὶ Οὐεσπεσιανοῦ ἔτη συνάγεται τετρακόσια δέκα, τελευταῖα δὲ
15 ἀπὸ Οὐεσπεσιανοῦ ἕως τῆς Κομόδου τελευτῆς εὑρίσκεται ἔτη ἑκατὸν
εἴκοσι ἓν μῆνες ἓξ ἡμέραι εἴκοσι τέσσαρες.

Δημήτριος δέ φησιν ἐν τῷ Περὶ τῶν ἐν τῇ Ἰουδαίᾳ βασιλέων **141,** 1
τὴν Ἰούδα φυλὴν καὶ Βενιαμεὶν καὶ Λευὶ μὴ αἰχμαλωτισθῆναι ὑπὸ
τοῦ Σεναχηρείμ, ἀλλ᾽ εἶναι ἀπὸ τῆς αἰχμαλωσίας ταύτης εἰς τὴν
20 ἐσχάτην, ἣν ἐποιήσατο Ναβουχοδονόσορ ἐξ Ἱεροσολύμων, ἔτη ἑκατὸν
εἴκοσι ὀκτὼ μῆνας ἕξ. ἀφ᾽ οὗ δὲ αἱ φυλαὶ αἱ δέκα ἐκ Σαμαρείας 2
αἰχμάλωτοι γεγόνασιν ἕως Πτολεμαίου τετάρτου ἔτη πεντακόσια
ἑβδομήκοντα τρία μῆνας ἐννέα, ἀφ᾽ οὗ δὲ ἐξ Ἱεροσολύμων ἔτη τρια- 404 P
κόσια τριάκοντα ὀκτὼ μῆνας τρεῖς.

25 Φίλων δὲ καὶ αὐτὸς ἀνέγραψε τοὺς βασιλεῖς τοὺς Ἰουδαίων δια- 3
φώνως τῷ Δημητρίῳ. ἔτι δὲ καὶ Εὐπόλεμος ἐν τῇ ὁμοίᾳ πραγματείᾳ 4

1—6 vgl. Joh. Malalas XVIII 428, 13 ed. Bonn   6 vgl. S. 71, 19   7f. vgl.
S. 78, 4f.   8f. vgl. S. 79, 25   9f. vgl. S. 80, 6f.   12—14 die Berechnung stammt
vielleicht aus Seder Olam Rabba Cap. 28; vgl. H. Grätz, Frankels Monatsschrift f.
Geschichte u. Wiss. d. Judentums 3 (1854) S. 314f.   17—S. 88, 6 vgl. Freudenthal,
Hellenist. Studien Heft 1 u. 2; Schürer, Gesch. d. jüd. Volkes III³ S. 350ff.; Gut-
schmid, Kleine Schriften II, 180—195; Christ, Philol. Studien S. 50—55   17—24 De-
metrios Fr. 6 Freudenthal S. 223; vgl. FHG III p. 208; Raška, Chronologie der
Bibel S. 97f.   26—S. 88, 6 Eupolemos Fr. 5 Freudenthal S. 230

1 ἀπὸ] τὰ Schw περὶ St   βαρβάρους Vi βάρους L   2 nach μὲν ist ἀπὸ von L¹
getilgt   9 Ἀντωνίου] ἀντωνίνου L   14 ἐπὶ am Rand L¹   19 Σεναχηρείμ, ⟨ἀλλὰ πολλὰ
χρήματα καὶ σκεύη τοῦ ναοῦ μηδὲ μετ᾽ ὀλίγον χρόνον ἐκείνας αἰχμαλώτους γενέσθαι⟩
Freudenthal S. 59   21 ὀκτὼ] πέντε Gutschmid II S. 188   22 τετάρτου] τοῦ τρίτου
Freudenthal S. 62 vgl. dagegen Gutschmid S. 187   πεντακόσια] τετρακόσια Reinesius
231. τριακόσια] τετρακόσια Raška   24 τριάκοντα] τετταράκοντα Gutschmid

τὰ πάντα ἔτη φησὶν ἀπὸ Ἀδὰμ ἄχρι τοῦ πέμπτου ἔτους Δημητρίου
βασιλείας Πτολεμαίου τὸ δωδέκατον βασιλεύοντος Αἰγύπτου συνάγεσθαι
ἔτη ͵ερμθ'. ἀφ' οὗ δὲ χρόνου ἐξήγαγε Μωυσῆς τοὺς Ἰουδαίους ἐξ Αἰγύ- 5
πτου ἐπὶ τὴν προειρημένην προθεσμίαν συνάγεσθαι ἔτη [δισ]χίλια πεντα-
5 κόσια ὀγδοήκοντα. ἀπὸ δὲ τοῦ χρόνου τούτου ἄχρι τῶν ἐν Ῥώμῃ ὑπά-
των Γναίου Δομετίου καὶ Ἀσινίου συναθροίζεται ἔτη ἑκατὸν εἴκοσι.

Ἔφορος δὲ καὶ ἄλλοι πολλοὶ τῶν ἱστορικῶν καὶ ἔθνη καὶ γλώσ- 142 1
σας πέντε καὶ ἑβδομήκοντα λέγουσιν εἶναι, ἐπακούσαντες τῆς φωνῆς
Μωσέως λεγούσης· ›ἦσαν δὲ πᾶσαι αἱ ψυχαὶ ἐξ Ἰακὼβ πέντε καὶ
10 ἑβδομήκοντα αἱ εἰς Αἴγυπτον κατελθοῦσαι.‹ φαίνονται δὲ εἶναι καὶ 2
κατὰ τὸν ἀληθῆ λόγον αἱ γενικαὶ διάλεκτοι δύο καὶ ἑβδομήκοντα ὡς
αἱ ἡμέτεραι παραδιδόασι γραφαί, αἱ δὲ ἄλλαι αἱ πολλαὶ ἐπὶ κοινωνίᾳ
διαλέκτων δύο ἢ τριῶν ἢ καὶ πλειόνων γίνονται. διάλεκτος δέ ἐστι 3
λέξις ἴδιον χαρακτῆρα τόπου ἐμφαίνουσα, ἢ λέξις ἴδιον ἢ κοινὸν
15 ἔθνους ἐπιφαίνουσα χαρακτῆρα. φασὶ δὲ οἱ Ἕλληνες διαλέκτους εἶναι 4
τὰς παρὰ σφίσι ε', Ἀτθίδα, Ἰάδα, Δωρίδα, Αἰολίδα καὶ πέμπτην τὴν
κοινήν, ἀπεριλήπτους δὲ οὔσας τὰς βαρβάρων φωνὰς μηδὲ διαλέκτους,
ἀλλὰ γλώσσας λέγεσθαι. ὁ Πλάτων δὲ καὶ τοῖς θεοῖς διάλεκτον 143, 1
ἀπονέμει τινά, μάλιστα μὲν ἀπὸ | τῶν ὀνειράτων τεκμαιρόμενος καὶ 405 P
20 τῶν χρησμῶν, ἄλλως δὲ καὶ ἀπὸ τῶν δαιμονώντων, οἳ τὴν αὐτῶν
οὐ φθέγγονται φωνὴν οὐδὲ διάλεκτον, ἀλλὰ τὴν τῶν ὑπεισιόντων
δαιμόνων. οἴεται δὲ καὶ ἀλόγων ζῴων διαλέκτους εἶναι, ὧν τὰ 2
ὁμογενῆ ἐπακούειν. ἐλέφαντος γοῦν ἐμπεσόντος εἰς βόρβορον καὶ 3
βοήσαντος παρών τις ἄλλος καὶ τὸ συμβὰν θεωρήσας ὑποστρέψας
25 μετ' οὐ πολὺ ἄγει μεθ' ἑαυτοῦ ἀγέλην ἐλεφάντων καὶ σῴζει τὸν
ἐμπεπτωκότα. φασὶ δὲ καὶ ἐν τῇ Λιβύῃ σκορπίον, ἐὰν μὴ ἐφικνῆται 4
παίειν τὸν ἄνθρωπον, ἀπιόντα μετὰ πλειόνων ἀναστρέφειν, ἐξαρτώ-
μενον δὲ θάτερον θατέρου ἁλύσεως δίκην, οὕτως δὴ φθάνειν ἐπιχει-
ροῦντα τῇ ἐπιβουλῇ, οὐ δή που νεύματι ἀφανεῖ τῶν ἀλόγων ζῴων

* 1f. gemeint ist Demetrios I Soter u. Ptolem. VII Euergetes II 7f. Ephoros
FGrHist. 70 F 237 9f. Ex 1, 5 12 wo? vgl. Pseudoclem. Hom. 18, 4 13—15 zur
Definition vgl. Strom. VI 129, 1; Johannes Philoponos περὶ διαλέκτων (Steph. Thes.
VIII Col. 313); Gregorius Corinthius περὶ διαλ. p. 9 Schäfer διάλεκτός ἐστιν ἰδίωμα
γλώσσης ἢ διάλεκτός ἐστι λέξις ἴδιον χαρακτῆρα τόπου (HSS τύπου) ἐμφαίνουσα.
15—17 vgl. z. B. Schol. Dionys. Thr. p. 14, 15; 303, 2 u. ö. Hilgard; A. Thumb, Die
griech. Spr. im Zeitalt. d. Hell. S. 3² 18—23 nicht bei Plato; Clem. überträgt es auf
ihn durch nachlässiges Excerpieren 26—29 vgl. Aelian De nat. an. VI 23

4 [δισ] Clinton Fasti Hell. I 291 u. Freudenthal S. 230 6 Γναίου Δομετίου καὶ
Ἀσινίου (d. i. 40 v. Chr.) Freudenthal S. 214 γαίου δομετιανοῦ κασιανοῦ L Καίσαρος
Δομετιανοῦ καὶ Σαβίνου Sy Γναίου Δομετίου ⟨καὶ Ἀσινίου ὑπὸ⟩ Κασσιανοῦ Gutschmid
S. 192 25 ἀγέλην am Rand L¹

κεχρημένων οὐδὲ μὴν τῷ σχήματι μηνυόντων σφίσιν, ἀλλ', οἶμαι, τῇ
οἰκείᾳ διαλέκτῳ. φασὶ δὲ καὶ ἄλλοι τινές, ὡς εἴ τις ἰχθὺς ἀνασπώ- 5
μενος τῆς μηρίνθου ἀποῤῥαγείσης ἀποδράσει, οὐκέτ' ἂν ἐν τῷ αὐτῷ
τόπῳ τοῦ αὐτοῦ εἴδους ἰχθὺς αὐτῆς ἐκείνης εὑρεθήσεται τῆς ἡμέρας.
5 αἱ δὲ πρῶται καὶ γενικαὶ διάλεκτοι βάρβαροι μέν, φύσει δὲ τὰ ὀνό- 6
ματα ἔχουσιν, ἐπεὶ καὶ τὰς εὐχὰς ὁμολογοῦσιν οἱ ἄνθρωποι δυνατω-
τέρας εἶναι τὰς βαρβάρῳ φωνῇ λεγομένας. καὶ Πλάτων δὲ ἐν Κρα- 7
τύλῳ τὸ πῦρ ἑρμηνεῦσαι βουλόμενος βαρβαρικόν φησιν εἶναι τὸ
ὄνομα. μαρτυρεῖ γοῦν τοὺς Φρύγας οὕτω. καλοῦντας ›μικρόν τι
10 παρακλίνοντας‹.

　　Οὐδὲν δὲ οἶμαι ἐπὶ τούτοις χεῖρον καὶ τοὺς χρόνους τῶν Ῥωμαϊ- 144, 1
κῶν βασιλέων παραθέσθαι εἰς ἐπίδειξιν τῆς τοῦ σωτῆρος γενέσεως·
Αὔγουστος ἔτη τεσσαράκοντα τρία, | Τιβέριος ἔτη κβ', Γάϊος ἔτη δ', 2 406 P
Κλαύδιος ἔτη ιδ', Νέρων ἔτη ιδ', Γάλβας ἔτος ἕν, Οὐεσπεσιανὸς
15 ἔτη ι', Τίτος ἔτη γ', Δομιτιανὸς ἔτη ιε', Νέρβας ἔτος α', Τραϊανὸς
ἔτη ιθ', Ἀδριανὸς ἔτη κά, Ἀντωνῖνος ἔτη κγ', ὁμοίως πάλιν Ἀντω-
νῖνος καὶ Κόμοδος ἔτη λβ'. γίνεται τὰ πάντα ἀπὸ Αὐγούστου ἕως 8
Κομόδου ⟨τελευτῆς⟩ ἔτη σκβ', καὶ τὰ ἀπὸ Ἀδὰμ ἕως Κομόδου τελευ-
τῆς ἔτη ͵εφπδ' μῆνες δύο ἡμέραι δώδεκα. τινὲς μέντοι τοὺς χρό- 4
20 νους τῶν Ῥωμαϊκῶν βασιλέων οὕτως ἀναγράφουσι· Γάϊος Ἰούλιος
Καῖσαρ ἔτη γ' μῆνας δ' ἡμέρας ϛ', μεθ' ὃν Αὔγουστος ἐβασίλευσεν
ἔτη μϛ' μῆνας δ' ἡμέραν μίαν, ἔπειτα Τιβέριος ἔτη κϛ' μῆνας ϛ'
ἡμέρας ιθ', ὃν διαδέχεται Γάϊος Καῖσαρ ἔτη τρία μῆνας ι' ἡμέρας
ὀκτώ· τοῦτον Κλαύδιος ἔτη ιγ' μῆνας η' ἡμέρας κη', | Νέρων ἔτη ιγ' 147 8
25 μῆνας ὀκτὼ ἡμέρας κη', Γάλβας μῆνας ἑπτὰ ἡμέρας ϛ', Ὄθων μῆνας ε'
ἡμέραν α', Οὐιτέλλιος μῆνας ἑπτὰ ἡμέραν α', Οὐεσπεσιανὸς ἔτη ια'
μῆνας ια' ἡμέρας κβ', Τίτος ἔτη β' μῆνας β', Δομιτιανὸς ἔτη ιε'
μῆνας η' ἡμέρας ε', Νέρβας ἔτος α' μῆνας δ' ἡμέρας ι', Τραϊανὸς
ἔτη ιθ' μῆνας ϛ' ἡμέρας ιε', Ἀδριανὸς ἔτη κ' μῆνας ι' ἡμέρας κη',
30 Ἀντωνῖνος ἔτη κβ' μῆνας τρεῖς ἡμέρας ζ', Μᾶρκος Αὐρήλιος Ἀντω-
νῖνος ἔτη ιθ' ἡμέρας ια', Κόμοδος ἔτη ιβ' μῆνας θ' ἡμέρας ιδ'. ἀπὸ 5

5f. die ὀνόματα sind φύσει oder θέσει vgl. Orig. c. Cels. I 24 I p. 74, 12ff.
Koetschau　6f. vgl. ebenda I 25 p. 76, 16ff.　7—10 vgl. Plato Cratyl. p. 410 A
11—19 vgl. Usener in Mommsens Chron. min. III S. 439f.　11—S. 90, 3 vgl. Suidas
s. v. Κλήμης ἱστορικός

13 τεσσαράκοντα τρία Vi σαρακοντρία L　15. 27 δομιττιανός L　16 κγ' Dodwell,
Append. diss. Cypr. p. 25 Anm. κα' L　18 ⟨τελευτῆς⟩ Usener a. a. O.　19 ͵εφπδ']
vielleicht ͵εχͺδ' Hozakowski, De chronogr. Clem. p. 20　δύο] ἐννέα Hozak. p. 15
20 βασιλέων Sy βασιλειῶν L　22 κϛ'] κγ' Heyse　26 ἑπτὰ] ὀκτὼ Casaubonus zu
Suet. Vitell. 18　26 ἔτη ια'] ἔτη θ' Lowth; auf θ' führt S. 91, 3f.　30 κβ'] κγ' Heyse

Ἰουλίου τοίνυν Καίσαρος ἕως Κομόδου τελευτῆς γίνονται ἔτη σλς´
μῆνες ς´. συνάγεται δὲ πάντα τὰ ἀπὸ Ῥωμύλου τοῦ κτίσαντος
Ῥώμην ἕως Κομόδου τελευτῆς Ͽμγ´ μῆνες ς´.

Ἐγεννήθη δὲ ὁ κύριος ἡμῶν τῷ ὀγδόῳ καὶ εἰκοστῷ ἔτει, ὅτε 145,1
5 πρῶτον ἐκέλευσαν ἀπογραφὰς γενέσθαι ἐπὶ Αὐγούστου. ὅτι δὲ τοῦτ᾽ 2
ἀληθές ἐστιν, ἐν τῷ εὐαγγελίῳ τῷ κατὰ Λουκᾶν γέγραπται οὕτως·
»ἔτει δὲ πεντεκαιδεκάτῳ ἐπὶ Τιβερίου Καίσαρος ἐγένετο ῥῆμα κυρίου
ἐπὶ Ἰωάννην τὸν Ζαχαρίου υἱόν.« καὶ πάλιν ἐν τῷ αὐτῷ· »ἦν δὲ
Ἰησοῦς ἐρχόμενος ἐπὶ τὸ βάπτισμα ὡς ἐτῶν λ´.« καὶ ὅτι ἐνιαυτὸν 3
10 μόνον ἔδει αὐτὸν κηρῦξαι, καὶ τοῦτο γέγραπται οὕτως· »ἐνιαυτὸν
δεκτὸν κυρίου κηρῦξαι ἀπέστειλέν με.« τοῦτο καὶ ὁ προφήτης εἶπεν
καὶ τὸ εὐαγγέλιον. πεντεκαίδεκα οὖν ἔτη Τιβερίου καὶ πεντεκαίδεκα 4
Αὐγούστου, οὕτω πληροῦνται τὰ τριάκοντα ἔτη ἕως οὗ ἔπαθεν. ἀφ᾽ 5
οὗ δὲ ἔπαθεν ἕως τῆς καταστροφῆς Ἱερουσαλὴμ γίνονται ἔτη μβ´
15 μῆνες γ´, καὶ ἀπὸ τῆς καταστροφῆς Ἱερουσαλὴμ ἕως Κομόδου τε-
λευτῆς ἔτη ρκβ´ μῆνες ι´ ἡμέραι ιγ´. γίνονται οὖν ἀφ᾽ οὗ ὁ κύριος
ἐγεννήθη ἕως Κομόδου τελευτῆς τὰ πάντα ἔτη ρϞδ´ μὴν εἷς ἡμέ-
ραι ιγ´. εἰσὶ δὲ οἱ περιεργότερον τῇ γενέσει τοῦ σωτῆρος ἡμῶν οὐ 6
μόνον τὸ ἔτος, ἀλλὰ καὶ τὴν ἡμέραν προστιθέντες, ἥν φασιν ἔτους
20 κη´ Αὐγούστου ἐν πέμπτῃ Παχὼν καὶ εἰκάδι.

Οἱ δὲ ἀπὸ | Βασιλείδου καὶ τοῦ βαπτίσματος αὐτοῦ τὴν ἡμέραν 146,1
ἑορτάζουσι προδιανυκτερεύοντες ⟨ἐν⟩ ἀναγνώσεσι. φασὶ δὲ εἶναι τὸ 2
πεντεκαιδέκατον ἔτος Τιβερίου Καίσαρος τὴν πεντεκαιδεκάτην τοῦ
Τυβὶ μηνός, τινὲς δὲ αὖ τὴν ἐνδεκάτην τοῦ αὐτοῦ μηνός. τό τε 3
25 πάθος αὐτοῦ ἀκριβολογούμενοι φέρουσιν οἱ μέν τινες τῷ ἑκκαιδεκάτῳ
ἔτει Τιβερίου Καίσαρος Φαμενὼθ κε´, οἱ δὲ Φαρμουθὶ κε´· ἄλλοι δὲ
Φαρμουθὶ ιθ´ πεπονθέναι τὸν σωτῆρα λέγουσιν. ναὶ μὴν τινες αὐτῶν 4
φασι Φαρμουθὶ γεγενῆσθαι κδ´ ἢ κε´.

4–28 vgl. H. Browne, The Journal of classical and sacred philology, Cambridge
1854 vol. I p. 327–336; Usener, Weihnachtsfest S. 4f. 18f.; Lagarde, Mitteilungen
IV S. 264f.; Hozakowski, De chronogr. Clem. Al. Diss. Münster 1896 4f. vgl. Lc
2, 1 7–9 Lc 3, 1. 2. 23 10f. Lc 4, 18. 19 (Is 61, 1f.); Diekamp, Hippolytos von
Theben S. 83f. 13–15 vgl. Orig. c. Cels. IV 22 I p. 291, 25 24–28 vgl. E. Preu-
schen ZntW 5 (1904) S. 6–9

2f. die Summe stimmt nicht zu den überlieferten Posten; historisch richtig
wäre ἔτη σλε´ μῆνες θ´ 3 〉λμγ´ Schw 〉λνγ´ L 12 πεντεκαίδεκα οὖν ἔτη—
πεντεκαίδεκα Usener πεντεκαιδεκάτῳ οὖν ἔτει—πεντεκαιδεκάτῳ L 15 μῆνες] ἡμέραι
E. Preuschen ZntW 5 (1904) S. 6 (vgl. aber oben Z. 16. 17f.) 16 ρκβ´ Usener
ρκη´ L μῆνες ι´ historisch falsch (μῆνες γ´ ἡμέραι κγ´ Usener) 18 ιγ´] κγ´ Bilfinger,
Das german. Julfest. Progr. des Eberh.-Ludw.-Gymn. Stuttgart 1901 S. 9, dagegen
vgl. K. Holl, Berl. Ak. SB 1917, 408 A 3 und F. Boll, Arch. f. Rel.-Wissensch. 19
(1916–1919) 191 οἱ L 19 [ἥν] Di 22 ⟨ἐν⟩ Ma 24 αὖ τὴν Usener αὐτὴν L

Ἔτι δὲ κἀκεῖνα τῇ χρονογραφίᾳ προσαποδοτέον, τὰς ἡμέρας 5
λέγω, ἃς αἰνίττεται Δανιὴλ ἀπὸ τῆς ἐρημώσεως Ἱερουσαλήμ, * * τὰ
Οὐεσπεσιανοῦ ἔτη ζ' μῆνας ια'. τὰ γὰρ δύο ἔτη προσλαμβάνεται
τοῖς Ὄθωνος καὶ Γάλβα καὶ Οὐιτελλίου μησὶ ιζ' ἡμέραις η' καὶ 6
5 οὕτω γίνεται ἔτη τρία καὶ μῆνες ς', ὅ ἐστι »τὸ ἥμισυ τῆς ἑβδο-
μάδος·« καθὼς εἴρηκε Δανιὴλ ὁ προφήτης. εἴρηκεν δὲ ˏβτ' ἡμέρας 7
γενέσθαι ἀφ' οὗ ἔστη τὸ βδέλυγμα ὑπὸ Νέρωνος εἰς τὴν πόλιν τὴν
ἁγίαν μέχρι τῆς καταστροφῆς αὐτῆς. οὕτω γὰρ τὸ ῥητὸν τὸ ὑπο- 8
τεταγμένον δείκνυσιν· »ἕως πότε ἡ ὅρασις στήσεται, ἡ θυσία ἡ ἀρ-
10 θεῖσα ⟨καὶ⟩ ἡ ἁμαρτία ἐρημώσεως ἡ δοθεῖσα, καὶ ἡ δύναμις καὶ τὸ ἅγιον
συμπατηθήσεται; καὶ εἶπεν αὐτῷ, ἕως ἑσπέρας καὶ πρωί, ἡμέραι ˏβτ',
καὶ ἀρθήσεται τὸ ἅγιον.« αὗται οὖν αἱ ˏβτ' ἡμέραι γίνονται ἔτη ς', 9
μῆνες δ', ὧν τὸ ἥμισυ κατέσχε Νέρων βασιλεύων, καὶ ἐγένετο
ἥμισυ ἑβδομάδος | τὸ δὲ ἥμισυ Οὐεσπεσιανὸς σὺν Ὄθωνι καὶ Γάλβα 409 P
15 καὶ Οὐιτελλίῳ. καὶ διὰ τοῦτο λέγει Δανιὴλ· »μακάριος ὁ φθάσας εἰς 10
ἡμέρας ˏατλε'.« μέχρι γὰρ τούτων τῶν ἡμερῶν ὁ πόλεμος ἦν, μετὰ
δὲ ταῦτα ἐπαύσατο. δείκνυται δὲ καὶ οὗτος ὁ ἀριθμὸς ἐκ τοῦ ὑπο- 147,1
τεταγμένου κεφαλαίου ἔχοντος ὧδε· »καὶ ἀπὸ καιροῦ παραλλάξεως
τοῦ ἐνδελεχισμοῦ καὶ δοθῆναι βδέλυγμα ἐρημώσεως ἡμέρας ˏασϛ',
20 μακάριος ὁ ὑπομένων καὶ φθάσας εἰς ἡμέρας ˏατλε'.« 2
   Φλάυιος δὲ Ἰώσηπος ὁ Ἰουδαῖος ὁ τὰς Ἰουδαϊκὰς συντάξας ἱστορίας
καταγαγὼν τοὺς χρόνους φησὶν ἀπὸ Μωυσέως ἕως Δαβὶδ ἔτη γίγνεσθαι
φπε', ἀπὸ δὲ Δαβὶδ ἕως Οὐεσπεσιανοῦ δευτέρου ἔτους ˏαροθ'. εἶτα ἀπὸ 3
τούτου μέχρι Ἀντωνίνου δεκάτου ἔτους ἔτη οζ', ὡς εἶναι ἀπὸ Μωυ-
25 σέως ἐπὶ τὸ δέκατον ἔτος Ἀντωνίνου πάντα ἔτη ˏαωλγ'. ἄλλοι δὲ 4
μέχρι τῆς Κομόδου τελευτῆς ἀριθμήσαντες ἀπὸ Ἰνάχου καὶ Μωυσέως
ἔτη ἔφησαν γίνεσθαι ˏαωμβ', οἱ δὲ ˏαϡκα'. ἐν δὲ τῷ κατὰ Ματθαῖον 5
εὐαγγελίῳ ἡ ἀπὸ Ἀβραὰμ γενεαλογία μέχρι Μαρίας τῆς μητρὸς·τοῦ
κυρίου περαιοῦται· »γίνονται γάρ,« φησίν, »ἀπὸ Ἀβραὰμ ἕως Δαβὶδ

5f. Dan 9, 27   9—12 Dan 8, 13f.   15f. Dan 12, 12   18—20 Dan 12, 11f.
21—25 vgl. Josephus Bell. Jud. VI 10; J. Raška, Chronologie der Bibel S. 44f.
24 vgl. Schlatter, Zur Topographie und Geschichte Palästinas 1893 S. 403ff. und
Der Chronograph aus dem 10. Jahre Antonins in TU XII 1 u. dagegen Erbes,
ThLz 1895 Nr. 16; Harnack, Gesch. d. Altchristl. Literatur II 1 S. 406—408
29—S. 92, 3 Mt 1, 17

1 κἀκεῖνο Sy   2 ἀπὸ] ἐπὶ Browne Ἱερουσαλήμ. ⟨εὑρίσκομεν οὖν μετὰ τὴν κατα-
στροφὴν Ἱερουσαλήμ⟩ Browne   3 ια' Lowth vgl. S. 89, 27 ζ' L   10 ⟨καὶ⟩ aus Dan
ἐρημώσεως Dan ἐρημωθήσεται L.   12 ἀρθήσεται L (vgl. S. 78, 21; 91, 8. 9f.) καθα-
ρισθήσεται Dan   13 ἐγένετο L¹ ἐγένοντο L*   15 ουιτελλίω L¹ ουιτελίω L*   25 zum
Fehler in der Rechnung vgl. Raška   27 ˏαωμβ', οἱ δὲ, ˏαϡκα' Bywater p. 206
ˏβωμβ', οἱ δὲ ˏβλκα' L

γενεαὶ ιδ΄, καὶ ἀπὸ Δαβὶδ ἕως τῆς μετοικεσίας Βαβυλῶνος γενεαὶ ιδ΄,
καὶ ἀπὸ τῆς μετοικεσίας Βαβυλῶνος ἕως τοῦ Χριστοῦ ὁμοίως ἄλλαι 6
γενεαὶ ιδ΄,« τρία διαστήματα μυστικὰ ἐξ ἑβδομάσι τελειούμενα.

XXII. Καὶ τὰ μὲν περὶ τῶν χρόνων διαφόρως πολλοῖς ἱστο- 148,1
5 ρηθέντα καὶ πρὸς ἡμῶν ἐκτεθέντα ὦδε ἐχέτω, ἑρμηνευθῆναι δὲ τὰς
γραφὰς τάς τε τοῦ νόμου καὶ τὰς προφητικὰς ἐκ τῆς τῶν Ἑβραίων
διαλέκτου εἰς τὴν Ἑλλάδα γλῶττάν φασιν ἐπὶ βασιλέως Πτολεμαίου
τοῦ Λάγου | ἢ ὥς τινες ἐπὶ τοῦ Φιλαδέλφου ἐπικληθέντος, τὴν 410 P
μεγίστην φιλοτιμίαν εἰς τοῦτο προσενεγκαμένου, Δημητρίου τοῦ Φα-
10 ληρέως [καὶ] τὰ περὶ τὴν ἑρμηνείαν ἀκριβῶς πραγματευσαμένου· ἔτι 2
γὰρ Μακεδόνων τὴν Ἀσίαν κατεχόντων φιλοτιμούμενος ὁ βασιλεὺς
τὴν ἐν Ἀλεξανδρείᾳ πρὸς | αὐτοῦ γενομένην βιβλιοθήκην πάσαις 148 S
κατακοσμῆσαι γραφαῖς ἠξίωσε καὶ τοὺς Ἱεροσολυμίτας τὰς παρ᾽
αὐτοῖς προφητείας εἰς τὴν Ἑλλάδα διάλεκτον ἑρμηνεῦσαι. οἳ δὲ ἅτε 149,1
15 ἔτι ὑπακούοντες Μακεδόσι τῶν ·παρὰ σφίσιν εὐδοκιμωτάτων περὶ
τὰς γραφὰς ἐμπείρους καὶ τῆς Ἑλληνικῆς διαλέκτου εἰδήμονας ἑβδο-
μήκοντα πρεσβυτέρους ἐκλεξάμενοι ἀπέστειλαν αὐτῷ μετὰ καὶ τῶν
θείων βίβλων. ἑκάστου δὲ ἐν μέρει κατ᾽ ἰδίαν ἑκάστην ἑρμηνεύ- 2
σαντος προφητείαν συνέπνευσαν αἱ πᾶσαι ἑρμηνεῖαι συναντιβληθεῖσαι
20 καὶ τὰς διανοίας καὶ τὰς λέξεις· θεοῦ γὰρ ἦν βούλημα μεμελετη-
μένον εἰς Ἑλληνικὰς ἀκοάς. οὐ δὴ ξένον ἐπιπνοίᾳ θεοῦ τοῦ τὴν 8
προφητείαν δεδωκότος καὶ τὴν ἑρμηνείαν οἱονεὶ Ἑλληνικὴν προφη-
τείαν ἐνεργεῖσθαι, ἐπεὶ κἂν τῇ ⟨ἐπὶ⟩ Ναβουχοδονόσορ αἰχμαλωσίᾳ
διαφθαρεισῶν τῶν γραφῶν κατὰ τοὺς Ἀρταξέρξου τοῦ Περσῶν βασι-
25 λέως χρόνους ἐπίπνους Ἔσδρας ὁ Λευίτης ὁ ἱερεὺς γενόμενος πάσας
τὰς παλαιὰς αὖθις ἀνανεούμενος προεφήτευσε γραφάς.

Ἀριστόβουλος δὲ ἐν τῷ πρώτῳ τῶν πρὸς τὸν Φιλομήτορα κατὰ 150,1

* 4—26 vgl. Iren. III 21, 2 (griechisch Euseb. H. E. V 8, 11—15); Aristeae ad
Philocr. epist. ed. P. Wendland p. 124sq.; vgl. P. Wendland, Zur ältesten Gesch. der
Bibel in der Kirche I (1900) 271   7—10 vgl. Aristobul bei Euseb. Praep. Ev. XIII
12, 2 ἡ δ᾽ ὅλη ἑρμηνεία τῶν διὰ τοῦ νόμου πάντων ἐπὶ τοῦ προσαγορευθέντος Φιλα-
δέλφου βασιλέως, σοῦ δὲ προγόνου, προσενεγκαμένου μείζονα φιλοτιμίαν, Δημητρίου
τοῦ Φαληρέως πραγματευσαμένου τὰ περὶ τούτων. — Zum Verhältnis beider Texte
vgl. Schlatter, Zur Topographie u. Geschichte Palästinas 1893 S. 329ff.; dagegen
Schürer, ThLz 1893 Nr. 13; vgl. E. Nestle, ZatW 26, 1906, 287f.   23—26 vgl. IV
Esra 14, 18—22. 37—47   27f. vgl. Hier. Chr. 139, 1ff. Helm   27—S. 93, 11 Ἀριστό-
βουλος—ἀττικίζων Euseb. Praep. Ev. IX 6, 6—9 (aus Clemens)

10 [καὶ] < Aristob.   12 αὐτοῦ Sy αὐτὸν L (τὴν ὑπ᾽ αὐτοῦ κατεσκευασμένην βιβλιο-
θήκην Iren.)   20f. ἦν βούλημα μεμελετημένον] ἦσαν βουλήματι μεμελετημένοι Wend-
land   μετενηνεγμένον Schw   28 ⟨ἐπὶ⟩ aus Iren.   27 τῶν Eus τῷ L

λέξιν γράφει· ›κατηκολούθηκε δὲ καὶ ὁ Πλάτων τῇ καθ᾽ ἡμᾶς | νο- 411 P
μοθεσίᾳ, καὶ φανερός ἐστι περιειργασμένος ἕκαστα τῶν ἐν αὐτῇ
λεγομένων. διηρμήνευται δὲ πρὸ Δημητρίου ὑφ᾽ ἑτέρων, πρὸ τῆς 2
Ἀλεξάνδρου καὶ Περσῶν ἐπικρατήσεως, τά τε κατὰ τὴν ἐξ Αἰγύπτου
5 ἐξαγωγὴν τῶν Ἑβραίων τῶν ἡμετέρων πολιτῶν καὶ ἡ τῶν γεγονό-
των ἁπάντων αὐτοῖς ἐπιφάνεια καὶ κράτησις τῆς χώρας καὶ τῆς
ὅλης νομοθεσίας ἐπεξήγησις· ὥστε εὔδηλον εἶναι τὸν προειρημένον 3
φιλόσοφον εἰληφέναι πολλά (γέγονε γὰρ πολυμαθής), καθὼς καὶ
Πυθαγόρας πολλὰ τῶν παρ᾽ ἡμῖν μετενέγκας εἰς τὴν ἑαυτοῦ δογμα-
10 τοποιίαν.‹ Νουμήνιος δὲ ὁ Πυθαγόρειος φιλόσοφος ἄντικρυς γράφει· 4
›τί γάρ ἐστι Πλάτων ἢ Μωυσῆς ἀττικίζων;‹ οὗτος ὁ Μωυσῆς θεο-
λόγος καὶ προφήτης, ὡς δέ τινες νόμων ἱερῶν ἑρμηνεὺς ἦν. τὸ γένος 5
αὐτοῦ καὶ τὰς πράξεις καὶ τὸν βίον ἀξιόπιστοι κηρύσσουσαι αὐταὶ αἱ
γραφαί, λεκτέον δὲ ὅμως καὶ ἡμῖν ὡς ὅτι μάλιστα ⟨δι᾽ ὀλίγων⟩.

15   XXIII. Μωυσῆς ⟨οὖν⟩ ἄνωθεν τὸ γένος Χαλδαῖος ὢν ἐν Αἰγύπτῳ 151, 1
γεννᾶται, τῶν προγόνων αὐτοῦ διὰ πολυχρόνιον λιμὸν ἐκ Βαβυλῶνος
εἰς Αἴγυπτον μεταναστάντων. ἑβδόμῃ γενεᾷ γεννηθεὶς καὶ τραφεὶς
βασιλικῶς περιστάσει κέχρηται τοιαύτῃ. εἰς πολυανθρωπίαν ἐπιδε- 2
δωκότων ἐν Αἰγύπτῳ τῶν Ἑβραίων δείσας ὁ βασιλεὺς τῆς χώρας

1—10 κατηκολούθησεν–δογματοποιίαν Eus. Pr. Ev. XIII 12, 1 (aus Aristobul);
vgl. Elter Gnom. hist. 214 ff. 7—11 vgl. Theod. Gr. aff. c. I 14; II 114 10 f. Nu-
menios Fr. 9 Ende Mullach FPG III 166; vgl. III 181¹⁰; Suidas s. v. Νουμήνιος;
fr. 13 Thedinga 11 f. vgl. Philo De vita Mos. I 1 (IV p. 119) Μωσέως τοῦ κατὰ
μέν τινας νομοθέτου τῶν Ἰουδαίων, κατὰ δέ τινας ἑρμηνέως νόμων ἱερῶν, τὸν βίον
ἀναγράψαι διενοήθην. 15–S. 95, 8 vgl. Philo a. a. O. I 5–17 (IV p. 120–123)
Μωσῆς γένος μέν ἐστι Χαλδαῖος, ἐγεννήθη δ᾽ ἐν Αἰγύπτῳ καὶ ἐτράφη, τῶν προγόνων
αὐτοῦ διὰ πολυχρόνιον λιμόν, ὃς Βαβυλῶνα καὶ τοὺς πλησιοχώρους ἐπίεζε, κατὰ ζή-
τησιν τροφῆς εἰς Αἴγυπτον πανοικὶ μεταναστάντων ... ἑβδόμη γενεᾷ ⟨δ᾽⟩ οὗτός ἐστιν
ἀπὸ τοῦ πρώτου, ὃς ἐπηλύτης ὢν τοῦ σύμπαντος Ἰουδαίων ἔθνους ἀρχηγέτης ἐγένετο.
τροφῆς δ᾽ ἠξιώθη βασιλικῆς ἀπ᾽ αἰτίας τοιᾶσδε· τῆς χώρας ὁ βασιλεύς, εἰς πολυ-
ανθρωπίαν ἐπιδιδόντος ἀεὶ τοῦ ἔθνους, δείσας μὴ οἱ ἔποικοι πλείους γενόμενοι δυνα-

1 κατηκολούθηκε δὲ καί] κατηκολούθηκε δέ Eus. IX φανερὸν ὅτι κατηκολούθησεν
Eus. XIII 2 περιειργασμένος Eus. IX XIII περιεργασάμενος L 3 λεγομένων
< Eus. XIII διειρμήνευται L δέ] γὰρ Eus. XIII Δημητρίου] + τοῦ Φαληρέως
Eus. XIII ὑφ᾽] δι᾽ Eus. XIII ἑτέρων Eus. IX XIII ἑτέρου L γὰρ [πρὸ Δημητρίου
ὑφ᾽ ἑτέρων] Valckenaer, Diatr. de Arist. p. 49; aber vgl. Zeller, Phil. d. Gr. III 2³
S. 259 Anm. 2 4 [καί] Wi vgl. aber Eus. Pr. Ev. XI 8; Aristeas Ep. 35, 119 Wendl.
[Hysteron-proteron wie I 64, 2; I 126, 3 (Fr)] 4 f. ἐξ Αἰγύπτου ἐξαγωγὴν] ἐξαγωγὴν
τὴν ἐξ Αἰγύπτου Eus. XIII 5 τῶν ἡμετέρων] ἡμετέρων δὲ Eus. XIII 7 ὥστε] ὡς
Eus. XIII 9 f. δογματοποιίαν] + κατεχώρισεν Eus. XIII 10 Πυθαγόρειος Sy πυθα-
γόριος L Πυθαγορικὸς Eus. 11 Μωσῆς Eus. 12 τὸ ⟨δὲ⟩ Wi 13 αὗται L 14 ⟨δι᾽
ὀλίγων⟩ St ⟨διὰ βραχέων⟩ Wi 15 ⟨οὖν⟩ St 17 ⟨ἀπὸ τοῦ πρώτου ἀρχηγέτου Ἰουδαίων
συμπάντων⟩ ἑβδόμῃ ... βασιλικῆς· περιστάσει γὰρ Ja²

τὴν ἐκ τοῦ πλήθους ἐπιβουλὴν τῶν γεννωμένων ἐκ τῶν Ἑβραίων
κελεύει τὰ μὲν θήλεα τρέφειν αὐτούς (ἀσθενὲς γὰρ εἰς πόλεμον γυνή),
διαφθείρειν δὲ τὰ ἄρρενα εὐαλκῆ νεότητα ὑφορώμενος. εὐπατρίδην 3
δὲ τὸν παῖδα ὄντα τρεῖς ἐφεξῆς | κρύπτοντες ἔτρεφον μῆνας οἱ γονεῖς 412 P
5 νικώσης τῆς φυσικῆς εὐνοίας τὴν τυραννικὴν ὠμότητα, δείσαντες δὲ
ὕστερον μὴ συναπόλωνται τῷ παιδί, ἐκ βίβλου τῆς ἐπιχωρίου ὀκεῦός
τι ποιησάμενοι τὸν παῖδα ἐνθέμενοι ἐκτιθέασι παρὰ τὰς ὄχθας τοῦ
ποταμοῦ ἑλώδους ὄντος, ἐπετήρει δὲ τὸ ἀποβησόμενον ἄπωθεν
ἑστῶσα τοῦ παιδὸς ἡ ἀδελφή. ἐνταῦθα ἡ θυγάτηρ τοῦ βασιλέως, 152, 1
10 συχνῷ χρόνῳ μὴ κυΐσκουσα, τέκνων δὲ ἐπιθυμοῦσα, ἐκείνης ἀφι-
κνεῖται τῆς ἡμέρας ἐπὶ τὸν ποταμὸν λουτροῖς καὶ περιρραντηρίοις
χρησομένη, ἐπακούσασα δὲ κλαυθμυριζομένου τοῦ παιδὸς κελεύει προσ-
ενεχθῆναι αὐτῇ καὶ κατοικτείρασα ἐζήτει τροφόν. ἐνταῦθα προσδρα- 2

τωτέρᾳ χειρὶ τοῖς αὐτόχθοσι περὶ κράτους ἀρχῆς ἁμιλλῶνται, τὴν ἰσχὺν αὐτῶν ἀφαιρεῖν
ἐπινοίαις ἀνοσιουργοῖς ἐμηχανᾶτο καὶ κελεύει τῶν γεννωμένων τὰ μὲν θήλεα τρέφειν
(ἐπεὶ γυνὴ διὰ φύσεως ἀσθενείαν ὀκνηρὸν εἰς πόλεμον), τὰ δ᾿ ἄρρενα διαφθείρειν,
ἵνα μὴ αὐξηθῇ κατὰ πόλεις· εὐανδροῦσα γὰρ δύναμις δυσάλωτον καὶ δυσκαθαίρετον
ἐπιτείχισμα. γεννηθεὶς οὖν ὁ παῖς εὐθὺς ὄψιν ἐνέφαινεν ἀστειοτέραν ἢ κατ᾿ ἰδιώτην,
ὡς καὶ τῶν τοῦ τυράννου κηρυγμάτων, ἐφ᾿ ὅσον οἷόν τε ἦν, τοὺς γονεῖς ἀλογῆσαι.
[Zu oben Z. 3 εὐπατρίδην vgl. Joseph. Arch. II 9, 3 Ἀμαράμης τῶν εὖ γεγονότων.]
τρεῖς γοῦν φασι μῆνας ἐφεξῆς οἴκοι γαλακτοτροφηθῆναι λανθάνοντα τοὺς πολλούς. ἐπεὶ
δ᾿, οἷα ἐν μοναρχίαις φιλεῖ, καὶ τὰ ἐν μυχοῖς ἔνιοι διηρεύνων σπεύδοντες ἀεί τι καινὸν
ἄκουσμα προσφέρειν τῷ βασιλεῖ, φοβηθέντες μὴ σωτηρίαν ἑνὶ μνώμενοι πλείους ὄντες
αὐτοὶ σὺν ἐκείνῳ παραπόλωνται, δεδακρυμένοι τὸν παῖδα ἐκτιθέασι παρὰ τὰς ὄχθας τοῦ
ποταμοῦ καὶ στένοντες ἀπήεσαν . . . ἀδελφὴ δὲ τοῦ ἐκτεθέντος βρέφους ἔτι παρθένος
ὑπὸ φιλοικείου πάθους μικρὸν ἄποθεν ἐκαραδόκει τὸ ἀποβησόμενον . . . θυγάτηρ ἦν
τῷ βασιλεῖ τῆς χώρας ἀγαπητὴ καὶ μόνη· ταύτην φασὶ γημαμένην ἐκ πολλοῦ χρόνου μὴ
κυΐσκειν τέκνων ὡς εἰκὸς ἐπιθυμοῦσαν καὶ μάλιστα γενεᾶς ἄρρενος, ᾗ τὸν εὐδαίμονα
κλῆρον τῆς πατρῴας ἡγεμονίας διαδέξεται κινδυνεύοντα ἐρημίᾳ θυγατριδῶν ἀλλοτριω-
θῆναι. κατηφοῦσαν δὲ ἀεὶ καὶ στένουσαν ὡς μάλιστα ἐκείνῃ τῇ ἡμέρᾳ τῷ βάρει τῶν φρον-
τίδων ἀπαγορεῦσαι καὶ δι᾿ ἔθους ἔχουσαν οἴκοι καταμένειν καὶ μηδὲ τὰς κλισιάδας ὑπερ-
βαίνειν ἐξορμῆσαι μετὰ θεραπαινίδων ἐπὶ τὸν ποταμόν, ἔνθα ὁ παῖς ἐξέκειτο· κἄπειτα
λουτροῖς καὶ περιρραντηρίοις χρῆσθαι μέλλουσαν ἐν τῷ δασυτάτῳ τῶν ἑλῶν αὐτὸν
θεάσασθαι καὶ κελεῦσαι προσφέρειν . . . τὴν ἀδελφὴν τοῦ παιδὸς . . . πυνθάνεσθαι προσ-
δραμοῦσαν, εἰ βουλήσεται γαλακτοτροφηθῆναι τοῦτον παρὰ γυναίῳ τῶν Ἑβραϊκῶν οὐ
πρὸ πολλοῦ κυήσαντι· τῆς δὲ βούλεσθαι φαμένης, τὴν αὑτῆς καὶ τοῦ βρέφους μητέρα
παραγαγεῖν ὡς ἀλλοτρίαν, ἣν ἑτοιμότερον ἀσμένην ὑπισχνεῖσθαι πρόφασιν ὡς ἐπὶ μισθῷ
τροφεύσειν . . . εἶτα δίδωσιν ὄνομα θεμένη Μωυσῆν ἐτύμως (ἑτοίμως 2 HSS) διὰ τὸ
ἐκ τοῦ ὕδατος αὐτὸν ἀνελέσθαι· τὸ γὰρ ὕδωρ μῶυ (μῶς HSS) ὀνομάζουσιν Αἰγύπτιοι.
Vgl. Joseph. Arch II 9, 6

5 ὠμότητα L¹ ὁμότητα L*   10 τέκνων Philo τέκνον L

μοῦσα ἡ ἀδελφὴ τοῦ παιδὸς ἔχειν ἔφασκεν Ἑβραίαν γυναῖκα μὴ πρὸ
πολλοῦ τετοκυῖαν παραστῆσαι αὐτῇ τροφόν, εἰ βούλοιτο· τῆς δὲ
συνθεμένης καὶ δεηθείσης παρήνεγκε τὴν μητέρα τὴν τοῦ παιδὸς
τροφὸν ἐσομένην ὥς τινα ἄλλην οὖσαν ἐπὶ ῥητῷ μισθῷ. εἶτα τίθε- 3
5 ται τῷ παιδίῳ ὄνομα ἡ βασιλὶς Μωυσῆν ἐτύμως διὰ τὸ ἐξ ὕδατος
ἀνελέσθαι αὐτό (τὸ γὰρ ὕδωρ μῶυ ὀνομάζουσιν Αἰγύπτιοι), εἰς ὃ
ἐκτέθειται τεθνηξόμενος. καὶ γάρ τοι Μωυσῆν τὸν ἀποπνεύσαντα
τῷ ὕδατι προσαγορεύουσι. δῆλον οὖν ὡς ἐν τῷ ἔμπροσθεν χρόνῳ 153,1
περιτμηθέντι τῷ παιδίῳ οἱ γονεῖς ἔθεντο ὄνομά τι, ἐκαλεῖτο δὲ
10 Ἰωακείμ. ἔσχεν δὲ καὶ τρίτον ὄνομα ἐν οὐρανῷ μετὰ τὴν ἀνάληψιν,
ὥς | φασιν οἱ μύσται, Μελχί. ἐν δὲ ἡλικίᾳ γενόμενος ἀριθμητικήν 413 P 2
τε καὶ γεωμετρίαν ῥυθμικήν τε καὶ ἁρμονικὴν ἔτι τε μετρικὴν ἅμα
καὶ μουσικὴν παρὰ τοῖς διαπρέπουσιν Αἰγυπτίων ἐδιδάσκετο καὶ
προσέτι τὴν διὰ συμβόλων φιλοσοφίαν, ἣν ἐν τοῖς ἱερογλυφικοῖς
15 γράμμασιν ἐπιδείκνυνται. τὴν δὲ ἄλλην ἐγκύκλιον παιδείαν Ἕλληνες
ἐδίδασκον ἐν Αἰγύπτῳ, ὡς ἂν βασιλικὸν παιδίον, ᾗ φησι Φίλων ἐν
τῷ Μωυσέως βίῳ, προσεμάνθανε δὲ τὰ Ἀσσυρίων γράμματα καὶ τὴν 3
τῶν οὐρανίων ἐπιστήμην παρά τε Χαλδαίων παρά τε Αἰγυπτίων,
ὅθεν ἐν ταῖς Πράξεσι »πᾶσαν σοφίαν Αἰγυπτίων πεπαιδεῦσθαι« φέ-
20 ρεται. Εὐπόλεμος δὲ ἐν τῷ περὶ τῶν ἐν τῇ Ἰουδαίᾳ βασιλέων τὸν 4

10f. zu den Mose-Namen vgl. E. Nestle, Jahrbb. f. prot. Theol. 18 (1892) S. 642;
S. Krauss, Jew. Quart. Rev. 5 (1893) S. 136f.; 10 (1898) S. 726   10 zu ἀνάληψιν
vgl. Iud 9; zur Ἀνάληψις Μωυσέως, aus der diese Stelle und VI 132 wohl stammen,
vgl. E. Schürer, Gesch. des jüd. Volkes III S. 294—305   11—18 vgl. Philo, De vita
Mos. I 23 (IV p. 125) ἀριθμοὺς μὲν οὖν καὶ γεωμετρίαν τήν τε ῥυθμικὴν καὶ ἁρμονι-
κὴν καὶ μετρικὴν θεωρίαν καὶ μουσικὴν τὴν σύμπασαν διά τε χρήσεως ὀργάνων καὶ
λόγων τῶν ἐν ταῖς τέχναις καὶ διεξόδοις τοπικωτέραις Αἰγυπτίων οἱ λόγιοι παρεδίδοσαν
καὶ προσέτι τὴν διὰ συμβόλων φιλοσοφίαν, ἣν ἐν τοῖς λεγομένοις ἱεροῖς γράμμασιν ἐπι-
δείκνυνται καὶ διὰ τῆς τῶν ζῴων ἀποδοχῆς, ἃ καὶ θεῶν τιμαῖς γεραίρουσι· τὴν δ' ἄλλην
ἐγκύκλιον παιδείαν Ἕλληνες ἐδίδασκον, οἱ δ' ἐκ τῶν πλησιοχώρων τά τε Ἀσσύρια
γράμματα καὶ τὴν τῶν οὐρανίων Χαλδαϊκὴν ἐπιστήμην.   19 Act 7, 22   20—S. 96, 3
Eupolemos Fr. 1 Freudenthal S. 225 (= Alexander Polyhistor Fr. 13 FHG III
p. 220 = Euseb. Praep. Ev. IX 26); vgl. Cyr. v. Alex. Contra Jul. VII p. 231 E
Aubert ταύτης ἰδίᾳ μέμνηται τῆς ἱστορίας (der Erzählung des Eupolemos ἐν τοῖς
Στρωματεῦσιν ὁ Κλήμης, ἀνὴρ ἐλλόγιμος καὶ φιλομαθὴς καὶ ἀναγνωσμάτων Ἑλληνικῶν
πολυπραγμονήσας βάθος, ὡς ὀλίγοι τάχα που τῶν πρὸ αὐτοῦ.

---

2 παραστῆσαι St παραστήσειν L ⟨ἣν⟩ παραστήσειν Di   5 ἐτύμως L² (wie Philo)
ἑτοίμως L*   6 [αὐτό] Cobet S. 170 [τὸ—Αἰγύπτιοι] Wi   7f. [καὶ—προσαγορεύουσι]
Wi ἐναποπνεύσαντα Cobet   12 ῥυθμικὴν Philo ῥυθμητικὴν L μετρικὴν Philo
ἰατρικὴν L   17 Ἀσσυρίων Philo Αἰγυπτίων L   20 τῶν ἐν am Rand L¹   τῆι ἰουδαίαι
L¹ τῆς ἰουδαίας L*

Μωυσῆ φησι πρῶτον σοφὸν γενέσθαι καὶ γραμματικὴν πρῶτον τοῖς
Ἰουδαίοις παραδοῦναι καὶ παρὰ Ἰουδαίων Φοίνικας παραλαβεῖν,
Ἕλληνας δὲ παρὰ Φοινίκων. εἰς δὲ τὴν ἀνδρῶν φύσιν ἄξας ἐπέτεινε 5
τὴν φρόνησιν, τὴν συγγενικὴν καὶ προγονικὴν ζηλώσας παιδείαν, ἄχρι
5 καὶ τὸν Αἰγύπτιον τὸν τῷ Ἑβραίῳ ἀδίκως ἐπιθέμενον πατάξας
ἀποκτεῖναι. φασὶ δὲ οἱ μύσται λόγῳ μόνῳ ἀνελεῖν τὸν Αἰγύπτιον, 154, 1
ὥσπερ ἀμέλει ὕστερον Πέτρος ἐν ταῖς Πράξεσι φέρεται τοὺς νοσφι-
σα|μένους τῆς τιμῆς τοῦ χωρίου καὶ ψευσαμένους λόγῳ ἀποκτείνας. 149 S
Ἀρτάπανος γοῦν ἐν τῷ περὶ Ἰουδαίων συγγράμματι ἱστορεῖ κατα- 2
10 κλεισθέντα εἰς φυλακὴν Μωυσέα ὑπὸ Χενεφρέους τοῦ Αἰγυπτίων
βασιλέως ἐπὶ τῷ παραιτεῖσθαι τὸν λαὸν ἐξ Αἰγύπτου ἀπολυθῆναι,
νύκτωρ ἀνοιχθέντος τοῦ δεσμωτηρίου κατὰ βούλησιν τοῦ θεοῦ ἐξελ-
θόντα καὶ εἰς τὰ βασίλεια παρελθόντα ἐπιστῆναι κοιμωμένῳ τῷ
βασιλεῖ καὶ ἐξεγεῖραι αὐτόν, τὸν δὲ καταπλαγέντα τῷ γεγονότι κε- 3
15 λεῦσαι τῷ Μωυσεῖ τὸ τοῦ πέμψαντος εἰπεῖν ὄνομα θεοῦ καὶ τὸν
μὲν προσκύψαντα πρὸς τὸ οὖς εἰπεῖν, ἀκούσαντα δὲ τὸν βασιλέα
ἄφωνον πεσεῖν, διακρατηθέντα δὲ ὑπὸ τοῦ Μωυσέως πάλιν
ἀναβιῶναι. 414 P

Περὶ δὲ τῆς ἀνατροφῆς τοῦ Μωυσέως συνᾴσεται ἡμῖν καὶ ὁ 155, 1
20 Ἐζεκίηλος ὁ τῶν Ἰουδαϊκῶν τραγῳδιῶν ποιητὴς ἐν τῷ ἐπιγραφο-
μένῳ δράματι ›Ἐξαγωγή‹ γράφων ὧδε ἐκ προσώπου Μωυσέως·

ἰδὼν γὰρ ἡμῶν γένναν ἅλις ηὐξημένην 2
δόλον καθ’ ἡμῶν πολὺν ἐμηχανήσατο

3f. vgl. Philo a. a. O. I 25 (IV p. 125f.) ἤδη δὲ τοὺς ὅρους τῆς παιδικῆς ἡλικίας
ὑπερβαίνων ἐπέτεινε τὴν φρόνησιν. 4 vgl. Philo a. a. O. I 32 (IV p. 127) τὴν συγ-
γενικὴν καὶ προγονικὴν ἐζήλωσε παιδείαν. 5f. vgl. Exod 2, 11f. 6 daß Mose durch
ein Wort (Jahvè) den Ägypter getötet habe, erklären Exodus Rabba und Raschi
zu Exod 2, 14; vgl. S. Krauss, Jew. Quart. Rev. 5 (1893) S. 136 6—8 φασὶ–ἀπο-
κτείνας Andreascat. zur Apostelgesch. (7, 24f.) bei Cramer III p. 113, 17—20 7f. vgl.
Act 5, 1—10 9—18 vgl. Artapanos Fr. 3 Freudenthal S. 232ff. (aus Alexander Poly-
histor Fr. 14 FHG III p. 220 = Euseb. Praep. Ev. IX 27) 19—S. 98, 15 vgl. Alex.
Polyh. bei Euseb. Praep. Ev. IX 28. Vgl. Ezechielis Iudaei poetae Alex. fabulae,
quae inscribitur Ἐξαγωγή fragm. rec. atque enarr. Jos. Wieneke, Münster 1931;
K. Kuiper, Mnemosyne 28 (1900) S. 237—280 (= Revue des études juives 46 [1903]
S. 48—73; 161—177); vgl. Kuiper, Riv. di stor. ant. N. S. 8 (1904) S. 62—94

1 γραμματικὴν (vgl. Cobet S. 169)] γράμματα Eus. 3 Φοινίκων] + νόμους δὲ
πρῶτον γράψαι Μωσῆν τοῖς Ἰουδαίοις Eus. εἰς δὲ τὴν ἀνδρῶν (Hiller αὐτῶν L) φύσιν
ἄξας poet., vgl. Menand. Epitr. 146f. εἰς δὲ τὴν αὐτοῦ φύσιν ἄξας (. . . ας Pap., er-
gänzt von Leo), und so wird für das überl. αὐτῶν auch αὐτοῦ zu schreiben sein;
zur Erkl. vgl. Wilam. zur Men.-Stelle (Fr) ἄξας L ἤξας Hiller 7 Πέτρος < Cat.
φέρεται] φαίνεται Cobet S. 169 8 ⟨ἀπὸ⟩ τῆς τιμῆς Act 5, 3 ἀποκτεῖναι Cat.
10 Χενεφρέους Po aus Eus. νεχεφρέους (zw. ε u. χ Ras.) L¹ 23 ἐμηχανήσατο (η¹ corr.
aus α) L¹

βασιλεὺς Φαραώ, τοὺς μὲν ἐν πλινθεύμασιν
οἰκοδομίαις τε βαρέσιν αἰκίζων βροτούς,
πόλεις τ' ἐπύργου, σφῶν ἕκητι δυσμόρων·
ἔπειτ' ἐκήρυσσ' ἡμῖν, Ἑβραίων γένει,
τἀρσενικὰ ῥίπτειν ποταμὸν ἐς βαθύρροον.
ἐνταῦθα μήτηρ ἡ τεκοῦσ' ἔκρυπτέ με
τρεῖς μῆνας, ὡς ἔφασκεν· οὐ λαθοῦσα δὲ
ὑπεξέθηκε, κόσμον ἀμφιθεῖσά μοι,
παρ' ἄκρα ποταμοῦ, λάσιον εἰς ἕλος βαθύ.
Μαριὰμ δ' ἀδελφή μου κατώπτευεν πέλας·
κἄπειτα θυγάτηρ βασιλέως ἅβραις ὁμοῦ
κατῆλθε λουτροῖς χρῶτα φαιδρῦναι νέον.
ἰδοῦσα δ' εὐθὺς καὶ λαβοῦσ' ἀνείλετο,
ἔγνω δ' Ἑβραῖον ὄντα· καὶ λέγει τάδε
Μαριὰμ ἀδελφὴ προσδραμοῦσα βασιλίδι·
»θέλεις τροφόν σοι παιδὶ τῷδ' εὕρω ταχὺ
ἐκ τῶν Ἑβραίων;« ἡ δ' ⟨ἐπ⟩έσπευσεν κόρην
μολοῦσα δ' εἶπεν μητρί, καὶ παρῆν ταχὺ
αὐτή τε μήτηρ κἄλαβέν ⟨μ'⟩ εἰς ἀγκάλας.
εἶπεν δὲ θυγάτηρ βασιλέως· »τοῦτον, γύναι,
τρόφευε, κἀγὼ μισθὸν ἀποδώσω σέθεν.«
ὄνομα δὲ Μωυσῆν ὠνόμαζ', ὅτου χάριν
ὑγρᾶς ἀνεῖλε ποταμίας ἀπ' ἠόνος.

ἐπεὶ δὲ καιρὸς νηπίων παρῆλθέ μοι,
ἦγέν με μήτηρ βασιλίδος πρὸς δώματα.

---

2 βαρέσιν liegt etwa eine Reminiszenz an das ägypt. Wort βᾶρι vor (also
βάρισί τ')? Allerdings ist diesem Dichter βαρέσι für βαρείαις zuzutrauen (Fr)
5 vgl. Φ 8   12 vgl. Hesiod Op. 753

2 οἰκοδομίαις (vgl. Nauck, Bull. de l'Acad. de St. Pétersb. 17 [1872] p. 270
Mél. Gréco-Rom. II p. 189)] οἰκοδομαῖς Eus. οἰκοδομίας Sy   3 πόλεις τ' ἐπύργου Sy
πόλεσί τε πύργους L πόλεις τι πύργους Eus. πόλεις τε πύργων Kuiper πόλεις τε
πυργῶν Schw ἕκατι Eus.   4 ἔπειτ' ἐκήρυσσ' Wilamowitz, Oster-Progr. Gött. 1884
S. 11 ἔπειτα κηρύσσ' L ἔπειτα κηρύσσει Eus.   ἡμῖν L μὲν Eus.   γένει] γονῆς Wi
5 βαθύρροον Sy βαθύρρον L   7 ὡς] οὓς Eus. IO   9 παρ' ἄκρα (ἄκραι L) ποταμοῦ]
ποταμοῦ παρ' ἀκτὴν Kuiper βαθύ] δασύ Eus.   10 ἀδελφή μου Eus. ἀδελφ' ἡμῶν L
(Eus. BIO?)   13 δ' Eus. μ' L καὶ λαβοῦσ' L   14 τάδε * * Markland   16 παιδὶ
τῷδ' Sy τῶιδε παιδὶ L τῷ παιδὶ Eus. BO παιδὶ Eus. I   17 ἐπέσπευσεν Eus. ἔσπευσε
L   19 αὐτή] αὐτῇ Vi τε L Eus. BIO γε Viger κἄλαβέν (καὶ ἔλαβε IO) μ' Eus.
καὶ ἔλαβεν L εἰς] ἐς Eus.   22 Μωσῆν Eus. ὠνόμαζ' ὅτου Cobet S. 458 ὀνόμαζε
τοῦ L Eus. IO ὠνόμαζε τοῦ Eus. B   23 ⟨μ'⟩ ἀνεῖλε Kuiper   24 ἐπεὶ] diese Verse
mit τούτοις μεθ' ἕτερα ἐπιλέγει eingeführt bei Eus.   παρῆλθέ μοι Eus. παρῆλθέν
με L   25 ἤγαγέ Eus. O

ἅπαντα μυθεύσασα καὶ λέξασά μοι,
γένος πατρῷον καὶ θεοῦ δωρήματα.
ἕως μὲν οὖν τὸν παιδὸς εἴχομεν χρόνον. | 7
τροφαῖσι βασιλικαῖσι καὶ παιδεύμασιν   415 P
5   ἅπανθ᾽ ὑπισχνεῖτο, ὡς ἀπὸ σπλάγχνων ἑῶν·
ἐπεὶ δὲ πλήρης κύκλος ἡμερῶν παρῆν,
ἐξῆλθον οἴκων βασιλικῶν.

ἔπειτα τὴν διαμάχην τοῦ θ᾽ Ἑβραίου καὶ τοῦ Αἰγυπτίου διηγησά- 156, 1
μενος καὶ τὴν ταφὴν τὴν ἐν τῇ ψάμμῳ τοῦ Αἰγυπτίου, ἐπὶ τῆς
10 ἑτέρας μάχης φησὶν οὕτως·

          ›τί τύπτεις ἀσθενέστερον σέθεν;‹   2
ὃ δ᾽ εἶπεν· ›ἡμῖν τίς σ᾽ ἀπέστειλε⟨ν⟩ κριτὴν
ἢ ᾿πιστάτην ἐνταῦθα; μὴ κτενεῖς δέ με
ὥσπερ τὸν ἐχθὲς ἄνδρα;‹ καὶ δείσας ἐγὼ
15 ἔλεξα· ›πῶς ἐγένετο συμφανὲς τόδε;‹

φεύγει δὴ ἐντεῦθεν καὶ ποιμαίνει πρόβατα προδιδασκόμενος εἰς ἡγε- 3
μονίαν ποιμενικῇ· προγυμνασία γὰρ βασιλείας τῷ μέλλοντι τῆς ἡμε-
ρωτάτης τῶν ἀνθρώπων ἐπιστατεῖν ἀγέλης ἡ ποιμενικὴ καθάπερ
καὶ τοῖς πολεμικοῖς τῇ φύσει ἡ θηρευτική. ἄγει δὲ αὐτὸν ἐντεῦθεν
20 ὁ θεὸς ἐπὶ τὴν τῶν Ἑβραίων στρατηγίαν. ἔπειτα νουθετοῦνται μὲν 157, 1
Αἰγύπτιοι πολλάκις οἱ πολλάκις ἀσύνετοι, θεαταὶ δὲ Ἑβραῖοι ἐγίνοντο
ὧν ἕτεροι κακῶν ὑπέμενον ἀκινδύνως ἐκμανθάνοντες τὴν δύναμιν
τοῦ θεοῦ. ἔτι δὲ Αἰγύπτιοι ἀκοῇ μὴ παραδεχόμενοι τὰ τῆς δυνά- 2
μεως ἀποτελέσματα, δι᾽ ἀφροσύνην οἱ νήπιοι ἀπιστοῦντες, τότε

16–20 vgl. Philo De vita Mos. I 60 (IV p. 133f.) μετὰ δὲ τὸν γάμον παραλαβὼν
τὰς ἀγέλας ἐποίμαινε προδιδασκόμενος εἰς ἡγεμονίαν ⟨ποιμενικῇ⟩ ·ποιμενικὴ γὰρ μελέτη
καὶ προγυμνασία βασιλείας τῷ μέλλοντι τῆς ἡμερωτάτης τῶν ἀνθρώπων ἐπιστατεῖν
ἀγέλης, καθάπερ καὶ τοῖς πολεμικοῖς τὰς φύσεις τὰ κυνηγέσια. vgl. De Jos. 3
(IV p. 61)   20–23 vgl. Philo De vita Mos. I 146 (IV p. 155) καί μοί τις δοκεῖ
παρατυχὼν τοῖς γενομένοις κατ᾽ ἐκεῖνον τὸν καιρὸν μηδὲν ἂν ἄλλο νομίσαι τοὺς Ἑβραίους
ἢ θεατὰς ὧν ἕτεροι κακῶν ὑπέμενον καὶ οὐ μόνον * * *

5 ἑῶν Eus. ἕνα L   6 κύκλος Kuiper κόλπος L   καιρὸς B. A. Müller, PhW
54, 1934, 703; [aber das überlieferte κόλπος ἡμερῶν (Liddell-Scott 974a s. v.
κόλπος I 2c erklärt „womb of time") ist nicht unmöglich (Fr)]   8 θ᾽] τ᾽ L   9 ψάμ-
μωι (ψ u. μ² in Ras.) L¹   10 οὕτως Sy οὗτος L   13 κτενεῖς Eus. κτείνεις L   δέ] σύ
Eus.   17 ποιμενικῇ Davis zu Cic. de deor. nat. II 64, 161 ποιμενικήν L (verteidigt
von Segaar zu QDS 9) [ποιμενικήν] Po   23 ἔτι St ἐπεὶ L οἱ Wi   24 ἀπιστοῦντες
⟨διετέλουν⟩ Sy

ὡς εἴρηται, ῥεχθὲν δέ τε οἱ νήπιοι ἔγνωσαν ὕστερόν τε ἐξιόντες οἱ
Ἑβραῖοι πολλὴν λείαν τῶν Αἰγυπτίων ἐκφορήσαντες ἀπήεσαν, οὐ διὰ
φιλοχρηματίαν, ὡς οἱ κατήγοροί φασιν (οὐδὲ γὰρ ἀλλοτρίων αὐτοὺς
ἀνέπειθεν ἐπιθυμεῖν ὁ θεός), ἀλλὰ πρῶτον μὲν ὧν παρὰ πάντα τὸν **3**
5 χρόνον ὑπηρέτησαν τοῖς Αἰγυπτίοις μισθὸν ἀναγκαῖον κομιζόμενοι,
ἔπειτα δὲ καὶ τρόπον τινὰ ἠμύναντο ἀντιλυποῦντες ὡς φιλαργύρους
Αἰγυπτίους τῇ τῆς λείας ἐκφορήσει, καθάπερ ἐκεῖνοι τοὺς Ἑβραίους
τῇ καταδουλώσει. εἴτ᾽ | οὖν ὡς ἐν πολέμῳ φαίη τις τοῦτο γεγονέναι, **4** 416 P
τὰ τῶν ἐχθρῶν φέρειν ἠξίουν νόμῳ τῶν κεκρατηκότων ὡς κρείτ-
10 τονες ἡττόνων (καὶ τοῦ πολέμου ἡ αἰτία δικαία· ἱκέται διὰ λιμὸν
Ἑβραῖοι ἧκον πρὸς Αἰγυπτίους· οἳ δὲ τοὺς ξένους καταδουλωσάμενοι
τρόπον αἰχμαλώτων ὑπηρετεῖν ἠνάγκασαν σφίσι μηδὲ τὸν μισθὸν
ἀποδιδόντες), εἴτε ὡς ἐν εἰρήνῃ, μισθὸν ἔλαβον τὴν λείαν παρὰ
ἀκόντων τῶν πολὺν χρόνον οὐκ ἀποδιδόντων, ἀλλὰ ἀποστε-
15 ροῦντων.

XXIV. Ἔστιν οὖν ὁ Μωυσῆς ἡμῖν προφητικός, νομοθετικός. **158,1**
τακτικός, στρατηγικός, πολιτικός, φιλόσοφος. ὅπως μὲν οὖν ἦν προ-
φητικός, μετὰ ταῦτα λεχθήσεται, ὁπηνίκα ἂν περὶ προφητείας δια-
λαμβάνωμεν· τὸ τακτικὸν δὲ μέρος ἂν εἴη τοῦ στρατηγικοῦ, τὸ
20 στρατηγικὸν δὲ τοῦ βασιλικοῦ· πάλιν τε αὖ τὸ νομοθετικὸν μέρος
ἂν εἴη τοῦ βασιλικοῦ, καθάπερ καὶ τὸ δικαστικόν. τοῦ δὲ βασιλικοῦ **2**
τὸ μὲν θεῖον μέρος ἐστίν, οἷον τὸ κατὰ τὸν θεὸν καὶ τὸν ἅγιον
υἱὸν αὐτοῦ, παρ᾽ ὧν τά τε ἀπὸ γῆς ἀγαθὰ καὶ τὰ ἐκτὸς καὶ ἡ τελεία

---

1 vgl. P 32; Y 198   2—15 vgl. Philo De vita Mos. I 141f. (IV p. 153f.) *πολλὴν*
γὰρ λείαν ἐκφορήσαντες τὴν μὲν αὐτοὶ διεκόμιζον ἐπηχθισμένοι, τὴν δὲ τοῖς ὑποζυγίοις
ἐπέθεσαν, οὐ διὰ φιλοχρηματίαν ἤ, ὡς ἄν τις κατηγορῶν εἴποι, τὴν τῶν ἀλλοτρίων
ἐπιθυμίαν — πόθεν; — ἀλλὰ πρῶτον μὲν ὧν παρὰ πάντα τὸν χρόνον ὑπηρέτησαν ἀναγ-
καῖον μισθὸν κομιζόμενοι, εἶτα δὲ ὑπὲρ ὧν κατεδουλώθησαν ἐν ἐλάττοσι καὶ οὐχὶ τοῖς
ἴσοις ἀντιλυποῦντες· ποῦ γάρ ἐσθ᾽ ὅμοιον ζημία χρημάτων καὶ στέρησις ἐλευθερίας,
ὑπὲρ ἧς οὐ μόνον προΐεσθαι τὰς οὐσίας οἱ νοῦν ἔχοντες, ἀλλὰ καὶ ἀποθνῄσκειν ἐθέλουσιν;
ἐν ἑκατέρῳ δὴ κατώρθουν, εἴθ᾽ ὡς ἐν εἰρήνῃ μισθὸν λαμβάνοντες, ὃν παρ᾽ ἀκόντων
πολὺν χρόνον οὐκ ἀποδιδόντων ἀπεστεροῦντο, εἴθ᾽ ὡς ἐν πολέμῳ τὰ τῶν ἐχθρῶν φέρειν
ἀξιοῦντες νόμῳ τῶν κεκρατηκότων· οἱ μὲν γὰρ χειρῶν ἦρξαν ἀδίκων, ξένους καὶ ἱκέτας,
ὡς ἔφην πρότερον, καταδουλωσάμενοι τρόπον αἰχμαλώτων, οἱ δὲ καιροῦ παραπεσόντος
ἠμύναντο δίχα τῆς ἐν ὅπλοις παρασκευῆς, προασπίζοντος καὶ τὴν χεῖρα ὑπερέχοντος
τοῦ δικαίου.   3 vgl. Exod 20, 17; Deut 5, 21   16f. vgl. Philo De vita Mos. II 3
(IV p. 201) *ἐγένετο γὰρ προνοίᾳ θεοῦ βασιλεύς τε καὶ νομοθέτης καὶ ἀρχιερεὺς καὶ*
προφήτης.   18 zu der beabsichtigten Schrift περὶ προφητείας vgl. Strom. IV 2, 2;
93, 1; V 88, 4; Zahn, Suppl. Clem. S. 45f.; Arnim, De oct. Strom. libro p. 14

8 φαίη ⟨ἄν⟩ Hiller

7*

εὐδαιμονία χορηγεῖται· »αἰτεῖσθε γάρ«, φησί, »τὰ μεγάλα, καὶ τὰ 150 S
μικρὰ | ὑμῖν προστεθήσεται.« δεύτερον δέ ἐστιν εἶδος βασιλείας μετὰ
τὴν ἀκραιφνῶς λογικὴν καὶ θείαν διοίκησιν τὸ μόνῳ τῷ θυμοειδεῖ
τῆς ψυχῆς εἰς βασιλείαν συγχρώμενον, καθ᾽ ὃ εἶδος Ἡρακλῆς μὲν
5 Ἄργους, Ἀλέξανδρος δὲ Μακεδόνων ἐβασίλευσε. τρίτον δὲ τὸ ἑνὸς 4
ἐφιέμενον τοῦ νικῆσαι μόνον καὶ καταστρέψασθαι (τὸ δὲ πρὸς κακὸν
ἢ ἀγαθὸν τὴν νίκην ποιεῖσθαι τῷ τοιούτῳ οὐ πρόσεστιν)· ᾧ Πέρσαι
ἐπὶ τὴν Ἑλλάδα στρατεύσαντες συνεχρήσαν᾽ο. τοῦ γὰρ θυμοῦ τὸ 5
μὲν φιλόνικον μόνον ἐστίν, αὐτοῦ τοῦ κρατεῖν ἕνεκα τὴν δυναστείαν
10 πεποιημένον, τὸ δὲ φιλόκαλον, εἰς καλὸν καταχρωμένης τῆς ψυχῆς
τῷ θυμῷ. τετάρτη δὲ ἡ πασῶν κακίστη ἡ κατὰ τὰς ἐπιθυμίας τάτ- 159, 1
τεται βασιλεία, ὡς ἡ Σαρδαναπάλλου καὶ τῶν τὸ τέλος ποιουμένων
ταῖς ἐπιθυμίαις ὡς πλεῖστα χαρίζεσθαι. τοῦ δὴ βασιλικοῦ τοῦ τε 2
κατ᾽ ἀρετὴν νικῶντος καὶ τοῦ κατὰ βίαν ὄργανον τὸ τακτικόν, ἄλλο 417 P
15 δὲ κατ᾽ ἄλλην φύσιν τε καὶ ὕλην. ἐν μέν γε ὅπλοις καὶ τοῖς μαχί- 3
μοις ζῴοις δι᾽ ἐμψύχων τε καὶ ἀψύχων ψυχὴ τὸ τάττον ἐστὶ καὶ
νοῦς, ἐν δὲ τοῖς τῆς ψυχῆς πάθεσιν, ὧν ἐπικρατοῦμεν τῇ ἀρετῇ,
λογισμός ἐστι τὸ τακτικόν, ἐπισφραγιζόμενος ἐγκράτειαν καὶ σωφρο-
σύνην μεθ᾽ ὁσιότητος καὶ γνῶσιν ἀγαθὴν μετ᾽ ἀληθείας, τὸ τέλος
20 εἰς εὐσέβειαν ἀναφέρων θεοῦ. οὕτω γὰρ τῇ ἀρετῇ χρωμένη φρό- 4
νησις ἡ τάττουσά ἐστι, τὰ μὲν θεῖα ἡ σοφία, τὰ δὲ ἀνθρώπεια δὲ ἡ
πολιτική, σύμπαντα δὲ ἡ βασιλική. βασιλεὺς τοίνυν ἐστὶν ὁ ἄρχων 5
κατὰ νόμους ὁ τὴν τοῦ ἄρχειν ἑκόντων ἐπιστήμην ἔχων, οἷός ἐστιν
ὁ κύριος τοὺς εἰς αὐτὸν καὶ δι᾽ αὐτοῦ πιστεύοντας προσιέμενος.
25 πάντα γὰρ παρέδωκεν ὁ θεὸς καὶ πάντα ὑπέταξεν Χριστῷ τῷ βα- 6
σιλεῖ ἡμῶν, »ἵνα ἐν τῷ ὀνόματι Ἰησοῦ πᾶν γόνυ κάμψῃ ἐπουρανίων
καὶ ἐπιγείων καὶ καταχθονίων, καὶ πᾶσα γλῶσσα ἐξομολογήσηται ὅτι
κύριος Ἰησοῦς Χριστὸς εἰς δόξαν θεοῦ πατρός.«
Ἰδέαις δὲ ἐνέχεται τὸ στρατήγημα τρισίν, ἀσφαλεῖ, παραβόλῳ καὶ 160, 1
30 τῷ ἐκ τούτων μικτῷ· συντίθεται δὲ τούτων ἕκαστον ἐκ τριῶν, ἢ
διὰ λόγου ἢ δι᾽ ἔργων ἢ καὶ δι᾽ ἀμφοτέρων ἅμα τούτων. ταῦτα δὲ 2
ὑπάρξει πάντα ἐπιτελεῖν ἢ πείθοντας ἢ βιαζομένους ἢ ἀδικοῦντας

* 1f. vgl. Mt 13, 12; 25, 29; Mc 4, 25; Lc 8, 18; 19, 26; Strom. IV 34, 6; VII 55, 7;
Resch Agrapha² 111, Agraphon 86; Ropes, Sprüche Jesu S. 140 22f. vgl. z. B.
Aristot. Rhet. I 8 p. 1366ᵃ 2 23 vgl. Xen. Mem. IV 6, 12 (Fr) 25 vgl. Mt 11, 27;
Lc 10, 22 25f. vgl. I Cor 15, 28 26—28 Phil 2, 10f.

3 μόνῳ Ma μόνον L 9 φιλόνεικον L 10 καλὸν St καλὴν L ἀρετὴν Hiller καλλονὴν
Bywater 12 τῶν [τὸ] τέλος ποιουμένων ⟨τὸ⟩ St 20 χρωμένη St χρώμενοι L χρω-
μένοις Vi 21 μὲν St δὲ L 24 προσιέμενος Sy προϊέμενος L 31 ἅμα τούτων]
τούτων ἅμα L (Zeichen der Umstellung von L¹) 32 ἐπιτελεῖν ⟨ἐν τῷ ἀμύνασθαι ἢ
ἐν τῷ ἐπιθέσθαι οἷς ἐμπεριέχεται⟩ Schw

ἐν τῷ ἀμύνασϑαι ἢ τὰ δίκαια ποιοῦντας, οἷς ἐμπεριέχεται ἢ ψευδο-
μένους ἢ ἀληϑεύοντας, ἢ καὶ τούτων ἅμα τισὶ χρωμένους κατὰ τὸν
αὐτὸν καιρόν. ταῦτα δὲ σύμπαντα καὶ τὸ πῶς δεῖ χρῆσϑαι τούτων 3
ἑκάστῳ παρὰ Μωυσέως λαβόντες Ἕλληνες ὠφέληνται. τύπου δὲ 4
5 ἕνεκεν ἑνὸς ἢ καὶ δευτέρου ἐπιμνησϑήσομαι παραδείγματος στρα-
τηγικοῦ. Μωυσῆς τὸν λαὸν ἐξαγαγὼν ὑποπτεύσας ἐπιδιώξειν τοὺς
Αἰγυπτίους τὴν ὀλίγην καὶ σύντομον ἀπολιπὼν ὁδὸν ἐπὶ τὴν ἔρημον
ἐτρέπετο καὶ νύκτωρ τὰ πολλὰ τῇ πορείᾳ ἐχέχρητο. ἑτέρα γὰρ ἦν 5
οἰκονομία, καϑ’ ἣν ἐπαιδεύοντο Ἑβραῖοι δι’ ἐρημίας πολλῆς καὶ
10 χρόνου μακροῦ, εἰς μόνον τὸ πιστεύειν τὸν ϑεὸν εἶναι δι’ ὑπομονῆς
ἐϑιζόμενοι σώφρονος. τὸ γοῦν στρατήγημα τοῦ Μωυσέως διδάσκει 161, 1
πρὸ τῶν κινδύνων δεῖν τὰ χρήσιμα συνιδεῖν καὶ οὕτως ἐπιβα῾εῖν.
ἀμέλει γέγονεν ὅπερ καὶ ὑπώπτευσεν· ἐπεδίωξαν γὰρ οἱ Αἰγύπτιοι 2
ἐφ’ ἵππων καὶ ὀχημάτων, ἀλλ’ ἀπώλοντο ϑᾶττον ῥαγείσης τῆς ϑα-
15 λάσσης καὶ σὺν ἵπποις καὶ ἅρμασιν αὐτοὺς κατακλυσάσης, ὡς μηδὲ
λείψανον αὐτῶν ἀπολειφϑῆναι. μετὰ δὲ ταῦτα στῦλος πυρὸς ἑπό- 3
μενος (ὡδήγει γὰρ ἔμπροσϑεν αὐτῶν) ἦγε νύκτωρ τοὺς Ἑβραίους δι’ 418 P
ἀβάτου, ἐν πόνοις καὶ ὁδοιπορίαις εἴς τε ἀνδρείαν εἴς τε καρτερίαν
γυμνάζων καὶ συμβιβάζων αὐτούς, ἵνα καὶ χρηστὰ τὰ τῆς χώρας μετὰ
20 τὴν πεῖραν τῶν δοκούντων δεινῶν φανῇ, εἰς ἣν ἐξ ἀνοδίας παρέ-
πεμπεν αὐτούς. ναὶ μὴν καὶ τοὺς πολεμίους τοὺς τῆς χώρας προ- 162, 1
καϑεζομένους τροπωσάμενος ἀπέκτεινεν ἐξ ἐρήμου καὶ τραχείας ὁδοῦ
(τοιαύτη γὰρ ἡ ἀρετὴ τοῦ στρατηγικοῦ) ἐπιθέμενος αὐτοῖς. ἐμπειρίας
γὰρ καὶ στρατηγίας ἔργον ἦν τὸ τὴν χώραν τῶν πολεμίων λαβεῖν.
25 Τοῦτο συνιδὼν Μιλτιάδης ὁ τῶν Ἀθηναίων στρατηγὸς ὁ τῇ ἐν Μα- 2
ραϑῶνι μάχῃ νικήσας τοὺς Πέρσας ἐμιμήσατο τόνδε τὸν τρόπον· ἤγαγε
τοὺς Ἀϑηναίους νύκτωρ δι’ ἀνοδίας βαδίσας καὶ πλανήσας τοὺς
τηροῦντας αὐτὸν τῶν βαρβάρων· ὁ γὰρ Ἱππίας ὁ τῶν Ἀθηναίων
ἀποστὰς ἐπήγαγε τοὺς βαρβάρους εἰς τὴν Ἀττικὴν καὶ τοὺς ἐπικαί-
30 ρους τῶν τόπων προκαταλαβόμενος ἐφύλαττεν διὰ τὸ τῆς χώρας
ἔχειν τὴν ἐμπειρίαν. ἔργον μὲν οὖν ἦν τὸν Ἱππίαν λαϑεῖν, ὅϑεν 3
εἰκότως ὁ Μιλτιάδης συγχρησάμενος ἀνοδίᾳ τε καὶ νυκτὶ ἐπιϑέμενος

6—11 vgl. Philo, De vita Mos. I 164 (IV p. 159) εἶτ’ ἦγεν αὐτοὺς οὐ τὴν
ἐπίτομον, ἅμα μὲν εὐλαβηθείς, μή ποϑ’, ὑπαντιασάντων τῶν οἰκητόρων διὰ φόβον
ἀναστάσεως εἰς Αἴγυπτον, ... ἅμα δὲ καὶ βουλόμενος αὐτοὺς δι’ ἐρήμης ἄγων καὶ
μακρᾶς δοκιμάσαι, πῶς ἔχουσι πειθαρχίας. 13—16 vgl. Exod 14, 26—28 16—18 vgl.
Exod 13, 21 16 ἑπόμενος kein Widerspruch zu ὡδήγει ἐμπρ., „mitgehend“, vgl.
Wilamow. zu Eurip. Ion 1616 (Fr) 25—S. 102, 2 vgl. Herodot 6, 107—115

1 [ἐν—ἐμπεριέχεται] Schw οἷς ἐμπεριέχεται ~ nach ποιοῦντας St nach ἀμύ-
νασϑαι L 8 ἐχρῆτο Ma (vgl. Protr. 54, 4) 11 δ’ οὖν Ma

τοῖς·Πέρσαις, ὧν Δᾶτις ἡγεῖτο, τὰ κατὰ τὸν ἀγῶνα μετ᾽ ἐκείνων ὧν
αὐτὸς ἡγεῖτο κατώρθωσεν.

Ἀλλὰ καὶ Θρασυβούλῳ τοὺς ἐκπεσόντας ἀπὸ Φυλῆς καταγαγόντι 163,1
καὶ βουλομένῳ λαθεῖν στῦλος ὁδηγὸς γίνεται διὰ τῶν ἀτριβῶν ἰόντι.
5 τῷ Θρασυβούλῳ νύκτωρ ἀσελήνου καὶ δυσχειμέρου τοῦ καταστήματος 2
γεγονότος πῦρ ἑωρᾶτο προηγούμενον, ὅπερ αὐτοὺς ἀπταίστως προ-
πέμψαν κατὰ τὴν Μουνυχίαν ἐξέλιπεν, ἔνθα νῦν ὁ τῆς Φωσφόρου
βωμός ἐστι. πιστὰ τοίνυν τὰ ἡμέτερα κἂν ἐντεῦθεν γενέσθω τοῖς 3
Ἕλλησιν, ὅτι ἄρα δυνατὸν τῷ παντοκράτορι θεῷ προηγεῖσθαι ποι-
10 ῆσαι τοῖς Ἑβραίοις νύκτωρ στῦλον πυρὸς τὸν καὶ καθηγησάμενον
αὐτοῖς τῆς ὁδοῦ. λέγεται δὲ καὶ ἐν χρησμῷ τινι·   4

στῦλος Θηβαίοισι Διώνυσος πολυγηθής, |

ἐκ τῆς παρ᾽ Ἑβραίοις ἱστορίας. ἀλλὰ καὶ Εὐριπίδης ἐν Ἀντιόπῃ 151 S 5
φησίν·
15   ἔνδον δὲ θαλάμοις βουκόλων
            κομῶντα κισσῷ στῦλον Εὐίου θεοῦ.

σημαίνει δὲ ὁ στῦλος τὸ ἀνεικόνιστον τοῦ θεοῦ, ὁ δὲ πεφωτισμένος 6
στῦλος πρὸς τῷ τὸ ἀνεικόνιστον σημαίνειν δηλοῖ τὸ ἑστὸς καὶ μόνι-
μον τοῦ θεοῦ καὶ τὸ ἄτρεπτον αὐτοῦ φῶς καὶ ἀσχημάτιστον. πρὶν 164,1
20 γοῦν ἀκριβωθῆναι τὰς τῶν ἀγαλμάτων σχέσεις κίονας ἱστάντες οἱ
πυλαιοὶ ἔσεβον τούτους ὡς ἀφιδρύματα τοῦ θεοῦ. γράφει γοῦν ὁ 2
τὴν Φορωνίδα ποιήσας·

          Καλλιθόη κλειδοῦχος Ὀλυμπιάδος βασιλείης,
          Ἥρης Ἀργείης, ἣ στέμμασι καὶ θυσάνοισι |
25   πρώτη ἐκόσμησε⟨ν⟩ περὶ κίονα μακρὸν ἀνάσσης.   419 P

ἀλλὰ καὶ ὁ τὴν Εὐρωπίαν ποιήσας ἱστορεῖ τὸ ἐν Δελφοῖς ἄγαλμα 3
Ἀπόλλωνος κίονα εἶναι διὰ τῶνδε·

3–8 vgl. Xenophon Hell. II 4, 7; Diodor XIV 33   12 Orac. Fr. 207 Hendess
15f. Eurip. Antiope Fr. 203   23—25 Phoronis Fr. 4 Kinkel   zum Zitat vgl. Wilam.
Glaube d. Hell. I 113 A 2 (Fr)

1 δάτις (α in Ras. für 2 Buchst.) L¹   3 φυλῆς L² φυλακῆς L*   κατάγοντι L.
Dindorf zu Xenoph. Hell. II 4, 7; Cobet S. 505   5 ⟨ἔλεγον γὰρ πολλοὶ τῶν μετα-
σχόντων τῆς πράξεως ὅτι⟩ τῷ Θρασ. Pohlenz [unwahrscheinlich; zur Sache Wilamow.
Glaube d. Hell. I 180 A 1 (Fr)] δυσχειμέρου Di δυσχειμερίου L   7 μουνουχίαν L
(aber ο nach ν ausrad.)   9 προηγεῖσθαι (θ in Ras.) L¹   9f. ποιῆσαι (ἦσαι in Ras.) L¹
12 διόνυσος L   15 ἔνδον] εἶδον Bothe   βουκόλων Wi (Aristot. u. Athen II S. 42) βου-
κόλον L βουκόλον ⟨βλέπειν δοκῶ⟩ Max. Meyer, De Eurip. mythopoeia p. 76   21 ἀφι-
δρύματα Vi ἀμφιδρύματα L   25 Zitat unvollständig; es fehlt etwa δήσασα zu περὶ
Schw   26 Εὐρώπειαν Di

ὄφρα θεῷ δεκάτην ἀκροθίνιά τε κρεμάσαιμεν
σταθμῶν ἐκ ζαθέων καὶ κίονος ὑψηλοῖο.

Ἀπόλλων μέντοι μυστικῶς κατὰ στέρησιν τῶν πολλῶν νοούμενος ὁ
εἷς ἐστι θεός. ἀλλ' οὖν τὸ πῦρ ἐκεῖνο τὸ ἐοικὸς στύλῳ καὶ πῦρ τὸ 4
5 διὰ βάτου σύμβολόν ἐστι φωτὸς ἁγίου τοῦ διαβαίνοντος ἐκ γῆς καὶ
ἀνατρέχοντος αὖθις εἰς οὐρανὸν διὰ τοῦ ξύλου, δι' οὗ καὶ τὸ βλέ-
πειν ἡμῖν νοητῶς δεδώρηται.

XXV. Πλάτων δὲ ὁ φιλόσοφος ἐκ τῶν Μωυσέως τὰ περὶ τὴν 165,1
νομοθεσίαν ὠφεληθεὶς ἐπετίμησε μὲν τῇ Μίνωος καὶ Λυκούργου
10 πολιτείᾳ πρὸς ἀνδρείαν μόνην ἀποβλεπομέναις, ἐπήνεσε δὲ ὡς σεμνο-
τέραν τὴν ἕν τι λέγουσαν καὶ πρὸς δόγμα ἓν νεύουσαν αἰεί· καὶ γὰρ
ἰσχύι καὶ σεμνότητι καὶ φρονήσει πρέπειν ἂν μᾶλλον φιλοσοφεῖν ἡμᾶς
λέγει πρὸς τὸ ἀξίωμα τοῦ οὐρανοῦ ἀμετανοήτως χρωμένους γνώμῃ
τῇ αὐτῇ [καὶ] περὶ τῶν αὐτῶν. ἆρ' οὐ τὰ κατὰ τὸν νόμον ἑρμη- 2
15 νεύει πρὸς ἕνα θεὸν ἀφορᾶν καὶ δικαιοπραγεῖν ἐντελλόμενος; τοῦ 3
δὲ πολιτικοῦ δύο εἴδη λέγει, τὸ μὲν νομικόν, τὸ δὲ πολιτικὸν ὁμω-
νύμως ὠνομασμένον, καὶ πολιτικὸν μὲν κυρίως αἰνίττεται τὸν δη-
μιουργὸν ἐν τῷ ὁμωνύμῳ βιβλίῳ τούς τε εἰς αὐτὸν ἀφορῶντας καὶ
βιοῦντας ἐνεργῶς καὶ δικαίως σὺν καὶ τῇ θεωρίᾳ καὶ αὐτοὺς. πολι-
20 τικοὺς ὀνομάζει, τὸ δὲ ἐπ' ἴσης τῷ νομικῷ κεκλημένον πολιτικὸν 4
εἴς τε κοσμικὴν μεγαλόνοιαν διαιρεῖ εἴς τε ἰδιωτικὴν σύνταξιν, ἣν
κοσμιότητα καὶ ἁρμονίαν καὶ σωφροσύνην ὠνόμασεν, ὅταν ἄρχοντες
μὲν πρέπωσι τοῖς ἀρχομένοις, πειθήνιοι δὲ οἱ ἀρχόμενοι τοῖς ἄρχουσι
γίγνων|ται, ὅπερ ἡ κατὰ Μωυσέα πραγματεία διὰ σπουδῆς ἔχει γενέ- 420 P
25 σθαι. ἔτι τὸ μὲν νομικὸν πρὸς γενέσεως εἶναι, τὸ πολιτικὸν δὲ πρὸς 166,1
φιλίας καὶ ὁμονοίας ὁ Πλάτων ὠφεληθείς, τοῖς μὲν Νόμοις τὸν
φιλόσοφον τὸν ἐν τῇ Ἐπινομίδι συνέταξεν, τὸν τὴν διέξοδον πάσης
γενέσεως [τῆς] διὰ τῶν πλανωμένων εἰδότα. φιλόσοφον δὲ ἄλλον
τὸν Τίμαιον, ὄντα ἀστρονομικὸν καὶ θεωρητικὸν τῆς ἐκείνων φορᾶς
30 συμπαθείας τε καὶ κοινωνίας τῆς πρὸς ἄλληλα, ἑπομένως τῇ Πολι-

*   1f. Eumelos Europia Fr. 11 Kinkel   3f. vgl. Plut. Mor. p. 393 C Ἀπόλλων μὲν
γὰρ οἷον ἀρνούμενος τὰ πολλὰ καὶ τὸ πλῆθος ἀποφάσκων ἐστίν. p. 388 F Ἀπόλλωνα
τῇ μονώσει . . καλοῦσι. RE II 2   4 vgl. Exod 13, 21; 3, 2   8—11 vgl. Plato Leg. I
p. 626 A; III p. 688 A; IV p. 705 D   21f. vgl. Plato Polit. p. 307 B; Gorg. p. 508 A;
Rep. IV p. 430 E   27f. vgl. Plato Epinom. p. 977 B   29f. vgl. Plato Tim. p. 27 A

14 [καὶ] Ma   ἆρ' οὐ Ma ἆρα οὖν L   15 ἐντελλόμενα Ma   ἐντελλόμενον St (beides
unnötig Fr)   18 ὁμονύμωι L   23 πρέπωσι] ⟨ὡς⟩ πατέρες ὦσι St   περιέπωσι τοὺς
ἀρχομένους Tengblad 91 „richtig" St; sinngemäßer πρέπ⟨οντα ἐπιτάττ⟩ωσι τοῖς
ἀρχομένοις (Fr)   28 [τῆς] St   30 ἑπομένως Lowth ἑπομένους I.

τεία συνάπτει. ἔπειτα * *. τέλος γὰρ οἶμαι τοῦ τε πολιτικοῦ τοῦ τε 2
κατὰ νόμον βιοῦντος ἡ θεωρία· ἀναγκαῖον γοῦν τὸ πολιτεύεσθαι
ὀρθῶς, ἄριστον δὲ τὸ φιλοσοφεῖν. ὁ γὰρ νοῦν ἔχων πάντα τὰ αὑτοῦ 3
εἰς γνῶσιν συντείνας βιώσειεν, κατευθύνας μὲν τὸν βίον ἔργοις
5 ἀγαθοῖς, ἀτιμάσας δὲ τὰ ἐναντία τά τε πρὸς ἀλήθειαν συλλαμβανό-
μενα μεθέπων μαθήματα. νόμος δέ ἐστιν οὐ τὰ νομιζόμενα (οὐδὲ 4
γὰρ τὰ ὁρώμενα ὅρασις) οὐδὲ δόξα πᾶσα (οὐ γὰρ καὶ ἡ πονηρά), ἀλλὰ
νόμος ἐστὶ χρηστὴ δόξα, χρηστὴ δὲ ἡ ἀληθής, ἀληθὴς δὲ ἡ τὸ ὂν
εὑρίσκουσα καὶ τούτου τυγχάνουσα· »ὁ ὢν δὲ ἐξαπέσταλκέν με,«
10 φησὶν ὁ Μωυσῆς. ᾗ τινες ἀκολούθως δηλονότι τῇ χρηστῇ δόξῃ λόγον 5
ὀρθὸν τὸν νόμον ἔφασαν, προστακτικὸν μὲν ὂν ποιητέον. ἀπαγορευ-
τικὸν δὲ ὂν οὐ ποιητέον.

XXVI. Ὅθεν ὁ νόμος εἰκότως εἴρηται διὰ Μωυσέως δεδόσθαι, 167,1
κανὼν τυγχάνων δικαίων τε καὶ ἀδίκων. καὶ τοῦτον κυρίως θεσμὸν
15 ἂν εἴποιμεν τὸν ὑπὸ θεοῦ διὰ Μωυσέως παραδεδομένον. ἔχει γοῦν
τὴν ἀγωγὴν εἰς τὸ θεῖον. | λέγει δὲ καὶ ὁ Παῦλος· »ὁ νόμος τῶν 421 P
παραβάσεων χάριν ἐτέθη, ἄχρις ἂν ἔλθῃ τὸ σπέρμα ᾧ ἐπήγγελται.«
εἶτα οἱονεὶ ἐπεξηγούμενος τὴν διάνοιαν ἐπιφέρει· »πρὸ τοῦ δὲ ἐλθεῖν
τὴν πίστιν ὑπὸ νόμον ἐφρουρούμεθα συγκεκλεισμένοι,« φόβῳ δηλαδὴ
20 ἀπὸ ἁμαρτιῶν, »εἰς τὴν μέλλουσαν πίστιν ἀποκαλυφθήσεσθαι. ὥστε
ὁ νόμος παιδαγωγὸς ἡμῶν ἐγένετο εἰς Χριστόν, ἵνα ἐκ πίστεως
δικαιωθῶμεν.« ὁ νομοθετικὸς δέ ἐστιν ὁ τὸ προσῆκον ἑκάστῳ μέρει 3
τῆς ψυχῆς καὶ τοῖς τούτων ἔργοις ἀπονέμων, Μωυσῆς δὲ συνελόντι
εἰπεῖν νόμος ἔμψυχος ἦν τῷ χρηστῷ λόγῳ κυβερνώμενος. πολιτείαν 168,1
25 γοῦν διηκόνησεν ἀγαθήν· ἡ δέ ἐστι »τροφὴ ἀνθρώπων« καλὴ κατὰ
κοινωνίαν. αὐτίκα τὴν δικαστικὴν μετεχειρίζετο, ἐπιστήμην οὖσαν
διορθωτικὴν τῶν ἁμαρτανομένων ἕνεκεν τοῦ δικαίου. σύστοιχος δὲ 2
αὐτῇ ἡ κολαστική, τοῦ κατὰ τὰς κολάσεις μέτρου ἐπιστημονική τις
οὖσα. κόλασις δὲ ⟨δικαία⟩ οὖσα διόρθωσίς ἐστι ψυχῆς. ἔστι δὲ ὡς ἔπος 3

---

* 6–8 vgl. Plato Min. p. 313 C; 314 E; 315 A   9 vgl. Exod 3, 14   10–12 Chrys.
Fr. mor. 332 Arnim   11f. vgl. Paed. I 8, 3 mit Anm. (bes. Stob. Flor. 44, 12)   13 vgl.
Io 1, 17   14 Cic. De leg. I 19; PhW 58 (1938) 1116   14f. vgl. Hesychius s. v. θεσμῶν
16–22 Gal 3, 19. 23f.   22–24 vgl. Philo De vita Mos. I 162 (IV p. 159) τάχα δ',
ἐπεὶ καὶ νομοθέτης (Μωυσῆς) ἔμελλεν ἔσεσθαι, πολὺ πρότερον αὐτὸς ἐγίνετο νόμος
ἔμψυχός τε καὶ λογικὸς θείᾳ προνοίᾳ, ἥτις ἀγνοοῦντα αὐτὸν εἰς νομοθέτην ἐχειροτόνησεν
ὕθις.   De vita Mos. II 4 (IV p. 201) εἶναι τὸν βασιλέα νόμον ἔμψυχον   24–29,
105, 5f. 9–14 Chrys. Fr. mor. 332 Arnim   25 vgl. Plato Menex. p. 238 C   29 vgl.
Plato Protag. p. 324 B

1 [ἔπειτα] Hiller * * Schw   3 αὐτοῦ L   4 βιώσειεν ⟨ἄν⟩ Di   10 [δηλονότι—δόξῃ]
Wi   15 παραδεδομένον Sy παραδεδομένων L   27 nach δὲ ist ἡ von L¹ gestrichen
29 ⟨δικαία⟩ St

εἰπεῖν τῷ Μωυσεῖ ἡ πᾶσα ἀγωγὴ παιδευτικὴ μὲν τῶν οἵων τε γενέ-
σθαι καλῶν κἀγαθῶν ἀνδρῶν, θηρευτικὴ δὲ τῶν ὁμοίων τούτοις,
ἥτις ἂν εἴη στρατηγική· ἡ δ᾽ χρηστικὴ τοῖς θηρευθεῖσι λόγῳ κατὰ
τρόπον σοφία εἴη ἂν νομοθετική· κτᾶσθαί τε γὰρ καὶ χρῆσθαι ταύτης
5 ἴδιον βασιλικωτάτης οὔσης. μόνον γοῦν τὸν σοφὸν οἱ | φιλόσοφοι 4 152 S
βασιλέα, νομοθέτην, στρατηγόν, δίκαιον, ὅσιον, θεοφιλῆ κηρύττουσιν.
εἰ δὲ ταῦτα περὶ τὸν Μωυσέα εὕροιμεν, ὡς ἐξ αὐτῶν δείκνυται τῶν
γραφῶν, εὖ μάλα πεπεισμένως ἂν ἀγορεύοιμεν σοφὸν τῷ ὄντι τὸν
Μωυσέα. καθάπερ οὖν τὴν ποιμενικὴν τὸ τῶν προβάτων προνοεῖν 169, 1
10 φαμεν, »[οὕτω γὰρ] ὁ ἀγαθὸς ποιμὴν τὴν ψυχὴν τίθησιν ὑπὲρ τῶν προ-
βάτων,« οὕτω γε καὶ τὴν νομοθετικὴν   τὴν ἀνθρώπων ἀρετὴν
κατασκευάζειν ἐροῦμεν, τὸ ἀνθρώπινον κατὰ δύναμιν ἀγαθὸν ἀνα-
ζωπυροῦσαν, ἐπιστατικὴν οὖσαν καὶ κηδεμονικὴν τῆς ἀνθρώπων
ἀγέλης. εἰ δὲ ἡ ποιμνὴ ἡ ἀλληγορουμένη πρὸς τοῦ κυρίου οὐδὲν 2
15 ἄλλο ἢ ἀγέλη τις ἀνθρώπων ἐστίν, ὁ αὐτὸς ἔσται ποιμήν τε καὶ
νομοθέτης ἀγαθὸς μιᾶς τῆς ἀγέλης τῶν αὐτοῦ ἐπαϊόντων προβά-
των, ὁ εἷς κηδεμών, ὁ τὸ ἀπολωλὸς ἐπιζητῶν τε καὶ εὑρίσκων
νόμῳ καὶ λόγῳ, εἴ γε »ὁ νόμος πνευματικός«, καὶ ἐπὶ τὴν εὐδαιμονίαν
ἄγων· ὁ γὰρ πνεύματι ἁγίῳ γενόμενος πνευματικός. οὗτος δὲ ὁ τῷ 3
20 ὄντι νομοθέτης, ὃς οὐ μόνον ἐπαγγέλλεται τὰ ἀγαθά τε καὶ καλά,
ἀλλὰ καὶ ἐπίσταται. τούτου καὶ ὁ νόμος τοῦ τὴν ἐπιστήμην ἔχοντος
τὸ σωτήριον πρόσταγμα, μᾶλλον δὲ ἐπιστήμης πρόσταγμα ὁ νόμος,
»δύναμις γὰρ καὶ σοφία ὁ λόγος τοῦ θεοῦ.« νόμων τε αὖ ἐξηγητὴς 4
οὗτος αὐτός, δι᾽ οὗ | »ὁ νόμος ἐδόθη«, ὁ πρῶτος ἐξηγητὴς τῶν θείων 422 P
25 προσταγμάτων, ὁ τὸν κόλπον τοῦ πατρὸς ἐξηγούμενος υἱὸς μονο-
γενής. ἔπειτα οἱ μὲν πειθόμενοι τῷ νόμῳ τῷ [τε] γνῶσιν ἔχειν 170, 1
τινὰ αὐτοῦ οὔτ᾽ ἀπιστεῖν οὔτ᾽ ἀγνοεῖν δύνανται τὴν ἀλήθειαν, οἱ
δὲ ἀπιστοῦντες ἥκιστά τε ἐν τοῖς ἔργοις εἶναι βεβουλημένοι, εἴπερ
τινὲς ἄλλοι καὶ οὗτοι ἀγνοεῖν ὁμολογοῦνται τὴν ἀλήθειαν. τίς τοί- 2
30 νυν ἡ ἀπιστία τῶν Ἑλλήνων; μή πῃ βούλεσθαι πείθεσθαι τῇ ἀληθείᾳ
φασκούσῃ θεόθεν διὰ Μωυσέως δεδόσθαι τὸν νόμον, ὁπότε γε καὶ

2f. vgl. Plato Euthyph. p. 290 B—D   5f. vgl. Strom. II 19, 4   10f. Io 10, 11
13f. zu τῆς ἀνθρώπων ἀγέλης vgl. S. 98, 18 u. Plato Politic. p. 266 C; 268 C; 295 E
vgl. Protr. 116, 1 mit Anm.   16f. vgl. Io 10, 16   17 vgl. Lc 19, 10 (Mt 18, 11)
17 vgl. auch Lc 15, 4ff.   18 vgl. Rom 7, 14   19 vgl. Io 3, 6   23 I Cor 1, 24
24 vgl. Io 1, 17   25f. vgl. Io 1, 18   31 vgl. Io 1, 17

10 [οὕτω γὰρ] ὁ Schw ὁ γὰρ Lowth   11 ⟨τὸ⟩ τὴν St (vgl. Z. 9) unnötig, da Cl.
absichtl. variiert (Fr) ⟨τὸ⟩ τῶν Montfaucon bei Potter p. 1027 Anm. zu Edit. Paris.
p. 351 A   19 γεννώμενος St   26 [τε] Hiller γε Ma   30 [πῃ] Wi βούλεσθαι Po
βούλεσθε L

αὐτοὶ ἐκ τῶν παρὰ σφίσι τιμῶσι Μωυσῆ. τόν τε Μίνω παρὰ Διὸς 3
δι' ἐνάτου ἔτους λαμβάνειν τοὺς νόμους ἱστοροῦσι φοιτῶντα εἰς τὸ
τοῦ Διὸς ἄντρον, τόν τε αὖ Λυκοῦργον τὰ νομοθετικὰ εἰς Δελφοὺς
πρὸς τὸν Ἀπόλλωνα συνεχὲς ἀπιόντα παιδεύεσθαι γράφουσι Πλάτων
5 τε καὶ Ἀριστοτέλης καὶ Ἔφορος, Χαμαιλέων τε ὁ Ἡρακλεώτης ἐν τῷ
Περὶ μέθης καὶ Ἀριστοτέλης ἐν τῇ Λοκρῶν πολιτείᾳ Ζάλευκον τὸν
Λοκρὸν παρὰ τῆς Ἀθηνᾶς τοὺς νόμους λαμβάνειν ἀπομνημονεύουσιν.
οἳ δὲ τὸ ἀξιόπιστον τῆς παρ' Ἕλλησι νομοθεσίας, ὡς οἷόν τε αὐτοῖς, 4
ἐπαίροντες εἰς τὸ θεῖον κατ' εἰκόνα τῆς κατὰ τὸν Μωυσέα προφη-
10 τείας ἀγνώμονες, οὐκ αὐτόθεν ὁμολογοῦντες τήν τε ἀλήθειαν καὶ
τὸ ἀρχέτυπον τῶν παρὰ σφίσιν ἱστορουμένων.

XXVII. Μὴ τοίνυν κατατρεχέτω τις τοῦ νόμου διὰ τὰς τιμωρίας 171, 1
ὡς οὐ καλοῦ κἀγαθοῦ· οὐ γὰρ ὁ μὲν τὴν τοῦ σώματος νόσον ἀπά-
γων εὐεργέτης δόξει, ψυχὴν δὲ ἀδικίας ὁ πειρώμενος ἀπαλλάττειν
15 οὐ μᾶλλον ἂν εἴη κηδεμών, ὅσῳπερ ψυχὴ σώματος ἐντιμότερον. ἀλλ' 2
ἄρα τῆς μὲν τοῦ σώματος ὑγείας ἕνεκα καὶ τομὰς καὶ καύσεις καὶ
φαρμακοποσίας ὑφιστάμεθα καὶ ὁ ταῦτα προσάγων σωτήρ τε καὶ
ἰατρὸς [τε] καλεῖται, οὐ φθόνῳ τινὶ οὐδὲ δυσμενείᾳ τῇ πρὸς τὸν
πάσχοντα, ὡς δ' ἂν ὁ τῆς τέχνης ὑπαγορεύοι λόγος, καὶ μέρη τινὰ
20 ἀποτέμνων, ὡς μὴ τὰ ὑγιαίνοντα συνδιαφθείρεσθαι αὐτοῖς, καὶ οὐκ
ἄν τις πονηρίας αἰτιάσαιτο τοῦ ἰατροῦ τὴν τέχνην· τῆς δὲ ψυχῆς 3
ἕνεκα οὐχ ὁμοίως ὑποστησόμεθα ἐάν τε φεύγειν ἐάν τε ἐκτίνειν
ζημίας ἐάν τε δεσμά, εἰ μέλλοι τις μόνον ἐξ ἀδικίας ποτὲ δικαιο-
σύνην κτᾶσθαι; ὁ γὰρ νόμος κηδόμενος τῶν ὑπηκόων πρὸς μὲν τὴν 4
25 θεοσέβειαν παιδεύει καὶ ὑπαγορεύει τὰ ποιητέα εἴργει τε ἕκαστον
τῶν ἁμαρτημάτων, δίκας ἐπιτιθεὶς τοῖς μετρίοις αὐτῶν, ὅταν δέ
τινα οὕτως ἔχοντα κατίδῃ ὡς ἀνίατον δοκεῖν εἰς ἔσχατον ἀδικίας
ἐλαύνοντα, τότε ἤδη τῶν ἄλλων κηδόμενος ὅπως ἂν μὴ διαφθεί-
ρωνται πρὸς αὐτοῦ, ὥσπερ | μέρος τι τοῦ παντὸς σώματος ἀποτεμὼν 423 P
30 οὕτω που τὸν τοιοῦτον ὑγιέστατα ἀποκτείννυσι. »κρινόμενοι δὲ ὑπὸ 172, 1
τοῦ κυρίου«, φησὶν ὁ ἀπόστολος, »παιδευόμεθα, ἵνα μὴ σὺν τῷ κόσμῳ

1–7 vgl. Theodoret Gr. aff. c. IX 7. 9. 10   1–5 vgl. Plato Minos p. 319 C; Leg. I
p. 624 A; 632 D   Aristot. Fr. 535 Rose³ (Fr. 75a FHG IV p. 655); Ephoros Fr. 63
FHG I p. 249; FGrHist. 70 F 174; vgl. Val. Max. I 2 ext.; Strabo X 4, 8 p. 476
5–7 Chamaileon Fr. 29 Koepke   6f. Aristot. Fr. 548 Rose³ (FHG II p. 174)
14ff. vgl. Paed. I 6, 88   26–30 vgl. Plato Gorg. p. 525 BC   30–S. 107, 1 I Cor 11,32

1 αὐτοὶ Sy αὐτοῖς L   2 φοιτῶντα Vi φυτῶντα L   12 τὰς Ma τῆς L   14 ψυχὴν
Sy ψυχῆς L   18 [τε] He   20 αὐτοῖς St αὐτῷ L

καταχριθῶμεν.« προεῖπεν γὰρ ὁ προφήτης· »παιδεύων ἐπαίδευσέν 2
με ὁ κύριος, τῷ δὲ θανάτῳ οὐ παρέδωκέν με·« »ἕνεκα γὰρ τοῦ
διδάξαι σε τὴν δικαιοσύνην αὐτοῦ ἐπαίδευσέν σε,« φησί, »καὶ ἐπεί-
ρασέν σε καὶ ἐλιμαγχόνησέν σε καὶ διψ⟨ῆν ἐποί⟩ησέν σε ἐν γῇ ἐρήμῳ, ἵνα
5 γνωσθῇ πάντα τὰ δικαιώματα καὶ τὰ κρίματα αὐτοῦ ἐν τῇ καρδίᾳ σου
ὅσα ἐγὼ ἐντέλλομαί σοι σήμερον, καὶ γνώσῃ ἐν τῇ καρδίᾳ σου ὅτι ὡς
εἴ τις παιδεύσει ἄνθρωπος τὸν υἱὸν αὐτοῦ, οὕτω παιδεύσει σε κύριος
ὁ θεὸς ἡμῶν.« ὅτι δὲ τὸ ὑπόδειγμα σωφρονίζει, αὐτίκα φησί· »παν-
οῦργος ἰδὼν τιμωρούμενον πονηρὸν κραταιῶς αὐτὸς παιδεύεται,«
10 ἐπεὶ »γενεὰ σοφίας φόβος κυρίου.« μέγιστον δὲ καὶ τελεώτατον 173, 1
ἀγαθόν, ὅταν τινὰ ἐκ τοῦ κακῶς πράττειν εἰς ἀρετήν τε καὶ εὐπρα-
γίαν μετάγειν δύνηταί τις, ὅπερ ὁ νόμος ἐργάζεται. ὥστε καὶ ὅταν 2
ἀνηκέστῳ τινὶ κακῷ περιπέσῃ τις ὑπό τε ἀδικίας καὶ πλεονεξίας
καταληφθείς, εὐεργετοῖτ' ἂν [ὁ] ἀποκτειννύμενος· εὐεργέτης γὰρ ὁ 3
15 νόμος τοὺς μὲν δικαίους ἐξ ἀδίκων ποιεῖν δυνάμενος, ἢν μόνον
ἐπαΐειν ἐθελήσωσιν αὐτοῦ, τοὺς δὲ ἀπαλλάττων τῶν παρόντων κα-
κῶν. τοὺς γὰρ σωφρόνως καὶ δικαίως βιοῦν ἑλομένους ἀθανατίζειν 4
ἐπαγγέλλεται. »τὸ δὲ γνῶναι νόμον διανοίας ἐστὶν ἀγαθῆς.« καὶ πάλιν·
»ἄνδρες κακοὶ οὐ νοοῦσι νόμον, οἱ δὲ ζητοῦντες τὸν κύριον συνή-
20 σουσιν ἐν παντὶ ἀγαθῷ.« δεῖ δὴ τὴν διοικοῦσαν πρόνοιαν κυρίαν | τε 5 153 S
εἶναι καὶ ἀγαθήν. ἀμφοῖν γὰρ ἡ δύναμις οἰκονομεῖ σωτηρίαν, ἣ μὲν
κολάσει σωφρονίζουσα ὡς κυρία, ἣ δὲ δι' εὐποιίας χρηστευομένη ὡς
εὐεργέτις. ἔξεστι δὲ μὴ εἶναι »ἀπειθείας υἱόν«, ἀλλὰ »μεταβαίνειν 6
ἐκ τοῦ σκότους εἰς ζωὴν« καὶ παραθέντα τῇ σοφίᾳ τὴν ἀκοὴν νόμι-
25 μον εἶναι θεοῦ δοῦλον μὲν τὰ πρῶτα, ἔπειτα δὲ πιστὸν γενέσθαι
θεράποντα, φοβούμενον κύριον τὸν θεόν, εἰ δέ τις ἐπαναβαίη, τοῖς
υἱοῖς ἐγκαταλέγεσθαι, ἐπὰν δὲ »ἀγάπη καλύψῃ πλῆθος ἁμαρτιῶν,«
μακαρίας ἐλπίδος τελείωσιν αὐξηθέντα ἐν ἀγάπῃ ἐκδέχεσθαι τοῦτον
ἐγκαταταγέντα τῇ ἐκλεκτῇ υἱοθεσίᾳ τῇ φίλῃ κεκλημένῃ τοῦ θεοῦ,
30 ᾄδοντα ἤδη τὴν εὐχὴν καὶ λέγοντα· »γενέσθω μοι κύριος εἰς θεόν.«
τοῦ νόμου δὲ τὴν εὐποιίαν διὰ τῆς πρὸς τοὺς Ἰουδαίους περικοπῆς 174, 1

1f. Ps 117, 18   2—8 vgl. Deut 8, 2f. 11. 5   8—10 Prov 22, 3f.   18 Prov 9, 10
19f. Prov 28, 5   23 vgl. Eph 2, 2; 5, 6 (Col 3, 6)   23f. vgl. I Io 3, 14   25f. vgl.
Hebr 3, 5f.   27 I Petr 4, 8   29 vgl. Rom 8, 23 und vielleicht Iac 2, 23   30 vgl.
Gen 28, 21

4 διψῆν ἐποίησέν Schw ἐδίψησέν L vielleicht richtig (er ließ dich dürsten) vgl.
Orig. in Joh. I 36 (46, 10) ἄρχειν und βασιλεύειν zum Herrscher, zum König machen
(Fr)   γῇ vielleicht τῇ wie Deut B ab mg   10 σοφίας Vi σοφία L   14 [ὁ] Hiller
16 ἐθελήσωσιν L¹ ἐθέλωσιν L*   18 ἐπαγγέλλεται Po ἐπάγεται L   27 ἐγκαταλέγεσθαι
St ἐγκαταλέγεται L   28 τελείωσιν St τελειώσει L   τοῦτον L [τοῦ] τὸν St τὸ λοιπὸν Schw

δεδήλωκεν ὁ ἀπόστολος γράφων ὧδέ πως· »εἰ δὲ σὺ | Ἰουδαῖος ἐπο- 424 P
νομάζῃ καὶ ἐπαναπαύῃ νόμῳ καὶ καυχᾶσαι ἐν θεῷ καὶ γιγνώσκεις τὸ
θέλημα τοῦ θεοῦ καὶ δοκιμάζεις τὰ διαφέροντα κατηχούμενος ἐκ τοῦ
νόμου, πέποιθάς τε σεαυτὸν ὁδηγὸν εἶναι τυφλῶν, φῶς τῶν ἐν
5 σκότει, παιδευτὴν ἀφρόνων, διδάσκαλον νηπίων, ἔχοντα τὴν μόρ-
φωσιν τῆς γνώσεως καὶ τῆς ἀληθείας ἐν τῷ νόμῳ.« ταῦτα γὰρ 2
δύνασθαι τὸι νόμον ὁμολογεῖται, κἂν οἱ κατὰ νόμον μὴ πολιτευό-
μενοι ὡς ἐν νόμῳ ἀλαζονεύωνται βιοῦντες· »μακάριος δὲ ἀνὴρ ὃς
εὗρεν σοφίαν, καὶ θνητὸς ὃς εἶδεν φρόνησιν, ἐκ δὲ τοῦ στόματος
10 αὐτῆς«, τῆς σοφίας δηλονότι, »δικαιοσύνη ἐκπορεύεται, νόμον δὲ καὶ
ἔλεον ἐπὶ γλώσσης φορεῖ.« ἑνὸς γὰρ κυρίου ἐνέργεια, ὅς ἐστι »δύνα- 3
μις καὶ σοφία τοῦ θεοῦ,« ὅ τε νόμος τό τε εὐαγγέλιον, καὶ ὃν
ἐγέννησε φόβον ὁ νόμος, ἐλεήμων οὗτος εἰς σωτηρίαν. »ἐλεημοσύναι
δὲ καὶ πίστεις καὶ ἀλήθεια μὴ ἐκλιπέτωσάν σε, ἄφαψαι δὲ αὐτὰς
15 περὶ σῷ τραχήλῳ.« ὁμοίως δὲ τῷ Παύλῳ ἡ προφητεία ὀνειδίζει τὸν 175, 1
λαὸν ὡς μὴ συνιέντα τὸν νόμον. »σύντριμμα καὶ ταλαιπωρία ἐν
ταῖς ὁδοῖς αὐτῶν, καὶ ὁδὸν εἰρήνης οὐκ ἔγνωσαν,« »οὐκ ἔστι φόβος
θεοῦ ἀπέναντι τῶν ὀφθαλμῶν αὐτῶν.« »φάσκοντες εἶναι σοφοὶ 2
ἐμωράνθησαν.« »οἴδαμεν δὲ ὅτι καλὸς ὁ νόμος, ἐάν τις αὐτῷ νομί-
20 μως χρῆσται· οἱ δὲ θέλοντες εἶναι νομοδιδάσκαλοι οὐ νοοῦσι,« φησὶν
ὁ ἀπόστολος, »οὔτε ἃ λέγουσιν οὔτε περὶ τίνων διαβεβαιοῦνται, τὸ
δὲ τέλος τῆς παραγγελίας ἀγάπη ἐκ καθαρᾶς καρδίας καὶ συνειδήσεως
ἀγαθῆς καὶ πίστεως ἀνυποκρίτου.«

XXVIII. Ἡ μὲν οὖν κατὰ Μωυσέα φιλοσοφία τετραχῇ τέμνεται, 176, 1
25 εἴς τε τὸ ἱστορικὸν καὶ τὸ κυρίως λεγόμενον νομοθετικόν, ἅπερ ἂν
εἴη τῆς ἠθικῆς πραγματείας ἴδια, τὸ τρίτον δὲ εἰς τὸ ἱερουργικόν, ὅ
ἐστιν ἤδη τῆς φυσικῆς θεωρίας· καὶ τέταρτον ἐπὶ πᾶσι τὸ θεολογι- 2
κὸν εἶδος, ἡ ἐποπτεία, ἥν φησιν ὁ Πλάτων τῶν μεγάλων ὄντως
εἶναι μυστηρίων, Ἀριστοτέλης δὲ τὸ εἶδος τοῦτο μετὰ τὰ φυσικὰ
30 καλεῖ. καὶ ἥ γε κατὰ Πλάτωνα διαλεκτική, ὥς φησιν ἐν τῷ Πολι- 3

1–6 Rom 2, 17–20 8–11 Prov 3, 13. 16a 11f. I Cor 1, 24 13–15 Prov 3, 3
16f. Rom 3, 16f. (Is 59, 7f.) 17f. Rom 3, 18 (Ps 35, 2) 18f. Rom Ι, 22 19–23 I Tim
1, 8. 7. 5 24–27 vgl. Philo De vita Mos. II 2. 46f. (IV p. 200. 210) 24 ist in den
Psalmenschol. bei Pitra Anal. s. III 109 benutzt; vgl. E. Peterson, ThLZ 56, 1931,
69f. 28f. nicht wörtlich bei Plato; aber vgl. Phaedr. p. 250 C; Symp. p. 209 E 210 A
[ἐποπτικὸν μέρος τῆς φιλοσοφίας vgl. Plut. Mor. p. 382 D (Fr)] 29f. Der Name geht
nicht auf Aristot. selbst, sondern auf Andronicus zurück; vgl. Zeller, Philos. d. Gr.
II 2³ S. 80¹ 30f. vgl. Plato Politic. p. 287 A διαλεκτικωτέρους καὶ τῆς τῶν ὄντων
λόγῳ δηλώσεως εὑρετικωτέρους

8 ἀλαζονεύωνται Kl ἀλαζονεύωνται (αι in Ras.) L¹ 13 φόβον L¹ νόμον ὁ φόβος
L* 24 τετραχῇ] τετραχῶς Lagarde, Anm. z. griech. Übers. d. Prov. S. 73.

τικῷ, τῆς τῶν ὄντων δηλώσεως εὑρετική τίς ἐστιν ἐπιστήμη, κτητὴ
δὲ αὕτη τῷ σώφρονι οὐχ ἕνεκα τοῦ λέγειν τε καὶ πράττειν τι | τῶν 425 P
πρὸς τοὺς ἀνθρώπους, ὥσπερ οἱ νῦν διαλεκτικοὶ περὶ τὰ σοφιστικὰ
ἀσχολούμενοι ποιοῦσιν, ἀλλὰ ⟨τοῦ⟩ τῷ θεῷ κεχαρισμένα μὲν λέγειν
5 δύνασθαι, κεχαρισμένα δὲ πράττειν, τὸ πᾶν εἰς δύναμιν. μικτὴ δὲ 177, 1
φιλοσοφία οὖσα τῇ ἀληθεῖ ἡ ἀληθὴς διαλεκτικὴ ἐπισκοποῦσα τὰ
πράγματα καὶ τὰς δυνάμεις καὶ τὰς ἐξουσίας δοκιμάζουσα ὑπεξανα-
βαίνει ἐπὶ τὴν πάντων κρατίστην οὐσίαν τολμᾷ τε ἐπέκεινα ἐπὶ τὸν
τῶν ὅλων θεόν, οὐκ ἐμπειρίαν τῶν θνητῶν, ἀλλ' ἐπιστήμην τῶν
10 θείων καὶ οὐρανίων ἐπαγγελλομένη, ᾗ συνέπεται καὶ ἡ [περὶ] τῶν
ἀνθρωπείων περί τε τοὺς λόγους καὶ τὰς πράξεις οἰκεία χρῆσις.
εἰκότως ἄρα καὶ ἡ γραφὴ τοιούτους τινὰς ἡμᾶς διαλεκτικοὺς οὕτως 2
ἐθέλουσα γενέσθαι παραινεῖ· »γίνεσθε δὲ δόκιμοι τραπεζῖται,« τὰ
μὲν ἀποδοκιμάζοντες, τὸ δὲ καλὸν κατέχοντες· αὕτη γὰρ τῷ ὄντι 3
15 ἡ διαλεκτικὴ φρόνησίς ἐστι περὶ τὰ νοητὰ διαιρετική, ἑκάστου τῶν
ὄντων ἀμίκτως τε καὶ εἰλικρινῶς τοῦ ὑποκειμένου δεικτική, ἢ δύ-
ναμις περὶ τὰ τῶν πραγμάτων γένη διαιρετική, μέχρι τῶν ἰδικωτά-
των καταβαίνουσα, παρεχομένη ἕκαστον τῶν ὄντων καθαρὸν οἷον
ἔστι φαίνεσθαι. διὸ καὶ μόνη αὕτη ἐπὶ τὴν ἀληθῆ σοφίαν χειρα- 178, 1
20 γωγεῖ, ἥτις ἐστὶ δύναμις θεία, τῶν ὄντων ὡς ὄντων γνωστική, τὸ
τέλειον ἔχουσα, παντὸς πάθους ἀπηλλαγμένη, οὐκ ἄνευ τοῦ σωτῆρος
τοῦ καταγαγόντος ἡμῶν τῷ θείῳ λόγῳ τοῦ ὁρατικοῦ τῆς ψυχῆς τὴν
ἐπιχυθεῖσαν ἐκ φαύλης ἀναστροφῆς ἄγνοιαν ἀχλυώδη καὶ τὸ βέλτι-
στον ἀποδεδωκότος, »ὄφρ' εὖ γινώσκοιμεν ἠμὲν θεὸν ἠδὲ καὶ ἄνδρα.«
25 οὗτός ἐστιν ὁ τῷ ὄντι δείξας ὅπως [τε] γνωστέον ἑαυτούς, οὗτος ὁ 2
τῶν ὅλων τὸν πατέρα ἐκκαλύπτων, ᾧ ἂν βούληται, [καὶ] ὡς οἷόν τε
τὴν ἀνθρωπίνην φύσιν χωρῆσαι [νοεῖν]· »οὐδεὶς γὰρ ἔγνω τὸν υἱὸν
εἰ μὴ ὁ πατήρ, οὐδὲ τὸν πατέρα εἰ μὴ ὁ υἱὸς καὶ ᾧ ἂν ὁ υἱὸς ἀπο-
καλύψῃ.« εἰκότως ἄρα ὁ ἀπόστολος »κατὰ ἀποκάλυψιν« φησὶν 179, 1

* 2–5 Plato Phaedr. 58 p. 273 E (Fr) 8–11 vgl. Paed. II 25, 3 mit Anm. 13 Resch,
Agrapha² 112, Agraphon 87; Ropes, Sprüche Jesu S. 141; vgl. Strom. II 15, 4;
VI 81, 2; VII 90, 5 14 vgl. I Thess 5, 21 22–24 vgl. Plato Alkib. II p. 150 DE
(woher auch E 127f.) u. Protr. 114, 1 23 vgl. I Petr 1, 18 ἐκ τῆς ματαίας ὑμῶν
ἀναστροφῆς 27–29 Mt 11, 27 29—S. 110, 3 Eph 3, 3f.

2 τε Schw τι L 4 ⟨τοῦ⟩ Ma vom Platotext bestätigt 6 φιλοσοφία—ἀληθεῖ St
φιλοσοφία—ἀληθείᾳ L φιλοσοφία—ἀληθινῇ Lowth 8 ἐπὶ¹ Bywater, Journ. of Philol. 4
(1872) S. 206 περὶ L 10 [περὶ] Bywater 12 οὕτως ~ vor παραινεῖ St πως Schw
21 οὐκ L³ ἢ δὲ οὐκ L* 24 ἠμὲν—ἠδὲ] ἡ μὲν—ἡ δὲ L 25 [τε] Hiller γε Segaar zu
QDS p. 211 τε ⟨τὸν θεόν, ὅπως τε⟩ Sy ποτε Bywater bei Ma 26 [καὶ] Hiller 26f. καὶ
ὡς οἷόν τε τὴν ἀνθρωπίνην φύσιν χωρῆσαι νοεῖν ⟨διδάσκων⟩ Fr 27 [νοεῖν] St

ἐγνωκέναι »τὸ μυστήριον, καθὼς προέγραψα ἐν ὀλίγῳ, πρὸς ὃ δύ-
νασθε ἀναγινώσκοντες νοῆσαι | τὴν σύνεσίν μου ἐν τῷ μυστηρίῳ τοῦ 426 P
Χριστοῦ.« »πρὸς ὃ δύνασθε« εἶπεν, ἐπεὶ ᾔδει τινὰς γάλα μόνον 2
εἰληφότας, οὐδέπω δὲ καὶ βρῶμα, αὐτίκα οὐχ ἁπλῶς γάλα. τετραχῶς δὲ 3
5 ἡμῖν ἐκληπτέον καὶ τοῦ νόμου τὴν βούλησιν, * * ἢ ὡς σημεῖον ἐμφαί-
νουσαν ἢ ὡς ἐντολὴν κυροῦσαν εἰς πολιτείαν ὀρθὴν ἢ θεσπίζουσαν
ὡς προφητείαν. ἀνδρῶν δὲ εὖ οἶδ᾽ ὅτι τὰ τοιαῦτα διακρίνειν τε 4
καὶ λέ|γειν· οὐ γὰρ δὴ »μία Μύκονος« ἡ πᾶσα πρὸς νόησιν γραφή, 154 S
ἤ φασιν οἱ παροιμιαζόμενοι· διαλεκτικώτερον δὲ ὡς ἔνι μάλιστα
10 προσιτέον αὐτῇ, τὴν ἀκολουθίαν τῆς θείας διδασκαλίας θηρω-
μένοις.

XXIX. Ὅθεν παγκάλως ὁ παρὰ τῷ Πλάτωνι Αἰγύπτιος ἱερεύς· 180, 1
»ὦ Σόλων, Σόλων, εἶπεν, Ἕλληνες ὑμεῖς αἰεὶ παῖδές ἐστε, οὐδ᾽ ἡντινοῦν
ἐν ταῖς ψυχαῖς ἔχοντες δι᾽ ἀρχαίαν ἀκοὴν παλαιὰν δόξαν, γέρων δὲ
15 Ἑλλήνων οὐκ ἔστιν οὐδείς·« γέροντας, οἶμαι, εἰπὼν τοὺς τὰ πρεσβύ- 2
τερα, τουτέστι τὰ ἡμέτερα, εἰδότας, ὡς ἔμπαλιν νέους τοὺς τὰ
νεώτερα καὶ ὑπὸ Ἑλλήνων ἐπιτετηδευμένα, τὰ χθὲς καὶ πρῴην γενό-
μενα, ὡς παλαιὰ καὶ ἀρχαῖα ἱστοροῦντας. ἐπήγαγεν οὖν »μάθημα 3
χρόνῳ πολιόν«, κατὰ βαρβαρικόν τινα τρόπον ἀπλάστῳ καὶ οὐκ
20 εὐκρινεῖ χρωμένων ἡμῶν τῇ μεταφορᾷ. ἀτεχνῶς γοῦν οἱ εὐγνώμονες
ὅλῳ τῷ πλάσματι τῷ τῆς ἑρμηνείας προσίασιν· ἐπὶ δὲ τῶν Ἑλλήνων 4
φησὶ τὴν οἴησιν αὐτῶν ⟨παίδων⟩ βραχύ τι διαφέρειν μύθων· οὐ γὰρ
μύθων παιδικῶν ἐξακουστέον οὐδὲ μὴν τῶν τοῖς παισὶ γενομένων
μύθων· παῖδας δὲ εἴρηκεν αὐτούς γε τοὺς μύθους, ὡς ἂν μικρὸν 5
25 διορώντων τῶν παρ᾽ Ἕλλησιν οἰησισόφων, αἰνιττόμενος τὸ μάθημα
τὸ πολιόν, τὴν παρὰ βαρβάροις προγενεστάτην ἀλήθειαν, ᾧ ῥήματι
ἀντέθηκε τὸ παῖς μῦθος, τὸ μυθικὸν τῆς τῶν νεωτέρων ἐπιβολῆς
διελέγχων ὡς δίκην παίδων μηδὲν πρεσβύτερον ἐχούσης, ἄμφω κοινῶς
τοὺς μύθους αὐτῶν καὶ τοὺς λόγους παιδικοὺς εἶναι παριστάς.

3f. vgl. I Cor 3, 2   5 ist mit Hilfe des Psalmenschol. (S. 108, 24) in Ordnung
gebracht   8 vgl. Zenob. V 17; Apostolios XIV 5; Crusius, Anal. crit. ad paroem. gr.
p. 141 vgl. auch RE XVI 1031, 42 ff.   12—19 ausgeschrieben bei Theodor. Gr. aff.
cur. I 51 (Fr)   13—15. 18f. Plato Tim. p. 22 B; Strom. I 69   21·f. vgl. Plato Tim.
p. 23 B τὰ γοῦν νῦν δὴ γενεαλογηθέντα . . . παίδων βραχύ τι διαφέρει μύθων.   29 vgl
Quis div. salv. 42,.1

1f. δύνασθε Ephes. δύνασθαι L   3 ὃ δύνασθε Ephes. τῷ δύνασθαι L   4 αὐτίκα]
ἢ τάχα Lowth; vgl. Ma, Class. Rev. 11 (1897) S. 444   τριχῶς Hervet, aber τετραχῶς
ist richtig; die Lücke nach βούλησιν ist aus den Psalmenscholien (Nachtr. S. 108, 24)
zu ergänzen: ὡς τύπον τινὰ δηλοῦσαν   5 καὶ Psal.-Schol. < L βουλὴν Psal.-Schol.
7 ὡς (ω in Ras.) L¹   8 μύκωνος L   9 ᾗ] ἢ L   13 ἤν τιν᾽ οὖν L   22 φησὶ corr. aus
φασὶ L¹   ⟨παίδων⟩ aus Plato   23 ⟨οὐκ⟩ ἐξακουστέον Ma   γενομένων] vielleicht λεγο-
μένων Ja²   26 προγενεστέραν Ma   27 ἀντέθηκε (vgl. S. 17, 26) St τέθεικε L ἀντι-
τέθεικε Ma   28 διελέγχων Vi δι᾽ ἐλέγχων L

θείως τοίνυν ἡ δύναμις ἡ τῷ Ἑρμᾷ κατὰ ἀποκάλυψιν λαλοῦσα »τὰ 181, 1
ὁράματα« φησὶ »καὶ τὰ ἀποκαλύμματα διὰ τοὺς διψύχους, τοὺς δια-
λογιζομένους ἐν ταῖς καρδίαις αὐτῶν, εἰ ἄρα ἔστι ταῦτα ἢ οὐκ ἔστιν«.
ὁμοίως δὲ καὶ ἐκ τῆς πολυμαθοῦς περιουσίας | ἀποδείξεις ἰσχυ- 2 427 P
5 ροποιοῦσι καὶ βεβαιοῦσι καὶ θεμελιοῦσι τοὺς λόγους τοὺς ἀποδεικτι-
κούς, ὅσον ἔτι αἱ αὐτῶν ὡς νέων »φρένες ἠερέθονται«. »λαμπτὴρ 3
ἄρα ἐντολὴ ἀγαθή,« κατὰ τὴν γραφήν, »νόμος δὲ φῶς ὁδοῦ· ὁδοὺς
γὰρ βιότητος ἐλέγχει παιδεία.«

            νόμος ὁ πάντων βασιλεὺς   4
10   θνατῶν τε καὶ ἀθανάτων,

λέγει Πίνδαρος. ἐγὼ δὲ τὸν θέμενον τὸν νόμον διὰ τούτων ἐξα- 5
κούω καὶ τό γε Ἡσιόδειον ἐπὶ τοῦ πάντων λελέχθαι θεοῦ λαμβάνω,
εἰ καὶ στοχαστικῶς εἴρηται τῷ ποιητῇ, ἀλλ' οὐ καταληπτικῶς·

            τόνδε γὰρ ἀνθρώποισι νόμον διέταξε Κρονίων,   6
15   ἰχθύσι μὲν καὶ θηρσὶ καὶ οἰωνοῖς πετεηνοῖς,
            ἐσθέμεν ἀλλήλους, ἐπεὶ οὐ δίκη ἐστὶ μετ' αὐτῶν·
            ἀνθρώποισι δ' ἔδωκε δίκην, ἣ πολλὸν ἀρίστη.

εἶτ' οὖν τὸν ἅμα τῇ γενέσει φησὶ νόμον εἴτε καὶ τὸν αὖθις δο- 182, 1
θέντα, πλὴν ἐκ θεοῦ ὅ τε τῆς φύσεως ὅ τε τῆς μαθήσεως νόμος,
20 εἷς ⟨ὢν⟩, ὡς καὶ Πλάτων ἐν τῷ Πολιτικῷ ἕνα τὸν νομοθέτην φησίν, ἐν
δὲ τοῖς Νόμοις ἕνα τὸν συνήσοντα τῶν μουσικῶν, διὰ τούτων διδά-
σκων τὸν λόγον εἶναι ἕνα καὶ τὸν θεὸν ἕνα. Μωυσῆς δὲ φαίνεται 2
τὸν κύριον διαθήκην καλῶν, »ἰδοὺ ἐγώ,« λέγων, »ἡ διαθήκη μου
μετὰ σοῦ«· ἐπεὶ καὶ πρότερον εἶπεν »διαθήκην«, παραινεῖ ἡ
ζητεῖν αὐτὴν

* 1–3 Herm. Vis. III 4, 3 6 vgl. Γ 108 6–8 Prov 6, 23 9f. Pindar Fr. 169
Schroeder stammt aus Plato Gorg. 39 p. 484 B; vgl. Wilam. Plato II 95; vgl. Strom.
II 19; Orig. c. Cels. V 34. 40 14–17 Hesiod Op. 276–279; vgl. Plut. Mor. p. 964 B
20 vgl. Plato Politic. p. 301 C τὸν ἕνα ἐκεῖνον μόναρχον. 309 CD τὸν δὴ πολιτικὸν καὶ
τὸν ἀγαθὸν νομοθέτην ἆρ' ἴσμεν ὅτι προσήκει μόνον δυνατὸν εἶναι . . ἐμποιεῖν. 21 vgl.
Plato Leg. II p. 658 E 659 A ἐκείνην εἶναι Μοῦσαν καλλίστην, ἥτις τοὺς βελτίστους
καὶ ἱκανῶς πεπαιδευμένους τέρπει, μάλιστα δὲ ἥτις ἕνα τὸν ἀρετῇ τε καὶ παιδείᾳ δια-
φέροντα. 23f. Gen 17, 4 24 Gen 17, 2

6 [αἱ] Wi 10 θνητῶν L 12 ἡσιόδιον L 15 μὲν Hesiod γὰρ L πετεηνοῖς (η
corr. aus ω) L¹ 16 μετ' αὐτῶν] ἐν αὐτοῖς Hesiod μετ' αὐτοῖς Plut. u. a. 18 φησὶ St
φύσει L 20 ⟨ὢν⟩ Wi 24 ⟨παραινεῖ⟩ Fr

ἐν γραφῇ. ἔστι γὰρ διαθήκη ἣν ὁ αἴτιος τοῦ παντὸς θεὸς τίθεται (θεὸς δὲ παρὰ τὴν θέσιν εἴρηται), ⟨αὐτὸς ὁ ποιήσας⟩ κατὰ ϲάξιν τὴν   3 διακόσμησιν. ἐν δὲ τῷ Πέτρου Κηούγματι εὕροις ἂν ›νόμον καὶ λόγον‹ τὸν κύριον προσαγορευόμενον.

5   Ἀλλ᾽ ὁ μὲν κατὰ τὴν ἀληθῆ φιλοσοφίαν γνωστικῶν ὑπομνημάτων πρῶτος ἡμῖν Στρωματεὺς ἐνταυθοῖ περιγεγράφθω. |

2 vgl. Herodot 2, 52 [vgl. Philo de vit. Mos. II 99 (p. IV 224) ὀνομάζεται δὲ ἡ μὲν ποιητικὴ δύναμις αὐτοῦ θεός, καθ᾽ ἣν ἔθηκε καὶ ἐποίησε καὶ διεκόσμησε τόδε τὸ πᾶν. — Zur Ableitung des Wortes θεός von τίθημι vgl. Schmid I 2 614 A 5 (Fr)] 3 Kerygma Petri Fr. 1 Dobschütz TU XI 1 S. 18; vgl. Strom. II 68, 2; Ecl. proph. 58

2 ⟨αὐτὸς ὁ ποιήσας⟩ Fr   κατὰ Fr καὶ L   Subscriptio: [περὶ] τῶν κατὰ τὴν ἀληθῆ φιλοσοφίαν ὑπομνημάτων στρωματεὺς πρῶτος L ([περὶ] St)

ΚΛΗΜΕΝΤΟΣ

ΣΤΡΩΜΑΤΕΩΝ ΔΕΥΤΕΡΟΣ

I. Ἑξῆς δ' ἂν εἴη διαλαβεῖν, ἐπεὶ »κλέπτας« τῆς βαρβάρου φιλο- **1, 1**
σοφίας Ἕλληνας εἶναι προσεῖπεν ἡ γραφή, ὅπως τοῦτο δι' ὀλίγων
5 δειχθήσεται. οὐ γὰρ μόνον τὰ παράδοξα τῶν παρ' ἡμῖν ἱστορου-
μένων ἀπομιμουμένους ἀνα|γράφειν αὐτοὺς παραστήσομεν, πρὸς δὲ 429 P
τὰ κυριώτατα τῶν δογμάτων σκευωρουμένους καὶ παραχαράσσοντας,
προγενεστέρων οὐσῶν τῶν παρ' ἡμῖν γραφῶν, ὡς ἀπεδείξαμεν, διε-
λέγξομεν ἔν τε τοῖς περὶ πίστεως περί τε σοφίας γνώσεώς τε καὶ
10 ἐπιστήμης ἐλπίδος τε καὶ ἀγάπης περί τε μετανοίας καὶ ἐγκρατείας
καὶ δὴ καὶ φόβου θεοῦ (σμῆνος ἀτεχνῶς τῶν ἀληθείας ἀρετῶν)· **2**
ὅσα τε ἀπαιτήσει ἡ κατὰ τὸν τόπον τὸν προκείμενον ὑποσημείωσις,
περιληφθήσεται καὶ ὡς τὰ μάλιστα τὸ ἐπικεκρυμμένον τῆς βαρβάρου
φιλοσοφίας, τὸ συμβολικὸν τοῦτο καὶ αἰνιγματῶδες εἶδος, ἐζήλωσαν
15 οἱ πραγματικῶς τὰ τῶν ἀρχαίων φιλοσοφήσαντες, χρησιμώτατον,
μᾶλλον δὲ ἀναγκαιότατον τῇ γνώσει τῆς ἀληθείας ὑπάρχον. ἐπὶ **2, 1**
τούτοις ἀκόλουθον οἶμαι ὑπὲρ ὧν κατατρέχουσιν ἡμῶν Ἕλληνες
ἀπολογήσασθαι ὀλίγαις συγχρωμένους γραφαῖς, εἴ πως ἠρέμα καὶ ὁ
Ἰουδαῖος ἐπαΐων ἐπιστρέψαι δυνηθείη ἐξ ὧν ἐπίστευσεν εἰς ὃν οὐκ
20 ἐπίστευσεν. διαδέξεται δὲ εἰκότως τοὺς γενναίους τῶν φιλοσόφων **2**
ἔλεγχος ἀγαπητικὸς τοῦ βίου τε αὐτῶ̈ν καὶ τῆς εὑρέσεως τῶν καινῶν
δογμάτων, οὐκ | ἀμυνομένων ἡμῶν τοὺς κατηγόρους (πολλοῦ γε καὶ 155 S
δεῖ, τοὺς εὐλογεῖν μεμαθηκότας τοὺς καταρωμένους, κἂν βλασφήμους
κενῶς καταφέρωσιν ἡμῶν λόγους), ἀλλ' εἰς ἐπιστροφὴν τὴν ἐκείνων
25 αὐτῶν, εἴ πως ἐπαισχυνθεῖεν οἱ πάνσοφοι δι' ἐλέγχου βαρβάρου
σωφρονισθέντες, ὡς διιδεῖν ὀψὲ γοῦν δυνηθῆναι, ὁποῖα ἄρα εἴη τὰ
μαθήματα, ἐφ' ἃ στέλλονται τὰς ἀποδημίας τὰς διαποντίους. ὧν **8**

---

*   3 vgl. Io 10, 8   8 vgl. Strom. I 101 fl.   11 σμῆνος ἀρετῶν aus Plato Menon
p. 72 A   23 vgl. Lc 6, 28 (Mt 5, 44)

4 [εἶναι] St zu Unrecht, vgl. S. 390, 19 s. K. W Krüger, Griech. Sprachl.
§ 55, 4. 5 (Fr)   προεῖπεν Arcerius   12 τε L γε Ma   21 ἀνατρεπτικὸς Schw

μὲν γὰρ δὴ κλέπται, καὶ δὴ καὶ ταῦτα ἀποδεικτέα περιαιρεθείσης
αὐτοῖς τῆς φιλαυτίας, ἃ δὲ αὐτοὶ ›διζησάμενοι ἑαυτούς‹ ἐξευρηκέναι
φρυάττονται, τούτων ὁ ἔλεγχος· κατ' ἐπακολούθημα δὲ καὶ περὶ τῆς
ἐγκυκλίου καλουμένης παιδείας, εἰς ὅσα εὔχρηστος, περί τε ἀστρολο-
5 γικῆς καὶ μαθηματικῆς καὶ μἀγικῆς γοητείας τε ἐπιδραμητέον. αὐχοῦσι 4
γὰρ δὴ καὶ ἐπὶ ταῖσδε οἱ Πανέλληνες ὡς μεγίσταις ἐπιστήμαις. ›ὃς
δ' ἐλέγχει μετὰ παρρησίας εἰρηνοποιεῖ.‹ ἔφαμεν δὲ πολλάκις ἤδη 3, 1
μήτε μεμελετηκέναι μήτε μὴν ἐπιτηδεύειν ἑλληνίζειν· ἱκανὸν γὰρ δὴ
τοῦτο ἀποδημαγωγεῖν τῆς ἀληθείας τοὺς πολλούς, τὸ δὲ τῷ ὄντι
10 φιλοσόφημα οὐκ εἰς τὴν γλῶσσαν, ἀλλ' εἰς τὴν γνώμην ὀνήσει τοὺς
ἐπαΐοντας. δεῖ δ', οἶμαι, τὸν ἀληθείας κηδό|μενον οὐκ ἐξ ἐπιβολῆς 2 430
καὶ φροντίδος τὴν φράσιν συνθεῖναι, πειρᾶσθαι δὲ ὀνομάζειν μόνον
ὡς δύναται ὃ βούλεται· τοὺς γὰρ τῶν λέξεων ἐχομένους καὶ περὶ
ταύτας ἀσχολουμένους διαδιδράσκει τὰ πράγματα. γεωργοῦ μὲν οὖν 3
15 ἴδιον τὸ ἐν ἀκάνθαις φυόμενον ῥόδον ἀβλαβῶς λαβεῖν καὶ τεχνίτου
τὸν ἐν ὀστρείου σαρκὶ κατορωρυγμένον μαργαρίτην ἐξευρεῖν, φασὶ 4
δὲ καὶ τὰς ὄρνιθας ἥδιστην ἔχειν τὴν σαρκὸς ποιότητα, ὅτε οὐκ
ἀφθόνου τροφῆς παρατεθείσης αὐταῖς αἱ δὲ σκαλεύουσαι τοῖς ποσὶν
ἐκλέγονται μετὰ πόνου τὰς τροφάς. εἴ τις οὖν τοῦ ὁμοίου θεω- 5
20 ρητικὸς ἐν πολλοῖς τοῖς πιθανοῖς τε καὶ Ἑλληνικοῖς τὸ ἀληθὲς
διαλεληθέναι †ποθεῖ, καθάπερ ὑπὸ τοῖς μορμολυκείοις τὸ πρόσ-
ωπον τὸ ἀληθινόν, πολυπραγμονήσας θηράσεται. φησὶ γὰρ ἐν τῷ
ὁράματι τῷ Ἑρμᾷ ἡ δύναμις ἡ φανεῖσα· ›ὃ ἐὰν ἐνδέχηταί σοι ἀποκα-
λυφθῆναι, ἀποκαλυφθήσεται.‹

25 II. ›Ἐπὶ δὲ σῇ σοφίᾳ μὴ ἐπαίρου,‹ αἱ Παροιμίαι λέγουσιν, ›ἐν 4, 1
πάσαις δὲ ὁδοῖς γνώριζε αὐτήν, ἵνα ὀρθοτομῇ τὰς ὁδούς σου· ὁ δὲ
πούς σου οὐ μὴ προσκόπτῃ.‹ βούλεται μὲν γὰρ διὰ τούτων δεῖξαι
ἀκόλουθα δεῖν γενέσθαι τῷ λόγῳ τὰ ἔργα, ἤδη δὲ ἐμφαίνειν χρῆναι
τὸ ἐξ ἁπάσης παιδείας χρήσιμον ἐκλεγομένους ἡμᾶς ἔχειν. αἱ δὴ 2
30 ὁδοὶ σοφίας ποικίλαι ὀρθοτομεῖν ἐπὶ τὴν ὁδὸν τῆς ἀληθείας, ὁδὸς

* 2 vgl. Heraklit Fr. 101 Diels⁶ I 173, 11; Plut. Mor. p. 1118 C 6f. Prov 10, 10
9—11 τὸ τῷ ὄντι—ἐπαΐοντας Sacr. Par. 211 Holl 11—14 δεῖν οἶμαι—πράγματα Sacr.
Par. 212 Holl; zu solchen programmatischen Äußerungen vgl. Norden, Antike Kunst-
prosa S. 529ff. 23f. vgl. Herm. Vis. III 3, 4 25—27 u. S. 115, 1 Prov 3, 5. 6. 23

4 εὔχρηστος Höschel ἄχρηστος L ⟨χρηστὸς ἢ⟩ ἄ. Fr 11 ἐπιβολῆς Sacr. Par.
CR ἐπιβουλῆς L Sacr. Par. H 12 συγκεῖσθαι Sacr. Par. 14 διαδιδράσκει corr. aus
διαδράσκει L¹ 16 ὀστρείου Di ὀστρίωι L ὀστρίνῳ Mondésert 21 ποθεῖ] πέποιθε Wi
⟨μαθὼν φανῆναι⟩ ποθεῖ Schw ⟨νομίζων ἰδεῖν⟩ ποθεῖ St διαλεληθ⟨ὃς εἰδέναι⟩ Fr 23 τῷ
Ἑρμᾷ] τῷ Ἑρμᾶ Bywater τοῦ Ἑρμᾶ Ma ἐνδέχηται Sy ἐνδέχεται L

δὲ ἡ πίστις· ›ὁ δὲ πούς σου μὴ προσκοπτέτω,‹ λέγει περὶ τινων
ἐναντιοῦσθαι δοκούντων τῇ μιᾷ καὶ θείᾳ τῇ προνοητικῇ διοικήσει.
ὅθεν ἐπάγει· ›μὴ ἴσθι φρόνιμος παρὰ σεαυτῷ,‹ κατὰ τοὺς ἀθέους 3
λογισμοὺς τοὺς ἀντιστασιώδεις τῇ οἰκονομίᾳ τοῦ θεοῦ, ›φοβοῦ δὲ
5 τὸν μόνον δυνατὸν θεόν,‹ ᾧ ἕπεται μηδὲν ἀντικεῖσθαι τῷ θεῷ
ἄλλως τε καὶ ἡ ἐπαγωγὴ διδάσκει σαφῶς, ὅτι ὁ θεῖος φόβος ἔκκλισίς 4
ἐστι κακοῦ. φησὶ γάρ· ›καὶ ἔκκλινον ἀπὸ παντὸς κακοῦ.‹ αὕτη παι-
δεία σοφίας· ›ὃν γὰρ ἀγαπᾷ κύριος παιδεύει,‹ ἀλγεῖν μὲν ποιῶν εἰς
σύνεσιν, ἀποκαθιστὰς δὲ εἰς εἰρήνην καὶ ἀφθαρσίαν. ἡ μὲν οὖν 5, 1
10 βάρβαρος φιλοσοφία, ἣν μεθέπομεν ἡμεῖς, τελεία τῷ ὄντι καὶ ἀληθής.
φησὶ γοῦν ἐν τῇ Σοφίᾳ· ›αὐτὸς γάρ μοι δέδωκεν τῶν ὄντων γνῶσιν
ἀψευδῆ, εἰδέναι σύστασιν κόσμου‹ καὶ τὰ ἑξῆς ἕως ›καὶ δυνάμεις
ῥιζῶν.‹ ἐν τούτοις ἅπασι τὴν φυσικὴν ἐμπεριείληφε θεωρίαν τὴν
κατὰ τὸν αἰσθητὸν κόσμον ἁπάντων τῶν γεγονότων. ἑξῆς δὲ καὶ 2
15 περὶ τῶν νοητῶν αἰνίττεται δι᾽ ὧν ἐπάγει· ›ὅσα τέ ἐστι κρυπτὰ
καὶ ἐμφανῆ ἔγνων· ἡ γὰρ πάντων | τεχνῖτις ἐδίδαξέ με σοφία.‹ 431 P
ἔχεις ἐν βραχεῖ τὸ ἐπάγγελμα τῆς καθ᾽ ἡμᾶς φιλοσοφίας. ἀνάγει δὲ 3
ἡ τούτων μάθησις, μετὰ ὀρθῆς πολιτείας ἀσκηθεῖσα, διὰ τῆς πάντων
τεχνίτιδος σοφίας ἐπὶ τὸν ἡγεμόνα τοῦ παντός, δυσάλωτόν τι χρῆμα
20 καὶ δυσθήρατον, ἐξαναχωροῦν ἀεὶ καὶ πόρρω ἀφιστάμενον τοῦ διώκον-
τος. ὁ δὲ αὐτὸς μακρὰν ὢν ἐγγυτάτω βέβηκεν, θαῦμα ἄρρητον· ›θεὸς 4
ἐγγίζων ἐγώ,‹ φησὶ κύριος· πόρρω μὲν κατ᾽ οὐσίαν (πῶς γὰρ ἂν
συνεγγίσαι ποτὲ τὸ γεννητὸν ἀγεννήτῳ;), ἐγγυτάτω δὲ δυνάμει, ᾗ τὰ
πάντα ἐγκεκόλπισται. ›εἰ ποιήσει τις κρύφα‹, φησί, ›τι, καὶ οὐκ 5
25 ἐπόψομαι αὐτόν;‹ καὶ δὴ πάρεστιν ἀεὶ τῇ τε ἐποπτικῇ τῇ τε εὐεργε-
τικῇ τῇ τε παιδευτικῇ ἁπτομένη ἡμῶν δυνάμει· δύναμις τοῦ θεοῦ.
ὅθεν ὁ Μωσῆς οὔποτε ἀνθρωπίνῃ σοφίᾳ γνωσθήσεσθαι τὸν θεὸν 6, 1
πεπεισμένος, ›ἐμφάνισόν μοι σεαυτὸν‹ φησὶ καὶ ›εἰς τὸν γνόφον,‹ οὗ

---

* 3—8 Prov 3, 7. 12   5 zu μόνον δυνατὸν vgl. Mt 10, 28   ἀντικ. vgl. Strom. I 85, 6
6f. vgl. die Definition von φόβος Paed. I 101, 1; Strom. II 32 mit Anm.   11—13 Sap
7, 17. 20   15f. Sap 7, 21 f.   10—21 vgl. Philo De post. Caini 18 (II p. 4) De
somn. I 66f. (II p. 14); Cic. de deor. nat. I 60   21 vgl. TGF 405 N²   21f. 24f. Ier
23, 23f.   23f. vgl. Philo De conf. ling. 137 (II p. 255) τούτου δύναμις . . . κέκληται
μὲν ἐτύμως θεός, ἐγκεκόλπισται δὲ τὰ ὅλα.   27—S. 116, 5 vgl. Strom. V 71, 5; Philo
De post. Caini 14 (II p. 3f.) ἤδη γοῦν καὶ εἰς τὸν γνόφον ὅπου ἦν ὁ θεὸς εἰσελεύσεται,
τουτέστιν εἰς τὰς ἀδύτους καὶ ἀειδεῖς περὶ τοῦ ὄντος ἐννοίας. οὐ γὰρ ἐν γνόφῳ τὸ αἴτιον
οὐδὲ συνόλως ἐν τόπῳ, ἀλλ᾽ ὑπεράνω καὶ τόπου καὶ χρόνου· τὰ γὰρ γεγονότα πάντα
ὑποζεύξας ἑαυτῷ περιέχεται μὲν ὑπ᾽ οὐδενός, ἐπιβέβηκε δὲ πᾶσιν. Ähnlich De mut.
nom. 7 (III p. 157)   28 Exod 33, 13   28f. vgl. Exod 20, 21

13 ἅπασαν St   23 ᾗ Sy ἦ L   27 γνωσθήσεσθαι (εσθαι in Ras.) L¹

8*

ἣν ἡ φωνὴ τοῦ θεοῦ, εἰσελθεῖν βιάζεται, τουτέστιν εἰς τὰς ἀδύτους
καὶ ἀειδεῖς περὶ τοῦ ὄντος ἐννοίας· οὐ γὰρ ἐν γνόφῳ ἢ τόπῳ ὁ θεός,
ἀλλ' ὑπεράνω καὶ τόπου καὶ χρόνου καὶ τῆς τῶν γεγονότων ἰδιό-
τητος. διὸ οὐδ' ἐν μέρει καταγίνεται ποτε ἅτε περιέχων οὐ	2
5 περιεχόμενος ἢ κατὰ ὁρισμόν τινα ἢ κατὰ ἀποτομήν. »ποῖον γὰρ	8
οἶκον οἰκοδομήσετέ μοι;« λέγει κύριος· ἀλλ' οὐδὲ ἑαυτῷ ᾠκοδόμησεν
ἀχώρητος ὤν, κἂν »ὁ οὐρανὸς θρόνος« αὐτοῦ λέγηται, οὐδ' οὕτω
περιέχεται, ἐπαναπαύεται δὲ τερπόμενος τῇ δημιουργίᾳ. δῆλον οὖν	4
ἡμῖν ἐπικεκρύφθαι τὴν ἀλήθειαν, ᾗ καὶ ἐξ ἑνὸς παραδείγματος·ἤδη
10 δέδεικται, μικρὸν δ' ὕστερον καὶ διὰ πλειόνων παραστήσομεν. πῶς	7, 1
δ' οὐχὶ ἀπο δοχῆς ἄξιοι οἵ τε μαθεῖν ἐθέλοντες οἵ τε δυνάμενοι κατὰ	432 P
τὸν Σολομῶντα »γνῶναι σοφίαν καὶ παιδείαν νοῆσαί τε λόγους
φρονήσεως δέξασθαί τε στροφὰς | λόγων νοῆσαί τε δικαιοσύνην	156 S
ἀληθῆ« (ὡς οὔσης καὶ ἑτέρας τῆς μὴ κατὰ τὴν ἀλήθειαν διδασκο-
15 μένης πρὸς τῶν νόμων τῶν Ἑλληνικῶν καὶ τῶν ἄλλων τῶν φιλο-
σόφων) »καὶ κρίματα«, φησίν, »εὐθῦναι,« οὐ τὰ δικαστικά, ἀλλὰ	2
τὸ κριτήριον τὸ ἐν ἡμῖν ὑγιὲς καὶ ἀπλανὲς ἔχειν δεῖν μηνύει, »ἵνα
δῷ ἀκάκοις πανουργίαν, παιδὶ δὲ νέῳ αἴσθησίν τε καὶ ἔννοιαν.
τῶνδε γὰρ ἀκούσας σοφός«, ὁ ὑπακούειν ταῖς ἐντολαῖς πεπεισμένος
20 »σοφώτερος ἔσται« κατὰ τὴν γνῶσιν, »ὁ δὲ νοήμων κυβέρνησιν κτή-
σεται νοήσει τε παραβολὴν καὶ σκοτεινὸν λόγον ῥήσεις τε σοφῶν
καὶ αἰνίγματα.« οὐ γὰρ κιβδήλους οἱ ἔπιπνοι ἐκ θεοῦ λόγους προ-	8
φέρουσιν οὐδ' οἱ παρὰ τούτων ἐμπορευόμενοι οὐδὲ μὴν πάγας, αἷς
οἱ πολλοὶ τῶν σοφιστῶν τοὺς νέους ἐμπλέκουσι πρὸς οὐδὲν ἀληθὲς
25 σχολάζοντες, ἀλλ' οἱ μὲν τὸ ἅγιον πνεῦμα κεκτημένοι ἐρευνῶσι »τὰ
βάθη τοῦ θεοῦ,« τουτέστι τῆς περὶ τὰς προφητείας ἐπικρύψεως
ἐπήβολοι γίνονται· τῶν δὲ ἁγίων μεταδιδόναι τοῖς κυσὶν ἀπαγο-	4
ρεύεται, ἔστ' ἂν μένῃ θηρία· οὐ γάρ ποτε ἐγκιρνάναι προσήκει
φθονεροῖς καὶ τεταραγμένοις ἀπίστοις τε ἔτι ἤθεσιν, εἰς ὑλακὴν
30 ζητήσεως ἀναιδέσι, τοῦ θείου καὶ καθαροῦ νάματος, τοῦ ζῶντος
ὕδατος. »μὴ δὴ ὑπερεκχείσθω σοι ὕδατα ἔξω πηγῆς σου, εἰς δὲ σὰς	8, 1

---

*	2—4 vgl. Strom. V 71, 5 3—5 vgl. Strom. VII 28, 1; Orig. de orat. 23, 1 5 f.
7 Is 66, 1   7 f. vgl. Petrus Laod. p. 53, 11 H.; Fr in ZntW 36 (1937) 82   8 vgl. Gen
2, 2 f.   12—22 Prov 1, 2—6   25 f. vgl. I Cor 2, 10   27 vgl. Mt 7, 6   28—31 οὔποτε—
ὕδατος Sacr. Par. 213 Holl   29 f. vgl. Plato Leg. XII p. 967 CD τοὺς φιλοσοφοῦντας
κυσὶ ματαίαις ἀπεικάζοντας χρωμέναισιν ὑλακαῖς.   30 f. vgl. Io 4, 10; Apc 22, 1
31 f. Prov 5, 16

4 ἄτε—οὐ Fr aus Philo de post. C 7 οὔτε—οὔτε L   9 ἐπικεκρύφθαι St ἔστι
κεκρύφθαι L   ᾗ Schw εἰ L   δ Mü   18 ἔννοιαν Prov. εὔνοιαν L   25 σχολάζοντες L¹
σχολάζοντας L*   27 γίνονται St γινόμενοι L   30 ζητήσεως Sacr. Par.

πλατείας διαπορευέσθω σὰ ὕδατα.« »οὐ γὰρ φρονέουσι τοιαῦτα
πολλοὶ ὁκόσοι ἐγκυρεῦσιν οὐδὲ μαθόντες γινώσκουσιν, ἑωυτοῖσι δὲ
δοκέουσι,« κατὰ τὸν γενναῖον Ἡράκλειτον. ἀρ᾽ οὐ δοκεῖ σοι καὶ 2
οὗτος τοὺς μὴ πιστεύοντας ψέγειν; »ὁ δὲ δίκαιός μου ἐκ πίστεως
5 ζήσεται,« ὁ προφήτης εἴρηκεν. λέγει δὲ καὶ ἄλλος προφήτης· »ἐὰν
μὴ πιστεύσητε, οὐδὲ μὴ συνῆτε.« πῶς γὰρ τούτων ὑπερφυᾶ θεωρίαν 8
χωρῆσαι ποτ᾽ ἂν ψυχὴ διαμαχομένης ἔνδον τῆς περὶ τὴν μάθησιν
ἀπιστίας; πίστις δέ, ἣν διαβάλλουσι κενὴν καὶ βάρβαρον νομίζοντες 4
Ἕλληνες, πρόληψις ἑκούσιός ἐστι, θεοσεβείας συγκατάθεσις, »ἐλπι-
10 ζομένων ὑπόστασις, πραγμάτων | ἔλεγχος οὐ βλεπομένων,« κατὰ τὸν 433 P
θεῖον ἀπόστολον· »ταύτῃ γὰρ« μάλιστα ‹ἐμαρτυρήθησαν οἱ πρεσβύ-
τεροι· χωρὶς δὲ πίστεως ἀδύνατόν ἐστιν εὐαρεστῆσαι θεῷ.« ἄλλοι 9, 1
δ᾽ ἀφανοῦς πράγματος ἐννοητικὴν συγκατάθεσιν ἀπέδωκαν εἶναι τὴν
πίστιν, ὥσπερ ἀμέλει τὴν ἀπόδειξιν ἀγνοουμένου πράγματος φανερὰν
15 συγκατάθεσιν. εἰ μὲν οὖν προαίρεσίς ἐστιν, ὀρεκτική τινος οὖσα, ἡ 2
ὄρεξις νῦν διανοητική, ἐπεὶ δὲ πράξεως ἀρχὴ ἡ προαίρεσις, πίστις
εὑρίσκεται ἀρχὴ [γὰρ] πράξεως, θεμέλιος ἔμφρονος προαιρέσεως, προ-
αποδεικνύντος τινὸς αὐτῷ διὰ τῆς πίστεως τὴν ἀπόδειξιν. ἐθελον- 8
τὴν δὲ συνέπεσθαι τῷ συμφέροντι συνέσεως ἀρχή. μεγάλην γοῦν εἰς
20 γνῶσιν ῥοπὴν ἀπερίσπαστος παρέχει προαίρεσις. αὐτίκα ἡ μελέτη
τῆς πίστεως ἐπιστήμη γίνεται θεμελίῳ βεβαίῳ ἐπερηρεισμένη. τὴν 4
γοῦν ἐπιστήμην ὁρίζονται φιλοσόφων παῖδες ἕξιν ἀμετάπτωτον
ὑπὸ λόγου. ἔστιν οὖν ἄλλη τις τοιαύτη κατάστασις ἀληθὴς θεο-

---

*   1—3 Heraklit Fr. 17 Diels⁶ I 155, 6—8; vgl. Gomperz, Sitzungsber. der Akad. z.
Wien 113 (1886) S. 998; Bergk zu Archilochus Fr. 70 u. Opusc. II p. 22; Patin,
Heraklits Einheitslehre Progr. München 1885 4f. Hab 2, 4 5f. Is 7, 9 8f. vgl.
Strom. II 27, 2; V 3, 2; Theodoret Gr. aff. c. I 107 τὴν μὲν γὰρ πίστιν καὶ οἱ ὑμέτεροι
φιλόσοφοι ὡρίσαντο εἶναι ἐθελούσιον τῆς ψυχῆς συγκατάθεσιν.   9—12 Hebr 11, 1. 2. 6
12—15 vgl. Theodoret I 91 πίστις ἐστὶν ἑκούσιος τῆς ψυχῆς ξυγκατάθεσις, ἢ ἀφανοῦς
πράγματος θεωρία, ἢ περὶ τὸ ὂν στάσις καὶ κατάληψις τῶν ἀοράτων τῇ φύσει ξύμ-
μετρος.   15 vgl. Arist. Eth. Nik. VI 2 p. 1139ᵇ 4 ἢ ὀρεκτικὸς νοῦς ἢ προαίρεσις
ἢ ὄρεξις διανοητική (Fr)   19f. μεγάλην εἰς—προαίρεσις Sacr. Par. 214 Holl   20f. αὐ-
τίκα—ἐπερηρεισμένη Sacr. Par. 215 Holl   21—28 Stoische Definition; vgl. Strom.
II 47. 76; VI 54; VII 17; Zeno Fr. 17 Pearson; Stob. Ecl. II 7, 5¹ p. 73, 19 Wachsm.,
Sext. Emp. Pyrrh. Hyp. II 214; Adv. Math. VII 151; Diog. Laert. VII 47. 165;
Theodoret Gr. aff. c. I 107; Philo De congr. erud. gr. 140 (III p. 101)

1 τοσαῦτα Gomperz τὰ αὐτὰ (vgl. Fr. 23 Byw.) St   ἐγκυρεῦσιν Diels ἐγκυρσεύου-
σιν L   nach δὲ ist γινώσκουσι von L¹ getilgt   13 ἐννοητικὴν Schw ἐνωτικὴν L   15f. ἡ
⟨πίστις, ἐστιν⟩ ὄρεξις νοῦ διαν. Schw   16 ἔπειτα Heyse   17 [γὰρ] St   23 ⟨πλὴν⟩
θεοσεβείας Lowth

σεβείας αὐτῆς, ἧς μόνος διδάσκαλος ὁ λόγος; οὐκ ἔγωγε οἶμαι.
Θεόφραστος δὲ τὴν αἴσθησιν ἀρχὴν εἶναι πίστεώς φησιν· ἀπὸ γὰρ 5
ταύτης αἱ ἀρχαὶ πρὸς τὸν λόγον τὸν ἐν ἡμῖν καὶ τὴν διάνοιαν ἐκ-
τείνονται. ὁ πιστεύσας τοίνυν ταῖς γραφαῖς ταῖς θείαις, τὴν κρίσιν 6
5 βεβαίαν ἔχων, ἀπόδειξιν ἀναντίρρητον τὴν τοῦ τὰς γραφὰς δεδωρη-
μένου φωνὴν λαμβάνει θεοῦ· οὐκέτ᾽ οὖν πίστις γίνεται δι᾽ ἀποδεί-
ξεως ὠχυρωμένη. ‹μακάριοι τοίνυν οἱ μὴ ἰδόντες καὶ πιστεύσαντες.‹
αἱ γοῦν τῶν Σειρήνων ἐπικηλήσεις δύναμιν ὑπεράνθρωπον ἐνδεικνύ- 7
μεναι ἐξέπληττοῦ τοὺς παρατυγχάνοντας πρὸς τὴν τῶν λεγομένων
10 παραδοχὴν σχεδὸν ἄκοντας εὐτρεπίζουσαι.

III. Ἐνταῦθα φυσικὴν ἡγοῦνται τὴν πίστιν οἱ ἀμφὶ τὸν Βασι- 10, 1
λείδην, καθὸ καὶ ἐπὶ τῆς ἐκλογῆς τάττουσιν αὐτήν, τὰ μαθήματα
ἀναπυδείκτως εὑρίσκουσαν καταλήψει νοητικῇ. οἱ δὲ ἀπὸ Οὐαλεν- 2
τίνου τὴν μὲν πίστιν τοῖς ἁπλοῖς ἀπονείμαντες ἡμῖν, αὐτοῖς δὲ τὴν
15 γνῶσιν τοῖς φύσει σῳζομένοις | κατὰ τὴν τοῦ διαφέροντος πλεονε- 434 P
ξίαν σπέρματος ἐνυπάρχειν βούλονται, μακρῷ δὴ κεχωρισμένην πί-
στεως, ᾗ τὸ πνευματικὸν τοῦ ψυχικοῦ, λέγοντες. ἔτι φασὶν οἱ ἀπὸ 3
Βασιλείδου πίστιν ἅμα καὶ ἐκλογὴν οἰκείαν εἶναι καθ᾽ ἕκαστον διά-
στημα, κατ᾽ ἐπακολούθημα δ᾽ αὖ τῆς ἐκλογῆς τῆς ὑπερκοσμίου τὴν
20 κοσμικὴν ἁπάσης φύσεως συνέπεσθαι πίστιν κατάλληλόν τε εἶναι τῇ
ἑκάστου ἐλπίδι καὶ τῆς πίστεως τὴν δωρεάν. οὐκέτ᾽ οὖν προαιρέ- 11, 1
σεως κατόρθωμα ἡ πίστις, εἰ φύσεως πλεονέκτημα, οὐδὲ ἀμοιβῆς
δικαίας τεύξεται ἀναίτιος ὢν ὁ μὴ πιστεύσας, καὶ οὐκ αἴτιος ὁ πι-
στεύσας, πᾶσα δὲ ἡ τῆς πίστεως καὶ ἀπιστίας ἰδιότης καὶ διαφορότης
25 οὔτ᾽ ἐπαίνῳ οὔτε μὴν ψόγῳ ὑποπέσοι ἂν ὀρθῶς λογιζομένοις, προ-
ηγουμένην ἔχουσα τὴν ἐκ τοῦ τὰ πάντα δυνατοῦ φυσικὴν ἀνάγκην
γενομένην· νευροσπαστουμένων δὲ ἡμῶν ἀψύχων δίκην φυσικαῖς
ἐνεργείαις τό τε ⟨ἑκούσιον καὶ τὸ⟩ ἀκούσιον παρέλκει ὁρμή τε ἡ προ-
καθηγουμένη τούτων. καὶ οὐκέτι ἔγωγε ἐννοῶ ζῷον τοῦτο, οὗ τὸ 2
30 ὁρμητικὸν ἀνάγκη λέλογχεν ὑπὸ τῆς ἔξωθεν αἰτίας κινούμενον.
ποῦ δὲ ἔτι ἡ τοῦ ποτὲ ἀπίστου μετάνοια, δι᾽ ἣν ἄφεσις ἁμαρτιῶν;
ὥστε οὐδὲ βάπτισμα ἔτι εὔλογον οὐδὲ μακαρία σφραγὶς οὐδὲ ὁ υἱὸς

---

* 2—4 Theophrast Fr. 13 Wimmer III p. 162 4f. vgl. Orig. in Mt XII 14
S. 98, 10 ὥστε τὰς κρίσεις μένειν βεβαίας (Fr) 7 Io 20, 29 8 vgl. μ 184ff. 11—21
vgl. Strom. V 3, 2; Hilgenfeld, Ketzergeschichte S. 219. 226 27—30 vgl. Chrysipp
Fr. phys. 988 Arnim 30 ἀνάγκη ist personifiziert wie Ψ 79 κῆρ λάχε γεινόμενον (Fr)

8 ἐπικηλήσεις Heyse ἐπιτελέσεις L ὑπεράνθρωπον Ja¹ ὑπὲρ ἄνθρωπον L 11f.
βασιλείδην L¹ βασιλίδην L* 14 αὐτοῖς L 17 ᾗ Sy ἢ L 28 ⟨ἑκούσιον καὶ τὸ⟩ St
ἀκούσιον (ἀ in Ras. für ἑ) L¹ nach ἡ ist πα von L¹ gestrichen 30 ἀνάγκη L ἀνάγ-
κην St ἀνάγκῃ Sy 32 ⟨ἡ⟩ μακαρία Ma

οὐδὲ ὁ πατήρ· ἀλλὰ θεός, οἶμαι, ἡ τῶν φύσεων αὐτοῖς εὑρίσκεται
διανομή, τὸν θεμέλιον τῆς σωτηρίας, τὴν ἑκούσιον πίστιν, οὐκ
ἔχουσα.

IV. Ἡμεῖς δὲ οἱ τὴν αἵρεσιν καὶ φυγὴν δεδόσθαι τοῖς ἀνθρώποις 12, 1
5 αὐτοκρατορικὴν | παρὰ τοῦ κυρίου διὰ τῶν γραφῶν παρειληφότες 157 S
ἀμεταπτώτῳ κριτηρίῳ τῇ πίστει ἐπαναπαυώμεθα, »τὸ πνεῦμα πρόθυ-
μον« ἐνδειξάμενοι, ὅτι εἱλόμεθα τὴν ζωὴν καὶ τῷ θεῷ διὰ τῆς ἐκείνου
φωνῆς πεπιστεύκαμεν· καὶ ὁ τῷ λόγῳ πιστεύσας οἶδεν τὸ πρᾶγμα
ἀληθές· ἀλήθεια γὰρ ὁ λόγος· ὁ δὲ ἀπιστήσας τῷ λέγοντι ἠπίστησε
10 τῷ θεῷ. »πίστει νοοῦμεν κατηρτίσθαι τοὺς αἰῶνας ῥήματι θεοῦ εἰς 2
τὸ μὴ ἐκ φαινομένων τὸ βλεπόμενον γεγονέναι,« φησὶν ὁ ἀπόστολος
»πίστει πλείονα θυσίαν Ἄβελ παρὰ Κάιν προσήνεγκε. δι' ἧς ἐμαρτυ-
ρήθη εἶναι δίκαιος, μαρτυροῦντος ἐπὶ τοῖς δώροις αὐτῷ τοῦ θεοῦ·
καὶ δι' αὐτῆς ἀποθανὼν ἔτι λαλεῖ« καὶ τὰ ἑξῆς ἕως | »ἢ πρόσκαιρον 435 P
15 ἔχειν ἁμαρτίας ἀπόλαυσιν.« τούτους μὲν οὖν καὶ πρὸ νόμου ἡ
πίστις δικαιώσασα κληρονόμους κατέστησε τῆς θείας ἐπαγγελίας. τί 18, 1
οὖν ἔτι τὰ τῆς πίστεως ἐκ τῆς παρ' ἡμῖν ἱστορίας ἀναλεγόμενος
παρατίθεμαι μαρτύρια; »ἐπιλείψει γάρ με διηγούμενον ὁ χρόνος περὶ
Γεδεών, Βαράκ, Σαμψών, Ἰεφθάε Δαβίδ τε καὶ Σαμουὴλ καὶ τῶν
20 προφητῶν« καὶ τὰ τούτοις ἑπόμενα. τεσσάρων δὲ ὄντων ἐν οἷς τὸ 2
ἀληθές, αἰσθήσεως, νοῦ, ἐπιστήμης, ὑπολήψεως, φύσει μὲν πρῶτος ὁ
νοῦς, ἡμῖν δὲ καὶ πρὸς ἡμᾶς ἡ αἴσθησις, ἐκ δὲ αἰσθήσεως καὶ τοῦ
νοῦ ἡ τῆς ἐπιστήμης συνίσταται οὐσία, κοινὸν δὲ νοῦ τε καὶ αἰσθή-
σεως τὸ ἐναργές. ἀλλ' ἡ μὲν αἴσθησις ἐπιβάθρα τῆς ἐπιστήμης, ἡ 3
25 πίστις δὲ διὰ τῶν αἰσθητῶν ὁδεύσασα ἀπολείπει τὴν ὑπόληψιν, πρὸς
δὲ τὰ ἀψευδῆ σπεύδει καὶ εἰς τὴν ἀλήθειαν καταμένει. εἰ δέ τις 4
λέγοι τὴν ἐπιστήμην ἀποδεικτικὴν εἶναι μετὰ λόγου, ἀκουσάτω ὅτι
καὶ αἱ ἀρχαὶ ἀναπόδεικτοι· οὔτε γὰρ τέχνῃ οὔτε μὴν φρονήσει γνω-
σταί. ἡ μὲν γὰρ περὶ τὰ ἐνδεχόμενά ἐστιν ἄλλως ἔχειν, ἡ δὲ ποιη-
30 τικὴ μόνον, οὐχὶ δὲ καὶ θεωρητική. πίστει οὖν ἐφικέσθαι μόνῃ οἷόν 14, 1
τε τῆς τῶν ὅλων ἀρχῆς. πᾶσα γὰρ ἐπιστήμη διδακτή ἐστι· τὸ δὲ
διδακτὸν ἐκ προγινωσκομένου. οὐ προεγινώσκετο δὲ ἡ τῶν ὅλων 2
ἀρχὴ τοῖς Ἕλλησιν, οὔτ' οὖν Θαλῇ ὕδωρ ἐπισταμένῳ τὴν πρώτην

---

* 6 f. vgl. Mt 26, 41; Mc 14, 38   7 vgl. Dt 30, 15   9 vgl. Io 14, 6   10—15 Hebr
11, 3 f. 25   15 f. vgl. Hebr 6, 12. 17   18—20 Hebr 11, 32   20—29 τεσσάρων ὄντων—
γνωσταί Sacr. Par. 216 Holl   23 f. Theophrast Fr. 27 Wimmer (Sext. Emp. Adv.
Math. VII 218); vgl. Fr in PhW 58 (1938) 999 f.   31 f. vgl. Arist. Metaph. A 9
(p. 992ᵇ 30) πᾶσα μάθησις διὰ προγιγνωσκομένων   33 f. vgl. Diog. Laert. I 27

14 f. ἦ—ἔχειν Hebr ἦ—ἔχει L   15 τούτους Sy τούτοις L   25 ὁδεύουσα Sacr.
Par.   30 μόνον, οὐχὶ Petau μονονουχὶ L   30 f. οἷόν τε Hiller οἴονται L

αἰτίαν οὔτε τοῖς ἄλλοις [τοῖς] φυσικοῖς τοῖς ἑξῆς· ἐπεὶ ⟨εἰ⟩ καὶ Ἀναξα-
γόρας πρῶτος ἐπέστησε τὸν νοῦν τοῖς πράγμασιν, ἀλλ᾽ οὐδὲ οὗτος
ἐτήρησε τὴν αἰτίαν τὴν ποιητικήν, δίνους τινὰς ἀνοήτους ἀναζω-
γραφῶν σὺν τῇ τοῦ νοῦ ἀπραξίᾳ τε καὶ ἀνοίᾳ. διὸ καί φησιν ὁ 8
5 λόγος· »μὴ εἴπητε ἑαυτοῖς διδάσκαλον ἐπὶ τῆς γῆς·« ἡ μὲν γὰρ ἐπι-
στήμη ἕξις ἀποδεικτική, ἡ πίστις δὲ χάρις ἐξ ἀναποδείκτων εἰς τὸ
καθόλου ἀναβιβάζουσα τὸ ἁπλοῦν, ὃ οὔτε σὺν ὕλῃ ἐστὶν οὔτε ὕλη
οὔτε ὑπὸ ὕλης. οἱ δὲ ἄπιστοι, ὡς ἔοικεν, »ἐξ οὐρανοῦ καὶ τοῦ 15, 1
ἀοράτου πάντα ἕλκουσιν | εἰς γῆν, ταῖς χερσὶν ἀτεχνῶς πέτρας καὶ 436 P
10 δρῦς περιλαμβάνοντες« κατὰ τὸν Πλάτωνα· »τῶν γὰρ τοιούτων
ἐφαπτόμενοι πάντων διισχυρίζονται τοῦτ᾽ εἶναι μόνον, ὃ παρέχει
προσβολὴν καὶ ἐπαφήν τινα, ταὐτὸν σῶμα καὶ οὐσίαν ὁριζόμενοι.«
»⟨οἱ δὲ⟩ πρὸς αὐτοὺς ἀμφισβητοῦντες μάλα εὐλαβῶς ἄνωθεν ἐξ 2
ἀοράτου ποθὲν ἀμύνονται, νοητὰ ἄττα καὶ ἀσώματα εἴδη βιαζόμενοι
15 τὴν ἀληθινὴν οὐσίαν εἶναι.« »ἰδοὺ δή, ποιῶ καινά,« ὁ λόγος φησίν, 3
»ἃ ὀφθαλμὸς οὐκ εἶδεν οὐδὲ οὖς ἤκουσεν οὐδὲ ἐπὶ καρδίαν ἀνθρώπου
ἀνέβη·« καινῷ ὀφθαλμῷ, καινῇ ἀκοῇ, καινῇ καρδίᾳ ὅσα ὁρατὰ καὶ
ἀκουστὰ ⟨καὶ⟩ καταληπτὰ διὰ τῆς πίστεως καὶ συνέσεως, πνευματικῶς
λεγόντων, ἀκουόντων, πραττόντων τῶν τοῦ κυρίου μαθητῶν. ἔστι 4
20 γὰρ δόκιμον νόμισμα καὶ ἄλλο κίβδηλον, ὅπερ οὐδὲν ἔλαττον ἀπατᾷ
τοὺς ἰδιώτας, οὐ μὴν τοὺς ἀργυραμοιβούς, οἳ ἴσασι μαθόντες τό τε
παρακεχαραγμένον καὶ τὸ δόκιμον χωρίζειν καὶ διακρίνειν. οὕτως ὁ
ἀργυραμοιβὸς τῷ ἰδιώτῃ τὸ νόμισμα τοῦτο μόνον, ὅτι κίβδηλόν ἐστι,
φησί· τὸ δὲ. πῶς, μόνος ὁ τοῦ τραπεζίτου γνώριμος καὶ ὁ ἐπὶ τοῦτο
25 ἀλειφόμενος μανθάνει. Ἀριστοτέλης δὲ τὸ ἑπόμενον τῇ ἐπιστήμῃ 5
κρῖμα, ὡς ἀληθὲς τόδε τι, πίστιν εἶναί φησι. κυριώτερον οὖν τῆς
ἐπιστήμης ἡ πίστις καὶ ἔστιν αὐτῆς κριτήριον.

Ὑποκρίνεται δὲ τὴν πίστιν ἡ εἰκασία, ἀσθενὴς οὖσα ὑπόληψις, 16, 1

*	1–4 vgl. Diels⁶ II 20, 37–39, Nachtr. 420 vgl. Philo de fug. et inv. 10 (III p. 112)
ἕτερον δ᾽ εἰσὶν τῆς ἀμείνονος μοίρας οἳ νοῦν ἔφασαν ἐλθόνταπάντα διακοσμῆσαι (Fr)
5 vgl. Mt 23, 8f.; zur Form vgl. Strom. VI 58 [vgl. die zu S. 119, 27 angeführte
Stelle Arist. p. 1139ᵇ 31 (Fr)] 8–15 Plato Sophist p. 246 AB 15 Is 43, 19 16f.
I Cor 2, 9 (Is 64, 4) 19–25 vgl. Strom. I 177, 2 mit Anm. 25f. wohl nicht bei
Aristoteles; vgl. Theodoret Gr. aff. c. I 90 τὴν πίστιν Ἀριστοτέλης κριτήριον ἐπιστήμης
ἐκάλεσεν (Raeder vergleicht Aristot. Top V 3) 28f. vgl. Plato Rep. VI p. 511 E;
VII p. 534 A (πίστις—εἰκασία); Sophist. p. 231 A (κύων—λύκος) 28 die πίστις ist
ὑπόληψις σφοδρά Aristot. Top. IV 5 p. 126ᵇ 18

1 [τοῖς] Di ἐπεὶ ⟨εἰ⟩ καὶ Schw ἔπειτα St 3 αἰτίαν (vgl. S. 33, 12) Bywater ἀξίαν
L 4 ἀνοίᾳ] ἀργίᾳ Ma 11 ὃ παρέχει Plato ὅπερ ἔχει L 13 ⟨οἱ δὲ⟩ Ma ⟨οἱ δὲ⟩ oder ⟨οἱ
πιστοὶ δ᾽ οἱ⟩ Jackson, Journ. of Philol. 24 (1896) S. 266 ⟨ἄλλοι δὲ⟩ Arnim, Stoic. vet.
fr. II p. 123 18 ⟨καὶ⟩ Ma 23 τὸ νόμισμα ~ nach ἔστι Di 27 πίστις (πι in Ras.) L¹

καθάπερ ὁ κόλαξ τὸν φίλον καὶ ὁ λύκος τὸν κύνα. ἐπειδὴ δὲ ὁρῶμεν
⟨ὅτι⟩ ὁ τέκτων [ὅτι] μαθών τινα τεχνίτης γίνεται καὶ ὁ κυβερνήτης
παιδευθεὶς τὴν τέχνην κυβερνᾶν δυνήσεται, οὐκ ἀπαρκεῖν λογιζόμενος
τὸ βούλεσθαι καλὸν γενέσθαι κἀγαθόν, ἀνάγκη [δὲ] ἄρα πειθόμενον
5 μαθεῖν· τὸ δὲ πείθεσθαι τῷ λόγῳ, ὃν διδάσκαλον ἀνηγορεύσαμεν, 2
αὐτῷ ἐκείνῳ πιστεῦσαί ἐστι κατ᾽ οὐδὲν ἀντιβαίνοντα. πῶς γὰρ οἷόν
τε ἀντεφίστασθαι τῷ θεῷ; πιστὴ τοίνυν ἡ γνῶσις, γνωστὴ δὲ ἡ
πίστις θείᾳ τινὶ ἀκολουθίᾳ τε καὶ ἀνταχολουθίᾳ γίνεται. ναὶ μὴν 3
καὶ ὁ Ἐπίκουρος, ὁ μάλιστα τῆς ἀληθείας προτι|μήσας τὴν ἡδονήν, 437 P
10 πρόληψιν εἶναι διανοίας τὴν πίστιν ὑπολαμβάνει· πρόληψιν δὲ ἀπο-
δίδωσιν ἐπιβολὴν ἐπί τι ἐναργὲς καὶ ἐπὶ τὴν ἐναργῆ τοῦ πράγματος
ἐπίνοιαν· μὴ δύνασθαι δὲ μηδένα μήτε ζητῆσαι μήτε ἀπορῆσαι μηδὲ
μὴν δοξάσαι, ἀλλ᾽ οὐδὲ ἐλέγξαι χωρὶς προλήψεως. πῶς δ᾽ ἂν μὴ 17, 1
ἔχων τις πρόληψιν οὗ ἐφίεται μάθοι περὶ οὗ ζητεῖ; ὁ μαθὼν δὲ ἤδη
15 κατάληψιν ποιεῖ τὴν πρόληψιν. εἰ δὲ ὁ μανθάνων οὐκ ἄνευ προ- 2
λήψεως μανθάνει τῆς τῶν λεγομένων παραδεκτικῆς, αὐτὸς μὲν ὦτα
ἔχει τὰ ἀκουστικὰ τῆς ἀληθείας· »μακάριος δὲ ὁ λέγων εἰς ὦτα
ἀκουόντων,« ὥσπερ ἀμέλει μακάριος καὶ αὐτὸς [ὁ] τῆς ὑπακοῆς. τὸ 3
δὲ κατακοῦσαι συνιέναι ἐστίν. εἰ τοίνυν ἡ πίστις οὐδὲν ἄλλο ἢ πρό-
20 ληψίς ἐστι διανοίας περὶ τὰ λεγόμενα καὶ | τοῦτο ὑπακοή τε εἴρηται 158 S
σύνεσίς τε καὶ πειθώ, οὐ μὴ μαθήσεταί τις ἄνευ πίστεως, ἐπεὶ μηδὲ
ἄνευ προλήψεως. ἀληθὲς δ᾽ οὖν ὂν παντὸς μᾶλλον ἀποδείκνυται τὸ 4
ὑπὸ τοῦ προφήτου εἰρημένον· »ἐὰν μὴ πιστεύσητε, οὐδὲ μὴ συνῆτε.«
τοῦτο καὶ Ἡράκλειτος ὁ Ἐφέσιος τὸ λόγιον παραφράσας εἴρηκεν·
25 »ἐὰν μὴ ἔλπηται ἀνέλπιστον, οὐκ ἐξευρήσει, ἀνεξερεύνητον ἐὸν καὶ
ἄπορον.« ἀλλὰ καὶ Πλάτων ὁ φιλόσοφος ἐν τοῖς Νόμοις »τὸν μέλ- 18, 1
λοντα μακάριόν τε καὶ εὐδαίμονα γενέσθαι τῆς ἀληθείας ἐξ ἀρχῆς
εὐθὺς εἶναι μέτοχον χρῆναι« φησίν, »ἵν᾽ ὡς πλεῖστον χρόνον ἀληθὴς

---

* 8—10. 14f. Theodoret Gr. aff. c. ι 90 8—18 Epikur Fr. 255 Usener 187, 29
17f. Sir 25, 9; vgl. Strom. V 2. 1; Orig. Jer.-Hom. VI 3 23 Is 7, 9 25f. Heraklit
fr. 18 Diels⁶ I 155, 9f.; vgl. Theodoret Gr. aff. c. I 88; Bernays, Ges. Abh. I S.71f.
26—S. 122, 1 Theodoret Gr. aff. c. I 117 26—S. 122, 3 Plato Leg. V p. 730 BC; vgl.
Stob. Flor. 1, 95; 11, 18; 43, 113 Mein.

1f. ὁρῶμεν ⟨ὅτι⟩ St ὁρῶν L 2 [ὅτι] St 4 [δὲ] St δὴ Bywater a. a. O. S. 207
7 ἀντεφίστασθαι Bywater, The Academy 2 (1871) S. 25 ἀντεπίστασθαι L πειστὴ Sy
12f. μηδὲ μὴν] μήτε μὴν Di 18 [ὁ] Po ὁ ⟨ἀκούων⟩ Fr in WbJb 1947, 149 21 μὴ
Ma μὴν L 22 παντὸς Di πάντως L 25 ἐλπίζητε oder ἐλπίζετε Theod. daher ἔλπησθε
Stephanus ἔλπηαι ἀνέλπιστον, Gomperz ἔλπηται, ἀνέλπιστον L οὐχ εὑρήσετε Theod.
οὐκ ἐξευρήσετε Steph. ἀνεξερεύνητον] ἀνεξεύρετον oder ἀνεξεύρητον Theod.

ὧν διαβιῴη· πιστὸς γάρ. ὃ δὲ | ἄπιστος, ᾧ φίλον ψεῦδος ἑκούσιον· ὅτῳ 438 P
δὲ ἀκούσιον, ἄνους· ὧν [οὐ ζῷον] οὐδέτερον [οὖν] ζηλωτόν· ἄφιλος γὰρ
πᾶς ὅ γε ἄπιστος καὶ ἀμαθής.‹ καὶ μή τι ταύτην σοφίαν ›βασιλικὴν‹ 2
ἐν Εὐθυδήμῳ ἐπικεκρυμμένως λέγει. ἐν γοῦν τῷ Πολιτικῷ πρὸς λέξιν
5 φησίν· ›ὥστε ἡ τοῦ ἀληθινοῦ βασιλέως ἐπιστήμη βασιλική, καὶ ὁ
ταύτην κεκτημένος, ἐάν τε ἄρχων ἐάν τε ἰδιώτης ὢν τυγχάνῃ, πάν-
τως κατά γε τὴν τέχνην αὐτὴν βασιλικὸς ὀρθῶς προσαγορευθήσεται.‹
αὐτίκα οἱ εἰς τὸν Χριστὸν πεπιστευκότες χρηστοί τε εἰσὶ καὶ λέ- 3
γονται, ὡς τῷ ὄντι βασιλικοὶ οἱ βασιλεῖ μεμελημένοι. ὡς γὰρ ›οἱ σοφοὶ
10 σοφίᾳ εἰσὶ σοφοὶ καὶ οἱ νόμιμοι νόμῳ νόμιμοι,‹ οὕτως οἱ Χριστῷ
βασιλεῖ βασιλεῖς καὶ οἱ Χριστοῦ Χριστιανοί. εἶθ᾽ ὑποβὰς ἐπιφέρει 4
σαφῶς· ›τὸ μὲν ὀρθὸν ἂν εἴη νόμιμον καὶ νόμος φύσει ὢν ὁ λόγος ὁ
ὀρθὸς καὶ οὐκ ἐν γράμμασιν οὐδὲ ἑτέροις.‹ ὅ τε Ἐλεάτης ξένος τὸν
βασιλικὸν καὶ πολιτικὸν ἄνδρα νόμον ἔμψυχον ἀποφαίνεται. τοιοῦτος 19, 1
15 δὲ ὁ πληρῶν μὲν τὸν νόμον, ›ποιῶν δὲ τὸ θέλημα τοῦ πατρός,‹
ἀναγεγραμμένος δὲ ἄντικρυς ἐπὶ ξύλου τινὸς ὑψηλοῦ παράδειγμα
θείας ἀρετῆς τοῖς διορᾶν δυναμένοις ἐκκείμενος. ἴσασι δὲ Ἕλληνες 2
τὰς τῶν ἐν Λακεδαίμονι ἐφόρων σκυτάλας νόμῳ ἐπὶ ξύλων ἀναγε-
γραμμένας· ὁ δὲ ἐμὸς νόμος, ὡς προείρηται, βασιλικός τέ ἐστι καὶ
20 ἔμψυχος καὶ λόγος ὁ ὀρθός·

νόμος ὁ πάντων βασιλεὺς
θνατῶν τε καὶ ἀθανάτων,

ὡς ὁ Βοιώτιος ᾄδει Πίνδαρος. Σπεύσιππος γὰρ ἐν τῷ πρὸς Κλεο- 3
φῶντα πρώτῳ τὰ ὅμοια τῷ Πλάτωνι ἔοικε διὰ τούτου γράφειν·

---

* 3 vgl. Plato Euthyd. p. 291 D 5—7 Plato Politic. p. 259 AB; vgl. 292 E
9f. Plato Min. p. 314 C 12f. wohl nicht wörtlich bei Plato; vgl. Min. p. 317 BC
14 νόμος ἔμψυχος (S. 104, 24 aus Philo) nicht bei Plato; sonst vgl. Politic.
ʼη. 295 Eff.; 31ʼ BC; Musonii rell. p. 37, 1f. Hense εἴπερ δεῖ αὐτόν (τὸν βασιλέα),
ὥσπερ ἐδόκει τοῖς παλαιοῖς, νόμον ἔμψυχον εἶναι. 15 Mt 21, 31; vgl. auch
Mt 5, 17; 7, 21 21f. Pindar Fr. 169 Schröder; vgl. Strom. I 181 mit Nachtrag zu
S. 111, 9 23—S. 123, 2 Speusippos Fr. 193 Mull. FPG III p. 91; vgl. Bywater,
Journ. of Philol. 12 (1883) S. 28f.; Bursians Jahresb. 34 (1883) S. 18

1 διαβιῴη] διαβιοῖ Plato (Cod. A) Stob. διαβιῶ Theodor. 2 ἀκούσιον L Plato
Stob. Flor. 11 ἑκούσιον Stob. Flor. 1. 43 ἄνους· ὧν οὐδέτερον ζηλωτόν Plato Stob.
ἄνους ὧν οὐ ζῷον οὔθ᾽ ἕτερον οὖν ζηλωτόν L ἄνους· ὧν οὐ λῆον οὐδέτερον οὐδὲ ζ.
Schw γάρ] γὰρ δὴ Plato Stob. 3 γε L Plato Stob. τε Hermann 8f. χρηστοί—λέ-
γονται,] Χριστοῦ τέ εἰσι καὶ λέγοιντ᾽ ἂν Blaß, Herm. 30 (1895) S. 470 9 ὡς τῷ ὄντι
βασιλικοὶ οἱ Heyse ὡς οἱ τῷ ὄντι βασιλικοὶ L βασιλεῖς καὶ οἱ Χριστοῦ Χριστιανοί L
([οἱ] χρ. βασιλεῖ) βασιλικοὶ Χριστοῦ ⟨οἱ⟩ Χριστιανοί Schw St 22 θνατῶν] θανάτων L

»εἰ γὰρ ἡ βασιλεία σπουδαῖον ὅ τε σοφὸς μόνος βασιλεὺς καὶ ἄρχων,
ὁ νόμος λόγος ὢν ὀρθὸς σπουδαῖος·« ἃ καὶ ἔστιν. τούτοις ἀκόλουθα 4
οἱ Στωϊκοὶ φιλόσοφοι δογματίζουσιν, βασιλείαν, ἱερωσύνην, προφη-
τείαν, νομοθετικήν, πλοῦτον, κάλλος ἀληθινόν, εὐγένειαν, ἐλευθερίαν
5 μόνῳ προσάπτοντες τῷ σοφῷ· ὃ δὲ δυσεύρετος πάνυ σφόδρα καὶ
πρὸς αὐτῶν ὁμολογεῖται. |

V. Πάντα τοίνυν τὰ προειρημένα φαίνεται παρὰ Μωυσέως τοῦ 439 P 20,1
μεγάλου ἐπὶ τοὺς Ἕλληνας διαδεδόσθαι δόγματα. πάντα μὲν οὖν τοῦ
σοφοῦ ὑπάρχειν διὰ τούτων διδάσκει· »καὶ διότι ἠλέησέν με ὁ θεός,
10 ἔστι μοι πάντα.« θεοφιλῆ δὲ αὐτὸν μηνύει λέγων· »θεὸς Ἀβραάμ, 2
θεὸς Ἰσαάκ, θεὸς Ἰακώβ.« ὃ μὲν γὰρ »φίλος« ἄντικρυς κεκλημένος
εὑρίσκεται, ὃ δὲ »ὁρῶν τὸν θεὸν« μετωνομασμένος δείκνυται· τόν τε
Ἰσαὰκ ὡς καθωσιωμένον ἱερεῖον ἀλληγορήσας ἐξελέξατο ἑαυτῷ τύπον
ἐσόμενον ἡμῖν οἰκονομίας σωτηρίου. παρά τε Ἕλλησιν ᾄδεται ὁ 8
15 Μίνως »ἐννέωρος βασιλεὺς ὀαριστὴς Διός,« ἀκηκοότων αὐτῶν, ὅπως
ποτὲ μετὰ Μωυσέως διελέγετο ὁ θεός, »ὡς εἴ τις λαλῆσαι πρὸς τὸν
ἑαυτοῦ φίλον.« ἦν δ᾽ οὖν ὁ μὲν Μωυσῆς σοφός, βασιλεύς, νομοθέτης· 21, 1
ὁ σωτὴρ δὲ ἡμῶν ὑπερβάλλει πᾶσαν ἀνθρωπίνην φύσιν· καλὸς μὲν
ὡς ἀγαπᾶσθαι μόνος πρὸς ἡμῶν τὸ καλὸν τὸ ἀληθινὸν ἐπιποθούν-
20 των, »ἦν γὰρ τὸ φῶς τὸ ἀληθινόν«, »βασιλεὺς« δὲ καὶ ὑπὸ παίδων 2
ἀπείρων ἔτι καὶ ὑπὸ Ἰουδαίων ἀπιστούντων καὶ ἀγνοούντων ἀνα-
γορευόμενος καὶ πρὸς αὐτῶν προφητῶν ἀνακηρυττόμενος δείκνυται·
πλούσιος δὲ εἰς τοσοῦτον, ὡς πᾶσαν τὴν γῆν καὶ τὸ ὑπὲρ γῆς καὶ 8
ὑπ᾽ αὐτὴν χρυσίον ὑπερηφάνησεν σὺν καὶ δόξῃ πάσῃ διδόμενα αὐτῷ
25 πρὸς τοῦ ἀντικειμένου. τί δεῖ λέγειν, ὡς μόνος [ὁ] ἀρχιερεὺς ὁ μόνος 4
ἐπιστήμων τῆς τοῦ θεοῦ θεραπείας »βασιλεὺς εἰρήνης Μελχισεδέκ«,
ὁ πάντων ἱκανώτατος ἀφηγεῖσθαι τοῦ τῶν ἀνθρώπων γένους; νομο- 5
θέτης δὲ ὡς ἂν διδοὺς τὸν νόμον ἐν τῷ στόματι τῶν προφητῶν τὰ

2—6 Chrysipp Fr. mor. 619 Arnim　2—5 vgl. Strom. I 168, 4　9f. Gen 33, 11
10f. Exod 3, 16　11 zu φίλος vgl. Anm. zu Paed. III 12, 4　12 zu ὁρῶν τὸν θεὸν
vgl. Anm. zu Paed. I 57, 2　12—14 vgl. Gen 22　15 vgl. τ 179　16f. Exod 33, 11
20 Io 1, 9　20f. vgl. Lc 19, 38　22 vgl. Zach 9, 9　23—25 vgl. Mt 4, 8—10; Lc 4, 5—7
23f. vgl. Plato Leg. V p. 728 A πᾶς γὰρ ὅ τ᾽ ἐπὶ γῆς καὶ ὑπὸ γῆς χρυσὸς ἀρετῆς οὐκ
ἀντάξιος. Plut. Arist. 10; Mor. p. 1124 E　25f. die Stoiker definieren εὐσέβεια als
ἐπιστήμη θεῶν θεραπείας vgl. Andron, De virt. et vit. p. 25, 15 Schuchh.; Diog.
Laert. VII 119; Sext. Emp. Adv. Math. IX 123; Stob. Ecl. II 7, 5ᵇ² p. 62, 2; II
7, 5ᵇ¹² p. 68, 6 Wachsm.; Suid. s. v. εὐσέβεια [vgl. auch Orig. comm. in Joh. II 16
(72, 31 ff. Pr) = Chrysipp fr. mor. 544 Arn (Fr)　26 Hebr 7, 2 u. ö.

15 ὀαριστὴς Sy ὁ ἀριστὴς L　25 [ὁ] Hiller

τε πρακτέα καὶ μὴ σαφέστατα ἐντελλόμενός τε καὶ διδάσκων. τίς δ᾽ 22, 1
ἂν τούτου εὐγενέστερος, οὗ μόνος πατὴρ ὁ θεός; φέρε δὴ καὶ Πλά-
τωνα τοῖς αὐτοῖς ἐπιβάλλοντα παραστησώμεθα δόγμασιν· πλούσιον
μὲν τὸν σοφὸν εἴρηκεν ἐν τῷ Φαίδρῳ, ›ὦ φίλε Πὰν‹ λέγων ›καὶ
5 ὅσοι ἄλλοι τῇδε θεοί, δοίητέ μοι καλῷ γενέσθαι τἄνδοθεν· ἔξωθεν
δὲ ὅσα ἔχω, τοῖς ἐντὸς εἶναί μοι φίλα· πλούσιον δὲ νομίζοιμι τὸν
σοφόν.‹ καταμεμφόμενος δὲ ὁ Ἀθηναῖος ξένος τῶν οἰομένων πλου- 2
σίους εἶναι τοὺς πολλὰ κεκτημένους χρήματα ὧδε λέγει· ›πλουσίους
δ᾽ αὖ σφόδρα εἶναι καὶ ἀγαθοὺς ἀδύνατον, οὕς γε δὴ πλουσίους οἱ
10 πολλοὶ καταλέγουσι· λέγουσι δὲ τοὺς κεκτημένους ἐν ὀλίγοις | τῶν 440 P
ἀνθρώπων πλείστου νομίσματος ἄξια κτήματα, ἃ καὶ κακός τις κέ-
κτηται.‹ ›τοῦ πιστοῦ ὅλος ὁ κόσμος τῶν χρημάτων,‹ ὁ Σολομὼν 3
λέγει, ›τοῦ δὲ ἀπίστου οὐδὲ ὀβολός.‹ πειστέον οὖν πολλῷ μᾶλλον τῇ
γραφῇ λεγούσῃ θᾶττον ›κάμηλον διὰ τρυπήματος βελόνης‹ διελεύσεσθαι
15 ἢ πλούσιον φιλοσοφεῖν· μακαρίζει δ᾽ ἔμπαλιν τοὺς πένητας, ὡς συνῆκεν 4
Πλάτων λέγων· ›πενίαν δὲ ἡγητέον οὐ τὸ τὴν οὐσίαν | ἐλάττω ποιεῖν, 159 S
ἀλλὰ τὸ τὴν ἀπληστίαν πλείω.‹ οὐ γάρ ποτε ἡ ὀλιγοχρηματία,
ἀλλ᾽ ἡ ἀπληστία, ἧς φροῦδος ὁ ἀγαθὸς ὢν καὶ πλούσιός γ᾽ ἂν εἴη. ἐν 5
τε τῷ Ἀλκιβιάδῃ ›δουλοπρεπὲς‹ μὲν τὴν κακίαν προσαγορεύει, ›ἐλευ-
20 θεροπρεπὲς‹ δὲ τὴν ἀρετήν. ›ἄρατε‹, φησίν, ›ἀφ᾽ ὑμῶν τὸν βαρὺν
ζυγὸν καὶ λάβετε τὸν πρᾶον,‹ ἡ γραφή φησι, καθάπερ καὶ οἱ ποιηταὶ
›δούλειον‹ καλοῦσι ›ζυγόν‹. καὶ τὸ ›ἐπράθητε ταῖς ἁμαρτίαις ὑμῶν‹
τοῖς προειρημένοις συνᾴδει. ›πᾶς μὲν οὖν ὁ ποιῶν τὴν ἁμαρτίαν
δοῦλός ἐστιν. ὁ δὲ δοῦλος οὐ μένει ἐν τῇ οἰκίᾳ εἰς τὸν αἰῶνα. ἐὰν 6
25 δὲ ὁ υἱὸς ὑμᾶς ἐλευθερώσῃ, ἐλεύθεροι ἔσεσθε, καὶ ἡ ἀλήθεια ἐλευθε-
ρώσει ὑμᾶς.‹ καλὸν δ᾽ αὖ εἶναι τὸν σοφὸν ὁ Ἀθηναῖος ξένος ὡδὶ 7
λέγει· ›ὡς εἴ τις διισχυρίζοιτο εἶναι τοὺς δικαίους, ἂν καὶ τυγχάνω-
σιν ὄντες αἰσχροὶ τὰ σώματα, κατά γε τὸ δικαιότατον ἦθος ταύτῃ
παγκάλους εἶναι, σχεδὸν οὐδεὶς ἂν λέγων οὕτω πλημμελῶς δόξειεν

---

* 4–7 Plato Phaedr. p. 279 BC 8–12 Plato Leg. V p. 742 E 12f. Prov. 17, 6a
14f. vgl. Lc 18, 25 (Mt 19, 24; Mc 10, 25) 15 vgl. Lc 6, 20; Mt 5, 3 16f. vgl.
Plato Leg. V p. 736 E 18–20 vgl. Plato I Alc p. 135 C 20f. vgl. Mt 11, 29f.
22 vgl. Aeschylus Sept. 75; Pers. 50 (Plato Leg. VI p. 770 E); Protr. 35, 1 [vgl. auch
Herod. VII 8 (Fr)] vgl. Rom 7, 14; Strom. II 144 23–26 Io 8, 34–36. 32 27–
S. 125, 1 Plato Leg. IX p. 859 DE

2 μόνου Ja¹; aber vgl. die zu Strom. II 98 zitierte Philostelle über Adam
3 παραστήσωμεν St 9 κἀγαθοὺς L 11f. κέκτηται] κέκτητ᾽ oder κεκτῆτ᾽ ἂν Plato
13 πειστέον Di πιστέον L 15 ὡς] ὃ Sy 17 γὰρ ⟨πενία⟩ ποτὲ He γὰρ πένης Schw
19 ἀλκιβιάδηι (zw. ι u. β ist ά getilgt) L¹ 20 [φησίν] Ro 25 ὑμᾶς Sy ἡμᾶς L 27 ὡς]
ὥστ᾽ οὐδ᾽ Plato 28 κατά γε] κατ᾽ αὐτό γε Plato 29 παγκάλους aus Plato ἂν καλοὺς L

λέγειν‹ καὶ ›τὸ εἶδος αὐτοῦ ἐκλεῖπον παρὰ πάντας τοὺς υἱοὺς τῶν 8
ἀνθρώπων ἦν‹ ἡ προφητεία προηγόρευσεν. Πλάτων δὲ βασιλέα τὸν
σοφὸν εἴρηκεν ἐν τῷ Πολιτικῷ, καὶ πρόκειται ἡ λέξις.

Τούτων δὴ ἐπιδεδειγμένων ἀναδράμωμεν αὖθις ἐπὶ τὸν περὶ τῆς 28, 1
5 πίστεως λόγον. ναὶ μὴν μετὰ πάσης ἀποδείξεως ὁ Πλάτων ὅτι πί-
στεως χρεία πανταχοῦ, ὧδέ πως παρίστησιν, ἐξυμνῶν ἅμα τὴν εἰρή-
νην· ›πιστὸς μὲν γὰρ καὶ ὑγιὴς ἐν στάσεσιν οὐκ ἄν που γένοιτο 2
ἄνευ ξυμπάσης | ἀρετῆς· μαχητικοὶ δὲ καὶ ἐθελονταὶ ἀποθνήσκειν ἐν 441 P
πολέμῳ τῶν μισθοφόρων εἰσὶν πάμπολλοι, ὧν πλεῖστοι γίνονται
10 θρασεῖς καὶ ἄδικοι ὑβρισταί τε καὶ ἄφρονες, ἐκτὸς δή τινων μάλα
ὀλίγων. εἰ δὴ ταῦτα ὀρθῶς λέγεται, πᾶς νομοθέτης, οὐ καὶ σμικρὸν
ὄφελος, παρὰ τὴν μεγίστην ἀρετὴν ἀποβλέπων μάλιστα θήσεται τοὺς
νόμους.‹ αὕτη δέ ἐστι πιστότης, ἧς κατὰ πάντα καιρὸν χρῄζομεν 8
ἔν τε εἰρήνῃ καὶ παντὶ πολέμῳ κἂν τῷ ἄλλῳ σύμπαντι βίῳ. συλλα-
15 βοῦσα γὰρ ἔοικε τὰς ἄλλας περιέχειν. ›τὸ δὲ ἄριστον οὔθ᾿ ὁ πόλεμος 4
οὔτε ἡ στάσις· ἀπευκτὸν γὰρ τὸ δεηθῆναι τούτων, εἰρήνη δὲ πρὸς
ἀλλήλους ἅμα καὶ φιλοφροσύνη τὸ κράτιστον.‹ ἐκ δὴ τούτων κατα- 5
φαίνεται μεγίστη μὲν εὐχὴ τὸ εἰρήνην ἔχειν κατὰ Πλάτωνα, μεγίστη
δὲ ἀρετῶν μήτηρ ἡ πίστις. εἰκότως οὖν εἴρηται παρὰ τῷ Σολομῶντι 24,
20 ›σοφία ἐν στόματι πιστῶν‹, ἐπεὶ καὶ Ξενοκράτης ἐν τῷ Περὶ φρονή-
σεως τὴν σοφίαν ἐπιστήμην τῶν πρώτων αἰτίων καὶ τῆς νοητῆς
οὐσίας εἶναί φησι, τὴν φρόνησιν ἡγούμενος διττήν, τὴν μὲν πρακτι-
κήν, τὴν δὲ θεωρητικήν, ἣν δὴ σοφίαν ὑπάρχειν ἀνθρωπίνην. διόπερ 2
ἡ μὲν σοφία φρόνησις, οὐ μὴν πᾶσα φρόνησις σοφία. δέδεικται δὲ
25 τῆς τῶν ὅλων ἀρχῆς ἐπιστήμη πιστή, ἀλλ᾿ οὐκ ἀπόδειξις εἶναι. καὶ 8
γὰρ ἄτοπον, τοὺς μὲν Πυθαγόρου τοῦ Σαμίου ζηλωτὰς τῶν ζητου-
μένων τὰς ἀποδείξεις παραιτουμένους τὸ ›αὐτὸς ἔφα‹ πίστιν ἡγεῖ-
σθαι καὶ ταύτῃ ἀρκεῖσθαι μόνῃ | τῇ φωνῇ πρὸς τὴν βεβαίωσιν ὧν 442
ἀκηκόασι, ›τοὺς δὲ τῆς ἀληθείας φιλοθεάμονας‹· ἀπιστεῖν ἐπιχειροῦντας

1f. Is 53, 3   2f. Plato Politic. p. 259 AB   3 πρόκειται S. 122, 5—7   7—18 Plato
Leg. I   630 BC   13—15 αὕτη—περιέχειν vgl. Plato Leg. I p. 630 C (vgl. Theogn.
77f.) u. Gorg. p. 456 A (ἡ ῥητορικὴ) ἁπάσας τὰς δυνάμεις συλλαβοῦσα ὑφ᾿ αὑτῇ ἔχει.
15—17 Plato Leg. I p. 628 C   20 Sir 31 (34), 8; vgl. Glosse zu Sir 15, 10   20—28
Xenokrates Fr. 6 Heinze [vgl. Witt Albinus S. 14 Fr]   25—29 vgl. Theodoret Gr.
aff. c. I 56; Zeller, Phil. d. Gr. I⁵ S. 323²   27 vgl. Diogenian. III 19; Diog. Laert.
VIII 46 u. a.   29 vgl. Plato Rep. V p. 475 E

8 μαχητικοὶ δὲ καὶ ἐθελονταί] διαβάντες δ᾿ εὖ καὶ μαχόμενοι ἐθέλοντες Plato
9 εἰσὶν Plato εἶναι L εἶεν ἂν Schw   πάμπολοι L   10 ἄφρονες] ἀφρονέστατοι σχεδὸν
ἁπάντων Plato   12 παρὰ] πρὸς Plato   θήσεται Boeckh. In Plat. Min. comm. (1806)
p. 94 σταθήσεται L θήσει ἀεὶ Ja ἀεὶ θήσει Plato HSS   25 πιστή L πίστις St: πιστή
richtig vgl. S. 121, 7 und die zu S. 120, 25 angeführte Stelle Arist. Top. V 3 (Fr)

ἄξιε πίστῳ διδασκάλῳ, τῷ μόνῳ σωτῆρι θεῷ, βασάνους τῶν λεγομένων ἀπαιτεῖν παρ' αὐτοῦ. ὁ δὲ ›ὁ ἔχων ὦτα ἀκούειν ἀκουέτω‹ 4
λέγει. καὶ τίς οὗτος; Ἐπίχαρμος εἰπάτω·

νοῦς ὁρῇ ⟨καὶ⟩ νοῦς ἀκούει, τἆλλα κωφὰ καὶ τυφλά.

5 ›ἀπίστους‹ εἶναί τινας ἐπιστύφων Ἡράκλειτός φησιν, ›ἀκοῦσαι οὐκ 5
ἐπιστάμενοι οὐδ' εἰπεῖν,‹ ὠφεληθεὶς δήπουθεν παρὰ Σολομῶντος,
›ἐὰν ἀγαπήσῃς ἀκούειν, ἐκδέξῃ, καὶ ἐὰν κλίνῃς τὸ οὖς σου, σοφὸς ἔσῃ.‹

VI. ›Κύριε, τίς ἐπίστευσεν τῇ ἀκοῇ ἡμῶν;‹ Ἡσαΐας φησίν. ›ἡ 25, 1
μὲν γὰρ πίστις ἐξ ἀκοῆς, ἡ δὲ ἀκοὴ διὰ ῥήματος θεοῦ,‹ φησὶν ὁ
10 ἀπόστολος. ›πῶς οὖν ἐπικαλέσονται εἰς ὃν οὐκ ἐπίστευσαν; πῶς δὲ 2
πιστεύσουσιν οὗ οὐκ ἤκουσαν; πῶς δὲ ἀκούσουσι χωρὶς κηρύσσοντος;
πῶς δὲ κηρύξωσιν, ἐὰν μὴ ἀποσταλῶσι; καθὼς γέγραπται· ὡς ὡραῖοι
οἱ πόδες τῶν εὐαγγελιζομένων τὰ ἀγαθά.‹ ὁρᾷς πῶς ἀνάγει τὴν 3
πίστιν δι' ἀκοῆς καὶ τῆς τῶν ἀποστόλων κηρύξεως ἐπὶ τὸ ῥῆμα
15 κυρίου καὶ τὸν υἱὸν τοῦ θεοῦ; οὐδέπω συνίεμεν ἀπόδειξιν εἶναι τὸ
ῥῆμα κυρίου; ὥσπερ οὖν τὸ σφαιρίζειν οὐκ ἐκ τοῦ κατὰ τέχνην 4
πέμποντος τὴν σφαῖραν ἤρτηται μόνον, ἀλλὰ καὶ τοῦ εὐρύθμως
ἀποδεχομένου προσδεῖ αὐτῷ, ἵνα δὴ κατὰ νόμους τοὺς σφαιριστικοὺς
τὸ γυμνάσιον ἐκτελῆται, οὕτω καὶ τὴν διδασκαλίαν ἀξιόπιστον εἶναι
20 συμβέβηκεν, ὅταν ἡ πίστις τῶν ἀκροωμένων, τέχνη τις ὡς εἰπεῖν
ὑπάρχουσα φυσική, πρὸς μάθησιν συλλαμβάνῃ. συνεργεῖ οὖν καὶ γῆ 26, 1
γόνιμος ὑπάρχουσα πρὸς τὴν τῶν σπερμάτων καταβολήν. οὔτε γὰρ
τῆς ἀρίστης παιδεύσεως ὄφελός τι ἄνευ τῆς τοῦ μανθάνοντος παρα
δοχῆς οὔτε μὴν προφητείας [οὔτε], τῆς· τῶν ἀκουόντων εὐπειθείας
25 μὴ παρούσης. καὶ γὰρ τὰ κάρφη τὰ ξηρά, ἕτοιμα ὄντα καταδέχεσθαι 2
τὴν δύναμιν τὴν καυστικήν, ῥᾷον ἐξάπτεται, καὶ ἡ λίθος ἡ θρυλου
μένη | ἕλκει τὸν σίδηρον διὰ συγγένειαν, ὥσπερ καὶ τὸ δάκρυον τὸ 443 P
σούχειον ἐπισπᾶται τὰ κάρφη καὶ τὸ ἤλεκτρον τὰς ἀχυρμιὰς ἀνα
κινεῖ· πείθεται δὲ αὐτοῖς τὰ ἑλκόμενα ἀρρήτῳ ἑλκόμενα πνεύματι

* 2 vgl. Mt 11, 15 u. ö. 4 Epicharm Fr. 12 Diels⁶ 1 200, 16; vgl. Theodoret
Gr. aff. c. I 88; Plut. Mor. p. 336 B; Arsen. Viol. p. 368, 2 Walz u. a.; Elter
Gnom. hist. 98. 99 5f. Heraklit fr. 19 Diels⁶ I 155, 11; vgl. Patin, Heraklits
Einheitslehre S. 12 7 Sir 6, 33 8 Is 53, 1 (R m 10, 16) 8—13 Rom 10, 17. 14f.
(Is 52, 7) 16—21 vgl. Plut. Mor. p. 582 F; 38 E; vgl. auch Sen. de ben. II 17, 3
= Chrys. fr. mor. 725 Arnim 26f. Plato Ion p. 533 DE; Strom. VII 9

4 ⟨καὶ⟩ aus Plut. τἆλλα Plut. τὰ ο ἄλλα L 7 vor κλίνῃς scheint in L ἐκ
ausrad. 18 σφαιριστικοὺς Sy (im Index), Bast zu Greg. Cor. p. 917 σφαιρητικοὺς L
21 συλλαμβάνει L γῆ St ἡ L 24 [οὔτε] Sy οὔτε ⟨εὐαγγελίου⟩ Ma οὔτε ⟨κηρύξεως⟩
Schw οὔτε ⟨νομοθεσίας⟩ Fr 28 σούχινον L. Dindorf im Thes.

οὐχ ὡς αἴτια, ἀλλ' ὡς συναίτιά. διπλοῦ τοίνυν ὄντος τοῦ τῆς κακίας 8
εἴδους, τοῦ μὲν μετὰ ἀπάτης καὶ τοῦ λανθάνειν, τοῦ δὲ μετὰ βίας
ἄγοντος καὶ φέροντος, ὁ θεῖος λόγος κέκραγεν πάντας συλλήβδην
καλῶν, εἰδὼς μὲν καὶ μάλιστα τοὺς μὴ πει|σθησομένους, ὅμως δ' οὖν, 160 8
5 ὅτι ἐφ' ἡμῖν τὸ πείθεσθαί τε καὶ μή, ὡς μὴ ἔχειν ἄγνοιαν προφα-
σίσασθαί τινας, δικαίαν τὴν κλῆσιν πεποίηται, τὸ κατὰ δύναμιν δὲ
ἑκάστου ἀπαιτεῖ. τοῖς μὲν γὰρ ὁμοῦ τῷ θέλειν καὶ τὸ δύνασθαι 4
πάρεστιν, ἐκ συνασκήσεως ηὐξηκόσι τοῦτο καὶ κεκαθαρμένοις· οἳ δέ,
εἰ καὶ μήπω δύνανται, τὸ βούλεσθαι ἤδη ἔχουσιν. ἔργον δὲ τὸ μὲν
10 βούλεσθαι ψυχῆς, τὸ πράττειν δὲ οὐκ ἄνευ σώματος. οὐδὲ μὴν τῷ 5
τέλει παραμετρεῖται μόνῳ τὰ πράγματα, ἀλλὰ καὶ τῇ ἑκάστου κρί-
νεται προαιρέσει, εἰ ῥᾳδίως εἵλετο, εἰ ἐφ' οἷς ἥμαρτεν μετενόησεν, εἰ
σύνεσιν ἔλαβεν ἐφ' οἷς ἔπταισεν, καὶ μετέγνω, ὅπερ ἐστὶ μετὰ ταῦτα
ἔγνω· βραδεῖα γὰρ γνῶσις μετάνοια, γνῶσις δὲ ἡ πρώτη ἀναμαρτησία.
15 πίστεως οὖν καὶ ἡ μετάνοια κατόρθωμα· ἐὰν γὰρ μὴ πιστεύσῃ ἁμάρ- 27, 1
τημα εἶναι ᾧ προκατείχετο, οὐδὲ μεταθήσεται· κἂν μὴ πιστεύσῃ
κόλασιν μὲν ἐπηρτῆσθαι τῷ πλημμελοῦντι, σωτηρίαν δὲ τῷ κατὰ
τὰς ἐντολὰς βιοῦντι, οὐδ' οὕτως μεταβαλεῖται. ἤδη δὲ καὶ ἡ ἐλπὶς
ἐκ πίστεως συνέστηκεν. ὁρίζονται γοῦν οἱ ἀπὸ Βασιλείδου τὴν πίστιν 2
20 ψυχῆς συγκατάθεσιν πρός τι τῶν μὴ κινούντων αἴσθησιν διὰ τὸ μὴ
παρεῖναι. ἐλπὶς δὲ προσδοκία κτήσεως ἀγαθοῦ· πιστὴν δὲ ἀνάγκη
τὴν προσδοκίαν εἶναι. πιστὸς δὲ ὁ ἀπαραβάτως τηρητικὸς τῶν ἐγ-
χειρισθέντων· ἐγχειρίζονται δὲ ἡμῖν οἱ περὶ θεοῦ λόγοι καὶ οἱ θεῖοι
λόγοι, αἱ ἐντολαί, σὺν τῇ καταπράξει τῶν παραγγελμάτων. οὗτός 8
25 ἐστιν ›ὁ δοῦλος ὁ πιστός‹, ὁ πρὸς τοῦ κυρίου ἐπαινούμενος. ἐπὰν
δὲ εἴπῃ ›πιστὸς ὁ θεός‹, ᾧ ἀποφαινομένῳ πιστεύειν ἄξιον, μηνύει·
ἀποφαίνεται δὲ ὁ λόγος αὐτοῦ, καὶ αὐτὸς ἂν εἴη πιστὸς ὁ θεός. πῶς 4
οὖν εἰ τὸ πιστεύειν ὑπολαμβάνειν ἐστί, βέβαια τὰ παρ' αὐτῶν οἱ
φιλόσοφοι νομίζουσιν; οὐ γάρ ἐστιν ὑπόληψις ἡ ἑκούσιος πρὸ ἀπο-
30 δείξεως | συγκατάθεσις, ἀλλὰ συγκατάθεσις ἰσχυρῷ τινι. τίς δ' ἂν 444 P 28, 1
εἴη δυνατώτερος θεοῦ; ἡ δὲ ἀπιστία ὑπόληψις τοῦ ἀντικειμένου
ἀσθενὴς ἀποφατική, καθάπερ ἡ δυσπιστία ἕξις δυσπαράδεκτος πίστεως.

10—12 οὐ τῷ τ.—προαιρέσει Sacr. Par. 217 Holl 19f. vgl. Theodoret Gr. aff.
c. I 91. 107; Hilgenfeld, Ketzergesch. ˚S. 226 21 vgl. Strom. II 41, 1 [gekürzt
ἐλπὶς προσδ. ἀγαθοῦ Ps. Pl. Def. p. 416C; Suidas s. v. ἐλπίς; Philo De post.
C. 26; de Abr. 14, erweit. Qu. in Gen. I 79 (Fr)] 25 Mt 24, 45; 25, 21 26 I
Cor 1, 9; 10, 13; II Cor 1, 18 30 vgl. Sext. Emp. Pyrrh. Hyp. I 34 συγκατατί-
θεσθαι τῷ δοκοῦντι νῦν ἰσχυρῷ εἶναι λόγῳ, Cl. hat λόγῳ weggelassen und die Formel
ins Persönliche übertragen (Fr)

4 πεισθησομένους Sy πειθ. L 6f. τὸ—ἀπαιτεῖ] τῷ—εῖν Lowth 7 τῷ] τὸ Ma
11 μόνῳ παραμ. ~ Sacr. Par. πρ.] γινόμενα Sacr. Par. 27 αὐτὸς] οὕτως Hiller
(wohl mit Recht) [ὁ θεός] Lowth ὁ λόγος Ma ⟨ὅτι⟩ ὁ θ. Fr 29f. πρὸ ἀποδείξεως Sy
προαποδ. L 30 ἰσχυρῶι (ἰ in Ras.) L¹

καὶ ἡ μὲν πίστις ὑπόληψις ἑκούσιος καὶ πρόληψις εὐγνώμονος πρὸ
καταλήψεως, προσδοκία δὲ δόξα μέλλοντος· ἡ δὲ τῶν ἄλλων προσ-
δοκία δόξα ἀδήλου· πεποίθησις δὲ διάληψις βεβαία περί τινος. διὸ 2
πιστεύομεν, ᾧ ἂν πεποιθότες ὦμεν, εἰς δόξαν θείαν καὶ σωτηρίαν·
5 πεποίθαμεν δὲ τῷ μόνῳ θεῷ, ὃν γινώσκομεν ὅτι οὐ παραβήσεται τὰ
καλῶς ἡμῖν ἐπηγγελμένα καὶ διὰ ταῦτα δεδημιουργημένα καὶ δεδωρη-
μένα ὑπ᾽ αὐτοῦ ἡμῖν εὐνοϊκῶς. εὔνοια δέ ἐστι βούλησις ἀγαθῶν 3
ἑτέρῳ ἕνεκεν αὐτοῦ ἐκείνου. ὃ μὲν γάρ ἐστιν ἀνενδεής· εἰς ἡμᾶς δὲ
ἡ εὐεργεσία καὶ ἡ παρὰ τοῦ κυρίου εὐμένεια καταλήγει, εὔνοια θεία
10 οὖσα καὶ εὔνοια πρὸς τὸ εὖ ποιεῖν οὖσα. εἰ δὲ »τῷ Ἀβραὰμ πιστεύ- 4
σαντι ἐλογίσθη εἰς δικαιοσύνην,« σπέρμα δὲ Ἀβραὰμ ἡμεῖς δι᾽ ἀκοῆς,
καὶ ἡμῖν πιστευτέον. Ἰσραηλῖται γὰρ ἡμεῖς οἱ μὴ διὰ σημείων, δι᾽
ἀκοῆς δὲ εὐπειθεῖς. διὰ τοῦτο »εὐφράνθητι, στεῖρα ἡ οὐ τίκτουσα, 5
ῥῆξον καὶ βόησον,« φησίν, »ἡ οὐκ ὠδίνουσα· ὅτι πολλὰ τὰ τέκνα
15 τῆς ἐρήμου μᾶλλον ἢ τῆς ἐχούσης τὸν ἄνδρα.« »ἐβίωσας εἰς τὸ
περίφραγμα τοῦ λαοῦ, ἐνευλογήθησαν τὰ τέκνα σου εἰς τὰς σκηνὰς
τῶν πατέρων.« εἰ δὲ αἱ αὐταὶ [αἱ] μοναὶ ὑπὸ τῆς προφητείας ἡμῖν 6
τε αὖ καὶ τοῖς πατριάρχαις καταγγέλλονται, εἰς ἀμφοῖν ταῖν διαθή-
καιν δείκνυται ὁ θεός. ἐπιφέρει γοῦν σαφέστερον· »ἐκληρονόμησας 29, 1
20 τὴν διαθήκην τοῦ Ἰσραήλ,« τῇ ἐξ ἐθνῶν κλήσει λέγων, τῇ στείρᾳ
ποτὲ τούτου τοῦ ἀνδρός, ὅς ἐστιν ὁ λόγος, τῇ ἐρήμῳ πρότερον τοῦ
νυμφίου. »ὁ δὲ δίκαιος ἐκ πίστεως ζήσεται,« τῆς κατὰ τὴν διαθήκην 2
καὶ τὰς ἐντολάς, ἐπειδὴ δύο αὗται ὀνόματι καὶ χρόνῳ, καθ᾽ ἡλικίαν
καὶ προκοπὴν οἰκονομικῶς δεδομέναι, δυνάμει μία οὖσαι, ἡ μὲν πα-
25 λαιά, ἡ δὲ καινή, διὰ υἱοῦ παρ᾽ ἑνὸς θεοῦ χορηγοῦνται. ᾗ καὶ ὁ 3
ἀπόστολος ἐν τῇ πρὸς Ῥωμαίους ἐπιστολῇ λέγει· »δικαιοσύνη γὰρ
θεοῦ ἐν αὐτῷ ἀποκαλύπτεται ἐκ πίστεως εἰς πίστιν,« τὴν μίαν τὴν
ἐκ προφητείας εἰς εὐαγγέλιον τετελειωμένην δι᾽ ἑνὸς καὶ τοῦ αὐτοῦ
κυρίου διδάσκων σωτηρίαν. »ταύτην«, ἔφη, »παρατίθεμαί σοι τὴν 4
30 παραγγελίαν, τέκνον Τιμόθεε, κατὰ τὰς προαγούσας ἐπὶ σὲ προφη-
τείας, ἵνα | στρατεύσῃ ἐν αὐταῖς τὴν καλὴν στρατείαν, ἔχων πίστιν 445 P
καὶ ἀγαθὴν συνείδησιν, ἥν τινες ἀπωσάμενοι περὶ τὴν πίστιν ἐναυά-

---

* 7f. zur Definition von εὔνοια vgl. Paed. I 97, 3 mit Anm.   8 ἀνενδεής vgl.
z. B. Philo Quod det. pot. 55 (I p. 271); Quod deus s. imm. 55 (II p. 69)
9f. vgl. Andronicus De affect. p. 21, 1 Kreuttner εὐμένεια δὲ εὔνοια ἐπίμονος
10f. Rom 4, 3. 9. 22; Gal 3, 6; Jac 2, 23   12f. vgl. I Cor 14, 22   13—15 Is 54, 1
(Gal 4, 27)   15—17 wohl nicht in LXX (vielleicht Übersetzungsvariante zu
Is 54, 2. 3. 10)   19f. woher?   22 Rom 1, 17 (Hab 2, 4)   26f. Rom 1, 17   29—S.129,1
I Tim 1, 18f.

1f. εὐγνώμων Schw πρὸ καταλήψεως Schw προκαταλ. L   2 [δόξᾳ] Schw   10 ⟨εἰ⟩
εὔνοια, Schw [οὖσα²] Ma ⟨λήγ⟩ουσα Schw   17 [αἱ] Sy   21 [τούτου] Ma   31 στρα-
τείαν (αν in Ras.) L¹

γησαν,‹ ὅτι τὴν θεόθεν ἤκουσαν συνείδησιν ἀπιστίᾳ κατεμίαναν
οὔκουν ἔτ' εἰκότως ⟨ὡς⟩ πρόχειρον τὴν πίστιν διαβλητέον, ὡς εὔκολόν **80, 1**
τε καὶ πάνδημον καὶ προσέτι τῶν τυχόντων. εἰ γὰρ ἀνθρώπινον
ἦν τὸ ἐπιτήδευμα, ὡς Ἕλληνες ὑπέλαβον, κἂν ἀπέσβη· ἣ δὲ αὔξει
5 ⟨καὶ⟩ οὐκ ἔστιν ἔνθα οὐκ ἔστιν. φημὶ τοίνυν τὴν πίστιν, εἴτε ὑπὸ **2**
ἀγάπης θεμελιωθείη εἴτε καὶ ὑπὸ φόβου, ᾗ φασιν οἱ κατήγοροι, θεῖόν
τι εἶναι, μήτε ὑπὸ ἄλλης φιλίας κοσμικῆς διασπωμένην μήτε ὑπὸ
φόβου παρόντος διαλυομένην. ἡ μὲν γὰρ ἀγάπη τῇ πρὸς τὴν πίστιν **8**
φιλίᾳ τοὺς πιστοὺς ποιεῖ, ἡ δὲ πίστις ἕδρασμα ἀγάπης ἀντεπάγουσα
10 τὴν εὐποιίαν, ὅτε καὶ ⟨ὁ⟩ τοῦ νόμου παιδαγωγὸς φόβος ἀφ' ὧν πι-
στεύεται, καὶ φόβος εἶναι πιστεύεται. εἰ γὰρ ἐν τῷ ἐνεργεῖν τὸ εἶναι **4**
δείκνυται, ὃ δὲ μέλλων καὶ ἀπειλῶν, οὐχὶ δὲ ἐνεργῶν καὶ παρὼν
πιστεύεται, κατὰ τὸ εἶναι πιστευόμενος οὐκ αὐτὸς τῆς πίστεως γεν-
νητικός, ὅ γε πρὸς αὐτῆς ἀξιόπιστος εἶναι δοκιμασθείς. θεία τοίνυν **81, 1**
15 ἡ τοσαύτη μεταβολὴ ἐξ ἀπιστίας | πιστόν τι⟨να⟩ γενόμενον καὶ τῇ **161 8**
ἐλπίδι καὶ τῷ φόβῳ πιστεῦσαι. καὶ δὴ ἡ πρώτη πρὸς σωτηρίαν
νεῦσις ἡ πίστις ἡμῖν ἀναφαίνεται, μεθ' ἣν φόβος τε καὶ ἐλπὶς καὶ
μετάνοια σύν τε ἐγκρατείᾳ καὶ ὑπομονῇ προκόπτουσαι ἄγουσιν ἡμᾶς
ἐπί τε ἀγάπην ἐπί τε γνῶσιν. εἰκότως οὖν ὁ ἀπόστολος Βαρνάβας **2**
20 ›ἀφ' οὗ‹ φησὶν ›ἔλαβον, μέρος ἐσπούδασα κατὰ μικρὸν ὑμῖν πέμψαι,
ἵνα μετὰ τῆς πίστεως ὑμῶν τελείαν ἔχητε καὶ τὴν γνῶσιν. τῆς μὲν
οὖν πίστεως ἡμῶν εἰσιν οἱ συλλήπτορες φόβος καὶ ὑπομονή, τὰ δὲ
συμμαχοῦντα ἡμῖν μακροθυμία καὶ ἐγκράτεια. τούτων οὖν‹, φησί,
›τὰ πρὸς τὸν κύριον μενόντων ἁγνῶς, συνευφραίνονται αὐτοῖς σοφία,
25 σύνεσις, ἐπιστήμη, γνῶσις.‹ στοιχείων γοῦν ⟨οὐσῶν⟩ τῆς γνώσεως τῶν **8**
προειρημένων ἀρετῶν στοιχειωδεστέραν εἶναι συμβέβηκε τὴν πίστιν,
οὕτως ἀναγκαίαν τῷ γνωστικῷ ὑπάρχουσαν, ὡς τῷ κατὰ τὸν κόσμον
τόνδε βιοῦντι πρὸς τὸ ζῆν τὸ ἀναπνεῖν· ὡς δ' ἄνευ τῶν τεσσάρων
στοιχείων οὐκ ἔστι ζῆν, οὐδ' ἄνευ πίστεως γνῶσιν ἐπακολουθῆσαι.
30 αὕτη τοίνυν κρηπὶς ἀληθείας. |

3—7 vgl. Act 5, 38f. **10f.** Gal 3, 24 **18** „nur infolge des Vorhandenseins eines
Glaubens findet die Furcht Glauben" (Fr) **20—25** Barnabas Ep. 1, 5; 2, 2f.

---

2 ⟨ὡς⟩ Tengblad S. 92　τὴν πίστιν ⟨τοῖς ἁπλοῖς ἀπονέμειν οὐδὲ αὐτὴν⟩ Schw
3 τε] τι Wi **4** ᾗ δὲ St εἰ δὲ L **5** ⟨καὶ⟩ Po **5f.** εἴτε—εἴτε] ἦν τε—ἦν τε Ma **6** θε-
μελιωθείη Fr θεμελιωθῆι L ἢ L **8** τῇ] τῆ corr. aus τὴν L¹ **10** ⟨ὁ⟩ Hiller **11** [φό-
βος] Wi τὸ Hervet τῶι L **13** κατὰ τὸ Fr καὶ τὸ L ⟨πίστιν⟩ Fr **13f.** γεννητικός
Sy γενητικὸς L **15** τινα Ma τι L [τι] Hiller **20** μέρος Barn. μέρους L πέμπειν
Barn. **21** μὲν < Barn. **22** ἡμῶν Sy (wie Barn.) ὑμῶν L οἱ συλλήπτορες] βοηθοὶ
Barn. **23f.** τούτων μενόντων τὰ πρὸς κύριον Barn. **25** ⟨οὐσῶν⟩ Schw

VII Οἱ δὲ τοῦ φόβου κατηγοροῦντες κατατρέχουσι τοῦ νόμου, 82,14
εἰ δὲ τοῦ νόμου, δῆλόν που ὡς καὶ τοῦ δεδωκότος τὸν νόμον θεοῦ.
τρία γὰρ ταῦτα ἐξ ἀνάγκης ὑφέστηκεν περὶ τὸ ὑποκείμενον, ὁ διοι-
κῶν, ἡ διοίκησις, τὸ διοικούμενον. εἰ γοῦν καθ᾽ ὑπόθεσιν ἐξέλοιεν 2
5 τὸν νόμον, ἀνάγκη δήπου ἕκαστον ὃς ἄγεται ὑπὸ ἐπιθυμίας, ἡδονῇ
χαριζόμενον ἀμελεῖν μὲν τοῦ καλῶς ἔχοντος, ὑπερφρονεῖν δὲ τοῦ
θείου, ἀσεβεῖν δὲ ἅμα καὶ ἀδικεῖν ἀδεῶς ἀποσκιρτήσαντα τῆς ἀλη-
θείας. ναί, ᾽φασίν, ἄλογος ἔκκλισις ὁ φόβος ἐστὶ καὶ πάθος. τί σὺ 8
λέγεις; καὶ πῶς ἄν σοι ἔτι σῴζοιτο οὗτος ὁ ὅρος διὰ λόγου δοθείσης
10 μοι τῆς ἐντολῆς; ἐντολὴ δὲ ἀπαγορεύει, τὸν φόβον ἐπαρτῶσα ᾽διὰ
παιδείαν τῶν οὕτως ἐπιδεχομένων νουθετεῖσθαι. οὐ τοίνυν ἄλογος 4
ὁ φόβος, λογικὸς μὲν οὖν· πῶς γὰρ οὔ, παραινῶν ᾽οὐ φονεύσεις, οὐ
μοιχεύσεις, οὐ κλέψεις, οὐ ψευδομαρτυρήσεις᾽; ἀλλ᾽ εἰ σοφίζονται τὰ
ὀνόματα, εὐλάβειαν καλούντων οἱ φιλόσοφοι τὸν τοῦ νόμου φόβον,
15 εὔλογον οὖσαι ἔκκλισιν. ὀνοματομάχους τούτους οὐκ ἄπο τρόπου ὁ 83,1
Φασηλίτης ἐκάλει Κριτόλαος. ἀστεία μὲν οὖν ἤδη καὶ καλλίστη πέ-
φηνε τοῖς ἐγκαλοῦσιν ἡμῖν ἡ ἐντολὴ ὀνόματος ἐναλλαγῇ νοηθεῖσα.
ἡ οὖν εὐλάβεια λογικὴ δείκνυται, τοῦ βλάπτοντος ἔκκλισις οὖσα, ἐξ ἧς 2
ἡ μετάνοια τῶν προημαρτημένων φύεται. ᾽ἀρχὴ γὰρ σοφίας φόβος
20 κυρίου, σύνεσις δὲ ἀγαθὴ πᾶσι τοῖς ποιοῦσιν αὐτήν.᾽ τὴν σοφίας
λέγει ποίησιν, ἥ ἐστι φόβος θεοῦ ὁδοποιῶν εἰς σοφίαν. εἰ δὲ ὁ νόμος 8
φόβου ἐμποιητικός, ἀρχὴ σοφίας γνῶσις νόμου, καὶ οὐκ ἔστιν ἄνευ
νόμου σοφός. ἄσοφοι τοίνυν οἱ παραιτούμενοι τὸν νόμον, ᾧ ἕπεται
ἀθέους αὐτοὺς λογίζεσθαι. παιδεία δὲ ἀρχὴ σοφίας. ᾽σοφίαν δὲ καὶ 4
25 παιδείαν ἀσεβεῖς ἐξουθενήσουσιν᾽, λέγει ἡ γραφή.

Τίνα δὲ τὰ φοβερὰ ὁ νόμος καταγγέλλει, θεασόμεθα. εἰ μὲν τὰ 84,1
μεταξὺ ἀρετῆς καὶ | κακίας, οἷον πενίαν καὶ νόσον καὶ ἀδοξίαν καὶ 447 P
δυσγένειαν καὶ ὅσα παραπλήσια, ταῦτα μὲν καὶ οἱ κατὰ πόλιν νόμοι
προτείνοντες ἐπαινοῦνται, καὶ τοῖς ἐκ Περιπάτου τρία γένη τῶν
30 ἀγαθῶν εἰσηγουμένοις καὶ τὰ τούτων ἐναντία λογιζομένοις εἶναι κακὰ
ἁρμόνιος ἥδε ἡ δόξα· ἡμῖν δὲ ὁ δοθεὶς νόμος τὰ τῷ ὄντι κακὰ ἀπο- 2

---

8. 13—15 Chrysipp fr. mor. 411 Arnim; vgl. Paed. I 101, 1; Strom. II 4, 4; 79,5;
Andronicus De affect. p. 12, 3; 20, 7 Kreuttner 12f. Exod 20, 13—16 15f. zu Kri-
tolaos vgl. Zeller Phil. d. Gr. II 2³ S. 927ff. 19f. Prov 1, 7 (Ps 110, 10) 24f. Prov
1, 7 27 vgl. Diog. L. VII 102 = Chrys. fr. mor. 117 Arn. 29f. vgl. z. B. Aristot.
Eth. Nic. I 8 p. 1098ᵇ 12ff.; Index Arist. p. 4ᵃ 11ff.; Strom. IV 166, 1

3 περὶ Hiller παρὰ L 4 τὸ διοικούμενον vgl. Strom. IV 172, 2 (Fr) 5 ὅς] ὡς
Sy ὅτ᾽ Schw 11 τῶν οὕτως ἐπιδεχομένων Lowth τὸν οὕτως ἐπιδεχόμενον L 13 viell.
⟨περὶ⟩ τὰ ὀνομ. vgl. Plat. Staat VI 20 p. 509 D ἵνα μὴ δόξω σοι σοφίζεσθαι περὶ τὸ
ὄνομα (Fr) 18 ἐξ ἧς Ρο ἐξῆς L 20 σοφίας St σοφίαν L 24 ⟨τὸ⟩ ἀθέους α. λ. Mü.
(aber vgl. Strom. II 110, 3 Fr) 26 φοβερὰ ⟨ἃ⟩ St 31 ἁρμόνιος Sy ἑρμόνιος L ἥδε
L¹ δὲ L*

φεύγειν προστάττει, μοιχείαν, ἀσέλγειαν, παιδεραστίαν, ἄγνοιαν, ἀδι-
κίαν, νόσον ψυχῆς, θάνατον, οὐ τὸν διαλύοντα ψυχὴν ἀπὸ σώματος,
ἀλλὰ τὸν διαλύοντα ψυχὴν ἀπὸ ἀληθείας· δειναὶ γὰρ καὶ φοβεραὶ τῷ
ὄντι κακίαι αὗται καὶ αἱ ἀπὸ τούτων ἐνέργειαι· ›οὐ μὴν ἀδίκως‹ 3
5 ἐκτείνεσθαι ›δίκτυα πτερωτοῖς‹ λέγουσιν οἱ χρησμοὶ οἱ θεῖοι, ›αὐτοὶ
γὰρ αἱμάτων μετέχοντες θησαυρίζουσιν ἑαυτοῖς κακά·‹ πῶς οὖν ἔτι 4
οὐκ ἀγαθὸς ὁ νόμος πρός τινων αἱρέσεων λέγεται ἐπιβοωμένων τὸν
ἀπόστολον λέγοντα ›διὰ γὰρ νόμου γνῶσις ἁμαρτίας‹; πρὸς οὓς
φαμέν· ὁ νόμος οὐκ ἐποίησεν, ἀλλ᾽ ἔδειξεν τὴν ἁμαρτίαν· προστάξας
10 γὰρ ἃ ποιητέον ἤλεγξε τὰ μὴ ποιητέα. ἀγαθοῦ δὲ τὸ μὲν σωτήριον 5
ἐκδιδάξαι, τὸ δὲ δηλητήριον ἐπιδεῖξαι, καὶ τῷ μὲν χρῆσθαι συμβου-
λεῦσαι, τὸ δὲ ἀποφυγεῖν κελεῦσαι. αὐτίκα ὁ ἀπόστολος, ὃν οὐ συν- 35, 1
ιᾶσι, γνῶσιν εἶπεν ἁμαρτίας διὰ νόμου πεφανερῶσθαι, οὐχὶ ὑπό-
στασιν εἰληφέναι. πῶς δ᾽ οὐκ ἀγαθὸς ὁ παιδεύων νόμος, ›ὁ παιδαγωγὸς 2
15 εἰς Χριστόν‹ δοθείς, ἵνα δὴ ἐπιστρέψωμεν διὰ φόβου παιδευτικῶς
κατευθυνόμενοι πρὸς τὴν διὰ Χριστοῦ τελείωσιν; ›οὐ βούλομαι‹, 3
φησίν, ›τὸν θάνατον τοῦ ἁμαρτωλοῦ ὡς τὴν μετάνοιαν αὐτοῦ.‹
μετάνοιαν δὲ ἐντολὴ ποιεῖ, κωλυτικὴ μὲν τῶν μὴ ποιητέων, ἐπαγ-
γελτικὴ δὲ τῶν εὐεργεσιῶν. θάνατον, οἶμαι, τὴν ἄγνοιαν λέγει· καὶ 4
20 ›ὁ ἐγγὺς κυρίου πλήρης μαστίγων‹· ὁ συνεγγίζων δηλονότι τῇ γνώ-
σει κινδύνων, φόβων, ἀνιῶν, θλίψεων διὰ τὸν πόθον τῆς ἀληθείας
ἀπολαύει· ›υἱὸς γὰρ πεπαιδευμένος σοφὸς ἀπέβη, καὶ διεσώθη ἀπὸ
καύματος υἱὸς νοήμων, υἱὸς δὲ νοήμων δέξεται ἐντολάς.‹ καὶ Βαρ- 5
νάβας ὁ ἀπόστολος ›οὐαὶ οἱ συνετοὶ παρ᾽ ἑαυτοῖς καὶ ἐνώπιον αὐτῶν
25 ἐπιστήμονες‹ προτάξας ἐπήγαγεν· ›πνευματικοὶ γενώμεθα, ναὸς
τέλειος τῷ θεῷ. ἐφ᾽ ὅσον ἐστὶν ἐφ᾽ ἡμῖν, μελετῶμεν τὸν φόβον τοῦ
θεοῦ καὶ φυλάσσειν ἀγωνιζώμεθα τὰς ἐντολὰς αὐτοῦ, ἵνα ἐν τοῖς
δικαιώμασιν αὐτοῦ εὐφρανθῶμεν.‹ | ὅθεν ›ἀρχὴ σοφίας φόβος θεοῦ‹ 448 P
θείως λέλεκται.
30 　　VIII. Ἐνταῦθα οἱ ἀμφὶ τὸν Βασιλείδην τοῦτο ἐξηγούμενοι τὸ 36, 1

---

2 vgl. Plato Gorg. p. 524 B θάνατος τυγχάνει ὢν ... δυοῖν πραγμάτοιν διάλυσις,
τῆς ψυχῆς καὶ τοῦ σώματος. Ähnlich Phaed. p. 88 B 4—6 Prov 1, 17f. 8 Rom 3, 20
9 vgl. Rom 5, 13 9f. 18f. vgl. Paed. I 8, 3 mit Anm. 14f. Gal 3, 24 16f. vgl.
Ez 33, 11; 18, 23. 32 20 vgl. Idt 8, 27 22f. Prov 10, 4a. 5. 8 24—28 Barnabas
Ep. 4, 11 24f. Is 5, 21 28 Prov 1, 7

12 ἀποφεύγειν Münzel: unnötig 12f. συνιᾶσι St συνιεῖσι L 18f. κωλυτική—
ἐπαγγελτική Po κωλυτικὴν—ἐπαγγελτικὴν L 18 ποιητέων Sy ποιητέον L 20 πλή-
ρεις L 25 προτάξας Sy προστάξας L πνευματικοὶ γενώμεθα,] γενώμεθα πνευματικοί,
γενώμεθα Barn. 26 ἐφ᾽ (φ in Ras.) L¹

ῥητὸν αὐτόν φασιν Ἄρχοντα ἐπακούσαντα τὴν φάσιν τοῦ δια|κονου- 162 8
μένου πνεύματος ἐκπλαγῆναι τῷ τε ἀκούσματι καὶ τῷ θεάματι παρ'
ἐλπίδας εὐηγγελισμένον, καὶ τὴν ἔκπληξιν αὐτοῦ φόβον κληθῆναι
ἀρχὴν γενόμενον σοφίας φυλοκρινητικῆς τε καὶ διακριτικῆς καὶ τε-
5 λεωτικῆς καὶ ἀποκαταστατικῆς· οὐ γὰρ μόνον τὸν κόσμον, ἀλλὰ καὶ
τὴν ἐκλογὴν διακρίνας ὁ ἐπὶ πᾶσι προπέμπει. ἔοικε δὲ καὶ Οὐαλεν- 2
τῖνος ἔν τινι ἐπιστολῇ τοιαῦτά τινα ἐν νῷ λαβὼν αὐταῖς γράφειν
ταῖς λέξεσι· »καὶ ὡσπερεὶ φόβος ἐπ' ἐκείνου τοῦ πλάσματος ὑπῆρξε
τοῖς ἀγγέλοις, ὅτε μείζονα ἐφθέγξατο τῆς πλάσεως διὰ τὸν ἀοράτως
10 ἐν αὐτῷ σπέρμα δεδωκότι τῆς ἄνωθεν οὐσίας καὶ παρρησιαζόμενον·
οὕτω καὶ ἐν ταῖς γενεαῖς τῶν κοσμικῶν ἀνθρώπων φόβοι τὰ ἔργα 8
τῶν ἀνθρώπων τοῖς ποιοῦσιν ἐγένετο, οἷον ἀνδριάντες καὶ εἰκόνες
καὶ πάνθ' ἃ χεῖρες ἀνύουσιν εἰς ὄνομα θεοῦ· εἰς γὰρ ὄνομα Ἀνθρώ- 4
που πλασθεὶς Ἀδὰμ φόβον παρέσχεν προόντος Ἀνθρώπου, ὡς δὴ
15 αὐτοῦ ἐν αὐτῷ καθεστῶτος, καὶ κατεπλάγησαν καὶ ταχὺ τὸ ἔργον
ἠφάνισαν.«

Μιᾶς δ' οὔσης ἀρχῆς, ὡς δειχθήσεται ὕστερον, τερετίσματα καὶ 87, 1
μινυρίσματα ἀναπλάσσοντες οἶδε οἱ ἄνδρες φανήσονται. ἐπειδὴ δὲ 2
ἐκ νόμου καὶ προφητῶν προπαιδεύεσθαι διὰ κυρίου τῷ θεῷ συμφέρειν
20 ἔδοξεν, »ἀρχὴ σοφίας φόβος« εἴρηται »κυρίου«, παρὰ κυρίου διὰ Μωυ-
σέως δοθεὶς τοῖς ἀπειθοῦσι καὶ σκληροκαρδίοις· οὓς γὰρ οὐχ αἱρεῖ
λόγος, τιθασεύει τούτους φόβος. ὃ καὶ προϊδὼν ἄνωθεν ὁ παιδεύων 8
λόγος ἑκατέρῳ τῶν τρόπων, ἐκκαθαίρων οἰκείας εἰς θεοσέβειαν,
ἥρμοσεν ὄργανον. ἔστι μὲν οὖν ἡ [μὲν] ἔκπληξις φόβος ἐκ φαντασίας 4
25 ἀσυνήθους ἢ ἐπ' ἀπροσδοκήτῳ φαντασίᾳ, †ἅτε καὶ ἀγγελίας, φόβος δὲ
ὡς γεγονότι ἢ ὄντι ἢ θαυμασιότης ὑπερβάλλουσα. οὐ συνο|ρῶσι τοῖ- 5 449

1f. vgl. Exc. ex Theod. 16 8—16 vgl. Hilgenfeld, ZwTh 23 (1880) S. 286ff.;
Ketzergesch. S. 293ff. 8—10 vgl. Herakleon Fr. 16 u. 36 (οἱ τῆς οἰκονομίας ἄγγελοι,
δι' ὧν ὡς μεσιτῶν ἐσπάρη καὶ ἀνετράφη) Brooke 17 zu τερετίσματα vgl. Aristot.
Anal. post. I 22 (p. 83ᵃ 33) 20 Prov 1, 7 (Ps 110, 10) 20f. vgl. Io 1, 17 21f. vgl.
Paed. I 61, 1 24—26 Chrysipp fr. mor. 411 Arnim, vgl. auch fr. 416 (Stoic. vet. fr.
101, 31f. = Nemes. de nat. hom. 20, dazu Andronicus De affect. p. 16, 2 Kreuttner
26 vgl. Aristot. Top. IV 5 (p. 126ᵇ 17)

4 φυλοκρινητικῆς Sy φυλοκρινιτικῆς L 6 ὁ ⟨υἱὸς ἐπὶ τὸν⟩ ἐπὶ πᾶσι Ma 7 γρά-
φειν St γράφει L ⟨γὰρ⟩ γράφει Sy 10 [καὶ] παρρησιαζόμενος Wi 13 πάνθ' ἃ Kl
πάντ' ἃ oder πάντ' (= πάντων) ἃ fraglich L πάντων ἃ Vi πάντων αἱ Sy πάντα ἃ Grabe,
Spicileg. sec. II p. 51 14 προόντος Sy (wie S. 133, 13) πρὸ ὄντος L 18 μινυρίσματα
Sy μηνυρίσματα L 24 [μὲν] Schw 25 φαντασίᾳ * * Arnim συμφορᾷ (statt φαντ.)
τε κ. ἀγγελίᾳ Fr φαντασίᾳ οἷον ἀγγελίας Mondésert 25f. φαντασίᾳ—ὑπερβάλλουσα]
φαντασίᾳ (ἔτι καὶ ἀγγελίᾳ) ἢ θαυμασιότης ὑπερβάλλουσα· φόβος δέ, ὥς ⟨φασιν, ἄλογος
ἔκκλισις ἐπὶ⟩ γεγονότι ἢ ὄντι Bywater S. 208 wohl am wahrscheinlichsten (Fr); φαν-
τασίᾳ, τέ⟨λους⟩ καὶ ἀπωλείας φόβος, ⟨ἔτι⟩ δὲ ὡς ⟨ἐπὶ⟩ γεγ. ἢ ὄντι [ἢ] θαυμ. ὑπ. Schw
φόβος δὲ] ⟨κατάπληξις δὲ⟩ φόβος ⟨ἐπὶ⟩ δε⟨ινῶ⟩ Arnim

νῦν ἐμπαθῆ ποιήσαντες δι᾽ ἐκπλήξεως τὸν μέγιστον καὶ πρὸς αὐτῶν
ἀνυμνούμενον θεὸν καὶ πρό γε τῆς ἐκπλήξεως ἐν ἀγνοίᾳ γενόμενον.
εἰ δὴ ἄγνοια προκατῆρξε τῆς ἐκπλήξεως, ἡ δ᾽ ἔκπληξις καὶ ὁ φόβος 6
ἀρχὴ σοφίας [φόβος] τοῦ θεοῦ γεγένηται, κινδυνεύει τῆς τε σοφίας
5 τοῦ θεοῦ καὶ τῆς κοσμοποιίας ἁπάσης, ἀλλὰ καὶ τῆς ἀποκαταστά-
σεως αὐτῆς τῆς ἐκλογῆς ἄγνοια προκατάρχειν αἰτιωδῶς. πότερον 38, 1
οὖν τῶν καλῶν ἢ φαύλων ἡ ἄγνοια; ἀλλ᾽ εἰ μὲν τῶν καλῶν, τί
παύεται ἐκπλήξει; καὶ παρέλκει ὁ διάκονος αὐτοῖς καὶ τὸ κήρυγμα
καὶ τὸ βάπτισμα. εἰ δὲ τῶν φαύλων, πῶς τῶν καλλίστων αἴτιον
10 τὸ κακόν; εἰ μὴ γὰρ προϋπῆρχεν ἄγνοια, οὐκ ἂν ὁ διάκονος κατῆλ- 2
θεν, οὐδ᾽ ἂν ἔκπληξις εἷλε τὸν Ἄρχοντα, ὡς αὐτοὶ λέγουσιν. οὐδ᾽
ἂν ἀρχὴν σοφίας ἐκ τοῦ φόβου ἔλαβεν εἰς τὴν φυλοκρίνησιν τῆς τε
ἐκλογῆς τῶν τε κοσμικῶν. εἰ δὲ ὁ φόβος τοῦ προόντος Ἀνθρώπου 3
ἐπιβούλους τοῦ σφετέρου πλάσματος πεποίηκε τοὺς ἀγγέλους, ὡς
15 ἐνιδρυμένου τῷ δημιουργήματι ἀοράτου τοῦ σπέρματος τῆς ἄνωθεν
οὐσίας, ἢ ὑπολήψει κενῇ παρεζήλωσαν, ὅπερ ἀπίθανον, ἀγγέλους
δημιουργίας ἧς ἐπιστεύθησαν οἷον τέκνου τινὸς αὐθέντας γενέσθαι,
ἄγνοιαν πᾶσαν κατεγνωσμένους· ἢ προγνώσει ἐνεχόμενοι κεκίνηνται, 4
ἀλλ᾽ οὐκ ἂν ἐπεβούλευσαν δι᾽ οὗ ἐπεχείρησαν, ᾧ προέγνωσαν, οὐδ᾽
20 ἂν κατεπλάγησαν τὸ ἔργον τὸ αὐτῶν, ἐκ προγνώσεως τὸ ἄνωθεν
σπέρμα νενοηκότες· ἢ τὸ τελευταῖον γνώσει πεποιθότες ἐτόλμησαν· 5
ὃ καὶ αὐτὸ ἀδύνατον, μαθόντας τὸ διαφέρον τὸ ἐν πληρώματι Ἀν-
θρώπῳ ἐπιβουλεύειν, ἔτι καὶ τὸ »κατ᾽ εἰκόνα«, ἐν ᾧ καὶ τὸ ἀρχέ-
τυπον καὶ τὸ σὺν τῇ γνώσει τῇ λοιπῇ ἄφθαρτον παρειλήφεσαν.

25 Τούτοις τε οὖν αὐτοῖς καὶ ἑτέροις τισί, μάλιστα δὲ τοῖς ἀπὸ 39, 1
Μαρκίωνος ἐμβοᾷ οὐκ ἐπαΐουσιν ἡ γραφή· »ὁ δὲ ἐμοῦ ἀκούων ἀνα-
παήσεται ἐπ᾽ εἰρήνης πεποιθώς, καὶ ἡσυχάσει ἀφόβως ἀπὸ παντὸς
κακοῦ.« τί τοίνυν τὸν νόμον βούλονται; κακὸν μὲν οὖν οὐ 2
φήσουσι, δίκαιον δέ, διαστέλλοντες τὸ ἀγαθὸν τοῦ δικαίου. ὁ δὲ 3
30 κύριος φοβεῖσθαι τὸ κακὸν προστάττων οὐ κακῷ τὸ κακὸν ἀπαλ-
λάττει, τῷ δὲ ἐναντίῳ τὸ ἐναντίον καταλύει. ἀγαθῷ δὲ κακὸν ἐναν-
τίον, ὡς δίκαιον ἀδίκῳ. εἰ τοίνυν κακῶν ἀποχὴν ἀφοβίαν 4

6 zu ἐκλογή vgl. Strom. III 3, 3 (Fr) 23 vgl. Gen 1, 26 u. Strom. IV 90 26—28
Prov 1, 33 28ff. vgl. A. Harnack Marcion² S. 263

1 [καὶ] Wi 3 ἡ δ᾽ Ma εἰ δ᾽ ἡ L 4 [φόβος] Schw [φόβος τοῦ θεοῦ] Ma 6 αἰ-
τιωδῶς Ma αἰτιώδης L 7 καλῶν τι L 15 ἀοράτου (ου in Ras.) L¹ ἀοράτως Wi [τοῦ]
Ma αὐθένται St 21 τελευτέον L 22 μαθόντας Ma μαθόντες L 24 τὸ St δ L λοιπῇ]
⟨τ᾽ ἐκ⟩λογῇ Schw 26 ἐμβοᾷ Sy ἐκβοᾷ L 28 ⟨εἶναι⟩ βούλονται St βούλ⟨εσθαι
οἴ⟩ονται Bywater S. 208 vgl. S. 135, 21f. [οὖν] Wi 32 ἀποχὴν Heyse ἀρχὴν L

εἴρηκεν ἦν ὁ τοῦ κυρίου φόβος ἐργάζεται, ἀγαθὸν ὁ φόβος, καὶ ὁ ἐκ 450 P
τοῦ νόμου φόβος οὐ μόνον δίκαιος, ἀλλὰ καὶ ἀγαθὸς κακίαν ἀναιρῶν·
φόβῳ δὲ ἀφοβίαν εἰσάγων οὐ πάθει ἀπάθειαν, παιδείᾳ δὲ μετριοπά-
θειαν ἐμποιεῖ. ἐπὰν οὖν ἀκούσωμεν ›τίμα τὸν κύριον καὶ ἰσχύσεις, 5
5 πλὴν δὲ αὐτοῦ μὴ φοβοῦ ἄλλον,‹ τὸ φοβεῖσθαι ἁμαρτάνειν, ἕπεσθαι
δὲ ταῖς ὑπὸ θεοῦ δοθείσαις ἐντολαῖς τιμὴν εἶναι τοῦ θεοῦ ἐκδεχό-
μεθα. δέος δέ ἐστι φόβος θείου. ἀλλ' εἰ καὶ πάθος ὁ φόβος, ὡς 40, 1
βούλονταί τινες, ὅτι φόβος ἐστὶ πάθος, οὐχ ὁ πᾶς φόβος πάθος. ἡ
γοῦν δεισιδαιμονία πάθος, φόβος δαιμόνων οὖσα ἐκπαθῶν τε καὶ
10 ἐμπαθῶν· ἔμπαλιν οὖν ὁ τοῦ ἀπαθοῦς θεοῦ φόβος ἀπαθής· φοβεῖται 2
γάρ τις οὐ τὸν θεόν, ἀλλὰ τὸ ἀποπεσεῖν τοῦ θεοῦ· ὁ δὲ τοῦτο δε-
διὼς τὸ τοῖς κακοῖς περιπεσεῖν φοβεῖται καὶ δέδιεν τὰ κακά· ὁ δεδιὼς
δὲ τὸ πτῶμα ἄφθαρτον ἑαυτὸν καὶ ἀπαθῆ εἶναι βούλεται. ›σοφὸς 3
φοβηθεὶς ἐξέκλινεν ἀπὸ κακοῦ, ὁ δὲ ἄφρων μίγνυται πεποιθώς,‹ ἡ
15 γραφὴ λέγει· αὖθίς τε ›ἐν φόβῳ κυρίου ἐλπὶς ἰσχύος‹ φησίν.

IX. Ἀνάγει γοῦν ὁ τοιοῦτος φόβος ἐπί τε τὴν μετάνοιαν ἐπί τε 41, 1
τὴν ἐλπίδα. ἐλπὶς δὲ προσδοκία ἀγαθῶν ἢ ἀπόντος ἀγαθοῦ εὔελπις.
ἀμέλει καὶ ἡ ** ⟨εὐ⟩εμπτωσία λαμβάνεται εἰς ἐλπίδα, ἣν ἐπὶ τὴν ἀγάπην
χειραγωγεῖν μεμαθήκαμεν. ἀγάπη δὲ ὁμόνοια ἂν εἴη τῶν κατὰ τὸν 2
20 λόγον καὶ τὸν βίον καὶ τὸν | τρόπον ἢ συνελόντι φάναι κοινωνία 163 S
βίου ἢ ἐκτένεια φιλίας καὶ φιλοστοργίας μετὰ λόγου ὀρθοῦ περὶ
χρῆσιν ἑταίρων. ὁ δὲ ἑταῖρος ἕτερος ἐγώ· ᾗ καὶ ἀδελφοὺς τοὺς τῷ
αὐτῷ λόγῳ ἀναγεννηθέντας προσαγορεύομεν. παράκειται δὲ τῇ ἀγάπῃ 3
ἥ τε φιλοξενία, φιλοτεχνία τις οὖσα περὶ χρῆσιν ξένων· ξένοι δὲ ἂν
25 ξένα τὰ κοσμικά. κοσμικοὺς γὰρ τοὺς εἰς γῆν ἐλπίζοντας καὶ τὰς 4
σαρκικὰς ἐπιθυμίας ἐξακούομεν· ›μὴ συσχηματίζεσθε‹, φησὶν ὁ ἀπό-
στολος, ›τῷ αἰῶνι τούτῳ, ἀλλὰ μεταμορφοῦσθε τῇ ἀνακαινώσει τοῦ
νοός, εἰς τὸ δοκιμάζειν ὑμᾶς τί τὸ θέλημα τοῦ θεοῦ, τὸ ἀγαθὸν καὶ

4f. Prov 7, 1a　7 vgl. Chrysipp Fr. mor. 408 ff. Arn.; Andronicus De affect.
p. 16, 1 Kreuttner　9f. Chrysipp Fr. mor. 411 Arn.; vgl. Plut. Mor. p. 165 B
10—13 ὁ τοῦ—βούλεται Sacr. Par. 218 Holl　13—15 Prov 14, 16. 26　18f. vgl. Strom.
II 31, 1　19—22. 23f. S. 135, 3—6. 8—11 Chrysipp Fr. mor. 292 Arn. vgl. Pohlenz,
Berl. PhW 24, 1904, 936　22 vgl. Aristot. Eth. magn II 15 (p. 1213ᵃ 23); Zeno bei
Diog. Laert. VII 23 = Fr. 324 Arn.; [und im flor. Mon. 197 (b. Meineke, Stob.
flor. IV p. 282); vgl. auch Philo Qu. in Gen. I 17 (p. 12 Harris) (Fr)]; Wyttenbach
zu Plut. Mor. p. 93 E; A. Otto, Sprichw. S. 26　26—S. 135, 1 Rom 12, 2

6 εἶναι Po ἦν ἀπὸ L τὴν ἀπὸ Sy Schw [ἦν] ἀπὸ Bywater (bei Mayor) εἶναι ⟨τοῦ
θεοῦ καὶ ἰσχὺν⟩ ἀπὸ Ma　θεοῦ²] δέους Schw　8 [ὅτι . . . πάθος] Montdésert　12 ὑπο-
πεσεῖν u. συμπεσεῖν Sacr. Par.　17 ἢ Sy ἢ L ἢ ἀπ. ἀγ. εὐελπ. ⟨πόθος⟩ (oder εὐελπιστία)
Fr. εὔελπις ⟨πίστις⟩ Schw　18 ἢ ⟨εἰς μετάνοιαν⟩ St ἢ ⟨εἰς πίστιν⟩ Schw εὐεμπτωσία
Sy ἐμπτωσία L ἐλπίδα Sy εὐελπίδα L　22 ᾗ Sy ἢ L　24 φιλοτεχνία Sy φιλοτεχνία L

εὐάρεστον καὶ τέλειον.‹ ἀναστρέφει τοίνυν ἡ φιλοξενία περὶ | τὸ 5 451 P
ὠφέλιμον τοῖς ξένοις, ξένοι δὲ οἱ ἐπίξενοι, ἐπίξενοι δὲ οἱ φίλοι,
φίλοι δὲ οἱ ἀδελφοί· ›φίλε κασίγνητε‹ φησὶν Ὅμηρος. ἥ τε φιλαν- 6
θρωπία, δι' ἣν καὶ ἡ φιλοστοργία, φιλικὴ χρῆσις ἀνθρώπων ὑπάρ-
5 χουσα, ἥ τε φιλοστοργία, φιλοτεχνία τις οὖσα περὶ στέρξιν φίλων ἢ
οἰκείων, συμπαρομαρτοῦσιν ἀγάπῃ. εἰ δ' ὁ τῷ ὄντι ἄνθρωπος ὁ ἐν 42, 1
ἡμῖν ἐστιν ὁ πνευματικός, φιλαδελφία ἡ φιλανθρωπία τοῖς τοῦ αὐτοῦ
πνεύματος κεκοινωνηκόσιν· στέρξις δ' αὖ τήρησίς ἐστιν εὐνοίας ἢ
ἀγαπήσεως, ἀγάπησις δὲ ἀπόδεξις παντελής, καὶ τὸ ἀγαπᾶν
10 ἀρέσκεσθαι τῷ ἤθει, ἀγόμενόν τε καὶ ἀπαγόμενον· ἄγονται δὲ εἰς 2
ταυτότητα δι' ὁμόνοιαν, ἐπιστήμην οὖσαν κοινῶν ἀγαθῶν· καὶ γὰρ
ἡ ὁμογνωμοσύνη συμφωνία γνωμῶν. καὶ ›ἡ ἀγάπη‹ φησὶν ›ἀνυπό- 8
κριτος ἔστω ἡμῖν, αὐτοί τε ἀποστυγοῦντες τὸ πονηρὸν γινόμεθα,
κολλώμενοι τῷ ἀγαθῷ τῇ φιλαδελφίᾳ τε‹ καὶ τὰ ἑξῆς ἕως ›εἰ δυνα-
15 τόν, τὸ ἐξ ὑμῶν, μετὰ πάντων ἀνθρώπων εἰρηνεύοντες.‹ ἔπειτα
›μὴ νικῶ‹ λέγει ›ὑπὸ τοῦ κακοῦ, ἀλλὰ νίκα ἐν τῷ ἀγαθῷ τὸ κακόν.‹
Ἰουδαίοις τε ὁ αὐτὸς ἀπόστολος μαρτυρεῖν ὁμολογεῖ ›ὅτι ζῆλον θεοῦ 4
ἔχουσιν, ἀλλ' οὐ κατ' ἐπίγνωσιν· ἀγνοοῦντες γὰρ τὴν τοῦ θεοῦ
δικαιοσύνην, καὶ τὴν ἰδίαν ζητοῦντες στῆσαι, τῇ δικαιοσύνῃ τοῦ θεοῦ
20 οὐχ ὑπετάγησαν·‹ οὐ γὰρ τὸ βούλημα τοῦ νόμου ἔγνωσάν τε καὶ 5
ἐποίησαν, ἀλλ' ὃ ὑπέλαβον αὐτοί, τοῦτο καὶ βούλεσθαι τὸν νόμον
ᾠήθησαν· οὐδ' ὡς προφητεύοντι τῷ νόμῳ ἐπίστευσαν, λόγῳ δὲ ψιλῷ
καὶ φόβῳ, ἀλλ' οὐ διαθέσει καὶ πίστει ἠκολούθησαν· ›τέλος γὰρ
νόμου Χριστὸς εἰς δικαιοσύνην‹, ὁ ὑπὸ νόμου προφητευθείς, ›παντὶ
25 τῷ πιστεύοντι.‹ ὅθεν εἴρηται τούτοις παρὰ Μωϋσέως· ›ἐγὼ παρα- 48, 1
ζηλώσω ὑμᾶς ἐπ' οὐκ ἔθνει, ἐπ' ἔθνει ἀσυνέτῳ παροργιῶ ὑμᾶς‹, τῷ
εἰς ὑπακοὴν δηλονότι εὐτρεπεῖ γενομένῳ. καὶ διὰ Ἡσαΐου ›εὑρέθην‹ 2
λέγει ›τοῖς ἐμὲ μὴ ζητοῦσιν, ἐμφανὴς ἐγενόμην τοῖς ἐμὲ μὴ ἐπερω-
τῶσι,‹ πρὸ τῆς τοῦ κυρίου παρουσίας δηλαδή, μεθ' ἣν καὶ τῷ Ἰσραὴλ
30 ἐκεῖνα τὰ προφητευθέντα οἰκείως λέγεται νῦν· ›ἐξεπέτασα τὰς χεῖράς
μου ὅλην τὴν ἡμέραν ἐπὶ λαὸν ἀπειθοῦντα καὶ ἀντιλέγοντα.‹ ὁρᾷς 8

3 vgl. Δ 155; E 359; Φ 308   7 vgl. Strom. III 8, 6 (199, 20)   9 vgl. [Plato]
Def. p. 413 B   10f. vgl. Stob. Ecl. II 7, 11ᵇ p. 94, 1—4 Wachsm. (ὁμόνοιαν εἶναι
ἐπιστήμην κοινῶν ἀγαθῶν)   12—16 Rom 12, 9f. 18. 21   17—20 Rom 10, 2f.   20—23 οὐ
γὰρ—ἠκολούθησαν Cat. zu Rom 10, 3 bei Cramer IV 369, 24—27 (= Monac. gr. 412
p. 406). Inc. καὶ μὴ γνόντες μηδὲ ποιήσαντες τὸ βούλημα τοῦ νόμου, ὃ ὑπέλαβον αὐτοί
expl. ἠκολούθησαν   23—25 Rom 10, 4   25f. Deut 32, 21 (aus Rom 10, 19)   27—31
Is 65, 1f. (aus Rom 10, 20f.)

1 ἀναστρέφεται St   2 ἐπίξενοι (ξε in Ras.) L¹   6 δ' ὁ Schw δὲ L   9 ἀπόδεξις
Po ἀπόδειξις L   ἀγαπᾶν St ἀγαπᾶσθαι L   10 τῷ ⟨αὐτῷ⟩ ἤθει ἀγόμενόν Schw
22 οὐδ'] καὶ οὐδ' Cat.   27 εὐτρεπεῖ Sy εὐπρεπεῖ L

τὴν αἰτίαν τῆς ἐξ ἐθνῶν κλήσεως σαφῶς πρὸς τοῦ προφήτου ἀπεί-
θειαν τοῦ λαοῦ καὶ ἀντιλογίαν εἰρημένην; εἶθ' ἡ ἀγαθότης καὶ ἐπὶ
τούτοις δείκνυται τοῦ θεοῦ· φησὶ γὰρ ὁ ἀπό|στολος· »ἀλλὰ τῷ αὐτῶν   4 452
παραπτώματι ἡ σωτηρία τοῖς ἔθνεσιν εἰς τὸ παραζηλῶσαι αὐτούς«
5 καὶ μετανοῆσαι βουληθῆναι. ὁ Ποιμὴν δὲ ἁπλῶς ἐπὶ τῶν κεκοιμη-   5
μένων θεὶς τὴν λέξιν δικαίους οἶδέ τινας ἐν ἔθνεσι καὶ ἐν Ἰουδαίοις
οὐ μόνον πρὸ τῆς τοῦ κυρίου παρουσίας, ἀλλὰ καὶ πρὸ νόμου κατὰ
τὴν πρὸς θεὸν εὐαρέστησιν, ὡς Ἄβελ, ὡς Νῶε, ὡς εἴ τις ἕτερος
δίκαιος. φησὶ γοῦν τοὺς ἀποστόλους καὶ διδασκάλους τοὺς κηρύ-   44, 1
10 ξαντας τὸ ὄνομα τοῦ υἱοῦ τοῦ θεοῦ καὶ κοιμηθέντας τῇ δυνάμει καὶ
τῇ πίστει κηρῦξαι τοῖς προκεκοιμημένοις. εἶτα ἐπιφέρει· »καὶ αὐτοὶ   2
ἔδωκαν αὐτοῖς τὴν σφραγῖδα τοῦ κηρύγματος. κατέβησαν οὖν μετ'
αὐτῶν εἰς τὸ ὕδωρ καὶ πάλιν ἀνέβησαν. ἀλλ' οὗτοι ζῶντες κατέ-
βησαν καὶ πάλιν ζῶντες ἀνέβησαν· ἐκεῖνοι δὲ οἱ προκεκοιμημένοι
15 νεκροὶ κατέβησαν, ζῶντες δὲ ἀνέβησαν. διὰ τούτων οὖν ἐζωοποιή-   3
θησαν καὶ ἐπέγνωσαν τὸ ὄνομα τοῦ υἱοῦ τοῦ θεοῦ. διὰ τοῦτο καὶ
συνανέβησαν μετ' αὐτῶν καὶ συνήρμοσαν εἰς τὴν οἰκοδομὴν τοῦ
πύργου καὶ ἀλατόμητοι συνῳκοδομήθησαν· ἐν δικαιοσύνῃ ⟨γὰρ⟩ ἐκοι-
μήθησαν καὶ ἐν μεγάλῃ ἁγνείᾳ, μόνην δὲ τὴν σφραγῖδα ταύτην οὐκ
20 ἔσχον.« »ὅταν γὰρ ἔθνη τὰ μὴ νόμον ἔχοντα φύσει τὰ τοῦ νόμου   4
ποιῶσιν, οὗτοι νόμον μὴ ἔχοντες ἑαυτοῖς εἰσι νόμος« κατὰ τὸν
ἀπόστολον.

Ὡς μὲν οὖν ἀντακολουθοῦσιν ἀλλήλαις αἱ ἀρεταί, τί χρὴ λέγειν,   45, 1
ἐπιδεδειγμένου ἤδη ὡς πίστις μὲν ἐπὶ μετανοίᾳ ἐλπίδι τε, εὐλάβεια
25 δὲ ἐπὶ πίστει, καὶ ἡ ἐν τούτοις ἐπιμονή τε καὶ ἄσκησις ἅμα μαθήσει
συμπεραιοῦνται εἰς ἀγάπην, ἣ δὲ τῇ γνώσει τελειοῦται; ἐκεῖνο δὲ ἐξ   2
ἀνάγκης παρασημειωτέον ὡς μόνον τὸ θεῖον σοφὸν εἶναι φύσει
νοεῖσθαι χρή· διὸ καὶ ἡ σοφία δύναμις θεοῦ ἡ διδάξασα τὴν ἀλήθειαν·
κἀνταῦθά που εἴληπται ἡ τελείωσις τῆς γνώσεως. φιλεῖ δὲ καὶ   3
30 ἀγαπᾷ τὴν ἀλήθειαν ὁ φιλόσοφος, ἐκ τοῦ θεράπων εἶναι γνήσιος δι'

3f. Rom 11, 11   5—20 vgl. Herm. Sim. IX 16, 5—7 (Strom. VI 46)   20f. Rom
2, 14   23 vgl. Strom. VIII 30, 2, auch II 80, 2 Diog. Laert. VII 125; Plut. Mor.
p. 1046 EF = Chrys. Fr. mor. 295. 299 [dazu Albinus c. 29, 3 (VI p. 183, 3 Herm.),
Plot. III 2, 7, bei Philo fehlt diese Lehre (Fr)]   24 vgl. S. 134, 16ff.   25f. vgl.
S. 129, 16—19   27 vgl. Pythag. in Strom. IV 9, 1; Plato Phaedr. 64 p. 278 D;
[Schmid I 1 (1929) 715 A (Fr)]   30f. vgl. Io 15, 15

4 αὐτούς Rom αὐτοῖς L   12 ἔδωκαν αὐτοῖς Herm. δέδωκαν αὐτοῖς L   17 συνήρ-
μοσαν] συνηρμόσθησαν Herm. (aber convenerunt Lat.)   18 ⟨γὰρ⟩ aus Herm.   19 μό-
νον Herm.   20 εἶχον Herm.   24 ἐπιδεδειγμένου D₁—οι L   ἐλπίδι τε Ja¹ vgl. S. 134,
16 f. ἐλπίζεται L ἐλπί⟨δι τε κτί⟩ζεται S¹   29 κἀνταῦθα] κάνθα im Text ·/, ταῦ am
Rand L¹

ἀγάπην ἤδη φίλος νομισθείς. ταύτης δὲ ἀρχὴ τὸ θαυμάσαι τὰ πρά- 4
γματα, ὡς Πλάτων ἐν Θεαιτήτῳ λέγει, καὶ Ματθίας ἐν ταῖς Παρα-
δόσεσι παραινῶν »θαύμασον | τὰ παρόντα«, βαθμὸν τοῦτον πρῶτον 453 F
τῆς ἐπέκεινα γνώσεως ὑποτιθέμενος· ᾗ κἂν τῷ καθ᾽ Ἑβραίους εὐαγ- 5
5 γελίῳ »ὁ θαυμάσας βασιλεύσει« γέγραπται »καὶ ὁ βασιλεύσας ἀνα-
παήσεται«. ἀδύνατον οὖν τὸν ἀμαθῆ, ἔστ᾽ ἂν μένῃ ἀμαθής, φιλο- 6
σοφεῖν [δέ], τόν γε μὴ ἔννοιαν σοφίας εἰληφότα, φιλοσοφίας οὔσης
ὀρέξεως τοῦ ὄντος ὄντος καὶ τῶν εἰς τοῦτο συντεινόντων μαθη|-
μάτων. κἂν τὸ ποιεῖν καλῶς ᾖ τισιν ἐξησκημένον, ἀλλὰ τὸ ἐπίστα- 164 S 7
10 σθαι, ὡς χρηστέον καὶ ποιητέον, [καὶ] συνεκπονητέον, καθὸ καὶ
ὁμοιοῦταί τις θεῷ, θεῷ λέγω τῷ σωτῆρι, θεραπεύων τὸν τῶν ὅλων
θεὸν διὰ τοῦ ἀρχιερέως λόγου, δι᾽ οὗ καθορᾶται τὰ κατ᾽ ἀλήθειαν
καλὰ καὶ δίκαια. εὐσέβεια ** ἔστι πρᾶξις ἑπομένη καὶ ἀκόλουθος θεῷ.

X. Τριῶν τοίνυν τούτων ἀντέχεται ὁ ἡμεδαπὸς φιλόσοφος, πρῶ- 46, 1
15 τον μὲν τῆς θεωρίας, δεύτερον δὲ τῆς τῶν ἐντολῶν ἐπιτελέσεως,
τρίτον ἀνδρῶν ἀγαθῶν κατασκευῆς· ἃ δὴ συνελθόντα τὸν γνωστι-
κὸν ἐπιτελεῖ. ὅ τι δ᾽ ἂν ἐνδέῃ τούτων, χωλεύει τὰ τῆς γνώσεως.
ὅθεν θείως ἡ γραφή φησι· »καὶ εἶπεν κύριος πρὸς Μωυσῆν λέγων· 2
λάλησον τοῖς υἱοῖς Ἰσραὴλ καὶ ἐρεῖς πρὸς αὐτούς· ἐγὼ κύριος ὁ θεὸς
20 ὑμῶν· κατὰ ⟨τὰ⟩ ἐπιτηδεύματα γῆς Αἰγύπτου, ἐν ᾗ κατῳκήσατε ἐν 3
αὐτῇ, οὐ ποιήσετε· καὶ κατὰ τὰ ἐπιτηδεύματα γῆς Χαναάν, εἰς ἣν
ἐγὼ εἰσάγω ὑμᾶς ἐκεῖ, οὐ ποιήσετε· καὶ τοῖς νομίμοις αὐτῶν οὐ 4
πορεύσεσθε· τὰ κρίματά μου ποιήσετε καὶ τὰ προστάγματά μου φυ-
λάξεσθε, πορεύεσθαι ἐν αὐτοῖς· ἐγὼ κύριος ὁ θεὸς ὑμῶν. καὶ φυλά- 5
25 ξεσθε πάντα τὰ προστάγματά μου, καὶ ποιήσετε αὐτά. ὁ ποιήσας

* 1f. Plato Theaet. p. 155 D μάλα γὰρ φιλοσόφου τοῦτο τὸ πάθος, τὸ θαυμάζειν·
οὐ γὰρ ἄλλη ἀρχὴ φιλοσοφίας ἢ αὕτη. vgl. Aristot. Metaph. I 2, 15 (p. 982ᵇ 12) διὰ
γὰρ τὸ θαυμάζειν οἱ ἄνθρωποι καὶ νῦν καὶ τὸ πρῶτον ἤρξαντο φιλοσοφεῖν. 2f. vgl.
Hilgenfeld, Nov. Test. extra Can. IV² p. 22; Preuschen, Antileg. S. 12 5f. Hebr.-
Ev. Fr. 16 Handmann TU V 3 S. 94ff.; vgl. Strom. V 96, 3 u. Oxyrh. Pap. IV S. 4f.
7—9 vgl. [Plato] Def. p. 414 B; Fr in PhW 58 (1938) 1000 13 vgl. zu S. 123, 25f.
14—17 vgl. Strom. VII 4, 2 τριῶν τούτων—γνώσεως Sacr. Par. 219 Holl 18—S. 138, 1
Lev 18, 1—5, genommen aus Philo De congr. erud. gr. 86 (III p. 89)

3 βαθμὸν Vi βαθμ|||| L 4 τῆς Vi τοῖς L ᾗ Sy ἢ L 7 [δὲ] Po 9 τὸ¹ Po τῷ
L ᾗ Po ἢ L ἀλλὰ ⟨καὶ⟩ Heyse 10 [καὶ] Heyse 13 εὐσέβεια Vi εὐσέ am Ende
von f. 80ʳ L εὐσέβεια ⟨γὰρ⟩ ἔστι Hervet ** St ⟨es fehlt wohl eine Zeile, vielleicht
stand hier die S. 123, 26 erwähnte Definition von εὐσέβεια) 17 ἀποτελεῖ Sacr.
Par. δ] φ Sacr. Par. 18 μωυσῆν (ν über η) L¹ 20 ⟨τὰ⟩ aus Philo γῆς] τῆς Philo
HSS κατοικήσατε, ἐκατοικήσατε, κατοικήσετε Philo HSS 20f. ἐν αὐτῇ] ἐπ᾽ αὐτῆς
Philo MAH 24 πορεύεσθαι (so auch LXX B)] πορεύεσθε Philo (καὶ πορεύεσθαι
Philo G) 25 μου] + καὶ τὰ κρίματά μου Philo

αὐτὰ ἄνθρωπος ζήσεται ἐν αὐτοῖς· ἐγὼ κύριος ὁ θεὸς ὑμῶν.‹ εἶτ’ 47, 1
οὖν κόσμου καὶ ἀπάτης εἴτε παθῶν καὶ κακιῶν σύμβολον Αἴγυπτος
καὶ ἡ Χανανῖτις γῆ, ὧν μὲν ἀφεκτέον, ὁποῖα δὲ ἐπιτηδευτέον ὡς
θεῖα καὶ οὐ κοσμικά, ἐπιδείκνυσιν ἡμῖν τὸ λόγιον. ὅταν δὲ εἴπῃ ›ὁ 2
5 ποιήσας ἄνθρωπος ζήσεται ἐν αὐτοῖς‹, τήν τε Ἑβραίων αὐτῶν
ἐπανόρθωσιν τήν τε τῶν πέλας, ἡμῶν αὐτῶν, συνάσκησίν τε καὶ | προ- 454 P
κοπὴν ζωὴν λέγει αὐτῶν τε καὶ ἡμῶν. ›οἱ γὰρ νεκροὶ τοῖς παρα- 8
πτώμασι συζωοποιοῦνται Χριστῷ‹ διὰ τῆς ἡμετέρας διαθήκης. πολ- 4
λάκις δὲ ἐπαναλαμβάνουσα ἡ γραφὴ τὸ ›ἐγὼ κύριος ὁ θεὸς ὑμῶν‹
10 δυσωπεῖ μὲν διατρεπτικώτατα, ἕπεσθαι διδάσκουσα τῷ τὰς ἐντολὰς
δεδωκότι θεῷ, ὑπομιμνήσκει δὲ ἠρέμα ζητεῖν τὸν θεὸν καὶ ὡς οἶόν
τε γινώσκειν ἐπιχειρεῖν, ἥτις ἂν εἴη θεωρία μεγίστη, ἡ ἐποπτική, ἡ
τῷ ὄντι ἐπιστήμη, ἡ ἀμετάπτωτος λόγῳ γινομένη. αὕτη ἂν εἴη
μόνη ἡ τῆς σοφίας γνῶσις, ἧς οὐδέποτε χωρίζεται ἡ δικαιοπραγία.

15   XI. Ἀλλ’ ἡ μὲν τῶν οἰησισόφων, εἴτε αἱρέσεις εἶεν βάρβαροι 48, 1
εἴτε οἱ παρ’ Ἕλλησι φιλόσοφοι, ›γνῶσις φυσιοῖ‹ κατὰ τὸν ἀπόστο-
λον· πιστὴ δὲ ἡ γνῶσις ἥτις ἂν εἴη ἐπιστημονικὴ ἀπόδειξις τῶν
κατὰ τὴν ἀληθῆ φιλοσοφίαν παραδιδομένων. φήσαιμεν δ’ ἂν αὐτὴν
λόγον εἶναι τοῖς ἀμφισβητουμένοις ἐκ τῶν ὁμολογουμένων ἐκπορί-
20 ζοντα τὴν πίστιν. πίστεως δ’ οὔσης διττῆς, τῆς μὲν ἐπιστημονικῆς, 2
τῆς δὲ δοξαστικῆς, οὐθὲν κωλύει ἀπόδειξιν ὀνομάζειν διττήν, τὴν
μὲν ἐπιστημονικήν, τὴν δὲ δοξαστικήν, ἐπεὶ καὶ ἡ γνῶσις καὶ ἡ πρό-
γνωσις διττὴ λέγεται, ἡ μὲν ἀπηκριβωμένην ἔχουσα τὴν ἑαυτῆς
φύσιν, ἡ δὲ ἐλλιπῆ. καὶ μή τι ἡ παρ’ ἡμῖν ἀπόδειξις μόνη ἂν εἴη 3
25 ἀληθής, ἅτε ἐκ θείων χορηγουμένη γραφῶν, τῶν ἱερῶν γραμμάτων
καὶ τῆς ›θεοδιδάκτου‹ σοφίας κατὰ τὸν ἀπόστολον. μάθησις γοῦν 4
καὶ τὸ πείθεσθαι ταῖς ἐντολαῖς, ὅ ἐστι πιστεύειν τῷ θεῷ. καὶ ἡ
πίστις δύναμίς τις τοῦ θεοῦ, ἰσχὺς οὖσα τῆς ἀληθείας. αὐτίκα φησίν· 49, 1
›ἐὰν ἔχητε πίστιν ὡς κόκκον σινάπεως, μεταστήσετε τὸ ὄρος‹ καὶ

---

2 zu Αἴγυπτος = κόσμος vgl. Strom. I 30, 4   2f. vgl. Philo a. a. O. 83   παθῶν
μὲν Αἴγυπτος σύμβολόν ἐστι, κακιῶν δὲ ἡ Χαναναίων γῆ. 4f. Lev 18, 5 (Gal 3, 12)
5—8 τήν τε Ἑβραίων—διαθήκης Cat. zu Rom 10, 5 bei Cramer IV 372, 6—9 (= Monac.
gr. 412 p. 411; ebenso Barb. V 42 f. 139ᵇ): ἣ ζωὴν λέγει τὴν τῶν Ἑβραίων ἐπανόρ-
θωσιν τήν τε — προκοπήν. οἱ γὰρ — διακονίας. 6 vgl. Eph 2, 13 7f. Eph 2, 5 9 Lev
18, 2. 4. 5 12 zur ἐποπτεία Plut. Mor. 382 D (Fr) 13 vgl. Strom. II 9, 4 mit Anm.
16 I Cor 8, 1 18—20 vgl. Strom. VIII 5, 1 vgl. dazu W. Ernst (s. zu S. 22, 2)
S. 24 (Fr) 19f. vgl. Isid. Pelus. II 97; Fr. in PhW 58 (1938) 61 21—24 vgl. Strom.
VIII 5, 2 dazu W. Ernst S. 16 u. 24 (Fr) 26 vgl. I Thess 4, 9 29 vgl. Mt 17, 20

1 ἄνθρωπος < Philo 6 ἡμῶν] δι’ ἡμῶν Cat. 8 ζωοποιοῦνται σὺν τῷ Χριστῷ
Cat. διὰ τῆς ἡμετέρας διακονίας Monac. διὰ τὴν ἡμετέραν δικαιοσύνην Barb. 24 ἐλ-
λειπῆ L̩ 28 δύναμίς τις Sy δύναμις τῆς L

πάλιν· ›κατὰ τὴν πίστιν σου γενηθήτω σοι·‹ καὶ ὃ μὲν θεραπεύεται
προσλαβὼν τῇ πίστει τὴν ἴασιν, ὃ δὲ νεκρὸς ἀνίσταται διὰ τὴν τοῦ
πιστεύσαντος ὅτι ἀναστήσεται ἰσχύν. ἡ δὲ δοξαστικὴ ἀπόδειξις ἀν- 2
θρωπικὴ τέ ἐστι καὶ πρὸς τῶν ῥητορικῶν γ.νομένη ἐπιχειρημάτων
5 ἢ καὶ διαλεκτικῶν συλλογισμῶν. ἡ γὰρ ἀνωτάτω ἀπόδειξις, ἣν 3
ᾐνιξάμεθα ἐπιστημονικήν, πίστιν ἐντίθησι διὰ τῆς τῶν γραφῶν παρα-
θέσεώς τε καὶ διοίξεως ταῖς τῶν μανθάνειν ὀρεγομένων ψυχαῖς, ἥτις
ἂν εἴη γνῶσις. εἰ γὰρ τὰ παραλαμβανόμενα πρὸς τὸ ζητούμενον 4
ἀληθῆ λαμβάνεται, ὡς ἂν θεῖα ὄντα καὶ προφητικά, δῆλόν που ὡς
10 καὶ τὸ συμπέρασμα τὸ ἐπιφερόμενον αὐτοῖς ἀκολούθως | ἀληθὲς 455 P
ἐπενεχθήσεται· καὶ εἴη ἂν ὀρθῶς ἡμῖν ἀπόδειξις ἡ γνῶσις.

Ἡνίκα γοῦν τῆς οὐρανίου καὶ θείας τροφῆς τὸ μνημόσυνον ἐν 50, 1
στάμνῳ χρυσῷ καθιεροῦσθαι προσετάττετο, ›τὸ γόμορ‹ φησὶ ›τὸ
δέκατον τῶν τριῶν μέτρων ἦν‹. ἐν ἡμῖν γὰρ αὐτοῖς τρία μέτρα,
15 τρία κριτήρια μηνύεται, αἴσθησις μὲν αἰσθητῶν, λεγομένων δὲ ⟨καὶ⟩
ὀνομάτων καὶ ῥημάτων ὁ λόγος, νοητῶν δὲ νοῦς. ὁ τοίνυν γνω- 2
στικὸς ἀφέξεται μὲν τῶν κατὰ λόγον καὶ τῶν κατὰ διάνοιαν καὶ
τῶν κατὰ αἴσθησιν καὶ ἐνέργειαν ἁμαρτημάτων, ἀκηκοὼς ὅπως ›ὁ
ἰδὼν πρὸς ἐπιθυμίαν ἐμοίχευσεν,‹ λαβών τε ἐν νῷ ὡς ›μακάριοι οἱ
20 καθαροὶ τῇ καρδίᾳ, ὅτι αὐτοὶ τὸν θεὸν ὄψονται,‹ κἀκεῖνο ἐπιστά-
μενος ὅτι ›οὐ τὰ εἰσερχόμενα εἰς τὸ στόμα κοινοῖ τὸν ἄνθρωπον,
ἀλλὰ τὰ ἐξερχόμενα διὰ τοῦ στόματος ἐκεῖνα κοινοῖ τὸν ἄνθρωπον·
ἐκ γὰρ τῆς καρδίας ἐξέρχονται διαλογισμοί.‹ τοῦτ᾽, οἶμαι, τὸ κατὰ 3
θεὸν ἀληθινὸν καὶ δίκαιον μέτρον, ᾧ μετρεῖται τὰ μετρούμενα, ᾗ
25 τὸν ἄνθρωπον συνέχουσα δεκάς, ἣν ἐπὶ κεφαλαίων τὰ προειρημένα
τρία ἐδήλωσεν μέτρα. εἴη δ᾽ ἂν σῶμά τε καὶ ψυχὴ αἵ τε πέντε 4
αἰσθήσεις καὶ τὸ φωνητικὸν καὶ σπερματικὸν καὶ τὸ διανοητικὸν ἢ

---

1 vgl. Mt 9, 29   ὁ μὲν vgl. Lc 18, 42   2 ὁ δὲ vgl. Io 11, 44   3—8 vgl. oben
138, 21—24   6 ᾐνιξάμεθα S. 138, 20   6f. vgl. Act 17, 3   8—11 vgl. Strom. VIII 6, 2
dazu W. Ernst S. 27 (Fr)   12—16 vgl. Philo De congr. erud. gr. 100 (III p. 92)
ἡνίκα τῆς οὐρανίου καὶ θείας τροφῆς τὸ μνημεῖον ἐν στάμνῳ χρυσῷ καθιεροῦτο, φησὶν
ὡς ἄρα ›τὸ γόμορ τὸ δέκατον τῶν τριῶν μέτρων ἦν‹. ἐν ἡμῖν γὰρ αὐτοῖς τρία μέτρα
εἶναι δοκεῖ, αἴσθησις, λόγος, νοῦς· αἰσθητῶν μὲν αἴσθησις, ὀνομάτων δὲ καὶ ῥημάτων
καὶ τῶν λεγομένων ὁ λόγος, νοητῶν δὲ νοῦς.   13f. Exod 16, 36   16—18 ὁ γνωστικὸς—
ἁμαρτημάτων Sacr. Par. 220 Holl; vgl. auch Strom. VI 97, 2; 102, 3; Ecl. proph. 30
18f. Mt 5, 28   19f. Mt 5, 8   21—23 Mt 15, 11. 18f.   26—S. 140, 1 vgl. Strom. VI
134, 2; vgl. auch Chrys. Fr. phys. 827 f.

14 μέτρων LXX, Philo μέτρον L   15 ⟨καὶ⟩ aus Philo   18 κατ᾽ ἐνέργειαν
Lagarde, Symmicta [I] 1877 S. 17 vgl. Strom. VI 102, 3   πλημμελημάτων Sacr.
Par. R   22 nach τὰ Ras. von 3 Buchst. (viell. διὰ) L   26 πέντε] ε Ι.

πνευματικὸν ἢ ὅπως καὶ βούλει καλεῖν. χρὴ δὲ ὡς ἔπος εἰπεῖν τῶν 51, 1
ἄλλων πάντων ὑπεραναβαίνοντας ἐπὶ τὸν νοῦν ἵστασθαι, ὥσπερ
ἀμέλει κἂν τῷ κόσμῳ τὰς ἐννέα μοίρας ὑπερπηδήσαντας, πρώτην
μὲν τὴν διὰ τῶν τεσσάρων στοιχείων ἐν μιᾷ χώρᾳ τιθε|μένων διὰ 165 S
5 τὴν ἴσην τροπήν, ἔπειτα δὲ τὰς ἑπτὰ τὰς πλανωμένας τήν τε ἀπλανῆ
ἐνάτην, ἐπὶ τὸν τέλειον ἀριθμὸν τὸν ὑπεράνω τῶν ἐννέα, τὴν [δὲ]
δεκάτην μοῖραν, ἐπὶ τὴν γνῶσιν ἀφικνεῖσθαι τοῦ θεοῦ, συνελόντι
φάναι μετὰ τὴν κτίσιν τὸν ποιητὴν ἐπιποθοῦντας. διὰ. τοῦτο αἱ 2
δεκάται τοῦ τε οἶφι τῶν τε ἱερείων τῷ θεῷ προσεκομίζοντο, καὶ ἡ
10 τοῦ πάσχα ἑορτὴ ἀπὸ δε|κάτης ἤρχετο, παντὸς πάθους καὶ παντὸς 456 P
αἰσθητοῦ διάβασις οὖσα. πέπηγεν οὖν τῇ πίστει ὁ γνωστικός, ὁ δὲ 3
οἰησίσοφος ἑκὼν τῆς ἀληθείας οὐχ ἅπτεται, ἀστάτοις καὶ ἀνιδρύτοις
ὁρμαῖς κεχρημένος. εἰκότως οὖν γέγραπται· »ἐξῆλθεν δὲ Κάιν ἀπὸ 4
προσώπου τοῦ θεοῦ καὶ ᾤκησεν ἐν γῇ Ναὶδ κατέναντι Ἐδέμ·«
15 ἑρμηνεύεται δὲ ἡ μὲν Ναὶδ σάλος, ἡ δὲ Ἐδὲμ τρυφή· πίστις δὲ καὶ 5
γνῶσις καὶ εἰρήνη ἡ τρυφή, ἧς ὁ παρακούσας ἐκβάλλεται, ὁ δὲ οἰη-

---

1—11 vgl. Philo De congr. erud. gr. 102—106 (III p. 92) εἰκότως οὖν καὶ
ἐπὶ τῶν θυσιῶν τὸ μὲν δέκατον τοῦ μέτρου τῆς σεμιδάλεως τοῖς ἱερείοις ἐπὶ τὸν βωμὸν
συνανενεχθήσεται, ὁ δὲ ἔνατος ἀριθμός, τὸ λείψανον τοῦ δεκάτου, παρ’ ἡμῖν αὐτοῖς
παραμενεῖ. τούτοις συνάδει καὶ ἡ τῶν ἱερέων ἐνδελεχὴς θυσία· τὸ γὰρ δέκατον τὸ τοῦ
οἶφι σεμιδάλεως ἀεὶ διείρηται προσφέρειν αὐτοῖς. ἔμαθον γὰρ τὸν ἔνατον ὑπερβαίνοντες
αἰσθητὸν δοκήσει θεὸν τὸν δέκατον καὶ μόνον ὄντα ἀψευδῶς προσκυνεῖν. ἐννέα γὰρ
ὁ κόσμος ἔλαχε μοίρας, ἐν οὐρανῷ μὲν ὀκτώ, τήν τε ἀπλανῆ καὶ ἑπτὰ τὰς πεπλανημένας
ἐν τάξεσι φερομένας ταῖς αὐταῖς, ἐνάτην δὲ γῆν σὺν ὕδατι καὶ ἀέρι· τούτων γὰρ μία
συγγένεια· τροπὰς καὶ μεταβολὰς παντοίας δεχομένων. οἱ μὲν οὖν πολλοὶ τὰς ἐννέα
ταύτας μοίρας καὶ τὸν παγέντα κόσμον ἐξ αὐτῶν ἐτίμησαν, ὁ δὲ τέλειος τὸν ὑπεράνω
τῶν ἐννέα, δημιουργὸν αὐτῶν, δέκατον θεόν· ὅλον γὰρ ὑπερκύψας τὸ ἔργον ἐπόθει τὸν
τεχνίτην, καὶ ἱκέτης καὶ θεραπευτὴς ἐσπούδαζεν αὐτοῦ γενέσθαι· διὰ τοῦτο δεκάτην
ἐνδελεχῆ τῷ δεκάτῳ καὶ μόνῳ καὶ αἰωνίῳ ὁ ἱερεὺς ἀνατίθησι. τοῦτ’ ἔστι κυρίως εἰπεῖν
τὸ ψυχικὸν Πάσχα, ἡ παντὸς πάθους καὶ παντὸς αἰσθητοῦ διάβασις πρὸς τὸ δέκατον,
ὃ δὴ νοητόν ἐστι καὶ θεῖον· λέγεται γάρ· »δεκάτη τοῦ μηνὸς τούτου λαβέτωσαν ἕκαστος
πρόβατον κατ’ οἰκίαν.« 8f. vgl. Exod 29, 40; Lev 6, 20 10 vgl. Exod 12, 3
11—13. S. 141, 4 vgl. Philo De post. Caini 22 (II p. 5f.) ὁ ἄφρων ἀστάτοις καὶ
ἀνιδρύτοις ὁρμαῖς κεχρημένος σάλον καὶ κλόνον . . . ὑπομένει. . . . 25 ἄλλοτε γοῦν ἀλλοῖα
δοξάζει. 13f. Gen 4, 16 15 vgl. Philo De Cherub. 12 (I p. 172) ἑρμηνεύεται δὲ
Ναὶδ μὲν σάλος, Ἐδὲμ δὲ τρυφή. Ähnlich De post. Caini 22. 32 (II p. 5. 8)

6 ἐννέα Po aus Philo θεῶν (d. i. θ´) L αἰσθητῶν Mangey [δὲ] Wendland δὴ
Lowth 9 τοῦ τε οἶφι τῶν τε ἱερείων] τοῦ οἶφι ἀπὸ (ὑπὸ Di) τῶν ἱερέων Mangey zu
Philo I p. 532, 13 12 ἑκὼν Ma ἐκ τῶν L [ἐκ] τῶν Hiller ἀνιδρύτοις Alberti zu
Hesych. s. v. ἀΐδρυτος vgl. Philo ἀιδρύτοις L

σίσοφος τὴν ἀρχὴν οὐδὲ ἐπαΐειν βούλεται τῶν θείων ἐντολῶν, ἀλλ᾿
οἶον αὐτομαθὴς ἀφηνιάσας εἰς σάλον κυμαινόμενον ἑκὼν μεθίσταται,
εἰς τὰ θνητά τε καὶ γεννητὰ καταβαίνων ἐκ τῆς τοῦ ἀγεννήτου
γνώσεως, ἄλλοτε ἀλλοῖα δοξάζων. »οἷς δὲ μὴ ὑπάρχει κυβέρνησις, 6
5 πίπτουσιν ὥσπερ φύλλα·« ὁ λογισμὸς καὶ τὸ ἡγεμονικὸν ἄπταιστον
μένον καὶ καθηγούμενον τῆς ψυχῆς κυβερνήτης αὐτῆς εἴρηται· ὄντως
γὰρ ἀτρέπτῳ πρὸς τὸ ἄτρεπτον ἡ προσαγωγή. οὕτως ᾿Αβραὰμ 52, 1
ἑστὼς ἦν ἀπέναντι κυρίου καὶ ἐγγίσας εἶπεν·« καὶ τῷ Μωυσεῖ λέγεται
»σὺ δὲ αὐτοῦ στῆθι μετ᾿ ἐμοῦ.« οἱ δὲ ἀμφὶ τὸν Σίμωνα τῷ ᾿Εστῶτι, 2
10 ὃν σέβουσιν, ἐξομοιοῦσθαι ⟨τὸν⟩ τρόπον βούλονται. ἡ πίστις οὖν ἥ τε 3
γνῶσις τῆς ἀληθείας αἰεὶ κατὰ τὰ αὐτὰ καὶ ὡσαύτως ἔχειν κατα-
σκευάζουσι τὴν ἑλομένην αὐτὰς ψυχήν. συγγενὲς δὲ τῷ ψεύδει μετά- 4
βασις ⟨καὶ⟩ ἐκτροπὴ καὶ ἀπόστασις, ὥσπερ τῷ γνωστικῷ ἠρεμία καὶ
ἀνάπαυσις καὶ εἰρήνη. καθάπερ οὖν τὴν φιλοσοφίαν ὁ | τῦφος καὶ 5 457 P
15 ἡ οἴησις διαβέβληκεν, οὕτως καὶ τὴν γνῶσιν ἡ ψευδὴς γνῶσις, ἡ [τε]
ὁμωνύμως καλουμένη, περὶ ἧς ὁ ἀπόστολος γράφων »ὦ Τιμόθεε,«
φησίν, »τὴν παραθήκην φύλαξον, ἐκτρεπόμενος τὰς βεβήλους κενο-
φωνίας καὶ ἀντιθέσεις τῆς ψευδωνύμου γνώσεως, ἥν τινες ἐπαγγελ-
λόμενοι περὶ τὴν πίστιν ἠστόχησαν.« ὑπὸ ταύτης ἐλεγχόμενοι τῆς 6
20 φωνῆς οἱ ἀπὸ τῶν αἱρέσεων τὰς πρὸς Τιμόθεον ἀθετοῦσιν ἐπιστολάς.
φέρε οὖν εἰ ὁ κύριος »ἀλήθεια« καὶ »σοφία καὶ δύναμις θεοῦ«, 7
ὥσπερ οὖν ἐστι, δειχθείη ὅτι τῷ ὄντι γνωστικὸς ὁ τοῦτον ἐγνωκὼς
καὶ τὸν πατέρα τὸν αὐτοῦ δι᾿ αὐτοῦ· συναίσθεται γὰρ τοῦ λέγοντος·
»χείλη δικαίων ἐπίσταται ὑψηλά.«
25　　XII. Τῆς δὲ πίστεως καθάπερ τοῦ χρόνου διττῶν ὄντων εὕροι- 53, 1
μεν ἂν διττὰς ἀρετὰς συνοικούσας ἀμφοῖν. τοῦ γὰρ χρόνου τῷ μὲν
παρῳχηκότι ἡ μνήμη, τῷ δὲ μέλλοντι ἐλπίς ἐστι· πιστεύομεν δὲ τὰ
παρῳχηκότα γεγονέναι καὶ τὰ μέλλοντα ἔσεσθαι· ἀγαπῶμέν τε αὖ,

---

4f. Prov 11, 14　6—9 vgl. Philo De post. Caini·27 (II p. 7) ὄντως γὰρ ἀτ-
ρέπτῳ ψυχῇ πρὸς τὸν ἄτρεπτον θεὸν μόνη πρόσοδός ἐστιν (hier auch die Zitate aus
Gen u. Deut)　7f. Gen 18, 22f.　9 Deut 5, 31　9f. vgl. Hilgenfeld, Ketzergeschichte
S. 181ff.; H. Waitz, ZntW 5 (1904) S. 141　11 κατὰ τὰ αὐτὰ καὶ ὡσαύτως vgl.
Plato Phaed. 25 p. 78 D; Soph. 35 p. 248 A　12f. μετάβασις—ἠρεμία aus Philo de
post. C. 29 (Fr)　16—19 I Tim 6, 20f.　20 vgl. Zahn, Gesch. d. ntl. Kan. I S. 266²;
634　21 vgl. Io 14, 6　vgl. I Cor 1, 24　24 Prov 10, 21

3 γεννητὰ—ἀγεννήτου Arcerius γενητὰ—ἀγενήτου L　6 μένον L¹ μένων L* κυβερ-
νίτης L　7 ἀτρέπτῳ Wendland ἀτρέπτως L ἄτρεπτος Heyse　10 τὸν τρόπον L, aber
τὸν von L¹ getilgt　11f. κατασκευάζουσι (ν² in Ras. für 3 Buchst.) L¹　12 συγγενεῖς
Po, aber vgl. Tengblad S. 78　ψευδεῖ Po　13 ⟨καὶ⟩ Hiller　15 [τε] Hiller　22 δειχ-
θείη ⟨ἂν⟩ Di ⟨ἆρ᾿ οὐκ ἂν⟩ δειχθείη Ma　23 συνῄσθηται Sy (vgl. Strom. III 19, 3)
26 ἀμφοῖν Hiller ἄμφω L　27 ⟨σύν⟩εστι St

οὕτως ἔχειν τὰ παρῳχηκότα πίστει πεπεισμένοι, τὰ μέλλοντα ἐλπίδι
ἀπεκδεχόμενοι. διὰ πάντων γὰρ ἡ ἀγάπη τῷ γνωστικῷ πεφοίτηκεν 2
ἕνα θεὸν εἰδότι· »καὶ ἰδού, πάντα ὅσα δεδημιούργηκε λίαν καλὰ«
οἶδέν τε καὶ θαυμάζει· θεοσέβεια δὲ προστίθησι »μῆκος βίου« καὶ
5 »φόβος κυρίου προστίθησιν ἡμέρας«. ὡς οὖν αἱ ἡμέραι μόριον βίου 3
τοῦ κατ' ἐπανάβασιν, οὕτω καὶ ὁ φόβος τῆς ἀγάπης ἀρχή, κατὰ παρ-
αὔξησιν πίστις γινόμενος, εἶτα ἀγάπη· ἀλλ' οὐχ ὡς φοβοῦμαι τὸ 4
θηρίον καὶ μισῶ (διττοῦ τυγχάνοντος τοῦ φόβου), ὡς δὲ καὶ τὸν
πατέρα δέδια, ὃν φοβοῦμαι ἅμα καὶ ἀγαπῶ· πάλιν, φοβούμενος μὴ
10 κολασθῶ, ἐμαυτὸν ἀγαπῶ, αἱρούμενος τὸν φόβον· ὁ ⟨δὲ⟩ φοβούμενος
προσκόψαι τῷ πατρὶ ἀγαπᾷ αὐτόν. μακάριος οὖν ὃς πιστὸς γίνεται, 5
ἀγάπῃ καὶ φόβῳ κεκραμένος· πίστις δὲ ἰσχὺς εἰς σωτηρίαν καὶ δύνα-
μις εἰς ζωὴν αἰώνιον. πάλιν ἡ προφητεία πρόγνωσίς ἐστιν, ἡ δὲ 54, 1
γνῶσις προφητείας νόησις, οἷον γνῶσις τῶν ἐκείνοις προεγνωσμένων
15 ὑπὸ τοῦ προφαίνοντος τὰ πάντα κυρίου. ἡ τοίνυν γνῶσις τῶν 2
προαγορευθέντων τριττὴν ἐνδείκνυται τὴν ἔκβασιν, ἢ γεγονυῖαν πάλαι
ἢ ἐνεστηκυῖαν ἤδη ἢ ἔσεσθαι μέλλουσαν. εἶθ' αἱ μὲν ἀκρότητες 3
ὑποπεπτώκασι πίστει ἢ τελεσθέντων ἢ ἐλπιζομένων, πειθὼ δὲ |
παρέχει ἡ ἐνεστηκυῖα ἐνέργεια πρὸς τὴν βεβαίωσιν ἀμφοῖν τοῖν 458 P
20 ἄκροιν. εἰ γὰρ μιᾶς οὔσης τῆς προφητείας τὸ μὲν ἤδη τελεῖται, τὸ 4
δὲ πεπλήρωται, πιστὸν ἐντεῦθεν καὶ τὸ ἐλπιζόμενον καὶ τὸ παρῳ-
χηκὸς ἀληθές. πρότερον γὰρ ἐνεστὸς ἦν, εἶτα ἡμῖν παρῴχηκεν, 5
ὡς εἶναι καὶ τὴν τῶν παρῳχηκότων πίστιν κατάληψιν παρῳχη-
κότος, καὶ τὴν τῶν ἐσομένων ἐλπίδα κατάληψιν ἐσομένου πρά-
25 γματος. τὰς δὲ συγκαταθέσεις οὐ μόνον οἱ ἀπὸ Πλάτωνος, ἀλλὰ καὶ
οἱ ἀπὸ τῆς Στοᾶς ἐφ' ἡμῖν εἶναι λέγουσιν. πᾶσα οὖν δόξα καὶ 55, 1
κρίσις καὶ ὑπόληψις καὶ μάθησις, οἷς ζῶμεν καὶ σύνεσμεν ἀεὶ τῷ
γένει τῶν ἀνθρώπων, συγκατάθεσίς ἐστιν· ἢ δ' οὐδὲν ἄλλο ἢ πίστις
εἴη ἄν, ἥ τε ἀπιστία, ἀπόστασις οὖσα τῆς πίστεως, δυνατὴν δείκνυσι
30 τὴν συγκατάθεσίν τε καὶ πίστιν· ἀνυπαρξίας γὰρ στέρησις οὐκ ἂν
λεχθείη. κἄν τις τἀληθὲς σκοπῇ, εὑρήσει τὸν ἄνθρωπον φύσει δια- 2
βεβλημένον μὲν πρὸς τὴν τοῦ ψεύδους συγκατάθεσιν, ἔχοντα δὲ
ἀφορμὰς πρὸς πίστιν τἀληθοῦς. »ἡ τοίνυν συνέχουσα τὴν ἐκκλησίαν«, 3

---

* 3 Gen 1, 31 4f. Prov 3, 2. 16; 10, 27 7—9 vgl. Paed. I 87, 1; Aristot. Fr. 184
Rose³ p. 144, 25—145, 2 12 vgl. Rom 1, 16 δύναμις θεοῦ εἰς σωτηρίαν 25—28 Chry-
sipp Fr. phys. 992 Arnim 33—S. 143, 5 vgl. Herm. Vis. III 8, 3—5. 7

8 ὡς δὴ Po 10 ⟨δὲ⟩ Po 11 αὐτόν Po ἑαυτόν L τοῦτον Hiller 15 ἀπὸ Ma
24 τῶν ἐσομένων St μὲν ἐσομένην L 29 ἀπόστασις Lowth, vgl. S. 145, 6; Sext.
Emp. Pyrrh. Hyp. I 192 ἀποσύστασις L 30 ἀνυπαρξίας Ma ἀνυπαρξία L

ὥς φησιν ὁ Ποιμήν, »ἀρετὴ ἡ πίστις ἐστί, δι᾽ ἧς σῴζονται οἱ ἐκ-
λεκτοὶ τοῦ θεοῦ· ἡ δὲ ἀνδριζομένη ἐγκράτεια. ἕπεται δ᾽ αὐταῖς
ἁπλότης, ἐπιστήμη, ἀκακία, σεμνότης, ἀγάπη. πᾶσαι δὲ αὗται πί-
στεώς εἰσι θυγατέρες.« καὶ πάλιν· »προηγεῖται μὲν πίστις, φόβος | δὲ 4 166 S
5 οἰκοδομεῖ, τελειοῖ δὲ ἡ ἀγάπη.« »φοβητέον οὖν τὸν κύριον«, λέγει,
»εἰς οἰκοδομήν, ἀλλ᾽ οὐ τὸν διάβολον εἰς καταστροφήν.« ἔμπαλιν 5
δέ· »τὰ μὲν ἔργα τοῦ κυρίου, τουτέστι τὰς ἐντολάς, ἀγαπητέον καὶ
ποιητέον, τὰ δὲ ἔργα τοῦ διαβόλου φοβητέον καὶ οὐ ποιητέον· ὁ μὲν
γὰρ τοῦ θεοῦ φόβος παιδεύει καὶ εἰς ἀγάπην ἀποκαθίστησιν, ὁ δὲ
10 τῶν τοῦ διαβόλου ἔργων μῖσος ἔχει σύνοικον.« ὁ δὲ αὐτὸς καὶ τὴν 6
μετάνοιαν »σύνεσιν« εἶναί φησι »μεγάλην· μετανοῶν γὰρ ἐφ᾽ οἷς
ἔδρασεν οὐκέτι ποιεῖ ἢ λέγει, βασανίζων δὲ ἐφ᾽ οἷς ἥμαρτεν τὴν
ἑαυτοῦ ψυχὴν ἀγαθοεργεῖ.« »ἄφεσις τοίνυν ἁμαρ|τιῶν μετανοίας 459 P
διαφέρει, ἄμφω δὲ δείκνυσι τὰ ἐφ᾽ ἡμῖν.«

15　　XIII. Τὸν οὖν εἰληφότα τὴν ἄφεσιν τῶν ἁμαρτιῶν οὐκέτι 56, 1
ἁμαρτάνειν χρή. ἐπὶ γὰρ τῇ πρώτῃ καὶ μόνῃ μετανοίᾳ τῶν ἁμαρ-
τιῶν (αὕτη ἂν εἴη τῶν προϋπαρξάντων κατὰ τὸν ἐθνικὸν καὶ πρῶ-
τον βίον, τὸν ἐν ἀγνοίᾳ λέγω) αὐτίκα τοῖς κληθεῖσι πρόκειται
μετάνοια ἡ καθαίρουσα τὸν τόπον τῆς ψυχῆς ἀπὸ τῶν πλημμελη-
20 μάτων, ἵνα ἡ πίστις θεμελιωθῇ. »καρδιογνώστης« δὲ ὢν ὁ κύριος καὶ 2
τὰ μέλλοντα προγινώσκων τό τε εὐμετάβολον τοῦ ἀνθρώπου καὶ
τὸ παλίμβολον καὶ πανοῦργον τοῦ διαβόλου ἄνωθεν ἀρχῆθεν προ-
εῖδεν, ὡς ζηλώσας ἐπὶ τῇ ἀφέσει τῶν ἁμαρτιῶν τὸν ἄνθρωπον
προστρίψεταί τινας αἰτίας τῶν ἁμαρτημάτων τοῖς δούλοις τοῦ θεοῦ,
25 φρονίμως πονηρευόμενος, ὅπως δὴ καὶ αὐτοὶ συνεκπέσοιεν αὐτῷ.
ἔδωκεν οὖν ἄλλην ἔτι τοῖς κἂν τῇ πίστει περιπίπτουσί τινι πλημ- 57, 1
μελήματι πολυέλεος ὢν μετάνοιαν δευτέραν, ἵν᾽, εἴ τις ἐκπειρασθείη
μετὰ τὴν κλῆσιν, βιασθεὶς δὲ καὶ κατασοφισθείς, μίαν ἔτι »μετά-
νοιαν ἀμετανόητον« λάβῃ. »ἑκουσίως γὰρ ἁμαρτανόντων ἡμῶν μετὰ 2
30 τὸ λαβεῖν τὴν ἐπίγνωσιν τῆς ἀληθείας, οὐκέτι περὶ ἁμαρτιῶν ἀπο-
λείπεται θυσία, φοβερὰ δέ τις ἐκδοχὴ κρίσεως καὶ πυρὸς ζῆλος
ἐσθίειν μέλλοντος τοὺς ὑπεναντίους.« αἱ δὲ συνεχεῖς καὶ ἐπάλληλοι 3

5–10 vgl. Mand VII 1–4　　10–13 vgl. Mand. IV 2, 2　　13–29 vgl. Mand. IV
3, 1–6　20 vgl. Act 15, 8　27 ⟨οὐ πλείω δὲ ἢ⟩ δευτέραν Preuschen ZntW 11, 1910, 153
28f. μετάνοιαν ἀμετανόητον aus II Cor 7, 10　　29–32 Hebr 10, 26f. (Is 26, 11)
32–S. 144, 22 vgl. Herm. Mand. IV 3　32–S. 144,4 αἱ συνεχεῖς—αὖθις u. S. 144, 19f.
μελέτη—ἀνασκησίας Sacr. Par. 221 Holl

11 σύνεσιν (ι in Ras. für 2 Buchst.) L　16f. ἁμαρτιῶν] ἁμαρτημάτων Ma　24 προσ-
τρίψεται St προστρίψηται L　26 ἔτι Segaar zu QDS p. 341 ἐπὶ L　27 ἵν᾽ Grabe ἦν L
28 [δὲ] oder τε Di δὴ Po　32 καὶ] + ἄλλαι αἱ Sacr. Par.

ἐπὶ τοῖς ἁμαρτήμασι μετάνοιαι οὐδὲν τῶν καθάπαξ μὴ πεπιστευ-
κότων διαφέρουσιν ἢ μόνῳ τῷ συναίσθεσθαι ὅτι ἁμαρτάνουσι· καὶ
οὐκ οἶδ᾽ ὁπότερον αὐτοῖν χεῖρον, ἢ τὸ εἰδότα ἁμαρτάνειν ἢ μετα-
νοήσαντα ἐφ᾽ οἷς ἥμαρτεν πλημμελεῖν αὖθις· τῷ ἐλέγχεσθαι γὰρ 4
5 ἑκατέρωθεν ἡ ἁμαρτία φαίνεται, ἢ μὲν ἐπὶ τῷ πραχθῆναι κατα-
γινωσκομένη πρὸς τοῦ ἐργάτου τῆς ἀνομίας, ἢ δὲ τὸ πραχθησόμενον
προγινώσκοντος ὡς φαῦλον ἐπιχειροῦντος. καὶ ὁ μὲν θυμῷ χαρί-
ζεται ἴσως καὶ ἡδονῇ, οὐκ ἀγνοῶν τίσι χαρίζεται· ὁ δὲ ἐφ᾽ οἷς ἐχα-
ρίσατο μετανοῶν, εἶτα παλινδρομῶν αὖθις εἰς ἡδονήν, συνάπτει τῷ
10 τὴν ἀρχὴν ἑκουσίως ἐξαμαρτάνοντι· ἐφ᾽ ᾧ γάρ τις μετενόησεν, αὖθις
τοῦτο ποιῶν, οὗ πράσσει κατεγνωκός, | τοῦτο ἑκὼν ἐπιτελεῖ. ὁ μὲν 460 P
οὖν ἐξ ἐθνῶν καὶ τῆς προβιότητος ἐκείνης ἐπὶ τὴν πίστιν ὁρμήσας
ἅπαξ ἔτυχεν ἀφέσεως ἁμαρτιῶν· ὁ δὲ καὶ μετὰ ταῦτα ἁμαρτήσας,
εἶτα μετανοῶν, κἂν συγγνώμης τυγχάνῃ, αἰδεῖσθαι ὀφείλει, μηκέτι
15 λουόμενος εἰς ἄφεσιν ἁμαρτιῶν. δεῖ γὰρ οὐ τὰ εἴδωλα μόνον κατα- 2
λιπεῖν ἃ πρότερον ἐξεθείαζεν, ἀλλὰ καὶ τὰ ἔργα τοῦ προτέρου βίου
›τὸν οὐκ ἐξ αἱμάτων οὐδὲ ἐκ θελήματος σαρκός‹, ἐν πνεύματι δὲ
ἀναγεννώμενον· ὅπερ εἴη ἂν τὸ μὴ εἰς ταὐτὸν ὑπενεχθέντα πλημ- 3
μέλημα μετανοῆσαι· μελέτη γὰρ ἔμπαλιν ἁμαρτιῶν τὸ πολλάκις
20 μετανοεῖν καὶ ἐπιτηδειότης εἰς εὐτρεψίαν ἐξ ἀνασκησίας. δόκησις 59, 1
τοίνυν μετανοίας, οὐ μετάνοια, τὸ πολλάκις αἰτεῖσθαι συγγνώμην
ἐφ᾽ οἷς πλημμελοῦμεν πολλάκις· ›δικαιοσύνη δὲ ἀμώμους ὀρθοτομεῖ
ὁδούς‹, κέκραγεν ἡ γραφή. καὶ πάλιν αὖ ›ἡ τοῦ ἀκάκου δικαιοσύνη
κατορθώσει τὴν ὁδὸν αὐτοῦ.‹ ναὶ μὴν ›καθὼς οἰκτείρει πατὴρ 2
25 υἱούς, ᾠκτείρησεν κύριος τοὺς φοβουμένους αὐτὸν· ὁ Δαβὶδ γράφει·
›οἱ σπείροντες‹ οὖν ›ἐν δάκρυσιν ἐν ἀγαλλιάσει θεριοῦσι‹ τῶν ἐν 3
μετανοίᾳ ἐξομολογουμένων· ›μακάριοι γὰρ πάντες οἱ φοβούμενοι τὸν
κύριον.‹ ὁρᾷς τὸν ⟨τοῖς⟩ ἐν τῷ εὐαγγελίῳ ἐμφερῆ μακαρισμόν; ›μὴ 4
φοβοῦ,‹ φησίν, ›ὅταν πλουτήσῃ ἄνθρωπος, καὶ ὅταν πληθυνθῇ ἡ
30 δόξα τοῦ οἴκου αὐτοῦ· ὅτι οὐκ ἐν τῷ ἀποθνήσκειν αὐτὸν λήψεται
τὰ πάντα, οὐδὲ συγκαταβήσεται αὐτῷ ἡ δόξα αὐτοῦ.‹ ›ἐγὼ δὲ ἐν 5
τῷ ἐλέει σου εἰσελεύσομαι εἰς τὸν οἶκόν σου, προσκυνήσω πρὸς

---

17 Io 1, 13   20—22 δόκησις μετανοίας—πολλάκις Sacr. Par. 222 Holl   22—24
Prov 11, 5ᵃ (doppelte Übersetzung); vgl. 13, 6   24f. Ps 102, 13   26 Ps 125, 5
27f. Ps 127, 1   28—31 Ps 48, 17f.   31—S. 145, 2 Ps 5, 8f.

2 μόνον τὸ συνθέσθαι Sacr. Par.   συναισθέσθαι L   3 αὐτοῖς Sacr. Par.   3f. ἢ²
ἥμαρτεν < Sacr. Par.   6 ⟨τοῦ⟩ τὸ πραχθησόμενον προγινώσκοντος Fr   7 δ Di ὃς L
16 ἐξεθίαζεν L   19 ἔμπαλιν < Sacr. Par.   20 εὐτερψίαν Sacr. Par.   28 ⟨τοῖς⟩ St
29 πλουτίσῃ L

ναὸν ἅγιόν σου ἐν φόβῳ σου. κύριε, ὁδήγησόν με ἐν τῇ δικαιο-
σύνῃ σου.‹

Ὁρμὴ μὲν οὖν φορὰ διανοίας ἐπί τι ἢ ἀπό του· πάθος δὲ πλεο- 6
ναζοῦσα ὁρμὴ ἢ ὑπερτείνουσα τὰ κατὰ τὸν λόγον μέτρα, ἢ ὁρμὴ
5 ἐκφερομένη καὶ ἀπειθὴς λόγῳ· παρὰ φύσιν οὖν κίνησις ψυχῆς κατὰ
τὴν πρὸς τὸν λόγον ἀπείθειαν τὰ πάθη (ἡ δ᾽ ἀπόστασις καὶ ἔκ-
στασις καὶ ἀπείθεια ἐφ᾽ ἡμῖν, ὥσπερ καὶ ἡ ὑπακοὴ ἐφ᾽ ἡμῖν· διὸ καὶ
τὰ ἑκούσια κρίνεται)· αὐτίκα καθ᾽ ἓν ἕκαστον | τῶν παθῶν εἴ τις 461 P
ἐπεξίοι, ἀλόγους ὀρέξεις εὕροι ἂν αὐτά.

10　XIV. Τὸ γοῦν ἀκούσιον οὐ κρίνεται (διττὸν δὲ τοῦτο, τὸ μὲν 60, 1
γινόμενον μετ᾽ ἀγνοίας, τὸ δὲ ἀνάγκῃ)· ἐπεὶ πῶς ἂν καὶ δικάσειας
περὶ τῶν κατὰ τοὺς ἀκουσίους τρόπους ἁμαρτάνειν λεγομένων; ἢ 2
γὰρ αὐτόν τις ἠγνόησεν, ὡς Κλεομένης καὶ Ἀθάμας οἱ μανέντες, ἢ 8
τὸ πρᾶγμα ὃ πράσσει, ὡς Αἰσχύλος (τὰ μυστήρια ἐπὶ σκηνῆς ἐξειπὼν
15 ἐν Ἀρείῳ πάγῳ κριθεὶς οὕτως ἀφείθη ἐπιδείξας αὐτὸν μὴ μεμυημένον)
ἢ τὸ περ⟨ὶ ὃν⟩ πράττεται ἀγνοῆσαί τις, ὥσπερ ὁ τὸν ἀντίπαλον 4
ἀφεὶς καὶ ἀποκτείνας οἰκεῖον ἀντὶ τοῦ πολεμίου, ἢ τὸ ἐν τίνι πράτ- 5
τεται, καθάπερ ὁ ταῖς ἐσφαιρωμέναις λόγχαις γυμναζόμενος καὶ
ἀποκτείνας τινὰ τοῦ δόρατος ἀποβα|λόντος τὴν σφαῖραν, ἢ τὸ παρὰ 167 S 6
20 τὸ πῶς, ὡς ὁ ἐν σταδίῳ ἀποκτείνας τὸν ἀνταγωνιστήν (οὐ γὰρ θα-
νάτου, ἀλλὰ νίκης χάριν ἠγωνίζετο), ἢ τὸ οὗ ἕνεκα πράττεται, οἷον 7

*　3—6 Chrys. Fr. mor. 377 Arn = Zenon tr. 205 aus Stob. ecl. 11 7, 10 (II p. 88, 8
Wachsm.); vgl. Andronicus De affect. p. 11, 4. 5 Kreuttner 10f. τὸ ἀκούσιον—ἀνάγκη
Sacr. Par. 223 Holl　10—S. 146, 2 vgl. Aristot. Eth. Nic. 3, 2 (p. 1111ᵃ 3—15) τίς ..
καὶ τί καὶ περὶ τί ἢ ἐν τίνι πράττει, ἐνίοτε δὲ καὶ τίνι, οἷον ὀργάνῳ, καὶ ἕνεκα τίνος,
οἷον σωτηρίας, καὶ πῶς, οἷον ἠρέμα ἢ σφόδρα. ἅπαντα μὲν οὖν ταῦτα οὐδεὶς ἂν ἀγνοήσειε
μὴ μαινόμενος, δῆλον δ᾽ ὡς οὐδὲ τὸν πράττοντα· πῶς γὰρ ἑαυτόν γε· ὃ δὲ πράττει, ἀγ-
νοήσειεν ἄν τις, οἷον λέγοντές φασιν ἐκπεσεῖν αὐτούς, ἢ οὐκ εἰδέναι ὅτι ἀπόρρητα ἦν,
ὥσπερ Αἰσχύλος τὰ μυστικά, ἢ δεῖξαι βουλόμενος ἀφεῖναι, ὡς ὁ τὸν καταπέλτην. οἰηθείη
δ᾽ ἄν τις κἄν τὸν υἱὸν πολέμιον εἶναι ὥσπερ ἡ Μερόπη, καὶ ἐσφαιρῶσθα: τὸ λελογχω-
μένον δόρυ ἢ τὸν λίθον κίσσηριν εἶναι· καὶ ἐπὶ σωτηρίᾳ παίσας (πίσας Bernays vgl.
Clem. S. 146, 1) ἀποκτείναι ἂν· καὶ δεῖξαι (θίξαι Bernays) βουλόμενος, ὥσπερ οἱ ἀκρο-
χειριζόμενοι, πατάξειεν ἄν; vgl. Bernays, Symb. Philol. Bonn. I p. 301—312 (= Ges.
Abh. I p. 151—164)　13 zu Kleomenes vgl. Herodot 6, 75; zu Athamas z. B. Ovid
Metam. 4, 516　14f. vgl. Nauck TGF² p. 28　15 οὕτως = ὡς ἀγνοῶν Wilamow.
Aeschylus ed. maior p. 15 Nr. 44 (Fr)

3 φορὰ Po φοβερὰ L　5 κίνησις] κινήσεις Hiller　8 τὰ ἑκούσια] ὡς ἑκούσια Ma
8f. αὐτίκα—εὕροι ἂν αὐτά ~ Ma nach· ἀπειθὴς λόγῳ 5 so auch Postgate, The class.
Qu. 3, 1914, 241　12 ἀκουσίους] ⟨τοῦ⟩ ἀκουσίου Bernays　14 möglich auch Αἰσχύλος
⟨ὃς⟩ Fr　15 οὕτως] ἀθόως Schw　16 τὸ περ⟨ὶ ὃν⟩ Schw ὅπερ L ἐν ᾧπερ Bernays
ᾧπερ oder ὅτῳ Hiller ἐν ᾧ ἢ περὶ ὃ Ja¹　πράττεται] πράττει Ja　ἀγνοῆσαι St ἀγνοή-
σας L　17 [ἐν] Bernays　18 ἐσφαιρομέναις L　19 παρὰ] περὶ St　20 πῶς] εἰκὸς Schw

ὁ ἰατρὸς δέδωκεν ἀντίδοτον ὑγιεινὴν καὶ ἀπέκτεινεν, ὃ δὲ οὐ τούτου
χάριν δέδωκεν, ἀλλὰ τοῦ σῶσαι.

Ἐκράτει μὲν οὖν ὁ νόμος τότε καὶ τὸν ἀκουσίως φονεύσαντα 61, 1
ὡς τὸν ἀκουσίως γονορρυῆ, ἀλλ᾽ οὐ κατ᾽ ἴσον τῷ ἑκουσίως. καίτοι 2
5 κἀκεῖνος ὡς ἐπὶ ἑκουσίῳ κολασθήσεται, εἴ τις μεταγάγοι τὸ πάθος
ἐπὶ τὴν ἀλήθειαν· τῷ ὄντι γὰρ κολαστέος ὁ ἀκρατὴς τοῦ γονίμου
λόγου, ὃ καὶ αὐτὸ πάθος ἐστὶ ψυχῆς ἄλογον, ἐγγὺς ἀδολεσχίας ἰόν·
›πιστὸς δὲ ᾕρηται πνοῇ κρύπτειν πράγματα.‹　τὰ προαιρετικὰ τοί-
νυν κρίνεται. ›κύριος γὰρ ἐτάζει καρδίας καὶ νεφρούς·‹ καὶ ὁ ›ἐμ- 3
10 βλέψας πρὸς ἐπιθυμίαν‹ κρίνεται. διὸ ›μηδὲ ἐπιθυμήσῃς‹ λέγει καὶ
›ὁ λαὸς οὗτος τοῖς χείλεσί με τιμᾷ‹ φησίν, ›ἡ δὲ καρδία αὐτῶν
πόρρω ἐστὶν ἀπ᾽ ἐμοῦ.‹ εἰς αὐτὴν γὰρ ἀφορᾷ τὴν γνώμην ὁ θεός, 4
ἐπεὶ καὶ τὴν Λὼτ γυναῖκα ἐπιστραφεῖσαν μόνον ἑκουσίως ἐπὶ τὴν
κακίαν τὴν κοσμικὴν κατέλικεν ἀναίσθητον, ὡς λίθον δείξας ἁλα-
15 τίνην καὶ στήσας εἰς τὸ μὴ πρόσω χωρεῖν, οὐ μωρὰν καὶ ἄπρακτον
εἰκόνα, ἀρτῦσαι δὲ καὶ στῦψαι τὸν πνευματικῶς διορᾶν δυνάμενον. |

XV. Τὸ δ᾽ ἑκούσιον ἢ τὰ κατ᾽ ὄρεξίν ἐστιν ἢ τὸ κατὰ προαί- 462 P.
ρεσιν ἢ τὸ κατὰ διάνοιαν. αὐτίκα παράκειταί πως ταῦτα ἀλλήλοις,
ἁμάρτημα, ἀτύχημα, ἀδίκημα. καὶ ἔστιν ἁμάρτημα μὲν φέρε εἰπεῖν 2
20 τὸ τρυφητικῶς καὶ ἀσελγῶς βιοῦν, ἀτύχημα δὲ τὸ φίλον ὡς πολέ-
μιον ὑπ᾽ ἀγνοίας βαλεῖν, ἀδίκημα δὲ ἡ τυμβωρυχία ἢ ἡ ἱεροσυλία.
τὸ δὲ ἁμαρτάνειν ἐκ τοῦ ἀγνοεῖν κρίνειν ὅ τι χρὴ ποιεῖν συνίσταται, 3
ἢ τοῦ ἀδυνατεῖν ποιεῖν, ὥσπερ ἀμέλει καὶ βόθρῳ περιπίπτει τις
ἤτοι ἀγνοήσας ἢ ἀδυνατήσας ὑπερβῆναι δι᾽ ἀσθένειαν σώματος. ἀλλ᾽ 4
25 ἐφ᾽ ἡμῖν γε ἥ τε πρὸς τὴν παιδείαν ἡμῶν παράστασις ἥ τε πρὸς
τὰς ἐντολὰς ὑπακοή. ὧν εἰ μὴ μετέχειν βουληθεῖμεν θυμῷ τε καὶ 63, 1
ἐπιθυμίᾳ ἐκδότους σφᾶς αὐτοὺς ἐπιδόντες, ἁμαρτησόμεθα, μᾶλλον δὲ
ἀδικήσομεν τὴν ἑαυτῶν ψυχήν. ὁ μὲν γὰρ Λάϊος ἐκεῖνος κατὰ τὴν 2
τραγῳδίαν φησίν·

3 vgl. Num 35, 22—25; Deut 19, 5　4 vgl. Lev 15, 16; 22, 4　8 Prov 11, 13
9 Ps 7, 10; Ier 11, 20; 17, 10　9f. Mt 5, 28　10 Exod 20, 17　11f. Is 29, 13 (Mt
15, 8; Mc 7, 6)　13—15 vgl. Gen 19, 26, vgl. auch Lc 17, 31f.; Philo De somn.
I 247f. (III p. 257)　15 vgl. Mc 9, 50; Lc 14, 34　17—S. 147, 19 vgl. Elter Gnom.
hist. 85f.　17f. vgl. Aristot. Eth. Eud. 2, 7 (p. 1223ᵃ 23) τριῶν δὴ τούτων ἕν τι δό-
ξειεν εἶναι, ἤτοι κατ᾽ ὄρεξιν ἢ κατὰ προαίρεσιν ἢ κατὰ διάνοιαν, τὸ μὲν ἑκούσιον κατὰ
τούτων τι, τὸ δ᾽ ἀκούσιον παρὰ τούτων τι. Ähnlich p. 1224ᵃ 4　19—24 vgl. Aristot.
Eth. Nic. 5, 10 (p. 1135ᵇ 12—1136ᵃ 5); Rhet. I 13 (p. 1374ᵇ 5—10)

16 ἀρτῦσαι (ἀρτύσαι L) δὲ] (οἵαν) δὲ ἀρτύσαι Ma　διορῶν⟨τα τὰ πρόσω⟩ δυνα-
μένην (vgl. Philo De somn. I 248) Schw　δυνάμενον διορᾶν L (Zeichen der Um-
stellung von L¹)　20 τὸ² Kl τὸν L　23 τοῦ Hiller τῷ L (ist als variatio erklärbar Fr)

λέληθεν δέ με οὐθὲν τῶνδε ὧν σὺ νουθετεῖς,

    γνώμην δ' ἔχοντά με ἡ φύσις βιάζεται·

τουτέστι τὸ ἔκδοτον γεγενῆσθαι τῷ πάθει. ἡ Μήδεια δὲ καὶ αὐτὴ **3**
ὁμοίως ἐπὶ τῆς σκηνῆς βοᾷ·

5   καὶ μανθάνω μὲν οἷα δρᾶν μέλλω κακά,
    θυμὸς δὲ κρείσσων τῶν ἐμῶν βουλευμάτων.

ἀλλ' οὐδὲ Αἴας σιωπᾷ, μέλλων δὲ ἑαυτὸν ἀποσφάττειν κέκραγεν· **4**
οὐδὲν οὖν ἦν πῆμα ἐλευθέρου ψυχὴν δάκνον οὕτως ἀνδρὸς ὡς
ἀτιμία·

10   οὕτως πέπονθα καί με †συμφοροῦσα
    βαθεῖα κηλὶς ἐκ βυθῶν ἀναστρέφει
    λύσσης πικροῖς κέντροισιν ἠρεθισμένον. |

τούτους μὲν οὖν ὁ θυμός, μυρίους δὲ ἄλλους ἡ ἐπιθυμία τραγῳδεῖ, 463 P **64,1**
τὴν Φαίδραν, τὴν Ἄνθειαν, τὴν Ἐριφύλην,

15   ἣ χρυσὸν φίλου ἀνδρὸς ἐδέξατο τιμήεντα.

τὸν γὰρ κωμικὸν ἐκεῖνον Θρασωνίδην ἄλλη σκηνὴ »παιδισκάριόν με« **2**
φησὶν »εὐτελὲς καταδεδούλωκεν.«

Ἀτύχημα μὲν οὖν παράλογός ἐστιν ἁμαρτία, ἡ δὲ ἁμαρτία ἀκού- **3**
σιος ἀδικία, ἀδικία δὲ ἑκούσιος κακία. ἔστιν οὖν ἡ μὲν ἁμαρτία
20 ἐμὸν ἀκούσιον. διὸ καί φησιν· »ἁμαρτία γὰρ ὑμῶν οὐ κυριεύσει· οὐ **4**
γάρ ἐστε ὑπὸ νόμον, ἀλλ' ὑπὸ χάριν,« τοῖς ἤδη πεπιστευκόσι λέγων·
»ὅτι τῷ μώλωπι αὐτοῦ ἡμεῖς ἰάθημεν.« ἀτυχία δέ ἐστιν ἄλλου εἰς **5**

1f. Eurip. Chrysippus ꜰr. 840; zum 2. Vers vgl. Plut. Mor. p. 446 A; Stob. Ecl.
II 7, 10 p. 89, 12 Wachsm.; vgl. Elter Gnom. hist. 84   5f. Eurip. Med. 1078f. (aus
Chrysipp vgl. Elter Gnom. hist. 19) [vgl. Witt, Albinus S. 81 Fr]   8—12 TGF Adesp.
110; zu 8f. vgl. Chrysipp Fr. log. 180, 4 Arnim; Elter Gnom. hist. 31   14 Antheia
wohl die sonst Ἄντεια geschriebene Gattin des Proitos, vgl. Homer Z 160   15 λ 327
16f. Menander Μισούμενος Fr. 338 CAF III p. 98; vgl. Epiktet IV 1, 20   18f. vgl.
Aristot. Eth. Nic. 5, 10 p. 1135ᵇ 16—18 ὅταν μὲν οὖν παραλόγως ἡ βλάβη γένηται,
ἀτύχημα, ὅταν δὲ μὴ παραλόγως, ἄνευ δὲ κακίας, ἁμάρτημα.   20f. Rom 6, 14   22 Is 53, 5

1 λέληθεν οὐδὲν τῶνδέ μ' ὧν Sy   8f. die Verse selbst lauten: οὐκ ἦν ἄρα οὐθὲν·
πῆμα ἐλευθέραν δάκνον | ψυχὴν ὁμοίως ἀνδρὸς ὡς ἀτιμία   8 ἀνδρὸς ὡς aus d. Pap. ὡς
ἀνδρὸς L   10 συμφοροῦσα] συμφορᾶς ἀεὶ Suevern συμφορουροῦσ' ἀεὶ Cobet, Mnemos. 6
(1857) p. 183 συμφύουσα ⟨ἀεὶ⟩ Schw συμφοροῦσ' ἄχη Fr   13 τούτους Sy τούτοις L
14 ἀνθίαν L   16 [με] St σκηνὴ ⟨εἰσάγουσα⟩ Fr in WbJb 1947, 149   17 καταδεδού-
λωκ' εὐτελές Epikt.   18 μὲν οὖν St (vgl. Aristot.) δὲ νοῦ L δὲ οὖν Po   18f. ἀκούσιος St
(vgl. S. 146, 22ff.) ἑκούσιος L   20 ἀκούσιον Po ἑκούσιον L

10*

ἐμὲ πρᾶξις ἀκούσιος, ἡ δὲ ἀδικία μόνη εὑρίσκεται ἑκούσιος εἴτε ἐμὴ εἴτε ἄλλου.

Ταύτας δ' αἰνίσσεται τῶν ἁμαρτιῶν τὰς διαφορὰς ὁ ψαλμῳδὸς 65, 1 μακαρίους λέγων ὧν ὁ θεὸς τὰς μὲν ἀπήλειψεν ἀνομίας, τὰς δὲ ἐπε-
5 κάλυψεν ἁμαρτίας, οὐκ ἐλογίσατό τε τὰς ἄλλας καὶ ἀφῆκε τὰς λοιπάς. »γέγραπται γάρ· »μακάριοι ὧν ἀφέθησαν αἱ ἀνομίαι, καὶ ὧν ἐπεκα- 2 λύφθησαν αἱ ἁμαρτίαι· μακάριος ἀνὴρ ᾧ οὐ μὴ λογίσηται κύριος ἁμαρτίαν, οὐδὲ ἔστιν ἐν τῷ στόματι αὐτοῦ δόλος·« οὗτος ὁ μακα- ρισμὸς ἐγένετο ἐπὶ τοὺς ἐκλελεγμένους ὑπὸ τοῦ θεοῦ διὰ Ἰησοῦ
10 Χριστοῦ τοῦ κυρίου ἡμῶν.« »καλύπτει μὲν γὰρ ἀγάπη πλῆθος ἁμαρ- 3 τιῶν.« ἀπαλείφει δὲ ὁ »τὴν μετάνοιαν μᾶλλον τοῦ ἁμαρτωλοῦ ἢ τὸν θάνατον αἱρούμενος«. οὐ λογίζονται δὲ ὅσαι μὴ κατὰ προαίρεσιν 66, 1 συνίστανται· »ὁ γὰρ ἐπιθυμήσας ἤδη μεμοίχευκε« φησίν. ἀφίησί τε τὰς ἁμαρτίας ὁ »φωτίζων« λόγος »καὶ ἐν τῷ καιρῷ ἐκείνῳ, φησὶν 2
15 ὁ κύριος, ζητήσουσιν τὴν ἀδικίαν Ἰσραήλ, καὶ οὐχ ὑπάρξει, καὶ τὰς ἁμαρτίας Ἰούδα, καὶ οὐ μὴ εὑρεθῶσιν,« »ὅτι τίς ὥσπερ ἐγώ; καὶ τίς ἀντιστήσεται κατὰ πρόσωπόν μου;« ὁρᾷς | ἕνα θεὸν καταγγελλόμενον 3 464 ἀγαθόν, τῶν κατ' ἀξίαν ἀπονεμητικόν τε καὶ ἀφετικὸν ἁμαρτημάτων. φαίνεται δὲ καὶ Ἰωάννης ἐν τῇ μείζονι ἐπιστολῇ τὰς διαφορὰς τῶν 4
20 ἁμαρτιῶν ἐκδιδάσκων ἐν τούτοις· »ἐάν τις ἴδῃ τὸν ἀδελφὸν αὐτοῦ ἁμαρτάνοντα ἁμαρτίαν μὴ πρὸς θάνατον, αἰτήσει, καὶ δώσει αὐτῷ ζωήν, τοῖς ἁμαρτάνουσι μὴ πρὸς θάνατον« εἶπεν· »ἔστι γὰρ ἁμαρτία 5 πρὸς θάνατον· οὐ περὶ ἐκείνης λέγω, ἵνα ἐρωτήσῃ τις. πᾶσα ἀδικία ἁμαρτία ἐστί. καὶ ἔστιν ἁμαρτία μὴ πρὸς θάνατον.« ἀλλὰ καὶ Δαβὶδ 67, 1
25 καὶ πρὸ Δαβὶδ ὁ Μωυσῆς τῶν τριῶν δογμάτων τὴν γνῶσιν ἐμφαί- νουσιν διὰ τούτων· »μακάριος ἀνὴρ ὃς οὐκ ἐπορεύθη ἐν βουλῇ ἀσεβῶν,« καθὼς οἱ ἰχθύες πορεύονται ἐν σκότει εἰς τὰ βάθη· οἱ γὰρ λεπίδα μὴ ἔχοντες, ὧν ἀπαγορεύει Μωυσῆς ἐφάπτεσθαι, κάτω τῆς | θαλάσσης νέμονται· »οὐδὲ ἐν ὁδῷ ἁμαρτωλῶν ἔστη,« καθὼς οἱ δο- 168 S
30 κοῦντες φοβεῖσθαι τὸν κύριον ἁμαρ άνουσιν ὡς ὁ χοῖρος· πεινῶν

---

4 zu ἀπήλειψεν ἀνομίας vgl. Is 44, 22   6—10 γέγραπται—ἡμῶν I Clem. ad Cor 50, 6f.   6—8 Ps 31, 1f. (Rom 4, 7f.)   8f. μακαρισμὸς aus Rom 4, 9   10f. I Petr 4, 8 11f. vgl. Ez 18, 23. 32; 33, 11   13 Mt 5, 28   14 vgl. Io 1, 9   14—16 Ier 27 (50), 20 16f. Ier 29, 20 (49, 19)   18 τῶν κατ' ἀξίαν ἀπονεμητικόν = δίκαιον vgl. Paed. I 64, 1 mit Anm.   20—24 I Io 5, 16f.   24—27. 29f. (χοῖρος). S. 149, 1f. vgl. Barnab. Ep. 10, 9f.   26f. 29. S. 149, 1f. Ps 1, 1   28 vgl. Lev 11, 10. 12; Deut 14, 10   30f. vgl. Barnab. Ep. 10, 3

1 ἀκούσιος L¹ ἑκούσιος L*   5 ἁμαρτίας] ἀνομίας (von L¹ getilgt) ἁμαρτίας L 9 ὑπὸ I Clem. ἀπὸ L

γὰρ κραυγάζει, πληρωθεὶς δὲ τὸν δεσπότην οὐ γνωρίζει· ›οὐδὲ ἐπὶ 8
καθέδραν λοιμῶν ἐκάθισεν‹, καθὼς τὰ πτηνὰ εἰς ἁρπαγὴν ἕτοιμα.
παρήνεσε δὲ Μωυσῆς· ›οὐ φάγεσθε χοῖρον οὐδὲ ἀετὸν οὐδὲ ὀξύπτερον
οὐδὲ κόρακα οὐδὲ πάντ᾽ ἰχθὺν ὃς οὐ.: ἔχει λεπίδα ἐν αὑτῷ.‹ ταῦτα
5 μὲν ὁ Βαρνάβας. ἀκήκοα δ᾽ ἔγωγε σοφοῦ τὰ τοιαῦτα ἀνδρὸς ›βου- 4
λὴν μὲν ἀσεβῶν‹ τὰ ἔθνη λέγοντος, ›ὁδὸν δὲ ἁμαρτωλῶν‹ τὴν
Ἰουδαϊκὴν ὑπόληψιν καὶ ›καθέδραν λοιμῶν‹ τὰς αἱρέσεις ἐκλαμβά-
νοντος. ἕτερος δὲ κυριώτερον ἔλεγεν τὸν μὲν πρῶτον μακαρισμὸν 68, 1
τετάχθαι ἐπὶ τῶν μὴ κατακολουθησάντων ταῖς γνώμαις ταῖς πονη-
10 ραῖς, ταῖς ἀποστατησάσαις τοῦ θεοῦ, τὸν δεύτερον δὲ ἐπὶ τῶν τῇ
›εὐρυχώρῳ καὶ πλατείᾳ ὁδῷ‹ οὐκ ἐμμενόντων, ἢ τῶν ἐν νόμῳ τρα-
φέντων ἢ καὶ τῶν ἐξ | ἐθνῶν μετανενοηκότων· ›καθέδρα δὲ λοιμῶν‹ 465 P
καὶ τὰ θέατρα καὶ τὰ δικαστήρια εἴη ἂν ⟨ἤ⟩, ὅπερ καὶ μᾶλλον, ἡ ἐξα-
κολούθησις ταῖς πονηραῖς καὶ ταῖς λυμαντικαῖς ἐξουσίαις καὶ ἡ κατὰ
15 τὰ ἔργα αὐτῶν κοινωνία. ›ἀλλ᾽ ἢ ἐν τῷ νόμῳ κυρίου τὸ θέλημα 2
αὐτοῦ‹· ὁ Πέτρος ἐν τῷ Κηρύγματι ›νόμον καὶ λόγον‹ τὸν κύριον
προσεῖπεν. δοκεῖ δὲ καὶ ἄλλως τριῶν ἀποχὴν ἁμαρτίας τρόπων 8
διδάσκειν ὁ νομοθέτης, τῶν μὲν ἐν λόγῳ διὰ τῶν ἰχθύων τῶν
ἀναύδων· ἔστι γὰρ τῷ ὄντι οὗ σιγὴ λόγου διαφέρει· ›ἔστι καὶ
20 σιγῆς ἀκίνδυνον γέρας‹· τῶν δὲ ἐν ἔργῳ διὰ τῶν ἁρπακτικῶν
καὶ σαρχοβόρων ὀρνέων· * * * χοῖρος ›βορβόρῳ ἥδεται‹ καὶ κό-
πρῳ· καὶ χρὴ μηδὲ ›τὴν συνείδησιν‹ ἔχειν ›μεμολυσμένην‹. εἰκό- 69, 1
τως οὖν φησιν ὁ προφήτης· ›οὐχ οὕτως‹, φησίν, ›οἱ ἀσεβεῖς, ἀλλ᾽
ἢ ὡσεὶ χνοῦς ὃν ἐκρίπτει ὁ ἄνεμος ἀπὸ προσώπου τῆς γῆς.
25 διὰ τοῦτο οὐκ ἀναστήσονται ἀσεβεῖς ἐν κρίσει‹ (οἱ ἤδη κατακεκρι-
μένοι, ἐπεὶ ›ὁ μὴ πιστεύων ἤδη κέκριται‹), ›οὐδὲ οἱ ἁμαρτωλοὶ ἐν
βουλῇ δικαίων‹ (οἱ ἤδη κατεγνωσμένοι εἰς τὸ μὴ ἑνωθῆναι τοῖς
ἀπταίστως βεβιωκόσιν), ›ὅτι γινώσκει κύριος ὁδὸν δικαίων, καὶ ὁδὸς
ἀσεβῶν ἀπολεῖται.‹ πάλιν ὁ κύριος δείκνυσιν ἄντικρυς ἐφ᾽ ἡμῖν καὶ 2

3f. vgl. Barnab. Ep. 10, 1; Lev 11, 7. 13f. 12; Deut 14, 8. 12f. 10   5 σοφοῦ
ἀνδρός Pantainos? (Fr)   11 vgl. Mt 7, 13   12f. vgl. Paed. III 76, 3   15f. Ps 1, 2
16 Kerygma Petri Fr. 1 Dobschütz TU XI 1 S. 18; vgl. Strom. I 182, 3; Ecl.
proph. 58   18f. ἰχθύων τῶν ἀναύδων Ausdruck aus Sophokles (Strom. VI 94, 5
S. 479, 15 (Fr)   19f. vgl. Elter Gnom. hist. 106   19 vgl. Eurip. Orest. 638f. ἔστι δ᾽
οὗ σιγὴ λόγου | κρείσσων γένοιτ᾽ ἄν.   19f. Simonides v. Keos Fr. 38 Diehl (II
p. 78); vgl. Paed. II 58, 1   21 vgl. Heraklit Fr. 13 Diels; Protr. 92, 4; Strom. I 2, 2
22 vgl. I Cor 8, 7   23—29 Ps 1, 4—6   26 Io 3, 18

4 οὐδὲ κόρακα Di οὔτε κ. L   12 καθέδρα Sy καθέδραν L   18 ⟨ἤ⟩ Schw   17 ἀπο-
χὴν St ἀποδοχὴν L (wohl richtig Fr)   18 διδάσκειν Sy διδάσκει L   21 * * * χοῖρος]
⟨τῶν δὲ ἐν διανοίᾳ διὰ τοῦ χοίρου· ὁ γὰρ⟩ χοῖρος St u. Schw

τὰ παραπτώματα καὶ τὰ πλημμελήματα, τρόπους θεραπείας καταλ-
λήλους τοῖς πάθεσιν ὑποτιθέμενος, πρὸς τῶν ποιμένων ἐπανορθοῦ-
σθαι βουλόμενος ἡμᾶς, διὰ Ἰεζεκιὴλ αἰτιώμενος αὐτῶν, οἶμαι, τινὰς
ἐφ᾽ οἷς οὐκ ἐτήρησαν τὰς ἐντολάς· »τὸ ἠσθενηκὸς οὐκ ἐνισχύσατε« 3
5 καὶ τὰ ἑξῆς ἕως »καὶ οὐκ ἦν ὁ ἐπιζητῶν οὐδὲ ὁ ἀποστρέφων«
»μεγάλη γὰρ χαρὰ παρὰ τῷ πατρὶ ἑνὸς ἁμαρτωλοῦ σωθέντος,« ὁ
κύριός φησι. ταύτῃ πλέον ἐπαινετὸς ὁ Ἀβραὰμ ὅτι »ἐπορεύθη καθ- 4
άπερ ἐλάλησεν αὐτῷ ὁ κύριος«. ἐντεῦθεν ἀρυσάμενός τις τῶν παρ᾽ 70, 1
Ἕλλησι σοφῶν τὸ »ἕπου θεῷ« ἀπεφθέγξατο. »οἱ δὲ εὐσεβεῖς« φησὶν
10 Ἠσαΐας »συνετὰ ἐβουλεύσαντο.« βουλὴ δέ ἐστι ζήτησις | περὶ τοῦ 2 466
πῶς ἂν ἐν τοῖς παροῦσι πράγμασιν ὀρθῶς διεξάγοιμεν, εὐβουλία δὲ
φρόνησις πρὸς τὰ βουλεύματα. τί δέ; οὐχὶ καὶ ὁ θεὸς μετὰ τὴν ἐπὶ 3
τῷ Κάιν συγγνώμην ἀκολούθως οὐ πολλῷ ὕστερον τὸν μετανοή-
σαντα Ἐνὼχ εἰσάγει δηλῶν ὅτι συγγνώμη μετάνοιαν πέφυκε γεννᾶν;
15 ἡ συγγνώμη δὲ οὐ κατὰ ἄφεσιν, ἀλλὰ κατὰ ἴασιν συνίσταται. τὸ δ᾽
αὐτὸ γίνεται κἂν τῇ κατὰ τὸν Ἀαρὼν τοῦ λαοῦ μοσχοποιίᾳ. ἐντεῦ- 4
θέν τις τῶν παρ᾽ Ἕλλησι σοφῶν »συγγνώμη τιμωρίας κρείσσων«
ἀπεφθέγξατο, ὥσπερ ἀμέλει καὶ τὸ »ἐγγύα, πάρα δ᾽ ἄτα« ἀπὸ τῆς
Σολομῶντος φωνῆς λεγούσης· »υἱέ, ἐὰν ἐγγυήσῃ σὸν φίλον, παρα-
20 δώσεις σὴν χεῖρα ἐχθρῷ· παγὶς γὰρ ἀνδρὶ ἰσχυρὰ τὰ ἴδια χείλη, καὶ
ἁλίσκεται ῥήμασιν ἰδίου στόματος.« μυστικώτερον δὲ ἤδη τὸ »γνῶθι 5
σαυτὸν« ἐκεῖθεν εἴληπται· »εἶδες τὸν ἀδελφόν σου, εἶδες τὸν θεόν
σου.« ταύτῃ που »ἀγαπήσεις κύριον τὸν θεόν σου ἐξ ὅλης καρδίας 71, 1
καὶ τὸν πλησίον σου ὡς σεαυτόν«· ἐν ταύταις λέγει ταῖς ἐντολαῖς
25 ὅλον τὸν νόμον καὶ τοὺς προφήτας κρεμᾶσθαί τε καὶ ἐξηρτῆσθαι.
συνᾴδει τούτοις κἀκεῖνα· »ταῦτα λελάληκα ὑμῖν, ἵνα ἡ χαρὰ ἡ ἐμὴ 2
πληρωθῇ. αὕτη δέ ἐστιν ἡ ἐντολὴ ἡ ἐμή, ἵνα ἀγαπᾶτε ἀλλήλους

---

*   4f. Ez 34, 4. 6   6 vgl. Lc 15, 7. 10   7f. Gen 12, 4   7—9 vgl. Philo De migr.
Abr. 127f. (II p. 293) »ἐπορεύθη Ἀβραὰμ—κύριος« (Gen 12, 4). τοῦτο δέ ἐστι τὸ
παρὰ τοῖς ἄριστα φιλοσοφήσασιν ᾀδόμενον τέλος, τὸ ἀκολούθως τῇ φύσει ζῆν· γίνεται
δέ, ὅταν ὁ νοῦς ... ἕπηται θεῷ.   8 vgl. Philo de Abr. 60 ἐκεῖνος (Ἀβρ.) ... ἐσπού-
δασεν ἔπεσθαι θεῷ, zu ἔπ. θεῷ vgl. Schmid I 3, 1940, 263 A 6 (Fr)   τις = Pytha-
goras; vgl. Leutsch zu Diogen. III 31 (Corp. Paroemiogr. II p. 40); A. Otto, Sprichw.
S. 108   9f. Is 32, 8   12f. vgl. Gen 4, 15   13f. Enoch heißt bei Philo μετανενοηκώς
wegen Gen 5, 24 »μετέθηκεν αὐτὸν ὁ θεός«. ἡ γὰρ μετάθεσις τροπὴν ἐμφαίνει καὶ
μεταβολήν.   De Abrah. 17f. (IV p. 4f.)   16 vgl. Exod 32   17 τις = Pittakos; vgl.
Diog. Laert. I 76   18 vgl. Strom. I 61, 2   19—21 Prov 6, 1f.   21f. vgl. Strom. I 60, 3
22f. vgl. Strom. I 94, 5 mit Anm.   23—25 vgl. Mt 22, 37. 39f.; Mc 12, 30f.; Lc
10, 27   26—S. 151, 1 Io 15, 11f.

    9 ἕπου Vi ἐπ᾽ οὐ L   12 πρός] περὶ Wi   14 συγγνώμη μετάνοιαν Klostermann;
vgl. Philo Quaest. in Gen. I 82 p. 57 Aucher; Antonius Melissa II 55 (PG 136,
1145); Fr in ZatW 14 (1937) 113 συγγνώμην μετάνοια L   17 κρείσσων Diog. κρεῖσ-
σον L .18 παρὰ δ᾽ ἄτα Sy παοαδαταν L   24 σεαυτόν L¹ ἑαυτόν L*

καθὼς ἠγάπησα ὑμᾶς·‹ ›ἐλεήμων γὰρ καὶ οἰκτίρμων ὁ κύριος,‹ καὶ 8
›χρηστὸς κύριος τοῖς σύμπασι.‹ σαφέστερον δὲ τὸ ›γνῶθι σαυτὸν‹
παρεγγυῶν ὁ Μωυσῆς λέγει πολλάκις· ›πρόσεχε σεαυτῷ.‹ ›ἐλεη- 4
μοσύναις οὖν καὶ πίστεσιν ἀποκαθαίρονται ἁμαρτίαι· τῷ δὲ φόβῳ
5 κυρίου ἐκκλίνει πᾶς ἀπὸ κακοῦ.‹ ›φόβος δὲ κυρίου παιδεία καὶ
σοφία.‹

XVI. Ἐνταῦθα πάλιν ἐπιφύονται οἱ κατήγοροι χαρὰν καὶ λύπην 72, 1
πάθη ψυχῆς λέγοντες· τὴν μὲν γὰρ χαρὰν εὔλογον ἔπαρσιν ἀποδι-
δόασι καὶ τὸ ἀγάλλεσθαι χαίρειν ἐπὶ καλοῖς, | τὸ δὲ ἔλεος λύπην 467 P
10 ἐπὶ ἀναξίως κακοπαθοῦντι, τροπὰς δὲ εἶναι ψυχῆς καὶ πάθη τὰ
τοιαῦτα. ἡμεῖς δέ, ὡς ἔοικεν, οὐ παυόμεθα [τὰ τοιαῦτα] σαρκικῶς 2
νοοῦντες τὰς γραφὰς καὶ ἀπὸ τῶν ἡμετέρων παθῶν ἀναγόμενοι, τὸ
βούλημα τοῦ ἀπαθοῦς θεοῦ ὁμοίως τοῖς ἡμεδαποῖς κινήμασιν ἀπεκδε-
χόμενοι· ὡς δ᾽ ἡμεῖς ἀκοῦσαι δυνατοί, οὕτως ἔχειν ἐπὶ τοῦ παντο- 3
15 κράτορος ὑπολαμβάνοντες, ἀθέως πλανώμεθα. οὐ γὰρ ὡς ἔχει τὸ 4
θεῖον, οὕτως οἷόν τε ἦν λέγεσθαι· ἀλλ᾽ ὡς οἷόν τε ἦν ἐπαΐειν ἡμᾶς
σαρκὶ πεπεδημένους, οὕτως ἡμῖν ἐλάλησαν οἱ προφῆται συμπεριφερο-
μένου σωτηρίως τῇ τῶν ἀνθρώπων ἀσθενείᾳ τοῦ κυρίου. ἐπεὶ τοί- 73, 1
νυν βούλημά ἐστι τοῦ θεοῦ σῴζεσθαι τὸν ταῖς ἐντολαῖς πειθήνιον
20 τόν τε ἐκ τῶν ἁμαρτημάτων μετανοοῦντα, χαίρομεν δὲ ἡμεῖς ἐπὶ τῇ
σωτηρίᾳ ἡμῶν, τὸ χαρτὸν ἡμῶν ἐξιδιοποιήσατο ὁ διὰ τῶν προφη-
τῶν | λαλήσας κύριος, καθάπερ ἐν τῷ εὐαγγελίῳ φιλανθρώπως 169 S
λέγων· ›ἐπείνασα καὶ ἐδώκατέ μοι φαγεῖν, ἐδίψησα καὶ ἐδώκατέ μοι
πιεῖν· ὃ γὰρ ἑνὶ τούτων τῶν ἐλαχίστων πεποιήκατε, ἐμοὶ πεποιή-
25 κατε.‹ ὥσπερ οὖν τρέφεται μὴ τρεφόμενος διὰ τὸ τεθράφθαι ὅνπερ 2
βούλεται, οὕτως ἐχάρη μὴ τραπεὶς διὰ τὸ ἐν χαρᾷ γεγονέναι τὸν
μετανενοηκότα ὡς ἐβούλετο. ἐπεὶ δὲ πλουσίως ἐλεεῖ ἀγαθὸς ὢν ὁ 3
θεὸς τάς τε ἐντολὰς διδοὺς διὰ νόμου, * διὰ προφητῶν καὶ προσε-
χέστερον ἤδη διὰ τῆς τοῦ υἱοῦ παρουσίας σῴζων καὶ ἐλεῶν, ὡς
30 εἴρηται, τοὺς ἠλεημένους, κυρίως τε ἐλεεῖ ὁ κρείττων τὸν ἐλάσσω,

---

1 Ps 110, 4　2 Ps 144, 9 zu γν. σ. vgl. Strom. I 60, 3　3 Gen 24, 6; Exod 10, 28;
23, 21; 34, 12; Deut 4, 9; 6, 12; 8, 11; 11, 16; 12, 13. 19. 30; 15, 9; 24, 8 [vgl. Philo
De migr. Abr. 8 (Fr)]　3—5 Prov 15, 27 (16, 6)　5f. Prov 16, 4 (15, 33); Sir 1,27
7—11 Chrys. Fr. mor. 433 Arnim; vgl. Paed. I 101; Andronicus De affect. p. 11, 11;
20, 6; 12, 12 Kreuttner [vgl. Aristot. De an. I 1 p. 403ᵃ 16. 18 (τὰ τῆς ψυχῆς
πάθη . . . χαρά) Eth. Nic. II 4 p. 1105ᵇ 21 (πάθη); Rhet. II 8 p. 1385ᵇ 13f. (ἔλεος)
(Fr)]　8 die gleiche Definition der χαρά bei Philo, sp. leg. II 185; Diog. Laert.
VII 116 (Fr)　9f. vgl. Strom. IV 38, 1　23—25 Mt 25, 35. 40　27f. vgl. Eph 2, 4

2 χρηστὸς Ρο χ̅ς̅ L　7 λύπην] ἔλεος St　10 τά über d. Z. L¹　11 [τὰ τοιαῦτα]
Hiller　25 τετράφθαι L τραπεὶς] χαρεὶς Klostermann, vgl. aber oben Z. 10 τροπαὶ
ψυχῆς (Fr)　28 ⟨νουθετῶν τε⟩ διὰ Schw　30 ἠλεημένους] ἐλεήμονας Bywater S. 208
wegen Mt 5, 7: doch vgl. I Petr 2, 10

καὶ κρείττων μὲν ἄνθρωπος ἀνθρώπου οὐκ ἂν εἴη, καθὸ ἄνθρωπος
πέφυκεν, κρείττων δὲ ὁ θεὸς τοῦ ἀνθρώπου κατὰ πάντα, εἰ τοίνυν
ὁ κρείττων τὸν ἥσσω ἐλεεῖ, μόνος ἡμᾶς ὁ θεὸς ἐλεήσει. κοινωνικὸς 4
μὲν γὰρ ἄνθρωπος ὑπὸ δικαιοσύνης γίνεται καὶ μεταδίδωσιν ὧν
5 ἔλαβεν παρὰ τοῦ θεοῦ διά τε φυσικὴν εὔνοιαν καὶ σχέσιν διά τε τὰς
ἐντολὰς αἷς πείθεται· ὁ θεὸς δὲ οὐδεμίαν ἔχει πρὸς ἡμᾶς φυσικὴν 74, 1
σχέσιν, ὡς οἱ τῶν αἱρέσεων κτίσται θέλουσιν, (οὔτ᾽ εἰ ἐκ μὴ ὄντων
ποιοίη οὔτ᾽ εἰ ἐξ ὕλης δημιουργοίη, ἐπεὶ τὸ μὲν οὐδ᾽ ὅλως ὄν, ἢ
δὲ κατὰ πάντα ἑτέρα τυγχάνει τοῦ θεοῦ) εἰ μή τις μέρος αὐτοῦ καὶ
10 ὁμοουσίους ἡμᾶς τῷ θεῷ τολμήσει λέγειν· καὶ οὐκ οἶδ᾽ ὅπως ἀνέ- 2
ξεταί τις ἐπαΐων τούτου θεὸν | ἐγνωκώς, ἀπιδὼν εἰς τὸν βίον τὸν 468 Γ
ἡμέτερον, ἐν ὅσοις φυρόμεθα κακοῖς. εἴη γὰρ ἂν οὕτως, ὃ μηδ᾽ 3
εἰπεῖν θέμις, μερικῶς ἁμαρτάνων ὁ θεός, εἴ γε τὰ μέρη τοῦ ὅλου
μέρη καὶ συμπληρωτικὰ τοῦ ὅλου, εἰ δὲ μὴ συμπληρωτικά, οὐδὲ μέρη
15 εἴη ἄν. ἀλλὰ γὰρ φύσει »πλούσιος ὢν ὁ θεὸς ἐν ἐλέῳ« διὰ τὴν 4
αὐτοῦ ἀγαθότητα κήδεται ἡμῶν μήτε μορίων ὄντων αὐτοῦ μήτε
φύσει τέκνων. καὶ δὴ ἡ μεγίστη τῆς τοῦ θεοῦ ἀγαθότητος ἔνδειξις 75, 1
αὕτη τυγχάνει, ὅτι οὕτως ἐχόντων ἡμῶν πρὸς αὐτὸν καὶ φύσει
»ἀπηλλοτριωμένων« παντελῶς ὅμως κήδεται. φυσικὴ μὲν γὰρ ἡ πρὸς 2
20 τὰ τέκνα φιλοστοργία τοῖς ζῴοις ἥ τε ἐκ συνηθείας τοῖς ὁμογνώ-
μοσι φιλία, θεοῦ δὲ ὁ ἔλεος εἰς ἡμᾶς πλούσιος τοὺς κατὰ μηδὲν
αὐτῷ προσήκοντας, τῇ οὐσίᾳ ἡμῶν λέγω ἢ φύσει ἢ δυνάμει τῇ οἰκείᾳ
τῆς οὐσίας ἡμῶν, μόνῳ δὲ τῷ ἔργον εἶναι τοῦ θελήματος αὐτοῦ·
καὶ δὴ τὸν ἑκόντα μετὰ ἀσκήσεως καὶ διδασκαλίας τὴν γνῶσιν τῆς
25 ἀληθείας ἐπανῃρημένον εἰς υἱοθεσίαν καλεῖ, τὴν μεγίστην πασῶν
προκοπήν. »παρανομίαι δὲ ἄνδρα ἀγρεύουσι, σειραῖς δὲ τῶν ἑαυτοῦ 3
ἁμαρτιῶν ἕκαστος σφίγγεται,« καὶ ἔστιν ὁ θεὸς ἀναίτιος· καὶ τῷ
ὄντι »μακάριος ἀνὴρ ὃς καταπτήσσει πάντα δι᾽ εὐλάβειαν.«
XVII. Ὡς οὖν ἡ ἐπιστήμη ἐπιστητική ἐστιν ἕξις, ἀφ᾽ ἧς τὸ 76, 1
30 ἐπίστασθαι συμβαίνει, γίνεται δὲ ἡ κατάληψις αὐτῇ ἀμετάπτωτος
ὑπὸ λόγου, οὕτω καὶ ἡ ἄγνοια φαντασία ἐστὶν εἴκουσα, μεταπτω-
τικὴ ὑπὸ λόγου, τὸ δὲ μεταπῖπτον ὡς καὶ τὸ συνασχούμενον ἐκ

* 15 vgl. Eph 2, 4 16 vgl. I Petr 5, 7 αὐτῷ μέλει περὶ ὑμῶν 17 vgl. Eph 2, 3
τέκνα φύσει ὀργῆς; vgl. Isid. Pelus. I 343; Fr·in PhW 58 (1938) 61 19 vgl. Eph 2,12;
4, 18; Col 1, 21 [der Ausdruck ἡ φυσικὴ τῶν γονέων εἰς τέκνα φιλοστοργία wörtl. bei
Diodor IV 44 Anf. (Fr)] 21 vgl. Eph 2, 4 23. 25 vgl. Io 1, 12f. 26f. Prov 5, 22
27 vgl. Plato Rep. X p. 617 E; Paed. I 69, 1 mit Anm. 28 Prov 28, 14 30f. vgl.
Strom. II 9, 4 mit Anm.

8 οὐδ᾽ Di οὔθ᾽ L 21 ὁ über d. Z. L¹ πλούσιος Arcerius πλουσίως L 22 τῇ¹
Schw ἢ L 23 τῷ Sy τὸ L 26 ἀγρεύουσι Ρ·ον. ἀγορεύουσι L 32 μεταπίπτον
(zwischen α u. π Ras. von 3 Buchst.) L

λόγου ἐφ᾽ ἡμῖν. παράκειται δὲ τῇ ἐπιστήμῃ ἥ τ᾽ ἐμπειρία καὶ ἡ 2
εἴδησις σύνεσίς τε καὶ νόησις καὶ γνῶσις· καὶ ἡ μὲν εἴδησις ἐπιστήμη 8
τῶν καθ᾽ ὅλου κατ᾽ εἶδος εἴη ἄν· ἡ δὲ ἐμπειρία ἐπιστήμη περιλη-
πτική, ὥστε καὶ οἷόν ἐστιν ἕκαστον πολυπραγμονεῖν· νόησις δὲ ἐπι-
5 στήμη νοητοῦ· καὶ σύνεσις ἐπιστήμη συμβλητοῦ ἢ σύμβλησις ἀμε-
τάπτωτος ἢ συμβλητικὴ δύναμις ὢν φρόνησίς ἐστι καὶ ἐπιστήμη, καὶ
ἑνὸς καὶ ἑκάστου καὶ πάντων τῶν εἰς ἕνα λόγον· γνῶσις δὲ ἐπιστήμη
τοῦ ὄντος αὐτοῦ ἢ ἐπιστήμη σύμφωνος τοῖς γινομένοις· ἀλήθειά τε
ἐπιστήμη ἀληθοῦς, ἡ δὲ ἕξις τῆς ἀληθείας ἐπιστήμη ἀληθῶν. ἡ δὲ 77, 1
10 ἐπιστήμη διὰ τοῦ λόγου συνίσταται καὶ ἀμετάπτωτός ἐστιν | ἄλλῳ 469 P
λόγῳ. [ἐνταῦθα τὴν γνῶσιν πολυπραγμονεῖ.]

‟Α δὲ μὴ ποιοῦμεν, ἤτοι διὰ τὸ μὴ δύνασθαι οὐ ποιοῦμεν ἢ διὰ 2
τὸ μὴ βούλεσθαι ἢ δι᾽ ἀμφότερα. οὐχ ἱπτάμεθα μὲν οὖν, ἐπειδὴ 8
οὔτε δυνάμεθα οὔτε βουλόμεθα· οὐ νηχόμεθα δὲ φέρ᾽ εἰπεῖν ἄρτι,
15 ἐπειδὴ δυνάμεθα .μέν, οὐ βουλόμεθα δέ· οὐκ ἐσμὲν δὲ ὡς ὁ κύριος,
ἐπειδὴ βουλόμεθα μέν, οὐ δυνάμεθα δέ. ‚οὐδεὶς γὰρ μαθητὴς ὑπὲρ 4
τὸν διδάσκαλον, ἀρκετὸν δὲ ἐὰν γενόμεθα ὡς ὁ διδάσκαλος,‘ οὐ κατ᾽
οὐσίαν, ἀδύνατον γὰρ ἴσον εἶναι πρὸς τὴν ὕπαρξιν τὸ θέσει τῷ φύσει,
τῷ δὲ ἀιδίους γεγονέναι καὶ τὴν τῶν ὄντων θεωρίαν ἐγνωκέναι καὶ
20 υἱοὺς προσηγορεῦσθαι καὶ τὸν πατέρα ἀπὸ τῶν οἰκείων καθορᾶν
μόνον. προηγεῖται τοίνυν πάντων τὸ βούλεσθαι· αἱ γὰρ λογικαὶ 5
δυνάμεις τοῦ βούλεσθαι διάκονοι πεφύκασι· ‚θέλε,‘ φησί, ‚καὶ
δυνήσῃ·‘ τοῦ γνωστικοῦ δὲ καὶ ἡ βούλησις καὶ ἡ κρίσις καὶ ἡ ἄσκησις ἡ
αὐτή. εἰ γὰρ αἱ αὐταὶ ⟨αἱ⟩ προθέσεις, τὰ αὐτὰ καὶ τὰ δόγματα καὶ αἱ 6
25 κρίσεις, ἵνα δὴ ὦσιν αὐτῷ καὶ οἱ λόγοι καὶ ὁ βίος καὶ ὁ τρόπος
ἀκόλουθοι τῇ ἐνστάσει· ‚καρδία δὲ εὐθεῖα ἐκζητεῖ γνώσεις‘ καὶ ἐκεί-
νων ἐπαΐει. ‚ὁ θεὸς δεδίδαχέν με σοφίαν καὶ γνῶσιν ἁγίων ἔγνωκα.‘

XVIII. Προφανεῖς μὲν οὖν καὶ πᾶσαι ⟨αἱ⟩ ἄλλαι ἀρεταί, αἱ παρὰ 78, 1
τῷ Μωυσεῖ ἀναγεγραμμέναι, ἀρχὴ· Ἕλλησι παντὸς τοῦ ἠθικοῦ τόπου
30 παρασχόμεναι, ἀνδρείαν λέγω καὶ σωφροσύνην καὶ φρόνησιν καὶ
δικαιοσύνην καρτερίαν τε καὶ ὑπομονὴν καὶ τὴν σεμνότητα καὶ ἐγ-
κράτειαν τήν τε ἐπὶ τούτοις εὐσέβειαν. ἀλλ᾽ ἡ μὲν εὐσέβεια παντὶ 2

1f. παράκειται τῇ—γνῶσις Sacr. Par. 224 Holl　12—21 μὴ ποιοῦμεν—μόνον Ath
fol. 153ᵛ　16f. Mt 10, 24f.; Lc 6, 40　22f. vgl. Io 5, 6; Mc 1, 40 (?)　26 Prov 27, 21a
27 Prov 24, 26 (30, 3); eine andere Übersetzung des Verses Prov 24, 26 steht
Strom. V 72, 1 S. 374, 25

8 τε] δὲ St　11 [ἐνταῦθα—πολυπραγμονεῖ] Po　18 τῷ in Ras. L¹　19 τῷ Sy
τὸ L u. Ath　24 ⟨αἱ⟩ πρ. Ma　26 ἀκόλουθοι L¹ ἀκόλουθος L*　28 ⟨αἱ⟩ Jackson¹
29 τόπου L¹ τρόπου L*

που δήλη τὸ ἀνωτάτω καὶ πρεσβύτατον αἴτιον σέβειν καὶ τιμᾶν [καὶ]
διδάσκουσα. καὶ δικαιοσύνην δὲ αὐτὸς ὁ νόμος παρίστησι παιδεύων 3
τήν τε φρόνησιν διὰ τῆς τῶν αἰσθητῶν εἰδώλων ἀποχῆς καὶ τῆς
πρὸς τὸν ποιητὴν καὶ πατέρα τῶν ὅλων προσκληρώσεως, ἀφ' ἧς
5 δόξης οἷον πηγῆς πᾶσα σύνεσις | αὔξεται. »θυσίαι γὰρ ἀνόμων βδέ- 170 S
λυγμα κυρίῳ, εὐχαὶ δὲ κατευθυνόντων δεκταὶ .παρ' αὐτῷ.« ἐπεὶ
»δεκτὴ | παρὰ θεῷ δικαιοσύνη μᾶλλον ἢ θυσία.« τοιαῦτα καὶ τὰ 470 P
παρὰ Ἡσαΐᾳ· »τί μοι πλῆθος τῶν θυσιῶν ὑμῶν; λέγει κύριος,« καὶ
πᾶσα ἡ περικοπή· »λῦε πάντα σύνδεσμον ἀδικίας· αὕτη γὰρ θυσία
10 θεῷ δεκτή, καρδία συντετριμμένη καὶ ζητοῦσα τὸν πεπλακότα.«
»ζυγὰ δόλια βδέλυγμα ἔναντι θεοῦ, στάθμιον δὲ δίκαιον δεκτὸν 2
αὐτῷ.« ἐντεῦθεν »ζυγὸν μὴ ὑπερβαίνειν« Πυθαγόρας παραινεῖ.
δικαιοσύνη δὲ δολία εἴρηται ἡ τῶν αἱρέσεων ἐπαγγελία, καὶ »γλῶσσα 3
μὲν ἀδίκων ἐξολεῖται, στόμα δὲ δικαίων ἀποστάζει σοφίαν.« ἀλλὰ
15 γὰρ »τοὺς σοφοὺς καὶ φρονίμους φαύλους καλοῦσιν.« μακρὸν δ' ἂν 4
εἴη περὶ τῶν ἀρετῶν τούτων μαρτυρίας παρατίθεσθαι, ἀπάσης ταύτας
ἐξυμνούσης τῆς γραφῆς. ἐπεὶ δ' οὖν τὴν μὲν ἀνδρείαν ὁρίζονται 5
ἐπιστήμην δεινῶν καὶ οὐ δεινῶν καὶ τῶν μεταξύ, τὴν δὲ σωφροσύνην
ἕξιν ἐν αἱρέσει καὶ φυγῇ σῴζουσαν τὰ τῆς φρονήσεως κρίματα,
20 παράκειται [τε] τῇ μὲν ἀνδρείᾳ ἥ τε ὑπομονή, ἣν καρτερίαν καλοῦσιν,
ἐπιστήμην ἐμμενετέων καὶ οὐκ ἐμμενετέων, ἥ τε μεγαλοψυχία, ἐπι-
στήμη τῶν συμβαινόντων ὑπεραίρουσα, ἀλλὰ καὶ τῇ σωφροσύνῃ ἡ
εὐλάβεια, ἔκκλισις οὖσα σὺν λόγῳ.

Φυλακὴ δὲ τῶν ἐντολῶν, τήρησις οὖσα αὐτῶν ἀβλαβής, περι- 80, 1
25 ποίησίς ἐστιν ἀσφαλείας βίου. καὶ οὐκ ἔστιν ἄνευ ἀνδρείας καρτερι-
κὸν εἶναι οὐδὲ μὴν ἄνευ σωφροσύνης ἐγκρατῆ. ἀνταχολουθοῦσι δὲ 2
ἀλλήλαις αἱ ἀρεταί, καὶ παρ' ᾧ αἱ τῶν ἀρετῶν ἀκολουθίαι, παρὰ

---

* 1–5 Philo De virt. 34. 35 (V p. 275f.) (οἱ Ἑβραῖοι) τὸ ἀνωτάτω καὶ πρεσβύ-
τατον αἴτιον σέβουσι καὶ τιμῶσι, τῷ ποιητῇ καὶ πατρὶ τῶν ὅλων προσκεκληρωμένοι ....
αἴτιον δὲ τῆς ὁμονοίας τὸ ἀνωτάτω καὶ μέγιστον ἡ περὶ τοῦ ἑνὸς θεοῦ δόξα, ἀφ' ἧς
οἷα πηγῆς ἑνωτικῇ καὶ ἀδιαλύτῳ φιλίᾳ κέχρηνται πρὸς ἀλλήλους. 5f. Prov 15, 8
7 Prov 16, 7   8 Is 1, 11   9f. vgl. Is 58, 6; Ps 50, 19. Zu ζητοῦσα τὸν πεπλακότα
vgl. Paed. III 90, 4; Strom. IV 19, 2; Barnab. Ep. 2, 10; Iren. IV 17, 2   11f. Prov
11, 1   12 Pyth. Symb. 2 Mullach FPG I 504; vgl. Strom. V 30; Diog. Laert.
VIII 18   13–15 Prov 10, 31; 16, 21   17–23 Chrys. Fr. mor. 275 Arnim; vgl.
Andronicus De virt. et vit. p. 20, 2; 23, 1; 22, 17 Schuchhardt   23 vgl. zu Strom.
II 32, 4 (S. 130, 14f.)   26f. vgl. S. 136, 23

1f. [καὶ] διδάσκουσα He καὶ διδάσκουσα L καταδιδάσκουσα Sy   4 προσκληρώσεως
Po (vgl. Philo) προσκλήσεως L προσκλίσεως Sy   17. 19f. ἐπεὶ δ' οὖν ⟨καὶ τῶν ἄλλων
ἐπιμνηστέον⟩, τὴν μὲν .. κρίματα· παράκειταί τε κτλ. Fr   19 ἐν Arnim εἶναι L   20
[τε] Vi

τούτῳ καὶ ἡ σωτηρία, τήρησις οὖσα τοῦ εὖ ἔχοντος. εἰκότως ἔτι 3
περὶ τούτων διαλαβόντες τῶν ἀρετῶν περὶ πασῶν ἂν εἴημεν ἐσκεμ-
μένοι, ὅτι ὁ μίαν ἔχων ἀρετὴν γνωστικῶς πάσας ἔχει διὰ τὴν ἀντα-
κολουθίαν. αὐτίκα ἡ ἐγκράτεια διάθεσίς ἐστιν ἀνυπέρβατος τῶν 4
5 κατὰ τὸν ὀρθὸν λόγον φανέντων. ἐγκρατεύεται δὲ ὁ κατέχων τὰς
παρὰ τὸν ὀρθὸν λόγον ὁρμὰς ἢ | ὁ κατέχων αὐτὸν ὥστε μὴ ὁρμᾶν 471 P
παρὰ τὸν ὀρθὸν λόγον. σωφροσύνη δὲ αὕτη οὐκ ἄνευ ἀνδρείας, 5
ἐπειδὴ ἐξ ἐντολῶν γίνεται ἑπομένη τῷ διατεταγμένῳ ** θεῷ φρόνησίς
τε καὶ ἡ μιμητικὴ τῆς θείας διαθέσεως δικαιοσύνη, καθ᾽ ἣν ἐγκρα-
10 τευόμενοι καθαροὶ πρὸς εὐσέβειαν καὶ τὴν ἑπομένην ἀκολούθως τῷ
θεῷ πρᾶξιν στελλόμεθα, ἐξομοιούμενοι τῷ κυρίῳ κατὰ τὸ δυνατὸν
ἡμῖν, ἐπικήροις τὴν φύσιν ὑπάρχουσιν. τοῦτο δέ ἐστι »δίκαιον καὶ 81, 1
ὅσιον μετὰ φρονήσεως γενέσθαι«. ἀνενδεὲς μὲν γὰρ τὸ θεῖον καὶ
ἀπαθές, ὅθεν οὐδὲ ἐγκρατὲς κυρίως· οὐ γὰρ ὑποπίπτει πάθει ποτέ,
15 ἵνα καὶ κρατήσῃ τοῦδε· ἡ δὲ ἡμετέρα φύσις ἐμπαθὴς οὖσα ἐγκρατείας
δεῖται, δι᾽ ἧς πρὸς τὸ ὀλιγοδεὲς συνασκουμένη συνεγγίζειν πειρᾶται
κατὰ διάθεσιν τῇ θείᾳ φύσει. ὁ γὰρ σπουδαῖος ὀλιγοδεής, ἀθανάτου 2
καὶ θνητῆς φύσεως μεθόριος, τὸ μὲν ἐνδεὲς διά τε τὸ σῶμα διά τε
τὴν γένεσιν αὐτὴν ἔχων, ὀλίγων δὲ διὰ τὴν λογικὴν ἐγκράτειαν δεῖ-
20 σθαι δεδιδαγμένος. ἐπεὶ τίνα λόγον ἔχει τὸ ἀπειπεῖν τὸν νόμον 3
ἀνδρὶ γυναικὸς ἀμπεχόνην ἀναλαμβάνειν; ἢ οὐχὶ ἀνδρείζεσθαι ἡμᾶς
βούλεται μήτε κατὰ τὸ σῶμα καὶ τὰ ἔργα μήτε κατὰ τὴν διάνοιαν
καὶ τὸν λόγον ἐκθηλυνομένους; ἠρρενῶσθαι γὰρ τὸν ἀληθείᾳ σχολά- 4
ζοντα ἔν τε ὑπομοναῖς ἔν τε καρτερίαις κἂν τῷ βίῳ κἂν τῷ τρόπῳ
25 κἂν τῷ λόγῳ κἂν τῇ ἀσκήσει νύκτωρ τε καὶ μεθ᾽ ἡμέραν καί, εἴ
που μαρτυρίου δι᾽ αἵματος χωροῦντος ¹ἐπικαταλάβοι χρεία, βούλεται.

---

*   3f. schon Plat. Prot. 18 p. 329 D ἢ ἀνάγκη ἐάνπερ τις ἓν (sc. τῶν τῆς ἀρετῆς μο-
ρίων) λάβῃ ἅπαντ᾽ ἔχειν (Fr)   3—7 Chrys. Fr. mor. 275 Arnim   4f. vgl. Andronicus
De virt. et vit. p. 24, 3 Schuchhardt   10f. vgl. Strom. II 45, 7 (S. 137, 13) und
App.   11—13 vgl. Plato Theaet. p. 176 AB   12—S. 167, 22 vgl. Philo de virt.
9—219   12 zu §§ 81—99 vgl. Wendland, Hermes 31 (1896) S. 435—456   13. 17—20
vgl. Philo De virt. 9 (V p. 268f.) ἔστι γὰρ ὁ μὲν θεὸς ἀνεπιδεής . . . . ὁ δὲ σπουδαῖος
ὀλιγοδεής, ἀθανάτου καὶ θνητῆς φύσεως μεθόριος, τὸ μὲν ἐπιδεὲς ἔχων διὰ σῶμα
θνητόν, τὸ δὲ μὴ πολυδεὲς διὰ ψυχὴν ἐφιεμένην ἀθανασίας.   20f. vgl. Deut 22, 5
20—26 Philo De virt. 18. 20 p. 271 ἀπειπὼν ἀνὰ κράτος ἀνδρὶ γυναικὸς ἀμπεχόνην
ἀναλαμβάνειν . . . . ἠρρενῶσθαι γὰρ τόν γε πρὸς ἀλήθειαν ἄνδρα κἂν τούτοις ἠξίωσε
καὶ μάλιστ᾽ ἐν ἐσθήμασιν ἃ ἐπιφερόμενος ἀεὶ μεθ᾽ ἡμέραν τε καὶ νύκτωρ ὀφείλει μηδὲν
ἔχειν ἀνανδρίας ὑπόμνημα.

6 αὐτὸν L   7 αὐτὴ L   8 ἔπειτα Hiller   ** (etwa ⟨ἐστὶν ἡ ἐξομοιουμένη τῷ⟩⟩
Schw

πάλιν εἴ τις, φησί, νεωστὶ δειμάμενος οἰκίαν οὐκ ἔφθη εἰσοικίσασθαι, ἢ 82, 1
ἀμπελῶνα νεόφυτον ἐργασάμενος μηδέπω τοῦ καρποῦ μετείληφεν, ἢ
παρθένον ἐγγυησάμενος οὐδέπω ἔγημεν, τούτους ἀφεῖσθαι τῆς στρα-
τείας ὁ φιλάνθρωπος κελεύει νόμος, στρατηγικῶς μέν, ὡς μὴ περι- 2
5 σπώμενοι πρὸς τὰς ἐπιθυμίας ἀπρόθυμοι τῷ πολέμῳ ἐξυπηρετῶμεν
(ἐλεύθεροι γὰρ τὰς ὁρμὰς οἱ ἀπροφασίστως τοῖς δεινοῖς ἐπαποδυό-
μενοι), φιλανθρώπως δέ, ἐπειδὴ τὰ κατὰ τοὺς πολέμους ἄδηλα, 3
ἄδικον εἶναι λογισάμενος τὸν μὲν μὴ ὄνασθαι τῶν αὐτοῦ πόνων,
ἕτερον δὲ τὰ τῶν καμόντων ἀταλαιπώρως λαβεῖν. ἔοικεν | δὲ ὁ 83,1 47
10 νόμος καὶ τὴν τῆς ψυχῆς ἐμφαίνειν ἀνδρείαν, δεῖν νομοθετῶν τὸν
φυτεύσαντα καρποῦσθαι καὶ τὸν οἰκοδομησάμενον οἰκεῖν καὶ τὸν
μνώμενον γαμεῖν, οὐ γὰρ ἀτελεῖς τὰς ἐλπίδας τοῖς ἀσκήσασι κατὰ
τὸν λόγον τὸν γνωστικὸν κατασκευάζει· »τελευτήσαντος‹ γὰρ καὶ 2
ζῶντος »ἀνδρὸς ἀγαθοῦ οὐκ ἀπόλλυται ἐλπίς.‹ »ἐγώ‹, φησί, »τοὺς
15 ἐμὲ φιλοῦντας ἀγαπῶ,‹ ἡ σοφία λέγει, »οἱ δὲ ἐμὲ ζητοῦντες εὑρή-
σουσιν εἰρήνην‹ καὶ τὰ ἑξῆς. τί δέ; οὐχὶ αἱ Μαδιηναίων γυναῖκες 3
τῷ κάλλει τῷ σφῶν πολεμοῦντας τοὺς Ἑβραίους ἐκ σωφροσύνης δι'
ἀκρασίαν εἰς ἀθεότητα ὑπηγάγοντο; προσεταιρισάμεναι γὰρ ⟨αὖ⟩τοὺς 4
ἐκ τῆς σεμνῆς ἀσκήσεως εἰς ἡδονὰς ἑταιρικὰς τῷ κάλλει δελεάσασαι
20 ἐπί τε τὰς τῶν εἰδώλων θυσίας ἐπί τε τὰς ἀλλοδαπὰς ἐξέμηναν
γυναῖκας· γυναικῶν δὲ ἅμα καὶ ἡδονῆς ἡττηθέντες ἀπέστησαν μὲν
τοῦ θεοῦ, ἀπέστησαν δὲ καὶ τοῦ νόμου, καὶ μικροῦ δεῖν ὁ πᾶς λεὼς

1—4 vgl. Deut 20, 5—7   1—13 Philo De virt. 28—31 V p. 273f. εἰ γάρ τις, φησί,
νεωστὶ δειμάμενος οἰκίαν οὐκ ἔφθη εἰσοικίσασθαι, ἢ ἀμπελῶνα φυτεύσας νεόφυτον . . .
μήπω τῆς ἐπικαρπίας καιρὸν ἔσχεν, ἢ παρθένον ἐγγυησάμενος · οὐκ ἔγημεν, ἀφείσθω
πάσης στρατείας· φιλανθρώπως ὁμοῦ ⟨καὶ στρατηγικῶς⟩ τὴν ἄδειαν εὑρισκόμενος
(ἄνευ. HSS) ἕνεκα δυοῖν· ἑνὸς μέν, ἵνα ἐπειδὴ τὰ κατὰ πολέμους ἄδηλα, μὴ τὰ τῶν
πονησάντων ἀταλαιπώρως ἄλλοι λαμβάνωσι· χαλεπὸν γὰρ ἔδοξεν εἶναι τῶν ἰδίων τινὰ
μὴ ἀπόνασθαι δυνηθῆναι, ἀλλ' οἰκοδομεῖν μὲν ἕτερον, ἐνοικεῖν δ' ἄλλον, καὶ φυτεύειν
μέν τινα τὸν δὲ μὴ φυτεύσαντα καρποῦσθαι, καὶ μνᾶσθαι μὲν ἄλλον, γαμεῖν δὲ τὸν μὴ
μνώμενον, ὡς οὐ δεῖν ἀτελεῖς τὰς ἐλπίδας κατασκευάζειν τοῖς χρηστὰ τῶν κατὰ τὸν βίον
προσδοκήσασιν· ἑτέρου δέ, ἵνα μὴ σώματι στρατευόμενοι ταῖς ψυχαῖς ὑστερίζωσι . . . .
ὅπως ἐλευθέροις καὶ ἀφέτοις ὁρμαῖς ἀπροφασίστως τοῖς δεινοῖς ἐπαποδύωνται. 13f.
Prov 11, 7   14—16 Prov 8, 17 (vgl. 16, 8)   16—S. 157, 4 vgl. Num 25; Philo De
vit. Mos. I 295ff.; De virt. 34ff. (IV p. 190; V p. 275f.)   17—19 vgl. Philo De vit.
Mos. I 295 διὰ λαγνείας καὶ ἀκολασίας, μεγάλου κακοῦ, πρὸς μεῖζον κακόν, ἀσέβειαν,
ἄγειν αὐτοὺς ἐσπούδασεν ἡδονὴν δέλεαρ προθείς.

5 ἐξυπηρετῶμεν Sy ἐξυπηρετοῦμεν L   18 ἀκρασίας (vgl. Philo) St   αὐτοὺς Po
τοὺς L   22 μικροῦ L¹ (wie Sy) μικρὸν L*

ὑποχείριος τοῖς πολεμίοις γυναικείῳ στρατηγήματι ἐγεγόνει, ἕως
αὐτοὺς κινδυνεύοντας ἀνεχαίτισε νουθετήσας φόβος. αὐτίκα οἱ περι- 84, 1
λειφθέντες φιλοκινδύνως τὸν ὑπὲρ εὐσεβείας ἀγῶνα ἀράμενοι κύριοι
κατέστησαν τῶν πολεμίων. ›ἀρχὴ οὖν σοφίας θεοσέβεια, σύνεσις δὲ
5 ἁγίων προμήθεια, τὸ δὲ γνῶναι νόμον διανοίας ἐστὶν ἀγαθῆς.‹ οἱ 2
τοίνυν ἐμπαθοῦς φόβου περιποιητικὸν | τὸν νόμον ὑπολαβόντες οὔτε 171 S
ἀγαθοὶ συνιέναι οὔτε ἐνενόησαν τῷ ὄντι τὸν νόμον. ›φόβος γὰρ
κυρίου ζωὴν ποιεῖ. ὁ δὲ πλανώμενος ὀδυνηθήσεται ἐν πόνοις οἷς
οὐκ ἐπισκέπτεται γνῶσις.‹ ἀμέλει μυστικῶς ὁ Βαρνάβας ›ὁ δὲ θεός, 3
10 ὁ τοῦ παντὸς κόσμου κυριεύων,‹ φησί, ›δῴη καὶ ὑμῖν σοφίαν καὶ
σύνεσιν, ἐπιστήμην, γνῶσιν τῶν δικαιωμάτων αὐτοῦ, ὑπομονήν.
γίνεσθε οὖν θεοδίδακτοι, ἐκζητοῦντες τί ζητεῖ ὁ κύριος ἀφ᾽ ὑμῶν,
ἵνα εὕρητε ἐν ἡμέρᾳ κρίσεως.‹ τοὺς τούτων ἐπηβόλους ›ἀγάπης
τέκνα καὶ εἰρήνης‹ γνωστικῶς προσηγόρευσεν. περί τε τῆς μεταδόσεως 4
15 καὶ κοινω|νίας πολλῶν ὄντων ⟨λόγων⟩ ἀπόχρη μόνον τοῦτο εἰπεῖν, 473 P
ὅτι ὁ νόμος ἀπαγορεύει ἀδελφῷ δανείζειν (ἀδελφὸν ὀνομάζων οὐ
μόνον τὸν ἐκ τῶν αὐτῶν φύντα γονέων, ἀλλὰ καὶ ὃς ἂν ὁμόφυλος
ᾖ ὁμογνώμων τε καὶ τοῦ αὐτοῦ λόγου κεκοινωνηκώς), οὐ δικαιῶν
ἐκλέγειν τόκους ἐπὶ χρήμασιν, ἀλλὰ ἀνειμέναις χερσὶ καὶ γνώμαις
20 χαρίζεσθαι τοῖς δεομένοις. θεὸς γὰρ ὁ κτίστης τοιᾶσδε χάριτος· ἤδη 5
δὲ ὁ μεταδοτικὸς καὶ τόκους ἀξιολόγους λαμβάνει, τὰ τιμιώτατα
τῶν ἐν ἀνθρώποις, ἡμερότητα, χρηστότητα, μεγαλόνοιαν, εὐφημίαν,
εὔκλειαν.

᾽Αρ᾽ οὐ δοκεῖ σοι φιλανθρωπίας εἶναι τὸ παράγγελμα τοῦτο 85, 1

1f. vgl. Philo De virt. 41 ὁ εὐεργέτης καὶ ἵλεως θεός ... ὥσπερ ὑπὸ χειμάρρου
κατακλυσθῆναι κινδυνεύσαντας ἀνεχαίτισε φόβῳ νουθετήσας. 2f. vgl. Philo De virt. 45
τὸ σπουδάσαι φ·λοκινδύνως τὸν ὑπὲρ εὐσεβείας ἀγῶνα ἄρασθαι. 4f. Prov 9, 10 7—9 vgl.
Prov 19, 20 (23) 9—14 vgl. Barnab. Ep. 21, 5. 6. 9 12 θεοδίδακτοι aus I Thess 4, 9
16 vgl. Exod 22, 25; Lev 25, 37; Deut 23, 19 16—23 vgl. Philo De virt. 82—84
(V p. 288 f.) ἀπαγορεύει τοίνυν ἀδελφῷ δανείζειν, ἀδελφὸν ὀνομάζων οὐ μόνον τὸν ἐκ
τῶν αὐτῶν φύντα γονέων, ἀλλὰ καὶ ὃς ἂν ... ὁμόφυλος ᾖ, τόκους ἐπὶ χρήμασιν οὐ
δικαιῶν (δίκαιον HSS) ἐκλέγειν, ... ἀλλ᾽ ἀνειμέναις χερσὶ καὶ γνώμαις μάλιστα μὲν
χαρίζεσθαι τοῖς δεομένοις. ... οἱ συμβαλόντες ... ἐπεισφέρονται τὰ κάλλιστα καὶ
τιμιώτατα τῶν ἐν ἀνθρώποις, ἡμερότητα, κοινωνίαν, χρηστότητα, μεγαλόνοιαν, εὐφημίαν,
εὔκλειαν.

13 εὑρεθῆτε Barn. ἐπηβόλους Sy ἐπιβούλους L² ἐπιβόλους L* 15 ⟨λόγων⟩
Schw

ὥσπερ κἀκεῖνο, ›μισθὸν πένητος αὐθημερὸν ἀποδιδόναι‹; ἀνυπερθέ-
τως δεῖν διδάσκει ἐκτίνειν τὸν ἐπὶ ταῖς ὑπηρεσίαις μισθόν· παρα-
λύεται γάρ, οἶμαι, ἡ προθυμία τοῦ πένητος ἀτροφήσαντος πρὸς
τοὐπιόν. ἔτι, φησί, δανειστὴς μὴ ἐπιστῇ χρεώστου οἰκίᾳ, ἐνέχυρον 2
5 μετὰ βίας ληψόμενος, ἀλλ' ὃ μὲν ἔξω προφέρειν κελευέτω, ὃ δὲ ἔχων
μὴ ἀναδυέσθω. ἔν τε τῷ ἀμήτῳ τὰ ἀποπίπτοντα τῶν δραγμάτων 3
ἀναιρεῖσθαι κωλύει τοὺς κτήτορας, καθάπερ κἂν τῷ θερισμῷ ὑπο-
λείπεσθαί τι παραινεῖ ἄμητον, διὰ τούτου εὖ μάλα τοὺς μὲν κτή-
τορας εἰς κοινωνίαν καὶ μεγαλοφροσύνην συνασκῶν ἐκ τοῦ προϊέναι
10 τι τῶν ἰδίων τοῖς δεομένοις, τοῖς πένησι δὲ ἀφορμὴν πορίζων τρο-
φῶν. ὁρᾷς .ὅπως ἡ νομοθεσία τὴν τοῦ θεοῦ δικαιοσύνην ἅμα καὶ 86, 1
ἀγαθότητα καταγγέλλει, τοῦ πᾶσιν ἀφθόνως χορηγοῦντος τὰς τροφάς;
ἔν τε αὖ τῇ τρυγῇ τὸ ἐπιέναι πάλιν τὰ καταλειφθέντα δρεπομένους 2
καὶ τὸ τὰς ἀποπιπτούσας ῥῶγας συλλέγειν κεκώλυκεν· τὰ δ' αὐτὰ
15 καὶ τοῖς ἐλάας συλλέγουσι διατάσσεται. ναὶ μὴν καὶ αἱ δεκάται τῶν 3
τε καρπῶν καὶ τῶν θρεμμάτων εὐσεβεῖν τε εἰς τὸ θεῖον καὶ μὴ
πάντα εἶναι φιλο|κερδεῖς, μεταδιδόναι δὲ φιλανθρώπως καὶ τοῖς πλη- 474 P
σίον ἐδίδασκον. ἐκ τούτων γάρ, οἶμαι, τῶν ἀπαρχῶν καὶ οἱ ἱερεῖς
διετρέφοντο. ἤδη οὖν συνίεμεν εἰς εὐσέβειάν καὶ εἰς κοινωνίαν καὶ 4
20 εἰς δικαιοσύνην καὶ εἰς φιλανθρωπίαν παιδευομένους ἡμᾶς πρὸς τοῦ

---

1 vgl. Deut 24, 14f.; Lev 19, 13   1–4 vgl. Philo De virt. 88 (V p. 290) ἕν
τι τῶν εἰς φιλανθρωπίαν τεινόντων παράγγελμα κἀκεῖνο διατάττεται μισθὸν πένητος
αὐθημερὸν ἀποδιδόναι .... δίκαιον ἦν τὸν ἐπὶ τῇ ὑπηρεσίᾳ μισθὸν ἀνυπερθέτως
ἀπολαβεῖν ... ὃν εἰ μὲν εὐθὺς κομίσαιτο, γήθει καὶ ῥώννυται πρὸς τὴν ἐπιοῦσαν
προθυμίᾳ διπλασίονι ἐργασόμενος   4–6 vgl. Deut 24, 10f.   Philo De virt. 89 ἔτι,
φησί, δανειστὴς μὴ ἐπιστήτω χρεωστῶν οἰκίας, ἐνέχυρον ... μετὰ βίας ληψόμενος,
ἀλλ' ἐν προθύροις ἔξω παρεστὼς ἀναμενέτω κελεύων ἡσυχῇ προφέρειν. οἱ δὲ ἂν
ἔχωσι, μὴ ἀναδυέσθωσαν (ἀναδυέτωσαν HSS).   6–8 vgl. Lev 19, 9; 23, 22; Deut
24, 19   6–11 Philo De virt. 90 κελεύει γὰρ ἐν μὲν τῷ ἀμήτῳ μήτε τὰ ἀποπίπτοντα
τῶν δραγμάτων ἀναιρεῖσθαι μήτε πάντα τὸν σπόρον κείρειν, ἀλλ' ὑπολείπεσθαί τι τοῦ
κλήρου μέρος ἄμητον, ἅμα μὲν τοὺς εὐπόρους μεγαλόφρονας καὶ κοινωνικοὺς κατα-
σκευάζων ἐκ τοῦ τι προϊέναι (παριέναι HSS) τῶν ἰδίων, ... ἅμα δὲ τοὺς πένητας
εὐθυμοτέρους ἀπεργαζόμενος.   13–15 vgl. Lev 19,10; Deut 24,20f.   Philô De virt. 91
ἐν δὲ καιρῷ τῆς ὀπώρας πάλιν δρεπομένοις κληρούχοις προστάττει μήτε ῥῶγας ἀπο-
πιπτούσας συλλέγειν μήτε ἐπανατρυγᾶν ἀμπελῶνας.   τὰ δ' αὐτὰ καὶ τοῖς ἐλαιολογοῦσι
διατάττεται.   15f. vgl. Lev 27, 30. 32; Num 18, 21. 24   16–18 vgl. Philo De virt. 95
... ὅπως ἐξεθιζόμενοι τῇ μὲν τιμᾶν τὸ θεῖον τῇ δὲ μὴ πάντα κερδαίνειν εὐσεβείᾳ καὶ
φιλανθρωπίᾳ ... ἐπικοσμῶνται.   19 vgl. Num 18, 8ff.

1f. ἀνυπερθέτως Sy αὐθυπερθέτως L   2 ἐκτίνειν τὸν Sy ἐκτίνειν τοῖς L   13 αὖ
τῇ] αὐτῇ L   17 φιλανθρώπως St (vgl. Paed. III 34, 1) φιλανθρωπίας L   18 ἐδί-
δασκον Po ἐδίδασκεν L

νόμου; ἢ γάρ; οὐχὶ διὰ μὲν τοῦ ἑβδόμου ἔτους ἀργὴν ἀνίεσθαι τὴν 5
χώραν προστάττει, τοὺς πένητας δὲ ἀδεῶς τοῖς κατὰ θεὸν φυεῖσι
καρποῖς χρῆσθαι ἐκέλευεν, τῆς φύσεως τοῖς βουλομένοις γεωργούσης;
πῶς οὖν ⟨οὐ⟩ χρηστὸς ὁ νόμος καὶ δικαιοσύνης διδάσκαλος; πάλιν τε 6
5 αὖ τῷ πεντηκοστῷ ἔτει τὰ αὐτὰ ἐπιτελεῖν κελεύει, ἃ καὶ τῷ ἑβδόμῳ,
προσαποδιδοὺς ἑκάστῳ τὸ ἴδιον εἴ τις ἐν τῷ μεταξὺ διά τινα περί-
στασιν ἀφῃρέθη χωρίον, τήν τε ἐπιθυμίαν τῶν κτᾶσθαι ποθούντων
περιορίζων χρόνῳ μεμετρημένῳ καρπώσεως τούς τε πενίᾳ μακρᾷ
ὑποσχόντας δίκην μὴ διὰ βίου κολάζεσθαι ἐθέλων. ›ἐλεημοσύναι 7
10 δὲ καὶ πίστεις φυλακαὶ βασιλικαί,‹ ›εὐλογία δὲ εἰς κεφαλὴν τοῦ μετα-
διδόντος‹ καὶ ›ὁ ἐλεῶν πτωχοὺς μακαρισθήσεται,‹ ὅτι τὴν ἀγάπην
ἐνδείκνυται εἰς τὸν ὅμοιον διὰ τὴν ἀγάπην τὴν πρὸς τὸν δημιουργὸν
τοῦ τῶν ἀνθρώπων γένους.

Ἔχει μὲν οὖν καὶ ἄλλας ἐκδόσεις τὰ προειρημένα φυσικωτέρας 87, 1
15 περί τε ἀναπαύσεως καὶ τῆς ἀπολήψεως τῆς κληρονομίας, ἀλλ᾽ οὐκ
ἐν τῷ παρόντι λεκτέαι. ἀγάπη δὲ πολλαχῶς νοεῖται διὰ πραότη- 2
τος, διὰ χρηστότητος, δι᾽ ὑπομονῆς, δι᾽ ἀφθονίας καὶ ἀζηλίας, δι᾽
ἀμισίας, δι᾽ ἀμνησικακίας· ἀμέριστός ἐστιν ἐν πᾶσιν, ἀδιάκριτος, κοι-
νωνική. πάλιν ›ἐὰν ἴδῃς‹ | φησὶ ›τῶν οἰκείων ἢ φίλων ἢ καθόλου 3 475 P
20 ὧν γνωρίζεις ἀνθρώπων ἐν ἐρημίᾳ πλανώμενον ὑποζύγιον, ἀπαγαγὼν
ἀπόδος. κἂν οὖν τύχῃ μακρὰν ἀφεστὼς ὁ δεσπότης, μετὰ τῶν σαυ-
τοῦ διαφυλάξας ἄχρις ἂν κομίσηται ἀπόδος.‹　　φυσικὴν κοινωνίαν

1–3 vgl. Lev 25, 4–7; Exod 23, 10f.　1–4 vgl. Philo De virt. 97 τὰ δὲ περὶ
τοῦ ἑβδόμου ἔτους νομοθετηθέντα καθ᾽ ὃ δεῖ, τὴν μὲν χώραν ἀνίεσθαι πᾶσαν ἀργὴν
ἀφιεμένην, τοὺς δὲ πένητας ἀδεῶς τοῖς τῶν πλουσίων χωρίοις ἐπιβατεύειν δρεψομένους
τὸν ἀπαυτοματισθέντα καρπὸν δώρημα φύσεως, ἆρ᾽ οὐ χρηστὰ καὶ φιλάνθρωπα;　4–7
vgl. Lev 25, 8–13　4–9 vgl. Philo De virt. 100 οὔτε γὰρ παγκτησίαν ἔχειν τῶν ἀλλοτρίων
ἐφίησι, .. ἕνεκα τοῦ στεῖλαι ... τὴν ἐπιθυμίαν, οὔτε τοὺς κληρούχους εἰς ἅπαν ᾠήθη
χρῆναι τῶν οἰκείων ἀποστερεῖσθαι, πενίᾳ διδόντας δίκας, ἣν κολάζεσθαι μὲν οὐ θέμις,
ἐλεεῖσθαι δ᾽ ἀναγκαῖον.　9f. Prov 20, 22 (28)　10f. Prov 11, 26　11 Prov 14, 21
16–19 ἀγάπη–κοινωνική Sacr. Par. 225 Holl; Antonius Melissa p. 31. 132 Gesner
19–S. 160, 2 vgl. Exod 23, 4f.; Deut 22, 1–3　Philo De virt. 96 πάλιν ›ἐὰν ἴδῃς‹
φησὶ ›τινὸς τῶν οἰκείων ἢ φίλων ἢ συνόλως ὧν οἶδας ἀνθρώπων ὑποζύγιον ἐν ἐρημίᾳ
πλανώμενον, ἀπαγαγὼν ἀπόδος. κἂν ἄρα τύχῃ μακρὰν ἀφεστὼς ὁ δεσπότης, μετὰ τῶν
σεαυτοῦ διαφύλαξον, ἄχρις ἂν ἐπανελθὼν κομίσηται παρακαταθήκην· ἣν οὐκ ἔδωκεν,
ἀλλ᾽ ἣν αὐτὸς ἐξευρὼν ἐκ φυσικῆς κοινωνίας ἀποδίδως.‹

4 ⟨οὐ⟩ Hervet　9 [μὴ] Mangey zu Philo II p. 392, 14　κολάζεσθαι Ma κολα-
ζομένους L　ἐθέλων Ma ελὼν (sic) L ἐλεῶν Po ἐῶν Mangey　12 τὸν ὅμοιον Arcerius
τὸ ὅμοιον L (kann richtig sein Fr)　14 ἐκδόσεις (vgl. Strom. VI 114, 5)] ἐκδοχὰς Ma
Wi ἀποδόσεις Schw　16 λεκτέαι Schw Wi λέλεκται L　πολλαχῶς ἀγάπη νοεῖται Sacr.
Par. Ant.　17f. δι᾽ ἀμισίας < Sacr. Par. Ant.　18 ⟨ἀλλ᾽⟩ ἀμέριστός Wi　22 διὰ
ωνσ. κ. Hiller

διδάσκει τὸ εὕρημα παρακαταθήκην λογίζεσθαι μηδὲ μνησικακεῖν τῷ
ἐχθρῷ. »πρόσταγμα κυρίου πηγὴ ζωῆς,« ὡς ἀληθῶς, »ποιεῖ ἐκκλί- 88, 1
νειν ἐκ παγίδος θανάτου.« τί δέ; οὐχὶ τοὺς ἐπήλυδας ἀγαπᾶν
κελεύει, οὐ μόνον ὡς φίλους καὶ συγγενεῖς, ἀλλ᾽ ὡς ἑαυτούς, κατά
5 τε σῶμα καὶ ψυχήν; ναὶ μὴν καὶ τὰ ἔθνη τετίμηκεν καὶ τοῖς γε 2
κακῶς πεποιηκόσιν οὐ μνησιπονηρεῖ. ἄντικρυς γοῦν φησιν· »οὐ
βδελύξῃ Αἰγύπτιον, ὅτι πάροικος ἐγένου κατ᾽ Αἴγυπτον,« ἤτοι τὸν
ἐθνικὸν ἢ καὶ πάντα τὸν κοσμικὸν Αἰγύπτιον προσειπών· τούς τε 3
πολεμίους, κἂν ἤδη τοῖς τείχεσιν ἐφεστῶτες ὦσιν ἑλεῖν τὴν πόλιν
10 πειρώμενοι, μήπω νομίζεσθαι πολεμίους, ἄχρις ἂν αὐτοὺς ἐπικηρυ-
κευσάμενοι προσκαλέσωνται πρὸς εἰρήνην. ναὶ μὴν καὶ τῇ αἰχμα- 4
λώτῳ οὐ πρὸς ὕβριν ὁμιλεῖν κελεύει, ἀλλὰ »τὰς λ᾽ ἡμέρας ἐπιτρέψας«
φησὶ »πενθῆσαι οὓς βούλεται, μεταμφιάσας ὕστερον ὡς γαμετῇ νόμῳ
συνέρχου·« οὔτε γὰρ ἐφ᾽ ὕβρει τὰς συνουσίας οὐδὲ μὴν διὰ μισθαρ-
15 νίαν ὡς ἑταίρας, ἀλλ᾽ ἢ διὰ μόνην τῶν τέκνων τὴν γένεσιν γίνεσθαι
τὰς ὁμιλίας ἀξιοῖ. ὁρᾷς φιλανθρωπίαν μετ᾽ ἐγκρατείας; τῷ | ἐρῶντι 89,1
κυρίῳ τῆς αἰχμαλώτου γεγονότι οὐκ ἐπιτρέπει χαρίζεσθαι τῇ ἡδονῇ,
ἀνακόπτει δὲ τὴν ἐπιθυμίαν διαστήματι μεμετρημένῳ καὶ προσέτι

2f. Prov 14, 27 3—5 vgl. Exod 22, 21; 23, 9; Lev 19, 33f.; Num 15, 14—16
Philo De virt. 103 κελεύει . . . ἀγαπᾶν τοὺς ἐπηλύτας, μὴ μόνον ὡς φίλους καὶ συγ-
γενεῖς, ἀλλὰ καὶ ὡς ἑαυτούς, κατά τε σῶμα καὶ ψυχήν . . . 5—8 vgl. Deut 23, 7
Philo De virt. 106 οἴεται δεῖν καὶ τοῖς κακῶς πεποιηκόσι τῶν ξενοδόχων μὴ μνησι-
κακεῖν . . . . ἄντικρυς γοῦν φησιν· »οὐ βδελύξῃ Αἰγύπτιον, ὅτι πάροικος ἐγένου κατ᾽
Αἴγυπτον.« 8 zu κοσμικός = Αἰγύπτιος vgl. Strom. I 30, 4 8—11 vgl. Deut 20, 10
Philo De virt. 109 ἀξιοῖ γὰρ αὐτούς (τοὺς πολεμίους), κἂν ἐπὶ θύραις ὦσιν, ἤδη τοῖς
τείχεσιν ἐφεστῶτες . . . καὶ τὰς ἐλεπόλεις ἐφιστάντες, μήπω νομίζεσθαι πολεμίους, ἄχρις
ἂν αὐτοὺς ἐπικηρυκευσάμενοι προκαλέσωνται πρὸς εἰρήνην. 11—14 vgl. Deut 21,
10—14 11—S. 161, 7 vgl. Philo De virt. 111—115 . . . τριάκοντα δὲ ἡμέρας ἀνείς, καὶ
ἐπιτρέψας αὐτῇ πενθῆσαι καὶ ἀποδακρῦσαι μετὰ ἀδείας πατέρα καὶ μητέρα καὶ τοὺς
ἄλλους οἰκείους . . . . μετὰ δὲ ταῦτα ὡς γαμετῇ νόμῳ συνέρχου· τὴν γὰρ μέλλουσαν εὐνῆς
ἀνδρὸς ἐπιβήσεσθαι μὴ κατὰ μισθαρνίαν, ὡς ἑταίραν τὸ τῆς ὥρας ἄνθος καπηλεύουσαν,
ἀλλὰ . . . διὰ τέκνων γένεσιν, ὅσιον θεσμῶν τῶν ἐπὶ τελείοις γάμοις ἀξιοῦσθαι. —
οὐκ εἴασεν ἀχάλινον φέρεσθαι τὴν ἐπιθυμίαν ἀπαυχενίζουσαν, ἀλλ᾽ ἐστείλατο τὸ σφο-
δρὸν αὐτῆς, ἡμέρας τριάκοντα χαλάσας. — λογισμὸς γὰρ πεδήσει τὴν ἐπιθυμίαν. — ἐὰν
δέ τις τῆς ἐπιθυμίας . . . διακορὴς γενόμενος, μηκέτι κοινωνεῖν ὁμιλίας ἀξιοῖ τῆς πρὸς
τὴν αἰχμάλωτον, . . . κελεύει μήτε πιπράσκειν μήτ᾽ ἔτι δούλην ἔχειν, ἀλλὰ χαρίζεσθαι
μὲν ἐλευθερίαν αὐτῇ, χαρίζεσθαι δὲ καὶ τὴν ἐκ τῆς οἰκίας ἀπαλλαγὴν ἀδεᾶ, ὡς μὴ
γυναικὸς ἑτέρας ἐπεισελθούσης ἐξ ἔριδος, οἷα φιλεῖ, κατὰ ζηλοτυπίαν πάθῃ τι τῶν
ἀνηκέστων.

1 τό—λογίζεσθαι ist Subjekt, φυσικὴν κοινωνίαν Objekt zu διδάσκει, also Hillers
Konjektur S. 159, 22 ⟨διά⟩ unnötig Fr 2 ποιεῖ ⟨δὲ⟩ Ma aus Prov 6 μνησιπονηρεῖ
Sy μισοπονηρεῖ L 11 προκαλέσωνται Cohn 13 οὓς Mangey zu Philo ὡς L

ἀποκείρει τῆς αἰχμαλώτου καὶ τὰς τρίχας, ἵνα τὸν ἐφύβριστον δυσω-
πήσῃ ἔρωτα· εἰ γὰρ λογισμὸς ἀναπείθει γῆμαι, καὶ γενομένης αἰσχρᾶς
ἀνθέξεται. ἔπειτα ἐάν τις τῆς ἐπιθυμίας κατάκορος γενόμενος μηκέτι 2
κοινωνεῖν τῇ αἰχμαλώτῳ καταξιώσῃ, μηδὲ πιπράσκειν ταύτην ἐξεῖναι
5 διατάττεται, ἀλλὰ μηδὲ ἔτι θεράπαιναν ἔχειν, ἐλευθέραν δὲ εἶναι καὶ
τῆς οἰκετίας ἀπαλλάττεσθαι βούλεται, ὡς μὴ γυναικὸς ἑτέρας ἐπεισ-
ελθούσης πάθη τι τῶν κατὰ ζηλοτυπίαν | ἀνηκέστων.   476 P

Τί δέ; καὶ ἐχθρῶν ὑποζύγια ἀχθοφοροῦντα συνεπικουφίζειν καὶ 90, 1
συνεγείρειν προστάσσει πόρρωθεν διδάσκων ἡμᾶς ὁ κύριος ἐπιχαιρε-
10 κακίαν μὴ ἀσπάζεσθαι μηδὲ ἐφήδεσθαι τοῖς ἐχθροῖς, ἵνα τούτοις ἐγ-
γυμνασαμένους ὑπὲρ τῶν ἐχθρῶν προσεύχεσθαι διδάξῃ. οὔτε γὰρ φθο-
νεῖν καὶ ἐπὶ τοῖς τοῦ πέλας ἀγαθοῖς λυπεῖσθαι προσῆκεν οὐδὲ μὴν
ἐπὶ τοῖς τοῦ πλησίον κακοῖς ἡδονὴν καρποῦσθαι. ‹κἂν πλανώμενον
μέντοι‹, φησίν, ‹ἐχθροῦ τινος ὑποζύγιον εὕρῃς, τὰ τῆς διαφορᾶς
15 παραλιπὼν ὑπεκκαύματα ἀπαγαγὼν ἀπόδος.‹ τῇ γὰρ ἀμνηστίᾳ ἕπε-
ται ἡ καλοκαγαθία, καὶ ταύτῃ ἡ τῆς ἔχθρας διάλυσις. ἐντεῦθεν εἰς 3
ὁμόνοιαν καταρτιζόμεθα, ἣ δὲ εἰς εὐδαιμονίαν χειραγωγεῖ. κἄν τινα
ἐξ ἔθους ἐχθρὸν ὑπολάβῃς, παραλογιζόμενον δὲ τοῦτον ἀλόγως ἤτοι
ἐπιθυμίᾳ ἢ καὶ θυμῷ καταλάβῃς, ἐπίστρεφον αὐτὸν εἰς καλο-
20 καγαθίαν.

Ἆρα ἤδη καταφαίνεται φιλάνθρωπος καὶ χρηστὸς ὁ νόμος, ‹ὁ 91, 1
εἰς Χριστὸν παιδαγωγῶν,‹ θεός τε ὁ αὐτὸς ἀγαθὸς μετὰ δικαιοσύνης,
ἀπ᾽ ἀρχῆς εἰς τέλος ἑκάστῳ γένει προσφυῶς εἰς σωτηρίαν κεχρη-
μένος; ‹ἐλεᾶτε,‹ φησὶν ὁ κύριος, ‹ἵνα ἐλεηθῆτε· ἀφίετε, ἵνα ἀφεθῇ 2

8f. vgl. Exod 23, 5; Deut 22, 4   8—13 Philo De virt. 116 κἂν ἐχθρῶν ὑποζύγια
ἀχθοφοροῦντα τῷ βάρει πιεσθέντα προπέσῃ (προσπέσῃ HSS) . . . συνεπικουφίσαι καὶ
συνεγεῖραι (sc. προστάσσει), πόρρωθεν ἀναδιδάσκων τὸ μὴ τοῖς ἀβουλήτοις τῶν ἐχθρα-
νάντων ἐφήδεσθαι, βαθύμηνι πάθος ἐπιχαιρεκακίαν εἰδώς, ἀδελφὸν ὁμοῦ καὶ ἀντίπαλον
φθόνου. — ὁ μὲν ἐπὶ τοῖς τοῦ πέλας ἀγαθοῖς λύπην, ἡ δὲ ἐπὶ τοῖς τοῦ πλησίον κακοῖς
ἡδονὴν ἀπεργάζεται.   11 vgl. Mt 5, 44; Lc 6, 28   11—14 vgl. Andronic. De affect.
p. 13, 1; 20, 1 Kreuttner   13—15 vgl. Exod 23, 4; Deut 22, 1   13—17 Philo De
virt. 117—119 κἂν πλανώμενον μέντοι, φησίν, ἐχθροῦ τινος ἴδῃς ὑποζύγιον, τὰ τῆς
διαφορᾶς παραλιπὼν ὑπεκκαύματα βαρυτέροις ἤθεσιν ἀπαγαγὼν ἀπόδος. οὐ γὰρ ἐκεῖνον
μᾶλλον ὀνήσεις ἢ σαυτόν, ἐπειδὴ τῷ μὲν ἄλογον ζῷον . . . περιγίνεται, σοὶ δὲ . . . καλο-
καγαθία. ἔπεται δὲ . . . τῆς ἔχθρας διάλυσις — τοῦτο δὲ μάλιστα βούλεται . . . ὁ ἱερώ-
τατος προφήτης κατασκευάζειν, ὁμόνοιαν, κοινωνίαν, ὁμοφροσύνην . . . , ἐξ ὧν οἰκίαι καὶ
πόλεις . . . εἰς τὴν ἀνωτάτω προέλθοιεν εὐδαιμονίαν.   21f. Gal 3, 24   23 ἑκάστῳ γένει
vgl. Strom. VII 102, 1   24—S. 162, 3 aus I Clem. ad Cor. 13, 2; vgl. Resch, Agrapha²
S. 88; E. Nestle, Einführ. in d. Griech. Neue Test.² S. 121 (Mischung aus Mt 5, 7;
6, 14f.; 7, 12; Lc 6, 38; Mt 7, 1f.; Lc 6, 37f.)

6 οἰκετείας Di   7 ἀνηκέστων Philo ἀνήκεστον L   17 κἄν τινα Hiller κἂν τὸν L

ὑμῖν· ὡς ποιεῖτε, οὕτως ποιηθήσεται ὑμῖν· ὡς δίδοτε, οὕτως δοθή-
σεται ὑμῖν· ὡς κρίνετε, οὕτως κριθήσεσθε· ὡς χρηστεύεσθε, οὕτως
χρηστευθήσεται ὑμῖν· ᾧ μέτρῳ μετρεῖτε, ἀντιμετρηθήσεται ὑμῖν.«

Ἔτι τοὺς ⟨ἐπὶ⟩ τροφῇ δουλεύοντας ἀτιμάζεσθαι κωλύει, τοῖς τε 8
5 ἐκ δανείων καταδουλωθεῖσιν ἐκεχειρίαν τὴν εἰς πᾶν δίδωσιν ἐνιαυτῷ
ἑβδόμῳ. ἀλλὰ καὶ ἱκέτας ἐκδιδόναι εἰς κόλασιν κωλύει. παντὸς οὖν 4
μᾶλλον ἀληθὲς τὸ λόγιον ἐκεῖνο· »ὥσπερ δοκιμάζεται χρυσὸς καὶ
ἄργυρος εἰς κάμινον, οὕτως ἐκλέγεται καρδίας | ἀνθρώπων κύριος.« 477 P
καὶ »ὁ μὲν ἐλεήμων ἀνὴρ μακροθυμεῖ, ἐν παντί τε μεριμνῶντι ἔνεστι 5
10 σοφία· ἐμπεσεῖται γὰρ μέριμνα ἀνδρὶ νοήμονι, φροντιστής τε ὢν
ζωὴν ζητήσει· καὶ ὁ ζητῶν τὸν θεὸν εὑρήσει γνῶσιν μετὰ δικαιο-
σύνης, οἱ δὲ ὀρθῶς ζητήσαντες αὐτὸν εἰρήνην εὗρον.«

Ἐμοὶ δὲ δοκεῖ καὶ Πυθαγόρας τὸ ἥμερον τὸ περὶ τὰ ἄλογα ζῷα 92, 1
παρὰ τοῦ νόμου εἰληφέναι. αὐτίκα τῶν γεννωμένων κατά τε τὰς
15 ποίμνας κατά τε τὰ αἰπόλια καὶ βουκόλια τῆς παραχρῆμα ἀπολαύ-
σεως, μηδὲ ἐπὶ προφάσει θυσιῶν ⟨λαμβάνοντας, ἀπέχεσθαι⟩ διηγό-
ρευσεν, ἐκγόνων τε ἕνεκα καὶ μητέρων, εἰς ἡμερότητα τὸν ἄνθρωπον
κάτωθεν ἀπὸ τῶν ἀλόγων ζῴων ἀνατρέφων. »χάρισαι γοῦν«, φησί, 2
»τῇ μητρὶ τὸ ἔκγονον κἂν ἑπτὰ τὰς πρώτας ἡμέρας.« εἰ γὰρ μηδὲν
20 ἀναιτίως γίνεται, γάλα δὲ ἐπομβρεῖται ταῖς τετοκυίαις εἰς διατροφὴν
τῶν ἐκγόνων, ⟨ὁ⟩ ἀποσπῶν τῆς τοῦ γάλακτος οἰκονομίας τὸ τεχθὲν

4—6 vgl. Lev 25, 39—43; Exod 21, 2; Deut 15, 12 Philo De virt. 122—124
θῆτας μὲν οὖν ἕνεκα χρείας τῶν ἀναγκαίων ὑποβεβληκότας ἑαυτοὺς ἄλλων ὑπηρεσίαις,
οἴεται δεῖν μηδὲν ἀνάξιον ὑπομένειν, . . . τοὺς δ' ἐξ ἐφημερινῶν δανείων χρεώστας . . .
οὐκ εἰσάπαν κακοπραγεῖν ἐᾷ, διδοὺς ἐκεχειρίαν τούτοις τὴν εἰσάπαν ἐνιαυτῷ ἑβδόμῳ. —
κἂν . . . δοῦλος . . . καταφυγῇ χρῆται . . ., μὴ περιίδητε· προδιδόναι γὰρ ἱκέτας οὐχ ὅσιον.
7f. Prov 17, 3 9—12 Prov 19, 11; 14, 23; 17, 12; 16, 8 10f. zu φροντιστής τε ὢν
ζωὴν ζητήσει vgl. vielleicht Prov 15, 24 ὁδοὶ ζωῆς διανοήματα συνετοῦ. 13f. vgl.
Plut. Mor. p. 993 A ff. [vgl. Porph. de abst. III 20a E (Fr)] 14—16 vgl. Exod 23, 19;
34, 26; Deut 14, 20 Philo De virt. 126 κελεύει . . . κατά τε ποίμνας καὶ αἰπόλια καὶ
βουκόλια τῆς παραχρῆμα τῶν γεννωμένων ἀπολαύσεως ἀπέχεσθαι, μήτε πρὸς ἐδωδὴν
μήτε ἐπὶ προφάσει θυσιῶν λαμβάνοντας. ὠμῆς γὰρ ὑπέλαβεν εἶναι ψυχῆς, ἐφεδρεύειν
ἀποκυισκομένοις ἀνυπέρθετον διάζευξιν ἐγγόνων τε αὖ καὶ μητέρων. 18f. vgl. Exod
22, 30; Lev 22, 27f. 18—S. 163, 1 vgl. Philo De virt. 129 χάρισαι, φησί, τῇ μητρὶ
τὸ ἔγγονον εἰ καὶ μὴ τὸν σύμπαντα χρόνον, ἑπτὰ γοῦν τὰς πρώτας ἡμέρας γαλακτο-
φῆσαι. καὶ μὴ ἀνωφελεῖς ἃς ἡ φύσις ὤμβρησε πηγὰς [τοῦ γάλακτος] ἐν μαστοῖς ἐργάσῃ.
Auch die Anwendung auf die ἔκθεσις παιδίων bei Philo. Vgl. zum folgenden De virt.
131'—133 19f. vgl. Galen De plac. Hipp. et Pl. p. 361, 16 Müller εἴπερ οὖν μηδὲν
ἀναιτίως γίνεται καὶ τοῦτό ἐστιν ἁπάντων σχεδόν τε τῶν φιλοσόφων ὁμολόγημα κοινόν,
vgl. Stoic. vet. fr. vol. II p. 264, 6; 273, 8 (Fr)

3 ἀντιμετρηθήσεται] ἐν αὐτῷ μετρηθήσεται I Clem. 4 ⟨ἐπὶ⟩ Mangey 5 τὴν Po
τῆς L [τῆς] Ma 15 ποίμνας Vi πύμνας L 16 ⟨λαμβάνοντας, ἀπέχεσθαι⟩ aus Philo
17 ἐκγόνων He aus Philo ἐκ γονέων L 21 ⟨ὁ⟩ ἀποσπῶν Sy ἀποσπῶν ⟨τις⟩ Döhner,
Quaest. Plut. III p. 58

ἀτιμάζει τὴν φύσιν. δυσωπείσθωσαν οὖν Ἕλληνες καὶ εἴ τις ἕτερός 3
ἐστι τοῦ νόμου κατατρέχων, εἰ ὃ μὲν καὶ ἐπ᾽ ἀλόγων ζώων χρη-
στεύεται, οἳ δὲ καὶ τὰ τῶν ἀνθρώπων ἐκτιθέασιν ἔκγονα, καίτοι
μακρόθεν καὶ προφητικῶς ἀνακόπτοντος αὐτῶν τὴν ἀγριότητα τοῦ
5 νόμου διὰ τῆς προειρημένης ἐντολῆς. εἰ γὰρ τῶν ἀλόγων τὰ ἔκγονα 4
διαζεύγνυσθαι τῆς τεκούσης πρὸ τῆς γαλακτουχίας ἀπαγορεύει, πολὺ
πλέον ἐπ᾽ ἀνθρώπων τὴν ὠμὴν καὶ ἀτιθάσευτον προθεραπεύει γνώμην,
ἵν᾽ εἰ καὶ τῆς φύσεως, μαθήσεως γοῦν μὴ καταφρονῶσιν. ἐρίφων μὲν 93, 1
γὰρ καὶ ἀρνῶν ἐμφορεῖσθαι ἐπιτέτραπται, καί τις ἴσως ἀπολογία τῷ
10 διαζεύξαντι τῆς τεκούσης τὸ ἔκγονον· ἡ δὲ τοῦ παιδίου ἔκθεσις τίνα
τὴν αἰτίαν ἔχει; ἐχρῆν γὰρ μηδὲ τὴν ἀρχὴν γῆμαι τῷ μηδὲ παιδο-
ποιεῖσθαι γλιχομένῳ ἢ δι᾽ ἡδονῆς ἀκρασίαν παιδοκτόνον γεγο|νέναι. 478 P
πάλιν αὖ ὁ χρηστὸς νόμος ἀπαγορεύει ἡμέρᾳ τῇ αὐτῇ συγκαταθύειν 2
ἔκγονον καὶ μητέρα. ἐντεῦθεν καὶ Ῥωμαῖοι, εἰ καί τις ἔγκυος κατα-
15 δικασθείη τὴν ἐπὶ θανάτῳ, οὐ πρότερον ἐῶσιν ὑποσχεῖν τὴν τιμω-
ρίαν πρὶν ἢ ἐκτεκεῖν. ἄντικρυς γοῦν καὶ ὅσα τῶν ζώων κυοφορεῖ, 3
ὁ νόμος οὐκ ἐπιτρέπει ἄχρις ἂν ἀποτέκῃ σφαγιάζεσθαι, μακρόθεν
ἐπισχὼν τὴν εὐχέρειαν τῶν εἰς ἄνθρωπον ἀδικούντων. οὕτως ἄχρι 4
καὶ τῶν ἀλόγων ζώων τὸ ἐπιεικὲς ἀπέτεινεν, ἵνα ἐν τοῖς ἀνομο-
20 γενέσιν ἀσκήσαντες πολλῇ τινι περιουσίᾳ φιλανθρωπίας ἐν τοῖς ὁμο-
γενέσι χρησώμεθα. οἳ δὲ καὶ περιλακτίζοντες τὰς γαστέρας πρὸ τῆς 94, 1
ἀποτέξεως ζώων τινῶν, ἵνα δὴ γάλακτι ἀνακεκραμένην σάρκα θοι-
νάζωνται, τάφον τῶν κυοφορουμένων τὴν εἰς γένεσιν κτισθεῖσαν

8f. vgl. ἀρνῶν ἠδ᾽ ἐρίφων Homer Ω 262; ι 220 (Fr) 13f. vgl. Lev 22, 38 13—
21 Philo De virt. 134—140 ἄλλο τίθησι διάταγμα ... ἀπαγορεύων ἡμέρᾳ τῇ αὐτῇ
συγκαταθύειν μητέρα καὶ ἔγγονον. — ... ὅσα τῶν ζώων κυοφορεῖ, μὴ ἐπιτρέπων ἄχρις
ἂν ἀποτέκῃ σφαγιάζεσθαι. — ἐνθένδε μοι δοκοῦσιν ὁρμηθέντες ἔνιοι τῶν νομοθετῶν
τὸν ἐπὶ ταῖς κατακρίτοις γυναιξὶν εἰσηγήσασθαι νόμον ὃς κελεύει τὰς ἐγκύους, ἐὰν
ἄξια θανάτου δράσωσιν, φυλάττεσθαι μέχρι ἂν ἀποτέκωσιν, ἵνα μὴ ἀναιρουμένων
συναπόληται τὰ κατὰ γαστρός. ἀλλ᾽ οὗτοι μὲν ἐπ᾽ ἀνθρώπων ταῦτα ἔγνωσαν· ὁ δὲ
καὶ προσυπερβάλλων ἔτι ἄχρι καὶ τῶν ἀλόγων ζώων τὸ ἐπιεικὲς ἀπέτεινεν (ἐπέτεινεν
oder ἀποτείνει HSS), ἵν᾽ ἐν τοῖς ἀνομοιογενέσιν (so S) ἀσκήσαντες, πολλῇ τινι
περιουσίᾳ χρώμεθα φιλανθρωπίας ⟨ἐν τοῖς ὁμογενέσι⟩ (+ Wendland) 14—16 vgl.
Plut. Mor. p. 552 D; Aelian, Var. hist. V 18; vgl. auch Diodor Bibl. I 77, 9
16f. nicht in LXX; vgl. J. Bernays, Ges. Abh. I S. 235 Anm. 1 18f. vgl. Porph.
de abst. III 26 (Fr) 21—S. 164, 1 vgl. Plut. Mor. p. 997 A οἱ δ᾽ οὔθασι συῶν
ἐπιτόκων ἐναλλόμενοι καὶ λακτίζοντες, ἵν᾽ αἷμα καὶ γάλα καὶ λύθρον ἐμβρύων ὁμοῦ
συμφθαρέντων ἐν ὠδῖσιν ἀναδεύσαντες ... φάγωσι τοῦ ζώου τὸ μάλιστα φλεγμαῖνον.

1 δυσωπείσθωσαν Sy δυσωπήσθωσαν L 3 ἔκγονα] ἔγγονα L, aber ἐκ L¹ am
Rand

11*

μήτραν πεποιήκασι, διαρρήδην τοῦ νομοθέτου κελεύοντος »ἀλλ' οὐδὲ
ἐψήσεις ἄρνα ἐν γάλακτι μητρὸς αὐτοῦ«· μὴ γὰρ γινέσθω ἡ τοῦ 2
ζῶντος τροφὴ ἥδυσμα τοῦ ἀναιρεθέντος ζῴου, φησίν [ἡ σάρξ], μηδὲ
τὸ τῆς ζωῆς αἴτιον συνεργὸν τῇ τοῦ σώματος καταναλώσει γινέσθω.
5 ὁ δὲ αὐτὸς νόμος διαγορεύει »βοῦν ἀλοῶντα μὴ φιμοῦν«· δεῖ γὰρ 3
καὶ »τὸν ἐργάτην τροφῆς ἀξιοῦσθαι«. ἀπαγορεύει τε ἐν ταὐτῷ κατα- 4
ζευγνύναι πρὸς | ἄροτον γῆς βοῦν καὶ ὄνον, τάχα μὲν καὶ τοῦ περὶ 173 S
τὰ ζῷα ἀνοικείου στοχασάμενος, δηλῶν δ' ἅμα μηδένα τῶν ἑτε-
ροεθνῶν ἀδικεῖν καὶ ὑπὸ ζυγὸν ἄγειν, οὐδὲν ἔχοντας αἰτιάσασθαι ἢ
10 [ὅτι] τὸ ἀλλογενές, ὅπερ | ἐστὶν ἀναίτιον, μήτε κακία μήτε ἀπὸ κακίας 479 P
ὁρμώμενον. ἐμοὶ δὲ δοκεῖ καὶ μηνύειν ἡ ἀλληγορία, μὴ δεῖν ἐπ' ἴσης 5
καθαρῷ καὶ ἀκαθάρτῳ, πιστῷ τε καὶ ἀπίστῳ τῆς τοῦ λόγου μετα-
διδόναι γεωργίας, διότι τὸ μέν ἐστι καθαρόν, ὁ βοῦς, ὄνος δὲ τῶν
ἀκαθάρτων λελόγισται.
15 Δαψιλευόμενος δὲ τῇ φιλανθρωπίᾳ ὁ χρηστὸς λόγος μηδὲ ὅσα 95, 1
τῆς ἡμέρου ὕλης ἐστί, δενδροτομεῖν ταῦτα προσῆκον εἶναι διδάσκει,
μηδὲ μὴν κείρειν ἐπὶ λύμῃ στάχυν πρὸ τοῦ θερισμοῦ, ἀλλὰ μηδὲ
συνόλως καρπὸν ἥμερον διαφθείρειν μήτε τὸν γῆς μήτε τὸν τῆς
ψυχῆς· οὐδὲ γὰρ τὴν τῶν πολεμίων χώραν τέμνειν ἐᾷ. ναὶ μὴν 2
20 καὶ γεωργικοὶ παρὰ τοῦ νόμου καὶ ταῦτα ὠφέληνται· κελεύει γὰρ

1f. Deut 14, 20; Exod 23, 19 1—4 vgl. Philo De virt. 142f. »οὐχ ἐψήσεις ἄρνα
ἐν γάλακτι μητρός.« πάνυ γὰρ ὑπέλαβεν εἶναι ἄτοπον τὴν τροφὴν ζῶντος ἥδυσμα γε-
νέσθαι καὶ παράρτυσιν ἀναιρεθέντος· . . . τὴν δὲ τῶν ἀνθρώπων ἀκρασίαν τοσοῦτον ἐπι-
βῆναι, ὡς τῷ τῆς ζωῆς αἰτίῳ καταχρήσασθαι καὶ πρὸς τὴν τοῦ ὑπολοίπου σώματος
ἀνάλωσιν. 5f. Deut 25, 4; vgl. I Tim 5, 18; Lc 10, 7; Mt 10, 10 Philo De virt. 145
διαγορεύει »βοῦν ἀλοῶντα μὴ φιμοῦν«. 6f. vgl. Deut 22, 10 6—14 Philo De virt.
146f. ἀπαγορεύει γὰρ ἐν ταὐτῷ καταζευγνύναι πρὸς ἄροτον (ἄροτρον oder ἄρουραν HSS)
γῆς βοῦν καὶ ὄνον, οὐ μόνον τοῦ περὶ τὰ ζῷα ἀνοικείου στοχασάμενος, διότι τὸ μέν
ἐστι καθαρόν, ὄνος δὲ τῶν οὐ καθαρῶν, τὰ δὲ οὕτως ἠλλοτριωμένα συνάγειν οὐ
πρέπει . . . μόνον οὐκ ἀντίκρυς βοῶν . . ., μηδένα τῶν ἑτεροεθνῶν ἀδικεῖν, οὐδὲν ἔχοντα
αἰτιάσασθαι ὅτι μὴ τὸ ἀλλογενές, ὅπερ ἐστὶν ἀναίτιον. ὅσα γὰρ μήτε κακία μήτε ἀπὸ
κακιῶν, ἔξω παντὸς ἐγκλήματος ἵσταται. 15—19 vgl. Deut 20, 19 Philo De virt.
148—149 ἐπιδαψιλευόμενος δὲ τὸ ἐπιεικές, . . . διείρηκε . . . μήτε δενδροτομεῖν ὅσα τῆς
ἡμέρου ὕλης, μήτε κείρειν ἐπὶ λύμῃ σταχυηφοροῦσαν πρὸ καιροῦ πεδιάδα, μήτε συνόλως
καρπὸν διαφθείρειν. — 150 καὶ προσυπερβάλλων οὐδὲ τὴν τῶν πολεμίων χώραν τέμνειν ἐᾷ.
20—S. 165, 7 vgl. Philo De virt. 156—159 κελεύει γὰρ τὰ νεόφυτα τῶν δένδρων ἐπὶ
τριετίαν ἑξῆς τιθηνεῖσθαι τάς τε περιττὰς ἐπιφύσεις ἀποτέμνοντας, ὑπὲρ τοῦ μὴ βαρυ-
νόμενα πιέζεσθαι καὶ ὑπὲρ τοῦ μὴ κατακερματιζομένης τῆς τροφῆς δι' ἔνδειαν ἐξασθε-

3 [ἡ σάρξ] Sy ἢ ἄρτυσις (vgl. Philo) Bywater p. 209 7 ἄροτον Po ἄροτρον L
9f. ἢ [ὅτι] Wi St ὅτι μὴ Di aus Philo 10 κακία Po aus Philo κακίαι L 18 ⟨τῆς⟩
γῆς Sy 20 καὶ γεωργικοὶ] αἱ γεωργίαι Schw

τὰ νεόφυτα τῶν δένδρων ἐπὶ τριετίαν ἑξῆς τιθηνεῖσθαι τάς τε πε-
ριττὰς ἐπιφύσεις ἀποτέμνοντας, ὑπὲρ τοῦ μὴ βαρυνόμενα πιέζεσθαι
καὶ ὑπὲρ τοῦ μὴ κατακερματιζομένης τῆς τροφῆς δι' ἔνδειαν ἐξασθε-
νεῖν, γυροῦν τε καὶ περισκάπτειν, ὡς μηδὲν παραβλαστάνον κωλύῃ
5 τὴν αὔξησιν. τόν τε καρπὸν οὐκ ἐᾷ δρέπεσθαι ἀτελῆ ἐξ ἀτελῶν. 3
ἀλλὰ μετὰ τριετίαν ἔτει τετάρτῳ καθιερώσοντα τὴν ἀπαρχὴν τῷ
θεῷ μετὰ τὸ τελεωθῆναι τὸ δένδρον. εἴη δ' ἂν οὗτος ὁ τῆς γεωρ- 96, 1
γίας τύπος διδασκαλίας τρόπος, διδάσκων δεῖν τὰς παραφύσεις τῶν
ἁμαρτιῶν ἐπικόπτειν καὶ τὰς συναναθαλλούσας τῷ γονίμῳ καρπῷ
10 ματαίας τῆς ἐννοίας πόας, ἔστ' ἂν τελειωθῇ καὶ βέβαιον γένηται τὸ
ἔρνος τῆς πίστεως. τῷ [τε] γὰρ τετάρτῳ ἔτει, ἐπεὶ καὶ χρόνου χρεία 2
τῷ κατηχουμένῳ βεβαίως, ἡ τετρὰς τῶν ἀρετῶν καθιεροῦται τῷ
θεῷ, τῆς τρίτης ἤδη μονῆς συναπτούσης ἐπὶ τὴν τοῦ κυρίου τετάρ-
την ὑπόστασιν.
15   Θυσία δὲ αἰνέσεως ὑπὲρ ὁλο|καυτώματα. »οὗτος γάρ σοι«, φησί. 3 480 P
»δίδωσιν ἰσχὺν ποιῆσαι δύναμιν.« ἐὰν δὲ φωτισθῇ σοι τὰ πράγματα.
λαβὼν καὶ κτησάμενος ἰσχὺν ἐν γνώσει ποίει δύναμιν. ἐμφαίνει γὰρ 4
διὰ τούτων τά τε ἀγαθὰ τάς τε δωρεὰς παρὰ τοῦ θεοῦ χορηγεῖσθαι
καὶ δεῖν ἡμᾶς, διακόνους γενομένους τῆς θείας χάριτος, σπείρειν τὰς
20 τοῦ θεοῦ εὐποιίας καὶ τοὺς πλησιάζοντας κατασκευάζειν καλούς τε
καὶ ἀγαθούς, ἵνα ὡς ὅτι μάλιστα ὁ μὲν σώφρων τοὺς ἐγκρατεῖς,, ὁ
δὲ ἀνδρεῖος τοὺς γενναίους συνετούς τε ὁ φρόνιμος καὶ δίκαιος τοὺς
δικαίους ἐκτελῇ.

νεῖν, γυροῦν τε καὶ περισκάπτειν, ἵνα μηδὲν τῶν ἐπὶ ζημίᾳ παραναβλαστάνῃ τὴν αὔξησιν
κωλῦον. τόν τε καρπὸν οὐκ ἐᾷ δρέπεσθαι κατὰ μετουσίαν ἀπολαύσεως ..., ἐπειδὴ
ἀτελὴς ἐξ ἀτελῶν ἔμελλεν ἔσεσθαι. — μετὰ δὲ τριετίαν ... δύναται τελειογονεῖν ἔτει
τετάρτῳ κατὰ τέλειον ἀριθμόν, τετράδα, τετράδι δὲ κελεύει μὴ δρέπεσθαι τὸν καρπὸν
πρὸς ἀπόλαυσιν, ἀλλ' ὅλον αὐτὸν καθιεροῦν ἀπαρχὴν τῷ θεῷ.

---

* 6f. vgl. Lev 19, 23 und dazu Orig. in Joh. VI 28 S. 138, 1 Pr (Fr) 11f. vgl.
Strom. II 128, 4 S. 182, 24   15 zu θυσία—ὁλοκαυτώματα vgl. Ps 49, 23; 50, 18f.
15f. Deut 8, 18   15—23 vgl. Philo De virt. 165—167 »οὗτος γάρ σοι«, φησί, »δί-
δωσιν ἰσχὺν ποιῆσαι δύναμιν«. ‹ἐὰν δέ, φησίν, εὑρωστῇ σοι τὰ πράγματα, λαβὼν
καὶ κτησάμενος ἰσχύν, ἣν ἴσως οὐ προσεδόκησας, ποίει δύναμιν. — χρὴ δὲ καὶ τὸν
φρόνιμον ἀγχίνους, ὡς·ἔνι μάλιστα, τοὺς πλησιάζοντας κατασκευάζειν, καὶ τὸν σώφρονα
ἐγκρατεῖς καὶ γενναίους τὸν ἀνδρεῖον καὶ τὸν δίκαιον δικαίους καὶ συνόλως ἀγαθοὺς
τὸν ἀγαθόν.

4 γυροῦν Po aus Philo ἀροῦν L 6 καθιερώσοντα Po καθιερώσαντα L 8 τύπος
διδασκαλίας τρόπος] τρόπος διδασκαλίας τύπος Ma παραφύσεις (υ in Ras.) L¹   11
[τε] St 13 θεῷ, ** (wegen τε 11) Schw μονῆς Bigg, The Christ. Plat. of Alex.
p. 67² μόνης L 16 φωτισθῇ]. εὑρωστῇ Philo

XIX. Οὗτός ἐστιν ὁ »κατ᾽ εἰκόνα καὶ ὁμοίωσιν«, ὁ γνωστικός, 97,1
ὁ μιμούμενος τὸν θεὸν καθ᾽ ὅσον οἷόν τε, μηδὲν παραλιπὼν τῶν εἰς
τὴν ἐνδεχομένην ὁμοίωσιν, ἐγκρατευόμενος, ὑπομένων, δικαίως βιούς,
βασιλεύων τῶν παθῶν, μεταδιδοὺς ὧν ἔχει, ὡς οἷός τέ ἐστιν, εὐεργετῶν
5 καὶ λόγῳ καὶ ἔργῳ. οὗτος »μέγιστος«, φησίν, »ἐν τῇ βασιλείᾳ ὃς 2
ἂν ποιῇ καὶ διδάσκῃ« μιμούμενος τὸν θεὸν τῷ παραπλήσια χαρίζε-
σθαι· κοινωφελεῖς γὰρ αἱ τοῦ θεοῦ δωρεαί. »ὃς δ᾽ ἂν ἐγχειρῇ τι 3
πράσσειν μεθ᾽ ὑπερηφανίας, τὸν θεὸν παροξύνει,« φησίν· ἀλαζονεία
γὰρ ψυχῆς ἐστι κακία, ἀφ᾽ ἧς καὶ τῶν ἄλλων κακιῶν μετανοεῖν κε-
10 λεύει ἁρμοζομένοις τὸν βίον ἐξ ἀναρμοστίας πρὸς τὴν ἀμείνω μετα-
βολὴν διὰ τῶν τριῶν τούτων, στόματος, καρδίας, χειρῶν. σύμβολον 98,1
δ᾽ ἂν εἴη ταῦτα, πράξεως μὲν αἱ χεῖρες, βουλῆς δὲ ἡ καρδία καὶ
λόγου ⟨τὸ⟩ στόμα. καλῶς οὖν ἐπὶ τῶν μετανοούντων εἴρηται τὸ λόγιον
ἐκεῖνο· »τὸν θεὸν εἵλου σήμερον εἶναί σου θεόν, καὶ κύριος εἵλετό
15 σε σήμερον γενέσθαι λαὸν | αὐτῷ.« τὸν γὰρ σπεύδοντα θεραπεύειν 481 P
τὸ ὂν ἱκέτην ὄντα ἐξοικειοῦται ὁ θεός. κἂν εἷς ᾖ τὸν ἀριθμόν, ἐπ᾽ 2
ἴσης τῷ λαῷ τετίμηται· μέρος γὰρ ὢν τοῦ λαοῦ συμπληρωτικὸς
αὐτοῦ γίνεται, ἀποκατασταθεὶς ἐξ οὗ ἦν, καλεῖται δὲ καὶ ἐκ μέρους
τὸ πᾶν. αὕτη δὲ ἡ εὐγένεια ἐν τῷ ἑλέσθαι καὶ συνασκῆσαι τὰ κάλ- 3
20 λιστα διαδείκνυται. ἐπεὶ τί τὸν Ἀδὰμ ὠφέλησεν ἡ τοιαύτη αὐτοῦ

---

1 vgl. Gen 1, 26　2f. vgl. Philo De virt. 168 μάθημα ἀναδιδάσκει τῇ λογικῇ
φύσει πρεπωδέστατον, μιμεῖσθαι θεόν, καθ᾽ ὅσον οἷόν τε, μηδὲν παραλιπόντα τῶν εἰς
τὴν ἐνδεχομένην ἐξομοίωσιν.　4—7 Philo De virt. 168f. μετάδος ἄλλοις ἰσχύος διαθεὶς
ὃ ἔπαθες, ἵνα μιμήσῃ θεὸν τῷ παραπλήσια χαρίζεσθαι· κοινωφελεῖς γὰρ αἱ τοῦ πρώ-
του ἡγεμόνος δωρεαί.　5f. Mt 5, 19　7f. Num 15, 30　7—15 Philo De virt. 171f.
183f. φησὶ γάρ· »ὃς ἂν ἐγχειρῇ τι πράττειν μεθ᾽ ὑπερηφανίας, τὸν θεὸν παροξύνει.«
διὰ τί; ὅτι πρῶτον μὲν ἀλαζονεία ψυχῆς ἐστι κακία. — De virt. 183f. (V p. 323)
παγκάλως μέντοι καὶ τὰς εἰς μετάνοιαν ὑφηγήσεις ποιεῖται, αἷς διδασκόμεθα μεθαρ-
μόζεσθαι τὸν βίον ἐξ ἀναρμοστίας εἰς τὴν ἀμείνω μεταβολήν. φησὶ γὰρ ὅτι τουτὶ τὸ
πρᾶγμα . . . ἐστιν ἐγγυτάτω, τρισὶ μέρεσι τῶν καθ᾽ ἡμᾶς ἐνδιαιτώμενον, στόματι καὶ
καρδίᾳ καὶ χερσί (vgl. Deut 30, 14), διὰ συμβόλων λόγοις καὶ βουλαῖς καὶ πράξεσιν. λόγου
μὲν ⟨γὰρ⟩ στόμα σύμβολον, καρδία δὲ βουλευμάτων, πράξεων δὲ χεῖρες. — ὅθεν εὖ καὶ
συμφώνως τοῖς εἰρημένοις ἐχρήσθη τὸ λόγιον ἐκεῖνο· »τὸν θεὸν εἵλου σήμερον εἶναί σοι
θεόν, καὶ κύριος εἵλατό σε σήμερον γενέσθαι λαὸν αὐτοῦ.«　11—13 vgl. Protr. 109, 2. 3
14f. Deut 26, 17f.　15—19 Philo De virt. 185 παγκάλη γε τῆς αἱρέσεως ἡ ἀντίδοσις
σπεύδοντος ἀνθρώπου μὲν θεραπεύειν τὸ ὄν, θεοῦ δὲ ἀνυπερθέτως ἐξοικειοῦσθαι τὸν
ἱκέτην. — . . . κἂν εἷς ὢν ἀνὴρ ἀριθμῷ τυγχάνῃ, δυνάμει . . . σύμπας ἐστὶν ὁ λεὼς
ἰσότιμος ὅλῳ ἔθνει γεγονώς.　16 vgl. Sen. Ep. 7, 10 Democritus ait: unus mihi pro
populo est et populus pro uno = Demokr. fr. 302a (Diels⁶ II 223, 10) (Fr)　17 zu
συμπληρωτικός vgl. zu S. 152, 13　18f. vgl. Paed. I 1, 3　19—S. 167, 4 Philo De
virt. 203—205 (V p. 329) ἆρ᾽ οὐχ ὑπερβολὴ τῆς εὐγενείας . . .; τοῦ δὲ (τοῦ πρώτου

---

10 ἁρμοζομένους St　13 ⟨τὸ⟩ Münzel, Cohn　16 ἱκέτην Philo οἰκέτην L　20 τοι-
αύτη L τοσαύτη Schw

εὐγένεια; πατὴρ δὲ αὐτοῦ θνητὸς οὐδείς· αὐτὸς γὰρ ἀνθρώπων τῶν
ἐν γενέσει πατήρ. τὰ μὲν αἰσχρὰ οὗτος προθύμως εἵλετο ἑπόμενος 4
τῇ γυναικί, τῶν δὲ ἀληθῶν καὶ καλῶν ἠμέλησεν· ἐφ' οἷς θνητὸν
ἀθανάτου βίον, ἀλλ' οὐκ εἰς τέλος, ἀνθυπηλλάξατο. Νῶε δὲ ὁ μὴ 99, 1
5 οὕτω γενόμενος ὡς ὁ Ἀδὰμ ἐπισκοπῇ θείᾳ διασῴζεται· φέρων γὰρ
αὐτὸν ἀνέθηκε τῷ θεῷ. τόν τε Ἀβραὰμ ἐκ τριῶν παιδοποιησάμενον
γυναικῶν οὐ δι' ἡδονῆς ἀπόλαυσιν, δι' ἐλπίδα δέ, οἶμαι, τοῦ πλη-
θῦναι τὸ γένος ἐν ἀρχῇ, εἷς μόνος διαδέχεται κληρονόμος τῶν πα-
τρῴων ἀγαθῶν, οἱ δὲ ἄλλοι διῳκίσθησαν τῆς συγγενείας· ἔκ τε αὐτοῦ 2
10 διδύμων γενομένων ὁ νεώτερος κληρονομεῖ εὐάρεστος τῷ πατρὶ γενό-
μενος, καὶ τὰς εὐχὰς λαμβάνει, δουλεύει δὲ ὁ πρεσβύτερος αὐτῷ·
ἀγαθὸν γὰρ μέγιστον τῷ φαύλῳ τὸ μὴ αὐτεξούσιον. ἡ δὲ οἰκονομία 3
αὕτη καὶ προφητικὴ καὶ τυπική. ὅτι δὲ τοῦ σοφοῦ πάντα ἐστί,
σαφῶς μηνύει λέγων· »διότι ἠλέησέν με ὁ θεός, ἔστι | μοι πάντα.« 482 P
15 ἑνὸς γὰρ δεῖν ὀρέγεσθαι διδάσκει, δι' οὗ τὰ πάντα γέγονεν καὶ τοῖς
ἀξίοις τὰ ἐπηγγελμένα νέμεται. κληρονόμον οὖν τὸν σπουδαῖον 100, 1
γενόμενον τῆς βασιλείας συμπολίτην διὰ τῆς θείας σοφίας ἀνα-
γράφει καὶ τῶν πάλαι δικαίων, τῶν κατὰ τὸν νόμον καὶ πρὸ
νόμου νομίμως βεβιωκότων, ὧν αἱ πράξεις νόμοι γεγόνασιν εἰς ἡμᾶς.
20 πάλιν τε αὖ βασιλέα τὸν σοφὸν διδάσκων τοὺς μὴ ὁμοφύλους ποιεῖ 2
λέγοντας αὐτῷ· »βασιλεὺς παρὰ θεοῦ σὺ ἐν ἡμῖν εἶ,« ἐθελουσίῳ γνώμῃ
_τῶν ἀρχομένων | διὰ ζῆλον ἀρετῆς ὑπακουόντων τῷ σπουδαίῳ.   174 S
     Πλάτων δὲ ὁ φιλόσοφος, εὐδαιμονίαν τέλος τιθέμενος, »ὁμοίωσιν 3
θεῷ« φησιν αὐτὴν εἶναι »κατὰ τὸ δυνατόν«, εἴτε [καὶ] συνδραμών

καὶ γηγενοῦς) πατὴρ [μὲν] θνητός· οὐδείς, ὁ δὲ ἀΐδιος θεός. — τὰ μὲν ψευδῆ καὶ
αἰσχρὰ καὶ κακὰ προθύμως εἵλετο· τῶν δὲ ἀγαθῶν καὶ καλῶν καὶ ἀληθῶν ἠλόγησεν·
ἐφ' οἷς εἰκότως θνητὸν ἀθανάτου βίον ἀνθυπηλλάξατο.

     4f. vgl. Gen 7f. Philo De virt. 201 (V p. 328) ἀνὴρ ὁσιώτατος ... μόνος
μετὰ τῶν οἰκείων διασῴζεται. 5f. vgl. Strom. II 124, 3 6—12 vgl. Philo De virt.
207—209 πολύπαις . ἦν ὁ πρῶτος ἐκ τριῶν παιδοποιησάμενος γυναικῶν οὐ δι' ἡδονῆς
ἀπόλαυσιν, ἀλλὰ δι' ἐλπίδα τοῦ πληθῦναι τὸ γένος. ἀλλ' ἐκ πολλῶν εἷς μόνος ἀπεδείχθη
κληρονόμος τῶν πατρῴων ἀγαθῶν, οἱ δ' ἄλλοι .... διῳκίσθησαν ἀλλοτριωθέντες τῆς
ἀοιδίμου εὐγενείας. πάλιν ἐκ τοῦ δοκιμασθέντος κληρονόμου δύο δίδυμοι γεννῶνται. —
ὁ μὲν γὰρ νεώτερος καταπειθὴς ἀμφοτέροις τοῖς γονεῦσιν ἦν καὶ οὕτως εὐάρεστος. —
τῷ μὲν εὐχὰς τίθενται ..., τῷ δὲ κατ' ἔλεον χαρίζονται τὴν ὑπήκοον τάξιν, ἵνα δουλεύῃ
τῷ ἀδελφῷ, νομίζοντες, ὅπερ ἐστίν, ἀγαθὸν ⟨μέγιστον⟩ εἶναι τῷ φαύλῳ τὸ μὴ αὐτεξ-
ούσιον. 13—22 zum Gedanken (τοῦ σοφοῦ πάντα) vgl. Philo De virt. 211—219
14 Gen 33, 11 20—22 vgl. Philo De mut. nom. 152 (III p. 182); De somn. II 244
(III p. 297); De Abrah. 261 (IV p. 57); De virt. 216 (V p. 332) 21 Gen 23, 6
23f. vgl. Plato Theaet. p. 176 B; Elter Gnom. hist. 255

     9 συγγενείας] »vielleicht aus Philo εὐγενείας« Wendland 11 εὐχὰς] ἐπευχὰς
Ma 23 εὐδαιμονίαν Ja¹ (vgl. Strom. II 131. 4) εὐδαιμονίας L 24 [καὶ] Schw

πως τῷ δόγματι τοῦ νόμου (»αἱ γὰρ μεγάλαι φύσεις καὶ γυμναὶ πα-
θῶν εὐστοχοῦσί πως περὶ τὴν ἀλήθειαν,« ὥς φησιν ὁ Πυθαγόρειος
Φίλων τὰ Μωυσέως ἐξηγούμενος), εἴτε καὶ παρά τινων τότε λογίων
ἀναδιδαχθεὶς ἅτε μαθήσεως ἀεὶ διψῶν. φησὶ γὰρ ὁ νόμος· »ὀπίσω 4
5 κυρίου τοῦ θεοῦ ὑμῶν πορεύεσθε καὶ τὰς ἐντολάς μου φυλάξετε.«
τὴν μὲν γὰρ ἐξομοίωσιν ὁ νόμος ἀκολουθίαν ὀνομάζει· ἡ δὲ τοιαύτη
ἀκολουθία κατὰ δύναμιν ἐξομοιοῖ. »γίνεσθε«, φησὶν ὁ κύριος, »ἐλεή-
μονες καὶ οἰκτίρμονες, ὡς ὁ πατὴρ ὑμῶν ὁ οὐράνιος οἰκτίρμων
ἐστίν.« ἐντεῦθεν καὶ οἱ Στωϊκοὶ τὸ ἀκολούθως τῇ φύσει ζῆν τέλος 101, 1
10 εἶναι ἐδογμάτισαν, τὸν θεὸν εἰς φύσιν μετονομάσαντες ἀπρεπῶς,
ἐπειδὴ ἡ φύσις καὶ εἰς φυτὰ καὶ εἰς σπαρτὰ καὶ εἰς δένδρα καὶ εἰς λί-
θους διατείνει.

Σαφῶς τοίνυν εἴρηται· »ἄνδρες κακοὶ οὐ νοοῦσι νόμον, οἱ δὲ 2
ἀγαπῶντες νόμον προβάλλουσιν ἑαυτοῖς τεῖχος.« »σοφία« γὰρ »παν-
15 ούργων ἐπιγνώσεται τὰς ὁδοὺς αὐτῆς, ἄνοια δὲ ἀφρόνων ἐν πλάνῃ.«
»ἐπὶ | τίνα γὰρ ἐπιβλέψω ἀλλ᾽ ἢ ἐπὶ τὸν πρᾷον καὶ ἡσύχιον καὶ 483 P
τρέμοντά μου τοὺς λόγους;« ἡ προφητεία λέγει.

Τριττὰ δὲ εἴδη φιλίας διδασκόμεθα, καὶ τούτων τὸ μὲν πρῶτον 3
καὶ ἄριστον τὸ κατ᾽ ἀρετήν· στερρὰ γὰρ ἡ ἐκ λόγου ἀγάπη· τὸ δὲ
20 δεύτερον καὶ μέσον ⟨τὸ⟩ κατ᾽ ἀμοιβήν· κοινωνικὸν δὲ τοῦτο καὶ
μεταδοτικὸν καὶ βιωφελές· κοινὴ γὰρ ἡ ἐκ χάριτος φιλία· τὸ δὲ
ὕστατον καὶ τρίτον ἡμεῖς μὲν τὸ ἐκ συνηθείας φαμέν, οἱ δὲ τὸ καθ᾽
ἡδονὴν τρεπτὸν καὶ μεταβλητόν. καί μοι δοκεῖ παγκάλως Ἱππόδαμος 102, 1
ὁ Πυθαγόρειος γράφειν· »τᾶν φιλιᾶν ἃ μὲν ἐξ ἐπιστάμας θεῶν, ἃ δ᾽
25 ἐκ παροχᾶς ἀνθρώπων, ἃ δὲ ἐξ ἀδονᾶς ζῴων.« οὐκοῦν ἢ μέν τις

1f. vgl. Philo De vita Mos. I 22 (IV p. 124) πολλὰ γὰρ αἱ μεγάλαι φύσεις κο
νοτομοῦσι τῶν εἰς ἐπιστήμην. Die von Cl. gegebene Formulierung findet sich nicht
bei Philon (Fr) 4—6. 9f. vgl. Strom. V 94, 6; 95, 1 4f. Deut 13, 4 7—9 Lc 6, 36
9f. Chrysipp Fr. mor. 9 Arnim Theodoret Gr. aff. c. XI 15 vgl. Philo De migr.
Abr. 127f. 131 (II p. 293) »ἐπορεύθη Ἀβραὰμ καθάπερ ἐλάλησεν αὐτῷ κύριος«
(Gen. 12, 4). τοῦτο δέ ἐστι τὸ παρὰ τοῖς ἄριστα φιλοσοφήσασιν ᾀδόμενον τέλος, τὸ
ἀκολούθως τῇ φύσει ζῆν. — ἐν ἑτέροις φησὶν· »ὀπίσω κυρίου τοῦ θεοῦ σου πορεύσῃ«
(Deut 13, 4). 11f. vgl. Philo Leg. alleg. II 22 (I p. 95) ἡ φύσις διατείνει καὶ ἐπὶ
τὰ φυτά. 13—15 Prov 28, 5. 4; 14, 8 16f. Is 66, 2 18—23 Chrysipp Fr. mor. 723
Arnim; vgl. Aristot. Eth. Nic. 8, 3 (p. 1156ᵃ 6ff.); vgl. auch Eth. Eud. VII 2
p. 1236a. 31ff. 18—S. 169,1 τρισσὰ εἴδη—ζῷον Sacr. Par. 226 Holl 23—25 Theo-
doret Gr. aff. c. XII 77; vgl. Zeller, Phil. d. Gr. III 2³ S. 101 Anm. Nr. 21 (das
Fragment fehlt bei Mullach II 9ff.)

2 πυθαγόριος L 5 φυλάξατε Di aus Strom. V 94, 6 10 ἀπρεπῶς St u. W. Küster
bei Lagarde, Symm. [I] p. 17 εὐπρεπῶς L ⟨οὐκ⟩εὐπρεπῶς Ma 20 ⟨τὸ⟩ aus Sacr.
Par. δὲ < Sacr. Par. 21 ἐκ χάριτος] εὐχάριτος Sacr. Par. 22 οἱ δὲ] οἱ δὲ "Ελληνές
φασι Sacr. Par. 23—25 καί—ζῴων < Sacr. Par. 23 καί μοι Sy κἀμοὶ L² καμοὶ L*
24 πυθαγόριος L τᾶν φιλιᾶν Kl τὰς φιλίας L

ἐστι φιλοσόφου φιλία, ἢ δὲ ἀνθρώπου, ἢ δὲ ζῴου. τῷ γὰρ ὄντι 2
εἰκὼν τοῦ θεοῦ ἄνθρωπος εὐεργετῶν, ἐν ᾧ καὶ αὐτὸς εὐεργετεῖται·
ὥσπερ γὰρ ὁ κυβερνήτης ἅμα σῴζει καὶ σῴζεται. διὰ τοῦτο ὅταν
τις αἰτῶν τύχῃ, οὔ φησι τῷ διδόντι· »καλῶς ἔδωκας«, ἀλλά· »καλῶς
5 εἴληφας.« οὕτω λαμβάνει μὲν ὁ διδούς, δίδωσι δὲ ὁ λαμβάνων.
»δίκαιοι δὲ οἰκτείρουσι καὶ ἐλεοῦσι,« »χρηστοὶ δὲ ἔσονται οἰκήτορες 3
γῆς, ἄκακοι δὲ ὑπολειφθήσονται ἐπ᾽ αὐτῆς, οἱ δὲ παρανομοῦντες
ἐξολοθρευθήσονται ἀπ᾽ αὐτῆς.« καί μοι δοκεῖ τὸν πιστὸν προμαν- 4
τευόμενος Ὅμηρος εἰρηκέναι »δὸς φίλῳ«. ⟨φίλῳ μὲν κοινωνητέον,
10 ἵν᾽ ἔτι καὶ μᾶλλον περιμένῃ φίλος,⟩ ἐχθρῷ δὲ ἐπικουρητέον, ἵνα μὴ
μείνῃ ἐχθρός· ἐπικουρίᾳ γὰρ εὔνοια μὲν συνδεῖται, λύεται δὲ ἔχθρα.
ἀλλ᾽ »εἰ καὶ προθυμία πρόκειται, καθὸ ἐὰν ἔχῃ εὐπρόσδεκτος, οὐ 5
καθὸ οὐκ ἔχει. οὐ γὰρ ἵνα ἄλλοις ἄνεσις, ὑμῖν δὲ θλῖψις· ἀλλ᾽ ἐξ
ἰσότητος ἐν τῷ νῦν καιρῷ« καὶ τὰ ἑξῆς. »ἐσκόρπισεν, ἔδωκεν τοῖς
15 πένησιν, ἡ δικαιοσύνη αὐτοῦ μένει εἰς τὸν αἰῶνα« ἡ γραφὴ λέγει.
τῷ γὰρ »κατ᾽ εἰκόνα καὶ ὁμοίωσιν«, ὡς καὶ πρόσθεν εἰρήκαμεν, οὐ 6
τὸ κατὰ σῶμα μηνύεται, οὐ γὰρ θέμις θνητὸν ἀθανάτῳ ἐξομοιοῦ-
σθαι, ἀλλ᾽ ἢ κατὰ νοῦν καὶ λογισμόν, ᾧ καὶ τὴν πρὸς τὸ εὐεργετεῖν
καὶ τὴν πρὸς τὸ ἄρχειν ὁμοιότητα προσηκόντως ὁ κύριος ἐνσφρα-
20 γίζεται· οὐ γὰρ αἱ ἡγεμονίαι σωμάτων ποιότησιν, ἀλλὰ διανοίας κρίσεσι 7
κατορθοῦνται·

βουλαῖς γὰρ ἀνδρῶν | (ὁσίων) εὖ μὲν οἰκοῦνται πόλεις,   484 P
εὖ δ᾽ οἶκος

XX. Ἥ γε μὴν καρτερία καὶ αὐτὴ εἰς τὴν θείαν ἐξομοίωσιν 103, 1
25 βιάζεται δι᾽ ὑπομονῆς ἀπάθειαν καρπουμένη, εἴ τῳ ἔναυλα τὰ ἐπὶ
⟨τῶν περὶ⟩ τὸν Ἀνανίαν ἱστορούμενα, ὧν εἷς καὶ Δανιὴλ ὁ προφήτης

1f. vgl. A. Otto, Sprichw. S. 110, Weyman, Archiv f. lat. Lex. 8 (1893) S. 27;
13 (1904) S. 379; vgl. auch Cic. pro Lig. 12, 38   3—5 vgl. Act 20, 35   6—8 Prov
21, 26; 2, 21f.   9 vgl. ϱ 415 δός, φίλος u. 345 δὸς τῷ ξείνῳ   9—11 φίλῳ²–ἔχθρα
Sacr. Par. 227 Holl   12—15 II Cor 8, 12—14; 9, 9 (9, 9 = Ps 111, 9)   16 vgl. Gen 1, 26
zu πρόσθεν vgl. S. 166, 1   16—20 vgl. Philo De opif. 69 (I p. 69)   22f. Eurip.
Antiope Fr. 200; vgl. Diog. Laert. VI 104; Stob. Flor. 54, 5; 46, 82; [Plutarch], Vita
Hom. II 156 u. a.   26 vgl. Dan 1, 11. 17

---

3 κυβερνήτης L² κυβερνίτης L*   9 φίλωι (ω corr. aus οι) L¹   9f. ⟨φίλῳ–φίλος⟩
aus Sacr. Par.   10f. μὴ μ· νῃ] μηκέτι μένῃ Sacr. Par.   11 ἐπικουρίᾳ — εὔνοια — ἔχθρα
Sy ἐπικουρία — εὐνοίαι — ἔχθραι L Sacr. Par.   16 τῷ Segaar zu QDS p. 280 τὸ L
19 προσηκόντως Sy προσηκότως L   22 βουλαῖς] γνώμῃ Stob. 54 γνώμαις Diog. Plut.
Stob. 46   ἀνδρῶν (auch Diog. Stob. 46)] ἀνδρὸς Stob. 54 Plut.   ὁσίων Zusatz von Cl.
26 ⟨τῶν περὶ⟩ τὸν Ἀνανίαν St τῶν τεττάρων (= Δ) νεανιῶν Ja¹, Journ. of Philol. 24
(1896) S. 268

ἦν, θείας πίστεως πεπληρωμένος. Βαβυλῶνα ᾤκει Δανιήλ, καθάπερ 2
ὁ μὲν Λὼτ τὰ Σόδομα, τὴν Χαλδαίων δὲ γῆν ὁ Ἀβραὰμ ὁ μετ' ὀλί-
γον »φίλος τοῦ θεοῦ«. κατήγαγεν οὖν εἰς ὄρυγμα θηρίων ἔμπλεων 3
τὸν Δανιὴλ ὁ Βαβυλωνίων βασιλεύς, ἀνήγαγε δὲ αὐτὸν ἀβλαβῆ ὁ
5 ἁπάντων βασιλεὺς ὁ πιστὸς κύριος. ταύτην κτήσεται τὴν ὑπομονὴν 4
ὁ γνωστικὸς ἢ γνωστικός, εὐλογήσει πειραζόμενος ὡς ὁ γενναῖος
Ἰώβ, ὡς Ἰωνᾶς εὔξεται καταπινόμενος ὑπὸ κήτους, καὶ ἡ πίστις 104,1
αὐτὸν ἀποκαταστήσει Νινευίταις προφητεύοντα· κἂν μετὰ λεόντων
καθειρχθῇ, ἡμερώσει τὰ θηρία, κἂν εἰς πῦρ ἐμβληθῇ, δροσισθήσεται,
10 ἀλλ' οὐκ ἐκπυρωθήσεται· μαρτυρήσει νύκτωρ, μαρτυρήσει μεθ' ἡμέ-
ραν· ἐν λόγῳ, ἐν βίῳ, ἐν τρόπῳ μαρτυρήσει· σύνοικος ὢν τῷ κυρίῳ 2
»ὀαριστής« τε καὶ συνέστιος κατὰ τὸ πνεῦμα διαμενεῖ, καθαρὸς μὲν
τὴν σάρκα, καθαρὸς δὲ τὴν καρδίαν, ἡγιασμένος τὸν λόγον. »ὁ κόσμος 8
τούτῳ«, φησίν, »ἐσταύρωται καὶ αὐτὸς τῷ κόσμῳ.« οὗτος τὸν σταυ-
15 ρὸν τοῦ σωτῆρος περιφέρων ἕπεται κυρίῳ »μετ' ἴχνιον ὥστε θεοῖο«,
ἅγιος ἁγίων γενόμενος.

Πάσης τοίνυν ἀρετῆς μεμνημένος ὁ θεῖος νόμος ἀλείφει μάλιστα 105,1
τὸν ἄνθρωπον ἐπὶ τὴν ἐγκράτειαν, θεμέλιον ἀρετῶν κατατιθέμενος
ταύτην, καὶ δὴ προπαιδεύει ἡμᾶς εἰς τὴν περιποίησιν τῆς ἐγκρατείας
20 ἀπὸ τῆς τῶν ζῴων χρήσεως, ἀπαγορεύων μεταλαμβάνειν τῶν ὅσα
φύσει πίονα καθάπερ τὸ τῶν συῶν γένος εὐσαρκότατον τυγχάνον·
τρυφητιῶσι γὰρ ἡ τοιαύτη χρῆσις χορηγεῖται. λέγεται γοῦν τινα τῶν 2
φιλοσοφούντων ἐτυμολογοῦντα τὴν ὗν θῦν εἶναι φάναι, ὡς εἰς θύσιν
καὶ σφαγὴν μόνον ἐπιτήδειον· δεδόσθαι γὰρ τῷδε τῷ ζῴῳ ψυχὴν
25 πρὸς οὐδὲν ἕτερον ἢ ἕνεκα τοῦ τὰς σάρκας σφριγᾶν. τῶν τε ἰχθύων 3
ὁμοίως ἀπηγόρευσε μεταλαμβάνειν, στέλλων ἡμῶν τὰς ἐπιθυμίας

8 vgl. Anm. zu Paed. III 12, 4   3—5 vgl. Dan 6, 16—23   6f. vgl. Iob 1, 21
7f. vgl. Ion 2, 3—10; 3, 2—4   9 vgl. Asarja 26 = Dan 3, 50 LXX (Fr)   12 vgl. τ 179
13 vgl. Mt 5, 8   13f. Gal 6, 14   14f. vgl. Lc 9, 23   15 vgl. β 406 u. ö.; hier wohl
genommen aus Plato Phaedr. p. 266 B τοῦτον διώκω κατόπισθε μετ' ἴχνιον ὥστε
θεοῖο.   17—21 vgl. Philo De spec. leg. IV 101 (V p. 231) πρὸς γὰρ ἐγκράτειαν εἰ
καί τις ἄλλος ἱκανὸς ὢν ἀλεῖψαι τοὺς εὐφυῶς ἔχοντας, πρὸς ἄσκησιν ἀρετῆς δι' ὀλι-
γοδείας καὶ εὐκολίας γυμνάζει κτλ.   18 vgl. Strom. VII 70, 1   20f. vgl. Lev 11, 7;
Deut 14, 8   22 vgl. Plato Rep. II p. 373 C (nur die τρυφῶσα πόλις braucht συβώ-
ται)   22—25 Kleanthes Fr. 44 Pearson (516 Arnim Stoic. vet. fr. I p. 116); vgl.
Strom. V 51, 3; VII 33, 3 mit Anm.; Plin. Nat. hist. VIII 207   25—S. 171, 2 vgl.
Philo De spec. leg. IV 110f. (V p. 234)

6 ἢ Vi ἢ L   8 προφητεύσοντα Wi   11 ὢν Po ἐν L   12 ὀαριστής Sy ὁ ἀριστής
L   διαμένει L   διαμένων καθαρὸς Schw   15 θεοῖο Jackson[1] θεὸς L   23 ἐτυμολο-
γοῦντα Vi ἐτοιμολογοῦντα L

ἐκείνων οἷς μήτε πτερύγια μήτε λεπίδες εἰσίν· εὐσαρκία γὰρ καὶ
πιότητι τῶν ἄλλων ἰχθύων οὗτοι διαφέρουσιν. ἐντεῦθεν οἶμαι καὶ 175 S 106, 1
⟨τὸν εὑρόντα⟩ τὰς τελετὰς οὐ μόνον | τινῶν ζῴων ἀπαγορεύειν 485 P
ἅπτεσθαι, ἀλλ᾽ ἔστιν ἃ καὶ τῶν καταθυομένων ὑπεξείλετο τῆς
5 χρήσεως μέρη δι᾽ αἰτίας ἃς ἴσασιν οἱ μύσται.

Εἰ δὴ γαστρὸς καὶ τῶν ὑπὸ γαστέρα κρατητέον, δῆλον ὡς ἄνω- 2
θεν παρειλήφαμεν παρὰ τοῦ κυρίου διὰ τοῦ νόμου τὴν ἐπιθυμίαν
ἐκκόπτειν. γένοιτο δ᾽ ἂν τελείως τοῦτο, εἰ τοῦ ὑπεκκαύματος τῆς
ἐπιθυμίας, τῆς ἡδονῆς λέγω, ἀνυποκρίτως καταγνοίημεν. φασὶ δὲ 3
10 αὐτῆς εἶναι τὴν ἔννοιαν κίνησιν λείαν καὶ προσηνῆ μετά τινος αἰ-
σθήσεως. ταύτῃ δουλεύοντα τὸν Μενέλεων μετὰ τὴν Ἰλίου ἅλωσιν 4
φασὶν ὁρμήσαντα τὴν Ἑλένην ἀνελεῖν ὡς κακῶν τοσούτων αἰτίαν
γενομένην, ὅμως οὐ κατισχῦσαι πρᾶξαι ἡττηθέντα τῷ κάλλει, δι᾽
οὗ ἐπὶ τὴν ἀνάμνησιν τῆς ἡδονῆς ἀφίκετο. ὅθεν ἐπισκώπτοντες οἱ 107, 1
15 τραγῳδοποιοὶ ὀνειδιστικῶς ἐπεβόησαν αὐτῷ·

σὺ δ᾽, ὡς ἐσεῖδες μαστόν, ἐκβαλὼν ξίφος
φίλημ᾽ ἐδέξω, προδότιν αἰκάλλων κύνα.
καὶ πάλιν·
ἆρ᾽ εἰς τὸ κάλλος ἐκκεκόφηνται ξίφη;

20 ἐγὼ δὲ ἀποδέχομαι τὸν Ἀντισθένη, ›τὴν Ἀφροδίτην‹ λέγοντα ›κἂν 2
κατατοξεύσαιμι, εἰ λάβοιμι, ὅτι πολλὰς ἡμῶν καλὰς καὶ ἀγαθὰς
γυναῖκας διέφθειρεν.‹ τόν τε ἔρωτα κακίαν φησὶ φύσεως· ἧς ἥττους 3
ὄντες οἱ κακοδαίμονες θεὸν τὴν νόσον καλοῦσιν. δείκνυται γὰρ διὰ
τούτων ἡττᾶσθαι τοὺς ἀμαθεστέρους δι᾽ ἄγνοιαν ἡδονῆς, ἣν οὐ χρὴ
25 προσίεσθαι, κἂν θεὸς λέγηται, τουτέστι κἂν θεόθεν ἐπὶ τὴν τῆς
παιδοποιίας χρείαν δεδομένη τυγχάνῃ. καὶ ὁ Ξενοφῶν ἄντικρυς κα- 4
κίαν λέγων τὴν ἡδονήν φησιν· ›ὦ τλῆμον, τί δὲ σὺ ἀγαθὸν οἶσθα,
ἢ τί καλὸν σκοπεῖς; ἥτις οὐδὲ τὴν τῶν ἡδέων ἐπιθυμίαν ἀναμένεις,

---

*   1 vgl. Lev 11, 9–12; Deut 14, 9f.   5 zu μύσται vgl. Strom. V 30, 5   6 vgl.
Strom. I 30 (S. 19, 18f.) u. die dort angeführte Philostelle   7f. vgl. Exod 20, 17;
Deut 5, 21   10f. vgl. Aristipp bei Diog. Laert. II 85 τέλος δ᾽ ἀπέφαινε τὴν λείαν
κίνησιν εἰς αἴσθησιν ἀναδιδομένην. II 86 (οἱ Κυρηναϊκοὶ) δύο πάθη ὑφίσταντο, πόνον
καὶ ἡδονήν· τὴν μὲν λείαν κίνησιν, τὴν ἡδονήν, τὸν δὲ πόνον, τραχεῖαν κίνησιν. Ähnlich
Euseb. Praep. Ev. XIV 18, 32. — προσηνῆ καὶ λείαν κίνησιν auch Philo De agric. 142
(II p. 123); Plut. Mor. p. 673 B; 786 C; 1087 E; 1122 E; vgl. Epikur Fr. 411
Usener p. 279f.   16f. Eurip. Androm. 629f. (aus Chrysipp vgl. Elter Gnom. hist.
18. 19; Chrys. fr. mor. 473 Arn.)   19 Eurip. Orest. 1287   20—26 Antisthenes Fr. XI 1
Winckelmann; vgl. Dümmler, Academ. S. 37 fr. 35 Mullach FPG II 280   20—28
Theodoret Gr. aff. c. III 53   27—S. 172, 5 Xenophon Memor. II 1, 30

3 ⟨τὸν εὑρόντα⟩ Schw   19 ἐκκεκόφηται oder ἐκκεκόφωται Eur.   28 nach
καλὸν ist σὺ von L¹ getilgt

πρὶν μὲν πεινῆν ἐσϑίουσα, πρὶν δὲ διψῆν πίνουσα, καὶ ἵνα μὲν ἡδέως
φάγῃς, ὀψοποιοὺς μηχανωμένη· ἵνα δὲ ἡδέως πίνῃς, οἴνους πολυτε- 5
λεῖς παρασκευάζῃ, καὶ τοῦ θέρους χιόνα περιθέουσα ζητεῖς· | ἵνα δὲ 486 P
κατακοιμηθῇς ἡδέως, οὐ μόνον τὰς κλίνας μαλθακάς, ἀλλὰ καὶ τὰ
5 ὑπόβαθρα ταῖς κλίναις παρασκευάζῃ.« ὅθεν ὡς ἔλεγεν Ἀρίστων 108, 1
»πρὸς ὅλον τὸ τετράχορδον, ἡδονήν, λύπην, φόβον, ἐπιθυμίαν, πολλῆς
δεῖ τῆς ἀσκήσεως καὶ μάχης,

οὗτοι γάρ, οὗτοι καὶ διὰ σπλάγχνων ἔσω
χωροῦσι καὶ κυκῶσιν ἀνθρώπων κέαρ.«

10 »καὶ γὰρ τῶν σεμνῶν οἰομένων εἶναι τοὺς θυμοὺς ἡ ἡδονὴ κηρίνους 2
ποιεῖ« κατὰ Πλάτωνα, ὅτι »ἑκάστη ἡδονή τε καὶ λύπη προσπασσαλοῖ
τῷ σώματι τὴν ψυχήν« τοῦ γε μὴ ἀφορίζοντος καὶ ἀποσταυροῦντος
ἑαυτὸν τῶν παθῶν. »ὁ ἀπολέσας τὴν ψυχὴν τὴν ἑαυτοῦ«, φησὶν ὁ 8
κύριος, »σώσει αὐτήν,« ἤτοι ῥιψοκινδύνως ὑπὲρ τοῦ σωτῆρος αὐτὴν
15 ἐπιδιδούς, ὡς αὐτὸς ὑπὲρ ἡμῶν πεποίηκεν, ἢ ἀπολύσας αὐτὴν ἐκ τῆς
πρὸς τὸν συνήθη βίον κοινωνίας. ἐὰν γὰρ ἀπολῦσαι καὶ ἀποστῆσαι 4
καὶ ἀφορίσαι (τοῦτο γὰρ ὁ σταυρὸς σημαίνει) τὴν ψυχὴν ἐθελήσῃς
τῆς ἐν τούτῳ τῷ ζῆν τέρψεώς τε καὶ ἡδονῆς, ἕξεις αὐτὴν ἐν τῇ
ἐλπίδι τῇ προσδοκωμένῃ »εὑρημένην« καὶ ἀναπεπαυμένην. »εἴη δ᾿ 109, 1
20 ἂν τοῦτο μελέτη θανάτου,« εἰ μόναις ταῖς κατὰ φύσιν μεμετρημέναις
ὀρέξεσι, μηδὲν ὑπερορίζούσαις τῶν κατὰ φύσιν ἐπὶ τὸ μᾶλλον ἢ παρὰ
φύσιν, ἔνθα τὸ ἁμαρτητικὸν φύεται, ἀρκεῖσθαι βουλοίμεθα. »ἐνδύ- 2
σασθαι οὖν δεῖ τὴν πανοπλίαν τοῦ θεοῦ πρὸς τὸ δύνασθαι ἡμᾶς
στῆναι πρὸς τὰς μεθοδείας τοῦ διαβόλου,« ἐπεὶ »τὰ ὅπλα τῆς στρα-
25 τείας ἡμῶν οὐ σαρκικά, ἀλλὰ δυνατὰ τῷ θεῷ πρὸς καθαίρεσιν ὀχυ-
ρωμάτων, λογισμοὺς καθαιροῦντες καὶ πᾶν ὕψωμα ἐπαιρόμενον κατὰ
τῆς γνώσεως τοῦ θεοῦ, καὶ αἰχμαλωτίζοντες πᾶν νόημα εἰς τὴν
ὑπακοὴν τοῦ Χριστοῦ,« ὁ θεῖός φησιν ἀπόστολος. ἀνδρὸς δὴ χρεία 8

5—7 Ariston Fr. 370 Arnini Stoic. vet. fr. I p. 85   8f. vgl. v. Wilamowitz, De
trag. graec. fragm. (Göttingen 1893) S. 22   10f. Plato Leg. I p. 633 D   11f. Plato
Phaed. p. 83 D   13—19 arab. bei Fleisch fr. 4 (Fr)   13—20 ὁ ἀπολέσας—θανάτου Cat.
zu Lc (17, 33) in Vatíc. Pal. 20 fol. 91ᵛ (= Vatic. 1933 fol. 238ʳ) Inc. Κλήμεντος ἐκ
τοῦ β᾿ στρωματέων· ὁ ἀπολέσας κτλ. Expl. θανάτου   13f. 19 Mt 10, 39; Mc 8, 35
14—20 ἤτοι—θανάτου Ath fol. 70ᵛ   19f. Plato Phaed. p. 81 A   22—24 Eph 6, 11
24—28 II Cor 10, 4f.

11 προσπασσαλοῖ] προσηλοῖ Plato HSS   12 ἀφορίζοντος Sy ἀφοριζοῦντος L
13 ἑαυτὸν τῶν παθῶν] ἑαυτῷ τὰ πάθη Lowth   13f. τὴν²—κύριος] αὐτοῦ Cat.   15
ἐποίησεν Cat.   ἀπολύσας St ἀπολέσας L   16 ἐὰν] εἰ Cat.   ἀπολέσαι Cat.   17 σταυρος
σημαίνει] σωτὴρ φησι Cat.   19 τῶν προσδοκωμένων εὑρημένων καὶ ἀναπεπαυμένων Cat.

ὅστις ἀθαυμάστως καὶ ἀσυγχύτως τοῖς πράγμασι χρήσεται ἀφ' ὧν
τὰ πάθη ὁρμᾶται, οἷον | πλούτῳ καὶ πενίᾳ καὶ δόξῃ καὶ ἀδοξίᾳ, 487 P
ὑγείᾳ καὶ νόσῳ, ζωῇ καὶ θανάτῳ, πόνῳ καὶ ἡδονῇ. ἵνα γὰρ ἀδια- 4
φόρως τοῖς ἀδιαφόροις χρησώμεθα, πολλῆς ἡμῖν δεῖ διαφορᾶς, ἅτε
5 προκεκακωμένοις ἀσθενείᾳ πολλῇ καὶ προδιαστροφῇ κακῆς ἀγωγῆς
τε καὶ τροφῆς μετὰ ἀμαθίας προαπολελαυκόσιν. ὁ μὲν οὖν ἁπλοῦς 110,1
λόγος τῆς καθ' ἡμᾶς φιλοσοφίας τὰ πάθη πάντα ἐναπερείσματα τῆς
ψυχῆς φησιν εἶναι τῆς μαλθακῆς καὶ εἰκούσης καὶ οἷον ἐναποσφρα-
γίσματα τῶν ›πνευματικῶν‹ δυνάμεων, πρὸς ἃς ›ἡ πάλη ἡμῖν‹. ἔργον 2
10 γάρ, οἶμαι, ταῖς κακούργοις δυνάμεσιν ἐνεργεῖν τι τῆς ἰδίας ἕξεως
παρ' ἕκαστα πειρᾶσθαι εἰς τὸ καταγωνίσασθαι καὶ ἐξιδιοποιήσασθαι
τοὺς ἀπειπαμένους αὐτάς. ἕπεται δ' εἰκότως τοὺς μὲν καταπαλαίε- 3
σθαι, ὅσοι δὲ ἀθλητικώτερον τὸν ἀγῶνα μεταχειρίζονται πάμμαχον
ἀγωνισάμενοι καὶ μέχρι τοῦ στεφάνου χωρήσαντες, αἱ προειρημέναι
15 δυνάμεις ἐν πολλῷ τῷ λύθρῳ τότε δὴ ἀπαυδῶσι θαυμάζουσαι τοὺς
νικηφόρους.

Τῶν γὰρ κινουμένων τὰ μὲν καθ' ὁρμὴν καὶ φαντασίαν κινεῖται, 4
ὡς τὰ ζῷα, τὰ δὲ κατὰ μετάθεσιν, ὡς τὰ ἄψυχα. κινεῖσθαι δὲ καὶ
τῶν ἀψύχων τὰ φυτὰ μεταβατικῶς φασιν εἰς αὔξησιν, εἴ τις αὐτοῖς
20 ἄψυχα εἶναι συγχωρήσει τὰ φυτά. ἕξεως μὲν οὖν οἱ λίθοι, φύσεως 111,1
δὲ τὰ φυτά, ὁρμῆς δὲ καὶ φαντασίας τῶν τε αὖ δυεῖν τῶν προειρη-
μένων καὶ τὰ ἄλογα μετέχει ζῷα. ἡ λογικὴ δὲ δύναμις, ἰδία οὖσα 2
τῆς ἀνθρωπείας ψυχῆς, οὐχ ὡσαύτως τοῖς ἀλόγοις ζῷοις ὁρμᾶν
ὀφείλει, ἀλλὰ καὶ διακρίνειν τὰς φαντα|σίας καὶ μὴ συναποφέρε- 176 S
25 σθαι αὐταῖς.

Αἱ τοίνυν δυνάμεις, περὶ ὧν εἰρήκαμεν. κάλλη καὶ δόξας καὶ μοι- 3
χείας καὶ ἡδονὰς καὶ τοιαύτας τινὰς φαντασίας δελεαστικὰς προτεί-
νουσι ταῖς εὐεπιφόροις ψυχαῖς, καθάπερ οἱ ἀπελαύνοντες τὰ θρέμματα
θαλλοὺς προσείοντες, εἶτα, κατασοφισάμεναι τοὺς μὴ διακρίνειν δυνη-
30 θέντας τὴν ἀληθῆ ἀπὸ ψεύδους ἡδονὴν καὶ τὸ ἐπίκηρόν τε καὶ

2f. vgl. Diog. Laert. VII 102   6f. vgl. Eur. Phoen. 469 (Fr)   9 Eph 6, 12
17—25 Chrys. Fr. phys. 714 Arnim; vgl. Philo Leg. alleg. II 22f. (I p. 95); Quis
rer. div. her. 137 (III p. 32); Orig. de orat. 6, 1   19 zu μεταβατικῶς κινητά vgl.
Philo De plant. 11f. (Fr)   20f. zu ἕξις, φύσις, ψυχή vgl. auch Sext. Emp. Adv. Math.
IX 81 (Fr)   29 zu θαλλοὺς προσείειν vgl. Plato Phaedr. p. 230 D

1 ἀθαυμάστως Bywater p. 209 θαυμαστῶς L   4 ἀδιαφόροις Bywater διαφόροις
L   χρησώμεθα Heyse χρήσωμαι L   5 ⟨καὶ⟩ κακῆς Hiller   14 ἀγωνισάμενοι–χωρή-
σαντες Lowth ἀγωνισάμεναι–χωρήσασαι L ἀγωνίσασθαι–χωρῆσαι, ἀλλ' St   17 τὰ St
ἃ L   21 δὲ² Hiller τε L   23 ἀνθρωπείας (εἴ corr. aus ἰ) L¹   29 προσιόντες Hemster-
huys bei Ruhnken zu Tim. Lex. p. 138 προσιέντες L   30 ⟨τῆς⟩ ψευδοῦς Sy

ἐφύβριστον ἀπὸ τοῦ ἁγίου κάλλους, ἄγουσιν δουλωσάμεναι. ἑκάστη 4
δὲ ἀπάτη, συνεχῶς ἐναπερειδομένη τῇ ψυχῇ, τὴν φαντασίαν ἐν αὐτῇ
τυποῦται. καὶ δὴ τὴν εἰκόνα ἔλαθεν περιφέρουσα τοῦ πάθους ἡ
ψυχή, τῆς αἰτίας ἀπό τε τοῦ δελέατος καὶ τῆς ἡμῶν συγκαταθέσεως
5 γινομένης.

Οἱ δ' | ἀμφὶ τὸν Βασιλείδην προσαρτήματα τὰ πάθη καλεῖν 112, 1
εἰώθασι, πνεύματά ⟨τέ⟩ τινα ταῦτα κατ' οὐσίαν ὑπάρχειν προσηρτημένα
τῇ λογικῇ ψυχῇ κατά τινα τάραχον καὶ σύγχυσιν ἀρχικὴν ἄλλας τε
αὖ πνευμάτων νόθους καὶ ἑτερογενεῖς φύσεις προσεπιφύεσθαι ταύταις
10 οἷον λύκου, πιθήκου, λέοντος, τράγου, ὧν τὰ ἰδιώματα περὶ τὴν
ψυχὴν φανταζόμενα τὰς ἐπιθυμίας τῆς ψυχῆς τοῖς ζῴοις ἐμφερῶς
ἐξομοιοῦν λέγουσιν· ὧν γὰρ ἰδιώματα φέρουσι, τούτων τὰ ἔργα μι- 2
μοῦνται, καὶ οὐ μόνον ταῖς ὁρμαῖς καὶ φαντασίαις τῶν ἀλόγων ζῴων
προσοικειοῦνται, ἀλλὰ καὶ φυτῶν κινήματα καὶ κάλλη ζηλοῦσι διὰ
15 τὸ καὶ φυτῶν ἰδιώματα προσηρτημένα φέρειν, ἔτι δὲ καὶ ἕξεως 113, 1
ἰδιώματα, οἷον ἀδάμαντος σκληρίαν.

Ἀλλὰ πρὸς μὲν τὸ δόγμα τοῦτο διαλεξόμεθα ὕστερον, ὁπηνίκα 2
περὶ ψυχῆς διαλαμβάνομεν· νῦν δὲ τοῦτο μόνον παρασημειωτέον, ὡς
δουρείου τινὸς ἵππου κατὰ τὸν ποιητικὸν μῦθον εἰκόνα σῴζει ὁ κατὰ
20 Βασιλείδην ἄνθρωπος, ἐν ἑνὶ σώματι τοσούτων πνευμάτων διαφόρων
στρατὸν ἐγκεκολπισμένος. αὐτὸς γοῦν ὁ τοῦ Βασιλείδου υἱὸς Ἰσίδωρος 3
ἐν τῷ Περὶ προσφυοῦς ψυχῆς συναισθόμενος τοῦ δόγματος οἷον ἑαυ-
τοῦ κατηγορῶν γράφει κατὰ λέξιν· »ἐὰν γάρ τινι πεῖσμα δῷς, ὅτι 4
μὴ ἔστιν ἡ ψυχὴ μονομερής, τῇ δὲ τῶν προσαρτημάτων βίᾳ τὰ τῶν
25 χειρόνων γίνεται πάθη, πρόφασιν οὐ τὴν τυχοῦσαν ἕξουσιν οἱ μο-
χθηροὶ τῶν ἀνθρώπων λέγειν· >ἐβιάσθην, ἀπηνέχθην, ἄκων ἔδρασα.
μὴ βουλόμενος ἐνήργησα,< τῆς τῶν κακῶν ἐπιθυμίας αὐτοὶ ἡγησά-
μενοι καὶ οὐ μαχεσάμενοι ταῖς τῶν προσαρτημάτων βίαις. δεῖ δέ, 114, 1
τῷ λογιστικῷ κρείττονας γενομένους, τῆς ἐλάττονος ἐν ἡμῖν κτίσεως
30 φανῆναι κρατοῦντας.< δύο γὰρ δὴ ψυχὰς ὑποτίθεται καὶ οὗτος ἐν 2
ἡμῖν, καθάπερ οἱ Πυθαγόρειοι, περὶ ὧν ὕστερον ἐπισκεψόμεθα. ἀλλὰ 3
καὶ Οὐαλεντῖνος πρός τινας ἐπιστέλλων αὐταῖς λέξεσι γράφει περὶ

2f. vgl. Sext. Emp. Adv. M. VII 236 ὅταν λέγῃ ὁ Ζήνων φαντασίαν εἶναι τύπωσιν
ἐν ψυχῇ, dazu a. a. O. VII 228 (Stoic. vet. fr. I fr. 484); Diog. Laert. VII 46
(= Chrys. fr. log. 53); Philo Qu. d. s. imm. 43 (Fr)   6—18 vgl. Hilgenfeld, Ketzer-
gesch. S. 222—225   17f. vgl. Strom. III 13, 3; V 88, 4; Zahn, Forsch. III S. 46f.
19 zu δούρ. ἵππος vgl. Plato Theaet. p. 184 D   23—30 vgl. Hilg. Ketzergesch. S. 213ff.

7 ⟨τέ⟩ Schw ⟨γάρ⟩ Wi   9 τούτοις Mü (unnötig Fr) ταύταις L (ergänze ταῖς ψυχαῖς
Fr)   15 ἔτι St Wi ἔχει L ἔχειν Fr   17 πρὸς μὲν ~ Wi μὲν πρὸς L   23 κατηγορούν-
τος Mü (unnötig Fr)   27f. αὐτοὶ ἡγησάμενοι—μαχεσάμενοι Schw αὐτὸς ἡγησάμενος—
μαχεσάμενος L   31 πυθαγόριοι L

τῶν προσαρτημάτων· »εἰς | δέ ἐστιν ἀγαθός, οὗ παρρησία ἡ διὰ τοῦ 489 P
υἱοῦ φανέρωσις, καὶ δι᾽ αὐτοῦ μόνου δύναιτο ἂν ἡ καρδία καθαρὰ
γενέσθαι, παντὸς πονηροῦ πνεύματος ἐξωθουμένου τῆς καρδίας.
πολλὰ γὰρ ἐνοικοῦντα αὐτῇ πνεύματα οὐκ ἐᾷ καθαρεύειν, ἕκαστον 4
5 δὲ αὐτῶν τὰ ἴδια ἐκτελεῖ ἔργα πολλαχῶς ἐνυβριζόντων ἐπιθυμίαις
οὐ προσηκούσαις. καί μοι δοκεῖ ὅμοιόν τι πάσχειν τῷ πανδοχείῳ ἡ 5
καρδία· καὶ γὰρ ἐκεῖνο κατατιτρᾶταί τε καὶ ὀρύττεται καὶ πολλάκις
κόπρου πίμπλαται ἀνθρώπων ἀσελγῶς ἐμμενόντων καὶ μηδεμίαν
πρόνοιαν ποιουμένων τοῦ χωρίου, καθάπερ ἀλλοτρίου καθεστῶτος.
10 τὸν τρόπον τοῦτον καὶ ἡ καρδία, μέχρι μὴ προνοίας τυγχάνει, ἀκά- 6
θαρτος [οὖσα], πολλῶν οὖσα δαιμόνων οἰκητήριον· ἐπειδὰν δὲ ἐπι-
σκέψηται αὐτὴν ὁ μόνος ἀγαθὸς πατήρ, ἡγίασται καὶ φωτὶ διαλάμ-
πει, καὶ οὕτω μακαρίζεται ὁ ἔχων τὴν τοιαύτην καρδίαν, ὅτι ὄψεται
τὸν θεόν.«
15 Τίς οὖν ἡ αἰτία τοῦ μὴ προνοεῖσθαι ἐξ ἀρχῆς τὴν τοιαύτην 115, 1
ψυχήν, εἰπάτωσαν ἡμῖν. ἤτοι γὰρ οὐκ ἔστιν ἀξία (καὶ πῶς ὥσπερ ἐκ
μετανοίας ἡ πρόνοια πρόσεισιν αὐτῇ;) ἢ φύσις σῳζομένη, ὡς αὐτὸς
βούλεται, τυγχάνει καὶ ἀνάγκη ταύτην ἐξ ἀρχῆς διὰ συγγένειαν προ-
νοουμένην μηδεμίαν παρείσδυσιν τοῖς ἀκαθάρτοις παρέχειν πνεύμασιν,
20 ἐκτὸς εἰ μὴ βιασθείη καὶ ἀσθενὴς ἐλεγχθείη. ἐὰν γὰρ δῷ μετανοή- 2
σασαν αὐτὴν ἑλέσθαι τὰ κρείττω, τοῦτ᾽ ἐκεῖνος ἄκων ἐρεῖ, ὅπερ ἡ παρ᾽
ἡμῖν ἀλήθεια δογματίζει, ἐκ μεταβολῆς πειθηνίου, ἀλλ᾽ οὐκ ἐκ φύσεως
⟨γίγνεσθαι⟩ τὴν σωτηρίαν. ὥσπερ γὰρ αἱ ἀναθυμιάσεις αἵ τε γῆθεν αἵ 3
τε ἀπὸ τελμάτων εἰς ὁμίχλας συνίστανται καὶ νεφελώδεις συστροφάς,
25 οὕτως αἱ τῶν σαρκικῶν ἐπιθυμιῶν ἀναδόσεις καχεξίαν προστρίβονται
ψυχῇ, κατασκεδαννύουσαι τὰ εἴδωλα τῆς ἡδονῆς ἐπίπροσθε τῆς ψυχῆς.
ἐπισκοτοῦσι γοῦν τῷ φωτὶ τῷ νοερῷ ἐπισπωμένης τῆς ψυχῆς τὰς ἐκ 116, 1
τῆς ἐπιθυμίας ἀναδόσεις καὶ παχυνούσης τὰς συστροφὰς τῶν παθῶν
ἐνδελεχείᾳ ἡδονῶν. χρυσοῦ δὲ ἀπὸ γῆς οὐκ αἴρεται βῶλος, ἀλλ᾽ ἀφε- 2

1—14 vgl. Hilgenfeld, Ketzergesch. S. 295ff.; ZwTh 23 (1880) S. 290   1. 12 vgl.
Mt 19, 17 u. Hilgenfeld, Nov. Test. extra can. IV² p. 24sq.   5 zu ἐνυβρίζειν vgl.
Herakleon Fr. 18 Brooke   11 zu δαιμόνων οἰκητήριον vgl. Mt 12, 45 [Apc 18, 2 (Fr)]
Barnabas Ep. 16, 7; Herakleon Fr. 20 Brooke; Hippolyt Refut. VI 34,6   13f. vgl.
Mt 5, 8

1 παρρησία (vgl. S. 132, 10)] παρρησίαι L παρουσίᾳ Grabe, Spicil. sec. II p. 52
(so auch Bywater) παρουσία Hilgenfeld [schon Bunsen Analecta Antenic. I 90 A 3
(Fr)]   10 μὴ] μέν ⟨τινος οὐδεμιᾶς⟩ Bywater   10f. μέχρι μὴ προνοίας * *, τυγχάνει
ἀκάθαρτος Schw, Hermes 38 (1903) S. 96¹   τυγχάνει L¹ τυγχάνη L*   11 [οὖσα] Schw
17 φύσις L φύσει Po [das überlieferte φύσις σῳζομένη entspricht der gnost. Lehre
von den φύσεις, daher nicht mit Potter zu ändern (Fr)]   23 ⟨γίνεσθαι⟩ St Schw
⟨εἶναι⟩ Wi   29 χρυσοῦ—οὐκ αἴρεται βῶλος Sy χρυσὸς—οὐχ αἴρεται βόλος L

ψόμενος διυλίζεται, ἔπειτα καθαρὸς γενόμενος χρυσὸς ἀκούει, γῇ
κεκαθαρμένη. »αἰτεῖσθε γὰρ καὶ δοθήσεται ὑμῖν« τοῖς ἐξ ἑαυτῶν
ἑλέσθαι τὰ κάλλιστα δυναμένοις λέγεται. ὅπως δ᾽ ἡμεῖς τοῦ δια- 3
βόλου τὰς ἐνεργείας καὶ τὰ πνεύματα τὰ ἀκάθαρτα εἰς τὴν τοῦ
5 ἁμαρτωλοῦ ψυχὴν ἐπισπείρει φαμέν, οὗ μοι δεῖ πλειόνων λόγων
παραθεμένῳ μάρτυν τὸν ἀποστολικὸν Βαρνάβαν (ὃ δὲ τῶν ἑβδομή-
κοντα ἦν καὶ συνεργὸς τοῦ Παύλου) | κατὰ λέξιν ὧδέ πως λέγοντα· 490 P
»πρὸ τοῦ ἡμᾶς πιστεῦσαι τῷ θεῷ ἦν ἡμῶν τὸ οἰκητήριον τῆς καρ- 4
δίας φθαρτὸν καὶ ἀσθενές, ἀληθῶς οἰκοδομητὸς ναὸς διὰ χειρός·
10 ὅτι ἦν πλήρης μὲν εἰδωλολατρείας καὶ ἦν οἶκος δαιμόνων, διὰ τὸ
ποιεῖν ὅσα ἦν ἐναντία τῷ θεῷ.« τὰς ἐνεργείας οὖν τὰς τοῖς δαιμο- 177 S
νίοις καταλλήλους ἐπιτελεῖν φησι τοὺς ἁμαρτωλούς, οὐχὶ δὲ αὐτὰ τὰ
πνεύματα ἐν τῇ τοῦ ἀπίστου κατοικεῖν ψυχῇ λέγει. διὰ τοῦτο καὶ 2
ἐπιφέρει· »προσέχετε, ἵνα ὁ ναὸς τοῦ κυρίου ἐνδόξως οἰκοδομηθῇ·
15 πῶς; μάθετε· λαβόντες τὴν ἄφεσιν τῶν ἁμαρτιῶν καὶ ἐλπίσαντες
ἐπὶ τὸ ὄνομα γενόμεθα καινοί, πάλιν ἐξ ἀρχῆς κτιζόμενοι.« οὐ γὰρ 3
οἱ δαίμονες ἡμῶν ἀπελαύνονται, ἀλλ᾽ αἱ ἁμαρτίαι, φησίν, ἀφίενται,
ἃς ὁμοίως ἐκείνοις ἐπετελοῦμεν πρὶν ἢ πιστεῦσαι. εἰκότως οὖν ἀντ- 4
έθηκε τὰ ἐπιφερόμενα· »διὸ ἐν τῷ κατοικητηρίῳ ἡμῶν ἀληθῶς ὁ
20 θεὸς κατοικεῖ ἐν ἡμῖν. πῶς; ὁ λόγος αὐτοῦ τῆς πίστεως, ἡ κλῆσις
αὐτοῦ τῆς ἐπαγγελίας, ἡ σοφία τῶν δικαιωμάτων, αἱ ἐντολαὶ τῆς
διδαχῆς.« οἶδα ἐγὼ αἱρέσει τινὶ ἐντυχών, καὶ ὁ ταύτης προϊστάμενος 5
διὰ τῆς χρήσεως ἔφασκεν τῆς ἡδονῆς ἡδονῇ μάχεσθαι, αὐτομολῶν
πρὸς ἡδονὴν διὰ προσποιητοῦ μάχης ὁ γενναῖος οὗτος γνωστικός
25 (ἔφασκε γὰρ δὴ αὐτὸν καὶ γνωστικὸν εἶναι), ἐπεὶ οὐδὲ μέγα ἔλεγεν τὸ 6
ἀπέχεσθαι ἡδονῆς μὴ πεπειραμένον, ἐν αὐτῇ δὲ γενόμενον μὴ κρα-
τεῖσθαι, ὅθεν γυμνάζεσθαι δι᾽ αὐτῆς ἐν αὐτῇ. \ ἐλάνθανεν δὲ ἑαυτὸν 118,
κατασοφιζόμενος ὁ ἄθλιος τῇ φιληδόνῳ τέχνῃ. ταύτῃ δηλονότι τῇ 2
δόξῃ καὶ Ἀρίστιππος ὁ Κυρηναῖος προσέβαλλεν τοῦ τὴν ἀλήθειαν
30 αὐχοῦντος σοφιστοῦ. ὀνειδιζόμενος γοῦν ἐπὶ τῷ συνεχῶς ὁμιλεῖν τῇ

2 Mt 7, 7; Lc 11, 9   3–5 vgl. Mt 13, 25   6f. vgl. Clem. Alex. bei Euseb. Hist.
eccl. II 1, 4; vgl. Lc 10, 1. 17   8–11. 14–16. 19–22 Barnab. Ep. 16, 7–9   9 vgl.
Act 17, 24   24 vgl. Meth. de res. I 58, 2 S. 320, 7f. ὁ γενναῖος οὗτος ἰατρός   25–27
vgl. Aristipp bei Stob. Flor. 17, 18 κρατεῖ ἡδονῆς, οὐχ ὁ ἀπεχόμενος, ἀλλ᾽ ὁ χρώ-
μενος μέν, μὴ προεκφερόμενος δέ. Ähnlich Diog. Laert. II 75   30–S. 177, 2 Theo-
doret Gr. aff. c. XII 50

*   1f. γῇ κεκαθαρμένη] γῆς κεκαθαρμένης Hiller γῆς ⟨ἐκ⟩κεκαθαρμένος St u. Schw
5 ἐπισπείρειν L ἐπεισρεῖν Tengblad S. 92   8 οἰκητήριον] κατοικητήριον Barn.   9 ἀλη-
θῶς] ὡς ἀληθῶς Barn.   10 πλήρης Vi πλήρεις L   εἰδωλολατρείας Di 14f. οἰκοδομηθῇ
πως L   16 γενόμεθα] ἐγενόμεθα Barn.   20 ἡμῖν πως ὁ λόγος L   25 οὐδὲν Sy
28 δηλονότι Sy δῆλον οὖν L   29 ⟨πρὸ⟩ τοῦ Schw   30 γοῦν Schw οὖν L

ἑταίρᾳ τῇ Κορινθίᾳ, »ἔχω γάρ« ἔλεγεν »Λαΐδα καὶ οὐκ ἔχομαι ὑπ'
αὐτῆς.« τοιοῦτοι δὲ καὶ οἱ φάσκοντες ἑαυτοὺς Νικολάῳ ἕπεσθαι, 8
ἀπομνημόνευμά τι τἀνδρὸς φέροντες ἐκ | παρατροπῆς τὸ »δεῖν πα- 491 P
ραχρῆσθαι τῇ σαρκί«. ἀλλ' ὁ μὲν γενναῖος κολούειν δεῖν ἐδήλου τάς 4
5 τε ἡδονὰς τάς τε ἐπιθυμίας καὶ τῇ ἀσκήσει ταύτῃ καταμαραίνειν τὰς
τῆς σαρκὸς ὁρμάς τε καὶ ἐπιθέσεις. οἱ δὲ εἰς ἡδονὴν τράγων δίκην 5
ἐκχυθέντες, οἷον ἐφυβρίζοντες τῷ σώματι, καθηδυπαθοῦσιν, οὐκ εἰδότες
ὅτι τὸ μὲν ῥακοῦται φύσει ῥευστὸν ὄν, ἡ ψυχὴ δὲ αὐτῶν ἐν βορβόρῳ
κακίας κατορώρυκται, δόγμα ἡδονῆς αὐτῆς, οὐχὶ δὲ ἀνδρὸς ἀποστο-
10 λικοῦ μεταδιωκόντων. τίνι γὰρ οὗτοι Σαρδαναπάλλου διαφέρουσιν; 6
οὗ τὸν βίον δηλοῖ τὸ ἐπίγραμμα·

ταῦτ' ἔχω ὅσσ' ἔφαγον καὶ ἐφύβρισα καὶ μετ' ἔρωτος
τέρπν' ἔπαθον, τὰ δὲ πολλὰ καὶ ὄλβια κεῖνα λέλειπται.
καὶ γὰρ ἐγὼ σποδός εἰμι, Νίνου μεγάλης βασιλεύσας. ᾿

15 καθόλου γὰρ οὐκ ἀναγκαῖον τὸ τῆς ἡδονῆς πάθος, ἐπακολούθημα δὲ 7
χρείαις τισὶ φυσικαῖς, πείνῃ, δίψει, ῥίγει, γάμῳ. εἰ γοῦν ταύτης δίχα 119,1
πιεῖν οἷόν τε ἦν ἢ τροφὴν προσίεσθαι ἢ παιδοποιεῖν, ἐδείχθη ἂν
οὐδεμία ἑτέρα χρεία ταύτης. οὔτε γὰρ ἐνέργεια οὔτε διάθεσις οὐδὲ 2
μὴν μέρος τι ἡμέτερον ἡ ἡδονή, ἀλλ' ὑπουργίας ἕνεκα παρῆλθεν εἰς
20 τὸν βίον, ὥσπερ τοὺς ἅλας φασὶ τῆς παραπέψεως τῆς τροφῆς χάριν.
ἢ δὲ ἀφηνιάσασα καὶ τοῦ οἴκου κατακρατήσασα πρώτην ἐπιθυμίαν 8
γεννᾷ, ἔφεσιν καὶ ὄρεξιν οὖσαν ἄλογον τοῦ κεχαρισμένου αὐτῇ, ⟨ἢ⟩

* 1f. vgl. Diog. Laert. II 75; Parallelen bei Sternbach, Gnomol. Vatic. 65; Zeller,
Phil. d. Gr. II 1⁴ S. 362⁴ 2—10 vgl. Hilgenfeld, Ketzergesch. S. 409ff. 8f. vgl.
Strom. III 25, 7 7ᵗ. vgl. Strom. III 86, 4 8f. vgl. Plato Rep. VII p. 533 D ἐν
βορβόρῳ ... τὸ τῆς ψυχῆς ὄμμα κατορωρυγμένον. 12—14 Choirilos von Iasos (nach
Naeke) Fr. 1 Kinkel; Preger, Inscr. graec. metr. p. 183 Nr. 232; vgl. Theodoret Gr.
aff. c. XII 93; Athen. VIII p. 336 A; die Parodie des Krates Fr. 12 PLG⁴ II p. 368;
die übrigen Zeugen bei Kinkel u. Preger 15—22 Chrys. Fr. mor. 405 Arnim 15f.
vgl. Usener, Epic. fr. 398 p. 275, 20 21f. zu ἐπιθυμία = ὄρεξις ἄλογος vgl. Paed.
I 101, 1 mit Anm.

3 ἀπομνημόνευμά τι Sy ἀπομνημονεύματι L 12 ταῦτ'] κεῖν' Athen. τόσσ'
Theodor. u. a. ὅσσ' Vi ὅσ' L καὶ ἐφύβρισα] καὶ ἐβρόχθισα Nauck καὶ ἀφύβρισα
und τε καὶ ἔπιον andere Zeugen μετ' ἔρωτος] σὺν ἔρωτι Athen. μετ' ἐρώτων andere Z.
13 τέρπν' ἔπαθον] τερπνὰ πάθον oder τέρπν' ἐδάην andere Z. κεῖνα] πάντα Theodor.
Athen. u. a. λέλειπται] λέλυνται Athen. 14 σποδός εἰμι Vi aus Athen. σπονδαῖσι L
βασιλεύσας Vi aus Athen. βασίλευσα L βασιλεύων andere Z. 17 τροφὴν Wendland,
Rhein. Mus. 53 (1898) S. 8 τροφῆς L 21 πρώτην L ἐρωτικὴν St (doch vgl.
Strom. II 137, 1 S. 188, 27; an beiden Stellen ist die Überlieferung richtig (Fr)
οἴακος Mü (ganz unnötig Fr) 22 ⟨ἢ⟩ Usener αὐτῇ ⟨δ⟩ Mondésert

καὶ τὸν Ἐπίκουρον τέλος εἶναι τοῦ φιλοσόφου ἀνέπεισε θέσθαι τὴν | ἡδονήν. θειάζει γοῦν ›σαρκὸς εὐσταθὲς κατάστημα καὶ τὸ περὶ ταύτης 492 P πιστὸν ἔλπισμα‹. τί γὰρ ἕτερον ἢ τρυφὴ ἢ φιλήδονος λιχνεία καὶ 5 πλεονασμὸς περίεργος πρὸς ἡδυπάθειαν ἀνειμένων; ἐμφαντικῶς ὁ 6 5 Διογένης ἔν τινι τραγῳδίᾳ γράφει·

     οἱ τῆς ἀνάνδρου καὶ διεσκατωμένης
     τρυφῆς ὑφ᾽ ἡδοναῖσι σαχθέντες κέαρ
     πονεῖν θέλοντες οὐδὲ βαιά,

καὶ τὰ ἐπὶ τούτοις ὅσα αἰσχρῶς μὲν εἴρηται, ἐπαξίως δὲ τῶν 10 φιληδόνων.

Διό μοι δοκεῖ ὁ θεῖος νόμος ἀναγκαίως τὸν φόβον ἐπαρτᾶν, ἵν᾽ 120, 1 εὐλαβείᾳ καὶ προσοχῇ τὴν ἀμεριμνίαν ὁ φιλόσοφος κτήσηταί τε καὶ τηρήσῃ, ἀδιάπτωτός τε καὶ ἀναμάρτητος ἐν πᾶσι διαμένων. οὐ γὰρ 2 ἄλλως. εἰρήνη καὶ ἐλευθερία περιγίνεται ἢ διὰ τῆς ἀπαύστου καὶ 15 ἀναπαυδήτου πρὸς τὰς τῶν παθῶν ἡμῶν ἀντιμαχήσεις *. οὗτοι 3 γὰρ οἱ ἀνταγωνισταὶ παχεῖς καὶ Ὀλυμπικοὶ σφηκῶν ὡς εἰπεῖν εἰσι δριμύτεροι, καὶ μάλιστα ἡ ἡδονή, οὐ μόνον μεθ᾽ ἡμέραν, ἀλλὰ καὶ νύκτωρ ἐν αὐτοῖς τοῖς ἐνυπνίοις μετὰ γοητείας δελεαστικῶς ἐπιβουλεύουσα καὶ δάκνουσα. πῶς οὖν ἔτι δίκαιοι κατατρέχειν τοῦ νόμου 4 20 Ἕλληνες, φόβῳ καὶ αὐτοὶ τὴν ἡδονὴν δουλοῦσθαι διδάσκοντες; ὁ 5 γοῦν Σωκράτης φυλάσσεσθαι κελεύει τὰ ἀναπείθοντα μὴ πεινῶντας ἐσθίειν καὶ μὴ διψῶντας πίνειν καὶ τὰ βλέμματα καὶ τὰ φιλήματα τῶν καλῶν ὡς χαλεπώτερον σκορπίων καὶ φαλαγγίων ἰὸν ἐνιέναι πεφυκότα. καὶ Ἀντισθένης δὲ μανῆναι μᾶλλον ἢ ἡσθῆναι αἱρεῖται, 121, 1 25 ὅ τε Θηβαῖος Κράτης

2f. Epik. Fr. 68 Usener p. 121, 34; 344, 30; vgl. Strom. II 131, 1 (Metrodor Fr. 5 Koerte p. 540) 6—8 Diogenes von Sinope Fr. inc. 1 TGF² p. 808 sq. 16f. vgl. Dio Chrys. 8, 3 20—24 Theodoret Gr. aff. c. XII 57 21—24 vgl. Xenoph. Mem. I 3, 6. 12f.; auch bei Stob. Flor. 17, 44; 101, 20 Mein.; Plut. Mor. p. 124 D; 513 D; 521 F; 661 F; vgl. Paed. II 15, 1 mit Anm.; Paed. III 81, 4 24 Antisthenes Fr. 65 Mullach FPG II p. 286; vgl. außer den dort angeführten Stellen Theodoret Gr. aff. c. III 53; XII 47; Diog. Laert. VI 3; Sext. Emp. Adv. Math. XI 73; Pyrrh. Hyp. III 181 25—S. 179, 6 Krates Fr. 3. 8. 9 Bergk² (5 Diels Krates fr. 7 Diehl Anth. lyr.³ I p. 122f.); vgl. E. Hiller, Jahrbb. f. Phil. 133 (1886) S. 249ff.

4 ἐμφατικῶς Meineke 7 ἡδοναῖσι σαχθέντες Meineke zu Athen. vol. IV· p. 306 u. Anal. Alex. p. 393 ἡδοναῖσιν ἀχθέντες L 8 θέλοντες Sy ἐθέλοντες L 11 ὁ θεῖος Sy θείως ὁ L 15 ⟨ἐφόδους⟩ oder ⟨προσβολὰς⟩ ἀντιμαχήσεως Ma ἀντιμαχήσεις ⟨ὑπομανῆς⟩ oder ⟨ἐνστάσεως⟩ Schw ἀντιμαχήσεις ⟨καρτερίας⟩ Fr 23 φαλαγγίων Theod. φαλάγγων L

τῶν δὲ (φησὶ) κράτει ψυχῆς ἤθει ἀγαλλομένη·
οὔθ᾽ ὑπὸ χρυσείων δουλουμένη οὔθ᾽ ὑπ᾽ ἐρώτων
τηξιπόθων, οὐδ᾽ εἴ τι συνέμπορόν ἐστι φίλυβρι.

καὶ τὸ ὅλον ἐπιλέγει· |

5   ἡδονῇ ἀνδραποδώδει ἀδούλωτοι καὶ ἄκναπτοι   493 P
ἀθάνατον βασιλείαν ἐλευθερίαν τ᾽ ἀγαπῶσιν.

οὗτος ἐν ἄλλοις εὐθυρρημόνως γράφει τῆς εἰς τὰ ἀφροδίσια ἀκατα- 2
σχέτου ὁρμῆς κατάπλασμα εἶναι λιμόν, εἰ δὲ μή, βρόχον. Ζήνωνι δὲ
τῷ Στωϊκῷ τὴν διδασκαλίαν μαρτυροῦσι καίτοι διασύροντες οἱ κω-
10 μικοὶ ὧδέ πως·

φιλοσοφίαν καινὴν γὰρ οὗτος φιλοσοφεῖ·
πεινῆν διδάσκει καὶ μαθητὰς λαμβάνει·
εἷς ἄρτος, ὄψον ἰσχάς, ἐπιπιεῖν ὕδωρ.

Πάντες δὴ οὗτοι οὐκ αἰσχύνονται σαφῶς ὁμολογεῖν τὴν ἐκ τῆς 122, 1
15 εὐλαβείας ὠφέλειαν· ἡ δὲ ἀλη|θὴς καὶ οὐκ ἄλογος σοφία οὐ λόγοις 178 S
ψιλοῖς καὶ θεσπίσμασι πεποιθυῖα, ἀλλὰ σκεπαστηρίοις ἀτρώτοις καὶ
ἀμυντηρίοις δραστικοῖς, ταῖς θείαις ἐντολαῖς, * * συγγυμνασίᾳ τε καὶ
συνασκήσει μελετῶσα, δύναμιν θείαν κατὰ τὸ ἐμπνεόμενον μέρος αὐτῆς
ὑπὸ τοῦ λόγου λαμβάνει. ἤδη γοῦν καὶ τοῦ ποιητικοῦ Διὸς τὴν 2
20 αἰγίδα γράφουσι

δεινήν, ἣν πέρι μὲν πάντη φόβος ἐστεφάνωται,
ἐν δ᾽ Ἔρις, ἐν δ᾽ Ἀλκή, ἐν δὲ κρυόεσσα Ἰωκή·
ἐν δέ τε Γοργείη κεφαλὴ δεινοῖο πελώρου,
δεινή τε σμερδνή τε, Διὸς τέρας αἰγιόχοιο.

5—8 Theodoret Gr. aff. c. ΛΙΙ 49   71. vgl. Krates Fr. 17 Bergk⁴ 14 Diels fr. 14
Diehl (Anth. lyr.³ I p. 124) (bei Diog. Laert. VI 86 u. a.) ἔρωτα παύει λιμός, εἰ δὲ
μή, χρόνος. | ἐὰν δὲ τούτοις μὴ δύνῃ χρῆσθαι, βρόχος   11—13 Philemon Φιλόσοφοι
Fr. 85 CAF II p. 502; vgl. Diog. Laert. VII 27   21—24 E 739—742

1 der Pentameter gehörte zum ὕμνος εἰς εὐσέβειαν. Der Übergang zum folgen-
den fehlt durch Clemens' Schuld; im Original wohl κρατεῖ ψυχή (Vocativ) Schw
ἀγαλλομένηι L 2 χρυσίων L χρυσί⟨δί⟩ων Schw δουλουμένηι L 3 τηξινόων Bergk
οὐδ᾽ εἴ τι συνέμπορόν ἐστι Sy οὐδ᾽ ἔτι συνέμποροί εἰσι L 5 ἄκναπτοι] ἄκαμπτοι Theod.
6 Krates, nicht Clemens, schrieb wohl: ἀθανάτ ν βασίλειαν, ἐλευθερίαν, ἀγαπῶσιν
(Wi) 7 ἀφροδήσια L 8 κατάπλασμα] κατάπαυμα Theod. (schlechtere HSS) 11 και-
νήν Diog. κενήν L 17 ἀμυντηρίοις Μü μυστηρίοις L τὰς θείας ἐντολὰς συγγ. Schw
⟨εὐλάβειαν⟩ συγγ. St (vgl. S. 181, 15)

τοῖς δὲ τὸ σωτήριον διορᾶν ὀρθῶς δυναμένοις οὐκ οἶδα εἴ τι φίλτε- 123,
ρον φανήσεται τῆς τε σεμνότητος τοῦ νόμου καὶ τῆς θυγατρὸς αὐτοῦ
εὐλαβείας. ἀλλὰ γὰρ ὅταν ὑπέρτονον ᾄδειν λέγηται, ὥσπερ καὶ ὁ 2
κύριος ἐπί τινας, ἵνα μή τινες τῶν ζηλούντων αὐτὸν ἔκτονον καὶ
5 ἀπόχορδον ᾄσωσιν, οὕτως ἀκούω, οὐχ ὡς ὑπέρτονον, ἀλλὰ τοῖς μὴ
βουλομένοις ἀναλαβεῖν τὸν θεῖον ζυγόν, τούτοις ὑπέρτονον· τοῖς γὰρ
ἀτόνοις καὶ ἀσθενικοῖς τὸ μέτριον | ὑπέρτονον δοκεῖ, καὶ τοῖς ἀδίκοις 494 P
ἀκροδίκαιον τὸ ἐπιβάλλον. ὅσους γὰρ διὰ τὸ φιλικῶς πρὸς ἁμαρτίας 3
ἔχειν ἡ συγγνώμη παρεισέρχεται, οὗτοι τὴν ἀλήθειαν ἀπήνειαν ὑπο-
10 λαμβάνουσιν καὶ τὴν αὐστηρίαν ἀποτομίαν, καὶ ἀνηλεῆ τὸν μὴ συνα-
μαρτάνοντα μηδὲ συγκατασπώμενον. εὖ γοῦν ἡ τραγῳδία ἐπὶ τοῦ 124,
Ἀιδου γράφει·

πρὸς δ' οἶον ἥξεις δαίμονα ὡς ἔρωτα, †
ὃς οὔτε τοὐπιεικὲς οὔτε τὴν χάριν
15　　　ᾔδει, μόνον δ' ἔστεργε τὴν ἁπλῶς δίκην.

καὶ γὰρ εἰ μηδέπω ποιεῖν τὰ ἡμῖν προσταττόμενα ὑπὸ τοῦ νόμου 2
οἷοί τέ ἐσμεν, ἀλλά τοι συνορῶντες, ὡς ὑποδείγματα ἡμῖν ἔκκειται
κάλλιστα ἐν αὐτῷ, τρέφειν καὶ αὔξειν τὸν ἔρωτα τῆς ἐλευθερίας
δυνάμεθα· καὶ τῇδε ὠφελοίμεθ' ἄν, κατὰ δύναμιν προθυμότερον τὰ
20 μὲν προκαλούμενοι, τὰ δὲ μιμούμενοι, τὰ δὲ καὶ δυσωπούμενοι. οὐδὲ 3
γὰρ οἱ παλαιοὶ δίκαιοι κατὰ νόμον βιώσαντες ›ἀπὸ δρυὸς‹ ἦσαν
›παλαιφάτου οὐδ' ἀπὸ πέτρης‹. τῷ γοῦν βουληθῆναι γνησίως φιλο-
σοφεῖν ὅλους αὐτοὺς φέροντες ἀνέθεσαν τῷ θεῷ καὶ ›εἰς πίστιν
ἐλογίσθησαν‹.
25　Καλῶς ὁ Ζήνων ἐπὶ τῶν Ἰνδῶν ἔλεγεν ἕνα Ἰνδὸν παροπτώμε- 125,
νον ἐθέλειν ⟨ἂν⟩ ἰδεῖν ἢ πάσας τὰς περὶ πόνου ἀποδείξεις μαθεῖν. ἡμῖν 2

6 vgl. Mt 11, 29　6f. τοῖς ἀτόνοις—δοκεῖ Sacr. Par. 228 Holl; Antonius Melissa
p. 119 Gesner　8—11 ὅσοις διὰ—συγκατασπώμενον Sacr. Par. 229 Holl　13—15 So-
phokles Fr. inc. 703　16—24 καὶ εἰ—ἐλογίσθησαν Sacr. Par. 230 Holl　21f. vgl. τ 163
23 vgl. S. 167, 5f.　23f. vgl. Gen 15, 6; Rom 4, 3. 9　25f. Zenon Fr. 187 Pearson,
241 Arnim

4 ἐπί τινας] ἐπιτείνας Fr ἐπίτονον Mondésert　5 ⟨πᾶσιν⟩ ὑπέρτονον St ⟨κυρίως⟩
ὑπέρτονον Schw ὑπέρτονον ⟨ἁπλῶς⟩ Ma　7 τὸ μέτρον ὑπὲρ τόνον Sacr. Par. Ant.　8 ὅσοις
Sacr. Par.　φιλονείκως Sacr. Par.　τὴν ἁμαρτίαν Sacr. Par.　9 ἤ < Sacr. Par.　συγ-
γνώμη] + μὴ Sacr. Par.　9f. τὴν ἀλήθειαν καὶ τὴν αὐστηρίαν ἀποτομίαν ὑπολαμβάνουσι
Sacr. Par.　13 ὡς ἔρωτα] ἐξερῶ τάχα Nauck ὦ γέρην, τάχα Herwerden　14 τοὐ-
πιεικὲς] ι¹ üb. d. Z. L¹　15 ᾔδει, μόνον] οἶδε μόνην Plut. Mor. p. 761 F　δ' ἔστεργε]
δὲ στέρξαι (d. i. δ' ἔστερξε) Plut.　16f. ἡμῖν—ἐσμεν Mü μὴ—ἐστε L　17 ἔγκειται
Sacr. Par.　20 οὔτε L　23 αὐτοὺς L ἑαυτοὺς Sacr. Par.　ἀνέθηκαν Sacr. Par.　24f. ἐλο-
γίσθη. Παγκάλως Ja¹; aber vgl. Strom. VI 47, 3　26 ⟨ἂν⟩ Cobet S. 487

δὲ ἄφθονοι μαρτύρων πηγαὶ ἑκάστης ἡμέρας ἐν ὀφθαλμοῖς ἡμῶν
θεωρούμεναι παροπτωμένων ἀνασκινδυλευομένων τὰς κεφαλὰς ἀπο-
τεμνομένων. τούτους πάντας ὁ παρὰ τοῦ νόμου φόβος εἰς Χριστὸν 3
παιδαγωγήσας συνήσκησε τὸ εὐλαβὲς καὶ δι᾽ αἱμάτων ἐνδείκνυσθαι.
5 ›ὁ θεὸς ἔστη ἐν συναγωγῇ θεῶν, ἐν μέσῳ δὲ θεοὺς διακρινεῖ.‹ τίνας 4
τούτους; τοὺς ἡδονῆς κρείττονας, τοὺς τῶν παθῶν διαφέροντας,
τοὺς ἕκαστον ὧν πράσσουσιν ἐπισταμένους, τοὺς γνωστικούς, τοὺς
τοῦ κόσμου μείζονας. καὶ πάλιν ›ἐγὼ εἶπα, θεοί ἐστε καὶ υἱοὶ ὑψί- 5
στου πάντες‹ τίσι λέγει ὁ κύριος; τοῖς παραιτουμένοις ὡς οἷόν τε
10 πᾶν τὸ ἀνθρώπινον. καὶ ὁ ἀπόστολος λέγει· ›ὑμεῖς γὰρ | οὐκέτι 6 495 P
ἐστὲ ἐν σαρκί, ἀλλ᾽ ἐν πνεύματι.‹ καὶ πάλιν λέγει· ›ἐν σαρκὶ ὄντες
οὐ κατὰ σάρκα στρατευόμεθα·‹ ›σὰρξ‹ γὰρ ›καὶ αἷμα βασιλείαν θεοῦ
κληρονομῆσαι οὐ δύνανται, οὐδὲ ἡ φθορὰ τὴν ἀφθαρσίαν κληρονομεῖ·‹
›ἰδοὺ δὲ ὡς ἄνθρωποι ἀποθνήσκετε‹ διελέγχον ἡμᾶς τὸ πνεῦμα
15 εἴρηκεν. χρὴ τοίνυν συνασκεῖν αὐτοὺς εἰς εὐλάβειαν τῶν ὑποπιπτόν- 126, 1
των τοῖς πάθεσι, φυγαδεύοντας κατὰ τοὺς ὄντως φιλοσόφους τὰ
πασχητιῶντα τῶν βρωμάτων καὶ τὴν παρὰ τὴν κοίτην ἔκλυτον
ἄνεσιν καὶ τὴν τρυφὴν καὶ τὰ εἰς τρυφὴν πάθη, ** ἄλλοις εἶναι ἆθλον
βαρύ, ἡμῖν δὲ οὐκέτι· δῶρον γὰρ τοῦ θεοῦ σωφροσύνη τὸ μέγιστον.
20 ›αὐτὸς γὰρ εἴρηκεν, οὐ μή σε ἀνῶ οὐδ᾽ οὐ μή σε ἐγκαταλείπω,‹ 2
ἄξιον κρίνας διὰ τὴν γνησίαν αἵρεσιν. οὕτω τοίνυν ἡμᾶς εὐλαβῶς 3
προσιέναι πειρωμένους ἐκδέξεται ὁ ›χρηστὸς‹ τοῦ κυρίου ›ζυγός‹, ›ἐκ
πίστεως εἰς πίστιν‹ ἑνὸς ἡνιόχου κατὰ προκοπὴν ἐλαύνοντος ἕκα-
στον ἡμῶν εἰς σωτηρίαν, ὅπως ὁ προσήκων τῆς εὐδαιμονίας περι-
25 γένηται καρπός. γίνεται δὲ [ἡ] ›ἄσκησις‹ κατὰ τὸν Κῷον Ἱπποκρά- 4
την οὐ μόνον τοῦ σώματος, ἀλλὰ καὶ τῆς ψυχῆς ›ὑγιείης ἀοκνίη
πόνων, ἀχορίη τροφῆς.‹

XXI. Ἐπίκουρος δέ, ἐν τῷ μὴ πεινῆν μηδὲ διψῆν μηδὲ ῥιγοῦν 127. 1

3f. vgl. Gal 3, 24   5 Ps 81, 1   8f. Ps 81, 6   10f. Rom 8, 9   11f. II Cor 10, 3
12f. I Cor 15, 50   14 Ps 81, 7   17 vgl. πασχητιώντων ἐδεσμάτων Paed. II 14, 3 mit
Anm.   20 Hebr 13, 5; vgl. Deut 31, 6. 8   22 vgl. Mt 11, 30   22f. Rom 1, 17   25—27
vgl. Hippokrates Epidem. VI 4, 18 (V p. 312 Littré); Plut. Mor. p. 129 F; Galen
Protr. 11 p. 16, 2f. Kaibel   28—S. 187, 2 vgl. R. Hoyer, De Antiocho Ascalonita
Diss. Bonn 1883 S. 26 ff.   28—S. 182, 9 Epikur Fr. 602 (S. 339, 19; vgl. Fr. 200
S. 161, 15). 450 (S. 293, 23). 406 (S. 277, 16) Usener   28—S. 182, 2 Theodoret Gr.
aff. c. XI 16

2 ἀνασκινδυλευομένων Sy ἀνασκινδαλευομένων L   14 διελέγχον St διελέγχι. L
18 ἄλλοις εἶναι] ἄλλοις ὄντα oder ἄλλοις εἰ καὶ Heyse ⟨νομίζοντες, ταῦτ᾽⟩ ἄλλοις εἶ u
Hiller ⟨ἅπερ δοκεῖ τοῖς μὲν⟩ ἄλλοις εἶναι Ma u. Schw   25 [ἡ] St   26 ὑγιείης St aus
Hipp. (ὑγιείας Po) ὑγίεια L   28 μηδὲ² Usener μήτε L

τὴν εὐδαιμονίαν τιθέμενος τὴν ἰσόθεον, ἐπεφώνησε φωνὴν ἀσεβῶς
εἰπών, ἐν τούτοις κἂν Διὶ πατρὶ μάχεσθαι, ὥσπερ ὑῶν σκατοφάγων
καὶ οὐχὶ τῶν λογικῶν καὶ φιλοσόφων τὴν μακαρίαν νίκην δογμα-
τίζων. τῶν γὰρ ἀπὸ τῆς ἡδονῆς ἀρχομένων * τούς τε Κυρηναϊκοὺς
5 εἶναι καὶ τὸν Ἐπίκουρον· τούτους γὰρ τέλος εἶναι λέγειν διαρρήδην 2
τὸ ἡδέως ζῆν, τέλειον δὲ ἀγαθὸν μόνον τὴν ἡδονήν. ὁ δὲ Ἐπίκουρος
καὶ τὴν τῆς ἀλγηδόνος ὑπεξαίρεσιν ἡδονὴν εἶναι λέγει· αἱρετὸν δὲ
εἶναί φησιν ὃ πρῶτον ἐξ ἑαυτοῦ ἐφ᾽ ἑαυτὸ ἐπισπᾶται πάντως δηλον-
ότι ἐν κινήσει ὑπάρχον. Δεινόμαχος δὲ καὶ|Καλλιφῶν τέλος εἶναι 3
10 ἔφασαν πᾶν τὸ καθ᾽ αὑτὸν ποιεῖν ἕνεκα τοῦ ἐπιτυγχάνειν ἡδονῆς
καὶ τυγχάνειν, ὅ τε Ἱερώνυμος ὁ Περιπατη|τικὸς τέλος μὲν εἶναι τὸ 496 P
ἀοχλήτως ζῆν, τελικὸν δὲ ἀγαθὸν μόνον τὴν εὐδαιμονίαν. καὶ Διό-
δωρος ὁμοίως ἀπὸ τῆς αὐτῆς αἱρέσεως γενόμενος τέλος ἀποφαίνεται
τὸ ἀοχλήτως καὶ καλῶς ζῆν. Ἐπίκουρος μὲν οὖν καὶ οἱ Κυρηναϊκοὶ 128, 1
15 τὸ πρῶτον οἰκεῖόν φασιν ἡδονὴν εἶναι· ἕνεκα γὰρ ἡδονῆς παρελθοῦσα,
φασίν, ἡ ἀρετὴ ἡδονὴν ἐνεποίησε. κατὰ δὲ τοὺς περὶ Καλλιφῶντα 2
ἕνεκα μὲν τῆς ἡδονῆς | παρεισῆλθεν ἡ ἀρετή, χρόνῳ δὲ ὕστερον τὸ 179 S
περὶ αὐτὴν κάλλος κατιδοῦσα ἰσότιμον ἑαυτὴν τῇ ἀρχῇ, τουτέστι τῇ
ἡδονῇ, παρέσχεν.

20   Οἱ δὲ περὶ τὸν Ἀριστοτέλη τέλος ἀποδιδόασιν εἶναι τὸ ζῆν 3
κατ᾽ ἀρετήν, οὔτε δὲ τὴν εὐδαιμονίαν οὔτε τὸ τέλος παντὶ τῷ τὴν
ἀρετὴν ἔχοντι παρεῖναι· βασανιζόμενον γὰρ καὶ τύχαις ἀβουλήτοις
περιπίπτοντα τὸν σοφὸν καὶ διὰ ταῦτα ἐκ τοῦ ζῆν ἀσμένως ἐθέ-
λοντα διαφεύγειν μὴ εἶναι μήτε μακάριον μήτ᾽ εὐδαίμονα. δεῖ γὰρ 4
25 καὶ χρόνου τινὸς τῇ ἀρετῇ· οὐ γὰρ ἐν μιᾷ ἡμέρᾳ περιγίνεται, ἢ καὶ
ἐν τελείῳ συνίσταται, ἐπεὶ μὴ ἔστιν, ὥς φασι, παῖς εὐδαίμων ποτέ·
τέλειος δ᾽ ἂν εἴη χρόνος ὁ ἀνθρώπινος βίος. συμπληροῦσθαι τοίνυν 5
τὴν εὐδαιμονίαν ἐκ τῆς τριγενείας τῶν ἀγαθῶν. οὔτ᾽ οὖν ὁ πένης
οὔθ᾽ ὁ ἄδοξος, ἀλλ᾽ οὐδ᾽ ὁ ἐπίνοσος, ἀλλ᾽ οὐδ᾽ ἂν οἰκέτης ᾖ τις,
30 κατ᾽ αὐτοὺς * * .

---

1 μισόθεον Wakefield zu Lucret. II 180   2 homerisch; vgl. E 362   5f. Theo-
doret Gr. aff. c. XI 6   9f. 16—19 vgl. Zeller, Phil. d. Gr. II 2³ 935¹   11f. Hieronymos
Fr. XI 17 Hiller p. 102; vgl. Zeller II 2³ S. 924⁴   12—14 vgl. Zeller II 2³ S. 934¹
14—16 Epikur Fr. 509 Usener S. 314, 13   20—30 vgl. Theodoret Gr. aff. c. XI 13;
Aristot. Eth. Magn. 1, 4 (p. 1184ᵇ 35ff.); Eth. Nic. 1, 10 (p. 1100ᵃ 2f.); 7, 14 (p. 1153ᵇ
17ff.); 1, 6 (p. 1098ᵃ 18ff.)   28 zur τριγένεια τῶν ἀγαθῶν vgl. Strom. II 34, 1 S. 130, 29
und IV 166, 1 S. 322, 1 Sext. Emp. Pyrrh. hyp. III 180. 181 Orig. in Rom. S. 130, 4
Scherer (Fr)

1 ἀσεβῆ Schw   3 νικᾶν Usener   4 ἀρχομένων⟨ἴσμεν⟩ Hiller ⟨ἀκούομεν⟩ Ma ἀρχο-
μένων ⟨παρειλήφαμεν⟩ Fr   8 φασιν Menage zu Diog. Laert. X 136   9 ὑπάρχον Hervet
ὑπάρχων L   15 παρ⟨εισ⟩ελθοῦσα Ma   18 vor ἀρχῇ ist ἀρετῆι von L¹ gestrichen
29 ἀλλ᾽ οὐδ᾽] οὔθ᾽ Ma   30 ⟨εὐδαίμων⟩ Hiller ⟨τοῦ τέλους ἐφικέσθαι δυνήσεται⟩ Wi

Πάλιν δ' αὖ Ζήνων μὲν ὁ Στωϊκὸς τέλος ἡγεῖται τὸ κατ' ἀρετὴν 129, 1
ζῆν, Κλεάνθης δὲ τὸ ὁμολογουμένως τῇ φύσει ζῆν, | ⟨Διογένης δὲ τὸ 497 P
τέλος κεῖσθαι ἡγεῖτο⟩ ἐν τῷ εὐλογιστεῖν, ὃ ἐν τῇ τῶν κατὰ φύσιν
ἐκλογῇ κεῖσθαι διελάμβανεν. ὅ τε Ἀντίπατρος ὁ τούτου γνώριμος τὸ 2
5 τέλος κεῖσθαι ἐν τῷ διηνεκῶς καὶ ἀπαραβάτως ἐκλέγεσθαι μὲν τὰ κατὰ
φύσιν, ἀπεκλέγεσθαι δὲ τὰ παρὰ φύσιν ὑπολαμβάνει. Ἀρχέδημός τε αὖ 3
οὕτως ἐξηγεῖτο εἶναι τὸ τέλος, ⟨ζῆν⟩ ἐκλεγόμενον τὰ κατὰ φύσιν μέ-
γιστα καὶ κυριώτατα, οὐχ οἷόν τε ὄντα ὑπερβαίνειν. πρὸς τούτοις ἔτι 4
Παναίτιος τὸ ζῆν κατὰ τὰς δεδομένας ἡμῖν ἐκ φύσεως ἀφορμὰς τέλος
10 ἀπεφήνατο· ἐπὶ πᾶσί τε ὁ Ποσειδώνιος τὸ ζῆν θεωροῦντα τὴν τῶν
ὅλων ἀλήθειαν καὶ τάξιν καὶ συγκατασκευάζοντα αὐτὴν κατὰ τὸ δυ-
νατόν, κατὰ μηδὲν ἀγόμενον ὑπὸ τοῦ ἀλόγου μέρους τῆς ψυχῆς.
τινὲς δὲ τῶν νεωτέρων Στωϊκῶν οὕτως ἀπέδοσαν, τέλος εἶναι τὸ 5
ζῆν ἀκολούθως τῇ τοῦ ἀνθρώπου κατασκευῇ. τί δή σοι Ἀρίστωνα ⟨ἂν⟩ 6
15 καταλέγοιμι; τέλος οὗτος εἶναι τὴν ἀδιαφορίαν ἔφη, τὸ δὲ ἀδιάφορον
ἁπλῶς ἀδιάφορον ἀπολείπει· ἢ τὰ Ἡρίλλου εἰς μέσον παράγοιμι; τὸ 7
κατ' ἐπιστήμην ζῆν τέλος εἶναι τίθησιν Ἥριλλος. τοὺς γὰρ ἐκ τῆς 8
Ἀκαδημίας νεωτέρους ἀξιοῦσί τινες τέλος ἀποδιδόναι τὴν ἀσφαλῆ
πρὸς τὰς φαντασίας ἐποχήν. ναὶ μὴν Λύκων ὁ Περιπατητικὸς τὴν 9
20 ἀληθινὴν χαρὰν τῆς ψυχῆς τέλος ἔλεγεν εἶναι, ὡς † Λεύκιμος τὴν

1—8 vgl. Stob. Ecl. II 7, 6ᵃ p. 75, 11—76, 15 Wachsm.; Diog. Laert. VII 87. 88
1f. vgl. Zenon Fr. 120 Pearson, 180 Arnim 2 Kleanthes Fr. 72 Pearson, 552 Arnim
Stoic. vet. fr. I p. 125; vgl. Wachsmuth, Comm. II de Zenone Citiensi et Cleanthe
Assio p. 4 2f. Diogenes Babylonius Fr. 46 Arnim Stoic. vet. fr. III p. 219 4—6
Antipatros von Tarsos Fr. 58 Arnim vol. III p. 253 6—8 Archedemos von Tarsos
Fr. 21 Arnim vol. III p. 264 8—10 vgl. Zeller, Phil. d. Gr. III 1³ S. 566² 10—12
Poseidonii rell. coll. J. Bake p. 190. 223; vgl. Zeller S. 583¹ 14—16 Ariston Fr. 360
Arnim Stoic. vet. fr. I p. 83 16f. Herillos Fr. 419 Arnim a. a. O. p. 92 19—S.184,1
vgl. Diels⁶ I S. 446f.; Lykon fr. 20 Wehrli 6, S. 13, 27—29 20f. Diels⁶ I S. 79,31—33

2f. ⟨Διογένης δὲ τὸ τέλος κεῖσθαι ἡγεῖτο⟩ ἐν τῷ St (vgl. Diog. Laert. VII 88;
Stob. Ecl. II 7, 6ᵃ p. 76, 9f. Wachsm.; Davies zu Cic. de fin. II 12; Krische, Forsch.
S. 423; Heinze, Ethik der Stoa S. 11 Anm.; Wachsmuth, De Zen. et Cl. p. 4 ⟨Διο-
γένης δὲ ὁ Βαβυλώνιος τὸ τέλος⟩ ἐν τῷ Arnim 3 [ὃ] Arnim 4 ὑπελάμβανεν Arnim
7 ⟨ζῆν⟩ ἐκλεγόμενον Arnim ἐκλεγόμενος L 8 τε corr. aus τα L¹ 10 ποσιδώνιος L
11 αὐτὸν Sy; συγκατασκευάζοντα αὐτὴν L richtig, Reinhardt zuletzt im Art. Posei-
donios, RE XXII 1 Sp. 747 (Fr) 14 δή] δέ Ma ⟨ἂν⟩ Di 16 ἠρίλλου L παράγοιμ'
⟨ἂν⟩ Di 17 [Ἥριλλος] Wi ἠριλλος L 19 ἐποχήν Bywater ἀποχήν L Λύκων Zeller
II 2³ S. 923³ λύκος L 20 Λεύκιμος] Λεύκιππος Sy (vgl. Diels) Λυκίσκος (so auch
Wi) oder ἀνακειμένην [τὴν] Bywater, Journ. of Philol. 4 (1872) S. 210

ἐπὶ τοῖς καλοῖς. Κριτόλαος δέ, ὁ καὶ αὐτὸς Περιπατητικός, τελειό- 10
τητα ἔλεγεν κατὰ φύσιν εὐροοῦντος βίου, τὴν ἐκ τῶν τριῶν γενῶν
συμπληρουμένην τριγενικὴν τελειότητα μηνύων.

Οὔ᾽.ουν ἐπὶ τούτοις ἀρχουμένους καταπαυστέον, φιλοτιμητέον δὲ 130, 1
5 ὡς ἔνι μάλιστα καὶ τὰ πρὸς τῶν φυσικῶν δογματιζόμενα περὶ τοῦ
προχειμένου παραθέσθαι. Ἀναξαγόραν μὲν γὰρ τὸν Κλαζομένιον τὴν 2
θεωρίαν φάναι τοῦ βίου τέλος εἶναι καὶ τὴν ἀπὸ ταύτης ἐλευθερίαν
λέγουσιν Ἡράκλειτόν τε τὸν Ἐφέσιον τὴν εὐαρέστησιν. Πυθαγόραν 3
δὲ ὁ Ποντικὸς Ἡρακλεί|δης ἱστορεῖ τὴν ἐπιστήʼʼην τῆς τελειότητος 498 Ρ
10 τῶν ἀριθμῶν τῆς ψυχῆς εὐδαιμονίαν εἶναι παραδεδωκέναι. ἀλλὰ καὶ 4
οἱ Ἀβδηρῖται τέλος ὑπάρχειν διδάσκουσι, Δημόκριτος μὲν ἐν τῷ Περὶ
τέλους τὴν εὐθυμίαν, ἣν καὶ εὐεστὼ προσηγόρευσεν (καὶ πολλάκις
ἐπιλέγει· ᾽τέρψις γὰρ καὶ ἀτερπίη οὖρος † τῶν περιηκμακότων‹),
Ἑκαταῖος δὲ αὐτάρκειαν, καὶ δὴ Ἀπολλόδοτος ὁ Κυζικηνὸς τὴν 5
15 ψυχαγωγίαν, καθάπερ Ναυσιφάνης τὴν ἀκαταπληξίαν· ταύτην γὰρ
ἔφη ὑπὸ Δημοκρίτου ἀθαμβίην λέγεσθαι. ἔτι πρὸς τούτοις Διότιμος 6
τὴν παντέλειαν τῶν ἀγαθῶν, ἣν εὐεστὼ προσαγορεύεσθαι, τέλος
ἀπέφηνεν. πάλιν Ἀντισθένης μὲν τὴν ἀτυφίαν, οἱ δὲ Ἀννικέρειοι 7
καλούμενοι ἐκ τῆς Κυρηναϊκῆς διαδοχῆς τοῦ μὲν ὅλου βίου τέλος
20 οὐδὲν ὡρισμένον ἔταξαν, ἑκάστης δὲ πράξεως ἴδιον ὑπάρχειν τέλος
τὴν ἐκ τῆς πράξεως περιγινομένην ἡδονήν. οὗτοι οἱ Κυρηναϊκοὶ 8

1–3 vgl. Stob. Ecl. II 7, 3ᵇ p. 46, 10–13 Wachsm. ὑπὸ δὲ τῶν νεωτέρων Περι-
πατητικῶν, τῶν ἀπὸ Κριτολάου (sc. τέλος λέγεται) »τὸ ἐκ πάντων τῶν ἀγαθῶν συμ-
πεπληρωμένον« (τοῦτο δὲ ἦν »τὸ ἐκ τῶν τριῶν γενῶν«). 6–12. 14. 18 Theodoret Gr.
aff. c. XI 6–8　6–8 vgl. Diels⁶ II S. 13,10f.; Sternbach zu Gnomol. Vatic. 114
8 vgl. Heraklit Fr. 110 Diels; Diels⁶ I S. 149, 24–26　8–10 Herakleides Pont.
Fr. 13 Voss (vgl. Zeller I⁵ S. 461¹); Pythag. Sent. 8 Mullach FPG I p. 500 fr. 44
Wehrli 7 S. 17, 22–24 u. S. 71　11–16 Abderiten usw. Demokrit Fr. 4 Diels⁶
II S. 133, 6–14　13 Demokr. fr. 188 Diels⁶ II S. 183, 13　14 Hekataios von Abdera
Fr. 20 FHG II p. 396; vgl. Diels⁶ II S. 240, 20f.　14f. vgl. Diels⁶ II S. 246, 2f.
15 Nausiphanes Fr. 3 Diels⁶ II S. 250, 17 [zu ἀκαταπληξία vgl. Lobeck, Phrynichos
S. 501 (Fr)]　16 ἀθαμβίη bei Demokr. Fr. 215 Diels⁶ II S. 189, 2　16f. Diotimos
Diels⁶˙ II S. 250, 25f.　17 zu εὐεστώ s. o. Z. 12 und Dem. Fr. 140 Diels⁶ II S. 170, 1
18 Antisthenes Fr. 59 Mullach FPG II 284　18–S. 185, 2 Zeller, Phil. d. Gr. II 1⁴
S. 381　21–S. 185, 5 Epikur Fr. 451 Usener p. 293, 28

3 τριγενικὴν Bernays προγονικὴν L　9 τὴν τελεωτάτην Hoyer　10 ἀριθμῶν Po
aus Theod. ἀρετῶν L　12 εὐθυμίαν Vi ἐπιθυμίαν L Theod.　13 οὖρος ⟨τῶν τε συμ-
φόρων καὶ τῶν ἀσυμφόρων«, ὃ προκεῖσθαι τέλος τῷ βίῳ τῶν ἀνθρώπων τῶν τε νέων
καὶ⟩ Diels aus Stob. Flor. 3, 35 Mein. p. 18, 7 Hense ὅρος τῶν περικειμένων Hoyer
14 Ἀπολλόδοτος Fehler für Ἀπολλόδωρος　15 ἀκαταπληξίαν Kl κατάπληξιν L　18
Ἀννικέρειοι Vi ἀννίκαινοι L　19 ⟨οἱ⟩ ἐκ τῆς Mü

τὸν ὅρον τῆς ἡδονῆς Ἐπικούρου, τουτέστι τὴν τοῦ ἀλγοῦντος ὑπεξ-
αίρεσιν, ἀθετοῦσιν, νεκροῦ κατάστασιν ἀποκαλοῦντες· χαίρειν γὰρ
ἡμᾶς μὴ μόνον ἐπὶ ἡδοναῖς, ἀλλὰ καὶ ἐπὶ ὁμιλίαις καὶ ἐπὶ φιλοτι-
μίαις. ὁ δὲ Ἐπίκουρος πᾶσαν χαρὰν τῆς ψυχῆς οἴεται ἐπὶ πρωτο- 9
5 παθούσῃ τῇ σαρκὶ γενέσθαι. ὁ τε Μητρόδωρος ἐν τῷ Περὶ τοῦ 131, 1
μείζονα εἶναι τὴν παρ' ἡμᾶς αἰτίαν πρὸς εὐδαιμονίαν τῆς ἐκ τῶν
πραγμάτων ›ἀγαθὸν‹ φησὶ ›ψυχῆς τί ἄλλο ἢ τὸ σαρκὸς εὐσταθὲς
κατάστημα καὶ τὸ περὶ ταύτης πιστὸν ἔλπισμα;‹ |

XXII. Ναὶ μὴν Πλάτων ὁ φιλόσοφος διττὸν εἶναι τὸ τέλος 499 P 2
10 φησίν, τὸ μὲν μεθεκτόν τε καὶ πρῶτον ἐν αὐτοῖς ὑπάρχον τοῖς εἴδε-
σιν, ὃ δὴ καὶ τἀγαθὸν προσονομάζει, τὸ δὲ μετέχον ἐκείνου καὶ τὴν
ἀπ' αὐτοῦ δεχόμενον ὁμοιότητα, ὃ περὶ ἀνθρώπους γίνεται τοὺς
μεταποιουμένους ἀρετῆς τε καὶ τῆς ἀληθοῦς φιλοσοφίας. διὸ καὶ 3
Κλεάνθης ἐν τῷ δευτέρῳ Περὶ ἡδονῆς τὸν Σωκράτην φησὶ παρ'
15 ἕκαστα διδάσκειν ὡς ὁ αὐτὸς δίκαιός τε καὶ εὐδαίμων ἀνὴρ καὶ τῷ
πρώτῳ διελόντι τὸ δίκαιον ἀπὸ τοῦ συμφέροντος καταρᾶσθαι ὡς
ἀσεβές τι πρᾶγμα δεδρακότι· ἀσεβεῖς γὰρ τῷ ὄντι οἱ τὸ συμφέρον
ἀπὸ τοῦ δικαίου τοῦ κατὰ νόμον χωρίζοντες. αὐτὸς δὲ ὁ Πλάτων 4
τὴν εὐδαιμονίαν τὸ εὖ τὸν δαίμονα ἔχειν, δαίμονα δὲ λέγεσθαι τὸ
20 τῆς ψυχῆς ἡμῶν ἡγεμονικόν, τὴν δὲ εὐδαιμονίαν τὸ τελειότατον ἀγα-
θὸν καὶ πληρέστατον λέγει. ὁτὲ δὲ βίον ὁμολογούμενον καὶ σύμ- 5
φωνον αὐτὴν ἀποκαλεῖ, καὶ ἔσθ' ὅτε τὸ κατ' ἀρετὴν τελειότατον,
τοῦτο δὲ ἐν ἐπιστήμῃ τοῦ ἀγαθοῦ τίθεται καὶ ἐν ἐξομοιώσει τῇ πρὸς
τὸν θεόν, ὁμοίωσιν ἀποφαινόμενος ›δίκαιον καὶ ὅσιον μετὰ φρο-
25 νή|σεως εἶναι‹. ἢ γὰρ οὐχ οὕτως τινὲς τῶν ἡμετέρων τὸ μὲν ›κατ' 180 S 6
εἰκόνα‹ εὐθέως κατὰ τὴν γένεσιν εἰληφέναι τὸν ἄνθρωπον, τὸ ›καθ'
ὁμοίωσιν‹ δὲ ὕστερον κατὰ τὴν τελείωσιν μέλλειν ἀπολαμβάνειν ἐκ-
δέχονται; αὐτίκα ὁ Πλάτων τὴν ὁμοίωσιν ταύτην μετὰ ταπεινοφρο- 182. 1
σύνης ἔσεσθαι τῷ ἐναρέτῳ διδάσκων ἐκεῖνό που ἑρμηνεύει· ›πᾶς ὁ
30 ταπεινῶν ἑαυτὸν ὑψωθήσεται.‹ λέγει γοῦν ἐν τοῖς Νόμοις· ›ὁ μὲν 2

5—8 Metrodoros Fr. 5 Koerte p. 540; vgl. Strom. II 119, 4; Plut. Mor. p. 1089 D
9—13 jungakademisches Referat über die Lehre Platos [vgl. Albinus 27 VI p. 179
Herm. (Fr)] 13—18 Kleanthes Fr. 77 Pearson, 558 Arnim Stoic. vet. fr. I p. 127;
vgl. Wachsmuth, Comm. I de Zen. et Cleanthe p. 18 14—18 vgl. Theodoret Gr. aff.
c. XI 11 18—21 vgl. Plato Tim. p. 90 C 19 vgl. Sext. Emp. Adv. Math. IX 47;
Fr in PhW 58 (1938) 998 21f. vgl. Plato Lach. p. 188 D; vgl. auch Paed. I 100, 3
22 vgl. Plato Leg. I p. 643 D 23—25 vgl. Theodoret Gr. aff. c. XI 9 23f. vgl. Plato
Rep. X p. 613 AB 24f. Plato Theaet. p. 176 B 25—27 vgl. Gen 1, 26; Paed. I 98,3
28f. vgl. S. 186, 6 29f. Lc 14, 11; 18, 14; vgl. Mt 23, 12 30—S. 186, 6 Plato Leg.
IV p. 715 E 716 A; vgl. Protr. 69, 4

21 ὁτὲ Tengblad S. 13 (vgl. Strom. VI 161, 3) ὅτε L ⟨ἔσθ'⟩ ὅτε Schw 30 γοῦν
Schw οὖν L

δὴ θεός, ὥσπερ καὶ ὁ παλαιὸς λόγος, ἀρχήν τε καὶ μέσα καὶ τελευ-
τὴν τῶν πάντων ἔχων, εὐθεῖαν περαίνει κατὰ φύσιν περιπορευόμενος·
τῷ δὲ ἀεὶ ξυνέπεται δίκη τῶν ἀπολειπομένων τοῦ θείου νόμου
τιμωρός.‹ ὁρᾷς ὅπως καὶ αὐτὸς εὐλάβειαν προσάγει τῷ θείῳ νόμῳ; 3
5 ἐπιφέρει γοῦν· ›ἧς ὁ μὲν εὐδαιμονήσειν μέλλων ἐχόμενος ξυνέπεται
ταπεινὸς καὶ κεκοσμημένος.‹ εἶτα τούτοις τὰ ἀκόλουθα συνάψας καὶ 4
τῷ φόβῳ νουθετήσας ἐπιφέρει· ›τίς οὖν δὴ πρᾶξις φίλη καὶ ἀκό-
λουθος θεῷ; μία καὶ ἕνα λόγον ἔχουσα ἀρχαῖον, ὅτι τῷ μὲν ὁμοίῳ
τὸ ὅμοιον ὄντι μετρίῳ φίλον ἂν εἴη, τὰ δὲ ἄμετρα οὔτε ἀλλήλοις
10 οὔτε τοῖς ἐμ|μέτροις. τὸν οὖν τῷ θεῷ προσφιλῆ γενησόμενον εἰς 500 P
δύναμιν ὅτι μάλιστα καὶ αὐτὸν τοιοῦτον ἀναγκαῖον ·γίνεσθαι. καὶ 133, 1
κατὰ τοῦτον δὴ τὸν λόγον ὁ μὲν σώφρων ἡμῶν θεῷ φίλος, ὅμοιος
γάρ, ὅ τε μὴ σώφρων ἀνόμοιός τε καὶ διάφορος.‹ τοῦτο ἀρχαῖον 2
εἶναι φήσας τὸ δόγμα τὴν ἐκ τοῦ νόμου εἰς αὐτὸν ἤκουσαν διδασκα-
15 λίαν ᾐνίξατο. κἂν τῷ Θεαιτήτῳ τὰ κακὰ ›ἀμφὶ τὴν θνητὴν φύσιν 3
καὶ τόνδε τὸν τόπον περιπολεῖν ἐξ ἀνάγκης‹ δοὺς ἐπιφέρει· ›διὸ καὶ
πειρᾶσθαι χρὴ ἐνθένδε ἐκεῖσε φεύγειν ὅτι τάχιστα· φυγὴ δὲ ὁμοίωσις
θεῷ κατὰ τὸ δυνατόν· ὁμοίωσις δὲ δίκαιον καὶ ὅσιον μετὰ φρονή-
σεως γενέσθαι.‹ Σπεύσιππός τε ὁ Πλάτωνος ἀδελφιδοῦς τὴν εὐδαι- 4
20 μονίαν φησὶν ἕξιν εἶναι τελείαν ἐν τοῖς κατὰ φύσιν ἔχουσιν ἢ ἕξιν
ἀγαθῶν, ἧς δὴ καταστάσεως ἅπαντας μὲν ἀνθρώπους ὄρεξιν ἔχειν,
στοχάζεσθαι δὲ τοὺς ἀγαθοὺς τῆς ἀοχλησίας. εἶεν δ᾽ ἂν αἱ ἀρεταὶ
τῆς εὐδαιμονίας ἀπεργαστικαί. Ξενοκράτης τε ὁ Καλχηδόνιος τὴν 5
εὐδαιμονίαν ἀποδίδωσι κτῆσιν τῆς οἰκείας ἀρετῆς καὶ τῆς ὑπηρετικῆς
25 αὐτῇ δυνάμεως. εἶτα ὡς μὲν ἐν ᾧ γίνεται, φαίνεται λέγων τὴν 6
ψυχήν· ὡς δ᾽ ὑφ᾽ ὧν, τὰς ἀρετάς· ὡς δ᾽ ἐξ ὧν ὡς μερῶν, τὰς καλὰς
πράξεις καὶ τὰς σπουδαίας ἕξεις τε καὶ διαθέσεις καὶ κινήσεις καὶ
σχέσεις· ὡς δ᾽ ὧν οὐκ ἄνευ, τὰ σωματικὰ καὶ τὰ ἐκτός. ὁ γὰρ Ξενο- 7
κράτους γνώριμος Πολέμων φαίνεται τὴν εὐδαιμονίαν αὐτάρκειαν
30 εἶναι βουλόμενος ἀγαθῶν πάντων, ἢ τῶν πλείστων καὶ μεγίστων.
δογματίζει γοῦν χωρὶς μὲν ἀρετῆς μηδέποτε ἂν εὐδαιμονίαν ὑπάρχειν,

7–13 Plato a. a. Q. p. 716 CD; vgl. Strom. V 95. 96   10–13 Theodoret Gr. aff.
c. XII 19   15–19 Theodoret Gr. aff. c. XII 21 (vgl. Eus. Praep. Ev. XII 29, 14f.)
15–19 Plato Theaet. p. 176 AB; vgl. Strom. II 100, 3 u. ö.   19–23 Speusippos Fr. 194
Mullach FPG III 91   23–28 Xenokrates Fr. 77 Heinze; vgl. J. Bernays, Die Dialoge
des Arist. S. 160   28–S. 187, 2 vgl. Mullach FPG III 151; Zeller, Phil. d. Gr. II 1⁴
S. 1046²

2 εὐθείᾳ Plato; aber vgl. Protr. 69, 4; Strom. VII 100, 3   21 ⟨τῶν κατὰ φύσιν⟩
ἀγαθῶν Schw   23 τε] δὲ Mullach FPG III 127   Καλχηδόνιος (vgl. Protr. 66, 2)]
Χαρκηδόνιος L   28 ὡς δ᾽ ὧν Zeller III⁴ 1029³ ὡς τούτων L

δίχα δὲ καὶ τῶν σωματικῶν καὶ τῶν ἐκτὸς τὴν ἀρετὴν αὐτάρκη πρὸς
εὐδαιμονίαν εἶναι.

Καὶ τὰ μὲν ὧδε ἐχέτω, αἱ δὲ ἀντιρρήσεις αἱ πρὸς τὰς εἰρημένας 134,1
δόξας κατὰ καιρὸν τεθήσονται, ἡμῖν δὲ αὐτοῖς εἰς τέλος ἀτελεύτητον
5 ἀφικέσθαι πρόκειται πειθομένοις ταῖς ἐντολαῖς, τουτέστι τῷ θεῷ,
καὶ κατ᾽ αὐτὰς βιώσασιν ἀνεπιλήπτως καὶ ἐπιστημόνως διὰ τῆς τοῦ
θείου θελήματος γνώσεως· ἥ τε πρὸς τὸν ὀρθὸν λόγον ὡς οἷόν τε 2
ἐξομοίωσις τέλος ἐστὶ καὶ εἰς τὴν τελείαν υἱοθεσίαν διὰ τοῦ υἱοῦ
ἀποκατάστασις, δοξάζουσαν ἀεὶ τὸν πατέρα διὰ τοῦ μεγάλου ἀρχιερέως
10 τοῦ ›ἀδελφοὺς‹ καὶ ›συγκληρονόμους‹ καταξιώσαντος ἡμᾶς εἰπεῖν.
καὶ ὁ μὲν ἀπόστολος συντόμως τὸ τέλος ἐν τῇ πρὸς Ῥωμαίους ἐπι- 3
στολῇ διαγράφων λέγει· ›νυνὶ δὲ ἐλευθερωθέντες ἀπὸ τῆς ἁμαρτίας,
δουλωθέντες δὲ τῷ θεῷ, ἔχετε τὸν καρπὸν ὑμῶν εἰς ἁγιασμόν, τὸ
δὲ τέλος ζωὴν αἰώνιον‹ διττὴν δὲ εἰδὼς | τὴν ἐλπίδα, τὴν μὲν προσ- 4 501 P
15 δοκωμένην, τὴν δὲ ἀπειλημμένην, ἤδη τέλος διδάσκει τὴν τῆς ἐλπίδος
ἀποκατάστασιν· ›ἡ γὰρ ὑπομονή‹, φησί, ›δοκιμήν, ἡ δὲ δοκιμὴ ἐλ-
πίδα· ἡ δὲ ἐλπὶς οὐ καταισχύνει, ὅτι ἡ ἀγάπη τοῦ θεοῦ ἐκκέχυται ἐν
ταῖς καρδίαις ἡμῶν διὰ πνεύματος ἁγίου τοῦ δοθέντος ἡμῖν.‹ δι᾽ ἣν
ἀγάπην καὶ ⟨ἡ⟩ εἰς τὴν ἐλπίδα ἀποκατάστασις, ἣν ἀνάπαυσιν ἀλλαχοῦ
20 λέγει ἀποκεῖσθαι ἡμῖν. τὰ ὅμοια καὶ παρὰ τῷ Ἰεζεκιὴλ εὕροις ἂν 135,1
οὕτως ἔχοντα· ›ἡ ψυχὴ ἁμαρτάνουσα αὕτη ἀποθανεῖται. καὶ ἀνὴρ
ὃς ἂν γένηται δίκαιος καὶ ποιήσῃ κρίμα καὶ δικαιοσύνην, ἐπὶ τὰ ὄρη
οὐκ ἔφαγεν, καὶ τοὺς ὀφθαλμοὺς αὐτοῦ οὐκ ἦρεν ἐπὶ τὰ εἴδωλα οἴκου
Ἰσραήλ, καὶ τὴν γυναῖκα τοῦ πλησίον οὐκ ἐμίανεν, καὶ πρὸς γυναῖκα
25 ἐν χωρισμῷ ἀκαθαρσίας αὐτῆς οὐ προσῆλθεν‹ (οὐ γὰρ ἐφύβριστον
τὴν ἀνθρώπου σπορὰν εἶναι βούλεται), ›καὶ ἄνδρα‹, φησί, ›μὴ κα-
κώσῃ, ἐνεχύρασμα ὀφείλοντος ἀποδώσει, ἅρπαγμα οὐ μὴ ἁρπάσῃ, τὸν
ἄρτον αυτοῦ πεινῶντι δώσει, ⟨καὶ γυμνὸν περιβαλεῖ, τὸ ἀργύριον 2
αὐτοῦ ἐπὶ τόκῳ οὐ δώσει,⟩ καὶ πλεονασμὸν οὐ λήψεται, ἐξ ἀδι-
30 κίας ἀποστρέψει τὴν χεῖρα αὐτοῦ, κρῖμα ἀληθινὸν ποιήσει ἀνὰ μέσον
ἀνδρὸς καὶ τοῦ πλησίον, ἐν τοῖς δικαιώμασί μου πορεύσεται καὶ τὰ
δικαιώματά μου ἐφύλαξε τοῦ ποιῆσαι ἀλήθειαν· δίκαιός ἐστι, ζωῇ 3
ζήσεται, λέγει ἀδωναΐ κύριος.‹ ὅ τε Ἠσαΐας τὸν μὲν πιστεύσαντα εἰς
σεμνότητα βίου, τὸν γνωστικὸν δὲ εἰς ἐπίστασιν παρακαλῶν, μὴ τὴν

9 vgl. Hebr 4. 14   10 Hebr 2, 11   Rom 8, 17   12—14 Rom 6, 22   16—18 Rom
5, 4f.   19f. vgl. Hebr 4, 9   21—33 Ez 18, 4—9 (Theodotion); vgl. Paed. I 95   34f.
vgl. Chrys. Fr. mor. 250 Arnim (= Strom. VII 88, 5); Strom. VI 114, 5

9 δοξάζουσαν Schw δοξάζουσα L   19 ⟨ἡ⟩ Schw   21 αὐτη] αὐτὴ L   25 ἐν χω-
ρισμῷ] ἐν καιρῷ L³ am Rand   28f. ⟨καὶ—δώσει⟩ aus Ez 18, 7f.; Paed. I 95   34 ἐπί-
στασιν] ἐπίτασιν Po

αὐτὴν εἶναι ἀρετὴν ἀνθρώπου καὶ θεοῦ παριστὰς ὧδέ φησι· >ζητή- 4
σατε τὸν κύριον, καὶ ἐν τῷ εὑρίσκειν αὐτὸν ἐπικαλέσασθε· ἡνίκα δ'
ἂν ἐγγίζῃ ὑμῖν, ἀπολειπέτω ὁ ἀσεβὴς τὰς ὁδοὺς αὐτοῦ καὶ ἀνὴρ ἄνο-
μος τὰς ὁδοὺς αὐτοῦ καὶ ἐπιστραφήτω πρὸς κύριον, καὶ ἐλεηθήσεται<
5 ἕως >καὶ τὰ διανοήματα ὑμῶν ἀπὸ τῆς διανοίας μου.< >ἡμεῖς< τοί- 186, 1
νυν κατὰ τὸν γενναῖον ἀπόστολον >ἐκ πίστεως ἐλπίδα δικαιοσύνης |
ἀπεκδεχόμεθα. ἐν γὰρ Χριστῷ οὔτε περιτομή τι ἰσχύει οὔτε ἀκρο- 181 S
βυστία, ἀλλὰ πίστις δι' ἀγάπης ἐνεργουμένη.< >ἐπιθυμοῦμεν δὲ 2
ἕκαστον ὑμῶν τὴν αὐτὴν ἐνδείκνυσθαι σπουδὴν πρὸς τὴν πληρο-
10 φορίαν τῆς ἐλπίδος< ἕως >κατὰ τὴν τάξιν Μελχισεδὲκ ἀρχιερεὺς γενό-
μενος εἰς τὸν αἰῶνα.< τὰ ὅμοια τῷ Παύλῳ καὶ ἡ πανάρετος σοφία 3
λέγει· >ὁ δὲ ἐμοῦ ἀκούων κατασκηνώσει ἐπ' ἐλπίδι πεποιθώς·< ἡ
γὰρ τῆς ἐλπίδος ἀποκατάστασις ὁμωνύμως ἐλπὶς εἴρηται· διὸ τοῦ | 4
>κατασκηνώσει< τῇ λέξει παγκάλως προσέθηκε τὸ >πεποιθώς<, 502 P
15 δεικνὺς τὸν τοιοῦτον ἀναπεπαῦσθαι ἀπολαβόντα ἣν ἤλπιζεν ἐλπίδα,
διὸ καὶ ἐπιφέρει· >καὶ ἡσυχάσει ἀφόβως ἀπὸ παντὸς κακοῦ.< ἄντικρυς 5
δὲ ὁ ἀπόστολος ἐν τῇ προτέρᾳ τῶν πρὸς Κορινθίους διαρρήδην φησί·
>μιμηταί μου γίνεσθε καθὼς κἀγὼ Χριστοῦ,< ἵνα γένηται ἐκεῖνο· εἰ
ὑμεῖς ἐμοῦ, ἐγὼ δὲ Χριστοῦ, ὑμεῖς οὖν μιμηταὶ Χριστοῦ γίνεσθε,
20 Χριστὸς δὲ θεοῦ. >τὴν ἐξομοίωσιν< τοίνυν >τῷ θεῷ εἰς ὅσον οἷόν 6
τε ἦν δίκαιον καὶ ὅσιον μετὰ φρονήσεως γενέσθαι< σκοπὸν τῆς πί-
στεως ὑποτίθεται, τέλος δὲ τὴν ἐπὶ τῇ πίστει τῆς ἐπαγγελίας ἀπο-
κατάστασιν. ἐκ τούτων οὖν αἱ πηγαὶ τῶν περὶ τέλους δογματισάντων
ἃς προειρήκαμεν βλύζουσιν. ἀλλὰ τούτων μὲν ἅλις.

25   XXIII. Ἐπεὶ δὲ ἡδονῇ καὶ ἐπιθυμίᾳ ὑποπίπτειν γάμος δοκεῖ, καὶ 137, 1
περὶ τούτου διαληπτέον. γάμος μὲν οὖν ἐστι σύνοδος ἀνδρὸς καὶ
γυναικὸς ἡ πρώτη κατὰ νόμον ἐπὶ γνησίων τέκνων σπορᾷ. ὁ γοῦν 2
κωμικὸς Μένανδρος

         παίδων (φησὶν) ἐπ' ἀρότῳ γνησίων
30   δίδωμί σοί γε τὴν ἐμαυτοῦ θυγατέρα.

1–5 Is 55, 6. 7. 9   5–8 Gal 5, 5f.   8–11 Hebr 6, 11. 20   12–16 Prov 1, 33
18 I Cor 11, 1   20f. Plato Theaet. p. 176 B   25ff. vgl. F. Bock, Aristoteles Theo-
phrastus Seneca de matrimonio Diss. Leipz. 1898 S. 21ff.; K. Prächter, Hierokles
der Stoiker S. 121ff.   27 zu πρώτη vgl. Aristot. Politic. 1, 2 p. 1252ᵇ 10. 15; De
anima 2, 1 p. 412ᵃ 27; Hierokles bei Stob. Flor. 67, 21   29f. Menander Fr. 682
Körte vgl. Menander Perikeiromene Fr. 435f. Körte ταύτην γνησίων | παίδων ἐπ'
ἀρότῳ σοι δίδωμι Jahrbb. f. klass. Phil. Suppl. 27, 1 S. 133

*   8f. ἐπιθυμοῦμεν δὲ ἕκαστον doppelt, aber einmal getilgt L¹   13 διὸ Di διὰ L δι'
ἃ Sy   25 ἡδονῇι καὶ ἐπιθυμίαι L ἡδονὴ καὶ ἐπιθυμία Vi   γάμος St γάμωι L   27 ἡ
πρώτη (wohl durch flüchtiges Excerpieren veranlaßt)] ἐρωτικὴ Fr. Jacobs zu Achill.
Tat. p. 934; ebenso oder [ἡ πρώτη] Mà   σπορά L   29 ἐπ' ἀρότῳ Porson σπόρῳ τῶν L,
vgl. Körte II S. 214   30 σοί γε] σοι 'γὼ Dobree u. Cobet, Mnemos. 4 (1855)
p. 244 = Nov. Lect. 58. 61

ζητοῦμεν δὲ εἰ γαμητέον, ὅπερ τῶν κατὰ ⟨τὸ⟩ πρός τί πως ἔχειν ὠνο- 3
μασμένων ἐστίν. τίνι γὰρ γαμητέον [ὅπερ] καὶ πῶς ἔχοντι, καὶ τίνα
καὶ πῶς ἔχουσαν; οὔτε γὰρ παντὶ γαμητέον οὔτε πάντοτε, ἀλλὰ καὶ
χρόνος ἐστὶν ἐν ᾧ καθήκει, καὶ πρόσωπον ᾧ προσήκει, καὶ ἡλικία
5 μέχρι τίνος. οὔτε οὖν παντὶ γαμητέον πᾶσαν οὔτε πάντοτε, ἀλλ' 4
οὐδὲ παντελῶς καὶ ἀνέδην, ἀλλὰ τῷ πως ἔχοντι καὶ ὁποίαν καὶ
ὁπότε δεῖ, καὶ χάριν παίδων καὶ τὴν κατὰ πάντα ὁμοίαν καὶ μὴ βίᾳ
ἢ ἀνάγκῃ στέργουσαν τὸν ἀγαπῶντα ἄνδρα. ὅθεν ὁ Ἀβραάμ φησιν 138, 1
ἐπὶ τῆς γυναικὸς σκηπτόμενος ὡς ἀδελφῆς· ›ἀδελφή μοί ἐστιν ἐκ
10 πατρός, ἀλλ' οὐκ ἐκ μητρός, ἐγένετο δέ μοι καὶ εἰς γυναῖκα,‹ τὰς
ὁμομητρίους μὴ δεῖν ἄγεσθαι πρὸς γάμον διδάσκων.

Ἐπίωμεν δὲ ἐν βραχεῖ τὴν ἱστορίαν. Πλάτων μὲν οὖν ἐν | τοῖς 2 503 P
ἐκτὸς ἀγαθοῖς τάττει τὸν γάμον, ἐπισκευάσας τὴν ἀθανασίαν τοῦ
γένους ἡμῶν [καὶ] οἱονεὶ διαμονήν τινα παισὶ παίδων μεταλαμπαδευο-
15 μένην. Δημόκριτος δὲ γάμον καὶ παιδοποιίαν παραιτεῖται διὰ τὰς 8
πολλὰς ἐξ αὐτῶν ἀηδίας τε καὶ ἀφολκὰς ἀπὸ τῶν ἀναγκαιοτέρων.
συγκατατάττεται δὲ αὐτῷ καὶ Ἐπίκουρος καὶ ὅσοι ἐν ἡδονῇ καὶ 4
ἀοχλησίᾳ, ἔτι δὲ καὶ ἀλυπίᾳ τἀγαθὸν τίθενται. ἔτι κατὰ μὲν τοὺς 5
ἀπὸ τῆς Στοᾶς ἀδιάφορον ὅ τε γάμος ἥ τε παιδοτροφία, κατὰ δὲ
20 τοὺς ἐκ τοῦ Περιπάτου ἀγαθόν. συλλήβδην οὗτοι μέχρι γλώττης 6
ἀγαγόντες τὰ δόγματα ἡδοναῖς ἐδουλώθησαν, οἱ μὲν παλλακίσιν, οἱ
δὲ ἑταίραις μειρακίοις τε οἱ πλεῖστοι κεχρημένοι. ἡ σοφὴ δὲ ἐκείνη
τετρακτὺς ἐν τῷ κήπῳ μετὰ τῆς ἑταίρας ἔργοις ἐκύδαινον τὴν ἡδο-
νήν. οὐκ ἂν οὖν ἐκφύγοιεν τὴν Βουζύγιον ἀρὰν ὅσοι μὴ δοκιμά- 139, 1
25 ζοντες σφίσι συμφέρειν τινὰ ἑτέροις ταῦτα παρακελεύονται ποιεῖν, ἢ

---

* 1—3 zu den Kategorien vgl. Aristot. Rhet. 2, 2 p. 1379ᵃ 9; 2, 6 p. 1383ᵇ 12; 2, 7
p. 1385ᵇ 11   4 ʑu ἡλικία u. χρόνος vgl. Aristot. Politic. 7, 16 p. 1334ᵇ 29—1336ᵃ 2
9f. vgl. Gen 20, 12   12—15 vgl. Plato Leg. VI p. 773 E ἡ χρὴ τῆς ἀειγενοῦς φύσεως
ἀντέχεσθαι τῷ παῖδας παίδων καταλείποντα ἀεὶ τῷ θεῷ ὑπηρέτας ἀνθ' αὑτοῦ παρα-
διδόναι.   776 B . . . γεννῶντάς τε καὶ ἐκτρέφοντας παῖδας, καθάπερ λαμπάδα τὸν βίον
παραδιδόντας ἄλλοις ἐξ ἄλλων. IV p. 721 C; Symp. p. 207 D. 208 B 12—19 Theo-
doret Gr. aff. c. XII 74. 75   15f. Demokr. Fr. 179 N.; vgl. Diels⁶ II S. 129, 33—35
17f. Epikur Fr. 526 Usener p. 319, 32; vgl. Fr. 19 p. 98, 14   18f. Chrys. Fr. mor.
163 Arnim   22—24 vgl. Athen. XIII p. 588 B; Diog. Laert. X 4   24—S. 190, 1 vgl.
Bernays, Ges. Abh. I S. 277—282 (Berl. Monatsber. 1876 S. 607)

1 κατὰ ⟨τὸ⟩ Schw κατὰ ⟨ἢ⟩ Lowth [κατὰ] Ma   2 [ὅπερ] Hiller   6 ἀναιδὴν L
τῷ πως Di τῷ πῶς Sy τὸ πῶς L   14 [καὶ] St   21 παλακίσιν L   24 Βουζύγειον
Valckenaer zu Herodot VII 231   25 σφίσι L¹ σφίσι L*

αὖ τοὔμπαλιν. τοῦτο βραχέως ἡ γραφὴ δεδήλωκεν εἰρηκυῖα· ›ὃ μισεῖς, 2
ἄλλῳ οὐ ποιήσεις.‹ πλὴν οἱ γάμον δοκιμάζοντες ›ἡ φύσις ἡμᾶς 3
ἐποίηϭεν‹ φασὶν ›εὐθέτους πρὸς γάμον‹, ὡς δῆλον ἐκ τῆς σωμάτων
κατασκευῆς τῶν τε ἀρρένων καὶ τῶν θηλειῶν, καὶ τὸ ›αὐξάνεσθε καὶ
5 πληθύνεσθε‹ συνεχῶς ἐπιβοῶνται. εἰ δὲ καὶ ταῦθ᾽ οὕτως ἔχει, ἀλλ᾽ 4
αἰσχρόν γε αὐτοῖς δοκείτω καὶ τῶν ἀλόγων ζῴων τὸν ὑπὸ θεοῦ
δημιουργηθέντα ἄνθρωπον ἀκρατέστερον εἶναι, ἃ τὴν ἐπιμιξίαν οὐ
ποιεῖται πρὸς πολλὰ καὶ ἀνέδην, ἀλλὰ πρὸς ἓν καὶ ὁμόφυλον, οἷαι
αἱ πελιάδες καὶ αἱ φάσσαι καὶ τὸ τρυγόνων γένος καὶ ὅσα τούτοις
10 παραπλήσια. ἔτι, φασίν, ὁ ἄτεκνος τῆς κατὰ φύσιν τελειότητος ἀπο- 5
λείπεται ἅτε μὴ ἀντικαταστήσας τῇ χώρᾳ τὸν οἰκεῖον διάδοχον· |
τέλειος γὰρ ὁ πεποιηκὼς ἐξ αὑτοῦ τὸν ὅμοιον, μᾶλλον δὲ ἐπειδὰν 504 P
κἀκεῖνον τὸ αὐτὸ πεποιηκότα ἐπίδῃ, τουτέστιν ὅταν εἰς τὴν αὐτὴν
καταστήσῃ φύσιν τὸ τεκνωθὲν τῷ τεκνώσαντι.
15　　Γαμητέον οὖν πάντως καὶ τῆς πατρίδος ἕνεκα καὶ τῆς τῶν 140, 1
παίδων διαδοχῆς καὶ τῆς τοῦ κόσμου τὸ ὅσον ἐφ᾽ ἡμῖν συντελειώσεως,
ἐπεὶ καὶ γάμον τινὰ οἰκτείρουσιν οἱ ποιηταὶ ›ἡμιτελῆ‹ καὶ ἄπαιδα,
μακαρίζουσι δὲ τὸν ›ἀμφιθαλῆ‹. αἱ δὲ σωματικαὶ νόσοι μάλιστα τὸν 2
γάμον ἀναγκαῖον δεικνύουσιν· ἡ γὰρ τῆς γυναικὸς κηδεμονία καὶ τῆς
20 παραμονῆς ἡ ἐκτένεια τὰς ἐκ τῶν ἄλλων οἰκείων καὶ φίλων ἔοικεν
ὑπερτίθεσθαι προσκαρτερήσεις, ὅσῳ τῇ συμπαθείᾳ διαφέρειν καὶ προσ-
εδρεύειν μάλιστα πάντων προαιρεῖται, καὶ τῷ ὄντι κατὰ τὴν γραφὴν
ἀναγκαία ›βοηθός‹. ὁ γοῦν κωμικὸς Μένανδρος καταδραμὼν τοῦ 141, 1
γάμου, ἀλλὰ καὶ τὰ χρήσιμα ἀντιτιθεὶς ἀποκρίνεται τῷ εἰπόντι

25　　　　　　　πρὸς τὸ πρᾶγμα ἔχω
κακῶς. Β. ἐπαριστερῶς γὰρ αὐτὸ λαμβάνεις.

εἶτ᾽ ἐπιφέρει·

　　τὰ δυσχερῆ τε καὶ τὰ λυπήσοντά σε
　　ὁρᾷς ἐν αὐτῷ, τὰ δὲ ἀγαθὰ οὐκ ἐπιβλέπεις |

1f. Tob 4, 15; vgl. Act 15, 29 (Codex Bezae u. aᵢ); A. Resch, Agrapha² S. 60f.
Agraph. 37f.; Lake, Class. Rev. 1897 p. 147f.; Barnard, The Bibl. Text p. 63; C. Resch,
Das Aposteldekret TU NF XIII 3 S. 132ff. zu 2f. 15—18. S. 191, 15—19 vgl. Aristot.
Politic. 7, 16 p. 1334ᵇ 29ff. 2—5 vgl. Musonii rell. p. 71, 10ff. Hense 4f. Gen 1, 28
9 vgl. z. B. Plin. Nat. hist. X 104 10—14 vgl. Hierokles u. Antipatros bei Stob.
Flor. 67, 21. 25 15f. vgl. Musonii rell. p. 73, 11ff. Hense 17f. vgl. B 701; X 496
18ff. vgl. Musonii rell. p. 68, 5ff. Hense 23 Gen 2, 18 25—29 Menander Μισογύνης
Fr. 276 Körte vgl. Stob. Flor. 108, 44

2 πλήν]ἔμπαλιν Mü (unnötig Fr) 6 δοκείτω St δοκεῖ τῶι L δοκεῖ τὸ Sy 8 ἀγαί-
δην L 12 αὑτοῦ L 19 δεικνύουσιν Ρο δεικνύουσαι L 21 ⟨συν⟩διαφέρειν Schw 26 ⟨οὐ
θαῦμ᾽⟩ ἐπαριστερῶς Cobet S. 444 28 τε] γὰρ Stob. λυπήσοντα Stob. λυπήσαντα L
29 ἐπιβλέπεις] ἔτι βλέπεις Stob.

καὶ τὰ ἑξῆς. βοηθεῖ δὲ ὁ γάμος καὶ ἐπὶ τῶν προβεβηκότων τῷ 182 S 2
χρόνῳ παριστὰς τὴν γαμετὴν ἐπιμελομένην καὶ τοὺς ἐκ ταύτης παῖ-
δας γηροβοσκοὺς ἐκτρέφων. ›παῖδες‹ δὲ   3

        ἀνδρὶ κατθανόντι κληδόνες
5   γεγάασι· φελλοὶ δ᾽ ὣς ἄγουσι δίκτυον,
      τὸν ἐκ βυθοῦ [καὶ] κλωστῆρα σῴζοντες λίνου

κατὰ τὸν τραγικὸν Σοφοκλέα. οἵ τε νομοθέται οὐκ ἐπιτρέπουσι τὰς 4
μεγίστας ἀρχὰς τοῖς μὴ γαμήσασι μετιέναι. αὐτίκα ὁ τῶν Λακό-
νων | νομοθέτης οὐκ ἀγαμίου μόνον ἐπιτίμιον ἔστησεν, ἀλλὰ κακο- 505 P
10 γαμίου καὶ ὀψιγαμίου καὶ μονοδιαιτησίας· ὁ δὲ γενναῖος Πλάτων καὶ 5
τροφὴν γυναικὸς ἀποτίνειν εἰς τὸ δημόσιον κελεύει τὸν μὴ γήμαντα
καὶ τὰς καθηκούσας δαπάνας ἀποδιδόναι τοῖς ἄρχουσιν εἰ γὰρ μὴ
γήμαντες οὐ παιδοποιήσονται, τὸ ὅσον ἐφ᾽ ἑαυτοῖς ἀνδρῶν σπάνιν
ποιήσουσιν καὶ καταλύσουσι τάς τε πόλεις καὶ τὸν κόσμον τὸν ἐκ
15 τούτων. τὸ δὲ τοιοῦτον ἀσεβὲς θείαν γένεσιν καταλυόντων. ἤδη δὲ 142, 1
ἄνανδρον καὶ ἀσθενὲς τὴν μετὰ γυναικὸς καὶ τέκνων φεύγειν συμ-
βίωσιν. οὗ γὰρ ἡ ἀποβολὴ κακόν ἐστι, τούτου πάντως ἡ κτῆσις 2
ἀγαθόν· ἔχει δ᾽ οὕτω καὶ ἐπὶ τῶν λοιπῶν. ἀλλὰ μὴν ἡ τῶν τέκνων
ἀποβολὴ τῶν ἀνωτάτω κακῶν ἐστι, φασίν. ἡ οὖν τῶν τέκνων
20 κτῆσίς ἀγαθόν. εἰ δὲ τοῦτο, καὶ ὁ γάμος.

        ἄνευ δὲ πατρὸς (φησὶ) τέκνον οὐκ εἴη ποτ᾽ ἄν,   3
        ἄνευ δὲ μητρὸς οὐδὲ συλλαβὴ τέκνου.

πατέρα δὲ γάμος ποιεῖ ὡς μητέρα ἀνήρ. εὐχὴν οὖν μεγίστην καὶ 143, 1

4—6 Aeschylus Choëph. 505—507   8—10 vgl. Ariston bei Stob. Flor. 67, 16;
Plut. Lysand. 30 Ende; Mor. p. 493 E   10—15 vgl. Plato Leg. VI p. 774; vgl. auch
Philo, De vita cont. 62   17f. vgl. Aristot. Top. III 2 p. 117ᵇ 6f. οὐ γὰρ ἡ ἀποβολὴ
ἢ τὸ ἐναντίον φευκτότερον, αὐτὸ αἱρετώτερον. Rhet. I 6 p. 1362ᵃ 34ff.   21 Euripides
Orest. 554   21—23 Menander Fr. 939 S. 629 Körte   23—S. 192, 2 vgl. ζ 181 f.;
Aristot. oec. III 4 oravit (Nausicaa) enim deos sibi dare virum et domum et un-
animitatem optatam ad virum, non quamcumque sed bonam.

---

   3 γηροβοσκοὺς L* γηρωβοσκοὺς L¹ παῖδες γὰρ Aesch. 4 κατθανόντι Dobree
Adv. p. 28 κατ᾽ αἶαν ὄντι L κατθανόντι κληδόνες γεγάασι] κληδόνες σωτήριοι θανόντι
Aesch. 6 τὸν Aesch. τὴν L [καὶ] < Aesch. λίνου Aesch. λίνωι L 7 [Σοφοκλέα]
Cobet S. 446 8 μετιέναι Sy (im Index) μετεῖναι L 9f. κακογαμίου Cragius, De
republ. Laced. (1593) III 4, 10 p. 139 μονογαμίου L ⟨καὶ⟩ κακογαμίου Bock 11 ἀπο-
τίνειν Vi ἀποτείνειν L

Ὅμηρος τίθεται »ἄνδρα τε καὶ οἶκον,« ἀλλ᾽ οὐχ ἁπλῶς, μετὰ »ὁμο-
φροσύνης« δὲ τῆς »ἐσθλῆς«· ὁ μὲν γὰρ τῶν ἄλλων γάμος ἐφ᾽ ἡδυ-
παθείᾳ ὁμονοεῖ, ὁ δὲ τῶν φιλοσοφούντων ἐπὶ τὴν κατὰ λόγον ὁμό-
νοιαν ἄγει, ὁ μὴ τὸ εἶδος, ἀλλὰ τὸ ἦθος ἐπιτρέπων ταῖς γυναιξὶ
5 κοσμεῖσθαι μηδ᾽ ὡς ἐρωμέναις χρῆσθαι ταῖς γαμεταῖς προστάττων
τοῖς ἀνδράσι σκοπὸν πεποιημένοις τὴν τῶν σωμάτων ὕβριν, ἀλλ᾽ εἰς
βοήθειαν παντὸς τοῦ βίου καὶ τὴν ἀρίστην σωφροσύνην περιποιεῖσθαι
τὸν γάμον. πυρῶν γὰρ οἶμαι καὶ κριθῶν τε αὖ κατὰ τοὺς οἰκείους | 2
καιροὺς καταβαλλομένων σπερμάτων τιμιώτερός ἐστιν ὁ σπειρόμενος 506 P
10 ἄνθρωπος, ᾧ πάντα φύεται, κἀκεῖνά γε καὶ νήφοντες καταβάλλουσι
τὰ σπέρματα οἱ γεωργοί. πᾶν οὖν εἴ τι ῥυπαρὸν καὶ μεμολυσμένον 8
ἐπιτήδευμα ἀφαγνιστέον τοῦ γάμου, ὡς μὴ ὀνειδισθείημεν τὴν τῶν
ἀλόγων ζῴων σύνοδον τῆς ἀνθρωπίνης συζυγίας συνᾴδουσαν τῇ φύσει
μᾶλλον κατὰ τὸν ὁμολογούμενον ὅρον. θορόντα γοῦν ἔνια αὐτῶν 144,
15 ᾧ κελεύεται καιρῷ εὐθέως ἀπαλλάττεται καταλιπόντα τὴν δημιουρ-
γίαν τῇ διοικήσει. τοῖς τραγῳδοποιοῖς δὲ ἡ Πολυξένη καίτοι ἀπο- 2
σφαττομένη ἀναγέγραπται, ἀλλὰ καὶ »θνήσκουσα ὅμως πολλὴν
πρόνοιαν« πεποιῆσθαι τοῦ »εὐσχημόνως πεσεῖν«,

		κρύπτουσ᾽ ἃ κρύπτειν ὄμματα ἀρρένων ἐχρῆν.

20 ἦν δὲ κἀκείνη γάμος ἡ συμφορά. τὸ ὑποπεσεῖν οὖν καὶ παραχωρῆσαι 8
τοῖς πάθεσιν ἐσχάτη δουλεία, ὥσπερ ἀμέλει τὸ κρατεῖν τούτων ἐλευ-
θερία μόνη. ἡ γοῦν θεία γραφὴ τοὺς παρεβάντας τὰς ἐντολὰς 4
πεπρᾶσθαι λέγει τοῖς ἀλλογενέσι, τουτέστιν ἁμαρτίαις ἀνοικείαις τῇ
φύσει, ἄχρις ἂν ἐπιστρέψαντες μετανοήσωσι.

25	Καθαρὸν οὖν τὸν γάμον ὥσπερ τι ἱερὸν ἄγαλμα τῶν μιαινόντων 145,
φυλακτέον, ἀνεγειρομένοις μὲν ἐκ τῶν ὕπνων μετὰ κυρίου, ἀπιοῦσι
δὲ εἰς ὕπνον μετ᾽ εὐχαριστίας καὶ εὐχομένοις,

		ἠμὲν ὅτ᾽ εὐνάζῃ καὶ ὅτ᾽ ἂν φάος ἱερὸν ἔλθῃ,

---

*	4f. vgl. I Tim 2, 9 f.; I Petr 3, 3 f.	5f. vgl. Plut. Mor. p. 142 C; Hieron. adv.
Jov. I 319ª nihil est foedius quam uxorem amare perinde atque adulteram; vgl.
Paed. II 99, 3   17—19 vgl. Euripides Hek. 568—570   20—22 τὸ ὑποπεσεῖν καί—μόνη
Sacr. Par. 231 Holl   22—24 vgl. Iud 2, 14 u. ä. St.; Is 50, 1; Bar 4, 6   28 Hesiod
Op. 339

	9 [σπερμάτων] Wi 14f. ὅρον. θορόντα St vgl. Ja¹ S. 270 θορονθορόν· τὰ L
15 καταλιπόντα * * Schw   20 κἀκείνη L   23 ἀνοικίαις L   28 ἦ μὲν L

μαρτυρομένοις τὸν κύριον παρ᾽ ὅλον ἡμῶν τὸν βίον, τὸ μὲν θεοσε-
βεῖν τῇ ψυχῇ κεκτημένοις, τὸ σῶφρον δὲ μέχρι καὶ τοῦ σώματος
ἄγουσιν. θεοφιλὲς γὰρ τῷ ὄντι ἀπὸ τῆς γλώττης ἐπὶ τὰ ἔργα τὸ 2
κόσμιον διαχειραγωγεῖν, ὁδὸς δὲ ἐπ᾽ ἀναισχυντίαν ἡ αἰσχρολογία, καὶ
5 τέλος ἀμφοῖν ἡ αἰσχρουργία. ὅτι δὲ γαμεῖν ἡ γραφὴ συμβουλεύει οὐδὲ 3
ἀφίστασθαί ποτε τῆς συζυγίας ἐπιτρέπει, ἄντικρυς νομοθετεῖ· »οὐκ
ἀπολύσεις γυναῖκα πλὴν εἰ μὴ ἐπὶ λόγῳ πορνείας« μοιχείαν δὲ ἡγεῖ-
ται τὸ ἐπιγῆμαι ζῶντος θατέρου τῶν κεχωρισμένων. ἀνύποπτον δὲ 146, 1
εἰς διαβολὴν δείκνυσι γυναῖκα τὸ μὴ καλλωπίζεσθαι μηδὲ μὴν κοσμεῖ-
10 σθαι πέρα τοῦ πρέποντος, εὐχαῖς καὶ δεήσεσι προσανέχουσαν ἐκτενῶς,
τὰς μὲν ἐξόδους τῆς οἰκίας φυλαττομένην τὰς πολλάς, ἀποκλείουσαν
δ᾽ ὡς οἷόν τε αὐτὴν τῆς πρὸς τοὺς οὐ προσήκοντας προσόψεως,
προὔργιαίτερον τιθεμένην τῆς ἀκαίρου φλυαρίας τὴν οἰκουρίαν. »ὁ 2
δὲ ἀπολελυμένην λαμβάνων γυναῖκα μοιχᾶται,« φησίν, | »ἐὰν« γὰρ 507 P
15 »τις ἀπολύσῃ γυναῖκα, μοιχᾶται αὐτήν,« τουτέστιν ἀναγκάζει μοιχευ-
θῆναι. οὐ μόνον δὲ ὁ ἀπολύσας αἴτιος γίνεται τούτου, ἀλλὰ καὶ ὁ 3
παραδεξάμενος αὐτήν, ἀφορμὴν παρέχων τοῦ ἁμαρτῆσαι τῇ γυναικί·
εἰ γὰρ μὴ δέχοιτο, ἀνακάμψει πρὸς τὸν ἄνδρα. τί οὖν ὁ νόμος; πρὸς 147, 1
ἀναστολὴν τῆς εὐεπιφορίας τῶν παθῶν ἀναιρεῖσθαι προστάττει τὴν
20 μοιχευθεῖσαν καὶ ἐπὶ τούτῳ ἐλεγχθεῖσαν· ἐὰν δὲ ἱέρεια ᾖ, πυρὶ πα-
ραδίδοσθαι προστάττει. λιθοβολεῖται δὲ καὶ ὁ μοιχός, ἀλλ᾽ οὐκ ἐν
τῷ αὐτῷ τόπῳ, ἵνα μηδὲ ὁ θάνατος αὐτοῖς κοινὸς ᾖ. οὐ δὴ μάχεται 2
τῷ εὐαγγελίῳ ὁ νόμος, συνάδει δὲ αὐτῷ. πῶς γὰρ οὐχί, ἑνὸς ὄντος
ἀμφοῖν χορηγοῦ τοῦ κυρίου; ἡ γάρ τοι πορνεύσασα ζῇ μὲν τῇ ἁμαρτίᾳ,
25 ἀπέθανεν δὲ ταῖς ἐντολαῖς, ἡ δὲ μετανοήσασα οἷον ἀναγεννηθεῖσα
κατὰ τὴν ἐπιστροφὴν τοῦ βίου παλιγγενεσίαν ἔχει ζωῆς, τεθνηκυίας
μὲν τῆς πόρνης τῆς παλαιᾶς, εἰς βίον | δὲ παρελθούσης αὖθις τῆς 183 S
κατὰ τὴν μετάνοιαν γεννηθείσης. μαρτυρεῖ τοῖς εἰρημένοις διὰ 3

3f. θεοφιλὲς τῷ ὄντι—διαχειραγωγεῖν Sacr. Par. 232 Holl   4f. ὁδὸς ἐπ᾽—
αἰσχρουργία Sacr. Par. 233 Holl; Flor. Mon. fol. 77ᵛ   6f. 13—15 Mt 5, 32; 19, 9;
Mc 10, 1¹; Lc 16, 18   8—13 ἀνύποπτον—οἰκουρίαν Sacr. Par. 234 Holl   8—10 ἀνύπ-
οπτον—ἐκτενῶς Antonius Melissa p. 105 Gesner (hier Lemma: Κυρίλλου) ἀνύπ-
οπτον—πρέποντος Mᵃχimus Cap. 39; Flor. Mon. fol. 130ʳ   10f. vgl. I Tim 5, 5. 13
14—17 vgl. Petrus Laod. p. 52, 8 H.; Theophyl. Bulg. zu Mt 5, 32 (PG 123, 197 C);
Fr in ZntW 36 (1937) 82. 87   18—20 vgl. Lev 20, 10; Deut 22, 22   20f. vgl. Lev
21, 9   21f. vgl. Deut 22, 24

1 vor μαρτ. ist ω von L¹ gestrichen   2 σωφρονεῖν Mü (unnötig Fr)   5 ἀμφοῖν]
ἐπαμφοῖν Flor. Mon, αἰσχρουργία Sacr. Par. Flor. Mon. wie Hervet αἰσχρολογία L
11 ἀποκλείουσαν Sacr. Par. wie Sy ἀποκλείουσα L   12 δ᾽ < Sacr. Par.   αὐτὴν L
ἑαυτὴν Sacr. Par.   13 ⟨ὡς ἂν⟩ προὔργιαίτερον Sacr. Par.   24 τοι in Ras. L¹   28
⟨ἀνα⟩γεννηθείσης Mü

Ἰεζεκιὴλ τὰ πνεῦμα λέγον· »οὐ βούλομαι τὸν θάνατον τοῦ ἁμαρ-
τωλοῦ, ὡς τὸ ἐπιστρέψαι.« αὐτίκα λιθόλευστοι γίνονται ὡς ἂν διὰ 4
σκληροκαρδίαν ἀποθανόντες τῷ νόμῳ, ᾧ μὴ ἐπείσθησαν, τῇ δὲ ἱερείᾳ
ἐπιτείνεται τὰ τῆς κολάσεως, ὅτι »ᾧ πλεῖον ἐδόθη, οὗτος καὶ ἀπαι-
5 τηθήσεται«.

Περιγεγράφθω καὶ ὁ δεύτερος ἡμῖν ἐνθάδε Στρωματεὺς διὰ τὸ 5
μῆκός τε καὶ πλῆθος τῶν κεφαλαίων. |

1f. Ez 33, 11   4f. vgl. Lc 12, 48

8 Subscriptio: στρωματέων B: — L

ΚΛΗΜΕΝΤΟΣ

ΣΤΡΩΜΑΤΕΩΝ ΤΡΙΤΟΣ

I. Οἱ μὲν οὖν ἀμφὶ τὸν Οὐαλεντῖνον ἄνωθεν ἐκ τῶν θείων 1,
προβολῶν τὰς συζυγίας καταγαγόντες εὐαρεστοῦνται γάμῳ, οἱ δὲ
5 ἀπὸ Βασιλείδου »πυθομένων« φασὶ »τῶν ἀποστόλων μή ποτε ἄμει-
νόν ἐστι τὸ μὴ γαμεῖν« ἀποκρίνασθαι λέγουσι τὸν κύριον· | »οὐ πάντες 509 P
χωροῦσι τὸν λόγον τοῦτον· εἰσὶ γὰρ εὐνοῦχοι, οἳ μὲν ἐκ γενετῆς, οἳ
δὲ ἐξ ἀνάγκης.« ἐξηγοῦνται δὲ τὸ ῥητὸν ὧδέ πως· »φυσικήν τινες 2
ἔχουσι πρὸς γυναῖκα ἀποστροφὴν ἐκ γενετῆς, οἵτινες τῇ φυσικῇ ταύτῃ
10 συγκράσει χρώμενοι καλῶς ποιοῦσι μὴ γαμοῦντες. οὗτοι«, φασίν, »εἰσὶν 3
οἱ ἐκ γενετῆς εὐνοῦχοι· οἱ δὲ ἐξ ἀνάγκης, ἐκεῖνοί οἱ θεατρικοὶ
ἀσκηταί, οἵτινες διὰ τὴν ἀνθολκὴν τῆς εὐδοξίας κρατοῦσιν ἑαυτῶν,
οἱ δὲ ἐκτετμημένοι κατὰ συμφορὰν εὐνοῦχοι γεγόνασι κατὰ ἀνάγκην.
οἱ τοίνυν κατὰ ἀνάγκην οὐ κατὰ λόγον εὐνοῦχοι γίνονται. οἱ δὲ 4
15 ἕνεκα τῆς αἰωνίου βασιλείας εὐνουχίσαντες ἑαυτοὺς διὰ τὰ ἐκ τοῦ
γάμου«, φασί, »συμβαίνοντα τὸν ἐπιλογισμὸν τοῦτον λαμβάνουσι, τὴν
περὶ τὸν πορισμὸν τῶν ἐπιτηδείων ἀσχολίαν δεδιότες.« καὶ τῷ 2, 1
»ἄμεινον γαμῆσαι ἢ πυροῦσθαι« »μὴ εἰς πῦρ ἐμβάλῃς τὴν ψυχήν σου«
λέγειν τὸν ἀπόστολον, »νυκτὸς καὶ ἡμέρας ἀντέχων καὶ φοβούμενος
20 μὴ τῆς ἐγκρατείας ἀποπέσῃς· πρὸς γὰρ τὸ ἀντέχειν γενομένη ψυχὴ

---

* 5—S. 196, 16 vgl. Hilgenfeld, Ketzergeschichte S. 215 ff.   6—8 Mt 19, 11 f.
14—S. 196, 21 vgl. Epiphanius Haer. 32, 4 I S. 443, 15—445, 5 Holl   15 vgl. Mt 19, 12
18 I Cor 7, 9

---

4 προβόλων L   5 βασιλίδου L   7 γενέτης L   8 ἀνάγκης ⟨οἱ δὲ ἕνεκα τῆς αἰωνίου
βασιλείας⟩ Po   9. 11 γενέτης L* jetzt Acc. ausrad.   11 ⟨οὐκ⟩ ἐκεῖνοι St   13 [οἱ
δὲ—ἀνάγκην] Hilgenfeld; vgl. Zahn, Gesch. d. ntl. Kan. I S. 769² [κατὰ ἀνάγκην]
Wi οἱ τοίνυν] οὗτοι μὲν Mü   15 τῆς βασιλείας τῶν οὐρανῶν Epiph.   16 f. τοῦτον—
πορισμὸν ⟨ Epiph.   17 καὶ τῷ Holl καὶ τὸ L < Epiph.   18 ἄμεινον] βέλτιον
Epiph.   19 λέγειν] φησὶ λέγειν Epiph. ⟨φασὶ⟩ λέγειν St   νυκτὸς καὶ ἡμέρας] ἡμέρας
καὶ νυκτὸς Epiph.   20 γινομένη Epiph.

13*

μερίζεται τῆς ἐλπίδος.‹ ›ἀντέχου τοίνυν‹, φησὶ κατὰ λέξιν ὁ Ἰσίδωρος 2
ἐν τοῖς Ἠθικοῖς, | ›μαχίμης γυναικός, ἵνα μὴ ἀποσπασθῆς τῆς χάριτος 510 P
τοῦ θεοῦ, τό τε πῦρ ἀποσπερματίσας εὐσυνειδήτως προσεύχου. ὅταν 3
δὲ ἡ εὐχαριστία σου‹, φησίν, ›εἰς αἴτησιν ὑποπέσῃ καὶ αἰτῆς τὸ λοι-
5 πὸν οὐ κατορθῶσαι, ἀλλὶ μὴ σφαλῆναι, γάμησον. ἀλλὰ νέος τίς 4
ἐστιν ἢ πένης ἢ κατωφερὴς καὶ οὐ θέλει γῆμαι κατὰ τὸν λόγον,
οὗτος τοῦ ἀδελφοῦ μὴ χωριζέσθω· λεγέτω ὅτι εἰσελήλυθα ἐγὼ εἰς
τὰ ἅγια, οὐδὲν δύναμαι παθεῖν· ἐὰν δὲ ὑπόνοιαν ἔχῃ, εἰπάτω· ἀδελφέ, 5
ἐπίθες μοι τὴν χεῖρα, ἵνα μὴ ἁμαρτήσω· καὶ λήψεται βοήθειαν καὶ
10 νοητὴν καὶ αἰσθητήν. θελησάτω μόνον ἀπαρτίσαι τὸ καλὸν καὶ ἐπι-
τεύξεται. ἐνίοτε δὲ τῷ μὲν στόματι λέγομεν· οὐ θέλομεν ἁμαρτῆσαι, 3, 1
ἡ δὲ διάνοια ἔγκειται ἐπὶ τὸ ἁμαρτάνειν. ὁ τοιοῦτος διὰ φόβον οὐ
ποιεῖ ὃ θέλει, ἵνα μὴ ἡ κόλασις αὐτῷ ἐλλογισθῇ· ἡ δὲ ἀνθρωπότης 2
ἔχει τινὰ ἀναγκαῖα καὶ φυσικά, ⟨ἄλλα δὲ φυσικὰ⟩ μόνα. ἔχει τὸ
15 περιβάλλεσθαι ἀναγκαῖον καὶ φυσικόν, φυσικὸν δὲ τὸ τῶν ἀφρο-
δισίων, οὐκ ἀναγκαῖον δέ.‹

Ταύτας παρεθέμην τὰς φωνὰς εἰς ἔλεγχον τῶν μὴ βιούντων 3
ὀρθῶς Βασιλειδιανῶν, ὡς ἤτοι ἐχόντων ἐξουσίαν καὶ τοῦ ἁμαρτεῖν
διὰ τὴν τελειότητα, ἢ πάντως γε σωθησομένων φύσει, κἂν νῦν ἁμάρ-
20 τωσι, διὰ τὴν ἔμφυτον ἐκλογήν, ἐπεὶ μηδὲ ταῦτα αὐτοῖς πράττειν
συγχωροῦσιν οἱ προπάτορες τῶν δογμάτων. μὴ τοίνυν ὑποδυόμενοι 4
τὸ ὄνομα τοῦ Χριστοῦ καὶ τῶν ἐν ἔθνεσιν ἀκρατεστάτων ἀκολαστό-

---

* 13—16 vgl. Epikur Fr. 456 Usener p. 295, 13

1 ἀντέχου] ἀνέχου Epiph. ἀπέχου Hilgenfeld [diese Konjekt. (angenommen von
Chadwick, der sie irrtümlich als Lesart des Epiph. bezeichnet) wird durch Z. 3 τὸ
πῦρ ἀποσπερματίσας widerlegt (Fr)] τοίνυν] + ὡς ἤδη προεῖπον«, τῆς παραινέσεως
εἰς μέσον φέρων τὸν λόγον Epiph. ἠσίδωρος L 3 προσεύχου Epiph. προσεύχηι L
4 δὲ] + φησίν Epiph. φησίν < Epiph. ὑποπέσοι Epiph. αἰτῆς St στῆις L τῆς
Epiph. HS ὑποστῆς Ma αἰτῆς oder ζητῆς Hilgenfeld 5 κατορθῶσαι, ἀλλά] κατορ-
θώσας Epiph. γάμησον] + εἶτα πάλιν φησίν· Epiph. 6 ἐστιν ∼ nach πένης Epiph.
[ἢ²] Ja¹ κατωφερὴς] καταφερής, τουτέστιν ἀσθενής Epiph. 7 τοῦ ἀδελφοῦ] τῶν ἀδελ-
φῶν Ma χωριζέσθω] + αἰσχρὰς δέ τινας ὑπονοίας ἑαυτῷ προσποριζόμενος δραμα-
τουργεῖ ὁ τάλας Epiph. λεγέτω] + φησίν Epiph. 9 τὴν < Epiph. 10 ἀπαρτίσαι
Epiph. ἀπαρτῆσαι L 10f. ἐπιτεύξεται] + εἶτα πάλιν φησίν Epiph. 12 ἐπὶ] εἰς Epiph.
13 [ἐλ]λογισθῇ Ja¹ 14 τινὰ ἀναγκαῖα] ἀναγκαῖά τινα Epiph. ⟨ἄλλα δὲ φυσικὰ⟩ St
⟨καὶ φυσικὰ⟩ Schw μόνον Hilg. 15 ἀναγκαῖον] τὸ ἀναγκαῖον Epiph. δὲ] + καὶ
Epiph. 16 οὐκ ἀναγκαῖον] ἀναγκαίως Epiph. 17 εἰς ἔλεγχον τῶν] ὁ κατὰ τούτων
γράψας ἔλεγχον (ἐλέγχων HSS) Epiph. 18 βασιλιδιανῶν L καὶ Βασιλειδιανῶν Epiph.,
bei dem hier ein längerer Zusatz folgt τοῦ ἁμαρτεῖν] τὸ ἁμαρτάνειν Epiph. 19 πάν-
τως] πάντων Epiph. φύσει] φυσικῶν Epiph. κἂν νῦν] κἂν τε νυνὶ Epiph. 20 ταυ-
τὰ] ταῦτα L τὰ αὐτὰ Epiph. 21 δογμάτων] + τούτων Epiph.

τερον βιοῦντες βλασφημίαν | τῷ ὀνόματι προστριβέσθωσαν· »οἱ γὰρ 511 P
τοιοῦτοι ψευδαπόστολοι, ἐργάται δόλιοι,« ἕως »ὧν τὸ τέλος ἔσται
κατὰ τὰ ἔργα αὐτῶν.« ἐγκράτεια τοίνυν σώματος ὑπεροψία κατὰ 4, 1
τὴν πρὸς θεὸν ὁμολογίαν. οὐ μόνον γὰρ περὶ τὰ ἀφροδίσια, ἀλλὰ
5 καὶ περὶ τὰ ἄλλα, ἃ ἐπιθυμεῖ ἡ ψυχὴ κακῶς οὐκ ἀρχουμένη τοῖς
ἀναγκαίοις, ἡ ἐγκράτεια ἀναστρέφεται. ἔστι δὲ καὶ περὶ τὴν γλῶσσαν 2
καὶ περὶ τὴν κτῆσιν καὶ περὶ τὴν χρῆσιν καὶ περὶ τὴν ἐπιθυμίαν
ἐγκράτεια. οὐ διδάσκει δ' αὕτη σωφρονεῖν μόνον, ἥ γε παρέχει σω-
φροσύνην ἡμῖν, δύναμις οὖσα καὶ θεία χάρις. τίνα οὖν τοῖς ἡμετέ- 3
10 ροις δοκεῖ περὶ τοῦ προκειμένου, λεκτέον· ἡμεῖς εὐνουχίαν μὲν καὶ
οἷς τοῦτο δεδώρηται ὑπὸ θεοῦ μακαρίζομεν, μονογαμίαν δὲ καὶ τὴν
περὶ τὸν ἕνα γάμον σεμνότητα θαυμάζομεν, συμπάσχειν [δὲ] δεῖν
λέγοντες καὶ »ἀλλήλων τὰ βάρη βαστάζειν«, μή ποτέ τις »δοκῶν«
καλῶς »ἑστάναι« καὶ αὐτὸς »πέσῃ«. περὶ δὲ τοῦ δευτέρου γάμου »εἰ
15 πυροῖ« φησὶν ὁ ἀπόστολος, »γάμησον«.

II. Οἱ δὲ ἀπὸ Καρποκράτους καὶ Ἐπιφάνους ἀναγόμενοι κοινὰς 5, 1
εἶναι τὰς γυναῖκας ἀξιοῦσιν, ἐξ ὧν ἡ μεγίστη κατὰ τοῦ ὀνόματος
ἐρρύη βλασφημία. Ἐπιφάνης οὗτος, οὗ καὶ τὰ συγγράμματα κομί- 2
ζεται, υἱὸς ἦν Καρποκράτους καὶ μητρὸς Ἀλεξανδρείας τοὔνομα τὰ
20 μὲν πρὸς πατρὸς Ἀλεξανδρεύς, ἀπὸ δὲ μητρὸς Κεφαλληνεύς, ἔζησε
δὲ τὰ πάντα ἔτη ἑπτακαίδεκα, καὶ θεὸς ἐν | Σάμῃ τῆς Κεφαλληνίας 184 S
τετίμηται, ἔνθα αὐτῷ ἱερὸν ῥυτῶν λίθων, βωμοί, τεμένη, μουσεῖον
ᾠκοδόμηταί τε καὶ καθιέρωται, καὶ συνιόντες εἰς τὸ ἱερὸν οἱ Κεφαλ-
λῆνες κατὰ νουμηνίαν γενέθλιον ἀποθέωσιν θύουσιν Ἐπιφάνει, σπέν-
25 δουσί τε καὶ εὐωχοῦνται καὶ ὕμνοι ᾄδονται. ἐπαιδεύθη μὲν οὖν 3
παρὰ τῷ πατρὶ τήν τε ἐγκύκλιον παιδείαν καὶ τὰ Πλάτωνος, καθη- 512 P
γήσατο δὲ τῆς μοναδικῆς γνώσεως, ἀφ' οὗ καὶ ἡ τῶν Καρποκρατια-
νῶν αἵρεσις. λέγει τοίνυν οὗτος ἐν τῷ Περὶ δικαιοσύνης »τὴν 6, 1

1–3 II Cor 11, 13. 15   3f. 9 vgl. Basileios M. ep. 366 s. Nachtrag zu S. 197, 3
4 vgl. Strom. III 59, 1 S. 223, 5, wo auch das Basileios-Excerpt wieder einsetzt (Fr)
4–6 vgl. Aristot. Eth. Nic. 7, 4 p. 1146ᵇ 9ff. (περὶ ποῖα τὸν ἀκρατῆ καὶ τὸν ἐγκρατῆ
θετέον) 13 Gal 6, 2 13f. I Cor 10, 12 14f. I Cor 7, 9 16–S. 199, 13. 199, 29–
200, 4 vgl. Hilgenfeld, Ketzergeschichte S. 402ff. 18–28 vgl. Epiph. Haer. 32, 3 I
S. 442, 4–18; Lipsius, Zur Quellenkritik des Epiph. S. 161f.; Usener, Weihnachts-
fest S. 111 Anm. 10 23f. zur monatl. Geburtstagsfeier vgl. Rohde, Psyche² I
p. 234f.; Schürer, ZntW 2 (1901) S. 48ff.; Wissowa, Hermes 37 (1902) S. 157ff.;
Collitz, Dialektinschr. 1801, 5f. (von einer Freigelassenen): στεφανωέτω τὰν Φίλωνος
εἰκόνα καθ' ἕκαστον μῆνα δὶς δαφνίνῳ στεφάνῳ πλεκτῷ νουμηνίαι καὶ ἑβδόμαι.

8 αὐτή L αὐτήν Schw ἤν Schw · 12 [δὲ] Ma 13 λέγομεν Hiller 19 ἀλεξαν-
δρίας L 20 ἀπὸ Κεφαλληνίας μὲν τὸ πρὸς πατρὸς γένος ὤν Epiph. Κεφαλλήν Cobet
S. 511 (vgl. Z. 23f.) 23 nach τε καὶ ist σιν von L¹ getilgt 25 καὶ ὕμνοι ᾄδονται
Wi καὶ ὕμνοι λέγονται L ὕμνους τε αὐτῷ ᾄδουσι Epiph.

δικαιοσύνην τοῦ θεοῦ κοινωνίαν τινὰ εἶναι μετ᾽ ἰσότητος. ἴσος γέ
τοι πανταχόθεν ἐκταθεὶς οὐρανὸς κύκλῳ τὴν γῆν περιέχει πᾶσαν,
καὶ πάντας ἡ νὺξ ἐπ᾽ ἴσης ἐπιδείκνυται τοὺς ἀστέρας, τόν τε τῆς
ἡμέρας αἴτιον καὶ πατέρα τοῦ φωτὸς ἥλιον ὁ θεὸς ἐξέχεεν ἄνωθεν ἴσον
5 ἐπὶ γῆς ἅπασι τοῖς βλέπειν δυναμένοις, οἳ δὲ κοινῇ πάντες βλέπουσιν,
ἐπεὶ μὴ διακρίνει πλούσιον ἢ πένητα, δῆμον ἢ ἄρχοντα, ἄφρονάς τε 2
καὶ τοὺς φρονοῦντας, θηλείας ἄρσενας, ἐλευθέρους δούλους. ἀλλ᾽
οὐδὲ τῶν ἀλόγων παρὰ τοῦτο ποιεῖταί τι, πᾶσι δὲ ἐπ᾽ ἴσης τοῖς
ζῴοις κοινὸν αὐτὸν ἐκχέας ἄνωθεν ἀγαθοῖς τε καὶ φαύλοις τὴν
10 δικαιοσύνην ἐμπεδοῖ μηδενὸς δυναμένου πλεῖον ἔχειν μηδὲ ἀφαιρεῖσθαι
τὸν πλησίον, ἵν᾽ αὐτὸς κἀκείνου τὸ φῶς διπλασιάσας ἔχῃ. ἥλιος 3
κοινὰς τροφὰς ζῴοις ἅπασιν ἀνατέλλει, δικαιοσύνης [τε] τῆς κοινῆς
ἅπασιν ἐπ᾽ ἴσης δοθείσης, καὶ εἰς τὰ τοιαῦτα βοῶν γένος ὁμοίως
γίνεται ὡς αἱ βόες καὶ συῶν ὡς οἱ σύες καὶ προβάτων ὡς τὰ πρό-
15 βατα καὶ τὰ λοιπὰ πάντα· δικαιοσύνη γὰρ ἐν αὐτοῖς ἀναφαίνεται ἡ 4
κοινότης. ἔπειτα κατὰ κοινότητα πάντα ὁμοίως κατὰ γένος σπείρεται,
τροφή τε κοινὴ χαμαὶ νεμομένοις ἀνεῖται πᾶσι τοῖς κτήνεσι καὶ πᾶσιν
ἐπ᾽ ἴσης, οὐδενὶ νόμῳ κρατουμένη, τῇ δὲ παρὰ τοῦ διδόντος ⟨καὶ⟩
κελεύσαντος χορηγίᾳ συμφώνως ἅπασι δικαιοσύνη παροῦσα. ἀλλ᾽ οὐδὲ 7, 1
20 τὰ τῆς γενέσεως νόμον ἔχει γεγραμμένον (μετεγράφη γὰρ ἄν), σπεί-
ρουσι δὲ καὶ γεννῶσιν ἐπ᾽ ἴσης, κοινωνίαν ὑπὸ δικαιοσύνης ἔμφυτον
ἔχοντες. κοινῇ πᾶσιν ἐπ᾽ ἴσης ὀφθαλμὸν εἰς τὸ βλέπειν ὁ ποιητής
τε καὶ πατὴρ πάντων δικαιοσύνη νομοθετήσας τῇ παρ᾽ αὐτοῦ παρ-
έσχεν, οὐ διακρίνας θήλειαν ἄρρενος, οὐ λογικὸν ἀλόγου, καὶ
25 καθάπαξ οὐδενὸς οὐδέν, ἰσότητι δὲ καὶ κοινότητι μερίσας τὸ βλέπειν
ὁμοίως ἑνὶ κελεύσματι πᾶσι κεχάρισται. οἱ νόμοι δέ‹, φησίν, ›ἀν- 2
θρώπων ·ἀμαθίαν κολάζειν μὴ δυνάμενοι παρα|νομεῖν ἐδίδαξαν· ἡ 513 P
γὰρ ἰδιότης τῶν νόμων τὴν κοινωνίαν τοῦ θείου νόμου κατέτεμεν
καὶ παρατρώγει,‹ μὴ συνιεὶς τὸ τοῦ ἀποστόλου ῥητόν, λέγοντος
30 ›διὰ νόμου τὴν ἁμαρτίαν ἔγνων·‹ τό τε ἐμὸν καὶ τὸ σόν φησι διὰ 3 ·
τῶν νόμων παρεισελθεῖν, μηκέτι εἰς κοινότητα [κοινά τε γὰρ] καρ-
πουμένων μήτε ·γῆν μήτε κτήματα, ἀλλὰ μηδὲ γάμον· ›κοινῇ γὰρ 4

12 vgl. I Clem. ad Cor. 20, 4 (Fr)   30 Rom 7, 7

6 δῆμον ἢ St ἢ δήμου L ἢ δημότην ⟨καὶ⟩ Hiller   7 [τοὺς] Wi   8 ποιεῖται: Medium
ist richtig, denn es bedeutet hier „einschätzen" (Fr)   9 αὐτὸν L   11 τὸ κἀκείνου L
κἀκείνου τὸ ~ Wi   12 ἀνατέλλει Sy ἀνατέλλειν L   [τε] Hiller   14 οἱ σύες] αἱ σύες
Hilg.   16 ἔπειτα] ἐπεὶ oder ἐπειδὴ St   17 κοινῇ Hilg.   18 [διδόντος] Heyse, Hilg.
⟨καὶ⟩ Hiller   19 χορηγίᾳ L χορηγεῖν Schw   ἅπασι. ~ nach δικ. Heyse   δικαιοσύνη
Po -η L [δικαιοσύνη] Sy   31 [κοινά τε γὰρ] Ma κοινὸν τί γὰρ Hilg. (κοινά τε γάρ) Po
31f. καρπουμένων ⟨ἡμῶν⟩ St

ἅπασιν ἐποίησε τὰς ἀμπέλους, αἳ μή⟨τε⟩ στρουθὸν μήτε κλέπτην ἀπαρ-
νοῦνται, καὶ τὸν σῖτον οὕτως καὶ τοὺς ἄλλους καρπούς. ἡ δὲ κοι-
νωνία παρανομηθεῖσα καὶ τὰ τῆς ἰσότητος ἐγέννησε θρεμμάτων καὶ
καρπῶν κλέπτην. κοινῇ τοίνυν ὁ θεὸς ἅπαντα ἀνθρώπῳ ποιήσας 8, 1
5 καὶ τὸ θῆλυ τῷ ἄρρενι κοινῇ συναγαγὼν καὶ πάνθ᾽ ὁμοίως τὰ ζῷα
κολλήσας τὴν δικαιοσύνην ἀνέφηνεν κοινωνίαν μετ᾽ ἰσότητος. οἳ δὲ 2
γεγονότες οὕτω τὴν συνάγουσαν κοινωνίαν τὴν γένεσιν αὐτῶν
ἀπηρνήθησαν καὶ φασιν· ὁ μίαν ἀγόμενος ἐχέτω, δυναμένων κοινω-
νεῖν ἁπάντων, ὥσπερ ἀπέφηνε τὰ λοιπὰ τῶν ζῴων.‹ ταῦτα εἰπὼν 8
10 κατὰ λέξιν πάλιν ὁμοίως αὐταῖς ταῖς λέξεσιν ἐπιφέρει· ›τὴν γὰρ
ἐπιθυμίαν εὔτονον καὶ σφοδροτέραν ἐνεποίησε τοῖς ἄρρεσιν εἰς τὴν
τῶν γενῶν παραμονήν, ἣν οὔτε νόμος οὔτε ἔθος οὔτε ἄλλο ⟨τι⟩ τῶν
ὄντων ἀφανίσαι δύναται. θεοῦ γάρ ἐστι δόγμα.‹ καὶ πῶς ἔτι οὗτος 4
ἐν τῷ καθ᾽ ἡμᾶς ἐξετασθείη λόγῳ ἄντικρυς καὶ τὸν νόμον καὶ τὸ
15 εὐαγγέλιον διὰ τούτων καθαιρῶν; ὃ μὲν γάρ φησιν· ›οὐ μοιχεύσεις,‹
τὸ δὲ ›πᾶς ὁ προσβλέπων κατ᾽ ἐπιθυμίαν ἤδη ἐμοίχευσεν‹ λέγει. τὸ 5
γὰρ ›οὐκ ἐπιθυμήσεις‹ πρὸς τοῦ νόμου λεγόμενον τὸν ἕνα δείκνυσι
θεὸν διὰ νόμου καὶ προφητῶν καὶ εὐαγγελίου κηρυσσόμενον· λέγει
γάρ· ›οὐκ ἐπιθυμήσεις τῆς τοῦ πλησίον.‹ ὁ πλησίον δὲ οὐχ ὁ Ἰου- 6
20 δαῖος τῷ Ἰουδαίῳ, ἀδελφὸς γὰρ καὶ ταυτότης τοῦ πνεύματος, λείπε-
ται δὴ πλησίον τὸν ἀλλοεθνῆ λέγειν. πῶς γὰρ οὐ πλησίον ὁ οἷός
τε κοινωνῆσαι τοῦ πνεύματος; οὐ γὰρ μόνων Ἑβραίων, ἀλλὰ καὶ
ἐθνῶν πατὴρ Ἀβραάμ. εἰ δὲ ἡ μοιχευθεῖσα καὶ ὁ εἰς αὐτὴν πορνεύσας 9, 1
θανάτῳ κολάζεται, δῆλον δήπου τὴν ἐντολὴν τὴν λέγουσαν ›οὐκ
25 ἐπιθυμήσεις τὴν γυναῖκα τοῦ πλησίον‹ περὶ τῶν ἐθνῶν διαγορεύειν,
ἵνα τις κατὰ νόμον καὶ τῆς τοῦ πλησίον καὶ τῆς ἀδελφῆς ἀποσχό-
μενος ἄντικρυς ἀκούσῃ παρὰ τοῦ κυρίου· ›ἐγὼ δὲ λέγω, οὐκ ἐπιθυ-
μήσεις·‹ ἡ δὲ | τοῦ ›ἐγὼ‹ μορίου προσθήκη προσεχεστέραν δείκνυσι 514 P
τῆς ἐντολῆς τὴν ἐνέργειαν, καὶ ὅτι θεομαχεῖ ὅ τε Καρποκράτης ὅ τ᾽ 2
30 Ἐπιφάνης, ⟨ὃς⟩ ἐν αὐτῷ τῷ πολυθρυλήτῳ βιβλίῳ, τῷ Περὶ δικαιοσύνης
λέγω, ὧδέ πως ἐπιφέρει κατὰ λέξιν· ›ἔνθεν ὡς γελοῖον εἰρηκότος τοῦ 8
νομοθέτου ῥῆμα τοῦτο ἀκουστέον ›οὐκ ἐπιθυμήσεις‹ πρὸς τὸ γελοιό-

15 Exod 20, 13　16 Mt 5, 28　17—19 Exod 20, 17　21f. vgl. Strom. II 42, 1
22f. vgl. Rom 4, 16f.; Gen 17, 5　23f. vgl. Lev 20, 10; Deut 22, 22　24f. Exod 20, 17
27f. Mt 5, 28

1 μή⟨τε⟩ St μὴ L　3 καὶ τὰ (vgl. S. 198, 20; 200, 2)] κατὰ Hilg.　7 συνέ-
χουσαν (vgl. S. 200, 2) St　8 φασιν Hilg. φησὶν L ἔφασαν St　ὁ Sy εἰ L　12 ⟨τι⟩
He　13 δόγμα] δόμα Bernays　πῶς ⟨ἂν⟩ Ma　15 καθαιρῶν Sy καθαίρων L　20 καὶ
⟨ᾧ ἡ⟩ Schw　30 ⟨ὃς⟩ Wi　31 λέγω Sy λέγων L　32f. τούτου ἀκουστέον· ⟨τοῦ δ᾽⟩
»οὐκ ἐπιθ.« ποσέτι νςl εἶπεν Sch　πρὸς τῷ Mü

τερον εἰπεῖν ›τῶν τοῦ πλησίον‹· αὐτὸς γὰρ ὁ τὴν ἐπιθυμίαν δοὺς
ὡς συνέχουσαν τὰ τῆς γενέσεως ταύτην ἀφαιρεῖσθαι κελεύει μηδενὸς
αὐτὴν ἀφελῶν ζῴου· τὸ δὲ ›τῆς τοῦ πλησίον γυναικὸς‹ ἰδιότητα τὴν
κοινωνίαν ἀναγκάζων ἔτι γελοιότερον εἶπεν.‹ |

5 Καὶ ταῦτα μὲν οἱ γενναῖοι Καρποκρατιανοὶ δογματίζουσι. τού- 10,1 1
τους φασὶ καὶ τινας ἄλλους ζηλωτὰς τῶν ὁμοίων κακῶν εἰς τὰ
δεῖπνα ἀθροιζομένους (οὐ γὰρ ἀγάπην εἴποιμ᾽ ἂν ἔγωγε τὴν συνέ-
λευσιν αὐτῶν), ἄνδρας ὁμοῦ καὶ γυναῖκας, μετὰ δὴ τὸ κορεσθῆναι
(›ἐν πλησμονῇ τοι Κύπρις‹, ἦ φασι) τὸ καταισχῦνον αὐτῶν τὴν
10 πορνικὴν ταύτην δικαιοσύνην ἐκποδὼν ποιησαμένους φῶς τῇ τοῦ
λύχνου περιτροπῇ, μίγνυσθαι, ὅπως ἐθέλοιεν, αἷς βούλοιντο, μελετή-
σαντας δὲ ἐν τοιαύτῃ ἀγάπῃ τὴν κοινωνίαν, μεθ᾽ ἡμέραν ἤδη παρ᾽
ὧν ἂν ἐθελήσωσι γυναικῶν ἀπαιτεῖν τὴν τοῦ Καρποκρατείου, οὐ
γὰρ θέμις εἰπεῖν θείου, νόμου ὑπακοήν. τοιαῦτα δὲ οἶμαι ταῖς κυνῶν
15 καὶ συῶν καὶ τράγων λαγνείαις νομοθετεῖν τὸν Καρποκράτην ἔδει.
δοκεῖ δέ μοι καὶ τοῦ Πλάτωνος παρακηκοέναι ἐν τῇ Πολιτείᾳ φαμέ- 2
νου κοινὰς εἶναι τὰς γυναῖκας πάντων, κοινὰς μὲν | τὰς πρὸ τοῦ 515 P
γάμου τῶν αἰτεῖσθαι μελλόντων, καθάπερ καὶ τὸ θέατρον κοινὸν
τῶν θεωμένων φάσκοντος, τοῦ προκαταλαβόντος δὲ ἑκάστην ἑκάστου
20 εἶναι καὶ οὐκέτι κοινὴν τὴν γεγαμημένην. Ξάνθος δὲ ἐν τοῖς ἐπι- 11,1
γραφομένοις Μαγικοῖς ›†μίγνυνται δὲ‹ φησὶν ›οἱ Μάγοι μητράσι καὶ
θυγατράσι καὶ ἀδελφαῖς μίγνυσθαι θεμιτὸν εἶναι κοινάς τε εἶναι τὰς
γυναῖκας οὐ βίᾳ καὶ λάθρᾳ, ἀλλὰ συναινούντων ἀμφοτέρων, ὅταν
θέλῃ γῆμαι ὁ ἕτερος τὴν τοῦ ἑτέρου.‹ ἐπὶ τούτων οἶμαι καὶ τῶν 2
25 ὁμοίων αἱρέσεων προφητικῶς Ἰούδαν ἐν τῇ ἐπιστολῇ εἰρηκέναι·
›ὁμοίως μέντοι καὶ οὗτοι ἐνυπνιαζόμενοι‹ (οὐ γὰρ ὕπαρ τῇ ἀληθείᾳ
ἐπιβάλλουσιν) ἕως ›καὶ τὸ ᾽τόμα αὐτῶν λαλεῖ ὑπέρογκα.‹

III. Ἤδη δὲ εἰ αὐτός τε ὁ Πλάτων καὶ οἱ Πυθαγόρειοι καθάπερ 12,1
οὖν ὕστερον καὶ οἱ ἀπὸ Μαρκίωνος κακὴν τὴν γένεσιν ὑπειλήφεσαν
30 (πολλοῦ γε ἔδει κοινὰς αὐτὸν ὑποτίθεσθαι τὰς γυναῖκας), ἀλλ᾽ οἱ μὲν
ἀπὸ Μαρκίωνος φύσιν κακὴν ἔκ τε ὕλης κακῆς καὶ ἐκ δικαίου γενο-
μένην δημιουργοῦ· ᾧ δὴ λόγῳ, μὴ βουλόμενοι τὸν κόσμον τὸν ὑπὸ 2
τοῦ δημιουργοῦ γενόμενον συμπληροῦν, ἀπέχεσθαι γάμου βούλονται,

9 Euripides Fr. inc. 895 16—20 vgl. Epiktet fr. 15 Schenkl 16f. vgl. Plato
Rep. V p. 457 D 20—24 Xanthos Fr. 28 FHG I p. 43; vgl. Tatian 28 p. 29, 21
Schw.; Minuc. ᴆel. Oct. 31, 3 21f. vgl. Cyrill v. Al. C. Jul. IV (PG 76, 680 D); Fr
in ZntW 36 (1937) 89 26f. Iud 8, 16 28ff. vgl. Hilgenfeld, Ketzergeschichte S. 327
32f. vgl. Gen 1, 28

3 ⟨εἰς⟩ ἰδιότητα Po ἰδιότητα ⟨γενέσθαι⟩ Schw 4 ἀναγκάζον Schw 6 κακῶν Sy
9 τοι Κύπρις, ἦ Di aus Athen. VI p. 270 C τῇ κυπρίῃ L φασι ⟨οἱ παροιμιαζό-
μενοι⟩ Cobet S. 439 13 καρποκρατίου L 21 μίγνυνται] ἀποφαίνονται Schw ἡγοῦνται
St 28 πυθαγόριοι L 30 αὐτοὺς Hiller

ἀντιτασσόμενοι τῷ ποιητῇ τῷ σφῶν καὶ σπεύδοντες ;ρὸς τὸν κεκλη-
κότα ἀγαθόν, ἀλλ' οὐ τὸν ὡς φασι θεὸν ἐν ἄλλῳ τρόπῳ, ⁻θεν οὐδὲν
ἴδιον καταλιπεῖν ἐνταῦθα βουλόμενοι οὐ τῇ προαιρέσει γίνονται
ἐγκρατεῖς, τῇ δὲ πρὸς τὸν πεποιηκότα ἔχθρᾳ, μὴ βουλόμενοι χρῆσθαι
5 τοῖς ὑπ' αὐτοῦ κτισθεῖσιν. ἀλλ' οὗτοί γε ἀσεβεῖ | θεομαχίᾳ τῶν 8 516 P
κατὰ φύσιν ἐκστάντες λογισμῶν, τῆς μακροθυμίας καὶ χρηστότητος
τοῦ θεοῦ καταφρονοῦντες, ⸏ καὶ μὴ γμεῖν ἐθέλουσιν, ἀλλὰ τροφαῖς
χρῶνται ταῖς κτισταῖς καὶ τὸν ἀέρα τοῦ δημιουργοῦ ἀναπνέουσιν,
αὐτοῦ τε ὄντες ἔργα καὶ ἐν τοῖς αὐτοῦ καταμένοντες, τήν τε ξένην,
10 ὥς φασι, γνῶσιν εὐαγγελίζονται, κἂν κατὰ τοῦτο χάριν ἐγνωκέναι τῷ
κυρίῳ τοῦ κόσμου ὀφείλοντες καθ' ὃ ἐνταῦθα εὐηγγελίσθησαν. ἀλλὰ 13, 1
πρὸς μὲν τούτους, ὁπόταν τὸν περὶ ἀρχῶν διαλαμβάνωμεν λόγον,
ἀκριβέστατα διαλεξόμεθα· οἱ φιλόσοφοι δὲ ὧν ἐμνήσθημεν, παρ' ὧν
τὴν γένεσιν κακὴν εἶναι ἀσεβῶς ἐκμαθόντες οἱ ἀπὸ Μαρκίωνος καθ-
15 άπερ ἰδίῳ δόγματι φρυάττονται, οὐ φύσει κακὴν βούλονται ταύτην
εἶναι, ἀλλὰ τῇ ψυχῇ τῇ τὸ ἀληθὲς διιδούσῃ· κατάγουσι γὰρ ἐν- 2
ταῦθα τὴν ψυχὴν θείαν οὖσαν καθάπερ εἰς κολαστήριον τὸν κόσμον,
ἀποκαθαίρεσθαι δὲ ταῖς ἐνσωματουμέναις ψυχαῖς προσήκει κατ'
αὐτούς. κἄστιν τὸ δόγμα τοῦτο οὐ τοῖς ἀπὸ Μαρκίωνος ἔτι, τοῖς 8
20 δὲ ἐνσωματοῦσθαι καὶ μετενδεῖσθαι καὶ μεταγγίζεσθαι τὰς ψυχὰς
ἀξιοῦσιν οἰκεῖον, πρὸς οὓς ἄλλος ἂν εἴη καιρὸς λέγειν, ὁπηνίκα ἂν
περὶ ψυχῆς διαλαμβάνωμεν.

Ἡράκλειτος γοῦν κακίζων φαίνεται τὴν γένεσιν, ἐπειδὰν φῇ· 14, 1
»γενόμενοι ζώειν ἐθέλουσι μόρους τ' ἔχειν‹ μᾶλλον δὲ ἀναπαύεσθαι,
25 »καὶ παῖδας καταλείπουσι μόρους γενέσθαι.« δῆλος δὲ αὐτῷ συμφερό- 2
μενος καὶ Ἐμπεδοκλῆς λέγων·

κλαῦσά τε καὶ κώκυσα ἰδὼν ἀσυνήθεα χῶρον.

καὶ ἔτι·

ἐκ μὲν γὰρ ζωῶν ἐτίθει νεκρὰ εἴδε' ἀμείβων.

6f. vgl. Rom 2, 4 12 vgl. Zahn, Forsch. III S. 38f., zu περὶ ἀρχῶν vgl. Bd. III
S. LXIV 15—19 vgl. Strom. I 33, 3; Plato Phaedr. p. 248. 249 17 zu κολαστήριον
vgl. φρουρά Phaed. p. 62 B; δεσμωτήριον Kratyl. p. 400 C 22 vgl. zu S. 174, 17f.
24f. Heraklit Fr. 20 Diels⁶ I S. 155, 13 u. S. 492, 45 [Interpunkt. nach Reinhardt,
Hermes 77, 1942, S. 4; vgl. Fr in WbJb. 1947, S. 149 (Fr)] 27. 29. S. 202, 2f.
Empedokles Fr. 118. 125. 124 Diels⁶ (I S. 359, 3; 362, 1; 361, 16)

13 ἀκριβέστερα Wi 16 διιδούσῃ Ma διαδούσηι L διοδούσῃ oder διοδενούσῃ Hilg.
20 μεταγγίζεσθαι L¹ μετεγγίζεσθαι L* 23 ἐπειδὰν φῇ Diels ἐπειδ' ἂν φησὶ L ἐπειδή
φησι Bywater 29 εἴδε' Sy ἠδὲ L

καὶ πάλιν·

    ὢ πόποι, ὢ δειλὸν θνητῶν γένος, ὢ δυσάνολβον· |

    οἵων ἐξ ἐρίδων ἔκ τε στοναχῶν ἐγένεσθε.   517 P

λέγει δὲ καὶ ἡ Σίβυλλα·   3

5   ἄνθρωποι θνητοὶ καὶ σάρκινοι, οὐδὲν ἐόντες,

ὁμοίως τῷ γράφοντι ποιητῇ·

    οὐδὲν ἀκιδνότερον γαῖα τρέφει ἀνθρώποιο.

ναὶ μὴν καὶ Θέογνις τὴν γένεσιν δείκνυσι κακὴν ὧδέ πως λέγων·   15, 1

    πάντων μὲν μὴ φῦναι ἐπιχθονίοισιν ἄριστον,

10   μηδ' ἐσορᾶν αὐγὰς ὀξέος ἠελίου·

    φύντα δ' ὅπως ὤκιστα πύλας Ἀΐδαο περῆσαι.

ἀκόλουθα δ' αὐτοῖς καὶ ὁ τῆς τραγῳδίας ποιητὴς Εὐριπίδης γράφει· 2

    ἔδει γὰρ ἡμᾶς σύλλογον ποιουμένους

    τὸν φύντα θρηνεῖν εἰς ὅσ' ἔρχεται κακά·

15   τὸν δ' αὖ θανόντα καὶ πόνων πεπαυμένον

    χαίροντας εὐφημοῦντας ἐκπέμπειν δόμων.

καὶ αὖθις τὰ ὅμοια οὕτως ἐρεῖ·   8

    τίς δ' οἶδεν εἰ τὸ ζῆν μέν ἐστι κατθανεῖν,

    τὸ κατθανεῖν δὲ [τὸ] ζῆν;

20 ταὐτὸν δὴ τούτοις φαίνεται καὶ Ἡρόδοτος ποιῶν λέγοντα τὸν Σόλωνα· 16, 1

---

3 vgl. Timon Fr. 33, 2 Wachsmuth Sillogr. p. 142 5 Orac. Sibyll. Fr. 1, 1
7 σ 130 7–16. 20f. S. 203, 5–8. 11–14 Theodoret Gr. aff. c. V 11–14 9–11 The-
ognis 425–427; vgl. Stob. Flor. 120, 4; Sext. Emp. Pyrrh. Hyp. III 231; Diogen.
III 4 13–16 Euripides Kresphontes Fr. 449; vgl. Elter Gnom. hist. 56 18f. Euri-
pides Polyidos Fr. 638; vgl. Elter Gnom. hist. 78 20f. Herodot 1, 32

2 ὢ δειλὸν Scaliger ἢ δειλὸν L ἃ δειλὸν — ἃ δυσάνολβον Bywater, Journ. of
Philol. 4 (1872) p. 211 3 οἵων] τοίων Porph. de abst. III 27; Timon bei Euseb.
Pr. ev. XIV 18, 18 ἐξ] ἐκ τ' Porph. Tim. ἐρείδων L στοναχῶν L Tim. νεικέων
Porph. ἐγένεσθε] γενόμεσθα Porph. πέπλασθε Tim. 6 γράφοντι ποιητῇ L ποιητῇ
γράφοντι ∼ Wi [die überlieferte Wortstellung ist nicht zu beanstanden, vgl. S. 398, 18
παραπλήσια τῇ λεγούσῃ γραφῇ S. 483, 12 ἐπακούσας τῆς λεγούσης γραφῆς (Fr)] 9 πάν-
των L Theod. ἀρχὴν Stob. Sext. 10 ἐσορᾶν L Theod. ἐσιδεῖν Theogn. Stob. Sext.
13 ἔδει] ἐχρῆν Theod. Stob. Flor. 120, 22; Sext. Emp. P. H. III 230 φύντα] ζῶντα
Stob. 15 πόνων] κακῶν Sext. 19 [τὸ] < Plato Gorg. p. 492 E u. a.

›ὧ Κροῖσε, πᾶς ἄνθρωπός ἐστι συμφορή.‹ καὶ ὁ μῦθος δὲ αὐτῷ
σαφῶς ὁ περὶ τοῦ Κλεόβιδος καὶ Βίτωνος οὐκ ἄλλο τι βούλεται ἀλλ'
ἢ ψέγειν μὲν τὴν γένεσιν, τὸν θάνατον δὲ ἐπαινεῖν. ‖

οἵη περ φύλλων γενεή, τοίη δὲ καὶ ἀνδρῶν   186 S 518 P 2

5 Ὅμηρος λέγει. Πλάτων δὲ ἐν Κρατύλῳ Ὀρφεῖ τὸν λόγον ἀνατίθησι 8
τὸν περὶ τοῦ κολάζεσθαι τὴν ψυχὴν ἐν τῷ σώματι, λέγει δὲ ὧδε·
›καὶ γὰρ σῆμά τινές φασιν αὐτὸ εἶναι τῆς ψυχῆς, ὡς τεθαμμένης ἐν
τῷ νῦν παρόντι· καὶ διότι τούτῳ σημαίνει ἃ ἂν σημαίνῃ ἡ ψυχή, 4
καὶ ταύτῃ σῆμα ὀρθῶς καλεῖσθαι. δοκοῦσι μέντοι ꞌμάλιστα θέσθαι
10 οἱ ἀμφὶ Ὀρφέα τοῦτο τὸ ὄνομα, ὡς δίκην διδούσης ὧν δὴ ἕνεκα δί-
δωσιν.‹ ἄξιον δὲ καὶ τῆς Φιλολάου λέξεως μνημονεῦσαι· λέγει γὰρ 17. 1
ὁ Πυθαγόρειος ὧδε· ›μαρτυρέονται δὲ καὶ οἱ παλαιοὶ θεολόγοι τε
καὶ μάντιες, ὡς διά τινας τιμωρίας ἁ ψυχὰ τῷ σώματι συνέζευκται
καὶ καθάπερ ἐν σήματι τούτῳ τέθαπται.‹ ἀλλὰ καὶ Πίνδαρος περὶ 2
15 τῶν ἐν Ἐλευσῖνι μυστηρίων λέγων ἐπιφέρει·

ὄλβιος ὅστις ἰδὼν [ἐ]κεῖνα [κοινὰ] εἶσ' ὑπὸ χθόνα·
οἶδε μὲν βίου τελευτάν,
οἶδεν δὲ διόσδοιον ἀρχάν.

Πλάτων τε ἀκολούθως ἐν Φαίδωνι οὐκ ὀκνεῖ γράφειν ὧδέ πως· ›καὶ 8
20 οἱ τὰς τελετὰς δὲ ἡμῖν οὗτοι καταστήσαντες οὐ φαῦλοί τινες‹ ἕως ›μετὰ
θεῶν τε οἰκήσει.‹ τί δὲ ὅταν λέγῃ· ›ἕως ἂν τὸ σῶμα ἔχωμεν καὶ 4
συμπεφυρμένη ἡμῶν ἡ ψυχὴ ᾖ μετὰ τοιούτου κακοῦ, οὐ μήποτε κτη-
σόμεθα ἐκεῖνο ἱκανῶς οὗ ἐπιθυμοῦμεν‹; οὐχὶ αἰτίαν τῶν μεγίστων
κακῶν τὴν γένεσιν αἰνίσσεται; κἂν τῷ Φαίδωνι ἐπιμαρτυρεῖ· ›κιν- 5
25 δυνεύουσι γὰρ ὅσοι τυγχάνουσιν ὀρθῶς ἁπτόμενοι φιλοσοφίας λελη-

1—3 vgl. Herodot 1, 31; Plut. Solon 27, 7; Mor. p. 58 E; 108 F   4 Z 146
7—11 Plato Kratyl. p. 400 BC   11—14 Philolaos Fr. 14 Diels⁶ I 413, 12; 414, 12
16—18 Pindar Fr. 137ᵃ Schröder   19—21 vgl. Theodoret Gr. aff. c. I 119   19—S. 204, 4
vgl. Plato Phaed. p. 69 C; 66 B; 64 A; 65 CD   24—S. 204, 2 Theodoret VIII 45

1 πᾶν Herod.   5 κρατύλλωι L   8 διότι] + αὖ Plato   τούτῳ Lowth (wie Plato)
τοῦτο L   σημαίνῃ L¹ σημαίνει L*   9 μέντοι] + μοι Plato   10 διδούσης] + τῆς
ψυχῆς Plato   12 πυθαγόριος L   μαρτυρέοντι Cobet S. 448   παλαιοί] πάλαι Theod.
HSS BL   13 μάντιες Theod. HSS BL² μάντεις L   τινος? Diels   14 σήματι L
Theod. HSS σάματι Sy (wie Theod. HS K)   16 κεῖν' εἶσ' ὑπὸ χθόν' W. T(euffel) in
Zimmermanns Zeitschr. f. d. Alterthumswiss. 2 (1835) S. 87 und Bergk ἐκεῖνα κοινὰ
εἶσ' ὑπὸ χθόνα L   17 οἶδεν L   18 διόσδοτον Sy διὸς δοτὸν L   19 τε L¹ δὲ L*
20 οὐ φαῦλοί τινες (vgl. Plato) Mü οὐκ ἄλλο τι L   23 ἐκεῖνο < Plato   24 τῷ ⟨αὐτῷ⟩
Arcerius

θέναι τοὺς ἄλλους, ὅτι οὐδὲν ἄλλο αὐτοὶ ἐπιτηδεύουσιν ἢ ἀποθνή-
σκειν τε καὶ τεθνάναι.« καὶ πάλιν· »οὐκοῦν καὶ ἐνταῦθα ἡ τοῦ   18, 1
φιλοσόφου ψυχὴ μάλιστα ἀτιμάζει τὸ σῶμα καὶ φεύγει ἀπ᾽ αὐτοῦ,
ζητεῖ δὲ αὐτὴ καθ᾽ αὑτὴν γίνεσθαι.« καὶ μή τι συνᾴδει τῷ θείῳ | 2
5 ἀποστόλῳ λέγοντι· »ταλαίπωρος ἐγὼ ἄνθρωπος, τίς με ῥύσεται ἐκ 519 P
τοῦ σώματος τοῦ θανάτου τούτου·« εἰ μὴ τὴν ὁμοφροσύνην τῶν εἰς
κακίαν ὑποσεσυρμένων σῶμα θανάτου τροπικῶς λέγει. τήν τε συν- 3
ουσίαν γενέσεως οὖσαν ἀρχὴν καὶ πρὸ τοῦ Μαρκίωνος ἀποστρεφό-
μενος φαίνεται ἐν τῷ πρώτῳ τῆς Πολιτείας ὁ Πλάτων. ἐπαινῶν 4
10 γὰρ τὸ γῆρας ἐπιφέρει ὅτι »εὖ ἴσθι ὅτι ἔμοιγε, ὅσον αἱ ἄλλαι αἱ
κατὰ τὸ σῶμα ἡδοναὶ ἀπομαραίνονται, τοσοῦτον αὔξονται αἱ περὶ
τοὺς λόγους ἐπιθυμίαι τε καὶ ἡδοναί·« τῆς τε τῶν ἀφροδισίων χρή- 5
σεως ἐπιμνησθείς· »εὐφήμει, ἄνθρωπε, ἀσμενέστατα μέντοι αὐτὸ
ἀπέφυγον, ὥσπερ λυττῶντά τινα καὶ ἄγριον δεσπότην ἀποφυγών.«
15 πάλιν δ᾽ ἐν τῷ Φαίδωνι τὴν γένεσιν κακίζων γράφει· »ὁ μὲν οὖν 19. 1
ἐν ἀπορρήτοις λεγόμενος περὶ αὐτῶν λόγος, ὡς ἔν τινι φρουρᾷ ἐσμεν
οἱ ἄνθρωποι.« καὶ αὖθις· »οἳ δὲ δὴ ἂν δόξωσι διαφερόντως πρὸς τὸ 2
ὁσίως βιῶναι, οὗτοί εἰσιν οἱ τῶνδε μὲν τῶν τόπων ἐν τῇ γῇ ἐλευ-
θερούμενοί τε καὶ ἀπαλλαττόμενοι ὥσπερ δεσμωτηρίων, ἄνω δὲ εἰς
20 τὴν καθαρὰν οἴκησιν ἀφικνούμενοι.« ἀλλ᾽ ὅμως οὕτως ἔχων αἴσθεται 3
τῆς διοικήσεως καλῶς ἐχούσης καί φησιν· »οὐ δεῖ δὴ ἑαυτὸν ἐκ
ταύτης λύειν οὐδὲ ἀποδιδράσκειν.« καὶ συνελόντι εἰπεῖν ⟨τοῦ⟩ κακὴν 4
λογίζεσθαι τὴν ὕλην ἀφορμὴν οὐ παρέσχεν τῷ Μαρκίωνι, εὐσεβῶς
αὐτὸς εἰπὼν περὶ τοῦ κόσμου τάδε· »παρὰ μὲν γὰρ τοῦ συνθέντος 5
25 πάντα [τὰ] καλὰ κέκτηται· παρὰ δὲ τῆς ἔμπροσθεν ἕξεως ὅσα χαλεπὰ
καὶ ἄδικα ἐν οὐρανῷ γίνεται, ταῦτα ἐξ ἐκείνης αὐτός τε ἔχει καὶ τοῖς
ζῴοις ἐναπεργάζεται.« ἔτι δὲ σαφέστερον ἐπιφέρει· »τούτων δὲ αὐτῷ 20, 1
τὸ σωματοειδὲς τῆς συγκράσεως αἴτιον, τὸ τῆς πάλαι ποτὲ φύσεως
σύντροφον, ὅτι πολλῆς ἦν μετέχον ἀταξίας πρὶν εἰς τὸν νῦν κόσμον
30 ἀφικέσθαι.« οὐδὲν δὲ ἧττον κἂν τοῖς Νόμοις ὀδύρεται τὸ τῶν ἀν- 2

5f. Rom 7, 24   8—14 Theodoret XII 38. 39   10—14 Plato Rep. I p. 328 D;
329 C   15—17 Plato Phaed. p. 62 B   17—20 Plato Phaed. p. 114 BC   17—20. 21f.
Theodoret VIII 42. 43   .21f. Plato Phaed. p. 62 B   24—30 Plato Politic. p. 273 BC;
Theodoret IV 46. 47

10 αἱ ἄλλαι < Plato HSS   18 βιῶναι] + προσκεκλῆσθαι Strom. IV 37, 2 + προ-
κεκρίσθαι Theodor. VIII 42; XI 24 (hier stammt die Stelle aus Eus. Pr. Ev. XI
38, 6, wo aber προκεκρίσθαι fehlt); vgl. Schanz, Stud. z. Gesch. d. platon. Textes
(1874) S. 44   22 ⟨τοῦ⟩ Heyse   25 τὰ < Plato Theod.   30 vor τὸ Rasur (τὸ nicht
sicher) L

θρώπων γένος λέγων ὧδε· »θεοὶ δὲ οἰκτείραντες τὸ τῶν ἀνθρώπων
ἐπίπονον πεφυκὸς γένος ἀναπαύλας τε αὐτοῖς τῶν πόνων ἐτάξαντο
τὰς τῶν ἑορτῶν ἀμοιβάς.« ἔν τε τῇ Ἐπινομίδι καὶ τὰς αἰτίας τοῦ 3
οἴκτου δίεισι καὶ τάδε λέγει· »ὡς ἐξ ἀρχῆς τὸ γενέσθαι χαλε|πὸν 520 P
5 ἅπαντι ζῴῳ, πρῶτον μὲν τὸ μετασχεῖν τῆς τῶν κυουμένων ἕξεως,
ἔπειτ᾽ αὖ τὸ γίνεσθαι καὶ ἔτι τρέφεσθαι καὶ παιδεύεσθαι, διὰ πόνων
μυρίων γίγνεται ξύμπαντα, ὥς φαμεν ἅπαντες.« τί δέ; οὐχὶ καὶ 21, 1
Ἡράκλειτος θάνατον τὴν γένεσιν καλεῖ Πυθαγόρᾳ τε καὶ τῷ ἐν
Γοργίᾳ Σωκράτει ἐμφερῶς ἐν οἷς φησι »θάνατός ἐστιν ὁκόσα ἐγερ-
10 θέντες ὁρέομεν, ὁκόσα δὲ εὕδοντες, ὕπνος«;

Ἀλλὰ τούτων μὲν ἅλις· ἐπειδὰν δὲ περὶ τῶν ἀρχῶν διαλαμβά- 2
νωμεν, τότε καὶ τὰς ἐναντιότητας ταύτας ἃς οἵ τε φιλόσοφοι αἰνίσ-
σονται οἵ τε περὶ Μαρκίωνα δογματίζουσιν, ἐπισκεψόμεθα· πλὴν οὐκ
ἀσαφῶς δεδεῖχθαι ἡμῖν νομίζω τὰς ἀφορμὰς τῶν ξένων δογμάτων
15 τὸν Μαρκίωνα παρὰ Πλάτωνος ἀχαρίστως τε καὶ ἀμαθῶς εἰληφέναι.

Ὁ δὲ περὶ ἐγκρατείας ἡμῖν προβαινέτω λόγος. ἐφάσκομεν δὲ 22, 1
τὴν δυσχρηστίαν ὑφορωμένους Ἕλληνας πολλὰ εἰς τὴν γένεσιν τῶν
παίδων ἀποφθέγξασθαι, ἀθέως δὲ ἐκδεξαμένους ταῦτα τοὺς περὶ
Μαρκίωνα ἀχαριστεῖν τῷ δημιουργῷ. λέγει γὰρ ἡ τραγῳδία· 2

20   τὸ μὴ γενέσθαι κρεῖττον ἢ φῦναι βροτούς.
        ἔπειτα παῖδας σὺν πικραῖς ἀλγηδόσι
        τίκτω· τεκοῦσα δ᾽ ἣν μὲν ἄφρονας τέκω,
        στένω ματαίως, εἰσορῶσα ⟨μὲν⟩ κακούς,
        χρηστοὺς δ᾽ ἀπολλῦσ᾽· ἢν δὲ καὶ σεσωσμένους,
25   τήκω τάλαιναν καρδίαν ὀρρωδίᾳ.
        τί τοῦτο δὴ τὸ χρηστόν; οὐκ ἀρκεῖ μίαν
        ψυχὴν ἀλύειν κἀπὶ τῇδ᾽ ἔχειν πόνους; |

καὶ ἔθ᾽ ὁμοίως·   187 S 3

        ἔμοιγε νῦν τε καὶ πάλαι δοκεῖν,

1—3 Plato Leg. II p. 653 CD 4—7 [Plato] Epin. p. 973 D 8f. vgl. Plato
Gorg. p. 492 E   9f. Heraklit Fr. 21 Diels⁶ I S. 156, 1—3 u. S. 492, 48; vgl.
Strom. V 105, 2 14 vgl. Strom. III 13, 1 S. 201, 13 20—27 Euripides Fr. inc. 908
26—S. 206, 2 vgl. Wilamowitz, Lesefrüchte 255, Hermes 1929 S. 458ff. 29—S. 206, 2
TGF Adesp. 11¹

6 αὖ τὸ Sy αὐτὸ L ἔτι] + τὸ [Plato] 8 Πυθαγόρᾳ τε Simon Hervet Πυθα-
γόρας δὲ L τῷ Sy τὸ L 13 ἐπισκεψόμεθα Sy ἐπισκεψώμεθα L 20 κρεῖσσον Stob.
Flor. 120, 17 βροτοῖς Stob. 21 ἀλγηδόσιν Nauck 23 ⟨μὲν⟩ Sy 24 δ᾽ Sy τ᾽ L
ἀπολλῦσ᾽ Nauck ἀπολύουσα L 25 τήκει—ὀρρωδία Herwerden τήκω corr. aus τέκω
L¹ 27 ἀλύειν Bergk ἀπολύειν L κἀπὶ τῇδ᾽ Grotius κἄπειτ᾽ ἠδὲ L 29 ἔμοιγε νῦν τε
Grotius ἐμοὶ γένοιτο L δοκεῖ Grotius ἐμοί γέ τοι τὸ καὶ πάλαι ⟨δόξαν⟩ δοκεῖ
Meineke, Jahrbb. f. Philol. 87 (1863) S. 381

παῖδας φυτεύειν οὔποτ' ἀνθρώπους ἐχρῆν
πόνους ὁρῶντας εἰς ὅσους φυτεύομεν.

ἐν δὲ τοῖς αὖθις λεγομένοις καὶ τὴν αἰτίαν τῶν κακῶν ἐναργῶς ἐπὶ 4
τὰς ἀρχὰς ἐπανάγει λέγων ὧδε· |

5　　　ὦ δυστυχεῖν φῦς καὶ κακῶς πεπραγέναι,　　　　　　　　521 P
　　　ἄνθρωπος ἐγένου καὶ τὸ δυστυχὲς βίου
　　　ἐκεῖθεν ἔλαβες, ὅθεν ἅπασιν ἤρξατο
　　　τρέφειν ὅδ' αἰθὴρ ἐνδιδοὺς θνητοῖς πνοάς·
　　　μή [τοι] νῦν τὰ θνητὰ θνητὸς ὢν ἀγνωμόνει.

10 πάλιν δ' αὖ τὰ ὅμοια τούτοις ὧδε ἀποδίδωσι·　　　　　　23, 1

　　　θνητῶν δὲ ὄλβιος οὐδεὶς
　　　οὐδὲ εὐδαίμων·
　　　οὔπω γὰρ ἔφυ τις ἄλυπος.

καὶ εἶτ' αὖθις·　　　　　　　　　　　　　　　　　　　　　2

15　　　φεῦ φεῦ, βροτείων πημάτων ὅσαι τύχαι.
　　　ὅσαι δὲ μορφαί, τέρμα δ' οὐκ εἴποι τις ἄν.

καὶ ἔθ' ὁμοίως·　　　　　　　　　　　　　　　　　　　　3

　　　　　　　　τῶν γὰρ ἐν βροτοῖς
　　　οὐκ ἔστιν ⟨οὐδὲν⟩ διὰ τέλους εὐδαιμονοῦν.

20　　Ταύτῃ οὖν φασι καὶ τοὺς Πυθαγορείους ἀπέχεσθαι ἀφροδισίων. 24, 1
ἐμοὶ δὲ ἔμπαλιν δοκοῦσι γαμεῖν μὲν παιδοποιίας ἕνεκα, τῆς δὲ ἐξ
ἀφροδισίων ἡδονῆς ἐθέλειν κρατεῖν μετὰ τὴν παιδοποιίαν. ταύτῃ 2
μυστικῶς ἀπαγορεύουσι κυάμοις χρῆσθαι, οὐχ ὅτι πνευματοποιὸν καὶ
δύσπεπτον καὶ τοὺς ὀνείρους τεταραγμένους ποιεῖ τὸ ὄσπριον, οὐδὲ
25 μὴν ὅτι ἀνθρώπου κεφαλῇ ἀπείκασται κύαμος κατὰ τὸ ἐπύλλιον
ἐκεῖνο,
　　　Ἴσόν τοι κυάμους τρώγειν κεφαλάς τε τοκήων,

5—9 TGF Adesp. 112　11—13 Euripides Iphig. in Aul. 161—163　15 f. Euripides
Antiope Fr. 211　18 f. Euripides Hiket. 269 f. (aus Chrysipp vgl. Elter Gnom. hist. 33)
22—S. 207, 5 Apollonios Hist. memor. 46　22—24 vgl. Plut. Mor. p. 286 DE; vgl.
auch Diog. Laërt. VIII 24. 34; [ferner Laur. Lyd. de mens. IV 42 p. 99, 14
Wünsch (Fr)]　22 f. Arsen. Viol. p. 415 Walz　27 vgl. Mullach, FPG I 200; Nauck
im Anh. z. Jambl. Vit. Pyth. p. 231; Abel fr. Orph. 263

5 πεπραγέναι Musgrave πεπραχέναι L　8 ὅδ' Po ὅτ' L　9 μή νῦν Valckenaer
μή τοίνυν L　11 ὄλβιος] + εἰς τέλος Eur.　15 βρότειαι Stob. Flor. 98, 34　16 ὅσαι
τε Stob.　19 ἔστιν οὐδὲν Eur. ἔστι L　εὐδαιμονοῦν Eur. εὐδαιμονῶν L　20 πυθα-
γορίους L　27 τρώγειν auch Ath. II p. 65 F andere ἔσθειν (Plut. Mor. p. 635 F) oder
φαγεῖν (vgl. Haußleiter, Archiv f. lat. Lexikogr. 9 [1896] S. 300 ff.

μᾶλλον δὲ ὅτι κύαμοι ἐσθιόμενοι ἀτόκους ἐργάζονται τὰς γυναῖκας.
Θεόφραστος γοῦν ἐν τῷ πέμπτῳ τῶν Φυτικῶν | αἰτίων τὰ κελύφη 8 522 P
τῶν κυάμων περὶ τὰς ῥίζας τῶν νεοφύτων δένδρων περιτιθέμενα
ξηραίνειν τὰ φυόμενα ἱστορεῖ, καὶ αἱ κατοικίδιοι δὲ ὄρνιθες συνεχῶς
5 ταῦτα σιτούμεναι ἄτοκοι γίνονται.

    IV. Τῶν δὲ ἀφ' αἱρέσεως ἀγομένων Μαρκίωνος μὲν τοῦ Πον- 25, 1
τικοῦ ἐπεμνήσθημεν δι' ἀντίταξιν τὴν πρὸς τὸν δημιουργὸν τὴν
χρῆσιν τῶν κοσμικῶν παραιτουμένου. γίνεται δὲ αὐτῷ τῆς ἐγκρα- 2
τείας αἴτιος, εἴ γε τοῦτο ἐγκράτειαν ῥητέον, αὐτὸς ὁ δημιουργός,
10 πρὸς ὃν ὁ θεομάχος οὗτος γίγας ἀνθεστάναι οἰόμενος ἄκων ἐστὶν
ἐγκρατὴς κατατρέχων καὶ τῆς κτίσεως καὶ τοῦ πλάσματος. κἂν 8
συγχρήσωνται τῇ τοῦ κυρίου φωνῇ λέγοντος τῷ Φιλίππῳ· ›ἄφες
τοὺς νεκροὺς θάψαι τοὺς ἑαυτῶν νεκρούς, σὺ δὲ ἀκολούθει μοι,‹
ἀλλ' ἐκεῖνο σκοπείτωσαν ὡς τὴν ὁμοίαν τῆς σαρκὸς πλάσιν καὶ
15 Φίλιππος φέρει, νεκρὸν οὐκ ἔχων μεμιαμμένον. πῶς οὖν σαρκίον 4
ἔχων νεκρὸν οὐκ εἶχεν; ὅτι ἐξανέστη τοῦ μνήματος τοῦ κυρίου τὰ
πάθη νεκρώσαντος, ἔζησε δὲ Χριστῷ. ἐπεμνήσθημεν δὲ καὶ τῆς 5
κατὰ Καρποκράτην ἀθέσμου γυναικῶν κοινωνίας, περὶ δὲ τῆς Νικο-
λάου ῥήσεως διαλεχθέντες ἐκεῖνο παρελίπομεν. ὡραίαν, φασί, γυναῖκα 6
20 ἔχων οὗτος, μετὰ τὴν ἀνάληψιν τὴν τοῦ σωτῆρος πρὸς τῶν ἀποστό-
λων ὀνειδισθεὶς ζηλοτυπίαν, εἰς μέσον ἀγαγὼν τὴν γυναῖκα γῆμαι
τῷ βουλομένῳ ἐπέτρεψεν. ἀκόλουθον γὰρ εἶναί φασι τὴν πρᾶξιν 7
ταύτην ἐκείνῃ τῇ φωνῇ | τῇ ὅτι ›παραχρήσασθαι τῇ σαρκὶ δεῖ‹, καὶ 523 P
δὴ κατακολουθήσαντες τῷ ⟨τε⟩ γενομένῳ τῷ τε εἰρημένῳ ἁπλῶς καὶ
25 ἀβασανίστως ἀνέδην ἐκπορνεύουσιν οἱ τὴν αἵρεσιν αὐτοῦ μετιόντες.
πυνθάνομαι δ' ἔγωγε τὸν Νικόλαον μηδεμιᾷ ἑτέρᾳ παρ' ἣν ἔγημεν 26, 1

2—4 Theophrast de caus. plant. V 15, 1   4f. vgl. Geopon. II 35, 5   12f. Mt 8,22;
Lc 9, 60 (ohne Angabe des Namens)   15f. vgl. Acta Phil. cap. 29 (Acta apocr.
ed. Tischendorf p. 87sq.); Apocal. apocr. p. 147 Tisch.; Anal. Bolland. IX (1890)
S. 207, 7   16f. vgl. Col 3, 1. 5; Rom 14, 8   17f. vgl. Strom. III 10   18f. vgl. Strom.
II 118, 3   18—S. 208, 9 vgl. Hilgenfeld, Ketzergeschichte S. 409ff.   19—S. 208, 9
ὡραίαν—γνώσεως Euseb. H. eccl. III 29, 2—4   19—23 vgl. Epiph. Haer. 25, 1; Theo-
doret Haer. fab. III 1   23 vgl. Strom. II 118, 3

---

    2 φυτικῶν Sy φυσικῶν L Apoll.   4 κατοικίδιοι L¹ κατοικίδιαι L*   6 ⟨ἀν⟩αγο-
μένων (vgl. S. 197, 16) Ma   14 σκοπείτωσαν L¹ σκοπήτωσαν L*   15 φίλιππος L¹
φιλίππου L*   ἐφόρει Mü   μεμιαμμένον Sy μεμιαμένον L   18 δὲ Wi τε L   17 ζήσαν-
τος L ἔζησε Po Ma St, auch von Chadwick übernommen; Fr nimmt eher Lücke
an: τοῦ κυρίου τὰ πάθη. νεκρώσαντος ⟨τοῦ ἀποθανόντος μὲν τῷ κόσμῳ⟩ ζήσαντος δὲ
Χριστῷ; ζήσαντος δὲ θεῷ (vgl. Rom 6, 10) Klst   19 παρελείπομεν L   φασὶ Eus. φησὶ
L   21 ⟨εἰς⟩ ζηλοτυπίαν Cobet S. 507 (aber vgl. S. 192, 12)   23. S. 208, 5. 8 παρα-
χρᾶσθαι Eus.   24 ⟨τε⟩ Wi γενομένῳ] γεγενημένῳ Eus.   25 ἐκπορνεύουσιν ἀναίδην
Zeichen der Umstellung L¹   26 ἔγωγε] ἐγὼ Eus.

κεχρῆσθαι γυναικὶ τῶν τ' ἐκείνου τέκνων ⟨τὰς⟩ θηλείας μὲν καταγηρᾶσαι
παρθένους, ἄφθορον δὲ διαμεῖναι τὸν υἱόν· ὧν οὕτως ἐχόντων ἀπο- 2
βολὴ πάθους ἦν εἰς μέσον τῶν ἀποστόλων ἡ τῆς ζηλοτυπου-
μένης ἐκκύκλησις γυναικός, καὶ ἡ ἐγκράτεια τῶν περισπουδάστων
5 ἡδονῶν τὸ »παραχρῆσθαι τῇ σαρκὶ« ἐδίδασκεν. οὐ γάρ, οἶμαι, ἐβού-
λετο κατὰ τὴν τοῦ σωτῆρος ἐντολὴν »δυσὶ κυρίοις δουλεύειν«, ἡδονῇ
καὶ θεῷ. λέγουσι γοῦν καὶ τὸν Ματθίαν οὕτως διδάξαι, σαρκὶ μὲν 8
μάχεσθαι καὶ παραχρῆσθαι μηθὲν αὐτῇ πρὸς ἡδονὴν ἀκόλαστον ἐνδι-
δόντα, ψυχὴν δὲ αὔξειν διὰ πίστεως καὶ γνώσεως.

10 Εἰσὶν δ' οἳ τὴν πάνδημον Ἀφροδίτην κοινωνίαν μυστικὴν ἀνα- 27, 1
γορεύουσιν ἐνυβρίζοντες καὶ τῷ ὀνόματι· λέγεται γὰρ καὶ τὸ ποιεῖν 2
τι κακὸν ἐργάζεσθαι, ὥσπερ οὖν καὶ τὸ ἀγαθόν τι ποιεῖν ὁμωνύμως
ἐργάζεσθαι, ὁμοίως δὲ καὶ ἡ κοινωνία ἀγαθὸν μὲν ἐν μεταδόσει ἀρ-
γυρίου καὶ τροφῆς καὶ στολῆς, οἳ δὲ καὶ τὴν ὁποίαν δήποτ' οὖν
15 ἀφροδισίων συμπλοκὴν κοινωνίαν ἀσεβῶς κεκλήκασιν. φασὶ γοῦν 8
τινα αὐτῶν ἡμετέρᾳ παρθένῳ ὡραίᾳ τὴν ὄψιν προσελθόντα φάναι·
»γέγραπται >παντὶ τῷ αἰτοῦντί σε δίδου<«, τὴν δὲ σεμνῶς πάνυ
ἀποκρίνασθαι μὴ συνιεῖσαν τὴν τἀνθρώπου ἀσέλγειαν· »ἀλλὰ περὶ |
γάμου τῇ μητρὶ διαλέγου.« ὢ τῆς ἀθεότητος· καὶ τῶν τοῦ κυρίου 524 P
20 φωνῶν διαψεύδονται οἱ τῆς ἀσελγείας κοινωνοί, οἱ τῆς λαγνείας
ἀδελφοί, ὄνειδος οὐ φιλοσοφίας μόνον, ἀλλὰ καὶ παντὸς τοῦ βίου,
οἱ παραχαράσσοντες τὴν ἀλήθειαν, μᾶλλον δὲ κατασκάπτοντες ὡς
οἷόν τε αὑτοῖς· οἱ γὰρ τρισάθλιοι τὴν [τε] σαρκικὴν καὶ [τὴν] συνου- 5
σιαστικὴν κοινωνίαν ἱεροφαντοῦσι καὶ ταύτην οἴονται εἰς τὴν βασι-
25 λείαν αὐτοὺς ἀνάγειν τοῦ θεοῦ. εἰς τὰ χαμαιτυπεῖα μὲν οὖν ἡ τοιάδε 28, 1
εἰσάγει κοινωνία καὶ δὴ συμμέτοχοι εἶεν αὐτοῖς οἱ σύες καὶ οἱ
τράγοι, εἶεν δ' ἂν ἐν ταῖς μείζοσι παρ' αὐτοῖς ἐλπίσιν αἱ προεστῶσαι

6 Mt 6, 24; Lc 16, 13   7—9 vgl. Hilgenfeld, Nov. Test. extra can. IV² p. 49;
Preuschen, Antileg. S. 12   10f. Theodoret Haer. fab. I 6; vgl. Platon Symp. p. 180 Dff.
[s. auch Theodor. a. a. O V 27 (PG 83, 545 B) μυστικὴν κοινωνίαν ὠνόμασαν τὴν ἀσέλ-
γειαν (Fr)]   17 Lc 6, 30; Mt 5, 42   17—19 vgl. Cobet S. 511   23—S. 209, 1 Theo-
doret a. a. O.

1 ⟨τὰς⟩ aus Eus.   μὲν θηλείας ~ Eus.   3 ⟨ἡ⟩ εἰς Eus.   ἡ < Eus.   4 ἐκκύ-
κλησις L¹ ἐγκύκλησις L* ἐκκύκλησις u. ἐγκύκλησις Eus. HSS   5f. ἐβούλετο Eus.
ἐβούλοντο L   7 θεῷ] κυρίῳ Eus.   γοῦν] δ' οὖν Eus. (γ' οὖν HS B)   οὕτω Eus.
8 μηθὲν Eus.   ἀκόλαστον < Eus.   12 οὖν Schw ἂν L   13 μὲν Hiller δὲ καὶ L
13f. ἀργυρίου Hervet ἀργύριον L   18 [μὴ] St   23 οἱ γὰρ Theod. οἷ γε L οἷ γε
τρισάθλιοι ⟨ὄντες⟩ Hiller   τε < Theod.   [τὴν] Ma   σαρκικὴν καὶ Theod. σαρκίνην
κατὰ L   25 θεοῦ] Χριστοῦ Theod.   χαμαιτυπία L   26 εἶεν ⟨ἂν⟩ Di Theod.

τοῦ τέγους πόρναι ἀνέδην εἰσδεχόμεναι τοὺς βουλομένους ἅπαντας.
»ὑμεῖς δὲ οὐχ οὕτως ἐμάθετε τὸν Χριστόν, εἴ γε αὐτὸν ἠκούσατε καὶ 2
ἐν αὐτῷ ἐδιδάχθητε, καθώς ἐστιν ἀλήθεια ἐν Χριστῷ Ἰησοῦ, ἀπο-
θέσθαι ὑμᾶς τὰ κατὰ τὴν προτέραν | ἀναστροφὴν τὸν παλαιὸν ἄν- 188 S
5 θρωπον τὸν φθειρόμενον κατὰ τὰς ἐπιθυμίας τῆς ἀπάτης· ἀνανε- 8
οῦσθε δὲ τῷ πνεύματι τοῦ νοὸς ὑμῶν καὶ ἐνδύσασθε τὸν καινὸν
ἄνθρωπον τὸν κατὰ θεὸν κτισθέντα ἐν δικαιοσύνῃ καὶ ὁσιότητι τῆς
ἀληθείας,« κατὰ τὴν ἐξομοίωσιν τοῦ θείου. »γίνεσθε οὖν μιμηταὶ 4
τοῦ θεοῦ, ὡς τέκνα ἀγαπητά, καὶ περιπατεῖτε ἐν ἀγάπῃ, καθὼς καὶ
10 ὁ Χριστὸς ἠγάπησεν ὑμᾶς καὶ παρέδωκεν ἑαυτὸν ὑπὲρ ἡμῶν προσ-
φορὰν καὶ θυσίαν τῷ θεῷ εἰς ὀσμὴν εὐωδίας. πορνεία δὲ καὶ πᾶσα 5
ἀκαθαρσία ἢ πλεονεξία μηδὲ ὀνομαζέσθω ἐν ὑμῖν, καθὼς πρέπει
ἁγίοις, καὶ αἰσχρότης καὶ μωρολογία.« καὶ γὰρ ἀπὸ τῆς φωνῆς 6
ἁγνεύειν μελετᾶν διδάσκων ὁ ἀπόστολος γράφει· »τοῦτο γὰρ ἴστε
15 γινώσκοντες, ὅτι πᾶς πόρνος« καὶ τὰ ἑξῆς ἕως »μᾶλλον δὲ καὶ
ἐλέγχετε.«

Ἐρρύη δὲ αὐτοῖς τὸ δόγμα ἔκ τινος ἀποκρύφου, καὶ δὴ παρα- 29, 1
θήσομαι τὴν λέξιν τὴν τῆς τούτων ἀσελγείας μητέρα· καὶ εἴτε αὐτοὶ
τῆς βίβλου συγγραφεῖς (ὅρα τὴν ἀπόνοιαν, εἰ καὶ θεοῦ διαψεύδονται
20 δι᾽ ἀκρασίαν), εἴτε ἄλλοις περιτυχόντες τὸ καλὸν τοῦτο ἐνόησαν
δόγμα διεστραμμένως ἀκηκοότες· ἔχει δὲ οὕτως τὰ τῆς λέξεως· »ἓν 2
ἦν τὰ πάντα· ἐπεὶ δὲ ἔδοξεν αὐτοῦ τῇ ἑνότητι μὴ εἶναι μόνη, ἐξῆλ-
θεν ἀπ᾽ αὐτοῦ ἐπίπνοια, καὶ ἐκοινώνησεν αὐτῇ καὶ ἐποίησεν τὸν
ἀγαπητόν· ἐκ δὲ τούτου ἐξῆλθεν ἀπ᾽ αὐτοῦ ἐπίπνοια, ᾗ κοινωνήσας
25 ἐποίησεν δυνάμεις μήτε ὁραθῆναι μήτε ἀκουσθῆναι δυναμένας« ἕως
»ἐπ᾽ ὀνόματος ἰδίου ἑκάστην.« εἰ γὰρ καὶ οὗτοι καθάπερ οἱ ἀπὸ 3
Οὐαλεντίνου πνευματικὰς ἐτί|θεντο κοινωνίας, ἴσως τις αὐτῶν τὴν 525 P
ὑπόληψιν ἐπεδέξατ᾽ ⟨ἄν⟩· σαρκικῆς δὲ ὕβρεως κοινωνίαν εἰς προφη
τείαν ἁγίαν ἀνάγειν ἀπεγνωκότος ἐστὶ τὴν σωτηρίαν. τοιαῦτα καὶ 30, 1
30 οἱ ἀπὸ Προδίκου ψευδωνύμως γνωστικοὺς σφᾶς αὐτοὺς ἀναγορεύοντες
δογματίζουσιν, υἱοὺς μὲν φύσει τοῦ πρώτου θεοῦ λέγοντες αὐτούς·
καταχρώμενοι δὲ τῇ εὐγενείᾳ καὶ τῇ ἐλευθερίᾳ ζῶσιν ὡς βούλονται
βούλονται δὲ φιληδόνως, κρατηθῆναι ὑπ᾽ οὐδενὸς νενομικότες ὡς ἂν
κύριοι τοῦ σαββάτου καὶ ὑπεράνω παντὸς γένους πεφυκότες βασίλειοι

2—8 Eph 4, 20—24　8—13 Eph 5, 1—4　14—16 Eph 5, 5. 11　21—26 vgl.
C. Schmidt TU NF. V 4 S. 54　29f. Theodoret a. a. O.　34 vgl. Mt 12, 8; Mc 2, 28;
Lc 6, 5

1 ἀναίδην L　ἐκδεχόμεναι T. eodor.　5f. ἀνανεοῦσθε L¹ ἀνανεοῦσθαι L*　10 ὑμᾶς]
ἡμᾶς Paed. III 94, 4　19 συγγραφεῖς Sy συγγραφῆς L εἰ] ἢ Mü　20 ἄλλως Sy ἐνό-
ησαν L¹ (wie Po) ἐνόησαν L* Ausgg.　21 δὲ ⟨οὖν⟩ Schw δὴ Po　28 ἐπεδέξατ᾽ ⟨ἄν⟩
Ma ἐπεδέξατο L

παῖδες, βασιλεῖ δέ, φασί, νόμος ἄγραφος. πρῶτον μὲν οὖν οὐ ποιοῦ- 2
σιν ἃ βούλονται πάντα, πολλὰ γὰρ αὐτοὺς κωλύσει καὶ ἐπιθυμοῦντας
καὶ πειρωμένους, καὶ ἃ ποιοῦσι δέ, οὐχ ὡς βασιλεῖς, ἀλλ᾽ ὡς μαστι-
γίαι ποιοῦσι, λάθρα γὰρ μοιχεύουσι τὸ ἁλῶναι δεδιότες καὶ τὸ κατα-
5 γνωσθῆναι ἐκκλίνοντες καὶ φοβούμενοι ⟨τὸ⟩ κολασθῆναι. πῶς δὲ 3
ἐλεύθερον ἡ ἀκρασία καὶ ἡ αἰσχρολογία; »πᾶς γάρ«, φησίν, »ὁ ἁμαρ-
τάνων δοῦλός ἐστιν,« * * ὁ ἀπόστολος λέγει. ἀλλὰ πῶς κατὰ θεὸν 31, 1
πολιτεύεται ὁ πάσῃ ἐπιθυμίᾳ ἔκδοτον ἑαυτὸν παρασχὼν τοῦ κυρίου
φήσαντος »ἐγὼ δὲ λέγω, μὴ ἐπιθυμήσῃς«; ἑκὼν δέ τις ἁμαρτάνειν 2
10 βούλεται καὶ δόγμα τίθησι τὸ μοιχεύειν καὶ καθηδυπαθεῖν καὶ λυμαί-
νεσθαι τοὺς ἄλλων γάμους, ὅπου γε καὶ τοὺς ἄλλους ἄκοντας ἁμαρ-
τάνοντας ἐλεοῦμεν; κἂν εἰς ξένον τὸν κόσμον ἀφιγμένοι ὦσι, πιστοὶ 3
ἐν τῷ ἀλλοτρίῳ μὴ γενόμενοι, τὸ ἀληθὲς οὐχ ἕξουσιν. ὑβρίζει δέ 4
τις ξένος πολίτας καὶ τούτους ἀδικεῖ, οὐχὶ δὲ ὡς παρεπίδημος τοῖς
15 ἀναγκαίοις χρώμενος ἀπρόσκοπος τοῖς πολίταις διαβιοῖ; πῶς δὲ καὶ 5
τοῖς ὑπὸ τῶν ἐθνῶν μεμισημένοις διὰ τὸ μὴ πράσσειν τὰ ὑπὸ τῶν
νόμων διηγορευμένα, τουτέστι τοῖς ἀδίκοις καὶ ἀκρατέσι καὶ πλεο-
νέκταις καὶ μοιχοῖς τὰ αὐτὰ πράσσοντες θεὸν ἐγνωκέναι μόνοι λέγου-
σιν; ἐχρῆν γὰρ αὐτοὺς καὶ ἐν τοῖς ἀλλοτρίοις παρόντας καλῶς βιοῦν, 6
20 ἵνα δὴ τῷ ὄντι τὸ βασιλικὸν ἐνδείξωνται. ἤδη δὲ καὶ τοῖς ἀνθρω- 32, 1
πίνοις νομοθέταις καὶ τῷ θείῳ νόμῳ ἀπεχθάνονται παρανόμως
βιοῦν ἐπανῃρημένοι. ὁ γοῦν ἐκκεντήσας τὸν πόρνον εὐλογούμενος
πρὸς τοῦ θεοῦ δείκνυται ἐν τοῖς Ἀριθμοῖς. καὶ »ἐὰν εἴπωμεν,« 2
φησὶν ὁ Ἰωάννης ἐν τῇ ἐπιστολῇ, »ὅτι κοινωνίαν ἔχομεν μετ᾽ αὐτοῦ,«
25 τουτέστι μετὰ τοῦ θεοῦ, »καὶ ἐν τῷ σκότει | περιπατῶμεν, ψευδό- 526 P
μεθα καὶ οὐ ποιοῦμεν τὴν ἀλήθειαν· ἐὰν δὲ ἐν τῷ φωτὶ περιπατῶ-
μεν ὡς αὐτὸς ἐν τῷ φωτί, κοινωνίαν ἔχομεν μετ᾽ αὐτοῦ καὶ τὸ αἷμα
Ἰησοῦ τοῦ υἱοῦ αὐτοῦ καθαρίζει ἡμᾶς ἀπὸ τῆς ἁμαρτίας.« πόθεν 33, 1
οὖν κρείττους εἰσὶ τῶν κοσμικῶν οἱ τοιαῦτα πράσσοντες καὶ τοῖς
30 χειρίστοις τῶν κοσμικῶν ὅμοιοι; ὅμοιοι γάρ, οἶμαι, τὰς φύσεις οἱ καὶ
τὰς πράξεις ὅμοιοι. ὧν δὲ ὑπερφέρειν κατὰ τὴν εὐγένειαν ἀξιοῦσι, 2
τούτων καὶ τοῖς ἤθεσιν ὑπερέχειν ὀφείλουσιν, ὅπως τὸν εἰς τὴν φυ-
λακὴν συγκλεισμὸν διαφύγωσιν. ὄντως γὰρ ὡς ὁ κύριος ἔφη, »ἐὰν 3

---

1 vgl. Porphyrio zu Horaz, Sat. II 3, 188; A. Otto, Sprichw. d. Römer S. 299
6f. Io 8, 34; vgl. Rom 6, 16   9 Mt 5, 28   12f. vgl. Lc 16, 12   14 vgl. I Petr 2, 11
22f. vgl. Num 25, 8–13   23–28 I Io 1, 6f.   32f. zu φυλακὴν vgl. I Petr 3, 19
33–S. 211, 2 Mt 5, 20

1 πρῶτον] ⟨ψεύδονται δὲ ἐν τούτοις⟩ πρῶτον Ρο ⟨ταῦτα δὲ ψευδῆ λέγουσιν⟩ πρῶ-
τον Ma   οὖν St ὅτι L   5 ⟨τὸ⟩ Sy   7 * * Schw (es fehlt das Zitat Rom 6, 16)   [ὁ ἀπό-
στολος λέγει] Barnard, The Bibl. Text p. 58   22 εὐλογούμενος Lowth εὐλαβούμενος L

μὴ περισσεύσῃ ἡ δικαιοσύνη ὑμῶν πλείω τῶν γραμματέων καὶ Φα-
ρισαίων, οὐκ εἰσελεύσεσθε εἰς τὴν βασιλείαν τοῦ θεοῦ.‹ περὶ δὲ τῆς 4
τῶν βρωμάτων ἐγκρατείας δείκνυται ἐν τῷ Δανιήλ. συνελόντι δ᾽
εἰπεῖν, περὶ ὑπακοῆς ὁ Δαβὶδ ψάλλων λέγει· ›ἐν τίνι κατορθώσει
5 νεώτερος τὴν ὁδὸν αὐτοῦ;‹ καὶ παραχρῆμα ἀκούει· ›ἐν τῷ φυλάσ-
σεσθαι τὸν λόγον σου ἐν ὅλῃ καρδίᾳ.‹ ὅ τε Ἱερεμίας φησί· ›τάδε 5
λέγει κύριος· κατὰ τὰς ὁδοὺς τῶν ἐθνῶν μὴ πορεύσησθε.‹

Ἐντεῦθεν ἄλλοι τινὲς κινηθέντες μιαροὶ καὶ οὐτιδανοὶ τὸν ἄν- 84, 1
θρωπον ὑπὸ διαφόρων δυνάμεων πλασθῆναι λέγουσι, καὶ τὰ μὲν
10 μέχρις ὀμφαλοῦ θεοειδεστέρας τέχνης εἶναι, τὰ ἔνερθε δὲ τῆς ἥττονος,
οὗ δὴ χάριν ὀρέγεσθαι συνουσίας. λέληθε δὲ αὐτοὺς ὅτι καὶ τὰ ἀνω- 2
τέρω μέρη τῆς τροφῆς ὀρίγναται καὶ λαγνεύει τισίν, ἐναντιοῦνται δὲ
καὶ τῷ Χριστῷ πρὸς τοὺς Φαρισαίους εἰρηκότι τὸν αὐτὸν θεὸν καὶ
τὸν ›ἐκτὸς‹ ἡμῶν καὶ τὸν ›ἔσω‹ ἄνθρωπον πεποιηκέναι. ἀλλὰ καὶ 189 S
15 ἡ ὄρεξις οὐ τοῦ σώματός ἐστι, κἂν διὰ τὸ σῶμα γίνηται.

Ἄλλοι τινές, οὓς καὶ Ἀντιτάκτας καλοῦμεν, λέγουσιν ὅτι ὁ μὲν 8
θεὸς ὁ τῶν ὅλων πατὴρ ἡμῶν ἐστι φύσει, καὶ πάνθ᾽ ὅσα πεποίηκεν
ἀγαθά ἐστιν· εἷς δέ τις τῶν ὑπ᾽ αὐτοῦ γεγονότων ἐπέσπειρεν τὰ
ζιζάνια τὴν τῶν κακῶν φύσιν γεννήσας, οἷς καὶ [δὴ] πάντας ἡμᾶς
20 περιέβαλεν ἀντιτάξας ἡμᾶς τῷ πατρί. διὸ δὴ καὶ αὐτοὶ ἀντιτασσό- 4
μεθα τούτῳ εἰς ἐκδικίαν τοῦ πατρός, ἀντιπράσσοντες τῷ βουλήματι
τοῦ δευτέρου. ἐπεὶ οὖν οὗτος ›οὐ μοιχεύσεις‹ εἴρηκεν, ἡμεῖς, φασί,
μοιχεύσωμεν ἐπὶ καταλύσει τῆς ἐντολῆς αὐτοῦ. 527 P

Φαίημεν δ᾽ ἂν καὶ πρὸς τούτους, ὅτι τοὺς ψευδοπροφήτας καὶ 85, 1

2f. vgl. Dan 1, 10   4—6 Ps 118, 9f.   6f. Ier 10, 2   8—11 vgl. Epiphanius Haer.
45, 2 von den Severianern: ἀλλὰ καὶ τοῦ ἀνθρώπου τὸ μὲν ἥμισυ εἶναι τοῦ θεοῦ, τὸ
δὲ ἥμισυ τοῦ διαβόλου· ἀπ᾽ ὀμφαλοῦ γὰρ καὶ ἀνωτάτω εἶναι τῆς τοῦ θεοῦ δυνάμεως
λέγει τὴν πλάσιν, ἀπὸ δὲ ὀμφαλοῦ καὶ κατωτάτω τῆς πονηρᾶς ἐξουσίας τὴν πλάσιν.
14 vgl. Lc 11, 40   14f. vgl. Plato Phileb. p. 35 C   16—23 vgl. Theodoret Haer.
fab. I 16 ἦσαν δὲ καὶ ἄλλοι τινές, οὓς Ἀντιτάκτας ἐκάλουν, ἀσεβεῖς, οἳ τὸν μέγαν
ἄγνωστον θεόν, ὡς αὐτοὶ λέγουσι, πατέρα οἰκεῖον ὠνόμαζον· τοῦτον δὲ ἀγαθὸν εἶναι
καὶ θεὸν ποιητήν· ἕνα δέ τινα τῶν ὑπ᾽ αὐτοῦ γεγονότων ἐπισπεῖραι ζιζάνια· ὃς καὶ
πάντας ἡμᾶς, ὡς αὐτοὶ λέγουσι, κακοῖς περιέβαλεν, ἀντιταξάμενος ἡμῶν τῷ ἀγαθω-
τάτῳ πατρί. οὗ δὴ χάριν καὶ ἡμεῖς ἀντιτασσόμεθα αὐτῷ εἰς ἐκδίκησιν τοῦ πατρός,
ἀνθιστάμενοι τοῖς νόμοις αὐτοῦ. καὶ ἐπειδὴ οὗτος εἶπεν »οὐ μοιχεύσεις«, ἡμεῖς, φησί,
μοιχεύσωμεν ἐπὶ καταλύσει τῆς ἐντολῆς αὐτοῦ. τούτους εἰκότως ἄν τις ἐφευρετὰς ὀνο-
μάσαι κακῶν, οἳ ταῖς ἀσελγείαις τὰς βλασφημίας συνάπτουσιν.   18f. vgl. Mt 13, 25
22 Exod 20, 13

8 μιαροὶ St   μικροὶ L   10 θεοειδεστέρας Kl   θειοειδεστέρας L   12 ὀρίγναται L
19 [δὴ] πάντας nach Theod. ἅπαντας Schw   20 δὴ über d. Z. L¹   21 τῷ Sy τοῦ L
23 μοιχεύσωμεν Theod. μοιγεύομεν L

14*

τοὺς ὅσοι τὴν ἀλήθειαν ὑποκρίνονται ἐξ ἔργων γινώσκεσθαι παρει-
λήφαμεν. διαβάλλεται δὲ ὑμῶν τὰ ἔργα· πῶς ἔτι τῆς ἀληθείας ἀντ-
έχεσθαι ὑμᾶς ἐρεῖτε; ἢ γὰρ οὐδέν ἐστι κακὸν καὶ οὐκέτι μέμψεως 2
ἄξιος ὃν αἰτιᾶσθε ὡς ἀντιτεταγμένον τῷ θεῷ, οὐδὲ κακοῦ τινος
5 γέγονε ποιητικός (συναναιρεῖται γὰρ τῷ καρπῷ καὶ τὸ δένδρον), ἤ,
εἰ ἔστι τὸ πονηρὸν ἐν ὑπάρξει, εἰπάτωσαν ἡμῖν, τί λέγουσιν εἶναι
τὰς δοθείσας ἐντολὰς περὶ δικαιοσύνης, περὶ ἐγκρατείας, περὶ ὑπο-
μονῆς, περὶ ἀνεξικακίας καὶ τῶν τούτοις ὁμοίων, φαύλας ἢ ἀστείας.
καὶ εἰ μὲν φαύλη εἴη τὰ πλεῖστα ἀπαγορεύουσα ποιεῖν τῶν αἰσχρῶν 3
10 ἢ ἐντολή, καθ᾿ ἑαυτῆς νομοθετήσει ἡ κακία ἐπὶ καταλύσει τῇ ἰδίᾳ,
ὅπερ ἀδύνατον· εἰ δὲ ἀγαθή, ἀντιτασσόμενοι ταῖς ἀγαθαῖς ἐντολαῖς
ἀγαθῷ ἀντιτάσσεσθαι καὶ τὰ κακὰ πράσσειν ὁμολογοῦσιν. ἤδη δὲ 36, 1
καὶ ὁ σωτὴρ αὐτός, ᾧ πείθεσθαι ἀξιοῦσιν μόνῳ. τὸ μισεῖν καὶ τὸ
λοιδορεῖν κεκώλυκεν καὶ ›μετὰ τοῦ ἀντιδίκου βαδίζων φίλος αὐτοῦ
15 πειράθητι ἀπαλλαγῆναι‹ φησίν. ἢ τοίνυν καὶ τὴν Χριστοῦ παραί- 2
νεσιν ἀρνήσονται ἀντιτασσόμενοι τῷ ἀντιτεταγμένῳ, ἢ φίλοι γινό-
μενοι τούτῳ οὐκ ἀντιδικήσουσιν. τί δέ; οὐκ ἴστε, ὦ γεννάδαι (ὡς 3
πρὸς παρόντας γὰρ εἴποιμ᾿ ἄν), ὅτι ταῖς καλῶς ἐχούσαις ἐντολαῖς
μαχόμενοι τῇ ἰδίᾳ ἀνθίστασθε σωτηρίᾳ; οὐ γὰρ τὰ διαγορευθέντα
20 χρησίμως, ἀλλ᾿ ἑαυτοὺς καταστρέφετε. καὶ ὁ μὲν κύριος ›τὰ ἀγαθὰ 4
ὑμῶν ἔργα λαμψάτω‹ ἔφη, ὑμεῖς δὲ τὰς ἀσελγείας ὑμῶν ἐκφανεῖς
ποιεῖτε. ἄλλως τε εἰ τὰς ἐντολὰς καταλύειν τοῦ νομοθέτου θέλετε, 5
τί δήποτε τὸ μὲν ›οὐ μοιχεύσεις‹ καὶ ›οὐ παιδοφθορήσεις‹ καὶ ὅσα
εἰς ἐγκράτειαν συμβάλλεται, καταλύειν ἐπιχειρεῖτε δι᾿ ἀκρασίαν τὴν
25 σφῶν, οὐ καταλύετε δὲ χειμῶνα τὸν ὑπ᾿ αὐτοῦ γενόμενον, ἵνα θέρος
ποιήσητε μεσοῦντος ἔτι τοῦ χειμῶνος, οὐδὲ γῆν πλωτήν, βατὴν δὲ
θάλασσαν ἐργάζεσθε, καθάπερ οἱ τὰς ἱστορίας συνταξάμενοι τὸν βάρ-
βαρον ἐθελῆσαι Ξέρξην ⟨φασίν⟩; τί δ᾿ οὐχὶ πάσαις ταῖς ἐντολαῖς 37, 1
ἀντιτάσσεσθε; εἰπόντος γὰρ ›αὐξάνεσθε καὶ πληθύνεσθε‹ ὑμᾶς | τοὺς 528 P
30 ἀντιτεταγμένους ἐχρῆν μηδ᾿ ὅλως συνουσίᾳ χρῆσθαι, καὶ εἰπόντος
›ἔδωκα ὑμῖν πάντα εἰς τροφὰς καὶ ἀπολαύσεις‹ ὑμᾶς ἐχρῆν μηδενὸς
ἀπολαύειν. ἀλλὰ καὶ ›ὀφθαλμὸν ἀντὶ ὀφθαλμοῦ‹ λέγοντος ὑμᾶς 2

1f. vgl. Mt 7, 16   13f. vgl. Mt 5, 44; Lc 6, 27f.   14f. vgl. Mt 5, 25; Lc 12, 58
20f. vgl. Mt 5, 16 [ebenso formuliert Strom. IV 171, 2 (S. 324, 12) (Fr)]   23 Exod
20, 13. Zu οὐ παιδοφθ. (Protr. 108, 5; Paed. II 89, 1; III 89, 1) vgl. Apostellehre 2, 2;
Barnab. Ep. 19, 4   26f. vgl. II Mc 5, 21 [dort von Antioch. Epiph. gesagt (Fr)]
27f. vgl. Herodot 7, 54 [vgl. auch Isocr. Pan. 89; Philo de somn. II 118 (Fr)]   29 Gen
1, 28; 9, 1   31 vgl. Gen 1, 29; 9, 2   32 Exod 21, 24

2 πῶς ⟨δὴ⟩ oder ⟨οὖν⟩ Sy   5 τῷ καρπῷ St τῶι κακῶι L ⟨τῷ καρπῷ⟩ τῷ κακῷ
Ma   6 ἐν ὑπάρξει Po ἐνυπάρξει L   12 ὁμολογήσουσιν Klst   17 δαί L   19 ἀνθίστασθε
Sy ἀνθίστασθαι L   22 εἰ corr. aus εἰς L¹   28 ⟨φασίν⟩ St

ἐχρῆν μὴ ἀποδιδόναι ἀντίταξιν ἀντιτάξει, καὶ τὸν κλέπτην κελεύ-
σαντος τετραπλοῦν ἀποδιδόναι ὑμᾶς ἐχρῆν καὶ προσδοῦναι τῷ κλέπτῃ·
ὁμοίως τε αὖ καὶ τῇ ⸲ἀγαπήσεις τὸν κύριον‹ ἐντολῇ ἀντιτασσομένους 3
ἔδει οὐδὲ τὸν τῶν ὅλων θεὸν ἀγαπῆσαι, καὶ πάλιν εἰπόντος ⸲οὐ
5 ποιήσεις γλυπτὸν οὐδὲ χωνευτὸν‹ ὑμᾶς ἀκόλουθον ἦν καὶ τὰ γλυπτὰ
προσκυνεῖν. πῶς οὖν οὐκ ἀσεβεῖτε ἀντιτασσόμενοι μέν, ὥς φατε, τῷ 4
δημιουργῷ, τὰ δὲ ὅμοια ταῖς πόρναις καὶ τοῖς μοιχοῖς ἐζηλωκότες;
πῶς δὲ οὐκ αἰσθάνεσθε μείζονα ποιοῦντες ὃν ὡς ἀσθενῆ νομίζετε, 5
εἴπερ ὃ βούλεται, τοῦτο γίνεται, ἀλλ' οὐχὶ ἐκεῖνο ὅπερ ἠθέλησεν ὁ
10 ἀγαθός; ἔμπαλιν γὰρ ἀσθενὴς δείκνυται πρὸς ὑμῶν αὐτῶν ὁ ὑμέ-
τερος, ὥς φατε, πατήρ.

Ἀναλέγονται δὲ καὶ οὗτοι ἔκ τινων προφητικῶν περικοπῶν 38, 1
λέξεις ἀπανθισάμενοι καὶ συγκαττύσαντες κακῶς κατ' ἀλληγορίαν
εἰρημένας ἐξ εὐθείας λαβόντες. γεγράφθαι γάρ φασιν· ⸲ἀντέστησαν 2
15 θεῷ καὶ ἐσώθησαν.‹ οἳ δὲ καὶ ⸲τῷ ἀναιδεῖ θεῷ‹ προστιθέασι, δέ-
χονται δὲ ὡς βουλὴν παρηγγελμένην τὸ λόγιον τοῦτο καὶ σωτηρίαν
σφίσι λογίζονται τὸ ἀνθίστασθαι τῷ δημιουργῷ. ⸲τῷ‹ μὲν οὖν 3
⸲ἀναιδεῖ θεῷ‹ οὐ γέγραπται· εἰ δὲ καὶ οὕτως ἔχοι, τὸν κεκλημένον
διάβολον, ὦ ἀνόητοι, ἐξακούσατε ἀναιδῆ ἢ ὡς διαβάλλοντα τὸν ἄν-
20 θρωπον ἢ ὡς κατήγορον τῶν ἁμαρτανόντων ἢ ὡς ἀποστάτην. ὁ 4
γοῦν λαός, ἐφ' οὗ εἴρηται ἡ περικοπή, παιδευόμενοι ἐφ' οἷς ἥμαρτον
βαρέως φέροντες καὶ στένοντες διεγόγγυζον τὴν εἰρημένην λέξιν, ὅτι
τὰ μὲν ἄλλα ἔθνη παρανομοῦντα οὐ κολάζεται, αὐτοὶ δὲ μόνοι παρ'
ἕκαστα κολούονται, ὡς καὶ Ἱερεμίαν εἰρηκέναι, ⸲διὰ τί ὁδὸς ἀσεβῶν
25 εὐοδοῦται·‹ ὅμοιον τούτῳ τὸ παρὰ τῷ Μαλαχίᾳ, τὸ προειρημένον,
⸲ἀντέστησαν θεῷ καὶ ἐσώθησαν·‹ χρηματιζόμενοι γὰρ οἱ προφῆται 5
οὐ μόνον τινὰ ἀκούειν λέγουσι παρὰ τοῦ θεοῦ, ἀλλὰ καὶ αὐτοὶ διαγ-
γέλλοντες δείκνυνται κατὰ ἀνθυποφορὰν τὰ πρὸς τοῦ λαοῦ θρυλού-
μενα, ὡς ἐπιζητήματά τινα ὑπὸ τῶν ἀνθρώπων ἀναφέροντες, ἐξ
30 ὧν καὶ τὸ προκείμενον τυγχάνει ῥητόν. καὶ μή τι πρὸς τούτους ὁ 39, 1
ἀπόστολος ἐν τῇ πρὸς Ῥωμαίους ἐπιστολῇ ἀποτεινόμενος γράφει·
⸲καὶ μὴ καθὼς βλασφημούμεθα καὶ καθώς φασί τινες ἡμᾶς | λέγειν, 529 P
ὅτι ποιήσωμεν τὰ κακά, ἵνα ἔλθῃ τὰ ἀγαθά, ὧν τὸ κρῖμα ἔνδικόν
ἐστιν.‹ οὗτοί εἰσιν οἱ κατὰ τὴν ἀνάγνωσιν φωνῆς τόνῳ διαστρέ- 2
35 φοντες τὰς γραφὰς πρὸς τὰς | ἰδίας ἡδονάς, καί τινων προσῳδιῶν 190 S

1f. vgl. Exod 22, 1   3 Deut 6, 5   4f. Deut 27, 15   14f. Mal 3, 15   24f. Ier
12, 1   26 Mal 3, 15   32—34 Rom 3, 8

4 οὐδὲ K! οὔτε L   9 βούλεται οὗτος, Wi   10 nach γὰρ ist ὁ von L¹ getilgt
δείκνυται πρὸς Sy δείκνυταί πως L   14 εὐθείας Vi ..ηθείας L   25 τὸ Sy τῶι L

καὶ στιγμῶν μεταθέσει τὰ παραγγελθέντα σωφρόνως τε καὶ συμ-
φερόντως βιαζόμενοι πρὸς ἡδυπαθείας τὰς ἑαυτῶν. ›οἱ παροξύνοντες 8
τὸν θεὸν τοῖς λόγοις ὑμῶν‹ ὁ Μαλαχίας φησί, ›καὶ εἴπατε· ἐν τίνι
παρωξύναμεν αὐτόν; ἐν τῷ λέγειν ὑμᾶς· πᾶς ὁ ποιῶν πονηρὸν
5 ἀγαθὸς ἐνώπιον κυρίου, καὶ ἐν αὐτοῖς αὐτὸς ηὐδόκησεν· καί· ποῦ
ἐστιν ὁ θεὸς τῆς δικαιοσύνης;‹

V. Ἵν᾽ οὖν μὴ ἐπὶ πλεῖον ὀνυχίζοντες τὸν τόπον πλειόνων 40, 1
ἀτόπων αἱρέσεων ἐπιμεμνώμεθα μηδ᾽ αὖ καθ᾽ ἑκάστην αὐτῶν λέγειν
πρὸς ἑκάστην ἀναγκαζόμενοι αἰσχυνώμεθά τε ἐπ᾽ αὐτοῖς καὶ ἐπὶ
10 μήκιστον τὰ ὑπομνήματα προάγωμεν, φέρε εἰς δύο διελόντες τά-
γματα ἁπάσας τὰς αἱρέσεις ἀποκρινώμεθα αὐτοῖς. ἢ γάρ τοι ἀδια- 2
φόρως ζῆν διδάσκουσιν, ἢ τὸ ὑπέρτονον ᾄδουσαι ἐγκράτειαν διὰ
δυσσεβείας καὶ φιλαπεχθημοσύνης καταγγέλλουσι. πρότερον δὲ περὶ 3
τοῦ προτέρου διαληπτέον τμήματος. εἰ πάντα ἔξεστιν ἑλέσθαι βίον,
15 δῆλον ὅτι καὶ τὸν μετ᾽ ἐγκρατείας, καὶ εἰ πᾶς βίος ἀκίνδυνος ἐκλεκτῷ,
δῆλον ὅτι ⟨ὁ⟩ μετὰ ἀρετῆς καὶ σωφροσύνης πολὺ μᾶλλον ἀκίνδυνος·
δοθείσης γὰρ ἐξουσίας τῷ κυρίῳ τοῦ σαββάτου, εἴπερ ἀκολάστως 4
βιῶσαι, ἀνεύθυνον εἶναι, πολλῷ μᾶλλον ὁ κοσμίως πολιτευσάμενος
οὐχ ὑπεύθυνος ἔσται· ›πάντα μὲν γὰρ ἔξεστιν, ἀλλ᾽ οὐ πάντα συμ- 5
20 φέρει‹, φησὶν ὁ ἀπόστολος. εἰ δὲ καὶ πάντα ἔξεστι, δῆλον ὅτι καὶ
τὸ σωφρονεῖν. ὥσπερ οὖν ὁ τῇ ἐξουσίᾳ εἰς τὸ κατ᾽ ἀρετὴν βιῶσαι 41, 1
συγχρησάμενος ἐπαινετός, οὕτω πολὺ μᾶλλον ὁ τὴν ἐξουσίαν ἡμῖν
δεδωκὼς ἐλευθέραν καὶ κυρίαν καὶ συγχωρήσας ἡμῖν βιοῦν ὡς βου-
λόμεθα σεμνὸς καὶ προσκυνητός, μὴ ἐάσας δουλεύειν ἡμῶν κατὰ
25 ἀνάγκην τὰς αἱρέσεις καὶ τὰς φυγάς. εἰ δὲ τὸ ἀδεὲς ἑκάτερος ἔχει, 2
ὅ τε ἀκρασίαν ὅ τε ἐγκράτειαν ἑλόμενος, ἀλλὰ τὸ σεμνὸν οὐχ ὅμοιον.
ὁ μὲν γὰρ εἰς ἡδονὰς ἐξοκείλας σώματι χαρίζεται, ὁ δὲ σώφρων τὴν
κυρίαν τοῦ σώματος ψυχὴν ἐλευθεροῖ τῶν παθῶν. κἂν ›ἐπ᾽ ἐλευ- 3
θερίᾳ κεκλῆσθαι‹ λέγωσιν ἡμᾶς, μόνον μὴ ›τὴν ἐλευθερίαν εἰς ἀφορ-
30 μὴν τῇ σαρκὶ‹ παρέχωμεν κατὰ τὸν ἀπόστολον· εἰ δὲ ἐπιθυμίᾳ 4
χαριστέον καὶ τὸν ἐπονείδιστον βίον ἀδιάφορον ἡγητέον, ὡς αὐτοὶ
λέγουσιν, ἤτοι πάντα ταῖς ἐπιθυμίαις πειστέον, καί, εἰ τοῦτο, τὰ
ἀσελγέστατα καὶ ἀνοσιώτατα πρακτέον ἅπαντα ἑπομένους τοῖς ἀνα- 530 P.

2—6 Mal 2, 17   17 vgl. Mt 12, 8; Mc 2, 28; Lc 6, 5   19f. I Cor 6, 12; 10, 23
28—30 vgl. Gal 5, 13

7 πλέον Di   8 ἐπιμεμνώμεθα Sy ἐπιμεμνήμεθα L   9 ἀναγκαζόμενοι (νοι in Ras.)
L¹   10 προάγωμεν Sy προάγοιμεν L   10f. τάγματα St πράγματα L   11 ἢ γὰρ τὸ Mü
12 ᾄδουσαι (vgl. Strom. II 123, 2) Schw ἄγουσαι L   16 ⟨ὁ⟩ Hiller   17 vgl. Strom.
III 30, 1   23 βιοῦν L³ βιοῦς L* aber ν am Rand L¹   24 σεμνὸς L¹ σεμνῶς L*   29 κε-
κλῆσθαι (αι in Ras.) L¹   32 πειστέον Di πιστέον L

πείθουσιν ἡμᾶς· ἢ τῶν ἐπιθυμιῶν τινὰς ἐκκλινοῦμεν καὶ οὐκέτι 5
ἀδιαφόρως βιωτέον οὐδὲ ἀνέδην δουλευτέον τοῖς ἀτιμοτάτοις μέρεσιν
ἡμῶν, γαστρὶ καὶ αἰδοίοις, δι᾿ ἐπιθυμίαν κολακευόντων τὸν ἡμέτερον
νεκρόν. τρέφεται γὰρ καὶ ζωοποιεῖται διακονουμένη εἰς ἀπόλαυσιν 6
5 ἐπιθυμία, καθάπερ ἔμπαλιν κολουομένη μαραίνεται. πῶς δέ ἐστι 42, 1
δυνατὸν ἡττηθέντα τῶν τοῦ σώματος ἡδονῶν ἐξομοιοῦσθαι τῷ κυρίῳ
ἢ γνῶσιν ἔχειν θεοῦ; πάσης γὰρ ἡδονῆς ἐπιθυμία κατάρχει, ἐπιθυμία
δὲ λύπη τις καὶ ·φροντὶς δι᾿ ἔνδειαν ὀρεγομένη τινός. ὥστ᾿ οὐκ 2
ἄλλο τί μοι δοκοῦσιν οἱ τοῦτον ἐπανῃρημένοι τὸν τρόπον ἀλλ᾿ ἢ τὸ
10 λεγόμενον δὴ τοῦτο,

πρός τ᾿ αἴσχεσιν ἄλγεα πάσχειν,

»ἐπίσπαστον« ἑαυτοῖς αἱρούμενοι »κακὸν« νῦν καὶ ἐς ὕστερον. εἰ μὲν 3
οὖν πάντα ἐξῆν καὶ μηδὲν ἦν δέος ἀποτυχεῖν τῆς ἐλπίδος διὰ πρά-
ξεις πονηράς, ἴσως ἦν ἄν τις αὐτοῖς πρόφασις τοῦ βιοῦν κακῶς τε
15 καὶ ἐλεεινῶς· ἐπεὶ δὲ βίος τις ἡμῖν μακάριος δι᾿ ἐντολῶν ἐπιδέ- 4
δεικται, ὧν χρὴ πάντας ἐχομένους μὴ παρακούοντας τῶν εἰρημένων
τινὸς μηδὲ ὀλιγωροῦντας τῶν προσηκόντων, κἂν ἐλάχιστον ᾖ, ἕπε-
σθαι ᾖ ἂν ὁ λόγος ἡγῆται, εἰ ⟨δὲ⟩ σφαλείημεν αὐτοῦ, »ἀθανάτῳ κακῷ«
περιπεσεῖν ἀνάγκη, κατακολουθήσασι δὲ τῇ θείᾳ γραφῇ, δι᾿ ἧς ὁδεύ- 5
20 ουσιν οἱ πεπιστευκότες, ἐξομοιοῦσθαι κατὰ δύναμιν τῷ κυρίῳ, οὐκ
ἀδιαφόρως βιωτέον, ἀλλὰ καθαρευτέον εἰς δύναμιν τῶν ἡδονῶν καὶ
τῶν ἐπιθυμιῶν ἐπιμελητέον τε τῆς ψυχῆς, ἢ πρὸς μόνῳ τῷ θείῳ
διατελεστέον. καθαρὸς γὰρ ὢν καὶ πάσης κακίας ἀπηλλαγμένος ὁ 6
νοῦς δεκτικός πως ὑπάρχει τῆς τοῦ θεοῦ δυνάμεως, ἀνισταμένης ἐν
25 αὐτῷ τῆς θείας εἰκόνος· »καὶ πᾶς ὁ ἔχων τὴν ἐλπίδα ταύτην ἐπὶ τῷ
κυρίῳ ἁγνίζει«, φησίν, »ἑαυτὸν καθὼς ἐκεῖνος ἁγνός ἐστιν.« θεοῦ 43, 1
δὲ γνῶσιν λαβεῖν τοῖς ἔτι ὑπὸ τῶν παθῶν ἀγομένοις ἀδύνατον·
οὐκοῦν οὐδὲ τῆς ἐλπίδος τυχεῖν μηδεμίαν τοῦ θεοῦ γνῶσιν ⟨περι⟩-
πεποιημένοις· καὶ τοῦ μὲν ἀποτυγχάνοντος τοῦδε τοῦ τέλους ἢ τοῦ
30 θεοῦ ἄγνοια κατηγορεῖν ἔοικε, τὸ δὲ ἀγνοεῖν τὸν θεὸν ἢ τοῦ | βίου 531 P
πολιτεία παρίστησιν. παντάπασι γὰρ ἀδύνατον ἅμα τε [καὶ] ἐπιστή- 2

7f. vgl. Andronic. De aff. p. 12, 4 Kreuttner   πάσης—τινός Antonius Melissa
p. 19 Gesner   11 Hesiod Op. 211   12 vgl. σ 73   18 vgl. μ 118   20 vgl. Plato
Theaet. p. 176 B   25f. I Io 3, 3   26f. θεοῦ γνῶσιν—ἀδύνατον Sacr. Par. 235 Holl
31—S. 216, 2 παντάπασιν ἀδύνατον—ἀγαθῷ Sacr. Par. 236 Holl

2 ἀναίδην L   8 δὲ] δέ ἐστι Ant.·   15 nach δὲ Rasur (wohl ὁ)   16 ὧν—ἐχομ-
μένους Schw   ῷ—ἑπομένους L   πάντως Mü   18 ⟨δὲ⟩ Schw   19 ἀνάγκηι L   γραφῇ
⟨καὶ τῇ ἀγωγῇ⟩ (vgl. Strom. III 58, 2) Schw   22 πρὸς μόνῳ] μόνη πρὸς Ma   27 ἀπαγο-
μένοις Sacr. P.   28f. ⟨περι⟩πεποιημένοις Bywater bei Ma   31 [καὶ] Di

μονα εἶναι καὶ τὴν τοῦ σώματος κολακείαν ⟨μὴ⟩ ἐπαισχύνεσθαι· οὐδὲ
γὰρ συνᾴδειν ποτὲ δύναται τὸ ἀγαθὸν εἶναι τὴν ἡδονὴν τῷ μόνον
εἶναι τὸ καλὸν ἀγαθὸν ἢ καὶ μόνον καλὸν τὸν κύριον καὶ μόνον
ἀγαθὸν τὸν θεὸν καὶ μόνον ἐραστόν. ›ἐν Χριστῷ δὲ περιετμήθητε 8
5 περιτομῇ ἀχειροποιήτῳ ἐν τῇ ἀπεκδύσει τοῦ σώματος τῆς σαρκός,
ἐν τῇ περιτομῇ τοῦ Χριστοῦ.‹ ›εἰ οὖν συνηγέρθητε τῷ Χριστῷ, τὰ 4
ἄνω ζητεῖτε, τὰ ἄνω φρονεῖτε, μὴ τὰ ἐπὶ τῆς γῆς. ἀπεθάνετε γάρ,
καὶ ἡ ζωὴ ὑμῶν κέκρυπται σὺν τῷ Χριστῷ ἐν τῷ θεῷ,‹ οὐχὶ δὲ
πορνεία ἣν ἀσκοῦσιν. ›νεκρώσατε οὖν τὰ μέλη τὰ ἐπὶ τῆς γῆς, 5
10 πορνείαν, ἀκαθαρσίαν, πάθος, ἐπιθυμίαν, δι᾽ ἃ ἔρχεται ἡ ὀργή.‹ ἀπο-
θέσθωσαν οὖν καὶ αὐτοὶ ›ὀργήν, θυμόν, κακίαν, βλασφημίαν, αἰσχρο-
λογίαν ἐκ τοῦ στόματος αὐτῶν, ἀπεκδυσάμενοι τὸν παλαιὸν ἄνθρωπον
σὺν ταῖς ἐπιθυμίαις, καὶ ἐνδυσάμενοι τὸν νέον τὸν ἀνακαινούμενον
εἰς ἐπίγνωσιν | κατ᾽ εἰκόνα τοῦ κτίσαντος αὐτόν.‹ τὰ γὰρ τῆς πολι- 191 S
15 τείας ἐλέγχει σαφῶς τοὺς ἐγνωκότας τὰς ἐντολάς, ἐπεὶ οὐχ οἷος ὁ λόγος
τοῖος ὁ βίος· ἀπὸ δὲ τῶν καρπῶν τὸ δένδρον, οὐκ ἀπὸ τῶν ἀνθῶν
καὶ πετάλων, γνωρίζεται. ἡ γνῶσις οὖν ἐκ τοῦ καρποῦ καὶ τῆς 2
πολιτείας, οὐκ ἐκ τοῦ λόγου καὶ τοῦ ἄνθους· οὐ γὰρ λόγον ψιλὸν 8
εἶναι τὴν γνῶσίν φαμεν, ἀλλά τινα ἐπιστήμην θείαν καὶ φῶς ἐκεῖνο
20 τὸ ἐν τῇ ψυχῇ ἐγγενόμενον ἐκ τῆς κατὰ τὰς ἐντολὰς ὑπακοῆς τὸ
πάντα κατάδηλα ποιοῦν τά [τε] ἐν γενέσει αὐτόν τε τὸν ἄνθρωπον
ἑαυτόν τε γινώσκειν παρασκευάζον καὶ τοῦ θεοῦ ἐπήβολον καθίστα-
σθαι διδάσκον. ὃ γὰρ· ὀφθαλμὸς ἐν σώματι, τοῦτο ἐν τῷ νῷ ἡ
γνῶσις. μηδὲ λεγόντων ἐλευθερίαν τὴν ὑπὸ ἡδονῆς δουλείαν, καθ- 4
25 άπερ οἱ τὴν χολὴν γλυκεῖαν· ἡμεῖς γὰρ ἐλευθερίαν μεμαθήκαμεν ἣν
ὁ κύριος ἡμᾶς ἐλευθεροῖ μόνος, ἀπολύων τῶν ἡδονῶν τε καὶ τῶν
ἐπιθυμιῶν καὶ τῶν ἄλλων παθῶν. ›ὁ λέγων, ἔγνωκα τὸν κύριον, 5
καὶ τὰς ἐντολὰς αὐτοῦ μὴ τηρῶν ψεύστης ἐστίν, καὶ ἐν τούτῳ ἡ
ἀλήθεια οὐκ ἔστιν‹, Ἰωάννης λέγει.

30 VI. Τοῖς δὲ εὐφήμως δι᾽ ἐγκρατείας ἀσεβοῦσιν εἴς τε τὴν κτίσιν 45, 1
καὶ τὸν ἅγιρν δημιουργὸν τὸν παντοκράτορα μόνον θεὸν καὶ διδά-
σκουσι μὴ δεῖν παραδέχεσθαι γάμον καὶ παιδοποιίαν | μηδὲ ἀντεισά- 532 P

4–14 Col 2, 11; 3, 1–3. 5f. 8–10 15f. vgl. Protr. 123, 1 mit Anm. 15–18 vgl.
Petrus Laod. ϱ. 76, 1 H.; Fr. in ZntW 36 (1937) 84 16f. vgl. Lc 6, 44; Mt 7, 16;
12, 33 23f. vgl. Philo Quaest. in Gen. I 11 p. 9 Aucher; De opif. m. 53 (I p. 17);
Fr in ZatW 14 (1937) 113f. 26 vgl. Io 8, 36; vgl. auch Gal 5, 1 27–29 I Io 2, 4
30 zu εὐφήμως vgl. Strom. III 63, 1

* 1 ⟨μὴ⟩ aus Sacr. Par. οὐδὲ] οὐ Sacr. Par. 2 τὸ ἀγαθὸν] τὸ κακὸν ἀγαθῷ
Sacr. Par. [εἶναι] Kl τὴν ἡδονὴν St τῆι ἡδονῆι L τῷ Schw ἢ L 3 ἀγαθὸν Lowth
ἀγαθῶι L 8f. οὐχὶ–ἀσκοῦσιν; ~ nach ὀργή (Z. 10) Wi 1ϑ οὐχ Petr. Laod. < L
20 ὑπακοῆς Sy ὑπακοα; (sic) L 21 [τε] Ma γε Bywater 22 ἐπήβολον Sy ἐπίβολον L
23 ὃ Sy ὡς L 24 ὑφ᾽ ἡδονῇ Mü 24f. καθάπερ οἱ L καθαπερεὶ Schw 25 ἣν] ἢ
Klst 27 ὁ ⟨δὲ⟩ λέγων Ma

γειν τῷ κόσμῳ δυστυχήσοντας ἑτέρους μηδὲ ἐπιχορηγεῖν τῷ θανάτῳ
τροφὴν ἐκεῖνα λεκτέον· πρῶτον μὲν τὸ τοῦ ἀποστόλου Ἰωάννου·
›καὶ νῦν ἀντίχριστοι πολλοὶ γεγόνασιν, ὅθεν ἐγνώκαμεν ὅτι ἐσχάτη 2
ὥρα ἐστίν. ἐξ ἡμῶν ἐξῆλθον, ἀλλ' οὐκ ἦσαν ἐξ ἡμῶν· εἰ γὰρ ἦσαν
5 ἐξ ἡμῶν, μεμενήκεισαν ἂν μεθ' ἡμῶν.‹ ἔπειτα καὶ διαστρεπτέον 3
αὐτοὺς τὰ ὑπ' αὐτῶν φερόμενα διαλύοντας ὧδέ πως· τῇ Σαλώμῃ
ὁ κύριος πυνθανομένῃ, ›μέχρι πότε θάνατος ἰσχύσει;‹ οὐχ ὡς κακοῦ
τοῦ βίου ὄντος καὶ τῆς κτίσεως πονηρᾶς, ›μέχρις ἂν‹ εἶπεν ›ὑμεῖς
αἱ γυναῖκες τίκτητε,‹ ἀλλ' ὡς τὴν ἀκολουθίαν τὴν φυσικὴν διδά-
10 σκων· γενέσει γὰρ πάντως ἕπεται καὶ φθορά. τρυφῆς μὲν οὖν καὶ 46, 1
πάσης ἀκοσμίας ἡμᾶς ὁ νόμος ἐξάγειν προῄρηται, καὶ τοῦτό ἐστιν
αὐτοῦ τέλος, ἐκ τῆς ἀδικίας ἡμᾶς εἰς δικαιοσύνην ὑπάγειν, γάμους
τε αἱρουμένους σώφρονας καὶ παιδοποιίας καὶ πολιτείας. ὁ δὲ κύριος 2
›οὐ καταλύειν τὸν νόμον ἀφικνεῖται, ἀλλὰ πληρῶσαι·‹ πληρῶσαι δὲ
15 οὐχ ὡς ἐνδεῆ, ἀλλὰ τῷ τὰς κατὰ νόμον προφητείας ἐπιτελεῖς γενέ-
σθαι κατὰ τὴν αὐτοῦ παρουσίαν, ἐπεὶ τὰ τῆς ὀρθῆς πολιτείας καὶ
τοῖς δικαίως βεβιωκόσι πρὸ τοῦ νόμου διὰ τοῦ λόγου ἐκηρύσσετο.
οἱ τοίνυν πολλοὶ τὴν ἐγκράτειαν οὐκ εἰδότες σώματι πολιτεύονται, 3
ἀλλ' οὐ πνεύματι. ›γῆ δὲ καὶ σποδὸς‹ τὸ σῶμα ἄνευ πνεύματος.
20 αὐτίκα μοιχείαν ἐξ ἐνθυμήσεως κρίνει ὁ κύριος· τί γάρ; οὐκ ἔστι καὶ 4
γάμῳ ἐγκρατῶς χρῆσθαι καὶ μὴ πειρᾶσθαι διαλύειν ›ὃ συνέζευξεν ὁ
θεός‹; τοιαῦτα γὰρ διδάσκουσιν οἱ τῆς συζυγίας μερισταί, δι' οὓς καὶ
τὸ ὄνομα βλασφημεῖται. μιαρὰν δὲ εἶναι τὴν συνουσίαν λέγοντες 5
οὗτοι οἱ τὴν σύστασιν καὶ αὐτοὶ ἐκ συνουσίας εἰληφότες πῶς οὐκ ἂν
25 εἶεν μιαροί; τῶν δὲ ἁγιασθέντων ἅγιον οἶμαι καὶ τὸ σπέρμα. ἡγιά- 47, 1
σθαι μὲν οὖν ἡμῖν ὀφείλει οὐ μόνον τὸ πνεῦμα, ἀλλὰ καὶ ὁ τρόπος
καὶ ὁ βίος καὶ τὸ σῶμα· ἐπεὶ τίνι λόγῳ ὁ ἀπόστολος Παῦλος ἡγιά-
σθαι λέγει τὴν γυναῖκα ὑπὸ τοῦ ἀνδρὸς ἢ τὸν ἄνδρα ὑπὸ τῆς
γυναικός; τί δέ ἐστιν ὅπερ ὁ κύριος εἶπεν πρὸς τοὺς περὶ τοῦ ἀπο- 2
30 στασίου πυνθανομένους, εἰ ἔξεστιν ἀπολῦσαι γυναῖκα Μωσέως ἐπι-
τρέψαντος; ›πρὸς τὴν σκληροκαρδίαν ὑμῶν‹, φησίν, ›ὁ Μωσῆς

3—5 1 Io 2, 18f.   6—10 vgl. Strom. III 63f. 66. 92; Exc. ex Theod. 67; Hilgen-
feld, Nov. Test. extra can. IV² p. 46; Preuschen, Antileg. S. 2   8f. vgl. Orac. Sibyll.
2, 163f.   10 vgl. Philo De decal. 58 (IV p. 282) γένεσις φθορᾶς ἀρχή   14—17 οὐ—
ἐκηρύσσετο Ath fol. 28ᵛ   14 Mt 5, 17   16f. vgl. Rom 2, 14f.   18f. vgl. Gal 5, 25
19 vgl. Gen 18, 27 u. ö.   20 vgl. Mt 5, 28   21f. vgl. Mt 19, 6; Mc 10, 9   22f. vgl.
Rom 2, 24 (Is 52, 5)   27—29 vgl. I Cor 7, 14   29—S. 218, 4 vgl. Mt 19, 3. 7. 8. 4.
5. 9 (Mc 10, 2—12); Mt 5, 32; 22, 30; Mc 12, 25; Lc 20, 35

3 ἀντίχρηστοι L   9 τίκτητε Di τίκτετε L   ἀλλ' L¹ ἀλλ' L*   15 ἐνδεῆ Sy u.
Ath ἐνδεεῖ L   22 nach τῆς ist ζ von L¹ getilgt

ταῦτα ἔγραψεν· ὑμεῖς δὲ οὐκ ἀνέγνωτε ὅτι τῷ πρωτοπλάστῳ ὁ
θεὸς | εἶπεν· ἔσεσθε οἱ δύο εἰς σάρκα μίαν; ὥστε ὁ ἀπολύων τὴν 533 P
γυναῖκα χωρὶς λόγου πορνείας ποιεῖ αὐτὴν μοιχευθῆναι.‹ ἀλλὰ ›μετὰ 3
τὴν ἀνάστασιν‹, φησίν, ›οὔτε γαμοῦσιν οὔτε γαμίζονται.‹ καὶ γὰρ
5 περὶ τῆς κοιλίας καὶ τῶν βρωμάτων εἴρηται· ›τὰ βρώματα τῇ κοιλίᾳ
καὶ ἡ κοιλία τοῖς βρώμασιν, ὁ δὲ θεὸς καὶ ταύτην καὶ ταῦτα καταρ-
γήσει·‹ τούτους ἐπιρραπίζων τοὺς δίκην κάπρων καὶ ιράγων ζῆν
οἰομένους, ἵνα μὴ ἀδεῶς ἐσθίοιεν καὶ ὀχεύοιεν. εἰ γοῦν τὴν ἀνάστασιν 48, 1
ἀπειλήφασιν, ὡς αὐτοὶ λέγουσι, καὶ διὰ τοῦτο ἀθετοῦσι τὸν γάμον,
10 μηδὲ ἐσθιέτωσαν μηδὲ πινέτωσαν· καταργεῖσθαι γὰρ ἔφη τὴν κοιλίαν
καὶ τὰ βρώματα ὁ ἀπόστολος ἐν τῇ ἀναστάσει. πῶς οὖν καὶ πει- 2
νῶσι καὶ διψῶσι καὶ ⟨τὰ κατὰ⟩ τὴν σάρκα πάσχουσι καὶ τὰ ἄλλα ὅσα ὁ
διὰ Χριστοῦ τελείων τὴν προσδοκωμένην ἀνάστασιν λαβὼν οὐ πεί-
σεται; ἀλλὰ καὶ οἱ τὰ εἴδωλα σεβόμενοι βρωμάτων τε ἅμα καὶ ἀφρο-
15 δισίων ἀπέχονται. ›οὐκ ἔστι δὲ ἡ βασιλεία θεοῦ βρῶσις καὶ πόσις‹ 3
φησίν. ἀμέλει διὰ φροντίδος ἐστὶ καὶ τοῖς Μάγοις οἴνου τε ὁμοῦ καὶ
ἐμψύχων καὶ ἀφροδισίων ἀπέχεσθαι λατρεύουσιν ἀγγέλοις καὶ δαί-
μοσιν. ὡς δὲ ἡ ταπεινοφροσύνη πραότης ἐστίν, οὐχὶ δὲ κακουχία
σώματος, οὕτω καὶ ἡ ἐγκράτεια ψυχῆς ἀρετὴ ἡ οὐκ ἐν φανερῷ, ἀλλ᾽
20 ἐν ἀποκρύφῳ.

Εἰσὶν θ᾽ οἳ πορνείαν ἄντικρυς τὸν γάμον λέγουσι καὶ ὑπὸ τοῦ 49, 1
διαβόλου ταύτην παραδεδόσθαι δογματίζουσι, μιμεῖσθαι δ᾽ αὐτοὺς
οἱ μεγάλαυχοί φασι τὸν κύριον μήτε γήμαντα μήτε τι ἐν τῷ κόσμῳ
κτησάμενον, μᾶλλον παρὰ τοὺς ἄλλους νενοηκέναι τὸ εὐαγγέλιον
25 καυχώμενοι. λέγει δὲ αὐτοῖς ἡ γραφή· ›ὑπερηφάνοις ὁ θεὸς ἀντιτάσ- 2
σεται, ταπεινοῖς δὲ δίδωσι χάριν.‹ εἶτ᾽ οὐκ ἴσασι τὴν αἰτίαν τοῦ 3
μὴ γῆμαι τὸν κύριον· πρῶτον μὲν γὰρ τὴν | ἰδίαν νύμφην εἶχεν, τὴν 192 S
ἐκκλησίαν, ἔπειτα δὲ οὐδὲ ἄνθρωπος ἦν κοινός, ἵνα καὶ βοηθοῦ τινος
κατὰ σάρκα δεηθῇ· οὐδὲ τεκνοποιήσασθαι ἦν αὐτῷ ἀναγκαῖον ἀιδίως
30 μένοντι καὶ μόνῳ υἱῷ θεοῦ γεγονότι. αὐτὸς δὲ οὗτος ὁ κύριος 4
λέγει· ›ὃ ὁ θεὸς συνέζευξεν, ἄνθρωπος μὴ χωριζέτω.‹ καὶ πάλιν·
›ὥσπερ δὲ ἦν ἐν ταῖς ἡμέραις Νῶε, ἦσαν γαμοῦντες γαμίζοντες,
οἰκοδομοῦντες φυτεύοντες, καὶ ὡς ἦν ἐν ταῖς ἡμέραις Λώτ, οὕτως

5—7 I Cor 6, 13 13 vgl. Orig. in I Cor 7, 5; Journ. of Theol. Studies IX (1908)
S. 501f. (Chadwick) 15 Rom 14, 17 18f. vgl. Col 2, 23 21—25 vgl. Schwartz,
Ausg. d. Tatian S. 49 25f. Iac 4, 6; I Petr 5, 5 (= Prov 3, 34) 28f. vgl. Gen 2, 18
29f. vgl. Strom. II 138, 2 31 Mt 19, 6; Mc 10, 9 32—S. 219, 1 vgl. Mt 24, 37—39;
Lc 17, 26—30

2 ἔσεσθε Sy ἔσεσθαι L 8 οἰομένους] ἑλομένους Mü 10 ἔφη Sy ἔφην L 12 ⟨τὰ
κατὰ⟩ Wi 14 ἀλλὰ καὶ οἱ Wi ἀλλ᾽ οἱ καὶ L ἀλλ᾽ ⟨εἰσὶν⟩ οἱ καὶ Ma 21 θ᾽] δ᾽ Hiller
22 παραδεδόσθαι Schw παραδιδόσθαι L αὐτοὺς L οὕτως Wi

ἔσται ἡ παρουσία τοῦ υἱοῦ τοῦ ἀνθρώπου.‹ καὶ ὅτι οὐ πρὸς τὰ 5
ἔθνη λέγει, ἐπιφέρει· ›ἆρα ἐλθὼν ὁ υἱὸς τοῦ ἀνθρώπου εὑρήσει τὴν
πίστιν ἐπὶ τῆς γῆς;‹ καὶ πάλιν· ›οὐαὶ δὲ ταῖς ἐν γαστρὶ ἐχούσαις 6
καὶ ταῖς θηλαζούσαις ἐν ἐκείναις ταῖς ἡμέραις.‹ καίτοι καὶ ταῦτα 534 P
5 ἀλληγορεῖται. διὰ τοῦτο οὐδὲ τοὺς καιροὺς ὥρισεν ›οὓς ὁ πατὴρ
ἔθετο ἐν τῇ ἰδίᾳ ἐξουσίᾳ‹, ἵνα διαμένῃ κατὰ τὰς γενεὰς ὁ κόσμος.
τὸ δὲ ›οὐ πάντες χωροῦσι τὸν λόγον τοῦτον· εἰσὶ γὰρ εὐνοῦχοι 50, 1
οἵτινες ἐγεννήθησαν οὕτως, καὶ εἰσὶν εὐνοῦχοι οἵτινες εὐνουχίσθησαν
ὑπὸ τῶν ἀνθρώπων, καὶ εἰσὶν εὐνοῦχοι οἵτινες εὐνούχισαν ἑαυτοὺς
10 διὰ τὴν βασιλείαν τῶν οὐρανῶν· ὁ δυνάμενος χωρεῖν χωρείτω·‹ οὐκ 2
ἴσασιν ὅτι μετὰ τὴν τοῦ ἀποστασίου ῥῆσιν πυθομένων τινῶν ὅτι
›ἐὰν οὕτως ᾖ ἡ αἰτία τῆς γυναικός, οὐ συμφέρει τῷ ἀνθρώπῳ γα-
μῆσαι,‹ τότε ὁ κύριος ἔφη· ›οὐ πάντες χωροῦσι τὸν λόγον τοῦτον,
ἀλλ᾽ οἷς δέδοται·‹ τοῦτο γὰρ οἱ πυνθανόμενοι μαθεῖν ἠβουλήθησαν, 3
15 εἰ συγχωρεῖ καταγνωσθείσης ἐπὶ πορνείᾳ γυναικὸς καὶ ἐκβληθείσης
ἑτέραν γῆμαι.

Φασὶ δὲ καὶ ἀθλητὰς οὐκ ὀλίγους ἀφροδισίαν ἀπέχεσθαι δι᾽ 4
ἄσκησιν σωματικὴν ἐγκρατευομένους, καθάπερ τὸν Κροτωνιάτην
Ἀστύλον καὶ Κρίσωνα τὸν Ἱμεραῖον. καὶ Ἀμοιβεὺς δὲ ὁ κιθαρῳδὸς
20 νεόγαμος ὢν ἀπέσχετο τῆς νύμφης. ὅ τε Κυρηναῖος Ἀριστοτέλης
Λαΐδα ἐρῶσαν ὑπερεώρα μόνος· ὀμωμοκὼς οὖν τῇ ἑταίρᾳ ἦ μὴν 51, 1
ἀπάξειν αὐτὴν εἰς τὴν πατρίδα, εἰ συμπράξειεν αὐτῷ τινα πρὸς τοὺς
ἀνταγωνιστάς, ἐπειδὴ διεπράξατο, χαριέντως ἐκτελῶν τὸν ὅρκον,
γραψάμενος αὐτῆς ὡς ὅτι μάλιστα ὁμοιοτάτην εἰκόνα, ἀνέστησεν εἰς
25 Κυρήνην, ὡς ἱστορεῖ Ἴστρος ἐν τῷ Περὶ ἰδιότητος ἄθλων. ὥστ᾽
οὐδ᾽ ἡ εὐνουχία ἐνάρετον, εἰ μὴ δι᾽ ἀγάπην γίνοιτο τὴν πρὸς
τὸν θεόν.

Αὐτίκα περὶ τῶν βδελυσσομένων τὸν γάμον Παῦλος ὁ μακάριος 2
λέγει· ›ἐν ὑστέροις καιροῖς ἀποστήσονταί τινες τῆς πίστεως, προσ-
30 έχοντες πνεύμασι πλάνοις καὶ διδασκαλίαις δαιμονίων, κωλυόντων
γαμεῖν, ἀπέχεσθαι βρωμάτων.‹ καὶ πάλιν λέγει· ›μηδεὶς ὑμᾶς κατα- 3
βραβευέτω ἐν ἐθελοθρησκείᾳ ταπεινοφροσύνης καὶ ἀφειδίᾳ σώματος.‹
ὁ δὲ αὐτὸς κἀκεῖνα γράφει· ›δέδεσαι γυναικί; μὴ ζήτει λύσιν· λέλυσαι

2f. Lc 18, 8   3f. Mt 24, 19; Mc 13, 17; Lc 21, 23   5f. Act 1, 7   6 vgl. Strom.
II 138, 2   7—14 Mt 19, 11f. 10f.   18f. vgl. Plato Leg. VIII p. 840 A mit Scholien;
vgl. Kallim. fr. 47 Pfeiffer (Fr)   19f. vgl. Aelian Hist. an. VI 1; Var. hist. III 30
20—25 Istros Fr. 48 FHG 1 p. 424; vgl. Aelian Var. hist. X 2   29—31 I Tim 4, 1. 3
31f. vgl. Col 2, 18. 23   33f. I Cor 7, 27

2 ἆρα L   11 ⟨ἀπόρ⟩ρησιν Ma   19 ἄστυλον L   ἱμέραιον L   21 ὑπερεώρα Ex-
zerpthss ὑπεώρα L   γοῦν Ma

ἀπὸ γυναικός; μὴ ζήτει γυναῖκα.‹ καὶ πάλιν· ›Ἕκαστος δὲ τὴν ἑαυ-
τοῦ γυναῖκα ἐχέτω, ἵνα μὴ πειράζῃ ὑμᾶς ὁ σατανᾶς.‹ τί δέ; | οὐχὶ 52,15
καὶ οἱ παλαιοὶ δίκαιοι εὐχαρίστως τῆς κτίσεως μετελάμβανον; οἳ δὲ
καὶ ἐπαιδοποιήσαντο γήμαντες ἐγκρατῶς. καὶ τῷ μὲν Ἠλίᾳ οἱ κό-
5 ρακες ἔφερον τροφὴν ἄρτους καὶ κρέα· καὶ Σαμουὴλ δὲ ὁ προφήτης, [ἣν]
ἐν καταλελοίπει κωλεὸν ἐξ ὧν ἤσθιε, φέρων ἔδωκε τῷ Σαοὺλ φαγεῖν.
οἳ δέ, καὶ τούτους ὑπερφέρειν λέγοντες πολιτείᾳ καὶ βίῳ, οὐδὲ συγ- 2
κριθῆναι ταῖς ἐκείνων πράξεσι δυνήσονται. ›ὁ μὴ ἐσθίων‹ τοίνυν 3
›τὸν ἐσθίοντα μὴ ἐξουθενείτω, ὁ δὲ ἐσθίων τὸν μὴ ἐσθίοντα μὴ
10 κρινέτω· ὁ θεὸς γὰρ αὐτὸν προσελάβετο.‹ ἀλλὰ καὶ ὁ κύριος περὶ 4
ἑαυτοῦ λέγων ›ἦλθεν‹ φησὶν ›Ἰωάννης μήτε ἐσθίων μήτε πίνων,
καὶ λέγουσι· δαιμόνιον ἔχει. ἦλθεν ὁ υἱὸς τοῦ ἀνθρώπου ἐσθίων καὶ
πίνων, καὶ λέγουσιν· ἰδοὺ ἄνθρωπος φάγος καὶ οἰνοπότης, φίλος
τελωνῶν καὶ ἁμαρτωλός.‹ ἢ καὶ τοὺς ἀποστόλους ἀποδοκιμάζουσι;
15 Πέτρος μὲν γὰρ καὶ Φίλιππος ἐπαιδοποιήσαντο, Φίλιππος δὲ καὶ τὰς 5
θυγατέρας ἀνδράσιν ἐξέδωκεν, καὶ ὅ γε Παῦλος οὐκ ὀκνεῖ ἔν τινι 53, 1
ἐπιστολῇ τὴν αὑτοῦ προσαγορεύειν σύζυγον, ἣν οὐ περιεκόμιζεν διὰ
τὸ τῆς ὑπηρεσίας εὐσταλές. λέγει οὖν ἔν τινι ἐπιστολῇ· ›οὐκ ἔχομεν 2
ἐξουσίαν ἀδελφὴν γυναῖκα περιάγειν, ὡς καὶ οἱ λοιποὶ ἀπόστολοι;‹
20 ἀλλ' οὗτοι μὲν οἰκείως τῇ | διακονίᾳ, ἀπερισπάστως τῷ κηρύγματι 3 536
προσανέχοντες, οὐχ ὡς γαμετάς, ἀλλ' ὡς ἀδελφὰς περιῆγον τὰς γυ-
ναῖκας συνδιακόνους ἐσομένας πρὸς τὰς οἰκουροὺς γυναῖκας, δι' ὧν
καὶ εἰς τὴν γυναικωνῖτιν ἀδιαβλήτως παρεισεδύετο ἡ τοῦ κυρίου
διδασκαλία. ἴσμεν γὰρ καὶ ὅσα περὶ διακόνων γυναικῶν ἐν τῇ ἑτέρᾳ 4
25 πρὸς Τιμόθεον ἐπιστολῇ ὁ γενναῖος διατάσσεται Παῦλος. ἀλλὰ μὴν
ὁ αὐτὸς οὗτος κέκραγεν ὡς ›οὐκ ἔστιν ἡ βασιλεία τοῦ θεοῦ βρῶσις
καὶ πόσις,‹ οὐδὲ μὴν ἀποχὴ οἴνου καὶ κρεῶν, ›ἀλλὰ δικαιοσύνη καὶ
εἰρήνη καὶ χαρὰ ἐν πνεύματι ἁγίῳ.‹ τίς αὐτῶν μηλωτὴν καὶ ζώνην 5

1f. I Cor 7, 2. 5   4f. vgl. III Reg 17, 6   5f. vgl. I Reg 9, 24   8—10 Rom 14, 3
11—14 Mt 11, 18f.; Lc 7, 33f.   14—18 ἢ καὶ—εὐσταλές Euseb. Hist. eccl. III 30, 1
(Niceph. Hist. eccl. 2, 44)   15—18 zitiert von Jesudad (Ischodad) mit der Einfüh-
rung: »Clemens in jenem großen Brief gegen die, welche die ehelichen Verbindungen
verwerfen«. Vgl. Sachau, Verz. der syr. Handschr. der Kgl. Bibl. zu Berlin I 1899
S. 307; Zahn, Neue kirchl. Zeitschr. 1901 S. 744f.; Heussi, ZwTh 1902 S. 480ff.
16f. vgl. Phil 4, 3   18f. I Cor 9, 5   20 ἀπερισπάστως vgl. I Cor 7, 35   24f. vgl.
I Tim 5, 9f.   26—28 Rom 14, 17   28f. III Reg 19, 13. 19; IV Reg 1, 8

 3 [οἳ δὲ] Hiller   5 [ἣν] Vi   13 φαγὸς L   14 ἁμαρτωλῶν Matth. Luk. ἀπο-
δοκιμάσουσιν Eus.   17 προσαγορεῦσαι Eus.   20 ἀπερισπάστως Po ἀπερισπάστωι L
28—S. 221, 5 τίς—προφῆται ~ nach Z. 8 δυνήσονται Ma; J. P. Postgate, The Class.
Quart. 8, 1914, S. 241f., setzt vor τίς αὐτῶν Z. 7f. ein: οἳ δὲ—δυνήσονται

δερματίνην ἔχων περιέρχεται ὡς Ἠλίας; τίς δὲ σάκκον περιβέβληται
γυμνὸς τὰ ἄλλα καὶ ἀνυπόδετος ὡς Ἠσαΐας; ἢ περίζωμα μόνον
λινοῦν, ὡς Ἱερεμίας; Ἰωάνιου δὲ τὴν ἔνστασιν τὴν γνωστικὴν τοῦ
βίου τίς μιμήσεται; ἀλλὰ καὶ οὕτω βιοῦντες ηὐχαρίστουν τῷ κτίσαντι
5 οἱ μακάριοι προφῆται.

Ἡ δὲ Καρποκράτους δικαιοσύνη καὶ τῶν ἐπ' ἴσης αὐτῷ τὴν 54, 1
ἀκόλαστον μετιόντων κοινωνίαν ὧδέ πως καταλύεται. ἅμα γὰρ τῷ
φάναι ›τῷ αἰτοῦντί σε δός‹ ἐπιφέρει· ›καὶ τὸν θέλοντα δανείσασθαι
μὴ ἀποστραφῇς‹, ταύτην διδάσκων τὴν κοινωνίαν, οὐχὶ δὲ τὴν
10 λάγνον. πῶς δὲ ὁ αἰτῶν καὶ λαμβάνων καὶ δανειζόμενος ἀπὸ μη- 2
δενὸς ὑπάρχοντος τοῦ ἔχοντος καὶ διδόντος καὶ δανείζοντος; τί δ' 8
ὅταν | ὁ κύριος φῇ· ›ἐπείνασα καὶ ἐχορτάσατέ με, ἐδίψησα καὶ ἐπο- 193 S
τίσατέ με, ξένος ἤμην καὶ συνηγάγετέ με, γυμνὸς καὶ περιεβάλετέ
με.‹ εἶτα ἐπιφέρει· ›ἐφ' ὅσον ἐποιήσατε ἑνὶ τούτων τῶν ἐλαχίστων,
15 ἐμοὶ ἐποιήσατε.‹ οὐχὶ δὲ τὰ αὐτὰ καὶ ἐν τῇ παλαιᾷ διαθήκῃ νομο- 4
θετεῖ; ›ὁ διδοὺς πτωχῷ δανείζει θεῷ‹ καὶ ›μὴ ἀπόσχῃ εὖ ποιεῖν
ἐνδεῆ‹ φησίν. καὶ πάλιν ›ἐλεημοσύναι καὶ πίστεις μὴ ἐκλιπέτωσάν 55, 1
σε‹ εἶπεν. ›πενία‹ δὲ ›ἄνδρα ταπεινοῖ· χεῖρες δὲ ἀνδρείων πλουτί-
ζουσιν.‹ ἐπιφέρει δέ· ›ἰδοὺ ἀνήρ, ὃς οὐκ ἔδωκεν ἐπὶ τόκῳ τὸ ἀρ-
20 γύριον αὐτοῦ, ἀποδεκτὸς γίνεται‹ καὶ ›λύτρον ψυχῆς | ἀνδρὸς ὁ 537 P
ἴδιος πλοῦτος κρίνεται‹ οὐχὶ διασαφεῖ ἄντικρυς; ὡς οὖν ἐξ ἐναντίων
ὁ κόσμος σύγκειται ὥσπερ ἐκ θερμοῦ καὶ ⟨ψυχροῦ⟩ ξηροῦ τε καὶ
ὑγροῦ, οὕτω κἀκ τῶν διδόντων κἀκ τῶν λαμβανόντων. πάλιν τε 2
αὖ ὅταν εἴπῃ· ›εἰ θέλεις τέλειος γενέσθαι, πωλήσας τὰ ὑπάρχοντα
25 δὸς πτωχοῖς,‹ ἐλέγχει τὸν καυχώμενον ἐπὶ τῷ ›πάσας τὰς ἐντολὰς
ἐκ νεότητος τετηρηκέναι·‹ οὐ γὰρ πεπληρώκει τὸ ›ἀγαπήσεις τὸν
πλησίον σου ὡς ἑαυτόν‹. τότε δὲ ὑπὸ τοῦ κυρίου συντελειούμενος
ἐδιδάσκετο δι' ἀγάπην μεταδιδόναι. καλῶς οὖν πλουτεῖν οὐ κεκώ- 56, 1
λυκεν, ἀλλὰ γὰρ τὸ ἀδίκως καὶ ἀπλήστως πλουτεῖν· ›κτῆσις‹ γὰρ
30 ›ἐπισπευδομένη μετὰ ἀνομίας ἐλάττων γίνεται.‹ ›εἰσὶ‹ γὰρ ›οἳ σπεί-

---

1f. vgl. Is 20, 2 2f. vgl. Ier 13, 1 3f. vgl. Mt 3, 4; Mc 1, 6 7 vgl. Strom.
III 27, 3 8f. Mt 5, 42 10f. vgl. Qu. div. salv. 13, 1 12—15 ebda 30, 2;
Mt 25, 35f. 40 16 Prov 19, 14 (17) 16f. Prov 3, 27 17f. Prov 3, 3 18f. Prov
10, 4 19f. vgl. Ps 14, 5; Ez 18, 8 20f. Prov 13, 8 24—27 Mt 19, 21. 20. 19; Mc
10, 21. 20; 12, 31; Lc 18, 22. 21. 20 25—28 ἐλέγχει—μεταδιδόναι Ath fol. 97ʳ 29f.
Prov 13, 11 30f. Prov 11, 24

10 λάγνον (o in Ras. für ω) L¹ ἀπο⟨λείπεται⟩ Schw 17 ἐνδεῆ Prov. ἐνδεεῖ L
18 ἀνδρείων Prov. und Paed. II 129, 1 ἀνδρῶν L 19 ἰδοὺ ἀνήρ Sy ἤδ' (corr. aus ἤδ')
ἄν L τόκωι (ωι in Ras. für ον) L¹ 22 ⟨ψυχροῦ⟩ Sy 28 ⟨τὸ⟩ καλῶς Mü (unnötig,
weil variatio vorliegt Fr) 29 τὸ L¹ τῶν L*

ροντες πλείονα ποιοῦσι, καὶ οἳ συνάγοντες ἐλαττοῦνται·‹ περὶ ὧν
γέγραπται· ›ἐσκόρπισεν, ἔδωκεν τοῖς πένησιν, ἡ δικαιοσύνη αὐτοῦ
μένει εἰς τὸν αἰῶνα·‹ ὁ μὲν γὰρ ›σπείρων καὶ πλείονα συνάγων‹ 2
οὗτός ἐστιν ὁ διὰ τῆς ἐπιγείου καὶ προσκαίρου μεταδόσεως τὰ οὐράνια
5 κτώμενος καὶ τὰ αἰώνια, ἕτερος δὲ ὁ μηδενὶ μεταδιδούς, κενῶς δὲ
›θησαυρίζων ἐπὶ τῆς γῆς ὅπου σὴς καὶ βρῶσις ἀφανίζει‹ (περὶ οὗ
γέγραπται· ›συνάγων τοὺς μισθοὺς συνήγαγεν εἰς δεσμὸν τετρυπη-
μένον‹), τούτου τὴν χώραν εὐφορῆσαι λέγει ἐν τῷ εὐαγγελίῳ ὁ κύ- 3
ριος, ἔπειτα τοὺς καρποὺς ἀποθέσθαι βουληθέντα, οἰκοδομησόμενον
10 ἀποθήκας μείζονας κατὰ τὴν προσωποποιίαν εἰπεῖν πρὸς ἑαυτόν·
›ἔχεις ἀγαθὰ πολλὰ ἀποκειμενά σοι εἰς ἔτη πολλά, φάγε, πίε,
εὐφραίνου· ἄφρον οὖν, ἔφη, ταύτῃ γὰρ τῇ νυκτὶ τὴν ψυχήν σου ἀπαι-
τοῦσιν ἀπὸ σοῦ. ἃ οὖν ἡτοίμασας, τίνι γένηται;‹

VII. Ἡ μὲν οὖν ἀνθρωπίνη ἐγκράτεια, ἡ κατὰ τοὺς φιλοσόφους 57, 1
15 λέγω τοὺς Ἑλλήνων, τὸ διαμάχεσθαι τῇ ἐπιθυμίᾳ καὶ μὴ ἐξυπηρετεῖν
αὐτῇ εἰς τὰ ἔργα ἐπαγγέλλεται, ἡ καθ᾽ ἡμᾶς δὲ τὸ μὴ ἐπιθυμεῖν,
οὐχ ἵνα τις ἐπιθυμῶν καρτερῇ, ἀλλ᾽ ὅπως καὶ τοῦ ἐπιθυμεῖν ἐγκρα-
τεύηται. λαβεῖν δὲ ἄλλως οὐκ ἔστι τὴν ἐγκράτειαν ταύτην ἢ χάριτι 2
τοῦ θεοῦ. διὰ τοῦτο εἶπεν ›αἰτεῖτε καὶ δοθήσεται ὑμῖν‹. ταύτην 3
20 ἔλαβεν τὴν χάριν καὶ ὁ Μωυσῆς τὸ ἐνδεὲς σῶμα περικείμενος, ἵνα
τεσσαράκοντα ἡμέρας μήτε πεινάσῃ μήτε διψήσῃ. ὡς δὲ ὑγιαίνειν 4
ἄμεινον τοῦ νοσοῦντα περὶ ὑγείας διαλέγεσθαι, οὕτω τὸ εἶναι φῶς
τοῦ περὶ φωτὸς λαλεῖν καὶ ἡ κατὰ ἀλήθειαν ἐγκράτεια τῆς ὑπὸ τῶν
φιλοσόφων διδασκομένης. οὐ γὰρ ὅπου φῶς, ἐκεῖ σκότος· ἔνθα δέ 5
25 ἐστιν ἐπιθυμία ἐγκαθεζομένη, μόνη τυγχάνουσα, κἂν τῇ ἐνεργείᾳ
ἡσυχάζῃ τῇ διὰ τοῦ σώματος, τῇ μνήμῃ συνουσιάζει πρὸς τὸ μὴ
παρόν. καθόλου | δὲ ἡμῖν προΐτω ὁ λόγος περί τε γάμου περί τε 58,1
τροφῆς καὶ τῶν ἄλλων μηδὲν κατ᾽ ἐπιθυμίαν ποιεῖν, θέλειν δὲ μόνα
ἐκεῖνα τὰ ἀναγκαῖα. οὐ γάρ ἐσμεν ἐπιθυμίας τέκνα, ἀλλὰ θελήματος.
30 καὶ τὸν ἐπὶ παιδοποιίᾳ γήμαντα ἐγκράτειαν ἀσκεῖν χρή, ὡς μηδ᾽ ἐπι- 2
θυμεῖν τῆς γυναικὸς τῆς ἑαυτοῦ, ἣν ἀγαπᾶν ὀφείλει, σεμνῷ καὶ σώ-

---

2 vgl. auch Paed. III 35, 5 2f. Ps 111, 9 4 vgl. Mt 19, 21 6 Mt 6, 19 7f.
Agg 1, 6 8—13 vgl. Lc 12, 16—20 14—19 ἡ μὲν ἀνθρωπίνη—θεοῦ Sacr. Par. 237
Holl 19 Mt 7, 7 19—21 vgl. Exod 24, 18 20f. vgl. Philo De v. Mos. II 69 (Fr)
29 vgl. Io 1, 13

1 οἱ L 3 μὲν über d. Z. L¹ 5 κενὸς καὶ oder κενῶς [καὶ] Heyse δὲ Ma καὶ L
17 καὶ τοῦ] τὸ Sacr. Par. 19 αἰτεῖτε L¹ αἰτεῖσθε L* 22 τὸ aus τοῦ corr. L¹ 27
προΐτω Sy προείτω L προειπάτω Ro, προείπεν St, lieber προΐτω ⟨παραινῶν⟩ Fr, zu
προΐτω vgl. S. 205 16 προβαινέτω 28 ἄλλων ⟨διδάσκων⟩ St

φρονι παιδοποιούμενος θελήματι. οὐ γὰρ ›τῆς σαρκὸς πρόνοιαν
ποιεῖσθαι εἰς ἐπιθυμίας‹ ἐμάθομεν, ›εὐσχημόνως δὲ ὡς ἐν ἡμέρᾳ‹,
τῷ Χριστῷ καὶ τῇ κυριακῇ τῇ φωτεινῇ ἀγωγῇ, ›περιπατοῦντες, μὴ
κώμοις καὶ μέθαις, μὴ κοίταις καὶ ἀσελγείαις, μὴ ἔρισι καὶ ζήλοις.‹
5 ἀλλὰ γὰρ οὐ μόνον περί τι ἓν εἶδος τὴν ἐγκράτειαν συνορᾶν προσ- 59, 1
ήκει, τουτέστι τὰ ἀφροδίσια, ἀλλὰ γὰρ καὶ περὶ τὰ ἄλλα ὅσα σπα-
ταλῶσα ἐπιθυμεῖ ἡ ψυχὴ ἡμῶν, οὐκ ἀρκουμένη τοῖς ἀναγκαίοις,
περιεργαζομένη δὲ τὴν χλιδήν. ἐγκράτειά ἐστιν ἀργυρίου καταφρονεῖν, 2
τρυφῆς, κτήσεως, θέας καταμεγαλοφρονεῖν, στόματος κρατεῖν, κυ-
10 ριεύειν λογισμῶν τῶν πονηρῶν. ἤδη δὲ καὶ ἄγγελοί τινες ἀκρατεῖς
γενόμενοι ἐπιθυμίᾳ ἁλόντες οὐρανόθεν δεῦρο καταπεπτώκασιν
Οὐαλεντῖνος δὲ ἐν τῇ πρὸς Ἀγαθόποδα ἐπιστολῇ ›πάντα‹ φησὶν 8
›ὑπομείνας ἐγκρατὴς ἦν· θεότητα Ἰησοῦς εἰργάζετο, ἤσθιεν καὶ
ἔπινεν ἰδίως οὐκ ἀποδιδοὺς τὰ βρώματα. τοσαύτη ἦν αὐτῷ ἐγκρα-
15 τείας δύναμις, ὥστε καὶ μὴ φθαρῆναι τὴν τροφὴν ἐν αὐτῷ, ἐπεὶ τὸ
φθείρεσθαι αὐτὸς οὐκ εἶχεν.‹

Ἡμεῖς μὲν οὖν δι' ἀγάπην τὴν πρὸς τὸν κύριον καὶ δι' αὐτὸ τὸ 4
καλὸν ἐγκράτειαν ἀσπαζόμεθα, τὸν νεὼν τοῦ πνεύματος ἁγιάζοντες·
καλὸν γὰρ ›διὰ τὴν βασιλείαν τῶν οὐρανῶν εὐνουχίζειν ἑαυτὸν‹
20 πάσης ἐπιθυμίας καὶ ›καθαρίζειν τὴν συνείδησιν ἀπὸ νεκρῶν ἔργων
εἰς τὸ λατρεύειν θεῷ ζῶντι‹. οἳ δέ, διὰ τὸ μῖσος τὸ πρὸς τὴν σάρκα 60, 1
τῆς κατὰ γάμον συναλλαγῆς καὶ τῆς τῶν καθηκόντων βρωμάτων
μεταλήψεως ἀχαρίστως ἀπαλλάττεσθαι ποθοῦντες, ἀμαθεῖς τε καὶ
ἄθεοι, ἀλόγως ἐγκρατευόμενοι, καθάπερ τὰ πλεῖστα τῶν ἄλλων
25 ἐθνῶν. Βραχμᾶναι γοῦν οὔτε ἔμψυχον ἐσθίουσιν οὔτε οἶνον πίνου- 2
σιν· ἀλλ' οἳ μὲν αὐτῶν καθ' ἑκάστην ἡμέραν ὡς ἡμεῖς τὴν τροφὴν
προσίενται, | ἔνιοι δ' αὐτῶν διὰ τριῶν ἡμερῶν, ὥς φησιν Ἀλέξανδρος 194 S
ὁ Πολυΐστωρ | ἐν τοῖς Ἰνδικοῖς· καταφρονοῦσι δὲ θανάτου καὶ παρ' 539 P

---

*   1—4 Rom 13, 14. 13   5—7 nimmt den Gedanken von S. 197, 4 wieder auf, hier
setzt auch das Ps.-Basil.-Excerpt (s. S. 197, 3) wieder ein; 1111 A a. E. οὐ μόνον
δὲ περὶ ἓν εἶδος—τοῖς ἀναγκαίοις (Fr) 10f. vgl. Gen 6, 2; Paed. III 14, 2; Strom. V
10, 2   12—16 vgl. Hilgenfeld, ZwTh 23 (1880) S. 291 f.; 26 (1883) S. 356; Ketzer-
geschichte S. 297f.; Heinrici, Die valent. Gnosis u. d. heil. Schrift S. 72; Lipsius,
Jahrb. f. prot. Theol. 13 (1887) S. 617   15f. vgl. Ps 15, 10 (zitiert S. 457, 4) (Fr)
18 vgl. I Cor 3, 16f.   19 Mt 19, 12   20f. Hebr 9, 14 · 25—28 Alexander Polyhistor
Fr. 95 FHG III p. 236

6 [γὰρ] Ma   10 λογισμῶν St λογισμῷ L   18 [ἐγκρατὴς ἦν] Wi ἐγκρατὴς ἦν
** Schw ἐγκρατὴς τὴν Gieseler, Comm. qua Clementis Alex. et Origenis doctrinae
de corpore Christi exponuntur Gött. 1837 p. 12 ἐγκρατὴς ἦν, ⟨τὴν⟩ Lipsius ἐγκρατὴς
ὢν Heinrici ⟨πάντα⟩ ἐγκρατὴς ὢν Ma   18 πνεύματος] πνς corr. aus πσ L¹   25 βρα-
χμάναι L   ἐσθίουσιν ⟨οὐδὲν⟩ Mü

οὐδὲν ἡγοῦνται τὸ ζῆν· πείθονται· γὰρ εἶναι παλιγγενεσίαν, θεοὺς δὲ
σέβουσιν Ἡρακλέα καὶ Πᾶνα. οἱ καλούμενοι δὲ Σεμνοὶ τῶν Ἰνδῶν 8
γυμνοὶ διαιτῶνται τὸν πάντα βίον· οὗτοι τὴν ἀλήθειαν ἀσκοῦσι καὶ
περὶ τῶν μελλόντων προμηνύουσι καὶ σέβουσί τινα πυραμίδα, ὑφ᾽
5 ἣν ὀστέα τινὸς θεοῦ νομίζουσιν ἀποκεῖσθαι. οὔτε δὲ οἱ γυμνοσοφισταὶ 4
οὔθ᾽ οἱ λεγόμενοι Σεμνοὶ γυναιξὶ χρῶνται· παρὰ φύσιν γὰρ τοῦτο
καὶ παράνομον δοκοῦσι, δι᾽ ἣν αἰτίαν σφᾶς αὐτοὺς ἁγνοὺς τηροῦσι,
παρθενεύουσι δὲ καὶ αἱ Σεμναί. δοκοῦσι δὲ παρατηρεῖν τὰ οὐράνια
καὶ διὰ τῆς τούτων σημειώσεως τῶν μελλόντων προμαντεύεσθαί τινα.
10   VIII. Ἐπεὶ δὲ οἱ τὴν ἀδιαφορίαν εἰσάγοντες βιαζόμενοί τινας 61, 1
ὀλίγας γραφὰς συνηγορεῖν αὐτῶν τῇ ἡδυπαθείᾳ οἴονται, ἀτὰρ δὴ
κἀκείνην »ἁμαρτία γὰρ ὑμῶν οὐ κυριεύσει· οὐ γάρ ἐστε ὑπὸ νόμον,
ἀλλ᾽ ὑπὸ χάριν« (καί τινας ἄλλας τοιαύτας, ὧν ἐπὶ τοιούτοις μεμνῆ-
σθαι οὐκ εὔλογον· οὐ γὰρ ἐπισκευάζω ναῦν πειρατικήν), φέρε δὴ διὰ
15 βραχέων διακόψωμεν αὐτῶν τὴν ἐγχείρησιν. αὐτὸς γὰρ ὁ γενναῖος 2
ἀπόστολος τῇ προειρημένῃ λέξει ἐπιφέρων ἀπολύσεται τὸ ἔγκλημα·
»τί οὖν; ἁμαρτήσωμεν, ὅτι οὐκ ἐσμὲν ὑπὸ νόμον, ἀλλ᾽ ὑπὸ χάριν;
μὴ γένοιτο.« οὕτως ἐνθέως καὶ προφητικῶς καταλύει παραχρῆμα
τὴν σοφιστικὴν τῆς ἡδονῆς τέχνην. οὐ συνιᾶσιν οὖν, ὡς ἔοικεν, ὅτι 62, 1
20 »τοὺς πάντας ἡμᾶς φανερωθῆναι δεῖ ἔμπροσθεν τοῦ βήματος τοῦ
Χριστοῦ, ἵνα κομίσηται ἕκαστος διὰ τοῦ σώματος πρὸς ἃ ἔπραξεν,
εἴτε ἀγαθὸν εἴτε κακόν,« ἵνα ἃ διὰ τοῦ σώματος ἔπραξέν τις ἀπο-
λάβῃ. »ὥστε εἴ τις ἐν Χριστῷ, καινὴ κτίσις,« οὐκέτι ἁμαρτητική· 2
»τὰ ἀρχαῖα παρῆλθεν«, ἀπελουσάμεθα τὸν βίον τὸν παλαιόν· »ἰδοὺ
25 γέγονε καινά«, ἁγνεία ἐκ πορνείας, [καὶ] ἐγκράτεια ἐξ ἀκρασίας, δικαιο-
σύνη ἐξ ἀδικίας. »τίς γὰρ μετοχὴ δικαιοσύνῃ καὶ ἀνομίᾳ; ἢ τίς κοινωνία
φωτὶ πρὸς σκότος; τίς δὲ συμφώνησις Χριστοῦ πρὸς Βελίαρ; τίς 3
μερὶς πιστῷ μετὰ ἀπίστου; τίς δὲ συγκατάθεσις ναῷ θεοῦ μετὰ εἰδώ-
λων; ταύτας οὖν ἔχοντες τὰς ἐπαγγελίας καθαρίσωμεν ἑαυτοὺς ἀπὸ
30 παντὸς μολυσμοῦ σαρκὸς καὶ πνεύματος, ἐπιτελοῦντες ἁγιωσύνην ἐν
φόβῳ θεοῦ.«

12f. Rom 6, 14   17f. Rom 6, 15   20—22 II Cor 5, 10   22 ἃ — ἔπραξεν lesen
II Cor 5, 10 D*FG u. a. statt τὰ διὰ τοῦ σ. πρὸς ἃ ἔπραξεν   23—25 II Cor 5, 17
26—31 II Cor 6, 14—16; 7, 1

1 θεοὺς δὲ Mü ἃ δὲ L ⟨μάλιστ⟩α δὲ Hiller ⟨ἰδί⟩ᾳ δὲ Wi ⟨δαιμόνι⟩α δὲ Schw
⟨οὗτοι τὸν θεὸν φῶς εἶναι λέγουσιν⟩, ἄ⟨λλοι⟩ δὲ Bywater S. 211; vgl. Hippolyt Ref.
I 24 p. 28, 11 (Wendl.)   2 σεμνοὶ (σε in Ras.) L¹   9 τῶν μελλόντων am Rand L¹
11 αὐτῶν L   19 συνιᾶσιν Di συνιεῖσιν L   21f. [ἵνα κομίσηται—κακόν] Ma als Glosse,
welche den wörtl. Text der Cor-Stelle zu den Worten des Clem. schrieb; aber das
zweite ist Paraphrase zum ersten   25 [καὶ] Ma

IX. Οἱ δὲ ἀντιτασσόμενοι τῇ κτίσει τοῦ θεοῦ δια τῆς εὐφήμου **63, 1**
ἐγκρατείας κἀκεῖνα λέγουσι τὰ πρὸς Σαλώμην εἰρημένα, ὧν πρό-
τερον ἐμνήσθημεν· φέρεται δέ, οἶμαι, ἐν τῷ κατ᾽ Αἰγυπτίους | εὐαγ- 540 P
γελίῳ. φασὶ γάρ, ὅτι αὐτὸς εἶπεν ὁ σωτήρ· »ἦλθον καταλῦσαι τὰ **2**
5 ἔργα τῆς θηλείας,« θηλείας μὲν τῆς ἐπιθυμίας, ἔργα δὲ γένεσιν καὶ
φθοράν. τί οὖν ἂν εἴποιεν; κατελύθη ἡ διοίκησις αὕτη; οὐκ ἂν
φήσαιεν· μένει γὰρ ἐπὶ τῆς αὐτῆς οἰκονομίας ὁ κόσμος. ἀλλ᾽ οὐκ **3**
ἐψεύσατο ὁ κύριος· τῷ ὄντι γὰρ τὰ τῆς ἐπιθυμίας κατέλυσεν ἔργα,
φιλαργυρίαν, φιλονικίαν, φιλοδοξίαν, γυναικομανίαν, παιδεραστίαν,
10 ὀψοφαγίαν, ἀσωτίαν καὶ τὰ τούτοις ὅμοια· τούτων δὲ ἡ γένεσις φθορὰ
τῆς ψυχῆς, εἴ γε »νεκροὶ τοῖς παραπτώμασι« γινόμεθα· καὶ αὕτη ἡ
θήλεια ἀκρασία ἦν. γένεσιν δὲ καὶ φθορὰν τὴν ἐν κτίσει προηγου- **4**
μένως γίνεσθαι ἀνάγκη μέχρι παντελοῦς διακρίσεως καὶ ἀποκατα-
στάσεως ἐκλογῆς, δι᾽ ἣν καὶ αἱ τῷ κόσμῳ συμπεφυρμέναι οὐσίαι τῇ
15 οἰκειότητι προσνέμονται. ὅθεν εἰκότως περὶ συντελείας μηνύσαντος **64, 1**
τοῦ λόγου ἡ Σαλώμη φησί· »μέχρι τίνος οἱ ἄνθρωποι ἀποθανοῦνται;«
ἄνθρωπον δὲ καλεῖ ἡ γραφὴ διχῶς, τόν τε φαινόμενον καὶ τὴν
ψυχήν, πάλιν τε αὖ τὸν σῳζόμενον καὶ τὸν μή. καὶ θάνατος ψυχῆς
ἡ ἁμαρτία λέγεται. διὸ καὶ παρατετηρημένως ἀποκρίνεται· ὁ κύριος·
20 »μέχρις ἂν τίκτωσιν αἱ γυναῖκες,« τουτέστι μέχρις ἂν αἱ ἐπιθυμίαι
ἐνεργῶσι. »διὰ τοῦτο ὥσπερ δι᾽ ἑνὸς ἀνθρώπου ἡ ἁμαρτία εἰς τὸν **2**
κόσμον εἰσῆλθεν, καὶ διὰ τῆς ἁμαρτίας ὁ θάνατος εἰς πάντας ἀν-
θρώπους διῆλθεν, ἐφ᾽ ᾧ πάντες ἥμαρτον· καὶ ἐβασίλευσεν ὁ θάνατος
ἀπὸ Ἀδὰμ μέχρι Μωυσέως,« φησὶν ὁ ἀπόστολος· φυσικῇ δὲ ἀνάγκῃ
25 θείας οἰκονομίας γενέσει θάνατος ἕπεται, καὶ συνόδῳ ψυχῆς καὶ
σώματος ἡ τούτων διάλυσις ἀκολουθεῖ. εἰ δὲ ἕνεκεν μαθήσεως καὶ **3**
ἐπιγνώσεως ἡ γένεσις, ἀποκαταστάσεως δὲ ἡ διάλυσις· ὡς δὲ
αἰτία θανάτου διὰ τὸ τίκτειν ἡ γυνὴ νομίζεται, οὕτω καὶ ζωῆς διὰ
τὴν αὐτὴν αἰτίαν λεχθήσεται ἡγεμών. αὐτίκα ἡ προκατάρξασα τῆς **65, 1**
30 παραβάσεως »ζωὴ« προσηγορεύθη, διὰ τὴν τῆς διαδοχῆς αἰτίαν τῶν
τε γεννωμένων τῶν τε ἁμαρτανόντων γίνεται ὁμοίως δικαίων
ὡς καὶ ἀδίκων μήτηρ, ἑκάστου ἡμῶν ἑαυτὸν δικαιοῦντος ἢ ἔμπαλιν

1f. vgl. Strom. III 45, 1	2f. vgl. Strom. III 45, 3	4—6. 15—20. S. 226, 11—16
vgl. Hilgenfeld, Nov. Test. extra can. IV² p. 46; Preuschen, Antilegomena S. 2
11 Eph 2, 5	15—20 vgl. Strom. III 45, 3; Exc. ex Theod. 67	17f. vgl. II Cor 4, 16
18f. vgl. I Tim 5, 6	21—24 Rom⁵ 5, 12. 14	24f. vgl. S. 217, 10	25f. vgl. Plato
Phaed. p. 67 D	26f. vgl. Strom. IV 18, 1 S. 256, 24 (Fr)	30 Gen 3, 20

10 ὀψοφαγίαν (ο² in Ras. für ω) L¹	27 δὲ¹] δὴ Po	29 ἢ Fr ἡ L	30 διὰ
τὴν—αἰτίαν L διότι—αἰτία τῶν ... ἁμαρτανόντων γίνεται, Schw

ἀπειθῆ κατασκευάζοντος. ὅθεν οὐχ ἡγοῦμαι ἔγωγε μυσάττεσθαι τὴν 2
ἐν σαρκὶ ζωὴν | τὸν ἀπόστολον, ὁπηνίκα ἂν φῇ· »ἀλλ᾽ ἐν πάσῃ παρ- 541 P
ρησίᾳ ὡς πάντοτε καὶ νῦν μεγαλυνθήσεται Χριστὸς ἐν τῷ σώματί
μου, εἴτε διὰ ζωῆς εἴτε διὰ θανάτου. ἐμοὶ γὰρ τὸ ζῆν Χριστὸς καὶ
5 τὸ ἀποθανεῖν κέρδος. εἰ δὲ τὸ ζῆν ἐν σαρκί, καὶ τοῦτό μοι καρπὸς
ἔργου, τί αἱρήσομαι οὐ γνωρίζω· συνέχομαί τε ἐκ τῶν δύο, τὴν ἐπι-
θυμίαν ἔχων εἰς τὸ ἀναλῦσαι καὶ σὺν Χριστῷ εἶναι, πολλῷ γὰρ
κρεῖττον· τὸ δὲ ἐπιμένειν τῇ σαρκὶ ἀναγκαιότερον δι᾽ ὑμᾶς.« ἐνεδεί- 3
ξατο γάρ, οἶμαι, διὰ τούτων σαφῶς τῆς μὲν ἐξόδου τοῦ σώματος
10 τὴν πρὸς θεὸν ἀγάπην τελείωσιν εἶναι, τῆς δὲ ἐν σαρκὶ παρουσίας
τὴν εὐχάριστον διὰ τοὺς σωθῆναι δεομένους ὑπομονήν. τί δὲ οὐχὶ 66, 1
καὶ τὰ ἑξῆς τῶν πρὸς Σαλώμην εἰρημένων ἐπιφέρουσιν οἱ πάντα 195 S
μᾶλλον ἢ τῷ κατὰ τὴν ἀλήθειαν εὐαγγελικῷ στοιχήσαντες κανόνι;
φαμένης γὰρ αὐτῆς »καλῶς οὖν ἐποίησα μὴ τεκοῦσα«, ὡς οὐ δεόντως 2
15 τῆς γενέσεως παραλαμβανομένης, ἀμείβεται λέγων ὁ κύριος· »πᾶσαν
φάγε βοτάνην, τὴν δὲ πικρὰν ἔχουσαν μὴ φάγῃς.« σημαίνει γὰρ καὶ 3
διὰ τούτων ἐφ᾽ ἡμῖν εἶναι καὶ οὐκ ἐξ ἀνάγκης κατὰ κώλυσιν ἐντολῆς
ἤτοι τὴν ἐγκράτειαν ἢ καὶ τὸν γάμον, καὶ ὅτι ὁ γάμος συνεργάζεται
τι τῇ κτίσει προσδιασαφῶν. μήτ᾽ οὖν ἁμάρτημά τις ἡγείσθω τὸν 67, 1
20 γάμον τὸν κατὰ λόγον, εἰ μὴ πικρὰν ὑπολαμβάνει παιδοτροφίαν
(πολλοῖς γὰρ ἔμπαλιν ἀτεκνία λυπηρότατον), μήτ᾽, ἂν πικρὰ ἡ παι-
δοποιΐα φαίνηταί τινι μεταπερισπῶσα τῶν θείων διὰ τὰς χρειώδεις
ἀσχολίας, μὴ φέρων [δ᾽] οὗτος εὐκόλως τὸν μονήρη βίον ἐπιθυμείτω
γάμου. ἐπεὶ τὸ εὐάρεστον μετὰ σωφροσύνης ἀβλαβὲς καὶ κύριος
25 ἕκαστος ἡμῶν τυγχάνει τῆς περὶ τέκνων γονῆς αἱρέσεως. συνορῶ 2
δ᾽ ὅπως τῇ προφάσει τοῦ γάμου οἳ μὲν ἀπεσχημένοι τούτου μὴ κατὰ
τὴν ἁγίαν γνῶσιν εἰς μισανθρωπίαν ὑπερρύησαν καὶ τὸ τῆς ἀγάπης
οἴχεται παρ᾽ αὐτοῖς, οἳ δὲ ἐνσχεθέντες καὶ ἡδυπαθήσαντες τῇ τοῦ
νόμου συμπεριφορᾷ, ὥς φησιν ὁ προφήτης, »παρωμοιώθησαν τοῖς
30 κτήνεσιν«.

X. Τίνες δὲ οἱ δύο καὶ τρεῖς ὑπάρχουσιν ἐν ὀνόματι Χριστοῦ 68, 1
συναγόμενοι, παρ᾽ οἷς μέσος | ἐστὶν ὁ κύριος; ἢ οὐχὶ ἄνδρα καὶ γυ- 542 P
ναῖκα καὶ τέκνον τοὺς τρεῖς λέγει, ὅτι ἀνδρὶ γυνὴ διὰ θεοῦ ἁρμό-
ζεται; ἀλλὰ κἂν εὔζωνός τις εἶναι θέλῃ, οὐχ αἱρούμενος τὴν 2

2—8 Phil 1, 20—24 13 vgl. Gal 6, 16 28 f. ἡ τῶν νόμων συμπεριφορά
Epikur (?) in Oxyrh. Pap. 215 II 7 (Fr) 29 f. Ps 48, 13. 21 31 f. vgl. Mt 18, 20
32 f. S. 227. 9 f. vgl. Petrus Laod. p. 206, 9 H.; Orig. Matth.-Komm. XIV 2
p. 277, 30 ff. Kl.; Fr in ZntW 36 (1937) 84 f.; vgl. zu 227, 29 33 f. vgl. Gen 2, 22;
Prov 19, 14 33 f.–S. 227, 7—13 vgl. Orig. in Matth. fr. 382 (Bd. XII 3 S. 163 Kl.) (Fr)

19 μήτ᾽ Schw μή ποτ᾽ L 23 [δ᾽] Schw ἐπιθυμείτω Mü ἐπιθυμεῖ τοῦ L ἐπι-
θυμεί⟨τω⟩ τοῦ Schw 26 ἀπεσχημένοι Sy ἀπισχημένοι L

παιδοποιίαν διὰ τὴν ἐν παιδοποιίᾳ ἀσχολίαν, »μενέτω« φησὶν ὁ
ἀπόστολος »ἄγαμος ὡς κἀγώ«. βούλεσθαι γὰρ λέγειν τὸν κύριον 8
ἐξηγοῦνται μετὰ μὲν τῶν πλειόνων τὸν δημιουργὸν εἶναι τὸν γενε-
σιουργὸν θεόν, μετὰ δὲ τοῦ ἑνὸς τοῦ ἐκλεκτοῦ τὸν σωτῆρα, ἄλλου
5 δηλονότι θεοῦ τοῦ ἀγαθοῦ υἱὸν πεφυκότα. τὸ δ' οὐχ οὕτως ἔχει· 4
ἀλλ' ἔστι μὲν καὶ μετὰ τῶν σωφρόνως γημάντων καὶ τεκνοποιησάν-
των ὁ θεὸς δι' υἱοῦ, ἔστι δὲ καὶ μετὰ τοῦ ἐγκρατευσαμένου λογικῶς
ὁ αὐτὸς ὡσαύτως θεός.

Εἶεν δ' ἂν καὶ ἄλλως οἱ μὲν τρεῖς θυμός τε καὶ ἐπιθυμία καὶ 5
10 λογισμός, σὰρξ δὲ καὶ ψυχὴ καὶ πνεῦμα κατ' ἄλλον λόγον. τάχα δὲ 69, 1
καὶ τὴν κλῆσιν τήν τε ἐκλογὴν δευτέραν καὶ τρίτον τὸ εἰς τὴν
πρώτην τιμὴν κατατασσόμενον γένος αἰνίσσεται ἡ προειρημένη τριάς·
μεθ' ὧν ἡ πανεπίσκοπος τοῦ θεοῦ δύναμις ἀμερῶς μεριστή. ὁ τοίνυν 2
15 ταῖς κατὰ φύσιν ἐνεργείαις τῆς ψυχῆς ἐν δέοντι χρώμενος ἐπιθυμεῖ μὲν
τῶν καταλλήλων, μισεῖ δὲ τὰ βλάπτοντα, καθὼς αἱ ἐντολαὶ προστάτ-
τουσιν· »ἐνευλογήσεις γάρ«, φησί, »τὸν εὐλογοῦντα καὶ καταράσῃ τὸν
καταρώμενον.« ὅταν δὲ καὶ τούτων ὑπεραναβάς, τοῦ θυμοῦ καὶ τῆς 8
ἐπιθυμίας, ἔργῳ ἀγαπήσῃ τὴν κτίσιν διὰ τὸν πάντων θεόν τε καὶ
20 ποιητήν, γνωστικῶς βιώσεται, ἕξιν ἐγκρατείας ἄπονον περιπεποιη-
μένος κατὰ τὴν πρὸς τὸν σωτῆρα ἐξομοίωσιν, ἑνώσας τὴν γνῶσιν,
πίστιν, ἀγάπην, εἷς ὢν ἐνθένδε τὴν κρίσιν καὶ πνευματικὸς ὄντως, 4
ἀπαράδεκτος τῶν κατὰ τὸν θυμὸν καὶ τὴν ἐπιθυμίαν διαλογισμῶν
πάντῃ πάντως, ὁ »κατ' εἰκόνα« ἐκτελούμενος τοῦ κυρίου πρὸς αὐτοῦ
25 τοῦ τεχνίτου, ἄνθρωπος τέλειος, ἄξιος ἤδη τοῦ ἀδελφὸς πρὸς τοῦ
κυρίου ὀνομάζεσθαι, φίλος ἅμα οὗτος καὶ υἱός [ἐστιν]. οὕτως »οἱ δύο
καὶ οἱ τρεῖς« ἐπὶ τὸ αὐτὸ συνάγονται, τὸν γνωστικὸν ἄνθρωπον.

Εἴη δ' ἂν καὶ ἡ ὁμόνοια τῶν πολλῶν ἀπὸ τῶν τριῶν ἀριθμου- 70, 1
μένη μεθ' ὧν ὁ κύριος, ἡ μία ἐκκλησία, ὁ εἷς ἄνθρωπος, τὸ γένος
τὸ ἕν. ἢ μή τι μετὰ μὲν τοῦ ἑνὸς τοῦ Ἰουδαίου | ὁ κύριος νομο- 2 543 P
30 θετῶν ἦν, προφητεύων δὲ ἤδη καὶ τὸν Ἰερεμίαν ἀποστέλλων εἰς
Βαβυλῶνα, ἀλλὰ καὶ τοὺς ἐξ ἐθνῶν διὰ τῆς προφητείας καλῶν,

1f. I Cor 7, 8	2 vgl. A. Harnack, Marcion² S. 289, 303	9f. vgl. Paed.
III 1, 2 mit Anm.; Strom. III 93	10 vgl. I Thess 5, 23	10f. zum Gegensatz vgl.
Mt 22, 14 (20, 16)	13 vgl. Petrus Laod. p. 206, 13 H.	16f. vgl. Gen 12, 3; 27, 29
23 vgl. Gen 1, 26	24f. vgl. Hebr 2, 11	25f. vgl. S. 226, 31	29 εἰ μήτι Corssen,
Neue Jbb. 18, 1915 S. 162f. vgl. Strom. V 98, 4 S. 391, 2 (Fr)	80f. entweder Irr-
tum (Mißverständnis von Ier 50. 51?) oder Benützung der jüdischen Tradition
(Seder Olam Rabba c. 26), nach der Jeremias von Nebukadnezar bei der Besitznahme
Ägyptens nach Babylonien abgeführt wurde.

2 γὰρ] δὲ Mü	11 τὴν³ über d. Z. L¹	15 κατ' ἀλλήλων L	25 ⟨καὶ⟩ φίλος
Hiller φίλος ⟨θ'⟩ Wi	[ἐστιν] Schw	nach δύο ist ἅμα von L¹ getilgt

15*

συνῆγε λαοὺς τοὺς δύο, τρίτος δὲ ἦν ἐκ τῶν δυεῖν κτιζόμενος εἰς
εἰς καινὸν ἄνθρωπον, ᾧ δὴ ἐμπεριπατεῖ τε καὶ κατοικεῖ ἐν αὐτῇ τῇ
ἐκκλησίᾳ· νόμος τε ὁμοῦ καὶ προφῆται σὺν καὶ τῷ εὐαγγελίῳ ἐν 3
ὀνόματι Χριστοῦ εἰς μίαν συνάγονται γνῶσιν. οὐκοῦν οἱ διὰ μῖσος 4
5 μὴ γαμοῦντες ἢ δι' ἐπιθυμίαν ἀδιαφόρως τῇ σαρκὶ καταχρώμενοι
οὐκ ἐν ἀριθμῷ τῶν σῳζομένων ἐκείνων μεθ' ὧν ὁ κύριος·

XI. Τούτων ὧδε ἐπιδεδειγμένων φέρε, ὁπόσαι τούτοις τοῖς κατὰ 71, 1
τὰς αἱρέσεις σοφισταῖς ἐναντιοῦνται γραφαί, ἤδη παραθώμεθα, τὸν
κανόνα τῆς κατὰ λόγον τηρουμένης ἐγκρατείας μηνύοντες. ἑκάστη 2
10 δὲ τῶν αἱρέσεων τὴν οἰκείως ἐνισταμένην γραφὴν ὁ συνίων ἐπιλεγό-
μενος κατὰ καιρὸν χρήσεται πρὸς κατάλυσιν τῶν παρὰ τὰς ἐντολὰς
δογματιζόντων. ἄνωθεν μὲν οὖν ὁ νόμος, ὥσπερ προειρήκαμεν, τὸ 3
›οὐκ ἐπιθυμήσεις τῆς τοῦ πλησίον‹, τῆς τοῦ κυρίου προσεχοῦς κατὰ
τὴν νέαν διαθήκην φωνῆς προαναπεφώνηκεν τῆς αὐτῆς αὐτοπροσ-
15 ώπως λεγούσης· ›ἠκούσατε τοῦ νόμου παραγγέλλοντος· οὐ μοιχεύσεις.
ἐγὼ δὲ λέγω· οὐκ ἐπιθυμήσεις.‹ ὅτι γὰρ σωφρόνως ἐβούλετο ταῖς 4
γαμεταῖς χρῆσθαι τοὺς ἄνδρας ὁ νόμος καὶ ἐπὶ μόνῃ παιδοποιίᾳ,
δῆλον ἐκ τοῦ κωλύειν μὲν τῇ αἰχμαλώτῳ παραχρῆμα ἐπιμίγνυσθαι
τὸν ἄγαμον, ἐπιθυμήσαντος δὲ ἅπαξ τριάκοντα πενθεῖν ἐπιτρέπειν
20 ἡμέρας κειραμένῃ καὶ τὰς τρίχας, εἰ δὲ μηδ' οὕτως μαραίνοιτο ἡ
ἐπιθυμία, τότε παιδοποιεῖσθαι, δεδοκιμασμένης τῆς ὁρμῆς τῆς κυ-
ριευούσης κατὰ τὴν προθεσμίαν τοῦ χρόνου εἰς ὄρεξιν εὔλογον. ὅθεν 72, 1
οὐ δείξεις ⟨ἂν⟩ ἐγκύμονι πλησιάσαντα τῶν πρεσβυτέρων τινὰ κατὰ
τὴν γραφήν, ἀλλ' ὕστερον μετά τε τὴν κυοφορίαν μετά τε τὴν τοῦ
25 τεχθέντος γαλακτουχίαν εὕροις ἂν πάλιν πρὸς | τῶν ἀνδρῶν γινω- 196 S
σκομένας τὰς γυναῖκας. αὐτίκα τοῦτον εὑρήσεις τὸν σκοπὸν καὶ τὸν 2
τοῦ Μωυσέως πατέρα φυλάσσοντα, τριετίαν διαλιπόντα μετὰ τὴν
τοῦ Ἀαρὼν ἀποκύησιν γεννήσαντα τὸν Μωσέα. ἥ τε αὖ Λευιτικὴ 3
φυλὴ τοῦτον φυλάσσουσα τὸν τῆς φύσεως νόμον ἐκ θεοῦ ἐλάττων
30 τὸν ἀριθμὸν παρὰ τὰς ἄλλας εἰς τὴν προκατηγγελμένην εἰσῆλθε γῆν·
οὐ γὰρ ῥᾳδίως αὐξάνει γένος εἰς πολυπληθίαν σπειράντων μὲν τῶν 4
ἀνδρῶν τῶν τὸν κατὰ τοὺς νόμους γάμον ἀναδεδεγμένων, ἀναμενόν-

---

1f. vgl. Eph 2, 15   2f. vgl. II Cor 6, 16   3 vgl. Petrus Laod. p. 206, 9 H.
5 vgl. S. 177, 3f.; 207, 23; 208, 5   6 vgl. Mt 18, 20   12 vgl. Strom. III 9, 1   12—
14 ἄνωθεν im Gegensatz zu ἡ τοῦ κυρίου προσεχὴς φωνή vgl. Strom. III 84, 4
S. 235, 6 (Fr)   13 Exod 20, 17   15f. vgl. Mt 5, 27f.   16f. Strom. II 143, 1 S. 192, 5f.
(Fr)   18—22 vgl. Deut 21, 11—13; Strom. II 88. 89   22 ὄρεξιν εὔλογον im Gegen-
satz zu ὄρεξιν ἄλογον = ἐπιθυμίαν vgl. Andronicus De affect. p. 12, 4 Kreuttner
23f. vgl. Paed. II 92, 2   27f. vgl. Exod 7, 7   29f. vgl. Num 3, 39

1f. ⟨ὁ⟩ ἐκ—[εἰς] καινὸς ἄνθρωπος Mü   1 [εἰς] Schw   9 ἑκάστη L   10 συνιὼν L
14 προαναπεφώνηκεν Sy προσαναπεφώνηκεν L   23 δείξεις Ma ⟨ἂν⟩ St ἐγκύμωνι L
27 διαλιπόντα L¹ διαλείποντα L*

των δὲ οὐ τὴν κυοφορίαν μόνον, ἀλλὰ καὶ τὴν γαλακτουχίαν. ὅθεν 73, 1
εἰκότως καὶ ὁ Μωυσῆς κατ' ὀλίγον εἰς ἐγκράτειαν προβιβάζων τοὺς
Ἰουδαίους | »τριῶν ἡμερῶν« κατὰ τὸ ἑξῆς ἀπεσχημένους ἀφροδισίου 544 P
ἡδονῆς προσέταξεν ἐπακούειν τῶν θείων λόγων. »ἡμεῖς οὖν ναοὶ 2
5 τοῦ θεοῦ ἐσμεν· καθὼς εἶπεν ὁ προφήτης, ὅτι ἐνοικήσω ἐν αὐτοῖς
καὶ ἐμπεριπατήσω καὶ ἔσομαι αὐτῶν θεὸς καὶ αὐτοὶ ἔσονταί μου
λαός,« ἐὰν κατὰ τὰς ἐντολὰς πολιτευώμεθα εἴτε ὁ καθ' ἕκαστον
ἡμῶν εἴτε καὶ ἀθρόα ἡ ἐκκλησία. »διὸ ἐξέλθετε ἐκ μέσου αὐτῶν καὶ 3
ἀφορίσθητε, λέγει κύριος, καὶ ἀκαθάρτου μὴ ἅπτεσθε· κἀγὼ εἰσδέ-
10 ξομαι ὑμᾶς καὶ ἔσομαι ὑμῖν εἰς πατέρα, καὶ ὑμεῖς ἔσεσθέ μοι εἰς υἱοὺς
καὶ θυγατέρας, λέγει κύριος παντοκράτωρ.« οὐ τῶν γεγαμηκότων, 4
ὥς φασιν, ἀλλὰ τῶν ἐθνῶν τῶν ἐν πορνείᾳ βιούντων ἔτι, πρὸς δὲ
καὶ τῶν προειρημένων αἱρέσεων ἀφορισθῆναι ὡς ἀκαθάρτων καὶ
ἀθέων κελεύει προφητικῶς ἡμᾶς. ὅθεν καὶ ὁ Παῦλος, πρὸς τοὺς 74, 1
15 ὁμοίους ἀποτεινόμενος τοῖς εἰρημένοις, »ταύτας οὖν ἔχετε τὰς
ἐπαγγελίας« φησίν, »ἀγαπητοί· καθαρίσωμεν ἑαυτῶν τὰς καρδίας ἀπὸ
παντὸς μολυσμοῦ σαρκὸς καὶ πνεύματος, ἐπιτελοῦντες ἁγιωσύνην ἐν
φόβῳ θεοῦ·« »ζηλῶ γὰρ ὑμᾶς θεοῦ ζήλῳ, ἡρμοσάμην γὰρ ὑμᾶς ἑνὶ
ἀνδρὶ παρθένον ἁγνὴν παραστῆσαι τῷ Χριστῷ.« ἐκκλησία δὲ ἄλλον 2
20 οὐ γαμεῖ τὸν νυμφίον κεκτημένη, ἀλλ' ὁ καθ' ἕκαστον ἡμῶν ἣν ἂν
βούληται κατὰ τὸν νόμον γαμεῖν, τὸν πρῶτον λέγω γάμον, ἔχει τὴν
ἐξουσίαν. »φοβοῦμαι δὲ μή πως, ὡς ὁ ὄφις ἐξηπάτησεν Εὔαν ἐν τῇ 3
πανουργίᾳ, φθαρῇ τὰ νοήματα ὑμῶν ἀπὸ τῆς ἁπλότητος τῆς εἰς
τὸν Χριστόν«, σφόδρα εὐλαβῶς καὶ διδασκαλικῶς εἴρηκεν ὁ ἀπό-
25 στολος. διὸ καὶ ὁ θαυμάσιος Πέτρος φησίν· »ἀγαπητοί, παρακαλῶ 75, 1
ὡς παροίκους καὶ παρεπιδήμους ἀπέχεσθαι τῶν σαρκικῶν ἐπιθυμιῶν,
αἵτινες στρατεύονται κατὰ τῆς ψυχῆς, τὴν ἀναστροφὴν ὑμῶν καλὴν
ἔχοντες ἐν τοῖς ἔθνεσιν· ὅτι οὕτως ἐστὶ τὸ θέλημα τοῦ θεοῦ, ἀγα- 2
θοποιοῦντας φιμοῦν τὴν τῶν ἀφρόνων ἀνθρώπων ἐργασίαν, ὡς
30 ἐλεύθεροι καὶ μὴ ὡς ἐπικάλυμμα ἔχοντες τῆς κακίας τὴν ἐλευθερίαν,
ἀλλ' ὡς δοῦλοι θεοῦ.« ὁμοίως δὲ καὶ ὁ Παῦλος ἐν τῇ πρὸς Ῥω- 3
μαίους ἐπιστολῇ γράφει· »οἵτινες ἀπεθάνομεν τῇ ἁμαρτίᾳ, πῶς ἔτι
ζήσομεν ἐν αὐτῇ; ὅτι ὁ παλαιὸς ἡμῶν ἄνθρωπος συνεσταυρώθη,
ἵνα καταργηθῇ τὸ σῶμα τῆς ἁμαρτίας« ἕως »μηδὲ παριστάνετε τὰ
35 μέλη ὑμῶν ὅπλα ἀδικίας τῇ ἁμαρτίᾳ.«

Καὶ δὴ ἐνταῦθα γενόμενος δοκῶ 'μοι μὴ παραλείψειν ἀνεπιση- 76, 1

3f. vgl. Exod 19, 15   4—11 II Cor 6, 16—18   13f. vgl. Strom. VII 109, 1
15—18 II Cor 7, 1   18f. II Cor 11, 2   21 zu πρῶτον vgl. S. 197, 12; 233, 23f.   22—
24 II Cor 11, 3   25—31 I Petr 2, 11f. 15f.   32—35 Rom 6, 2. 6. 13

15 ἔχοντες II Cor   29 ἐργασίαν] ἀγνωσίαν I Petr außer HSS 96. 142

μείωτον, ὅτι τὸν αὐτὸν θεὸν διὰ νόμου καὶ προφητῶν καὶ εὐαγγελίου ὁ ἀπόστολος κηρύσσει· τὸ γὰρ ›οὐκ ἐπιθυμήσεις‹ ἐν τῷ εὐαγγελίῳ γεγραμμένον τῷ νόμῳ περιτίθησιν ἐν τῇ πρὸς Ῥωμαίους ἐπιστολῇ, ἵνα εἰδὼς τὸν διὰ νόμου καὶ προφητῶν κηρύξαντα καὶ
5 τὸν δι᾽ αὐτοῦ εὐαγγελισθέντα πατέρα. φησὶ | γάρ· ›τί ἐροῦμεν; ὁ 2 54 νόμος ἁμαρτία; μὴ γένοιτο· ἀλλὰ τὴν ἁμαρτίαν οὐκ ἔγνων εἰ μὴ διὰ νόμου· τήν τε γὰρ ἐπιθυμίαν οὐκ ᾔδειν, εἰ μὴ ὁ νόμος ἔλεγεν· οὐκ ἐπιθυμήσεις.‹ κἂν οἱ ἀντιτασσόμενοι τῶν ἑτεροδόξων προσα- 3 ποτεινόμενον τὸν Παῦλον τῷ κτίστῃ εἰρηκέναι ὑπολάβωσι τὰ ἑξῆς
10 ›οἶδα γὰρ ὅτι οὐκ οἰκεῖ ἐν ἐμοί, τουτέστιν ἐν τῇ σαρκί μου, ἀγαθόν‹, ἀλλ᾽ ἀναγινωσκόντων τὰ προειρημένα καὶ τὰ ἐπιφερόμενα· προεῖπε 4 γάρ· ›ἀλλ᾽ ἡ οἰκοῦσα ἐν ἐμοὶ ἁμαρτία‹, δι᾽ ἣν ἀκόλουθον ἦν εἰπεῖν ὅτι ›οὐκ οἰκεῖ ἐν τῇ σαρκί μου ἀγαθόν‹. ἑπομένως ⟨δ᾽⟩ ἐπήγαγεν· ›εἰ 77, 1 δὲ ὃ οὐ θέλω, τοῦτο ἐγὼ ποιῶ, οὐκέτι ἐγὼ κατεργάζομαι αὐτό, ἀλλ᾽
15 ἡ οἰκοῦσα ἐν ἐμοὶ ἁμαρτία‹, ἥτις ›ἀντιστρατευομένη τῷ νόμῳ‹ τοῦ θεοῦ καὶ ›τοῦ νοός μου‹, φησίν, ›αἰχμαλωτίζει με ἐν τῷ νόμῳ τῆς ἁμαρτίας τῷ ὄντι ἐν τοῖς μέλεσί μου. ταλαίπωρος ἐγὼ ἄνθρωπος· τίς με ῥύσεται ἐκ τοῦ σώματος τοῦ θανάτου τούτου;‹ πάλιν τε αὖ 2 (κάμνει γὰρ οὐδ᾽ ὁπωστιοῦν ὠφελῶν) οὐκ ὀκνεῖ ἐπιλέγειν· ›ὁ γὰρ
20 νόμος τοῦ πνεύματος ἠλευθέρωσέν με ἀπὸ τοῦ νόμου τῆς ἁμαρτίας καὶ τοῦ θανάτου‹, ἐπεὶ διὰ τοῦ υἱοῦ ›ὁ θεὸς κατέκρινεν τὴν ἁμαρτίαν ἐν τῇ σαρκί, ἵνα τὸ δικαίωμα τοῦ νόμου πληρωθῇ ἐν ἡμῖν τοῖς μὴ κατὰ σάρκα περιπατοῦσιν, ἀλλὰ κατὰ πνεῦμα.‹ πρὸς τούτοις ἔτι 3 ἐπισαφηνίζων τὰ προειρημένα ἐπιβοᾷ· ›τὸ μὲν σῶμα νεκρὸν δι᾽
25 ἁμαρτίαν‹ δηλῶν ὡς ὅτι μὴ νεώς, τάφος δ᾽ ἐστὶν ἔτι τῆς ψυχῆς· ὁπηνίκα γὰρ ἁγιασθῇ τῷ θεῷ, ›τὸ πνεῦμα‹, ἐποίσει, ›τοῦ ἐγείραντος ἐκ νεκρῶν Ἰησοῦν οἰκεῖ ἐν ὑμῖν, ὃς ζωοποιήσει καὶ τὰ θνητὰ σώματα ὑμῶν διὰ τοῦ ἐνοικοῦντος αὐτοῦ πνεύματος ἐν ὑμῖν.‹ αὖθις οὖν 78, 1 τοῖς φιληδόνοις ἐπιπλήττων ἐκεῖνα προστίθησι· ›τὸ γὰρ φρόνημα
30 τῆς σαρκὸς θάνατος, ὅτι οἱ κατὰ σάρκα ζῶντες τὰ τῆς σαρκὸς φρονοῦσιν, καὶ τὸ φρόνημα τῆς σαρκὸς ἔχθρα εἰς θεόν· τῷ γὰρ νόμῳ τοῦ θεοῦ οὐχ ὑποτάσσεται. οἱ δὲ ἐν σαρκὶ ὄντες‹, οὐχ ὥς τινες δογματίζουσι, ›θεῷ ἀρέσαι οὐ δύνανται‹, ἀλλ᾽ ὡς προειρήκαμεν.

2 vgl. Mt 5, 27f. u. S. 228, 16   5—8 Rom ι, ι   8 vgl. Strom. III 34, 3. 4 S. 211, 16. 20   10 Rom 7, 18   12f. Rom 7, 17f.   13—18 Rom 7, 20. 23f.   15f. τοῦ θεοῦ aus Rom 7, 22   19—23 Rom 8, 2—4   24—28 Rom 8, 10f.   25 zu νεώς vgl. I Cor 3, 16; 6, 19; zu τάφος vgl. Plato Krat. p. 400 BC; Strom III 16, 3   26 zu ἐποίσει vgl. Strom. V 9, 7   29—33 Rom 8, 6ᵃ. 5ᵃ. 7f.

13 ⟨οἷς⟩ ἑπομένως Schw   ⟨δ᾽⟩ St   19 τι Sy τις L   25 [ὅτι] Ma   [δ᾽] St

εἶτα πρὸς ἀντιδιαστολὴν | τούτων τῇ ἐκκλησίᾳ φησίν· »ὑμεῖς δὲ οὐκ 2 197 S
ἐστὲ ἐν σαρκί, ἀλλ' ἐν πνεύματι, εἴπερ πνεῦμα θεοῦ οἰκεῖ ἐν ὑμῖν.
εἰ δέ τις πνεῦμα Χριστοῦ οὐκ ἔχει, οὗτος οὐκ ἔστιν αὐτοῦ. εἰ δὲ
Χριστὸς ἐν ὑμῖν, τὸ μὲν σῶμα νεκρὸν δι' ἁμαρτίαν, τὸ δὲ πνεῦμα
5 ζωὴ διὰ δικαιοσύνην. ἄρα οὖν, ἀδελφοί, ὀφειλέται ἐσμέν, οὐ τῇ 3
σαρκὶ τοῦ κατὰ σάρκα ζῆν. εἰ γὰρ κατὰ σάρκα ζῆτε, μέλλετε ἀπο
θνῄσκειν· εἰ δὲ πνεύματι τὰς πράξεις τοῦ σώματος θανατοῦτε, ζή
σεσθε. ὅσοι γὰρ πνεύματι θεοῦ ἄγονται, | οὗτοί εἰσιν υἱοὶ θεοῦ.« 546 P
καὶ πρὸς τὴν εὐγένειαν καὶ πρὸς τὴν ἐλευθερίαν τὴν καταπτύστως 4
10 ὑπὸ τῶν ἑτεροδόξων εἰσαγομένην ⟨τῶν⟩ ἐπ' ἀσελγείᾳ καυχωμένων
ἐπιφέρει λέγων· »οὐ γὰρ ἐλάβετε πνεῦμα δουλείας πάλιν εἰς φόβον,
ἀλλὰ ἐλάβετε πνεῦμα υἱοθεσίας, ἐν ᾧ κράζομεν· ἀββᾶ ὁ πατήρ·«
τουτέστιν εἰς τοῦτο ἐλάβομεν, ἵνα γινώσκωμεν τοῦτον ᾧ προσευχό
μεθα, τὸν τῷ ὄντι πατέρα, τὸν τῶν ὄντων μόνον πατέρα, τὸν εἰς 5
15 σωτηρίαν παιδεύοντα ὡς πατέρα καὶ τὸν φόβον †ἀπειλεῖ.

XII. Ἡ δὲ »ἐκ συμφώνου πρὸς καιρὸν σχολάζουσα τῇ προσευχῇ« 79, 1
συζυγία ἐγκρατείας ἐστὶ διδασκαλία· προσέθηκε γὰρ τὸ μὲν »ἐκ
συμφώνου«, ἵνα μή τις διαλύσῃ τὸν γάμον, »πρὸς καιρὸν« δὲ ὡς μὴ
κατὰ ἀνάγκην ἐπιτηδεύων τὴν ἐγκράτειαν ὁ γήμας ὀλισθήσῃ ποτὲ
20 εἰς ἁμαρτίαν, φειδοῖ· μὲν τῆς ἑαυτοῦ συζυγίας, ἐπιθυμίᾳ δὲ ἀλλοτρίᾳ
περιπεσών. ᾧ λόγῳ καὶ τὸν ἀσχημονεῖν ἑαυτὸν ἐπὶ τῇ παρθενο 2
τροφίᾳ ὑπολαμβάνοντα καλῶς εἰς γάμον ἐκδώσειν τὴν θυγατέρα
ἔλεγεν. ἡ πρόθεσίς τε ἑκάστου τοῦ τε ἑαυτὸν εὐνουχίσαντος τοῦ τε 3
αὖ γάμῳ διὰ παιδοποιίαν συζεύξαντος ἀνένδοτος πρὸς τὸ ἧττον διαμέ
25 νειν ὀφείλει. εἰ μὲν γὰρ ἐπιτεῖναι οἷός τε ἔσται τὸν βίον, μείζονα ἀξίαν 4
ἐν θεῷ αὐτὸς ἑαυτῷ περιποιήσεται, καθαρῶς ἅμα καὶ λελογισμένως
ἐγκρατευσάμενος· εἰ δὲ ὑπερβὰς ὃν εἵλετο κανόνα εἰς μείζονα δόξαν,
ἔπειτα ** ἀποπέσῃ πρὸς τὴν ἐλπίδα. ἔχει γὰρ ὥσπερ ἡ εὐνουχία 5
οὕτω καὶ ὁ γάμος ἰδίας λειτουργίας καὶ διακονίας τῷ κυρίῳ διαφε
30 ρούσας, τέκνων λέγω κήδεσθαι καὶ γυναικός· πρόφασις γάρ, ὡς
ἔοικεν, τῷ κατὰ γάμον τελείῳ ἡ τῆς συζυγίας οἰκειότης γίνεται τὴν
πρόνοιαν πάντων ἀναδεδεγμένῳ κατὰ τὸν οἶκον τὸν κοινόν· αὐτίκα 6

1–8. 11f. Rom 8, 9f. 12–15 16 vgl. I Cor 7, 5 18 vgl. Orig. Matth.-Komm.
XIV 2 p. 278, 15 Kl.; Fr in ZntW 36 (1937) 85 21–23 vgl. I Cor 7, 36 25f. vgl.
Past. Herm. Sim. V 3, 3 32–S. 232, 2 vgl. I Tim 3, 4f.

* 10 ⟨τῶν⟩ St 15 ἀπειλει L ἀπειλη⟨μμένον⟩ Wi ἀπολύοντα oder ἀφελόντα St
ἀπειλῆς ⟨ἕνεκα μόνοις τοῖς μὴ πειθομένοις εἰσάγοντα⟩ Ma τὸν φόβον ἐπαρτῶντα ὡς
νομοθέτην Fr vgl. Strom. II 32 (S. 130, 10) 23 ἑκατέρου (vgl. S. 235, 25) St
25 βίον Mü 28 ἔπειτα ** Hiller ἐλπίδα ** Po ἀποπέσῃ πρὸς τὴν ἐλπίδα vgl.
Strom. III 2, 1 (S. 196, 1) τῆς ἐλπίδος ⟨ἐκτρεπομένη⟩ (Fr) 30 ⟨τὸ⟩ τέκνων Mü
31 γίνεται ** Schw

φησὶν ἐπισκόπους δεῖν καθίστασθαι τοὺς ἐκ τοῦ ἰδίου οἴκου καὶ τῆς
ἐκκλησίας ἁπάσης προΐστασθαι μελετήσαντας. »ἕκαστος« οὖν »ἐν ᾧ 7
ἐκλήθη« ἔργῳ τὴν διακονίαν ἐκτελείτω, ἵνα ἐλεύθερος ἐν Χριστῷ
γένηται, τὸν οἰκεῖον τῆς διακονίας ἀπολαμβάνων μισθόν. πάλιν τε 80, 1
5 αὖ περὶ τοῦ νόμου διαλεγόμενος ἀλληγορίᾳ χρώμενος »ἡ γὰρ ὕπαν-
δρος γυνὴ« φησὶ ‹τῷ ζῶντι ἀνδρὶ δέδεται νόμῳ« καὶ τὰ ἑξῆς.
αὖθις τε· »ἡ γυνὴ δέδεται ἐφ᾽ ὅσον ζῇ χρόνον ὁ | ἀνὴρ αὐτῆς· ἐὰν 547 P
δὲ ἀποθάνῃ, ἐλευθέρα ἐστὶν γαμηθῆναι, μόνον ἐν κυρίῳ· μακαρία δέ
ἐστιν, ἐὰν οὕτως μείνῃ, κατὰ τὴν ἐμὴν γνώμην.« ἀλλ᾽ ἐπὶ μὲν τῆς 2
10 προτέρας περικοπῆς »ἐθανατώθητε« φησὶ ›τῷ νόμῳ«, οὐ τῷ γάμῳ,
»εἰς τὸ γενέσθαι ὑμᾶς ἑτέρῳ, τῷ ἐκ νεκρῶν ἐγερθέντι,« νύμφην καὶ
ἐκκλησίαν, ἣν ἁγνὴν εἶναι δεῖ τῶν τε ἔνδον ἐννοιῶν τῶν ἐναντίων
τῇ ἀληθείᾳ τῶν τε ἔξωθεν πειραζόντων, τουτέστι τῶν τὰς αἱρέσεις
μετιόντων καὶ πορνεύειν ἀπὸ τοῦ ἑνὸς ἀνδρὸς ἀναπειθόντων, τοῦ
15 παντοκράτορος θεοῦ, ›ἵνα μὴ ὡς ὁ ὄφις ἐξηπάτησεν Εὔαν«, τὴν
λεγομένην ›ζωήν«, καὶ ἡμεῖς ὑπὸ τῆς κατὰ τὰς αἱρέσεις λίχνου πα-
νουργίας παραβῶμεν τὰς ἐντολάς. ἡ δευτέρα δὲ περικοπὴ μονο- 3
γαμίαν ἵστησιν. οὐ γάρ, ὥς τινες ἐξηγήσαντο, δέσιν γυναικὸς πρὸς
ἄνδρα τὴν σαρκὸς πρὸς τὴν φθορὰν ἐπιπλοκὴν μηνύεσθαι ὑποτο-
20 πητέον· τῶν γὰρ ἄντικρυς διαβόλῳ προσαπτόντων τὴν τοῦ γάμου
εὕρεσιν ἀθέων ἀνθρώπων ἐπίνοιαν κατηγορεῖ, δι᾽ ἧς κινδυνεύει
βλασφημεῖσθαι ὁ νομοθέτης. Τατιανὸν οἶμαι τὸν Σύρον τὰ τοιαῦτα 81, 1
τολμᾶν δογματίζειν. γράφει γοῦν κατὰ λέξιν ἐν τῷ Περὶ τοῦ κατὰ
τὸν σωτῆρα καταρτισμοῦ· »συμφωνία μὲν οὖν ἁρμόζει προσευχῇ,
25 κοινωνία δὲ φθορᾶς λύει τὴν ἔντευξιν. πάνυ γοῦν δυσωπητικῶς διὰ
τῆς συγχωρήσεως εἴργει· πάλιν γὰρ ἐπὶ ταὐτὸ συγχωρήσας γενέσθαι 2
διὰ τὸν σατανᾶν καὶ τὴν ἀκρασίαν, τὸν πεισθησόμενον ›δυσὶ κυρίοις
μέλλειν δουλεύειν‹ ἀπεφήνατο, διὰ μὲν συμφωνίας θεῷ, διὰ δὲ τῆς
ἀσυμφωνίας ἀκρασίᾳ καὶ πορνείᾳ καὶ διαβόλῳ.« ταῦτα δέ φησι τὸν 3

2f. vgl. I Cor 7, 24   3f. vgl. I Cor 7, 22   5f. Rom 7, 2   7—9 I Cor 7, 39f.
10f. Rom 7, 4   11f. zu νύμφην vgl. z. B. Apc 21, 2; 22, 17; zu ἁγνὴν II Cor 11, 2
(S. 229, 18)   15 II Cor 11, 3   16 vgl. Gen 3, 20   18f. vgl. Epiph. Haer. 46 τὸν
γάμον πορνείαν καὶ φθορὰν ἡγεῖται (Tatian)   20f. vgl. S. 218, 21f.; S. 233, 9f.
22—29 vgl. Hilgenfeld, Ketzergeschichte S. 390   24—29 Tatian Fr. 5 Schwartz
24f. 26f. vgl. I Cor 7, 5 (S. 231, 16f.)   25 zu ἔντευξιν vgl. I Tim 4, 5   27f. vgl.
Mt 6, 24

1 δεῖν St δεῖ L   19 σαρκὸς (o corr. aus ω) L¹   20 προσαπτόντων (zw. α u. π
Ras. 2 Buchst.) L¹   21 δι᾽ ἧς St καὶ L φ oder ὅθεν Lowth καθ᾽ ἣν oder ἣ Heyse
23 γ᾽ οὖν (γ᾽ üb. d. Z.) L¹   24 συμφωνία Maranus συμφωνίαν L

ἀπόστολον ἐξηγούμενος· σοφίζεται δὲ τὴν ἀλήθειαν δι' ἀληθοῦς
ψεῦδος κατασκευάζων. ἀκρασίαν μὲν γὰρ καὶ πορνείαν διαβολικὰ 4
εἶναι πάθη καὶ ἡμεῖς ὁμολογοῦμεν, γάμου δὲ τοῦ σώφρονος μεσιτεύει
συμφωνία, ἐπί τε τὴν εὐχὴν ἐγκρατῶς ἄγουσα ἐπί τε τὴν παιδοποιίαν
5 μετὰ σεμνότητος νυμφεύουσα. γνῶσις γοῦν καὶ ὁ τῆς παιδοποιίας 5
καιρὸς πρὸς τῆς γραφῆς εἴρηται, ἐπειδὰν φῇ· »ἔγνω δὲ Ἀδὰμ Εὔαν
τὴν γυναῖκα αὐτοῦ, | καὶ συλλαβοῦσα ἔτεκεν υἱόν, καὶ ἐπωνόμασεν 548 P
τὸ ὄνομα αὐτοῦ Σήθ· ἐξανέστησεν γάρ μοι ὁ θεὸς σπέρμα ἕτερον
ἀντὶ Ἄβελ.« ὁρᾷς εἰς τίνα βλασφημοῦσιν οἱ μυσαττόμενοι τὴν σώ- 6
10 φρονα σπορὰν καὶ τῷ διαβόλῳ προσάπτοντες τὴν γένεσιν; οὐ γὰρ
θεὸν ἁπλῶς προσεῖπεν ὁ τῇ τοῦ ἄρθρου προτάξει τὸν παντοκράτορα
δηλώσας. ἡ δὲ ἐπιφορὰ τοῦ ἀποστόλου »καὶ πάλιν ἐπὶ τὸ αὐτὸ 82, 1
γίνεσθαι διὰ τὸν σατανᾶν« ἐκεῖνο προανακόπτει ⟨τὸ⟩ μὴ εἰς ἐπιθυμίας
ἑτέρας ἐκτραπῆναί ποτε· οὐ γὰρ ἀποκρούεται τέλεον τὰς τῆς φύσεως
15 ὀρέξεις δυσωποῦσα ἡ πρόσκαιρος συμφωνία, δι' ἃς εἰσάγει πάλιν τὴν
συ|ζυγίαν τοῦ γάμου, οὐκ εἰς ἀκρασίαν καὶ πορνείαν καὶ τὸ τοῦ δια- 198 S
βόλου ἔργον, ἀλλ' ὅπως μὴ ὑποπέσῃ ἀκρασίᾳ καὶ πορνείᾳ καὶ διαβόλῳ.
χωρίζει δὲ καὶ τὸν παλαιὸν ἄνδρα καὶ τὸν καινὸν ὁ Τατιανός, ἀλλ' 2
οὐχ ὡς ἡμεῖς φαμεν· παλαιὸν μὲν ἄνδρα τὸν νόμον, καινὸν δὲ τὸ
20 εὐαγγέλιον συμφωνοῦμεν αὐτῷ καὶ αὐτοὶ λέγοντες, πλὴν οὐχ ᾗ
βούλεται ἐκεῖνος καταλύων τὸν νόμον ὡς ἄλλου θεοῦ· ἀλλ' ὁ αὐτὸς 3
ἀνὴρ καὶ κύριος παλαιὰ καινίζων οὐ πολυγαμίαν ἔτι συγχωρεῖ (τότε
γὰρ ἀπῄτει ὁ καιρός, ὅτε αὐξάνεσθαι καὶ πληθύνειν ἐχρῆν), μονογα-
μίαν δὲ εἰσάγει διὰ παιδοποιίαν καὶ τὴν τοῦ οἴκου κηδεμονίαν, εἰς
25 ἣν »βοηθὸς« ἐδόθη ἡ γυνή καὶ εἴ τινι ὁ ἀπόστολος δι' ἀκρασίαν 4
καὶ πύρωσιν »κατὰ συγγνώμην« δευτέρου μεταδίδωσι γάμου, [ἐπεὶ] καὶ
οὗτος οὐχ ἁμαρτάνει μὲν κατὰ διαθήκην (οὐ γὰρ κεκώλυται πρὸς
τοῦ νόμου), οὐ πληροῖ δὲ τῆς κατὰ τὸ εὐαγγέλιον πολιτείας τὴν
κατ' ἐπίτασιν τελειότητα· δόξαν δὲ αὐτῷ οὐράνιον περιποιεῖ 5

---

*   6—9 Gen 4, 25   12f. vgl. I Cor 7, 5   15—17 vgl. I Cor 7, 5   18—20 vgl. Rom 7, 2
18—21 Tatian Fr. 6 Schwartz; vgl. Hilgenfeld, Ketzergeschichte S. 390   21—23
arabisch bei Fleisch fr. 4 (Fr)   22 zu παλαιὰ καιν. vgl. z. B. II Cor 5, 17   22f. vgl.
Theodoret Haer. fab. V 25 διὰ γὰρ δὴ τοῦτο καὶ πλείους ἔχειν γυναῖκας τοὺς παλαιοὺς
οὐκ ἐκώλυσεν, ἵνα αὐξηθῇ τῶν ἀνθρώπων τὸ γένος. Vgl. auch Petrus Laod. p. 211, 20
H.; Fr in ZntW 36 (1937) 85   23 vgl. Gen 1, 28   25 vgl. Gen 2, 18   25f. vgl.
I Cor 7, 6. 39f. (zu πύρωσιν I Cor 7, 9)   29 κατ' ἐπίτασιν vgl. Strom. III 79, 4
(S. 231, 25) ἐπιτείναι τὸν βίον

     9 εἰς τινα L   10 προσάπτοντες τὴν (vgl. S. 232, 20) St προσάπτεσθαι L -όμενοι
Ρο -εσθαι γένεσιν ⟨τολμῶντες⟩ Ma   13 γίνεσθε Sy   ⟨τὸ⟩ Mü 15 δι' ἃς St δι' ἣν L δι'
ὁ Schw   22 ⟨παλαιὸς⟩ ἀνὴρ Schw   23 καιρός Mü (so auch Petrus Laod.) θεός L
26 [ἐπεὶ] Heyse   27 ⟨τὴν παλαιὰν⟩ διαθήκην St   29 αὐτῷ L περιποιεῖ ⟨ὁ⟩ Ma

μείνας ἐφ᾽ ἑαυτοῦ καὶ τὴν διαλυθεῖσαν θανάτῳ συζυγίαν ἄχραντο
φυλάσσων καὶ τῇ οἰκονομίᾳ πειθόμενος εὐαρέστως, καθ᾽ ἣν »ἀπε-
ρίσπαστος« τῆς τοῦ κυρίου γέγονε λειτουργίας. οὐδὲ μὴν τὸν ἀπὸ 6
τῆς κατὰ συζυγίαν κοίτης ὁμοίως ὡς πάλαι βαπτίζεσθαι καὶ νῦν
5 προστάσσει ἡ θεία διὰ κυρίου πρόνοια. οὐ γὰρ ἐπάναγκες παιδο-
ποιίας ἀφίστησι τοὺς πιστεύοντας δι᾽ ἑνὸς βαπτίσματος εἰς τὸ παν-
τελὲς τῆς ὁμιλίας ἀπολούσας ὁ κύριος, ὁ καὶ τὰ πολλὰ Μωυσέως δι᾽
ἑνὸς | περιλαβὼν βαπτίσματος. ἄνωθεν οὖν ὁ νόμος τὴν ἀναγέννησιν 83,1
ἡμῶν προφητεύων διὰ σαρκικῆς γενέσεως ἐπὶ τῇ γεννητικῇ ⟨καταβολῇ⟩
10 τοῦ σπέρματος προσέφερε τὸ βάπτισμα, οὐ βδελυσσόμενος ἀνθρώπου
γένεσιν· ὃ γὰρ φαίνεται γεννηθεὶς ἄνθρωπος, τοῦτο δύναται ἡ τοῦ
σπέρματος καταβολή. οὔκουν αἱ πολλαὶ συνουσίαι γόνιμοι, ἀλλ᾽ ἡ 2
τῆς μήτρας παραδοχὴ τὴν γένεσιν ὁμολογεῖ, ἐν τῷ τῆς φύσεως ἐρ-
γαστηρίῳ διαπλαττομένου τοῦ σπέρματος εἰς ἔμβρυον. πῶς δὲ ὁ 8
15 μὲν γάμος παλαιὸς μόνον καὶ νόμου εὕρημα, ἀλλοῖος δὲ ὁ κατὰ τὸν
κύριον γάμος τοῦ αὐτοῦ θεοῦ πρὸς ἡμῶν τηρουμένου; »οὐ γὰρ ἂν 4
ὃ συνέζευξεν ὁ θεός, διαλύσειέν ποτε ἄνθρωπος« εὐλόγως, πολὺ δὲ
πλέον ἅπερ ὁ πατὴρ προσέταξεν, τηρήσει ταῦτα καὶ ὁ υἱός. εἰ δὲ
ὁ αὐτὸς νομοθέτης ἅμα καὶ εὐαγγελιστής, οὐ μάχεταί ποτε ἑαυτῷ.
20 ζῇ γὰρ ὁ νόμος πνευματικὸς ὢν καὶ γνωστικῶς νοούμενος. ἡμεῖς δ᾽ 5
»ἐθανατώθημεν τῷ νόμῳ διὰ τοῦ σώματος τοῦ Χριστοῦ εἰς τὸ
γενέσθαι ἡμᾶς ἑτέρῳ, τῷ ἐκ νεκρῶν ἐγερθέντι,« τῷ ὑπὸ τοῦ νόμου
προφητευθέντι, »ἵνα καρποφορήσωμεν τῷ θεῷ.« διὸ »ὁ μὲν νόμος 84,1
ἅγιος καὶ ἡ ἐντολὴ ἁγία καὶ δικαία καὶ ἀγαθή.« ἐθανατώθημεν οὖν
25 τῷ νόμῳ, τουτέστι τῇ ὑπὸ τοῦ νόμου δηλουμένῃ ἁμαρτίᾳ, ἣν δεί-
κνυσιν, οὐ γεννᾷ ὁ νόμος, διὰ τῆς προστάξεως τῶν ποιητέων καὶ
ἀπαγορεύσεως ὧν οὐ ποιητέον ἐλέγχων τὴν ὑποκειμένην ἁμαρτίαν,
»ἵνα φανῇ ἁμαρτία«. εἰ δὲ ἁμαρτία ὁ γάμος ὁ κατὰ νόμον, οὐκ 2
οἶδα πῶς τις ἐρεῖ θεὸν ἐγνωκέναι λέγων τὸ πρόσταγμα τοῦ θεοῦ
30 ἁμαρτίαν εἶναι· ἁγίου δὲ ὄντος τοῦ νόμου ἅγιος ὁ γάμος. τὸ μυστή-
ριον τοίνυν τοῦτο εἰς τὸν Χριστὸν καὶ τὴν ἐκκλησίαν ἄγει ὁ ἀπό-
στολος. καθάπερ »τὸ γεννώμενον ἐκ τῆς σαρκὸς σάρξ ἐστιν, οὕτω 8
τὸ ἐκ πνεύματος πνεῦμα« οὐ μόνον κατὰ τὴν ἀποκύησιν, ἀλλὰ καὶ

---

* 1–3 zur Ansicht über die 2. Ehe vgl. Athenag. Lib. pro Christ. 33   2f. vgl.
I Cor 7, 35   3f. vgl. Lev 15, 18   7f. vgl. Mt 3, 15   16f. vgl. Mt 19, 6   20 vgl.
Rom 7, 14   21–23 Rom 7, 4   23f. Rom 7, 12   25 vgl. Rom 7, 7; Strom. II 34, 4
26f. vgl. Paed. I 8, 3 mit Anm.   28 Rom 7, 13   30 vgl. Rom 7, 12   30–32 vgl.
Eph 5, 32   32f. Io 3, 6

7 ὅ² Heyse εἰ L   8 βαπτίσματα Schw; daß βαπτίσματα falsch ist, hat Fr PhW
59, 1939 Sp. 1090 erwiesen   9 ⟨καταβολῇ⟩ Hiller Schw   11 ⟨οὐ⟩ δύναται Schw
13 παραδοχὴ * * Schw   27 ὧν οὐ ποιητέον (vgl. S. 104, 12) St τῶν οὐ ποιητέον L

κατὰ τὴν μάθησιν. αὐτίκα ›ἅγια τὰ τέκνα‹, αἱ εὐαρεστήσεις, τῷ
θεῷ τῶν κυριακῶν λόγων νυμφευσάντων τὴν ψυχήν. πορνεία γοῦν 4
καὶ γάμος κεχώρισται, ἐπεὶ μακρὰν ἀφέστηκε τοῦ θεοῦ ὁ διάβολος.
›καὶ ὑμεῖς οὖν ἐθανατώθητε τῷ νόμῳ διὰ τοῦ σώματος τοῦ Χριστοῦ
5 εἰς τὸ γενέσθαι ὑμᾶς ἑτέρῳ, τῷ ἐκ νεκρῶν ἐγερθέντι‹ συνεξακούεται
γὰρ προσεχῶς ὑπηκόους γενομένους, ἐπεὶ καὶ κατὰ τὴν ἀλήθειαν τοῦ
νόμου τῷ αὐτῷ κυρίῳ ὑπακούομεν πόρρωθεν παρακελευομένῳ. | καὶ 85,1 550 P
μή τι ἐπὶ τῶν τοιούτων εἰκότως ›τὸ πνεῦμα‹ ἄντικρυς ›λέγει ὅτι
ἐν ὑστέροις καιροῖς ἀποστήσονταί τινες τῆς πίστεως, προσέχοντες
10 πνεύμασι πλάνοις καὶ διδασκαλίαις δαιμονίων, ἐν ὑποκρίσει ψευδολό-
γων, κεκαυτηριασμένων τὴν συνείδησιν καὶ κωλυόντων γαμεῖν, ἀπέ-
χεσθαι βρωμάτων, ἃ ὁ θεὸς ἔκτισεν εἰς μετάληψιν μετ᾽ εὐχαριστίας
τοῖς πιστοῖς καὶ ἐπεγνωκόσι τὴν ἀλήθειαν. ὅτι πᾶν κτίσμα θεοῦ
καλόν, καὶ οὐδὲν ἀπόβλητον μετ᾽ εὐχαριστίας λαμβανόμενον. ἁγιά-
15 ζεται γὰρ διὰ λόγου θεοῦ καὶ ἐντεύξεως.‹ ἐπάναγκες μὲν οὖν οὐ 2
κωλυτέον γαμεῖν οὐδὲ μὴν κρεοφαγεῖν ἢ οἰνοποτεῖν, γέγραπται γάρ·
›καλὸν τὸ μὴ φαγεῖν κρέα μηδὲ πίνειν οἶνον,‹ ἐὰν διὰ προσκόμ-
ματος ἐσθίῃ· καὶ ›καλὸν μένειν ὡς κἀγώ,‹ ἀλλ᾽ ὅ τε χρώμενος ›μετ᾽
εὐχαριστίας‹ ὅ τε αὖ μὴ χρώμενος καὶ αὐτὸς ›μετ᾽ εὐχαριστίας‹
20 μετά τε ἐγκρατοῦς ἀπολαύσεως βιούτω κατὰ λόγον. καὶ καθόλου 86, 1
πᾶσαι αἱ ἐπιστολαὶ τοῦ ἀποστόλου σωφροσύνην καὶ ἐγκράτειαν διδά-
σκουσαι περί τε γάμων περί τε παιδοποιίας περί τε οἴκου διοικήσεως
μυρίας ὅσας ἐντολὰς περιέχουσαι οὐδαμοῦ γάμον ἠθέτησαν τὸν σώ-
φρονα, ἀλλά, τὴν ἀκολουθίαν σῴζουσαι τοῦ νόμου πρὸς τὸ εὐαγγέλιον,
25 ἀποδέχονται ἑκάτερον τόν τε εὐχαρίστως τῷ θεῷ γάμῳ κεχρημένον
σωφρόνως τόν τε εὐνουχίᾳ ὡς ὁ κύριος βούλεται συμβιοῦντα, καθὼς
›ἐκλήθη ἕκαστος‹, ἑλόμενον ἀπταίστως καὶ τελείως. καὶ ›ἦν ἡ γῆ 2
τοῦ Ἰακὼβ ἐπαινουμένη παρὰ πᾶσαν τὴν γῆν‹, φησὶν ὁ προφήτης,
τὸ σκεῦος τοῦ πνεύματος αὐτοῦ δοξάζων. κατατρέχει δὲ τῆς γενέ- 3
30 σεως φθαρτὴν καὶ ἀπολλυ|μένην λέγων καὶ βιάζεταί τις, ἐπὶ τεκνο- 199 S

1 vgl. I Cor 7, 14   4 f. Rom 7, 4   7—15 I Tim 4, 1—5   17 f. vgl. Rom 14, 21
18 vgl. I Cor 7, 8   18 f. vgl. I Tim 4, 4; Rom 14, 6   27 vgl. I Cor 7, 20. 24   zu
ἀπταίστως vgl. Iud 24   27—29 aus Barnab. Ep. 11, 9   27 f. woher? (vgl. Soph
3, 19 f.; Ez 20, 6); vgl. Resch, Agrapha² S. 333, Logion 61   29—S. 236, 4 vgl.
Hilgenfeld, Ketzergeschichte S. 390 f.; Schwartz, Ausg. d. Tatian S. 49

6 προσεχῶς He προσεχεῖς L   [γενομένους] oder γενέσθαι (wie Z. 5) St   6 f. ⟨διὰ⟩
τοῦ νόμου Wakefield zu Soph. Trach. 372; aber vgl. Gal 2, 14 πρὸς τὴν ἀλήθειαν
τοῦ εὐαγγελίου   8 ἄντικρυς] ῥητῶς I Tim   27 ἑλόμενον Schw ἑλόμενος L   29 αὐτοῦ
Barn. αὐτὸς L αὐτὸ Ma   τῆς Ma τις L   30 ἐπὶ] περὶ Mü

ποίας λέγων εἰρηκέναι τὸν σωτῆρα ἐπὶ γῆς »μὴ θησαυρίζειν ὅπου
σὴς καὶ βρῶσις ἀφανίζει«, καὶ τὰ τοῦ προφήτου προσπαρατιθέναι
τούτοις οὐκ αἰσχύνεται· »πάντες [ὡς] ὑμεῖς ὡς ἱμάτιον παλαιω-
θήσεσθε καὶ σὴς βρώσεται ὑμᾶς.« ἀλλ' οὐδὲ ἡμεῖς ἀντιλέγομεν τῇ 4
5 γραφῇ, ὅτι φθαρτὰ ἡμῖν τὰ σώματα καὶ φύσει ῥευστά· τάχα δ' ἂν
καὶ οἷς διελέγετο ὡς ἁμαρτωλοῖς προφητεύοι φθοράν. ὁ σωτὴρ δὲ
οὐ περὶ τεκνοποιίας εἴρηκεν, ἀλλ' εἰς μετάδοσιν κοινωνίας προτρέ-
πων τοὺς κτᾶσθαι μόνον τὴν τοῦ πλούτου περιουσίαν, ἐπικουρεῖν |
δὲ τοῖς δεομένοις μὴ βουλομένους. διό φησιν· »ἐργάζεσθε μὴ τὴν 87,15
10 ἀπολλυμένην βρῶσιν, ἀλλὰ τὴν μένουσαν εἰς ζωὴν αἰώνιον.« ὁμοίως
δὲ κἀκεῖνο κομίζουσι τὸ ῥητόν· »οἱ υἱοὶ τοῦ αἰῶνος ἐκείνου οὔτε γα-
μοῦσιν οὔτε γαμίζονται.« ἀλλὰ τὸ ἐρώτημα τοῦτο [τὸ] περὶ νεκρῶν 2
ἀναστάσεως καὶ τοὺς πυνθανομένους αὐτοὺς ἐὰν ἀναπεμπάσηταί τις,
οὐκ ἀποδοκιμάζοντα τὸν γάμον εὑρήσει τὸν κύριον, θεραπεύοντα δὲ
15 τὴν κατὰ τὴν ἀνάστασιν τῆς σαρκικῆς ἐπιθυμίας προσδοκίαν. τὸ δὲ 3
»οἱ υἱοὶ τοῦ αἰῶνος τούτου« οὐ πρὸς ἀντιδιαστολὴν τῶν ἄλλου
τινὸς αἰῶνος υἱῶν εἴρηκεν, ἀλλ' ἐπ' ἴσης τῷ »οἱ ἐν τούτῳ γενό-
μενοι τῷ αἰῶνι«, διὰ τὴν γένεσιν υἱοὶ ὄντες, γεννῶσι καὶ γεννῶνται,
ἐπεὶ μὴ ἄνευ γενέσεώς τις ⟨εἰς⟩ τόνδε τὸν βίον παρελεύσεται, ἀλλ'
20 ἤδε ἡ γένεσις τὴν ὁμοίαν ἐπιδεχομένη φθορὰν οὐκέτι ἀναμένει τὸν
ἅπαξ τοῦδε τοῦ βίου κεχωρισμένον. »εἷς μὲν οὖν ὁ πατὴρ ὑμῶν ὁ 4
ἐν τοῖς οὐρανοῖς,« ἀλλὰ καὶ ἁπάντων πατὴρ κατὰ τὴν δημιουργίαν
αὐτός. »μὴ καλέσητε οὖν ὑμῖν ἐπὶ τῆς γῆς πατέρα« φησίν, οἷον μὴ
αἴτιον ἡγήσησθε τὸν σπείραντα ὑμᾶς τὴν κατὰ σάρκα σπορὰν τῆς
25 οὐσίας ὑμῶν, ἀλλὰ συναίτιον γενέσεως, μᾶλλον δὲ διάκονον γενέσεως.
οὕτως οὖν ἐπιστραφέντας ἡμᾶς αὖθις ὡς τὰ παιδία γενέσθαι βούλεται, 88,1
τὸν ὄντως πατέρα ἐπιγνόντας, δι' ὕδατος ἀναγεννηθέντας, ἄλλης
ταύτης οὔσης ⟨ἢ τῆς⟩ ἐν τῇ κτίσει σπορᾶς. ναί, φησίν, »ὁ ἄγαμος 2
μεριμνᾷ τὰ τοῦ κυρίου· ὁ δὲ γαμήσας πῶς ἀρέσει τῇ γυναικί« τί δέ;
30 οὐκ ἔξεστι καὶ τῇ γυναικὶ κατὰ θεὸν ἀρέσκοντας εὐχαριστεῖν τῷ
θεῷ; οὐχὶ δὲ ἐφεῖται καὶ τῷ γεγαμηκότι σὺν καὶ τῇ συζύγῳ μεριμνᾶν
τὰ τοῦ κυρίου; ἀλλὰ καθάπερ »ἡ ἄγαμος μεριμνᾷ τὰ τοῦ κυρίου, ἵνα 8

* 1f. vgl. Mt 6, 19   3f. Is 50, 9   5 vgl. S. 177, 7f.   5f. vgl. z. B. Mt 23, 33
9f. Io 6, 27   10—12 vgl. Hilgenfeld, Ketzergeschichte S. 391   11f. vgl. Lc 20, 35
16 Lc 20, 34   21—28 εἰς—σπορᾶς Ath fol. 107ᵛ   21—23vgl. Mt 23, 9   24f. vgl.
Petrus Laod. p. 260, 2 H.; Theophyl. Bulg. (PG 123, 397 D); Fr in ZntW 36 (1937)
85. 87   26f. vgl. Mt 18, 3   28f. vgl. I Cor 7, 32f.   32f. I Cor 7, 34

3 [ὡς] Vi   6 προφητεύοι Hiller προφητεύει L   8 μόνον corr. aus μόνην L¹
12f. [τὸ] περὶ νεκρῶν ἀναστάσεως ~ nach τοῦτο ·Schw nach ἐκείνου (Z. 11) L
19 ⟨εἰς⟩ St   21 ὑμῶν Mt ἡμῶν L   27f. ἄλλης ταύτης ἐν τῇ κτίσει Ath   28 ⟨ἢ τῆς⟩
Schw   31 συζύγῳ St συζυγίᾳ L

ἢ ἁγία καὶ τῷ σώματι καὶ τῷ πνεύματι«, οὕτω καὶ ἡ γεγαμημένη
τὰ τοῦ ἀνδρὸς καὶ τὰ τοῦ κυρίου μεριμνᾷ ἐν κυρίῳ, ἵνα ᾖ ἁγία καὶ
τῷ σώματι καὶ τῷ πνεύματι· ἄμφω γὰρ ἅγιαι ἐν κυρίῳ, ἢ μὲν ὡς
γυνή, ἢ δὲ ὡς παρθένος. πρὸς ἐντροπὴν δὲ καὶ ἀνακοπὴν τῶν 4
5 εὐεπιφόρων εἰς τὸν δεύτερον γάμον ἁρμονίως ὁ ἀπόστολος ὑπέρτονον
φθέγγεται καὶ αὐτίκα φησί· »πᾶν ἁμάρτημα ἐκτὸς τοῦ σώματός
ἐστιν· ὁ δὲ πορνεύων εἰς τὸ ἴδιον σῶμα ἁμαρτάνει.« εἰ δὲ πορνείαν 89, 1
τὸν γάμον τολμᾷ τις λέγειν, πάλιν ἐπὶ τὸν νόμον καὶ τὸν κύριον
ἀνατρέχων βλασφημεῖ. ὡς γὰρ ἡ πλεο|νεξία πορνεία λέγεται τῇ αὐ- 552 P
10 ταρκείᾳ ἐναντιουμένη, καὶ ὡς ⟨ἡ⟩ εἰδωλολατρεία ἐκ τοῦ ἑνὸς εἰς τοὺς
πολλοὺς ἐπινέμησις οὖσα θεούς, οὕτως πορνεία ἡ ἐκ τοῦ ἑνὸς γάμου
εἰς τοὺς πολλούς ἐστιν ἔκπτωσις· τριχῶς γάρ, ὡς εἰρήκαμεν, ἥ τε
πορνεία ἥ τε μοιχεία παρὰ τῷ ἀποστόλῳ λαμβάνεται. ἐπὶ τούτων 2
ὁ προφήτης φησί· »ταῖς ἁμαρτίαις ὑμῶν ἐπράθητε«, καὶ πάλιν·
15 »κατεμιάνθης ἐν γῇ ἀλλοτρίᾳ«, τὴν [τε] κοινωνίαν μιαρὰν ἡγούμενος
τὴν ἀλλοτρίῳ σώματι συμπλακεῖσαν καὶ μὴ τῷ κατὰ συζυγίαν εἰς
παιδοποιΐαν διδομένῳ. ὅθεν καὶ ὁ ἀπόστολος »βούλομαι οὖν« φησὶ 3
»νεωτέρας γαμεῖν, τεκνογονεῖν, οἰκοδεσποτεῖν, μηδεμίαν ἀφορμὴν
διδόναι τῷ ἀντικειμένῳ λοιδορίας χάριν· ἤδη γάρ τινες ἐξετράπησαν
20 ὀπίσω τοῦ σατανᾶ.« καὶ μὴν καὶ τὸν τῆς μιᾶς γυναικὸς ἄνδρα πάνυ 90,,1
ἀποδέχεται, κἂν πρεσβύτερος ᾖ κἂν διάκονος κἂν λαϊκός, ἀνεπιλή-
πτως γάμῳ χρώμενος· »σωθήσεται δὲ διὰ τῆς τεκνογονίας.« πάλιν τε 2
αὖ ὁ σωτὴρ τοὺς Ἰουδαίους »γενεὰν« εἰπὼν »πονηρὰν καὶ μοιχαλίδα«
διδάσκει μὴ ἐγνωκότας νόμον ὡς ὁ νόμος βούλεται, παραδόσει δὲ τῇ
25 τῶν πρεσβυτέρων καὶ ἐντάλμασιν ἀνθρώπων ·κατηκολουθηκότας,
μοιχεύειν τὸν νόμον, οὐχ ὡς »ἄνδρα καὶ κύριον τῆς παρθενίας« αὐ-
τῶν δεδεγμένους. τάχα δὲ καὶ ἐπιθυμίαις δεδουλωμένους ἀλλο- 3
κότοις οἶδεν αὐτούς, δι᾽ ἃς καὶ συνεχῶς δουλούμενοι ταῖς ἁμαρτίαις
ἐπιπράσκοντο τοῖς ἀλλοφύλοις, ἐπεὶ παρά γε τοῖς Ἰουδαίοις οὐκ ἦσαν
30 ἀποδεδειγμέναι γυναῖκες κοιναί, ἀλλὰ καὶ ἡ μοιχεία ἀπηγόρευτο. ὁ δὲ 4

6f. I Cor 6. 18　7f. vgl. S. 232, 18f. mit Anm.; Hilgenfeld a. a. O. S. 391
12f. vgl. Strom. VII 75, 3 (φιληδονία, φιλαργυρία, εἰδωλολατρεία); VI 147, 1　14 Is
50, 1　15 vgl. Baruch 3, 10 ἐπαλαιώθης ἐν γῇ ἀλλοτρίᾳ, συνεμιάνθης τοῖς νεκροῖς.
17—20 I Tim 5, 14f.　20f. vgl. I Tim 3, 2. 12; Tit 1, 6　21f. zu ἀνεπιλήπτως vgl.
I Tim 3, 2　22 I Tim 2, 15　23 Mt 12, 39　24f. vgl. Mt 15, 2. 9 (Mc 7, 5. 7)
26 vgl. Ier 3, 4 (Sir. 15, 2)　28f. vgl. Strom. II 144, 4 mit Anm.　29 vgl. Philo
De spec. leg. III 51 [dazu de Ios. 43 (Fr)]　30 Deut 23, 18 (Fr)

10 ⟨ἡ⟩ St　11 οὖσα Pohlenz ἐστι L　θεός Ma zu Strom. VII 75,,3 θεοῦ L
πορνεία ἡ Pohlenz ἡ πορνεία L　15 [τε] St γε Bywater　17 δεδομένῳ Mü　26f. οὐχ
⟨ἀξομένους⟩—δεδομένον Schw　27 δεδεγμένους St δεδομένον L ⟨δεχομένους⟩ δεδομένον
Ma　28 δουλούμενοι corr. aus βουλόμενοι L¹　30 ἀποδεδεγμέναι Po

εἰπὼν »γυναῖκα ἔγημα καὶ οὐ δύναμαι ἐλθεῖν« εἰς τὸ δεῖπνον τὸ
θεῖον ὑπόδειγμα ἦν εἰς ἔλεγχον τῶν διὰ ἡδονὰς ἀφισταμένων τῆς
θείας ἐντολῆς, ἐπεὶ τούτῳ τῷ λόγῳ οὔθ᾽ οἱ πρὸ τῆς παρουσίας
δίκαιοι οὔθ᾽ οἱ μετὰ τὴν παρουσίαν γεγαμηκότες κἂν ἀπόστολοι ὦσι
5 σωθήσονται. κἂν ἐκεῖνο προκομίσωσιν αὖθις, ὡς καὶ ὁ προφήτης 5
φησὶν »ἐπαλαιώθην ἐν πᾶσι τοῖς ἐχθροῖς μου«, ἐχθροὺς τὰς ἁμαρτίας
ἀκουέτωσαν· μία δέ τις ἁμαρτία, οὐχ ὁ γάμος, ἀλλ᾽ ἡ πορνεία, ἐπεὶ
καὶ τὴν γένεσιν εἰπάτωσαν ἁμαρτίαν καὶ τὸν τῆς γενέσεως κτίστην.

XIII. Τοιούτοις ἐπιχειρεῖ καὶ ὁ τῆς δοκήσεως ἐξάρχων Ἰούλιος 91, 1
10 Κασσιανός. ἐν γοῦν τῷ Περὶ ἐγκρατείας ἢ περὶ εὐνουχίας κατὰ
λέξιν φησίν· »καὶ μηδεὶς λεγέτω ὅτι, ἐπειδὴ τοιαῦτα μόρια ἔσχομεν
ὡς τὴν μὲν θήλειαν οὕτως ἐσχηματίσθαι, τὸν δὲ ἄρρενα οὕτως, τὴν
μὲν πρὸς τὸ δέχεσθαι, τὸν δὲ πρὸς τὸ ἐνσπείρειν, | συγκεχώρηται 553 P
τὸ τῆς ὁμιλίας παρὰ | θεοῦ. εἰ γὰρ ἦν παρὰ θεοῦ εἰς ὃν σπεύδομεν 2 200
15 ἡ τοιαύτη διασκευή, οὐκ ἂν ἐμακάρισεν τοὺς εὐνούχους, οὐδ᾽ ἂν ὁ
προφήτης εἰρήκει »μὴ εἶναι ξύλον ἄκαρπον« αὐτούς, μεταλαβὼν ἀπὸ
τοῦ δένδρου ἐπὶ τὸν κατὰ προαίρεσιν ἄνθρωπον ἑαυτὸν τῆς τοιαύτης
ἐννοίας εὐνουχίζοντα.« καὶ ἔτι ἐπαγωνιζόμενος τῇ ἀθέῳ δόξῃ ἐπι- 92, 1
φέρει· »πῶς δὲ οὐκ ἂν καὶ εὐλόγως τις αἰτιῶτο τὸν σωτῆρα, εἰ
20 μετέπλασεν ἡμᾶς καὶ τῆς πλάνης ἀπήλλαξεν καὶ τῆς κοινωνίας τῶν
μορίων καὶ προσθεμάτων καὶ αἰδοίων;« τὰ παραπλήσια τῷ Τατιανῷ
κατὰ τοῦτο δογματίζων. ὁ δ᾽ ἐκ τῆς Οὐαλεντίνου ἐξεφοίτησε σχολῆς.
διὰ τοῦτό τοι ὁ Κασσιανός φησι· »πυνθανομένης τῆς Σαλώμης πότε 2
γνωσθήσεται τὰ περὶ ὧν ἤρετο, ἔφη ὁ κύριος· »ὅταν τὸ τῆς αἰσχύνης
25 ἔνδυμα πατήσητε καὶ ὅταν γένηται τὰ δύο ἓν καὶ τὸ ἄρρεν μετὰ τῆς
θηλείας οὔτε ἄρρεν οὔτε θῆλυ.««

Πρῶτον μὲν οὖν ἐν τοῖς παραδεδομένοις ἡμῖν τέτταρσιν εὐαγ- 93, 1
γελίοις οὐκ ἔχομεν τὸ ῥητόν, ἀλλ᾽ ἐν τῷ κατ᾽ Αἰγυπτίους. ἔπειτα
δὲ ἀγνοεῖν μοι δοκεῖ ὅτι θυμὸν μὲν ἄρρενα ὁρμήν, θήλειαν δὲ τὴν
30 ἐπιθυμίαν αἰνίττεται, οἷς ἐνεργήσασι μετάνοια ἕπεται καὶ αἰσχύνη.
ὅταν οὖν μήτε τις θυμῷ μήτ᾽ ἐπιθυμίᾳ χαρισάμενος, ἃ δὴ καὶ ἐξ 2
ἔθους καὶ τροφῆς κακῆς αὐξήσαντα ἐπισκιάζει καὶ ἐγκαλύπτει τὸν

---

1 Lc 14, 20   6 Ps 6, 8   9—26 vgl. Hilgenfeld a. a. O. S. 547f.   15 vgl. Mt
19, 12   16 Is 56, 3   23—26 vgl. II Clem. ad Cor. 12, 2; Strom. III 45, 3 mit Anm.;
Preuschen, Antileg. S. 2   28—S. 239, 1 zur Dreiteilung vgl. Strom. III 68, 5 mit
Anm.   31f. vgl. z. B. Plato Rep. VI p. 492 A; 495 A (κακὴ τροφή)

4 ὦσι in Ras. L¹   6 ἐπαλαιώθην Ps ἐπαλαιώθη L   8 ⟨ἁμαρτωλὸν⟩ τὸν Mü; vgl.
aber S. 242, 20   13 συγκεχώρηται Hilg. συγκεχωρίσθαι L   20 ⟨μὴ ἀπέλυσεν⟩ τῆς
κοινωνίας Schw   22 ἐξεφοίτησε (ιτ in Ras.) L¹

λογισμόν, ἀλλ' ἀποδυσάμενος τὴν ἐκ τούτων ἀχλὺν ἐκ μετανοίας
καταισχυνθεὶς πνεῦμα καὶ ψυχὴν ἑνώσῃ κατὰ τὴν τοῦ λόγου ὑπακοήν,
τότε, ὡς καὶ ὁ Παῦλός φησιν, »οὐκ ἔνι ἐν ὑμῖν οὐκ ἄρρεν, οὐ θῆλυ.«
ἀποστᾶσα γὰρ τοῦδε τοῦ σχήματος. ᾧ διακρίνεται τὸ ἄρρεν καὶ τὸ 8
5 θῆλυ, ψυχὴ μετατίθεται εἰς ἕνωσιν, οὐθέτερον οὖσα. ἡγεῖται δὲ ὁ
γενναῖος οὗτος Πλατωνικώτερον θείαν οὖσαν τὴν ψυχὴν ἄνωθεν
ἐπιθυμίᾳ θηλυνθεῖσαν δεῦρο ἥκειν εἰς γένεσιν καὶ φθοράν.

XIV. Αὐτίκα βιάζεται τὸν Παῦλον ἐκ τῆς ἀπάτης τὴν γένεσιν 94, 1
συνεστάναι λέγειν διὰ τούτων· »φοβοῦμαι δὲ μή, ὡς ὁ ὄφις Εὔαν
10 ἐξηπάτησεν, φθαρῇ τὰ νοήματα ὑμῶν | ἀπὸ τῆς ἁπλότητος τῆς εἰς 554 P
τὸν Χριστόν.« ἀλλὰ καὶ ὁ κύριος ἐπὶ τὰ πεπλανημένα ὁμολογου- 2
μένως ἦλθε, πεπλανημένα δὲ οὐκ ἄνωθεν εἰς τὴν δεῦρο γένεσιν
(κτιστὴ γὰρ ἡ γένεσις καὶ κτίσις τοῦ παντοκράτορος, ὃς οὐκ ἄν ποτε
ἐξ ἀμεινόνων εἰς τὰ χείρω κατάγοι ψυχήν), ἀλλ' εἰς τοὺς πεπλανη- 8
15 μένους τὰ νοήματα, εἰς ἡμᾶς ὁ σωτὴρ ἀφίκετο, ἃ δὴ ἐκ τῆς κατὰ
τὰς ἐντολὰς παρακοῆς ἐφθάρη φιληδονούντων ἡμῶν, τάχα που προ-
λαβόντος ἡμῶν τὸν καιρὸν τοῦ πρωτοπλάστου καὶ πρὸ ὥρας τῆς
τοῦ γάμου χάριτος ὀρεχθέντος καὶ διαμαρτόντος, ὅτι »πᾶς ὁ βλέπων
γυναῖκα πρὸς τὸ ἐπιθυμῆσαι ἤδη ἐμοίχευσεν αὐτήν«, οὐκ ἀναμείνας τὸν
20 καιρὸν τοῦ θελήματος. ὁ αὐτὸς οὖν ἦν ὁ κύριος καὶ τότε κρίνων τὴν 95, 1
προλαβοῦσαν τὸν γάμον ἐπιθυμίαν. ὅταν οὖν ὁ ἀπόστολος εἴπῃ »ἐν-
δύσασθε τὸν καινὸν ἄνθρωπον τὸν κατὰ θεὸν κτιζόμενον«, ἡμῖν λέγει
τοῖς πεπλασμένοις ὑπὸ τῆς τοῦ παντοκράτορος βουλήσεως ὡς πε-
πλάσμεθα, παλαιὸν δὲ ⟨καὶ καινὸν⟩ οὐ πρὸς γένεσιν καὶ ἀναγέννησίν
25 φησιν, ἀλλὰ πρὸς τὸν βίον τόν τε ἐν παρακοῇ τόν τε ἐν ὑπακοῇ.
»χιτῶνας δὲ δερματίνους« ἡγεῖται ὁ Κασσιανὸς τὰ σώματα περὶ ὧν 2

3 Gal 3, 28   5 vgl. Strom. III 69, 3   5—11; 21—S. 240. 5 vgl. Hilgenfeld a. a. O.
S. 548 f.   5—7 vgl. Strom. III 13, 2;   Plato Phaed. p. 81 C ἐμβριθὲς δέ γε, ὦ φίλε,
τοῦτο (τὸ σῶμα) οἴεσθαι χρὴ εἶναι καὶ βαρὺ καὶ γεῶδες καὶ ὁρατόν· ὁ δὴ καὶ ἔχουσα
ἡ τοιαύτη ψυχὴ βαρύνεταί τε καὶ ἕλκεται πάλιν εἰς τὸν ὁρατὸν τόπον. Phaedr. p. 248 C
ὅταν . . . (ἡ ψυχὴ) βαρυνθεῖσα . . . ἐπὶ τὴν γῆν πέσῃ. Strom. IV 83, 2   9—11 II Cor
11, 3   11 f. vgl. Mt 18, 11; Lc 19, 10   18 f. Mt 5, 28   21 f. Eph 4, 24   26 ff. Diese
Deutung schon bei Philo. Qu. in Gen I 53 p. 35 Auch.; vgl. auch Orig. zu Gen 3, 21
(VIII p. 58) (Fr)   26—S. 240, 3 χιτῶνας—μεταχειριζώμεθα Acacius in der Cat. z.
Oktat. (Gen. 3, 21) bei Niceph. 1 Col. 101; Monac. gr. 9 f. 36ᵛ; Monac. gr. 82 f. 55ᵛ;
Coislin. 113 f. 312ᵛ; lateinisch bei Nourry. Appar. ad bibl. max. I Col. 1308 aus Cod.
Reg. 2431 (= Paris. 854). Inc. καὶ Κλήμης δὲ ἐν τοῖς τελευταίοις τοῦ τρίτου στρω-
ματέως διαβάλλει τὴν τοιαύτην δόξαν, ἐπιμεμφόμενος αἱρεσιώτῃ τινὶ διὰ τούτων· χι-
τῶνας κτλ. vgl. Procop. in Genes. PG 87 Col. 222)   26 Gen 3, 21

2 ἑνώσει L   9 συνεστάναι Sy συνιστάναι L   13 κτιστὴ (vgl. S. 244, 26) Hoeschel
κτίστης L   κτίσις (σις in Ras.) L¹   24 ⟨καὶ καινὸν⟩ Hiller   26 ἡγεῖται δερματίνους
Cat.

ὕστερον καὶ τοῦτον καὶ τοὺς ὁμοίως αὐτῷ δογματίζοντας πεπλανη-
μένους ἀποδείξομεν, ὅταν περὶ τῆς ἀνθρώπου γενέσεως τὴν ἐξήγησιν
ἑπομένως τοῖς προλεχθῆναι δεομένοις μεταχειριζώμεθα. ἔτι φησίν·
»οἱ ὑπὸ τῶν γηίνων βασιλευόμενοι καὶ γεννῶσι καὶ γεννῶνται, »ἡμῶν
5 δὲ τὸ πολίτευμα ἐν οὐρανῷ, ἐξ οὗ καὶ σωτῆρα ἀπεκδεχόμεθα.« κα- 3
λῶς οὖν εἰρῆσθαι καὶ ταῦτα ἴσμεν ἡμεῖς, ἐπεὶ ὡς »ξένοι καὶ παρε-
πιδημοῦντες« πολιτεύεσθαι ὀφείλομεν, οἱ γαμοῦντες ὡς μὴ γαμοῦντες,
οἱ κτώμενοι ὡς μὴ κτώμενοι, οἱ παιδοποιοῦντες ὡς θνητοὺς γεν-
νῶντες, ὡς καταλείψοντες τὰ κτήματα, ὡς καὶ ἄνευ γυναικὸς βιωσό-
10 μενοι ἐὰν δέῃ, οὐ προσπαθῶς τῇ κτίσει χρώμενοι, »μετ' εὐχαριστίας«
δ' ἁπάσης καὶ μεγαλοφρονοῦντες.

XV. Αὖθίς τε ὅταν φῇ »καλὸν ἀνθρώπῳ γυναικὸς μὴ ἅπτεσθαι· 96, 1
διὰ δὲ τὰς πορνείας ἕκαστος τὴν ἑαυτοῦ γυναῖκα ἐχέτω,« οἷον ἐπεξη-
γούμενος πάλιν λέγει· »ἵνα μὴ πειράζῃ ὑμᾶς ὁ σατανᾶς.« οὐ γὰρ 2
15 τοῖς ἐγκρατῶς χρωμένοις τῷ γάμῳ ἐπὶ παιδο|ποιίᾳ μόνῃ »διὰ τὴν 555 F
ἀκρασίαν« φησίν, ἀλλὰ τοῖς καὶ πέρα παιδοποιίας προβαίνειν ἐπιθυ-
μοῦσιν, ὡς μὴ πολὺ ἐπιπνεύσας ὁ δι' ἐναντίας ἐκκυμήνῃ τὴν ὄρεξιν
εἰς ἀλλοτρίας ἡδονάς. τάχα δὲ ἐπεὶ τοῖς δικαίως βιοῦσιν ἀνθίσταται 3
διὰ ζῆλον καὶ ἀντιφιλονικεῖ, ὑπάγεσθαι τούτους τῷ ἑαυτοῦ τάγματι
20 βουλόμενος, ἀφορμὰς δι' ἐγκρατείας ἐπιπόνου παρέχειν τούτοις βού-
λεται. εἰκότως οὖν φησι· »κρεῖττον γαμεῖν ἢ πυροῦσθαι«, ὅπως ὁ 97, 1
ἀνὴρ ἀποδιδῷ τῇ γυναικὶ τὴν ὀφειλὴν καὶ ἡ γυνὴ τῷ ἀνδρί, καὶ μὴ
ἀποστερῶσιν ἀλλήλους τῆς διὰ τῆς θείας ⟨οἰκονομίας⟩ εἰς γένεσιν
δοθείσης βοηθείας. »ὃς δ' ἂν μὴ μισήσῃ«, φασί, »πατέρα ἢ μητέρα 2
25 ἢ γυναῖκα ἢ τέκνα, ἐμὸς εἶναι μαθητὴς οὐ δύναται.« οὐ τὸ γένος 3
μισεῖν παρακελεύεται· »τίμα«, γάρ φησι, »πατέρα καὶ μητέρα, ἵνα εὖ
σοι γένηται,« ἀλλὰ μὴ ἀπάγου, φησίν, ἀλόγοις ὁρμαῖς μηδὲ μὴν τοῖς
πολιτικοῖς ἔθεσι συνάπτου· οἶκος μὲν γὰρ ἐκ γένους συνίσταται,

4 vgl. Mt 20, 25; 24, 38 (Lc 17, 27)   4f. Phil 3, 20   6f. vgl. Hebr 11, 13
7—10 vgl. I Cor 7, 29—31   10 I Tim 4, 4   11 zu dem Gegensatz zw. μεγαλοφρο-
νοῦντες und προσπαθῶς vgl. auch die Definition von μεγαλοψυχία Strom. II 79, 5;
Chrys. fr. mor. 274f, Arn.   12—16 I Cor 7, 1f. 5   17f. vgl. Paed. II 22, 3   21 I Cor
7, 9   21—23 vgl. I Cor 7, 3. 5   24f. Lc 14, 26   24—28 Cat. zu Mt 10, 37 bei
Cramer I p. 81, 20—22; Coisl. 195f. 54ᵛ; Laur. conv. soppr. 171f. 86ʳ; Κλήμεντος·
ὁ Λουκᾶς οὐ μόνον μὴ φιλεῖν τούτους, ἀλλὰ καὶ μισεῖν λέγει καὶ γαμετάς· ὅ ἐστι μὴ
ἀπάγου, φησίν, ἀλόγοις ὁρμαῖς μηδὲ τοῖς σωματικοῖς ἔθεσιν.   25—S. 241, 2 οὐ τὸ γέ-
νος—ἔφη Ath fol. 70ᵛ   26f. Exod 20, 12

1 αὐτῶν Mon. 82   2 τῆς] + τοῦ Mon. 9   ἐπεξήγησιν Cat.   3 ἑπομένως—δεο-
μένοις < Cat.   ἔτι St ἐπεὶ L ἔπει⟨τα⟩ Hiller   11 ⟨οὐ⟩ μεγαλοφρονοῦντες Hiller ⟨μὴ⟩
μεγ. Ma (aber μεγ. ist Gegensatz zu προσπαθῶς vgl. auch S. 243, 7; Strom. IV 15, 6;
VII 71, 6)   17 ἐπιπνεύσας Bywater bei Ma ἐπινεύσας L   18 ἐπεὶ Hervet ἐπὶ L
23 τῆς διὰ] τῆσδε Po   ⟨οἰκονομίας⟩ Sy

πόλεις δὲ ἐξ οἴκων, καθὼς καὶ ὁ Παῦλος τοὺς περὶ γάμον ἀσχολου
μένους ›κόσμῳ ἀρέσκειν‹ ἔφη.

Πάλιν ὁ κύριός φησιν· ›ὁ γήμας μὴ ἐκβαλλέτω καὶ ὁ μὴ γαμήσας 4
μὴ γαμείτω,‹ ὁ κατὰ πρόθεσιν εὐνουχίας ὁμολογήσας μὴ γῆμαι |
5 ἄγαμος διαμενέτω. ἀμφοτέροις γοῦν ὁ αὐτὸς κύριος διὰ τοῦ προ- 201 S 98, 1
φήτου Ἡσαΐου τὰς καταλλήλους δίδωσιν ἐπαγγελίας ᾧδέ πως λέγων··
›μὴ λεγέτω ὁ εὐνοῦχος ὅτι ξύλον εἰμὶ ξηρόν· τάδε λέγει ὁ κύριος
τοῖς εὐνούχοις· ἐὰν φυλάξητε τὰ σάββατά μου καὶ ποιήσητε πάντα
ὅσα ἐντέλλομαι, δώσω ὑμῖν τόπον κρείττονα υἱῶν καὶ θυγατέρων‹
10 οὐ γὰρ μόνον ἡ εὐνουχία δικαιοῖ οὐδὲ μὴν τὸ τοῦ εὐνούχου σάββα- 2
τον, ἐὰν μὴ ποιήσῃ τὰς ἐντολάς. τοῖς γαμήσασι δὲ ἐπιφέρει καὶ 8
φησιν· ›οἱ ἐκλεκτοί μου οὐ πονέσουσιν εἰς κενὸν οὐδὲ τεκνοποιή
σουσιν εἰς κατάραν, ὅτι σπέρμα εὐλογημένον ἐστὶν ὑπὸ κυρίου.‹ τῷ 4
γὰρ κατὰ λόγον τεκνοποιησαμένῳ καὶ ἀναθρεψαμένῳ καὶ παιδεύσαντι
15 ἐν κυρίῳ καθάπερ καὶ τῷ διὰ τῆς ἀληθοῦς κατηχήσεως γεννήσαντι
κεῖταί τις μισθὸς ὥσπερ καὶ τῷ ἐκλεκτῷ σπέρματι. ἄλλοι δὲ | ›κατ- 5 556 P
άραν‹ τὴν παιδοποιίαν ἐκδέχονται καὶ οὐ συνιᾶσι κατ᾽ αὐτῶν ἐκεί-
νων λέγουσαν τὴν γραφήν. οἱ γὰρ τῷ ὄντι τοῦ κυρίου ἐκλεκτοὶ οὐ
δογματίζουσιν οὐδὲ τεκνοποιοῦσιν τὰ εἰς κατάραν ὥσπερ αἱ αἱρέσεις.
20 εὐνοῦχος τοίνυν οὐχ ὁ κατηναγκασμένος τὰ μόρια οὐδὲ μὴν ὁ ἄγαμος 99, 1
εἴρηται, ἀλλ᾽ ὁ ἄγονος ἀληθείας. ›ξύλον‹ οὗτος ›ξηρὸν‹ ἦν πρό-
τερον, ὑπακούσας δὲ τῷ λόγῳ καὶ ›φυλάξας τὰ σάββατα‹ κατὰ
ἀποχὴν ἁμαρτημάτων καὶ ποιήσας τὰς ἐντολὰς ἐντιμότερος ἔσται
τῶν ἄνευ πολιτείας ὀρθῆς λόγῳ μόνῳ παιδευομένων. ›τεκνία,‹ 2
25 φησίν, ›ὀλίγον ἔτι μεθ᾽ ὑμῶν εἰμι,‹ ὁ διδάσκαλος. διὸ καὶ Παῦλος
Γαλάταις ἐπιστέλλων φησί· ›τεκνία μου, οὓς πάλιν ὠδίνω ἄχρις οὗ
μορφωθῇ Χριστὸς ἐν ὑμῖν.‹ πάλιν τε αὖ Κορινθίοις γράφων ›ἐὰν 8
γὰρ μυρίους παιδαγωγοὺς ἔχητε ἐν Χριστῷ‹ λέγει, ›ἀλλ᾽ οὐ πολλοὺς
πατέρας· ἐν γὰρ Χριστῷ διὰ τοῦ εὐαγγελίου ἐγὼ ὑμᾶς ἐγέννησα.‹
30 διὰ τοῦτο ›οὐκ εἰσελεύσεται εὐνοῦχος εἰς ἐκκλησίαν θεοῦ‹, ὁ ἄγονος 4
καὶ ἄκαρπος καὶ πολιτείᾳ καὶ λόγῳ, ἀλλ᾽ ›οἱ μὲν εὐνουχίσαντες ἑαυ-

2 I Cor 7, 33　3—5 vgl. I Cor 7, 27. 32—36. 11; vielleicht aus dem Ägypter-
evang.; vgl. Harnack, Gesch. d. altchr. Lit. I S. 14; Resch, Agrapha² S. 182f.　7—9 Is
56, 3—5　12f. Is 65, 23　15 vgl. I Cor 4, 15; Strom. I 1, 3　21f. Is 56, 3f.　21 vgl.
Philo De Abr. 220 εὐνοῦχοι, σοφίας ἄγονοι, De Jos. 59 ἄγονός εἰμι σοφίας, Plato
Theaet. 7 p. 150 C (Fr)　24f. Io 13, 33　26f. Gal 4, 19　27—29 I Cor 4, 15　30 Deut
23, 1　31f. vgl. Mt 19, 12

1 πόλις Ath viell. richtig (Fr)　10 μόνη Ma　12 πονέσουσιν corr. aus πορνεύσουσιν
L¹　17 συνιεῖσι L　17f. ἐκεῖνο Ma　20 κατατεθλασμένος Valckenaer κατακεκλασμένος
Mü κατην . . ⟨καὶ ἐκτετμημένος⟩ Schw κατηναγκασμένος τὰ μόρια ist richtig über-
liefert, vgl. Lucian Necr. 4 τὸ σῶμα καταναγκάζειν (Fr)

τοὺς‹ ἀπὸ πάσης ἁμαρτίας ›διὰ τὴν βασιλείαν τῶν ᾿οὐρανῶν‹ μα-
κάριοι οὗτοί εἰσιν οἱ τοῦ κόσμου νηστεύοντες.

XVI. ›Ἐπικατάρατος‹ δὲ ›ἡ ἡμέρα ἐν ᾗ ἐτέχθην, καὶ μὴ ἔστω 100, 1
ἐπευκτέα‹ ὁ Ἰερεμίας φησίν, οὐ τὴν γένεσιν ἁπλῶς ἐπικατάρατον
5 λέγων, ἀλλ᾽ ἀποδυσπετῶν ἐπὶ τοῖς ἁμαρτήμασι τοῦ λαοῦ καὶ τῇ
ἀπειθείᾳ· ἐπιφέρει γοῦν· ›διὰ τί γὰρ ἐγεννήθην τοῦ βλέπειν κόπους 2
καὶ πόνους καὶ διετέλεσαν ἐν αἰσχύνῃ αἱ ἡμέραι μου;‹ αὐτίκα πάντες
οἱ κηρύσσοντες τὴν ἀλήθειαν διὰ τὴν ἀπείθειαν τῶν ἀκουόντων
ἐδιώκοντό τε καὶ ἐκινδύνευον. ›διὰ τί γὰρ οὐκ ἐγένετο ἡ μήτρα τῆς 3
10 μητρός μου τάφος, ἵνα μὴ ἴδω τὸν μόχθον τοῦ Ἰακὼβ καὶ τὸν κόπον
τοῦ γένους Ἰσραήλ;‹ Ἔσδρας ὁ προφήτης λέγει. ›οὐδεὶς καθαρὸς 4
ἀπὸ ῥύπου,‹ Ἰὼβ φησίν, ›οὐδ᾽ εἰ μία ἡμέρα ἡ ζωὴ αὐτοῦ.‹ λεγέτω- 5
σαν ἡμῖν ποῦ ἐπόρνευσεν τὸ | γεννηθὲν παιδίον, ἢ πῶς ὑπὸ τὴν τοῦ 557 P
Ἀδὰμ ὑποπέπτωκεν ἀρὰν τὸ μηθὲν ἐνεργῆσαν. ἀπολείπεται δὲ 6
15 αὐτοῖς, ὡς ἔοικεν, ἀκολούθως λέγειν τὴν γένεσιν εἶναι κακήν, οὐ τὴν
τοῦ σώματος μόνην, ἀλλὰ καὶ τὴν τῆς ψυχῆς δι᾽ ἣν καὶ τὸ σῶμα. καὶ 7
ὅταν ὁ Δαβὶδ εἴπῃ ›ἐν ἁμαρτίαις συνελήφθην καὶ ἐν ἀνομίαις ἐκίσσησέν
με ἡ μήτηρ μου‹, λέγει μὲν προφητικῶς μητέρα τὴν Εὔαν, ἀλλὰ ›ζών-
των Εὔα μήτηρ‹ ἐγένετο, καὶ εἰ ἐν ἁμαρτίᾳ συνελήφθη, ἀλλ᾽ οὐκ αὐ-
20 τὸς ἐν ἁμαρτίᾳ οὐδὲ μὴν ἁμαρτία αὐτός. εἰ δὲ καὶ πᾶς ὁ ἐπιστρέφων 101, 1
ἐξ ἁμαρτίας ἐπὶ τὴν πίστιν ἀπὸ τῆς συνηθείας τῆς ἁμαρτωλοῦ οἷον
μητρὸς ἐπὶ τὴν ζωὴν ἐπιστρέφει, μαρτυρήσει μοι εἷς τῶν δώδεκα προ-
φητῶν φήσας, ›εἰ δῶ πρωτότοκα ὑπὲρ ἀσεβείας, καρπὸν κοιλίας μου
ὑπὲρ ἁμαρτίας ψυχῆς μου.‹ οὐ διαβάλλει τὸν εἰπόντα ›αὐξάνεσθε καὶ 2
25 πληθύνεσθε‹, ἀλλὰ τὰς πρώτας ἐκ γενέσεως ὁρμάς, καθ᾽ ἃς θεὸν οὐ
γινώσκομεν, ›ἀσεβείας‹ λέγει.. εἰ δέ τις κατὰ τοῦτο λέγει κακὴν τὴν 3
γένεσιν, καὶ κατ᾽ ἐκεῖνο εἰπάτω ἀγαθήν, καθὸ ἐν αὐτῇ τὴν ἀλήθειαν
γινώσκομεν· ›ἐκνήψατε δικαίως καὶ μὴ ἁμαρτάνετε· ἀγνωσίαν γὰρ
θεοῦ τινες ἔχουσι,‹ δηλαδὴ οἱ ἁμαρτάνοντες· ›ἐπειδὴ ἡ πάλη ἡμῖν
30 οὐ πρὸς αἷμα | καὶ σάρκα, ἀλλὰ πρὸς τὰ πνευματικά,‹ δυνατοὶ δὲ 558 P
ἐκπειράσαι οἱ ›κοσμοκράτορες τοῦ σκότους‹, διὰ τοῦτο αἱ συγγνῶμαι.

2 vgl. Ecl. proph. 14, 1; Log. Jesu Oxyrh. Pap. I (1898) S. 3 ⟨ἐὰν μὴ νηστεύσητε
τὸν κόσμον); Preuschen, Antil. S. 43, 17; Fr. Granger, The class. Rev. 12 (1898)
S. 35; vgl. auch Resch, Agrapha² S. 68, Agraphon 48, J. A. Robinson, The Expo-
sitor V 6, 1897 S. 421, wo auf die Beziehungen der Logia zum Ägypterevangelium
hingewiesen ist 3f. Jer 20, 14 6f. Ier 20, 18 7—9 vgl. Act 7, 52 9—11 IV Esdr
5, 35 11f. Iob 14, 4f. (zur Form vgl. Strom. IV 83, 1; I Clem. ad Cor. 17, 4 [be-
nutzt Strom. IV 106]; Klostermann zu Orig. III 44, 14) 17f. Ps 50, 7 18f. vgl.
Gen 3, 20 23f. Mich 6, 7 24f. Gen 1, 28 28f. I Cor 15, 34 29—31 Eph 6, 12
31 zu συγγνῶμαι vgl. I Cor 7, 6

14 ἐνεργῆσαν corr. aus ἐνεργηθεῖσαν L¹ 20 ἐν am Rand L¹ εἰ] ὅτι Ma 27 αὐ-
τῇ St αὐτῷ L 28 ἐκνήψατε I Cor ἐκνίψατε L

διὰ τοῦτο καὶ ὁ Παῦλος ›αὐτό μου τὸ σῶμα ὑποπιέζω καὶ δουλα- 4
γωγῶ‹ φησίν, ὅτι ›πᾶς ὁ ἀγωνιζόμενος πάντα ἐγκρατεύεται‹ (ἀντὶ
τοῦ εἰς πάντα ἐγκρατεύεται, οὐ πάντων ἀπεχόμενος, ἀλλ' οἷς ἔκρινεν,
ἐγκρατῶς χρώμενος), ›ἐκεῖνοι μὲν ἵνα φθαρτὸν στέφανον λάβωσιν,
5 ἡμεῖς δὲ ἵνα ἄφθαρτον,‹ νικῶντες ἐν τῇ πάλῃ, οὐχὶ δὲ ἀκονιτὶ
στεφανούμενοι. ἤδη. τινὲς καὶ τῆς παρθένου τὴν χήραν εἰς ἐγκρά- 5
τειαν προτιμῶσι καταμεγαλοφρονήσασαν ἧς πεπείραται ἡδονῆς.

XVII. Εἰ δὲ ἡ γένεσις κακόν, ἐν κακῷ λεγόντων οἱ βλάσφημοι 102, 1
τὸν γενέσεως μετειληφότα κύριον, ἐν κακῷ τὴν γεννήσασαν παρ-
10 θένον. οἴμοι τῶν κακῶν, βλασφημοῦσι τὸ βούλημα τοῦ θεοῦ καὶ τὸ 2
μυστήριον τῆς κτίσεως, τὴν γένεσιν διαβάλλοντες. διὰ ταῦτα ἡ δό- 3
κησις Κασσιανῷ, διὰ ταῦτα καὶ Μαρκίωνι, ναὶ μὴν καὶ Οὐαλεντίνῳ
τὸ σῶμα τὸ ψυχικόν, ὅτι φασὶν ›ὁ ἄνθρωπος παραμοιώθη τοῖς
κτήνεσιν‹ εἰς συνδυασμὸν ἀφικνούμενος· ἀλλ' ὅταν ἐπιβαίνειν ἀλλο-
15 τρία κοίτῃ ὀργήσας ὡς ἀληθῶς θελήσῃ, τότε τῷ ὄντι ὁ τοιοῦτος 559 P
ἐκθηριοῦται· ›ἵπποι θηλυμανεῖς ἐγενήθησαν, ἕκαστος ἐπὶ τὴν γυναῖκα
τοῦ πλησίον ἐχρεμέτιζεν.‹ κἂν ἀπὸ τῶν ἀλόγων ζῴων τὴν ἐπιτή- 4
δευσιν τῆς | συνουσίας ὁ ὄφις εἰληφὼς καὶ παραπείσας τῇ κοινωνίᾳ 202 S
τῆς Εὔας συγκαταθέσθαι τὸν Ἀδὰμ τύχῃ, ὡς ἂν μὴ φύσει ταύτῃ
20 κεχρημένων τῶν πρωτοπλάστων, ὡς ἀξιοῦσί τινες, ἡ κτίσις πάλιν
βλασφημεῖται ἀσθενεστέρους τοὺς ἀνθρώπους τῆς τῶν ἀλόγων φύ-
σεως πεποιηκυῖα, οἷς κατηκολούθησαν οἱ πρωτόπλαστοι τοῦ θεοῦ.
εἰ δὲ ἡ μὲν φύσις ἦγεν αὐτοὺς ὡς καὶ τὰ ἄλογα πρὸς παιδοποιίαν, 103, 1
ἐκινήθησαν δὲ θᾶττον ἢ προσῆκον ἦν ἔτι νέοι πεφυκότες ἀπάτῃ
25 παραχθέντες, δικαία μὲν ἡ κρίσις τοῦ θεοῦ ἐπὶ τοὺς οὐκ ἀνα-
μείναντας τὸ βούλημα, ἁγία δὲ ἡ γένεσις δι' ἣν ὁ κόσμος συνέ-
στηκεν, δι' ἣν αἱ οὐσίαι, δι' ἣν αἱ φύσεις, δι' ἣν ἄγγελοι, δι'
ἣν δυνάμεις, δι' ἣν ψυχαί, δι' ἣν ἐντολαί, δι' ἣν νόμος, δι' ἣν
τὸ εὐαγγέλιον, δι' ἣν ἡ γνῶσις τοῦ θεοῦ· καὶ ›πᾶσα σὰρξ χόρτος, 2
30 καὶ πᾶσα δόξα ἀνθρώπου ὡς ἄνθος χόρτου· καὶ ὁ μὲν χόρτος
ξηραίνεται, τὸ δὲ ἄνθος καταπίπτει· ἀλλὰ τὸ ῥῆμα τοῦ κυρίου
μένει,‹ τὸ χρῖσαν τὴν ψυχὴν καὶ ἑνῶσαν τῷ πνεύματι. πῶς δ' 8
ἄνευ τοῦ σώματος ἡ κατὰ τὴν ἐκκλησίαν καθ' ἡμᾶς οἰκονομία τέλος

1f. I Cor 9, 27 2. 4f. I Cor 9, 25 6f. vgl. Strom. VII 72, 2; 76, 3; Tertull.
ad ux. I 8 13f. vgl. Ps 48, 13. 21 16f. Ier 5, 8 29—32 Is 40, 6—8

5 ἀκονητί L 6 ἤδη τινὲς] ἢ δή τινες Sy 7 προτιμῶσι Heyse προτείνουσι L 8 εἰ
corr. aus ἢ L¹ 17 ἐχραιμέτιζεν (αι in Ras.) L¹ 18 συνουσίας St Ma συμβουλίας L
19 τύχῃ St λέγῃ L 23 ἢ] εἰ L 24 ἦι L 32 πῶς δ' ⟨ἂν⟩ Ma

16*

ἐλάμβανεν; ὅπου γε καὶ αὐτὸς ἡ κεφαλὴ τῆς ἐκκλησίας ἐν σαρκὶ μέν,
ἀειδὴς δὲ ἐλήλυθεν καὶ ἄμορφος, εἰς τὸ ἀειδὲς καὶ ἀσώματον τῆς
θείας αἰτίας ἀποβλέπειν ἡμᾶς διδάσκων. ›δένδρον γὰρ ζωῆς‹, φησὶν 4
ὁ προφήτης, ›ἐν ἐπιθυμίᾳ ἀγαθῇ γίνεται,‹ διδάσκων ἐπιθυμίας
5 ἀστείους καὶ καθαρὰς τὰς ἐν τῷ ζῶντι κυρίῳ. ἤδη δὲ ἐθέλουσι τὴν 104
ἀνδρὸς κατὰ γάμον πρὸς γυναῖκα ὁμιλίαν γνῶσιν εἰρημένην ἁμαρτίαν
εἶναι· ταύτην γὰρ ὑπὸ τῆς βρώσεως μηνύεσθαι τοῦ ξύλου τοῦ καλοῦ
καὶ πονηροῦ, διὰ τῆς τοῦ ›ἔγνω‹ σημασίας παράβασιν ἐντολῆς διδά-
σκουσαν. εἰ δὲ τοῦτο, καὶ ἡ τῆς ἀληθείας γνῶσις βρῶσίς ἐστι ›τοῦ 2
10 ξύλου τῆς ζωῆς‹. ἔστιν οὖν κἀκείνου τοῦ ξύλου μεταλαβεῖν τὸν
σώφρονα γάμον· προείρηται δὲ ἡμῖν ὡς καὶ καλῶς καὶ κακῶς ἔστι 3
χρήσασθαι τῷ γάμῳ, καὶ τοῦτ' ἔστι τὸ ξύλον τῆς γνώσεως, ἐὰν μὴ
παρανομῶμεν τὸν γάμον. τί δέ; οὐχὶ ὁ σωτὴρ ὥσπερ τὴν ψυχήν, 4
οὕτω δὲ καὶ τὸ σῶμα ἰᾶτο τῶν παθῶν; οὐκ ἂν δὲ εἰ ἐχθρὰ ἡ σὰρξ
15 ἦν τῆς ψυχῆς, ἐπετείχιζεν αὐτῇ τὴν ἐχθρὰν δι' ὑγείας ἐπισκευάζων.
›τοῦτο δέ φημι, ἀδελφοί, ὅτι | σὰρξ καὶ αἷμα βασιλείαν θεοῦ κληρο- 5 56(
νομῆσαι οὐ δύναται, οὐδὲ ἡ φθορὰ τὴν ἀφθαρσίαν κληρονομεῖ,‹ ἡ
γὰρ ἁμαρτία φθορὰ οὖσα οὐ δύναται κοινωνίαν ἔχειν μετὰ τῆς ἀφθαρ-
σίας, ἥτις ἐστὶ δικαιοσύνη. ›οὕτως ἀνόητοι‹, φησίν, ›ἐστέ; ἐναρξά-
20 μενοι πνεύματι νῦν σαρκὶ ἐπιτελεῖτε;‹

XVIII. Τὴν δικαιοσύνην τοίνυν καὶ τὴν ἁρμονίαν τοῦ σωτηρίου 105
σεμνὴν οὖσαν καὶ βεβαίαν οἱ μὲν ἐπέτειναν, ὡς ἐπεδείξαμεν, βλασφή-
μως ἐκδεχόμενοι μετὰ πάσης ἀθεότητος τὴν ἐγκράτειαν, ἐξὸν ἑλέσθαι
τὴν εὐνουχίαν κατὰ τὸν ὑγιῆ κανόνα μετ' εὐσεβείας, εὐχαριστοῦντα
25 μὲν ἐπὶ τῇ δοθείσῃ χάριτι, οὐ μισοῦντα δὲ τὴν κτίσιν οὐδὲ ἐξου-
θενοῦντα τοὺς γεγαμηκότας· κτιστὸς γὰρ ὁ κόσμος, κτιστὴ καὶ ἡ
εὐνουχία, ἄμφω δὲ εὐχαριστούντων ἐν οἷς ἐτάχθησαν, εἰ γινώσκουσι
καὶ ἐφ' οἷς ἐτάχθησαν. οἳ δὲ ἀφηνιάσαντες ἐξύβρισαν, ›ἵπποι θηλυ- 2
μανεῖς‹ τῷ ὄντι ›γενόμενοι καὶ ἐπὶ τὰς τῶν πλησίον χρεμετίζοντες‹,
30 αὐτοί τε ἀκατασχέτως ἐκχεόμενοι καὶ τοὺς πλησίον ἀναπείθοντες
φιληδονεῖν, ἀθλίως ἐπαΐοντες ἐκείνων τῶν γραφῶν, ›τὸν σὸν κλῆρον

1 vgl. Eph 1, 22; 5, 23 2 vgl. Is 53, 3 3f. Prov 13, 12 5f. 8 vgl. Strom. III
81, 5; Gen 4, 1 u. ä. St 7f. vgl. Gen 2, 9 9f. vgl. Gen 2, 9; 3, 22 11 vgl. Strom.
III 96 u. ö. 16f. I Cor 15, 50 19f. Gal 3, 3 22f. vgl. S. 214, 12ff. 25 zu χάριτι
vgl. I Cor 7, 7 28f. Ier 5, 8 31—S. 245, 2 Prov 1, 14

2 ἀειδὴς Sy ἀηδὴς L δὲ ἐλήλυθεν Bywater διελήλυθεν L δὴ ἐλ. Ma 7 ⟨τῆς
γνώσεως⟩ τοῦ² St 15 ἔχθραν L ἐπισκευάζων Hervet ἐπισκιάζων L 29 χραιμετί-
ζοντες L 30 ἐκχεόμενοι (vgl. Iud 11) St Münzel ἐχόμενοι L ἔχοντες Ma ἑπόμενοι
Bywater ⟨ἡδονῆς⟩ ἐχόμενοι Schw ἑλόμενοι Wi [die Konjektur ἐκχεόμενοι wird durch
die ihren Urhebern unbekannte Stelle Polyb. 32, 11, 4 (p. 1269, 9 Hultsch) οἱ μεν γὰρ
εἰς ἐρωμένους τῶν νέων, οἱ δ' εἰς ἑταίρας ἐξεκέχυντο gestützt, ἐχόμενοι ist jedoch nicht
ganz unmöglich, vgl. den Ausspruch des Aristipp., Strom. II 118, 2 (S. 177, 1) (Fr)]

βάλε ἐν ἡμῖν, κοινὸν δὲ βαλλάντιον κτησώμεθα πάντες καὶ μαρσίπ-
πιον ἓν γενηθήτω ἡμῖν.« διὰ τούτους ὁ αὐτὸς προφήτης συμβου- 106, 1
λεύων ἡμῖν λέγει· »μὴ πορευθῇς ἐν ὁδῷ μετ' αὐτῶν, ἔκκλινον τὸν
πόδα σου ἐκ τῶν τρίβων αὐτῶν· οὐ γὰρ ἀδίκως ἐκτείνεται δίκτυα
5 πτερωτοῖς· αὐτοὶ γὰρ αἱμάτων μετέχοντες θησαυρίζουσιν ἑαυτοῖς
κακά,« τουτέστι τῆς ἀκαθαρσίας ἀντιποιούμενοι καὶ τοὺς πλησίον τὰ
ὅμοια ἐκδιδάσκοντες, »πολεμισταί, πλῆκται ταῖς οὐραῖς αὐτῶν,« κατὰ
τὸν προφήτην, ἃς κέρκους Ἕλληνες καλοῦσιν. εἶεν δ' ἂν οὓς αἰνίσ- 2
σεται ἡ προφητεία, καταφερεῖς, ἀκρατεῖς, οἱ ταῖς οὐραῖς αὐτῶν πολε-
10 μισταί, σκότους καὶ »ὀργῆς τέκνα«, μιαιφόνοι αὐτῶν τε αὐθένται καὶ
τῶν πλησίον ἀνδροφόνοι. »ἐκκαθάρατε τὴν παλαιὰν ζύμην, ἵνα ἦτε 8
νέον φύραμα,« ὁ ἀπόστολος ἡμῖν ἐμβοᾷ. καὶ πάλιν ἀσχάλλων ἐπὶ
τοιούτοις τισὶ διατάττεται »μὴ συναναμίγνυσθαι, ἐάν τις ἀδελφὸς
ὀνομαζόμενος ᾖ πόρνος ἢ πλεονέκτης ἢ εἰδωλολάτρης ἢ λοίδορος ἢ
15 μέθυσος ἢ ἅρπαξ, τῷ τοιούτῳ μηδὲ συνεσθίειν.« »ἐγὼ γὰρ διὰ νόμου 4
νόμῳ ἀπέθανον,« λέγει, »ἵνα θεῷ ζήσω. Χριστῷ συνεσταύρωμαι·
ζῶ δὲ οὐκέτι ἐγώ,« ὡς ἔζων κατὰ τὰς ἐπιθυμίας, »ζῇ δὲ ἐν ἐμοὶ
Χριστός« διὰ τῆς τῶν | ἐντολῶν ὑπακοῆς ἁγνῶς καὶ μακαρίως· ὥστε 561 P
τότε μὲν ἔζων ἐν σαρκὶ σαρκικῶς, »ὃ δὲ νῦν ζῶ ἐν σαρκί, ἐν πίστει
20 ζῶ τῇ τοῦ υἱοῦ τοῦ θεοῦ.« »εἰς ὁδὸν ἐθνῶν μὴ ἀπέλθητε καὶ εἰς 107, 1
πόλιν Σαμαρειτῶν μὴ εἰσέλθητε,« τῆς ἐναντίας πολιτείας ἀποτρέ-
πων ἡμᾶς ὁ κύριος λέγει, ἐπεὶ »ἡ καταστροφὴ ἀνδρῶν παρανόμων
κακή. καὶ αὗταί εἰσιν αἱ ὁδοὶ πάντων τῶν συντελούντων τὰ ἄνομα.«
»οὐαὶ τῷ ἀνθρώπῳ ἐκείνῳ,« φησὶν ὁ κύριος· »καλὸν ἦν αὐτῷ εἰ μὴ 2
25 ἐγεννήθη, ἢ ἕνα τῶν ἐκλεκτῶν μου σκανδαλίσαι· κρεῖττον ἦν αὐτῷ
περιτεθῆναι μύλον καὶ καταποντισθῆναι εἰς θάλασσαν, ἢ ἕνα τῶν
ἐκλεκτῶν μου διαστρέψαι·« »τὸ γὰρ ὄνομα τοῦ θεοῦ δι' αὐτοὺς
βλασφημεῖται.« ὅθεν γενναίως ὁ ἀπόστολος »ἔγραψα ὑμῖν« φησὶν 8

. 9,

3—6 Prov 1, 15—18   7 woher? vgl. Apc 9, 10. 19   10 Eph 2, 3   11f. I Cor
5, 7   13—15 I Cor 5, 11   15—20 Gal 2, 19f.   17—20 ζῶ δὲ—θεοῦ Cat. zu Gal 2, 20
in Vatic. 692 fol. 82ʳ Inc. Κλήμεντος· ζῶ δέ, φησίν, οὐκέτι expl. θεοῦ   20f. Mt 10, 5
22f. Prov 1, 18f.   24—27 I Clem. ad Cor. 46, 8; vgl. Mt 26, 24; 18, 6f.; Mc 9, 42;
Lc 17, 2; dazu E. Nestle, Einführ. in d. Griech. Neue Test.² S. 121   27f. Rom 2, 24
28f. I Cor 5, 9

1 βαλάντιον L   6 τούς Sy τοῖς L   9 κατωφερεῖς (vgl. S. 196, 6; Strom. VII
33, 4) Bywater   11 nach πλησίον ist κληρονόμοι getilgt L¹   14 ᾖ I Cor ἢ L   19 ἐν
σαρκὶ¹] + ἵνα εἴπῃ Cat.   26 εἰς] + τὴν Clem. Rom.   27 ἐκλεκτῶν—διαστρέψαι (wohl
veranlaßt durch I Clem. ad Cor. 46, 9 τὸ σχίσμα ὑμῶν πολλοὺς διέστρεψεν)] μικρῶν—
σκανδαλίσαι Clem. Rom.   27f. βλάσφημεῖται δι' αὐτούς Zeichen der Umstellung L¹

›ἐν τῇ ἐπιστο᾿ῇ μὴ συναναμίγνυσθαι πόρνοις‹ ἕως ›τὸ δὲ σῶμα οὐ
τῇ πορνείᾳ, ἀλλὰ τῷ κυρίῳ, καὶ ὁ κύριος τῷ σώματι.‹ καὶ ὅτι οὐ | 4
τὸν γάμον πορνείαν λέγει, ἐπιφέρει· ›ἢ οὐκ οἴδατε ὅτι ὁ κολλώμενος 203 S
τῇ πόρνῃ ἓν σῶμά ἐστιν;‹ ἢ πόρνην τις ἐρεῖ τὴν παρθένον πρὶν ἢ
5 γῆμαι; ›καὶ μὴ ἀποστερεῖτε‹, φησίν, ›ἀλλήλους, εἰ μὴ ἐκ συμφώνου 5
πρὸς καιρόν,‹ διὰ τῆς ›ἀποστερεῖτε‹ λέξεως τὸ ὀφείλημα τοῦ γάμου,
τὴν παιδοποιίαν, ἐμφαίνων, ὅπερ ἐν τοῖς ἔμπροσθεν ἐδήλωσεν εἰπών,
›τῇ γυναικὶ ὁ ἀνὴρ τὴν ὀφειλὴν ἀποδιδότω, ὁμοίως δὲ καὶ ἡ γυνὴ
τῷ ἀνδρί,‹ μεθ᾿ ἣν ἔκτισιν κατὰ τὴν οἰκουρίαν καὶ τὴν ἐν Χριστῷ 108,
10 πίστιν βοηθός, καὶ ἔτι σαφέστερον εἰπών· ›τοῖς γεγαμηκόσι παραγ-
γέλλω, οὐκ ἐγώ, ἀλλ᾿ ὁ κύριος, γυναῖκα ἀπὸ ἀνδρὸς μὴ χωρισθῆναι
(ἐὰν δὲ καὶ χωρισθῇ, μενέτω ἄγαμος ἢ τῷ ἀνδρὶ καταλλαγήτω) καὶ
ἄνδρα γυναῖκα μὴ ἀφιέναι. τοῖς δὲ λοιποῖς λέγω ἐγώ, οὐχ ὁ κύριος·
εἴ τις ἀδελφὸς‹ ἕως ›νῦν δὲ ἅγιά ἐστι.‹ τί δὲ λέγουσι πρὸς ταῦτα 2
15 οἱ τοῦ νόμου κατατρέχοντες καὶ τοῦ γάμου ὡς κατὰ νόμον συγκεχω-
ρημένου μόνον, οὐχὶ δὲ καὶ κατὰ τὴν διαθήκην τὴν καινήν; τί πρὸς
ταύτας εἰπεῖν ἔχουσι τὰς νομοθεσίας οἱ τὴν σπορὰν καὶ τὴν γένεσιν
μυσαττόμενοι; ἐπεὶ καὶ ›τὸν ἐπίσκοπον τοῦ οἴκου καλῶς προῖστά-
μενον‹ νομοθετεῖ τῆς ἐκκλησίας ἀφηγεῖσθαι, | οἶκον δὲ κυριακὸν 562 P
20 ›μιᾶς γυναικὸς‹ συνίστησι συζυγία. ›πάντα οὖν καθαρὰ τοῖς καθα- 109,
ροῖς,‹ λέγει, ›τοῖς δὲ μεμιαμένοις καὶ ἀπίστοις οὐδὲν καθαρόν, ἀλλὰ
μεμίαται αὐτῶν καὶ ὁ νοῦς καὶ ἡ συνείδησις.‹ ἐπὶ δὲ τῆς παρὰ τὸν 2
κανόνα ἡδονῆς ›μὴ πλανᾶσθε‹ φησίν· ›οὔτε πόρνοι οὔτε εἰδωλο-
λάτραι οὔτε μοιχοὶ οὔτε μαλακοὶ οὔτε ἀρσενοκοῖται οὔτε πλεονέκται
25 οὔτε κλέπται, οὐ μέθυσοι, οὐ λοίδοροι, οὐχ ἅρπαγες βασιλείαν θεοῦ
οὐ κληρονομήσουσιν. καὶ ἡμεῖς μὲν ἀπελουσάμεθα,‹ οἱ ἐν τούτοις
γενόμενοι, οἳ δέ, εἰς ταύτην ἀπολούοντες τὴν ἀσέλγειαν, ἐκ σωφρο-
σύνης εἰς πορνείαν βαπτίζουσι, ταῖς ἡδοναῖς καὶ τοῖς πάθεσι χαρί-
ζεσθαι δογματίζοντες, ἀκρατεῖς ἐκ σωφρόνων εἶναι διδάσκοντες καὶ
30 τὴν ἐλπίδα τὴν σφῶν ταῖς τῶν μορίων ἀναισχυντίαις προσανέχοντες,
ἀποκηρύκτους εἶναι τῆς βασιλείας τοῦ θεοῦ, ἀλλ᾿ οὐκ ἐγγράφους τοὺς
φοιτητὰς παρασκευάζοντες, ›ψευδωνύμου γνώσεως‹ προσηγορίᾳ τὴν

1f. I Cor 6, 13 2f. vgl. S. 218, 21 (Tatian) 3f. I Cor 6, 16 5f. I Cor 7, 5
8f. I Cor 7, 3 10 vgl. Gen 2, 18 (βοηθός) 10—14 I Cor 7, 10—12. 14 18—20 I Tim
3, 2. 4; vgl. Strom. III 79, 6; 90, 1 20 Tit 1, 6 20—22 Tit 1, 15 23—26 I Cor
6, 9—11 30 vgl. Phil 3, 19 31 vgl. Apc 20, 12. 15; 21, 27 32 vgl. I Tim 6, 20

---

8 ὀφειλὴν (zwischen λ u. η 4 Buchst. ausrad.) L 10 ἔτι Sy εἴ τι L 13 vor
ἐγώ 3 Buchst. ausrad. 14 ἅγιά ἐστι I Cor ἁγία ἐστί L 15f. συγκεχωρημένου,
μονονουχὶ L 22 μεμίανται Cobet S. 512 wie Tit

εἰς τὸ ἐξώτερον σκότος ὁδοιπορίαν ἐπανῃρημένοι. »τὸ λοιπόν, 8
ἀδελφοί, ὅσα ἀληθῆ, ὅσα σεμνά, ὅσα δίκαια, ὅσα ἁγνά, ὅσα προσφιλῆ,
ὅσα εὔφημα, εἴ τις ἀρετὴ καὶ εἴ τις ἔπαινος, ταῦτα λογίζεσθε· ὅσα
καὶ ἐμάθετε [ἃ] καὶ παρελάβετε καὶ ἠκούσατε καὶ ἴδετε ἐν ἐμοί, ταῦτα
5 πράσσετε· καὶ ὁ θεὸς τῆς εἰρήνης ἔσται μεθ᾽ ὑμῶν.« καὶ ὁ Πέτρος 110, 1
ἐν τῇ ἐπιστολῇ τὰ ὅμοια λέγει· »ὥστε τὴν πίστιν ὑμῶν καὶ ἐλπίδα
εἶναι εἰς θεόν, τὰς ψυχὰς ὑμῶν ἡγνικότες ἐν τῇ ὑπακοῇ τῆς ἀλη-
θείας, ὡς τέκνα ὑπακοῆς, μὴ συσχηματιζόμενοι ταῖς πρότερον ἐν τῇ 2
ἀγνοίᾳ ὑμῶν ἐπιθυμίαις, ἀλλὰ κατὰ τὸν καλέσαντα ὑμᾶς ἅγιον καὶ
10 αὐτοὶ ἅγιοι ἐν πάσῃ ἀναστροφῇ γενήθητε, διότι γέγραπται· »ἅγιοι
ἔσεσθε, διότι ἐγὼ ἅγιος.««

Ἀλλὰ γὰρ πέρα τοῦ δέοντος ἡ πρὸς τοὺς ψευδωνύμους τῆς γνώ- 3
σεως ὑποκριτὰς ἀναγκαία γενομένη ἀπήγαγεν ἡμᾶς καὶ εἰς μακρὸν
ἐξέτεινε τὸν λόγον ἀντιλογία. ὅθεν καὶ ὁ τρίτος ἡμῖν τῶν κατὰ
15 τὴν ἀληθῆ φιλοσοφίαν γνωστικῶν ὑπομνημάτων Στρωματεὺς τοῦτο
ἔχει τὸ πέρας. |

1 vgl. Mt 8, 12; 22, 13; 25, 30   1—5 Phil 4, 8f.   6—11 I Petr 1, 21f. 14—16
(16 = Lev 11, 44; 19, 2; 20, 7)

4 [ἃ] St (als Variante zu ὅσα)   9 ἀγνοίᾳ I Petr ἁγνείᾳ L   13f. ἀπήγαγεν ἡμᾶς
καὶ εἰς μακρὸν ἐξέτεινε τὸν λόγον ἀντιλογία (α β γ üb. d. Z. von L³)

Subscriptio: στρωμα γ: —

ΚΛΗΜΕΝΤΟΣ

ΣΤΡΩΜΑΤΕΩΝ ΤΕΤΑΡΤΟΣ

I. Ἀκόλουθον δ' ἂν οἶμαι περί τε μαρτυρίου διαλαβεῖν καὶ τίς ὁ 1, 1
τέλειος, οἷς ἐμπεριληφθήσεται κατὰ τὴν ἀπαίτησιν τῶν λεχθησο-
5 μένων τὰ παρεπόμενα, καὶ ὡς ὁμοίως [τε] φιλοσοφητέον δούλῳ τε
καὶ ἐλευθέρῳ κἂν ἀνὴρ ἢ γυνὴ τὸ γένος τυγχάνῃ· τά τε ἑξῆς περὶ 2
τε πίστεως καὶ περὶ τοῦ ζητεῖν προσαποπληρώσαντες τὸ συμβολικὸν
εἶδος παραθησόμεθα, ἵν' ὡς ἐν ἐπιδρομῇ τὸν ἠθικὸν συμπερανάμενοι
λόγον κεφαλαιωδῶς παραστήσωμεν τὴν εἰς | Ἕλληνας ἐκ τῆς βαρ- 564 P
10 βάρου φιλοσοφίας διαδοθεῖσαν ὠφέλειαν. μεθ' ἣν ὑποτύπωσιν ἥ τε 8
πρὸς τοὺς Ἕλληνας καὶ ἡ πρὸς τοὺς Ἰουδαίους κατ' ἐπιτομὴν τῶν
γραφῶν ἔκθεσις παραδοθήσεται καὶ ὅσα ἐν τοῖς πρὸ τούτου Στρω-
ματεῦσι κατὰ τὴν τοῦ προοιμίου εἰσβολὴν ἐν ἑνὶ προθεμένοις τελειώ-
σειν ὑπομνήματι τῷ πλήθει τῶν πραγμάτων ἀναγκαίως δουλεύσασι
15 περιλαβεῖν οὐκ ἐξεγένετο. ἐπὶ τούτοις ὕστερον πληρωθείσης ὡς ἔνι 2, 1
μάλιστα τῆς κατὰ τὰ προκείμενα ἡμῖν ὑποτυπώσεως τὰ περὶ ἀρχῶν
φυσιολογηθέντα τοῖς τε Ἕλλησι τοῖς τε ἄλλοις βαρβάροις, ὅσων
ἧκον εἰς ἡμᾶς αἱ δόξαι, ἐξιστορητέον καὶ πρὸς τὰ κυριώτατα τῶν
τοῖς φιλοσόφοις ἐπινενοημένων ἐγχειρητέον. οἷς ἑπόμενον ἂν εἴη 2
20 μετὰ τὴν ἐπιδρομὴν τῆς θεολογίας τὰ περὶ προφητείας παραδεδο-
μένα διαλαβεῖν, ὡς καὶ τὰς γραφὰς αἷς πεπιστεύκαμεν κυρίας οὔσας
ἐξ αὐθεντείας παντοκρατορικῆς ἐπιδείξαντας προϊέναι δι' αὐτῶν
εἱρμῷ δύνασθαι ⟨καὶ⟩ ἁπάσαις ἐντεῦθεν ταῖς αἱρέσεσιν ἕνα δεικνύναι
θεὸν καὶ κύριον παντοκράτορα τὸν διὰ νόμου καὶ | προφητῶν, πρὸς 204 S
25 δὲ καὶ τοῦ μακαρίου εὐαγγελίου γνησίως κεκηρυγμένον. πολλαὶ δὲ 8

---

20 zur Schrift περὶ προφητείας vgl. Strom. I 158, 1 mit Anm.

3 δ' ἂν] δὴ Schw   4 ἐμπεριληφθήσεται (η¹ aus ει corr.) L¹ nach τῶν 3–4 Buchst.
ausrad. L   5 [τε] St   12 παραδοθήσεται καὶ ὅσα ∼ Sy καὶ ὅσα παρ. L   13 προθε-
μένοις Hiller προθεμένους L   17 ὅσων Ma ὅσον L   23 ⟨καὶ⟩ He

ἡμᾶς αἱ πρὸς τοὺς ἑτεροδόξους ἀντιρρήσεις ἐκδέχονται πειρωμένους
τά τε ὑπ' αὐτῶν προκομιζόμενα ἐγγράφως διαλύεσθαι πείθειν τε
αὐτοὺς καὶ ἄκοντας, δι' αὐτῶν ἐλέγχοντας τῶν γραφῶν.

Τελειωθείσης τοίνυν τῆς προθέσεως ἡμῖν ἁπάσης ἐν οἷς, ἐὰν **8, 1**
5 θελήσῃ τὸ πνεῦμα, ὑπομνήμασι πρὸς τὴν κατεπείγουσαν ἐξυπηρετοῦ-
μεν χρείαν (πολλὴ γὰρ ἡ τῶν προλέγεσθαι ὀφειλομένων τῆς ἀλη-
θείας ἀνάγκη), τότε δὴ τὴν τῷ ὄντι γνωστικὴν φυσιολογίαν μέτιμεν,
τὰ μικρὰ πρὸ τῶν μεγάλων μυηθέντες μυστηρίων, ὡς μηδὲν ἐμπο-
δὼν τῇ θείᾳ ὄντως ἱεροφαντίᾳ γίνεσθαι προκεκαθαρμένων καὶ προ-
10 διατετυπωμένων τῶν προϊστορηθῆναι καὶ προπαραδοθῆναι δεόντων.
ἡ γοῦν κατὰ τὸν τῆς ἀληθείας κανόνα γνωστικῆς παραδόσεως φυσιο- **2**
λογία, μᾶλλον δὲ ἐποπτεία, ἐκ τοῦ περὶ κοσμογονίας ἤρτηται λόγου,
ἐνθένδε ἀναβαίνουσα ἐπὶ τὸ θεολογικὸν εἶδος. ὅθεν εἰκότως τὴν **8**
ἀρχὴν τῆς παραδόσεως ἀπὸ τῆς προφητευθείσης ποιησόμεθα γενέ-
15 σεως, ἐν μέρει καὶ τὰ τῶν ἑτεροδόξων παρατιθέμενοι καὶ ὡς οἷόν
τε ἡμῖν διαλύεσθαι πειρώμενοι. ἀλλὰ γὰρ τὸ μὲν γεγράψεται, ἢν **4**
θεός γε ἐθέλῃ καὶ ὅπως ἂν ἐμπνέῃ, νυνὶ δὲ ἐπὶ τὸ προκείμενον
μετιτέον καὶ τὸν ἠθικὸν ἀποπληρωτέον λόγον. |

II. Ἔστω δὲ ἡμῖν τὰ ὑπομνήματα, ὡς πολλάκις εἴπομεν, διὰ 565 P **4, 1**
20 τοὺς ἀνέδην ἀπείρως ἐντυγχάνοντας ποικίλως, ὡς αὐτό που τοὔ-
νομά φησι, διεστρωμένα, ἀπ' ἄλλου εἰς ἄλλο συνεχὲς μετιόντα,
καὶ ἕτερον μέν τι κατὰ τὸν εἱρμὸν τῶν λόγων μηνύοντα, ἐνδεικνύ-
μενα δὲ ἄλλο τι. »χρυσὸν γὰρ οἱ διζήμενοι«, φησὶν Ἡράκλειτος, »γῆν **2**
πολλὴν ὀρύσσουσι καὶ εὑρίσκουσιν ὀλίγον,« οἱ δὲ τοῦ χρυσοῦ ὄντως
25 γένους τὸ συγγενὲς μεταλλεύοντες εὑρήσουσι τὸ πολὺ ἐν ὀλίγῳ·
εὑρήσει γὰρ τὸν συνήσοντα ἕνα ἡ γραφή. συλλαμβάνουσι μὲν οὖν **8**
πρός τε ἀνάμνησιν πρός τε ἔμφασιν ἀληθείας τῷ οἵῳ τε ζητεῖν μετὰ
λόγου οἱ τῶν ὑπομνημάτων Στρωματεῖς. δεῖ δὲ καὶ ἡμᾶς τούτοις **4**
προσεκπονεῖν καὶ προσεφευρίσκειν ἕτερα, ἐπεὶ καὶ τοῖς ὁδὸν ἀπιοῦσιν

---

*   8 vgl. S. 11, 21 mit Anm.   11f. vgl. S. 11, 14f. (I Clem. ad Cor. 7, 2)   19 vgl.
z. B. Strom. I 18, 1; 55, 1. 3; 56, 3; VI 2; VII 110, 4; 111.   22 vgl. Strom. V 89, 2
(S. 384, 21) Orig. c. Cels. IV 87 (Fr)   23f. Heraklit Fr. 22 Diels⁶ I S. 156, 4;
Theodoret Gr. aff. c. I 88   24f. vgl. Plato Rep. V p. 468 E (Strom. IV 16, 1); Rep.
III p. 415 A (Strom. V 98, 2); Strom. V 133, 6   26 zu τὸν συνήσοντα ἕνα vgl. S. 111, 21

4 οἷς ἂν Heyse ὅσοις ἂν Wi ⟨ὀλίγ⟩οις, ἐὰν Ma τούτοις, ἐὰν E. de Faye p. 79²
δυοῖν oder τρισίν, ἐὰν Wendland ThLz 23 (1898) Sp. 656   5f. ἐξυπηρετοῦμεν Hiller
ἐξυπηρετούμενοι L ἐξυπηρετουμένοις Heyse   6 προλέγεσθαι ὀφειλομένων Sy mit
Hervet προλεγμένων ὀφείλεσθαι L¹   7 μέτιμεν Sy μέτειμεν L   19 ἔσται Sy ἡμῖν
Hervet ὑμῖν L   20 ἀναίδην L   ⟨καὶ⟩ ἀπείρως Hiller   ποικίλως Ma ποικίλα L ποικίλα
⟨καὶ⟩ Hiller   24 ὄντες Ma; doch vgl. Z. 9; S. 250. 12   28 ὑμᾶς Migne

ἣν οὐκ ἴσασιν ἀρκεῖ τὴν φέρουσαν·ὑποσημῆναι μόνον, βαδιστέον δὲ 5, 1
τὸ μετὰ τοῦτο ἤδη καὶ τὴν λοιπὴν ἑαυτοῖς ἐξευρετέον, ὥσπερ φασὶ
καὶ δούλῳ τινὶ χρωμένῳ ποτὲ τί ἂν ποιῶν τὸν δεσπότην ἀρέσαιτο
ἀνειπεῖν τὴν Πυθίαν, »εὑρήσεις ἐὰν ζητήσῃς«. χαλεπὸν οὖν τῷ ὄντι 2
5 ὡς ἔοικεν λανθάνον καλὸν ἐξευρεῖν, ἐπεὶ »τῆς ἀρετῆς ἱδρὼς«
πρόκειται,
                     μακρὸς δὲ καὶ ὄρθιος οἶμος ἐς αὐτὴν
                 καὶ τρηχὺς τὸ πρῶτον· ἐπὴν δ' εἰς ἄκρον ἵκηται,
                 ῥηιδίη δὴ 'πειτα πέλει, χαλεπή περ ἐοῦσα.

10 »στενὴ« γὰρ τῷ ὄντι »καὶ τεθλιμμένη ἡ ὁδὸς« κυρίου, καὶ »βιαστῶν 3
ἐστιν ἡ βασιλεία τοῦ θεοῦ«, ὅθεν »ζήτει« φησὶ »καὶ εὑρήσεις,« τῆς
βασιλικῆς ὄντως ἐχόμενος ὁδοῦ καὶ μὴ παρεκτρέχων. εἰκότως οὖν 6, 1
πολὺ τὸ γόνιμον ἐν ὀλίγῳ σπέρμα⟨τι⟩ τῶν ἐμπεριεχομένων τῇδε τῇ
πραγματείᾳ δογμάτων, »ὥσπερ τὸ παμβότανον τοῦ ἀγροῦ,« φησὶν ἡ
15 γραφή. ᾗ καὶ τὴν ἐπιγραφὴν κυρίαν ἔχουσιν οἱ τῶν ὑπομνημάτων 2
Στρωματεῖς ἀτεχνῶς κατὰ τὴν παλαιὰν ἐκείνην ἀπηνθισμένοι προσ-
φοράν, περὶ ἧς ὁ Σοφοκλῆς γράφει·

                 ἦν μὲν γὰρ οἰὸς μαλλός, ἦν δ' ⟨ἀπ'⟩ ἀμπέλων   3
                 σπονδή ⟨τε⟩ καὶ ῥὰξ εὖ τεθησαυρισμένη,
20   ἐνῆν δὲ παγκάρπεια συμμιγὴς ὅλαις |
                 λίπος τ' ἐλαίου καὶ τὸ ποικιλώτατον   566 P
                 ξανθῆς μελίσσης κηρόπλαστον ὄργανον.

αὐτίκα οἱ Στρωματεῖς ἡμῶν κατὰ τὸν γεωργὸν Τιμοκλέους τοῦ 7, 1
κωμικοῦ
25   σῦκα, ἔλαιον, ἰσχάδας, μέλι

        5—9 Hesiod Op. 289—292; vgl. Theodoret XII 46   10 Mt 7, 14   10f. vgl. Mt
11, 12; zur Form vgl. Strom. VI 149, 5; anders Strom. V 16, 7; QDS 21, 3   11 vgl.
Mt 7, 7 (Lc 11, 9)   12 zur βασιλικὴ ὁδός (Num 20, 17) vgl. Philo De gig. 64; De
post. Caini 102 (Fr)   14 Iob 5, 25, viell. aus I Clem. 56, 14   18—22 Sophokles Man-
teis oder Polyidos Fr. 366   25. S. 251, 3 Timokles Fr. 36 CAF II p. 466

        2 ἐξευρητέον L   8 τριχὺς L   9 δ' ἤπειτα L   ἐοῦσα (α in Ras. f. η) L¹   13 σπέρ-
ματι τῶν Ma σπερμάτων L σπέρμα τῶν? (vgl. Iob 5, 25 πολὺ τὸ σπέρμα) St σπέρ-
μα⟨τι πάν⟩των Schw   14 παμβότα///ον (1 Buchst. ausr.) L   15 ᾗ L   16 ἀπηνθισμένοι
St ἀπηνθισμένην L ἀνηνθισμένων Schw   18 δ' ⟨ἀπ'⟩ ἀμπέλων Sch δ' ἀμπέλου Porph.
de abst. II 19 δὲ κἀμπέλων Sy δὲ κἀμπέλου Grotius δ' εὐάμπελος Nauck   19 ⟨τε⟩
Porph.   20 παγκάρπεια Kl παγκαρπία L (dies ~ nach ὅλαι; Sy)   ὅλαῖς Brunck
ὅλαις L   21 ἐλαίας Porph.   ποικιλότατον L   22 ξανθῆς] ξουθῆς Porph. ξουθοῦ oder
ξοῦφον Schol. Eur. Phoen. 114   23 Γεωργὸν Meineke

προσοδεύουσι, καθάπερ ἐκ παμφόρου χωρίου. δι᾽ ἣν εὐκαρπίαν 2
ἐπιφέρει·

    σὺ μὲν εἰρεσιώνην, οὐ γεωργίαν λέγεις,·

ἐπιφωνεῖν γὰρ εἰώθεσαν Ἀθηναῖοι·   8

5   εἰρεσιώνη σῦκα φέρει καὶ πίονας ἄρτους
       καὶ μέλι ἐν κοτύλῃ καὶ ἔλαιον ἀναψήσασθαι.·

χρὴ τοίνυν πολλάκις ὡς ἐν τοῖς πλοκάνοις διασείοντας καὶ ἀναρ- 4
ριπτοῦντας τὴν πολυμιγίαν τῶν σπερμάτων τὸν πυρὸν ἐκλέγειν.
III. οἱ πολλοὶ δὲ τῇ τῶν χειμώνων καταστάσει ὁμοίαν ἔχουσι τὴν 8, 1
10 διάθεσιν ἀνέδραστόν τε καὶ ἀλόγιστον.

     Πολλὰ ἀπιστία δέδρακεν ἀγαθὰ ⟨καὶ⟩ πίστις κακά.   2

ὅ τε Ἐπίχαρμος »μέμνασο ἀπιστεῖν« φησὶν »ἄρθρα ταῦτα τῶν φρε- 8
νῶν.« αὐτίκα τὸ μὲν ἀπιστεῖν τῇ ἀληθείᾳ θάνατον φέρει ὡς τὸ 4
πιστεύειν ζωήν, ἔμπαλιν δὲ τὸ πιστεύειν τῷ ψεύδει, ἀπιστεῖν δὲ τῇ
15 ἀληθείᾳ εἰς ἀπώλειαν ὑποσύρει. ὁ αὐτὸς λόγος ἐπί τε ἐγκρατείας 5
καὶ ἀκρασίας. ἐγκρατεύεσθαι μὲν γὰρ ἀγαθοεργίας κακίας ἔργον,
ἀπέχεσθαι δὲ ἀδικίας σωτηρίας ἀρχή. ᾗ μοι δοκεῖ τὸ σάββατον δι᾽ 6
ἀποχῆς κακῶν ἐγκράτειαν αἰνίσσεσθαι᾽᾽καὶ τί ποτ᾽ ἐστὶν ᾧ διαφέρει
θηρίων ἄνθρωπος τούτου τε αὖ οἱ τοῦ θεοῦ ἄγγελοι σοφώτεροι· 7
20 »ἠλάττωσας αὐτόν«, φησί, »βραχύ τι παρ᾽ ἀγγέλους«· οὐ γὰρ ἐπὶ
τοῦ κυρίου ἐκδέχονται τὴν γραφήν (καίτοι κἀκεῖνος σάρκα ἔφερεν),
ἐπὶ δὲ τοῦ τελείου καὶ γνωστικοῦ τῷ χρόνῳ | καὶ τῷ ἐνδύματι ἐλατ- 567 P
τουμένου παρὰ τοὺς ἀγγέλους. οὔκουν ἄλλο τι σοφίαν παρὰ τὴν 8
ἐπιστήμην λέγω, ἐπεὶ μὴ διαφέρει ζωή· κοινὸν γὰρ τῇ φύσει τῇ

5f. vgl. Schol. zu Protr. S. 299, 23f.; Plut. Thes. 22; Bekker, Anecd. Gr. I
p. 246, 27 zu Εἰρεσιώνη vgl. J. K. Schönberger in Glotta 29, 1941, S. 85ff. (Fr)
11 fraglich, ob einem Tragiker (vgl. TGF Adesp. 113) oder einem Komiker (vgl.
CAF III p. 630. Adesp. 1327) entnommen 12f. Epicharm Fr. 13 Diels⁶ I S. 201, 2
20 Ps 8. 6

*   6 μέλι ἐν κοτύλῃ] μέλιτος κοτύλην Etym. Magn. p. 303, 27 Eustath. ad. Il.
p. 1283, 13 ἀναψήσασθαι L Plut. Schol. zu Arist. Equ. 729 ἀποψήσασθαι Schol. zu
Arist. Plut. 1054 Etym. M. Suid. s. v. p. 1614 B ἐπικρήσασθαι Eustath. 11 ⟨καὶ⟩
Kl u. Jackson¹, The Journal of Philol. 24 (1896) p. 270 12 μέμνασ᾽—τὰν Dio Chrys.
74, 1 (II 192 Arnim) 14 τὸ] τῷ L 17. S. 252, 2 ᾗ μοι L 18 ἀποχῆς Sy ἀποδοχῆς
L αἰνίσσεσθαι * * Schw; Lücke von Fr aus Max. Tyr. ergänzt, s. Nachtr. τ]᾽ δ
τι Ma 19 δὲ Ma 21 ἐκδέχομαι St 22 γνωστικῷ L 24 ζωὴ am Rand L³ ζωῆς
im Text L* ζωὴ ζωῆς Ausgg.

θνητῇ, τουτέστι τῷ ἀνθρώπῳ, πρὸς τὸ ἀθανασίας κατηξιωμένον τὸ
ζῆν, ἕξιν θεωρίας τε καὶ ἐγκρατείας θατέρου διαφέροντος. ἦ μοι 9, 1
δοκεῖ καὶ Πυθαγόρας σοφὸν μὲν εἶναι τὸν θεὸν λέγειν μόνον (ἐπεὶ
καὶ ὁ ἀπόστολος ἐν τῇ πρὸς Ῥωμαίους ἐπιστολῇ γράφει· »εἰς ὑπα-
5 κοὴν πίστεως εἰς | πάντα τὰ ἔθνη γνωρισθέντος, μόνῳ σοφῷ θεῷ 205 S
διὰ Ἰησοῦ Χριστοῦ«), ἑαυτὸν δὲ διὰ φιλίαν τὴν πρὸς τὸν θεὸν φιλό-
σοφον. »διελέγετο« γοῦν »Μωυσεῖ«, φησίν, »ὁ θεὸς ὡς φίλος φίλῳ.«
τὸ μὲν οὖν ἀληθὲς τῷ θεῷ σαφές. αὐτίκα τὴν ἀλήθειαν γεννᾷ, ὁ 2
γνωστικὸς δὲ ἀληθείας ἐρᾷ. »ἴσθι«, φησί, »πρὸς τὸν μύρμηκα, ὦ
10 ὀκνηρέ, καὶ μελίττης γενοῦ μαθητής,« ὁ Σολομὼν λέγει· εἰ γὰρ ἑκά- 3
στου τῆς οἰκείας φύσεως ἔργον ἓν καὶ βοὸς ὁμοίως καὶ ἵππου καὶ
κυνός, τί ἂν φήσαιμεν τοῦ ἀνθρώπου τὸ ἔργον τὸ οἰκεῖον; ἔοικεν 4
δ᾿ οἶμαι, κενταύρῳ, Θετταλικῷ πλάσματι, ἐκ λογικοῦ καὶ ἀλόγου
συγκείμενος, ψυχῆς καὶ σώματος, ἀλλὰ τὸ μὲν σῶμα γῆν τε ἐργάζεται
15 καὶ σπεύδει εἰς γῆν, τέταται δὲ ἡ ψυχὴ πρὸς τὸν θεόν, ἥ γε διὰ 5
φιλοσοφίας τῆς ἀληθοῦς παιδευομένη πρὸς   τοὺς ἄνω σπεύδειν συγ-
γενεῖς, ἀποστραφεῖσα τῶν τοῦ σώματος ἐπιθυμιῶν πρός τε ταύταις
πόνου τε καὶ φόβου· καίτοι πρὸς ἀγαθοῦ καὶ τὴν ὑπομονὴν καὶ τὸν
φόβον ἐδείξαμεν. εἰ γὰρ »διὰ νόμου ἐπίγνωσις ἁμαρτίας,« ὡς οἱ 6
20 κατατρέχοντες τοῦ νόμου φασί, »καὶ »ἄχρι νόμου ἁμαρτία ἦν ἐν
κόσμῳ,« ἀλλὰ »χωρὶς νόμου ἁμαρτία νεκρά«« ἀντᾴδομεν αὐτοῖς. ὅταν 7
γὰρ ἀφέλῃς τὸ αἴτιον τοῦ φόβου, τὴν ἁμαρτίαν, ἀφεῖλες τὸν φόβον,
πολὺ δὲ ἔτι ⟨μᾶλλον τὴν⟩ κόλασιν, ὅταν ἀπῇ τὸ πεφυκὸς ἐπιθυμεῖν·
»δικαίῳ γὰρ οὐ | κεῖται νόμος,« ἡ γραφή φησιν. καλῶς οὖν Ἡράκλει- 568 P 1
25 τος »δίκης ὄνομα« φησὶν »οὐκ ἂν ᾔδεσαν, εἰ ταῦτα μὴ ἦν,« Σωκράτης
δὲ νόμον ἕνεκα ἀγαθῶν οὐκ ἂν γενέσθαι. ἀλλ᾿ οὐδὲ τοῦτο ἔγνωσαν 2
οἱ κατήγοροι, ὡς ὁ ἀπόστολός φησιν ὅτι »ὁ ἀγαπῶν τὸν πλησίον
κακὸν οὐκ ἐργάζεται· τὸ γὰρ οὐ φονεύσεις, οὐ μοιχεύσεις, οὐ κλέψεις,
καὶ εἴ τις ἑτέρα ἐντολή, ἐν τούτῳ μόνῳ ἀνακεφαλαιοῦται τῷ λόγῳ,
30 τῷ· »ἀγαπήσεις τὸν πλησίον σου ὡς σεαυτόν.«« ταύτῃ που »ἀγα- 8

·2 f. 6 f. vgl. Diog. Laert. Prooem. 12 (Herakleides Pont. Fr. 78 Voss fr. 87 Wehrli, 7
S. 31, 5–8; Cic. Tusc. disp. V 3, 9   4–6 Rom 16, 26 f.   7 vgl. Exod 33, 11   9 f. vgl.
Prov 6, 6. 8ᵃ   14 vgl. Gen 3, 19   18 f. vgl. Strom. II 39,4 ; Paed. I 67, 2 u. ö.   19
Rom 3, 20   20 f. Rom 5, 13   21 Rom 7, 8   24 I Tim 1, 9   25 Heraklit Fr. 23
Diels⁶ I S. 156, 6   25 f. wo? zum Sokrateswort vgl. Lucian Demonax 59 (Fr)
27–30. S. 253, 2–4 vgl. Rom 13, 10 (ὁ ἀγαπῶν viell. aus V. 8). 9   30–S. 253, 2
Lev 19, 18; Deut 6, 5; Lc 10, 27; Mt 22, 37. 39

3 λέγειν St λέγων L   9 ἴθι Sy, aber vgl. S. 22, 10   16 σπεύδειν Fr -ει L
23 πολὺ δὲ] πρὸς δ᾿ Sy   ⟨μᾶλλον τὴν⟩ St   25 ᾔδεσαν Sy ἔδησαν L ἔδεισαν Höschel
26 νόμων L   30 ὡσεαυτόν corr. L¹

πήσεις κύριον τὸν θεόν σου‹ φησὶν ›ἐξ ὅλης καρδίας σου, καὶ ἀγα
πήσεις τὸν πλησίον σου ὡς σεαυτόν.‹ εἰ δὴ ὁ τὸν πλησίον ἀγαπῶν
κακὸν οὐκ ἐργάζεται καὶ πᾶσα ἐντολὴ ἐν τούτῳ ἀνακεφαλαιοῦται,
τῷ ἀγαπᾶν τὸν πλησίον, αἱ τὸν φόβον ἐπαρτῶσαι ἐντολαὶ ἀγάπην,
5 οὐ μῖσος κατασκευάζουσιν. οὔκουν πάθος ὁ φόβος ⟨οὗ⟩ γεννητικὸς ὁ 11, 1
νόμος. ›ὥστε ὁ νόμος ἅγιος‹ καὶ τῷ ὄντι ›πνευματικός· ἐστι κατὰ
τὸν ἀπόστολον. δεῖ δή, ὡς ἔοικε, τήν γε τοῦ σώματος φύσιν καὶ 2
τὴν τῆς ψυχῆς οὐσίαν πολυπραγμονήσαντας τὸ ἑκατέρου τέλος κατα
λαβέσθαι καὶ μὴ τὸν θάνατον ἡγεῖσθαι κακόν· ›ὅτε γὰρ δοῦλοι ἦτε 3
10 τῆς ἁμαρτίας,‹ φησὶν ὁ ἀπόστολος, ›ἐλεύθεροι ἦτε τῇ δικαιοσύνῃ.
τίνα οὖν καρπὸν εἴχετε τότε; ἐφ᾽ οἷς νῦν ἐπαισχύνεσθε· τὸ γὰρ τέλος
ἐκείνων θάνατος. νῦν δὲ ἐλευθερωθέντες ἀπὸ τῆς ἁμαρτίας, δουλω
θέντες δὲ τῷ θεῷ, ἔχετε τὸν καρπὸν ὑμῶν εἰς ἁγιασμόν, τὸ δὲ
τέλος ζωὴν αἰώνιον. τὰ γὰρ ὀψώνια τῆς ἁμαρτίας θάνατος, τὸ
15 δὲ χάρισμα τοῦ θεοῦ ζωὴ αἰώνιος ἐν Χριστῷ Ἰησοῦ τῷ κυρίῳ
ἡμῶν.‹

Κινδυνεύει τοίνυν δεδεῖχθαι θάνατος μὲν εἶναι ἡ ἐν σώματι κοι 12, 1
νωνία τῆς ψυχῆς ἁμαρτητικῆς οὔσης, ζωὴ δὲ ὁ χωρισμὸς τῆς ἁμαρ
τίας. πολλοὶ δὲ οἱ ἐν ποσὶ χάρακες καὶ τάφροι τῆς ἐπιθυμίας τά τε 2
20 ὀργῆς καὶ θυμοῦ βάραθρα, ἃ διαπηδᾶν ἀνάγκη καὶ πᾶσαν ἀποφεύγειν
τὴν τῶν ἐπιβουλῶν ἀνασκευὴν τὸν μηκέτι ›δι᾽ ἐσόπτρου‹ τὴν γνῶ
σιν τοῦ θεοῦ κατοψόμενον·

ἥμισυ γάρ τ᾽ ἀρετῆς ἀποαίνυται εὐρύοπα Ζεὺς   3
ἀνέρος, εὖτ᾽ ἄν μιν κατὰ δούλιον ἦμαρ ἕλῃσι.

25 δούλους δὲ τοὺς ὑπὸ ἁμαρτίαν καὶ ταῖς ἁμαρτίαις πεπραμένους, τοὺς 4
φιληδόνους καὶ φιλοσωμάτους οἶδεν ἡ γραφή, καὶ θηρία μᾶλλον ἢ
ἀνθρώπους, τοὺς παρομοιωθέντας τοῖς | κτήνεσι, θηλυμανεῖς ἵππους 569 P
ἐπὶ τὰς τῶν πλησίον χρεμετίζοντας· ὄνος ὑβριστὴς ὁ ἀκόλαστος,
λύκος ἄγριος ὁ πλεονεκτικὸς καὶ ὄφις ὁ ἀπατεών. ὁ τοίνυν ἀπὸ 5
30 τοῦ σώματος τῆς ψυχῆς χωρισμὸς ὁ παρ᾽ ὅλον τὸν βίον μελετώ

---

6 vgl. Rom 7, 12. 14   9—16 Rom 6, 20—23   21 vgl. I Cor 13, 12   23f. ϱ 322f.
21f. vgl. Strom. V 7, 5   25f. vgl. Rom 6, 17. 20; 7, 14   26f. vgl. Ps 48, 13. 21
27f. vgl. Ier 5, 8   29—S. 254, 1 vgl. Plato Phaed. p. 67 D; 80 E

5 ὁ φόβος ⟨οὗ⟩ (vgl. Strom. II 40, 1) Hiller τοῦ φόβου L οὗ φόβου Schw ⟨ἐμ
ποιῶν⟩ τοῦ φ. Bywater   γεννητικὸς Vi γενητικὸς L   13 vor ὑμῶν 2 Buchst. ausr.
L   14 ὀψώνια am Rand L¹   17 ἐν] σὺν Schw   23 τ᾽ Vi τῆς L   24 καταδούλιον
ἦμαρ ἕλησι L   28 χρεμετίζοντας L   29f. ἀπὸ τοῦ σώματος τῆς ψυχῆς St τοῦ σώ
ματος ἀπὸ τῆς ψυχῆς L τῆς ψυχῆς ἀπὸ τοῦ σώματος Davies zu Cic. de div. I 49

μενος τῷ φιλοσόφῳ προθυμίαν κατασκευάζει γνωστικὴν εὐκόλως
δύνασθαι φέρειν τὸν τῆς φύσεως θάνατον, διάλυσιν ὄντα τῶν πρὸς
τὸ σῶμα τῆς ψυχῆς δεσμῶν· ›ἐμοὶ‹ γὰρ ›κόσμος ἐσταύρωται κἀγὼ 6
τῷ κόσμῳ‹ λέγει, βιῶ δὲ ἤδη ἐν σαρκὶ ὢν ὡς ἐν οὐρανῷ πολι-
5 τευόμενος.

IV. Ὅθεν εἰκότως καλούμενος ὁ γνωστικὸς ὑπακούει ῥᾳδίως καὶ 13, 1
τῷ τὸ σωμάτιον αἰτοῦντι φέρων προσδίδωσι καὶ τὰ πάθη, προαποδυό-
μενος τοῦ σαρκίου ταῦτα, οὐχ ὑβρίζων τὸν πειράζοντα, παιδεύων δέ,
οἶμαι, καὶ ἐλέγχων,

10   ἐξ οἵης τιμῆς καὶ οἵου μήκεος ὄλβου,

ὥς φησιν Ἐμπεδόκλης, ὧδε ἐλθὼν μετὰ θνητῶν ἀναστρέφεται. οὗτος 2
ὡς ἀληθῶς μαρτυρεῖ αὐτῷ μὲν τὸ εἶναι πιστῷ γνησίῳ πρὸς τὸν
θεόν, τῷ πειράζοντι δὲ μάτην ἐζηλωκέναι τὸν δι᾽ ἀγάπης πιστόν,
τῷ δ᾽ αὖ κυρίῳ τὴν ἔνθεον πρὸς τὴν διδασκαλίαν πειθώ, ἧς οὐκ
15 ἀποστήσεται θανάτου φόβῳ, ναὶ μὴν καὶ τοῦ κηρύγματος τὴν ἀλή-
θειαν συμβεβαιοῖ ἔργῳ, δυνατὸν εἶναι δεικνὺς τὸν πρὸς ὃν σπεύδει
θεόν. θαυμάσαις ἂν τὴν ἀγάπην αὐτοῦ, ἣν ἐναργῶς διδάσκει εὐχα- 3
ρίστως ἑνούμενος πρὸς τὸ συγγενές, οὐ μὴν ἀλλὰ καὶ τῷ ›τιμίῳ
αἵματι‹ τοὺς ἀπίστους δυσωπῶν. οὗτος οὖν ⟨οὐ⟩ φόβῳ τὸ ἀρνεῖσθαι 14, 1
20 Χριστὸν διὰ τὴν ἐντολὴν ἐκκλινεῖ, ἵνα δὴ φόβῳ μάρτυς γένηται· οὐ
μὴν οὐδὲ ἐλπίδι δωρεῶν ἡτοιμασμένων πιπράσκων τὴν πίστιν, ἀγάπη
δὲ πρὸς τὸν κύριον ἀσμενέστατα τοῦδε τοῦ βίου ἀπολυθήσεται, χάριν
ἴσως καὶ τῷ τὴν αἰτίαν παρασχομένῳ τῆς ἐνθένδε ἐξόδου καὶ τῷ
τὴν ἐπιβουλὴν | τεχνασαμένῳ ἐγνωκάς, πρόφασιν εὔλογον λαβών, 206 S
25 ἣν οὐκ αὐτὸς παρέσχεν, ἑαυτὸν ἐπιδεῖξαι ὅς ἐστι, τῷ μὲν δι᾽ ὑπο-
μονῆς, δι᾽ ἀγάπης δὲ κυ|ρίῳ, δι᾽ ἧς ἀνεδείκνυτο τῷ κυρίῳ καὶ πρὸ 570 P
τῆς γενέσεως τὴν προαίρεσιν τοῦ μαρτυρήσοντος εἰδότι. εὐθαρσήσας 2
τοίνυν πρὸς φίλον τὸν κύριον, ὑπὲρ οὗ καὶ τὸ σῶμα ἑκὼν ἐπιδέ-
δωκεν, πρὸς δὲ καὶ τὴν ψυχήν, ὡς οἱ δικασταὶ προσεδόκησαν, ἔρ-
30 χεται, ›φίλε κασίγνητε‹ ποιητικῶς [τε] ἀκούσας πρὸς τοῦ σωτῆρος

3f. Gal 6, 14   4f. vgl. Gal 2, 20; Phil 3, 20   7 vgl. Lc 6, 29   10 Empedokles
Fr. 119 Diels⁶ I S. 359, 19; vgl. Plut. Mor. p. 607 E (= Stob. Flor. 40, 5)   18f. vgl.
I Petr 1, 19   19f. vgl. Mt 10, 33   28 vgl. Io 15, 14   30 Δ 155; E 359; Φ 308

---

*   1 ⟨ὥστ᾽⟩ εὐκόλως Schw   10 καὶ] τε καὶ Plut. Stob.   οἵου] ὅσου Plut. Stob.
ὅσσου Gesner   11 Karsten stellt einen Vers her: ὧδε πεσὼν κατὰ γαῖαν ἀναστρέφομαι
κατὰ θνητῶν (μετὰ θνητοῖς Stein); ähnlich Bergk Opusc. II 42; es sind aber Worte
des Clem.   ἐλθὼν St λιπὼν L λοιπὸν Ro ⟨τοιάδε⟩ λιπὼν Lowth   19 οὖν ⟨οὐ⟩ St οὖν
(ν jetzt ausrad.) L   20 ἐκκλίνει L   27 μαρτυρήσοντος Heyse μαρτυρήσαντος L   30
[τε] oder γε Sy   zwischen πρὸς u. τοῦ Ras. (2 Buchst.) L

ἡμῶν διὰ τὴν τοῦ βίου ὁμοιότητα. αὐτίκα τελείωσιν τὸ μαρτύριον 8
καλοῦμεν οὐχ ὅτι τέλος τοῦ βίρυ ὁ ἄνθρωπος ἔλαβεν ὡς οἱ λοιποί,
ἀλλ᾽ ὅτι τέλειον ἔργον ἀγάπης ἐνεδείξατο. καὶ οἱ παλαιοὶ δὲ τῶν 4
παρ᾽ Ἕλλησι τῶν ἐν πολέμῳ ἀποθανόντων τὴν τελευτὴν ἐπαινοῦσιν,
5 οὐ τὸ βιαίως ἀποθνῄσκειν συμβουλεύοντες, ἀλλ᾽ ὅτι ὁ κατὰ πόλεμον
τελευτῶν ἀδεὴς τοῦ θανεῖν ἀπήλλακται, ἀποτμηθεὶς τοῦ σώματος,
καὶ οὐ προκαμὼν τῇ ψυχῇ οὐδὲ καταμαλακισθείς, οἷα περὶ τὰς
νόσους πάσχουσιν οἱ ἄνθρωποι· ἀπαλλάττονται γὰρ θηλυκευόμενοι
καὶ ἱμειρόμενοι τοῦ ζῆν. διὰ ταῦτα οὐδὲ καθαρὰν ἀπολύουσιν τὴν 15, 1
10 ψυχήν, ἀλλ᾽ ὥσπερ μολυβδίδας τὰς ἐπιθυμίας μεθ᾽ ἑαυτῆς φερομένην,
εἰ μή τινες τούτων ἐλλόγιμοι κατ᾽ ἀρετὴν γεγόνασιν. εἰσὶ δὲ καὶ οἳ 2
ἐν πολέμῳ μετ᾽ ἐπιθυμιῶν ἀποθνῄσκουσιν, οὐδὲν οὗτοι διαφέροντες,
⟨ἢ⟩ εἰ καὶ νόσῳ κατεμαραίνοντο. εἰ τοίνυν ἡ πρὸς θεὸν ὁμολογία μαρ-
τυρία ἐστί, πᾶσα ἡ καθαρῶς πολιτευσαμένη ψυχὴ μετ᾽ ἐπιγνώσεως
15 τοῦ θεοῦ, ἡ ταῖς ἐντολαῖς ὑπακηκουῖα, μάρτυς ἐστὶ καὶ βίῳ καὶ λόγῳ,
ὅπως ποτὲ τοῦ σώματος ἀπαλλάττεται, οἷον αἷμα τὴν πίστιν ἀνὰ
τὸν βίον ἅπαντα, πρὸς δὲ καὶ τὴν ἔξοδον, προχέουσα. αὐτίκα ὁ 4
κύριος ἐν τῷ εὐαγγελίῳ φησίν· ›ὃς ἂν καταλείψῃ πατέρα ἢ μητέρα
ἢ ἀδελφοὺς‹ καὶ τὰ ἑξῆς ›ἕνεκεν τοῦ εὐαγγελίου καὶ τοῦ ὀνόματός
20 μου‹, μακάριος οὑτοσί, οὐ τὴν ἁπλῆν ἐμφαίνων μαρτυρίαν, ἀλλὰ τὴν
γνωστικήν, ὡς κατὰ τὸν κανόνα τοῦ εὐαγγελίου πολιτευσάμενος διὰ
τῆς πρὸς τὸν κύριον ἀγάπης· γνῶσιν γὰρ σημαίνει ἡ τοῦ ὀνόματος 5
εἴδησις καὶ ἡ τοῦ εὐαγγελίου νόησις, ἀλλ᾽ οὐ ψιλὴν τὴν προσηγορίαν,
** ἀπολιπεῖν μὲν γένος τὸ κοσμικόν, ἀπολιπεῖν δὲ οὐσίαν καὶ κτῆσιν
25 πᾶσαν διὰ τὸ ἀπροσπαθῶς βιοῦν. μήτηρ γοῦν ἡ πατρὶς καὶ τροφὸς
ἀλληγορεῖται, πατέρες δὲ οἱ νόμοι οἱ πολιτικοί. ἃ δὴ ὑπεροπτέον 6
εὐχαρίστως τῷ μεγαλόφρονι δικαίῳ ἕνεκεν τοῦ φίλον γενέσθαι τῷ
θεῷ καὶ τυχεῖν τῶν δεξιῶν μερῶν τοῦ ἁγιά|σματος, καθάπερ καὶ οἱ 571 P
ἀπόστολοι πεποιήκασιν.

30   Εἶτα Ἡράκλειτος μέν φησιν ›ἀριηφάτους θεοὶ τιμῶσι καὶ ἄν- 16, 1
θρωποι,‹ καὶ Πλάτων ἐν τῷ πέμπτῳ τῆς Πολιτείας γράφει· ›τῶν

---

*   3 vgl. Iac 1, 4 (?)   3f. vgl. z. B. Thuk. II 35—46; Plato Menex. p. 234 Cff.
9 vgl. Heraklit fr. 136 (Diels⁶ I S. 182, 1) (Fr)   9—11 vgl. Plato Rep. VII p. 519 AB
18—20 vgl. Mc 10, 29f.; Mt 19, 29   28 vgl. Mt 25, 33; Strom. IV 30, 1 u. Past.
Herm. vis. III 2, 1   30f. Heraklit Fr. 24 Diels⁶ I S. 156, 8; vgl. Theodoret Gr.
aff. c. VIII 39   31—S. 256, 8 Plato Rep. V p. 468 E

7 καταμαλακισθεὶς corr. in καταμαλθακισθεὶς L²   13 ⟨ἢ⟩ Ma   14f. (μετ᾽ ἐπιγν.
τοῦ θεοῦ [ἡ] τ: ἐντ. ἐπακ.) Ma   15 ὑπακηκουῖα Höschel ἐπακηκ. L   16 ἀπαλλάττεται
Ma ιδ̓αλλάττηται L   17 προχέουσα Anon. bei Villöison Epist. Vinar. p. 95 προσ-
χέουσα L   24 ⟨ὡς δῆλον ἐκ τοῦ⟩ ἀπολιπεῖν St ⟨τὴν δυναμένην δ᾽ ἂν⟩ Schw

δὲ δὴ ἀποθανόντων ἐπὶ στρατείας ὃς ἂν εὐδοκιμήσας τελευτήσῃ, ἆρ'
οὐ πρῶτον μὲν φήσομεν τοῦ χρυσοῦ γένους εἶναι; πάντων γε μά-
λιστα.‹ τὸ δὲ χρυσοῦν γένος πρὸς θεῶν ἐστι τῶν κατ' οὐρανὸν καὶ 2
τὴν ἀπλανῆ σφαῖραν, οἳ μάλιστα τὴν ἡγεμονίαν ἔχουσι τῆς κατ'
5 ἀνθρώπους προνοίας. τινὲς δὲ τῶν αἱρετικῶν τοῦ κυρίου παρακη- 3
κοότες ἀσεβῶς ἅμα καὶ δειλῶς φιλοζωοῦσι, μαρτυρίαν λέγοντες ἀληθῆ
εἶναι τὴν τοῦ ὄντως ὄντος γνῶσιν θεοῦ, ὅπερ καὶ ἡμεῖς ὁμολογοῦ-
μεν, φονέα δὲ εἶναι αὑτὸν ἑαυτοῦ καὶ αὐθέντην τὸν διὰ θανάτου
ὁμολογήσαντα, καὶ ἄλλα τοιαῦτα δειλίας σοφίσματα εἰς μέσον κομί-
10 ζοντες. πρὸς οὓς εἰρήσεται ὁπόταν καιρὸς ἀπαιτῇ· διαφέρονται γὰρ
ἡμῖν περὶ ἀρχάς. ψέγομεν δὲ καὶ ἡμεῖς τοὺς ἐπιπηδήσαντας τῷ 17,
θανάτῳ· εἰσὶ γάρ τινες οὐχ ἡμέτεροι, μόνου τοῦ ὀνόματος κοινωνοί,
οἳ δὴ αὑτοὺς παραδιδόναι σπεύδουσι τῇ πρὸς τὸν δημιουργὸν ἀπε-
χθείᾳ, οἱ ἄθλιοι θανατῶντες. τούτους ἐξάγειν ἑαυτοὺς ἀμαρτύρως 2
15 λέγομεν, κἂν δημοσίᾳ κολάζωνται. οὐ γὰρ τὸν χαρακτῆρα σῴζουσι 3
τοῦ μαρτυρίου τοῦ πιστοῦ, τὸν ὄντως θεὸν μὴ γνωρίσαντες, θανάτῳ
δὲ ἑαυτοὺς ἐπιδιδόασι κενῷ, καθάπερ καὶ οἱ τῶν Ἰνδῶν γυμνοσο-
φισταὶ ματαίῳ πυρί. ἐπεὶ δ' οἱ ψευδώνυμοι οὗτοι τὸ σῶμα διαβάλ- 4
λουσι, μαθέτωσαν ὅτι καὶ ἡ τοῦ σώματος εὐαρμοστία συμβάλλεται
20 τῇ διανοίᾳ πρὸς τὴν εὐφυΐαν. δι' ὃ ἐν τῷ τρίτῳ τῆς Πολιτείας ὁ 18,
Πλάτων εἶπεν, ὃν μάλιστα ἐπιβοῶνται μάρτυρα τὴν γένεσιν κακί-
ζοντες, ἐπιμελεῖσθαι σώματος δεῖν ψυχῆς ἕνεκα ἁρμονίας, δι' οὗ βιοῦν
τε ἔστι καὶ ὀρθῶς βιοῦν καταγγέλλοντα τῆς ἀληθείας τὸ κήρυγμα·
διὰ γὰρ τοῦ ζῆν καὶ τῆς ὑγείας ὁδεύοντες ἐκμανθάνομεν | τὴν γνῶσιν. 572
25 ᾧ δὲ οὐδὲ τὸ τυχὸν προσελθεῖν ἔστιν εἰς ὕψος ἄνευ τοῦ ἐν τοῖς 2
ἀναγκαίοις εἶναι καὶ δι' αὐτῶν πάντα ποιεῖν τὰ πρὸς τὴν γνῶσιν
συντείνοντα, τὸ εὖ ζῆν τούτῳ πῶς οὐχ αἱρετέον; ἐν γοῦν τῷ ζῆν τὸ 3
εὖ ζῆν κατορθοῦται, καὶ εἰς ἕξιν ἀϊδιότητος παραπέμπεται ὁ διὰ
σώματος μελετήσας εὐζωΐαν.
30   V. Θαυμάζειν δὲ ἄξιον καὶ τῶν Στωικῶν οἵτινές φασι μηδὲν 19,
τὴν ψυχὴν ὑπὸ τοῦ σώματος διατίθεσθαι μήτε πρὸς κακίαν ὑπὸ τῆς
νόσου μήτε πρὸς ἀρετὴν ὑπὸ τῆς ὑγείας· ἀλλ' ἀμφότερα ταῦτα λέ-
γουσιν ἀδιάφορα εἶναι. καίτοι καὶ Ἰὼβ ἐγκρατείας ὑπερβολῇ καὶ 2
πίστεως ὑπεροχῇ πένης μὲν ἐκ πλουσίου, ἄτιμος δὲ ἐξ ἐνδόξου,

3—5 vgl. Exc. ex Theod. 70; Ecl. proph. 55   11f. wahrscheinlich Marcioniten
gemeint; vgl. A. Harnack, Marcion² S. 324   20—23 vgl. Plato Rep. III p. 410 C;
IX p. 591 D; Theodoret Gr. aff. c. V 14; XII 53   30—33 Theodoret XI 15; Chrys.
Fr. mor. 150 Arnim   33—S. 257, 5 vgl. Iob 1

    9f. κομίζοντες St κομίζουσι L   10 εἰρήσεται corr. aus εἴρηται L¹   11 ψέγομεν
Gataker zu Marc. Aurel. XI 3 λέγομεν L   13 παραδιδόναι Schw παραδιδόντες L
14 θανατῶντες Po θανατοῦντες L   21f. κακίζοντες Ma κακίζοντα L   23 καταγγέλ-
λοντας Theod. V. XII   31 πρὸς am Rand L¹

αἰσχρὸς δὲ ἐκ καλοῦ καὶ νοσερὸς ἐξ ὑγιεινοῦ γενόμενος ἡμῖν γέ ἐστι
παράδειγμα ἀγαθὸν ἀναγεγραμμένος, δυσωπῶν τὸν πειράσαντα, εὐλο-
γῶν τὸν πλάσαντα, φέρων οὕτω τὰ δεύτερα ὡς καὶ τὰ πρότερα,
διδάσκων εὖ μάλα τοῖς περιστατικοῖς ἅπασιν οἷόν τε .εἶναι καλῶς
5 χρῆσθαι τὸν γνωστικόν. καὶ ὅτι γε εἰκόνες τὰ | παλαιὰ κατορθώ- 3 207 S
ματα εἰς τὰ ἡμεδαπὰ ἐπανορθώματα ἔκκεινται, ἐμφαίνων ὁ ἀπόστολος
»ὥστε τοὺς δεσμούς μου« φησὶ »φανεροὺς ἐν Χριστῷ γενέσθαι ἐν
ὅλῳ τῷ πραιτωρίῳ καὶ τοῖς λοιποῖς πᾶσι, καὶ τοὺς πλείονας τῶν
ἀδελφῶν ἐν κυρίῳ πεποιθότας τοῖς δεσμοῖς μου περισσοτέρως τολ-
10 μᾶν ἀφόβως τὸν λόγον τοῦ θεοῦ λαλεῖν«, ἐπεὶ καὶ τὰ μαρτύρια
ἐπιστροφῆς ἐστι παραδείγματα ἐνδόξως ἡγιασμένα. »ὅσα γὰρ ἐγράφη,« 4
λέγει, »εἰς τὴν ἡμετέραν διδασκαλίαν ἐγράφη, ἵνα διὰ τῆς ὑπομονῆς
καὶ τῆς παρακλήσεως τῶν γραφῶν τὴν ἐλπίδα ἔχωμεν τῆς παρα-
κλήσεως.«
15   Ἔοικε δέ πως παρούσης ἀλγηδόνος ἡ ψυχὴ νεύειν ἀπ᾿ αὐτῆς καὶ 20, 1
τίμιον ἡγεῖσθαι τὴν ἀπαλλαγὴν τῆς παρούσης ὀδύνης. ἀμέλει κατ᾿
ἐκεῖνο καιροῦ καὶ μαθημάτων ῥᾳθυμεῖ, ὁπηνίκα καὶ αἱ ἄλλαι ἀπη-
μέληνται ἀρεταί. καὶ οὐ δήπου τὴν ἀρετὴν αὐτὴν πάσχειν φαμέν 2
(οὐδὲ γὰρ νοσεῖ ἡ ἀρετή), ὁ δὲ ἀμφοῖν μετεσχηκώς, ἀρετῆς καὶ νόσου,
20 ὑπὸ τοῦ κατεπείγοντος θλίβεται· κἂν μὴ καταμεγαλοφρονῶν τύχῃ,
ὁ μηδέπω τὴν ἕξιν τῆς ἐγκρατείας περι|ποιησάμενος ἐξίσταται, ἴσον 573 P
τε εὑρίσκεται τῷ φεύγειν τὸ μὴ ὑπομεῖναι. ὁ δὲ αὐτὸς λόγος καὶ 21, 1
περὶ πενίας, ἐπεὶ καὶ αὕτη τῶν ἀναγκαίων, τῆς θεωρίας λέγω καὶ
τῆς καθαρᾶς ἀναμαρτησίας, ἀπασχολεῖν βιάζεται τὴν ψυχήν, περὶ
25 τοὺς πορισμοὺς διατρίβειν ἀναγκάζουσα τὸν μὴ ὅλον ἑαυτὸν δι᾿ ἀγά-
πης ἀνατεθεικότα τῷ θεῷ, ὥσπερ ἔμπαλιν ἥ τε ὑγίεια καὶ ἡ τῶν
ἐπιτηδείων ἀφθονία ἐλευθέραν καὶ ἀνεμπόδιστον φυλάσσει τὴν ψυχὴν
τὴν εὖ χρῆσθαι τοῖς παροῦσι γινώσκουσαν· »θλῖψιν«, γάρ φησιν ὁ 2
ἀπόστολος, »τῇ σαρκὶ ἕξουσιν οἱ τοιοῦτοι, ἐγὼ δὲ ὑμῶν φείδομαι.
30 θέλω γὰρ ὑμᾶς ἀμερίμνους εἶναι πρὸς τὸ εὔσχημον καὶ εὐπάρεδρον
τῷ κυρίῳ ἀπερισπάστως.« τούτων οὖν ἀνθεκτέον οὐ δι᾿ αὐτά, ἀλλὰ 22, 1
διὰ τὸ σῶμα, ἡ δὲ τοῦ σώματος ἐπιμέλεια διὰ τὴν ψυχὴν γίνεται,
ἐφ᾿ ἣν ἡ ἀναφορά. ἐν ταύτῃ γὰρ μαθεῖν ἀνάγκη τὸν γνωστικῶς 2
πολιτευόμενον τὰ προσήκοντα, ἐπεὶ τό γε μὴ εἶναι τὴν ἡδονὴν ἀγα-

---

*   2f. vgl. καρδία δοξάζουσα oder ζητοῦσα τὸν πεπλακότα Paed. III 90, 4; Strom.
II 79, 1; Barn. Ep. 2, 10; Iren. 4, 32   7—10 Phil 1, 13f.   11—14 Rom 15, 4   15 vgl.
Strom. IV 140, 1   28—31 I Cor 7, 28. 32. 35

1 γε Klst (durch den Gegensatz zu S. 256, 30 τῶν Στωικῶν begründet) τε L
11f. ἐγράφη, λέγει (vgl. Phil 1) Sy ἡ γραφὴ λέγει L   22 nach μὴ ist ein Buchst.
ausgestrichen L daher μὴ οὐ Vi   23 αὐτὴ L   29 nach δὲ ist θέλων getilgt L¹

θὸν ὡμολόγηται ἐκ τοῦ κακὰς εἶναί τινας ἡδονάς. [τούτῳ τῷ λόγῳ
ἀναφαίνεται τὸ ἀγαθὸν κακὸν καὶ τὸ κακὸν ἀγαθόν.] ἔπειτα δὲ εἰ 3
τινας μὲν αἱρούμεθα τῶν ἡδονῶν, τινὰς δὲ φεύγομεν, οὐ πᾶσα ἡδονὴ
ἀγαθόν. ὁμοίως δὲ καὶ ἐπὶ τῶν ἀλγηδόνων ὁ αὐτὸς λόγος, ὧν τὰς 4
5 μὲν ὑπομένομεν, τὰς δὲ φεύγομεν, ἡ δὲ αἵρεσις καὶ φυγὴ κατ' ἐπι-
στήμην γίνεται· ὥστε τὴν ἐπιστήμην εἶναι τὸ ἀγαθόν, οὐ τὴν 5
ἡδονήν, δι' ἣν ἔστιν ὅτε καὶ τὴν ποιὰν ἡδονὴν αἱρησόμεθα. αὐτίκα 23, 1
ὁ μάρτυς ἡδονὴν τὴν δι' ἐλπίδος διὰ τῆς παρούσης ἀλγηδόνος
αἱρεῖται. εἰ δὲ κατὰ μὲν δίψαν ἡ ἀλγηδὼν νοεῖται, κατὰ τὴν πόσιν
10 δὲ ἡ ἡδονή, ποιητικὴ τῆς ἡδονῆς ἡ ἀλγηδὼν ἢ προϋπάρξασα γίνεται·
ἀγαθοῦ δὲ ποιητικὸν τὸ κακὸν οὐκ ἂν γένοιτο, οὐθέτερον οὖν κακόν.
ὁ μὲν οὖν Σιμωνίδης, | καθάπερ καὶ Ἀριστοτέλης,   2 574

               ὑγιαίνειν μὲν ἄριστον ἀνδρί,
     γράφει,

15   δεύτερον δὲ φυὰν καλὸν γενέσθαι,
               τρίτον δὲ πλουτεῖν ἀδόλως.

καὶ ὁ Μεγαρεὺς Θέογνις·   3

               χρὴ πενίην φεύγοντα καὶ εἰς βαθυκήτεα πόντον
               ῥιπτεῖν καὶ πετρέων, Κύρνε, κατ' ἠλιβάτων.

20 ἔμπαλιν δὲ Ἀντιφάνης ὁ κωμικὸς »ὁ πλοῦτος« φησί, » πλέον 4
θάτερον· βλέποντας παραλαβὼν τυφλοὺς ποιεῖ.« αὐτίκα πρὸς τῶν 24, 1
ποιητῶν τυφλὸς ἐκ γενετῆς κηρύττεται·

12–S. 259, 11 vgl. Elter Gnom. hist. 81   12–19 Theodoret Gr. aff. c. XI 14
12–16 Apostol. XVII 48ᵃ; Arsen. LI 34   12f. vgl. Aristot. Rhet. II 21 p. 1394ᵇ 13
Ἀνδρὶ δ' ὑγιαίνειν ἄριστόν ἐστιν, ὡς γ' ἡμῖν δοκεῖ.   13–16 Simonides v. Keos
Scol. anon. 7 Diehl (Anth. lyr.² II p. 183f.); vgl. Strom. VII 46, 4   18f. Theognis
175f. (aus Chrysipp; vgl. Elter Gnom. hist. 27. 114) 20f. Antiphanes Fr. 259 CAF II
p. 121   21f. vgl. Düntzer, Fragm. d. ep. Poesie d. Griech. II S.5 0; vgl. Protr. 102,
2; Paed. III 10, 2; Macar. 8, 60; Apostol. 1, 53

1f. [τούτῳ—ἀγαθόν.] St als Randbemerkung zu Z. 9 ff. 13 ἀνδρί] + θνατῷ
Athen. XV p. 694 E; Stob. Flor. 103, 9 15 δὲ φυὰν Stob. Theodor. Athen. (δὲ καλὸν
φυὰν Hss. AC) δ' εὐφυᾶ L 16 τρίτον] τὸ τρίτον Athen. Stob. ἀδόλως] + καὶ τὸ
τέταρτον ἡβᾶν μετὰ τῶν φίλων Athen. Stob. 18 χρὴ πενίην] ἢν δὴ χρὴ Theogn. ἐς
Theogn.; Stob. Flor. 96, 16; Plut. Mor. p. 1039 F; 1069 D μεγακήτεα Theogn.
(geringere HSS) Plut. 1069 D u. a. 19 πετρῶν Theogn. Plut. u. a. κύναι L 20f.
ὁ δὲ πλοῦτος·ἡμᾶς, καθάπερ ἰατρὸς κακός, | τυφλούς, βλέποντας παραλαβών, πάντας
ποιεῖ Stob. Flor. 93, 20 21 θάτερον] θατέρου Sy ⟨τι⟩ θατέρου Meineke ἰατροῦ Elter
[πλέον] ἰατροῦ ⟨τρόπον⟩ Ma 22 γενέτης L

καὶ οἱ γείνατο κοῦρον, ὃς οὐκ ἠλέκτορα εἶδεν,   2

φησὶν ὁ Χαλκιδεὺς Εὐφορίων.

κακὸν οὖν ἦν τι παίδευμα εἰς εὐανδρίαν   8
ὁ πλοῦτος ἀνθρώποισιν αἵ τ᾽ ἄγαν τρυφαί,

5 ἐν τῷ Ἀλεξάνδρῳ ὁ Εὐριπίδης πεποίηκεν. εἴρηταί γε·   4

ἡ πενία σοφίαν ἔλαχε διὰ τὸ συγγενές.

ἁ φιλοχρηματία δὲ οὐ Σπάρταν μόνον, ἀλλὰ καὶ πᾶσαν πόλιν 5
ἕλοι ἄν.

οὔκουν μόνον [τοῦτο] νόμισμα λευκὸς ἄργυρος   6
10   ἢ χρυσός ἐστιν, ἀλλὰ καὶ [ἡ] ἀρετὴ βροτοῖς,

ὥς φησιν ὁ Σοφοκλῆς. |

VI. Ὁ σωτὴρ ἡμῶν ὁ ἅγιος καὶ ἐπὶ τῶν πνευματικῶν καὶ ἐπὶ 575 P 25, 1
τῶν αἰσθητῶν τὴν πενίαν καὶ τὸν πλοῦτον καὶ τὰ τούτοις ὅμοια
ἔταξεν· εἰπὼν γὰρ ⸗μακάριοι οἱ δεδιωγμένοι ἕνεκεν δικαιοσύνης⸗
15 σαφῶς ἡμᾶς διδάσκει ἐν πάσῃ περιστάσει τὸν μάρτυρα ζητεῖν· ὃς 2
ἐὰν πτωχὸς ᾖ διὰ δικαιοσύνην, μαρτυρεῖ δικαιοσύνην ἀγαθὸν εἶναι
ἣν ἠγάπησεν, κἂν πεινῇ κἂν διψῇ διὰ δικαιοσύνην, μαρτυρεῖ δικαιο-
σύνην τὸ ἄριστον τυγχάνειν. ὁμοίως δὲ καὶ ὁ κλαίων καὶ ὁ πενθῶν 26, 1
διὰ δικαιοσύνην μαρτυρεῖ τῷ βελτίστῳ νόμῳ εἶναι καλῷ. ὡς οὖν 2
20 τοὺς δεδιωγμένους, οὕτω δὲ καὶ τοὺς πεινῶντας καὶ τοὺς διψῶντας
διὰ δικαιοσύνην μακαρίους λέγει ὁ τὸν γνήσιον ἀποδεχόμενος πόθον,
ὃν οὐδὲ λιμὸς διακόψαι ἴσχυσεν. κἂν τὴν δικαιοσύνην αὐτὴν πεινῶσι, 3
μακάριοι· ⸗μακάριοι δὲ καὶ οἱ πτωχοί⸗ εἴτε πνεύματι εἴτε περιουσίᾳ
διὰ δικαιοσύνην δηλονότι. μή τι οὖν οὐχ ἁπλῶς τοὺς πένητας, 4
25 ἀλλὰ τοὺς ἐθελήσαντας διὰ δικαιοσύνην πτωχοὺς γενέσθαι, τούτους

1 Euphorion Fr. 74 Meineke Anal. Alex p. 111 fr. 110 Powell S. 50 Wilamowitz,
Hermes 59, 1924, S. 263, wo Keydell ἴδεν ἠλέκτωρα vorschlägt (Fr) 3f. Eurip.
Alex. Fr. 54 6 Eurip. Polyidos Fr. 641, 3; vgl. Zenob. V 72 7f. Orac. Fr. 55 Hen-
dess; vgl. Diod. VII 12, 5; Paus. IX 32, 10; Plut. Mor. p. 239 F 9f. Eurip. Oedip.
Fr. 542 14. 20 Mt 5, 10 16 vgl. Mt 5, 3 17. 20f. 22f. vgl. Mt 5, 6 18 vgl.
Lc 6, 21; Mt 5, 4 21 vgl. Mt 4, 2; Lc 4, 2–4 23 vgl. Mt 5, 3; Lc 6, 20

1 ἠλέκτορα εἶδεν Sy εἶδεν ἠλέκτορα L 2 χαλκηδεὺς L 3 τι Stob. τὸ L κακόν
τι βούλευμ᾽ ἦν ἄρ᾽ εἰς εὐανδρίαν Stob. Flor. 97, 3 5 γε] τε·Bywater 6 ἡ πενία]
πενία δὲ Stob. Flor. 95, 7 ἔλαχε Stob. λάχε L συγγενές] δυστυχές Stob. 7 ἀφι-
λοχρηματία L 9 οὗτοι (οὗ τὸ HSS) νόμισμα λευκὸς ἄργυρος μόνον Stob. Flor. 1, 3
[τοῦτο] St 10 ἢ] καὶ Stob. [ἡ] < Stob.

μακαρίζει, τοὺς καταμεγαλοφρονήσαντας τῶν ἐνταῦθα τιμῶν εἰς περι-
ποίησιν τἀγαθοῦ, ὁμοίως δὲ καὶ τοὺς καλοὺς τὸ ἦθος καὶ τὸ σῶμα 5
δι᾽ ἁγνείαν γενομένους τούς τε εὐγενεῖς καὶ ἐνδόξους, τοὺς διὰ δικαιο-
σύνην εἰς υἱοθεσίαν ἐληλακότας καὶ διὰ τοῦτο εἰληφότας »ἐξουσίαν
5 τέκνα θεοῦ γενέσθαι« καὶ »ἐπάνω ὄφεων καὶ σκορπίων περιπατεῖν«
κυριεύειν τε καὶ δαιμόνων καὶ τῆς τοῦ ἀντικειμένου στρατιᾶς. καὶ 27, 1
ὅλως ἡ κυριακὴ ἄσκησις ἀπάγει τὴν ψυχὴν τοῦ σώματος εὐχαρίστως,
εἴ γε καὶ αὐτὴ αὐτὴν κατὰ μετάθεσιν ἀποσπᾷ. »ὁ γὰρ εὑρὼν τὴν 2
ψυχὴν | αὐτοῦ ἀπολέσει αὐτὴν καὶ ὁ ἀπολέσας εὑρήσει αὐτήν,« ἢν 208 S
10 μόνον τὸ ἐπίκηρον ἡμῶν ἐπιβάλωμεν τῇ τοῦ θεοῦ ἀφθαρσίᾳ. θέλημα
δὲ τοῦ θεοῦ ἐπίγνωσις τοῦ θεοῦ, ἥτις ἐστὶ κοινωνία ἀφθαρσίας.
ὁ τοίνυν ἐπιγινώσκων κατὰ τὸν τῆς μετανοίας λόγον ἁμαρτωλὸν 3
τὴν ψυχὴν ἀπολέσει αὐτὴν τῆς ἁμαρτίας ἧς ἀπέσπασται, ἀπολέσας
δὲ εὑρήσει κατὰ τὴν ὑπακοὴν τὴν ἀναζήσασαν μὲν τῇ πίστει, ἀπο-
15 θανοῦσαν δὲ τῇ ἁμαρτίᾳ. τοῦτ᾽ οὖν ἐστι τὸ εὑρεῖν τὴν ψυχήν, τὸ
γνῶναι ἑαυτόν. τὴν δὲ μεταστροφὴν τὴν ἐπὶ τὰ θεῖα οἱ μὲν Στωικοὶ 28, 1
ἐκ μεταβολῆς φασι γενέσθαι μεταβαλούσης τῆς ψυχῆς εἰς σοφίαν,
Πλάτων δὲ τῆς ψυχῆς ἐπὶ τὰ ἀμείνω περιαγωγὴν λαβούσης καὶ με- 2
ταστροφὴν ἐκ νυκτερινῆς τινος ἡμέρας. | αὐτίκα εὔλογον ἐξαγωγὴν 576 P
20 τῷ σπουδαίῳ συγχωροῦσι καὶ οἱ φιλόσοφοι, εἴ τι τοῦ πράσσειν
[αὐτὸν] οὕτω στερήσειεν. αὐτόν, ὡς μηκέτι ἀπολελεῖφθαι αὐτῷ μηδὲ
ἐλπίδα τῆς πράξεως· ὁ δὲ ἐκβιασάμενος δικαστὴς ἀρνεῖσθαι τὸν ἠγα- 4
πημένον διελέγχειν μοι δοκεῖ τὸν φίλον τῷ θεῷ καὶ τὸν μή. ἐν- 5
ταῦθα οὐδὲ σύγκρισις ἔτι ἀπολείπεται τί ἄν τις καὶ μᾶλλον ἕλοιτο,
25 ἀπειλὴν ἀνθρωπίνην ἢ τὴν ἀγάπην τοῦ θεοῦ· καί πως ἡ τῶν κακῶν 6
πράξεων ἀποχὴ μείωσίς τε καὶ σβέσις τῶν κακιῶν εὑρίσκεται, καθαι-
ρουμένης τῆς ἐνεργείας αὐτῶν διὰ τῆς ἀπραξίας, καὶ τοῦτ᾽ ἔστι
»πώλησόν σου τὰ ὑπάρχοντα καὶ δὸς πτωχοῖς, καὶ δεῦρο ἀκολούθει
μοι,« τουτέστιν τοῖς ὑπὸ τοῦ κυρίου λεγομένοις ἕπου. ὑπάρχοντα 29, 1

4f. Io 1, 12   5 Lc 10, 19   6 zu ἀντικείμενος vgl. II Thess 2, 4; I Tim 5, 14
8f. Mt 10, 39   9—16 ἢν μόνον—ἑαυτόν Ath fol. 71ᵛ   14f. vgl. Rom 6, 4. 2. 10   16f.
Chrysipp Fr. mor. 221 Arnim   18f. vgl. Plato Rep. VII p. 521 C . . τοῦτο δή, ὡς
ἔοικεν, οὐκ ὀστράκου ἂν εἴη περιστροφὴ ἀλλὰ ψυχῆς περιαγωγή, ἐκ νυκτερινῆς τινος
ἡμέρας εἰς ἀληθινὴν τοῦ ὄντος οὖσα ἐπάνοδος a. a. O. p. 525 C; 532 B   19—22 Chrysipp
Fr. mor. 765 Arnim   28f. Mt 19, 21

1 τιμίων Schw   8 αὐτὴ Vi αὐτὴν L   9 [ἢν] Schw, Hermes 38 (1903) S. 94²
ἢν . . ἐπιβάλωμεν Ath   10 περιβάλωμεν Mü ἀποβάλωμεν Schw   10f. θελήμα⟨τος⟩ δὲ
τοῦ θεοῦ ἐπίγνωσίς ⟨ἐστι γνῶσις⟩ Schw θέλημα . . θεοῦ auch Ath   14 [τὴν²] Ma
17 γίνεσθαι μεταβαλλούσης Arnim   20 τι Wi τις L   21 [αὐτὸν] Wi ⟨τὰ κατ'⟩ αὐτὸν
Schw   οὕτω στερήσειεν L (wie Arcerius) οὕτως τερήσειεν Vi οὕτω τηρήσειεν Sy
Ausgg.   αὐτόν Wi αὐτῶν L   εἴ τι τοῦ πράσσειν ἀγαθὸν οὕτω στερήσειεν αὐτόν Fr
23 δοκεῖ Sy δοκεῖν L   26 κακιῶν Mü κακῶν L

δέ φασί τινες αὐτὸν εἰρηκέναι τὰ ἐν τῇ ψυχῇ ἀλλότρια, καὶ πῶς τοῖς
πτωχοῖς ταῦτα διανέμεται, οὐκ ἔχουσιν εἰπεῖν· ἀλλ' ὁ θεὸς γὰρ πάντα
πᾶσι μερίζει κατ' ἀξίαν δικαίας οὔσης τῆς οἰκονομίας· καταφρονήσας 2
οὖν, φησί, τῶν ὑπαρχόντων, ἃ ὁ θεὸς μερίζει, διὰ τῆς σῆς μεγαλειό-
5 τητος, ἕπου τοῖς ὑπ' ἐμοῦ λεγομένοις, σπεύδων πρὸς τὴν τοῦ πνεύ-
ματος ἄνοδον, οὐκ ἀποχῇ κακῶν μόνον δικαιωθείς, πρὸς δὲ καὶ τῇ
κυριακῇ τελειωθεὶς εὐποιίᾳ. αὐτίκα τὸν καυχώμενον τελείως τὰ ἐκ 8
τοῦ νόμου προστάγματα πεπληρωκέναι διήλεγχε μὴ τὸν πλησίον
ἀγαπήσαντα· εὐεργεσίαν δὲ ἀγάπη ἐπαγγέλλεται ἡ κυριεύουσα τοῦ
10 σαββάτου κατ' ἐπανάβασιν γνωστικήν. δεῖν δ' οἶμαι μήτε διὰ φόβον 4
κολάσεως μήτε διὰ τίνας ἐπαγγελίας δόσεως, δι' αὐτὸ δὲ τὸ ἀγαθὸν
προσεληλυθέναι τῷ σωτηρίῳ λόγῳ. οἱ τοιοῦτοι ἐκ δεξιῶν ἵστανται 80, 1
τοῦ ἁγιάσματος· οἱ δὲ διὰ τῆς τῶν φθαρτῶν δόσεως οἰόμενοι ἀντι-
καταλλάσσεσθαι τὰ τῆς ἀφθαρσίας ἐν τῇ τῶν δυεῖν ἀδελφῶν παρα-
15 βολῇ »μίσθιοι« κέκληνται, καὶ μή τί γε ἐνταῦθα τὸ »καθ' ὁμοίωσιν
καὶ εἰκόνα« ἀνακύπτει, ἵν' οἱ μὲν κατὰ τὴν πρὸς τὸν σωτῆρα ὁμοίω-
σιν συμπολιτεύωνται, οἱ δὲ ἐξ εὐωνύμων ἱστάμενοι κατὰ τὴν τούτων
εἰκόνα. τρίτα τοίνυν ἐστὶν ἀπὸ τῆς ἀληθείας, μιᾶς ῥίζης ἀμφοῖν ὑπο-
κειμένης, | αἱρέσεως δὲ οὐκ ἴσης, μᾶλλον δὲ τῆς κατὰ τὴν αἵρεσιν 577 P
20 διαφορᾶς οὐκ ἴσης. διαφέρει δ', οἶμαι, τὸ κατὰ μίμησιν ἑλέσθαι τοῦ 3
κατὰ γνῶσιν ἑλομένου, ὡς τὸ πεπυρωμένον καὶ τὸ πεφωτισμένον ⟨τοῦ
πυρὸς καὶ τοῦ φωτός⟩. φῶς οὖν τῆς κατὰ τὴν γραφὴν ὁμοιότητος ὁ
Ἰσραήλ, ὁ δὲ ἄλλος εἰκών. τί δὲ βούλεται ἡ τοῦ Λαζάρου παραβολὴ 4
τῷ κυρίῳ πλουσίου καὶ πένητος εἰκόνα δεικνύουσα; τί δὲ »οὐδεὶς
25 δύναται δυσὶ δουλεύειν κυρίοις, θεῷ καὶ μαμωνᾷ«, τὴν φιλαργυρίαν
οὕτως ὀνομάσαντος τοῦ κυρίου; αὐτίκα εἰς τὴν κλῆσιν τοῦ δείπνου 31, 1
οἱ φιλοκτήμονες κληθέντες οὐκ ἀπαντῶσιν, οὐ διὰ τὸ κεκτῆσθαι,
ἀλλὰ διὰ τὸ προσπαθῶς κεκτῆσθαι. »αἱ ἀλώπεκες ἄρα φωλεοὺς 2
ἔχουσι.« τοὺς ἀμφὶ τὸν μεταλλευόμενον καὶ γεωρυχούμενον διατρί-
30 βοντας πλοῦτον κακοήθεις ἀνθρώπους καὶ γηγενεῖς ἀλώπεκας προσ-

1f. vgl. Orig. in Mt XV 18 S. 400, 20 (Fr) 6f. vgl. Strom. VII 72, 3 7—9 vgl.
Mt 19, 20;ˑMc 10, 20; Lc 18, 21 9f. vgl. Mt 12, 8; Mc 2, 28; Lc 6, 5 12f. vgl.
Mt 25, 33; S. 255, 28 15 Lc 15, 17 15f. Gen 1, 26; vgl. Paed. I 98, 3 mit Anm.
18—20 vgl. Plato Rep. X p. 597 Eff. (der μιμητὴς ist τρίτος ἀπὸ τῆς ἀληθείας)
23f. vgl. Lc 16, 19ff. 24f. vgl. Mt 6, 24; Lc 16, 13 25f. Cat. zu Mt 6, 24 bei
Cramer I p. 49, 1; Coisl. 195 fol. 34ʳ; Laur. conv. soppr. 171 fol. 44ʳ: Κλήμεντος·
μαμωνᾶς ἐστιν ἡ φιλαργυρία. 26—28 vgl. Mt 22, 2f.; Lc 14, 16 28f. S. 262, 8 Mt
8, 20; Lc 9, 58

1 ἀλλότρια Sy ἀλλοτρίαι L καὶ] καίτοι Pohlenz 5 ⟨διὰ⟩ τοῦ Schw a. a. O S. 98
11 δόσεως (δο in Ras. f. 4 Buchst.) L¹ 18f. ἀντικαταλάσσεσθαι L 18 τρίτα (sc. τὰ
εὐώνυμα) Fr τρία L 19f. [τῆς]—διαφορᾶς οὔσης. St 20 ἀναφορᾶς Schw 21f. ⟨τοῦ
πυρὸς καὶ τοῦ φωτός⟩ St 23 ἄλλος ⟨λαὸς⟩ Wi 27 κεκτῆσθαι Ρο κεκλῆσθαι L

εἶπεν. ὡσαύτως καὶ ἐπὶ τοῦ Ἡρώδου »ὑπάγετε, εἴπατε τῇ ἀλώπεκι 3
ταύτῃ, ἰδού, ἐκβάλλω δαιμόνια καὶ ἰάσεις ἀποτελῶ σήμερον καὶ
αὔριον, καὶ τῇ τρίτῃ τελειοῦμαι· »πετεινὰ« γὰρ »οὐρανοῦ« τοὺς 4
οὐρανῷ τῶν ἄλλων ὀρνέων διακεκριμένους, καθαροὺς τῷ ὄντι, τοὺς
5 εἰς τὴν τοῦ οὐρανίου λόγου γνῶσιν πτητικοὺς προσεῖπεν. οὐ γὰρ 5
δὴ μόνον πλούτου καὶ δόξης καὶ γάμου, ἀλλὰ καὶ πενίας τῷ μὴ
φέροντι μυρίαι φροντίδες, καὶ μή τι ταύτας ἐν τῇ παραβολῇ τοῦ τε-
τραμεροῦς σπόρου ᾐνίξατο τὰς μερίμνας, τὸ σπέρμα τοῦ λόγου φήσας
τὸ εἰς ἀκάνθας καὶ φραγμοὺς πεσὸν συμπνιγῆναι ὑπ᾽ αὐτῶν καὶ μὴ
10 καρποφορῆσαι δυνηθῆναι. μαθεῖν οὖν ἀνάγκη ὅπως ἑκάστῳ τῶν 82, 1
προσπιπτόντων χρηστέον ὡς δι᾽ εὐζωίας γνωστικῆς εἰς ἕξιν ἀίδιον
συνασκηθῆναι ζωῆς. »εἶδον«, γάρ φησι, »τὸν ἀσεβῆ ὑπερυψούμενον 2
καὶ ἐπαιρόμενον ὡς τὰς κέδρους τοῦ Λιβάνου, καὶ παρῆλθον,« λέγει
ἡ γραφή, »καὶ ἰδοὺ οὐκ ἦν· καὶ ἐζήτησα αὐτὸν καὶ οὐχ εὑρέθη ὁ
15 τόπος αὐτοῦ. φύλασσε ἀκακίαν καὶ ἴδε εὐθύτητα, ὅτι ἔστιν ἐγκατά-
λειμμα ἀνθρώπῳ εἰρηνικῷ.« οὗτος δ᾽ ἂν εἴη ὁ ἀνυποκρίτως ἐξ ὅλης 8
καρδίας πιστεύων καὶ πάσῃ τῇ ψυχῇ γαληνιῶν· »ὁ γὰρ λαὸς ὁ ἕτερος 4
τοῖς χείλεσι τιμᾷ, ἡ δὲ καρδία αὐτοῦ πόρρω | ἄπεστιν ἀπὸ κυρίου.« 578 P
»τῷ στόματι αὐτῶν εὐλογοῦσι, τῇ δὲ καρδίᾳ αὐτῶν καταρῶνται«
20 »ἠγάπησαν αὐτὸν ἐν τῷ στόματι αὐτῶν καὶ τῇ γλώσσῃ αὐτῶν ἐφεύ- 5
σαντο αὐτόν. ἡ δὲ καρδία αὐτῶν οὐκ εὐθεῖα μετ᾽ αὐτοῦ, οὐδὲ ἐπι-
στώθησαν ἐν τῇ διαθήκῃ αὐτοῦ.« διὰ τοῦτο »ἄλαλα γενηθήτω 88, 1
⟨τὰ χείλη τὰ δόλια· τὰ λαλοῦντα κατὰ τοῦ δικαίου ἀνομίαν.«
καὶ πάλιν· »ἐξολεθρεύσαι κύριος⟩ πάντα τὰ χείλη τὰ δόλια
25 καὶ γλῶσσαν μεγαλορήμονα, τοὺς εἰπόντας· τὴν γλῶσσαν ἡμῶν 209 8
μεγαλυνοῦμεν, τὰ χείλη ἡμῶν παρ᾽ ἡμῖν ἐστι· | τίς ἡμῶν κύριός
ἐστιν; ἀπὸ ταλαιπωρίας τῶν πτωχῶν καὶ τοῦ στεναγμοῦ τῶν
πενήτων νῦν ἀναστήσομαι, λέγει κύριος· θήσομαι ἐν σωτηρίῳ,
παρρησιάσομαι ἐν αὐτῷ.« ταπεινοφρονούντων γάρ ἐστιν ὁ Χρι- 8
30 στός, οὐκ ἐπαιρομένων ἐπὶ τὸ ποίμνιον αὐτοῦ. »μὴ θησαυρίζετε« 4
τοίνυν »ὑμῖν θησαυροὺς ἐπὶ τῆς γῆς, ὅπου σὴς καὶ βρῶσις ἀφανίζει
καὶ κλέπται διορύσσουσι καὶ κλέπτουσι,« τάχα μὲν τοὺς φιλοκτή-

---

1–3 Lc 13, 32   7–10 vgl. Mt 13, 7. 22; Mc 4, 7. 19; Lc 8, 7. 14   12–16. 17–30
I Clem. ad Cor. 14, 5; 15, 2–16, 1; vgl. Hatch, Essays in Bibl. Greek p. 204   12–16
Ps 36, 35–37   17f. Is 29, 13 (= Mt 15, 8; Mc 7, 6)   19 Ps 61, 5   20–22 Ps 77, 36f.
22f. Ps 30, 19   24–29 Ps 11, 4–6   30–32 S. 263, 8 Mt 6, 19

7 μή τι Mü μὴν L   13 κέδρους Ps κέδρας L   15 nach αὐτοῦ ist φησιν getilgt L¹
20 αὐτῶν² Ps αὐτὸν L   23f. ⟨τὰ χείλη—κύριος⟩ aus Clem. Rom. Syr. (< AC Lat.)
25 καὶ < Clem. Rom.   27 ἀπὸ] + τῆς Ps Clem. Rom.   31 ὑμῖν corr. aus ἡμῖν L¹.

μονας ὀνειδίζων λέγει ὁ κύριος, τάχα, δὲ καὶ τοὺς ἁπλῶς μερι-
μνητάς τε καὶ φροντιστάς, ἤδη δὲ καὶ τοὺς φιλοσωμάτους· ἔρωτες 5
γὰρ καὶ νόσοι καὶ οἱ φαῦλοι διαλογισμοὶ »διορύσσουσι« τὸν λογισμὸν
καὶ τὸν ὅλον ἄνθρωπον, ὁ δὲ τῷ ὄντι θησαυρὸς ἡμῶν ἔνθα ἡ συγ-
5 γένεια τοῦ νοῦ. ἔτι τὸ κοινωνικὸν τῆς δικαιοσύνης παραδίδωσιν, 6
ἐμφαίνων δεῖν ἀποδιδόναι τῇ συνηθείᾳ τῆς παλαιᾶς ἀναστροφῆς τὰ
ὑπ᾽ αὐτῆς ἡμῖν περικτηθέντα καὶ ἐπὶ τὸν θεὸν ἀνατρέχειν ἔλεον
αἰτουμένους. οὗτός ἐστι τῷ ὄντι »βαλλάντιον μὴ παλαιούμενον«, 7
ἐφόδιον ζωῆς ἀιδίου, »θησαυρὸς ἀνέκλειπτος ἐν οὐρανῷ«, ὅτι »ἐλεῶν
10 ἐλεήσω ὃν ἂν ἐλεῶ« φησὶ κύριος. λέγει δὲ ταῦτα καὶ τοῖς θέλουσι 34, 1
διὰ τὴν δικαιοσύνην᾽ πτωχεῦσαι· ἀκηκόασι γὰρ διὰ τῆς ἐντολῆς, ὅτι
»πλατεῖα καὶ εὐρύχωρος ὁδὸς ἀπάγει εἰς τὴν ἀπώλειαν καὶ πολλοὶ
οἱ διερχόμενοι δι᾽ αὐτῆς·« οὐ περὶ ἄλλου τινός, ἀλλὰ περὶ ἀσωτίας 2
καὶ φιλογυνίας, φιλοδοξίας, φιλαρχίας καὶ τῶν ὁμοίων διαλέγεται
15 παθῶν· »ἄφρον,« γὰρ οὕτως ἔφη, »ὅτι τῇ νυκτὶ ταύτῃ ἀπαιτοῦσι 3
σου τὴν ψυχήν· ἃ δὲ ἡτοίμασας αὐτῇ, τίνι γένηται;« καὶ τὰ μὲν τῆς
ἐντολῆς ὧδε ἔχει κατὰ λέξιν· »φυλάσσεσθε τοίνυν ἀπὸ πάσης πλεον-
εξίας, ὅτι οὐκ ἐν τῷ περισσεύειν τινὶ τὰ ὑπάρχοντά ἐστιν ἡ ζωὴ αὐτοῦ.«
»τί γὰρ ὠφελεῖται ἄνθρωπος, ἐὰν τὸν κόσμον ὅλον κερδήσῃ, τὴν 4
20 δὲ | ψυχὴν αὐτοῦ ζημιωθῇ; ἢ τί δώσει ἄνθρωπος ἀντάλλαγμα τῆς 579 P
ψυχῆς αὐτοῦ·« »διὰ τοῦτο λέγω· μὴ μεριμνᾶτε τῇ ψυχῇ ὑμῶν τί 5
φάγητε, μηδὲ τῷ σώματι τί περιβάλητε· ἡ γὰρ ψυχὴ πλείων ἐστὶ
τῆς τροφῆς καὶ τὸ σῶμα τοῦ ἐνδύματος.« καὶ πάλιν· »οἶδεν γὰρ ὁ 6
πατὴρ ὑμῶν ὅτι χρῄζετε τούτων ἁπάντων· ζητεῖτε δὲ πρῶτον τὴν
25 βασιλείαν τῶν οὐρανῶν καὶ τὴν δικαιοσύνην, ταῦτα γὰρ μεγάλα, τὰ
δὲ μικρὰ« καὶ περὶ τὸν βίον, ταῦτα »προστεθήσεται ὑμῖν.« ἆρ᾽ οὐκ 35, 1
ἄντικρυς τὸν γνωστικὸν μεθέπειν ἡμᾶς παρακελεύεται βίον ἔργῳ τε
καὶ λόγῳ ζητεῖν τὴν ἀλήθειαν προτρέπει; πλούσιον τοίνυν οὐ τὴν
δόσιν, ἀλλὰ τὴν προαίρεσιν λογίζεται ὁ παιδεύων τὴν ψυχὴν Χριστός.
30 Ζακχαῖον τοίνυν, οἳ δὲ Ματθίαν φασίν, ἀρχιτελώνην, ἀκηκοότα τοῦ 2
κυρίου καταξιώσαντος πρὸς αὐτὸν γενέσθαι, »ἰδοὺ τὰ ἡμίση τῶν

2f. vgl. Petrus Laod. p. 65, 5 H.; Fr in ZntW 36 (1937) 83   4f. vgl. Mt 6, 21
6f. vgl. Eph 4, 22   8f. Lc 12, 33   9f. Exod 33, 19 (= Rom 9, 15)   10f. vgl. Mt 5, 3
12f. Mt 7, 13   15f. Lc 12, 20   17f. Lc 12, 15   19—21 Mt 16, 26   21—23 Lc 12, 22f.
23—26 Mt 6, 32f.; Lc 12, 30f.   25f. vgl. Strom. I 158, 2 mit Anm.   28f. πλουσίαν
οὐ—κύριος Sacr. Par. 238 Holl   30 vgl. Hilgenfeld, Nov. Test. extra can. IV² p. 49
31—S. 264, 3 vgl. Lc 19, 8—10

5 ἔτι (oder ἔπειτα) St ἐπὶ L   10 λέγει St λέγουσι L   11 ὅτι (τι über d. Z.) L¹
20 ἢ τι L   22 φάγητε corr. aus φάγεται L¹   τῷ σώματι Luc τὸ σῶμα L   28 πλουσίαν
Sacr. Par.   29 Χριστός] κύριος Sacr. Par.   30 φασίν Sy φησὶν L

ὑπαρχόντων μου δίδωμι ἐλεημοσύνην‹ φάναι, ›κύριε, καὶ εἴ τινός τι
ἐσυκοφάντηϑα, τετραπλοῦν ἀποδίδωμι.‹   ἐφ' οὖ καὶ ὁ σωτὴρ εἶπεν·
›ὁ υἱὸς τοῦ ἀνϑρώπου ἐλϑὼν σήμερον τὸ ἀπολωλὸς εὗρεν.‹   πάλιν 3
τε αὖ ϑεασάμενος εἰς τὸ γαζοφυλάκιον τὸν μὲν πλούσιον ἀναλόγως
5 τῇ κτήσει βεβληκότα, τὴν δὲ χήραν χαλκοῦς δύο, πλεῖον ἔφη τὴν
χήραν βεβληκέναι πάντων· ὃ μὲν γὰρ ἀπὸ τοῦ περισσεύματος, ἡ δὲ
ἐκ τῆς ὑστερήσεως συνεισήνεγκεν.   ὅτι δὲ πάντα ἐπὶ τὴν παίδευσιν 36, 1
τῆς ψυχῆς ἀνήγαγεν, ›μακάριοι‹ φησὶν ›οἱ πραεῖς, ὅτι αὐτοὶ κλη-
ρονομήσουσι τὴν γῆν.‹ πραεῖς δέ εἰσιν οἱ τὴν ἄσπειστον μάχην τὴν 2
10 ἐν τῇ ψυχῇ καταπεπαυκότες ϑυμοῦ καὶ ἐπιϑυμίας καὶ τῶν τούτοις
ὑποβεβλημένων εἰδῶν. πραεῖς δὲ τοὺς κατὰ προαίρεσιν, οὐ κατ'
ἀνάγκην ἐπαινεῖ. εἰσὶ γὰρ παρὰ κυρίῳ καὶ μισϑοὶ καὶ μοναὶ πλείονες 3
κατὰ ἀναλογίαν βίων· ›ὃς γὰρ ἂν δέξηται‹, φησί, ›προφήτην εἰς 4
ὄνομα προφήτου, μισϑὸν προφήτου λήψεται, καὶ ὃς ἂν δέξηται δί-
15 καιον εἰς ὄνομα δικαίου, μισϑὸν δικαίου λήψεται, καὶ ὃς ἂν δέξηται
ἕνα τῶν μαϑητῶν τούτων τῶν μικρῶν, τὸν μισϑὸν οὐκ ἀπολέσει.‹
πάλιν τε αὖ τὰς κατ' ἀξίαν διαφοράς, τῆς ἀρετῆς εὐγενεῖς ἀμοιβάς, 5
διὰ τῶν ὡρῶν τῶν οὐχ ὁμοίων τὸν ἀριϑμόν, πρὸς δὲ καὶ ⟨διὰ⟩ τοῦ
ἑκάστῳ τῶν ἐργατῶν ἀποδο|ϑέντος ἴσου μισϑοῦ (τουτέστι τῆς σωτη- 580 P
20 ρίας, ἣν τὸ δηνάριον αἰνίσσεται) τὸ ἐπ' ἴσης δίκαιον μεμήνυκεν [διὰ]
τῶν κατὰ τὰς ἀκαταλλήλους ὥρας ἐργασαμένων.   ἐργάσονται μὲν 37, 1
οὖν κατὰ τὰς μονὰς τὰς ἀναλόγους ὧν κατηξιώϑησαν γερῶν, συνεργοὶ
τῆς ἀρρήτου οἰκονομίας καὶ λειτουργίας.   ›οἳ δὲ δὴ ἂν δόξωσι δια- 2
φερόντως πρὸς τὸ ὁσίως βιῶναι προσκεκλῆσϑαι,‹ φησὶν ὁ Πλάτων,
25 ›οὗτοί εἰσιν οἱ τῶνδε μὲν τῶν ἐν τῇ γῇ ἐλευϑερούμενοί τε καὶ ἀπαλ-
λαττόμενοι ὥσπερ δεσμωτηρίων, ἄνω δὲ εἰς καϑαρὰν οἴκησιν ἀφικνού-
μενοι·‹ διὰ σαφεστέρων τε αὖ τὸ αὐτὸ ὧδέ πως λέγει· ›τούτων δὲ 3
αὐτῶν οἱ ἐν φιλοσοφίᾳ ἱκανῶς καϑηράμενοι ἄνευ τε σωμάτων ζῶσι

3—7 vgl. Lc 21, 1—4; Mc 12, 41—44   8f. Mt 5, 5   12f. vgl. Petrus Laod. p. 223,
10 H.; Fr in ZntW 36 (1937) 85   12 vgl. Io 14, 2   13—16 Mt 10, 41f.   17—21 vgl.
Mt 20, 1—16   20 vgl. Orig. in Mt. XV 34. 35; S. 449, 32; 455, 27 (Fr)   23—S. 265, 4
Plato Phaed. p. 114 BC   23—27 vgl. Strom. III 19, 2   23—27. S. 265, 2—4 Theodoret
Gr. aff. c. VIII 42 (aus Clem.)   [23—S. 265, 4 Theodoret XI 24 (aus Euseb. Pr. Ev.
XI 38, 6)]

1 κύριε] κε̅, dann: ἐλεημο | καὶ εἴ (καὶ εἰ in Ras.) L¹   5 κτίσει L   7 ἐκ am
Rand L¹ ἀπὸ Text   9 ἄσπειστον Wesseling, Ep. ad Reimarum im Anhang zu Dio
Cass. ed. Reimarus (1750) p. 1500 ἄπιστον L   17 διαφορὰς τῆς ἀρετῆς ⟨τῆς⟩ εὐγενοῦς
⟨καὶ τῆς δι'⟩ ἀμοιβὰς Schw ⟨κατὰ τὰς⟩ τῆς ἀρετῆς εὐγενεῖς ἀμοιβὰς Fr   18 ⟨διὰ⟩
He   20 δηνάριον L   [διὰ] St   22 συνεργοὶ He συνεργούς L   24 τὸ Strom. III 19
Plato Eus. Theod. τῷ L   προσκεκλῆσϑαι L προκεκρίσϑαι Theod. VIII [u. XI] (vgl.
zu S. 204, 18)   25 μὲν] + τῶν τόπων Plato Eus. Theod. XI   ἐλευϑ.—καὶ < Theod.
VIII   26 δεσμωτηρίου Theod. VIII   28 ἐν < Plato Eus. Theod. XI   σωμάτων]
καμάτων Euseb. Theod. XI

τὸ παράπαν εἰς τὸν ἅπαντα·χρόνον,« καίτοι σχήματά τινα περιτί-
θησι ταῖς μὲν ἀέρινα αὐτῶν, ταῖς δὲ καὶ πύρινα. ἔτι ἐπιφέρει· »καὶ 4
εἰς οἰκήσεις ἔτι τούτων καλλίους ἀφικνοῦνται, ἃς οὔτε ῥάδιον δη-
λῶσαι οὔτε ὁ χρόνος ἱκανὸς ἐν τῷ παρόντι.« ὅθεν εἰκότως »μακά- 5
5 ριοι οἱ πενθοῦντες, ὅτι αὐτοὶ παρακληθήσονται.« οἱ γὰρ μετανοή- 6
σαντες ἐφ' οἷς κακῶς προβεβιώκασιν, εἰς τὴν κλῆσιν παρέσονται·
τοῦτο γάρ ἐστι τὸ παρακληθῆναι. τοῦ μετανοοῦντος δὲ τρόποι δύο, 7
ὁ μὲν κοινότερος φόβος ἐπὶ τοῖς πραχθεῖσιν, ὁ δὲ ἰδιαίτερος ἡ δυσ-
ωπία ἡ πρὸς ἑαυτὴν τῆς ψυχῆς ἐκ συνειδήσεως, εἴτ' οὖν ἐνταῦθα
10 εἴτε καὶ ἀλλαχῇ, ἐπεὶ μηδεὶς τόπος ἀργὸς εὐποιίας θεοῦ. πάλιν 38, 1
φησίν· »μακάριοι οἱ ἐλεήμονες, ὅτι αὐτοὶ ἐλεηθήσονται.« ὁ δὲ ἔλεος
οὐχ ᾗ τινες τῶν φιλοσόφων ὑπειλήφασι, λύπη ἐπ' ἀλλο|τρίαις συμ- 210 S
φοραῖς, μᾶλλον δὲ ἀστεῖόν τί ἐστιν, ὡς οἱ προφῆται λέγουσιν·
»ἔλεον«, γάρ φησι, »θέλω καὶ οὐ θυσίαν.« ἐλεήμονας δ' εἶναι βού- 2
15 λεται οὐ μόνον τοὺς ἔλεον ποιοῦντας, ἀλλὰ καὶ τοὺς ἐθέλοντας
ἐλεεῖν, κἂν μὴ δύνωνται, οἷς κατὰ προαίρεσιν τὸ ἐνεργεῖν πάρεστιν·
ἐνίοτε γὰρ βουλόμεθα δι' ἀργυρίου δόσεως ἢ διὰ σωματικῆς σπουδῆς 3
ἔλεον ποιῆσαι, ὡς δεομένῳ ἐπαρκέσαι ἢ νοσοῦντι ὑπουργῆσαι ἢ | ἐν 581 P
περιστάσει γενομένῳ παραστῆναι, καὶ οὐχ οἷοί τέ ἐσμεν ἤτοι. διὰ
20 πενίαν ἢ νόσον ἢ γῆρας (φυσικὴ γὰρ νόσος καὶ τοῦτο) ἐξυπηρετῆσαι
τῇ προαιρέσει ἐφ' ἣν ὁρμώμεθα, μὴ δυνηθέντες ἐπὶ τέλος ἀγαγεῖν ὃ
βεβουλήμεθα. τῆς αὐτῆς ⟨οὖν⟩ τιμῆς μεθέξουσι τοῖς δυνηθεῖσιν οἱ 4
βεβουλημένοι, ὧν ἡ προαίρεσις ἴση, κἂν πλεονεκτῶσιν ἕτεροι τῇ
περιουσίᾳ.
25   Ἐπεὶ δὲ τῶν ἀπαγόντων εἰς τὴν τελείωσιν τῆς σωτηρίας ὁδοὶ 39, 1
εὑρίσκονται δύο, ἔργα καὶ γνῶσις, μακαρίους εἶπεν τοὺς καθαροὺς
τὴν καρδίαν, ὅτι αὐτοὶ τὸν θεὸν ὄψονται. κἂν τῷ ὄντι τὸ ἀληθὲς 2
σκοπῶμεν, ἡ γνῶσις, ⟨ἡ⟩ τοῦ ἡγεμονικοῦ τῆς ψυχῆς κάθαρσίς ἐστι, καὶ
ἐνέργειά ἐστιν ἀγαθή. ἀγαθὰ γοῦν τὰ μὲν αὐτὰ καθ' ἑαυτά, τὰ δὲ 3
30 μετέχοντα τῶν ἀγαθῶν, ὡς τὰς καλὰς πράξεις φαμέν· ἄνευ δὲ τῶν
μεταξύ, ἃ δὴ ὕλης ἐπέχει τάξιν, οὔθ' αἱ ἀγαθαὶ οὔθ' αἱ κακαὶ συνί-

2 ταῖς scil. ψυχαῖς   4f. Mt 5, 4   11 Mt 5, 7   11—13 vgl. Strom. II 72, 1 (S. 151,
9f.) mit Anm.; Andronicus De affect. p. 12, 12 Kreuttner (abgedruckt bei Chrys.
fr. mor. 414)   14 Os 6, 6 (= Mt 9, 13; 12, 7)   14—24 arab. bei Fleisch fr. 1 (Fr)
14—16 ἐλεήμονας εἶναι—πάρεστιν u. 22—24 τῆς αὐτῆς—περιουσίᾳ Sacr. Par. 239 Holl
20 vgl. A. Otto, Sprichw. S. 316   26f. vgl. Mt 5, 8   29—S. 266, 2 Chrysipp Fr.
mor. 114 Arnim

1 ἅπαντα] ἔπειτα Plato Eus. Theod. XI   3f. οὔτε—οὔτε Plato Eus. Theod. VIII.
XI οὐδὲ—οὐδὲ L   16 ἐλεεῖν] εὐποιεῖν Sacr. Par.   21 ἐφ' ἣν St ἐφ' ὧν L ἀφ' ὧν Ma
22 ⟨οὖν⟩ aus Sacr. Par.   τιμῆς μεθ.] μεθ. τιμῆς Sacr. Par.   25 ἐπειγόντων Mü ὑπα-
γόντων Schw σπευδόντων (vgl. S. 273, 5; 306, 11) St   28 ⟨ἡ⟩ St ⟨εἰ⟩ Schw

στανται πράξεις, οἷον ζωῆς λέγω καὶ ὑγιείας τῶν τε ἄλλων τῶν
ἀναγκαίων ἢ περιστατικῶν. καθαροὺς οὖν κατὰ τὰς σωματικὰς ἐπι- 4
θυμίας καὶ ἁγίους τοὺς διαλογισμοὺς τοὺς εἰς ἐπίγνωσιν τοῦ θεοῦ
ἀφικνουμένους εἶναι βούλεται, ἵνα μηδὲν ἔχῃ νόθον ἐπιπροσθοῦν τῇ
5 δυνάμει ἑαυτοῦ τὸ ἡγεμονικόν. ὅταν τοίνυν ἐνδιατρίψῃ τῇ θεωρίᾳ, 40, 1
τῷ θείῳ καθαρῶς ὁμιλῶν, ὁ γνωστικῶς μετέχων τῆς ἁγίας ποιό-
τητος, προσεχέστερον ἐν ἕξει γίνεται ταυτότητος ἀπαθοῦς, ὡς μη-
κέτι ἐπιστήμην ἔχειν καὶ γνῶσιν κεκτῆσθαι, ἐπιστήμην δὲ εἶναι καὶ
γνῶσιν.

10 »Μακάριοι« τοίνυν »οἱ εἰρηνοποιοί.« τὸν ἀντιστρατηγοῦντα 2
νόμον τῷ φρονήματι τοῦ νοῦ ἡμῶν, τοῦ θυμοῦ τὰς ἀπειλὰς καὶ τῆς
ἐπιθυμίας τὰ δελέατα τά τε ἄλλα πάθη, ὅσα πολεμεῖ τὸν λογισμόν,
τιθασεύσαντες καὶ ἐξημερώσαντες, οἱ μετ᾽ ἐπιστήμης ἔργων τε ἀγαθῶν
καὶ λόγου ἀληθοῦς καταβιώσαντες εἰς υἱοθεσίαν ἀποκατασταθήσονται
15 τὴν προσφιλεστάτην. εἴη δ᾽ ἂν ἡ τελεία εἰρηνοποίησις ἡ ἐπὶ παντὶ 3
τῷ συμβαίνοντι ἄτρεπτον φυλάσσουσα τὸ εἰρηνικόν, ἁγίαν τε καὶ
καλὴν τὴν διοίκησιν λέγουσα, ἐν ἐπιστήμῃ θείων καὶ ἀνθρωπίνων
πραγμάτων καθεστῶσα, δι᾽ ἧς τὰς ἐν τῷ κόσμῳ ἐναντιότητας ἁρμο-
νίαν κτίσεως καλλίστην λογίζεται. εἰρηνοποιοῦσι δὲ καὶ τοὺς ἐν- 4
20 ταῦθα πολεμουμένους τοῖς τῆς ἁμαρτίας στρατηγήμασι μεταδιδά-
σκοντες ἐπὶ τὴν πίστιν καὶ τὴν εἰρήνην μετιέναι.

Κεφάλαιον δ᾽, οἶμαι, πάσης ἀρετῆς. κύριος παιδεύων ἡμᾶς τὸ 41, 1
δεῖν γνωστικώτερον δι᾽ ἀγάπην τὴν πρὸς τὸν θεὸν θανάτου κατα-
φρονεῖν· »μακάριοι«, φησίν, | »οἱ δεδιωγμένοι ἕνεκεν δικαιοσύνης, ὅτι 2 582
25 αὐτοὶ υἱοὶ θεοῦ κληθήσονται,« ἢ ὥς τινες τῶν μετατιθέντων τὰ
εὐαγγέλια· »μακάριοι«, φησίν, »οἱ δεδιωγμένοι ὑπὲρ τῆς δικαιοσύνης,
ὅτι αὐτοὶ ἔσονται τέλειοι. καὶ μακάριοι οἱ δεδιωγμένοι ἕνεκα ἐμοῦ,
ὅτι ἕξουσι τόπον ὅπου οὐ διωχθήσονται.« »καὶ μακάριοί ἐστε, ὅταν 3
οἱ ἄνθρωποι μισήσωσιν ὑμᾶς, ὅταν ἀφορίσωσιν, ὅταν ἐκβάλωσι τὸ
30 ὄνομα ὑμῶν ὡς πονηρὸν ἕνεκα τοῦ υἱοῦ τοῦ ἀνθρώπου·« ἐὰν μὴ 4
βδελυσσώμεθα δηλονότι τοὺς διώκοντας καὶ ὑπομένωμεν τὰς παρ᾽

---

10 Mt 5, 9 10f. 20 vgl. Rom 7, 23 17f. vgl. die Definition der Weisheit Paed.
II 25, 3 mit Anm. 19—21 vgl. Strom. I 7, 2 S. 6, 19 24f. Mt 5, 10. 9 25 zu μετα-
τιθέντων vgl. Strom. VII 96, 4 25—28 vgl. Harnack, Gesch. d. altchr. Lit. I S. 192;
Marcion² S. 254; Zahn, Gesch. d. ntl. Kanons I S. 174 28—30 Lc 6, 22 29f. vgl.
Petr. Laod. p. 40, 11 H.; Fr in ZntW 36 (1937) 82

3 ἁγίους τοὺς St τοὺς .ἁγίους L τοὺς ἄλλους Ma 4 ἵνα St ὅταν L (wohl aus
Z. 5) 13 τιθασσεύσαντες L ἐξημερώσαντες Po ἐξηρεμώσαντες L 15 προσφιλεστά-
την Wi προσφιλεστέραν L 17 λέγουσα] ὁμολογοῦσα Ma 19 κτίσεως aus κτήσεως
corr. L¹ 26 φασίν Zahn a. a. O. S. 174¹ ὑπέρ Barnard, The Bibl. Text p. 5¹
ὑπό L; vgl. dazu Molland The Conception of the Gospel, Oslo 1938, S. 14 A 2 (Fr)

αὐτῶν τιμωρίας, μὴ μισοῦντες αὐτούς, βράδιον ἢ προσεδοκήσαμεν
πεπειρᾶσθαι διανοούμενοι, ἀλλὰ κἀκεῖνο γινώσκοντες πρόφασιν εἶναι
μαρτυρίου τὸν ὁντινοῦν πειρασμόν.

VII. Εἶτα ὁ μὲν ψευσάμενος καὶ ἑαυτὸν ἄπιστον δείξας καὶ με- **42, 1**
5 ταστὰς εἰς τὴν τοῦ διαβόλου στρατείαν ἐν τίνι, οἰόμεθα, ἔστι κακῷ;
ψεύδεται τοίνυν τὸν κύριον, μᾶλλον δὲ τὴν ἑαυτοῦ διέψευσται ἐλπίδα **2**
ὃς οὐ πιστεύει τῷ θεῷ. οὐ πιστεύει δὲ ὁ μὴ ποιῶν ἃ ἐνετείλατο.
τί δέ; οὐχ ἑαυτὸν ἀρνεῖται ὁ ἀρνούμενος τὸν κύριον; οὐ γὰρ ἀφαι- **3**
ρεῖται τῆς κυρίας τὸν δεσπότην ὅ γε καὶ στερίσκων αὐτὸν τῆς πρὸς
10 ἐκεῖνον οἰκειότητος. ὁ τοίνυν ἀρνούμενος τὸν σωτῆρα ἀρνεῖται τὴν
ζωήν, ὅτι »ζωὴ ἦν τὸ φῶς«. ὀλιγοπίστους τούτους οὐ λέγει, ἀλλὰ **4**
ἀπίστους καὶ ὑποκριτάς, τὸ μὲν ὄνομα ἐπιγεγραμμένους, τὸ δ᾽ εἶναι
πιστοὺς ἀρνουμένους· πιστὸς δὲ εἴρηται καὶ δοῦλος καὶ φίλος. ὥστε **5**
εἴ τις ἑαυτὸν ἀγαπᾷ, ἀγαπᾷ τὸν κύριον καὶ ὁμολογεῖ τὴν σωτηρίαν,
15 ἵνα σώσῃ τὴν ψυχήν. καίτοι κἂν ὑπεραποθάνῃς τοῦ πλησίον δι᾽ **43, 1**
ἀγάπην, πλησίον δὲ ἡμῶν τὸν σωτῆρα ὑπολάβῃς (θεὸς γὰρ ἐγγίζων
ὁ σῴζων πρὸς τὸ σῳζόμενον ἐλέχθη), ⟨θανῇ⟩ θάνατον ἑλόμενος διὰ
ζωὴν καὶ σεαυτοῦ | μᾶλλον ἢ ἐκείνου ἕνεκεν παθών· καὶ μή τι διὰ **583 P**
τοῦτο ἀδελφὸς εἴρηται· ⟨ὅτι⟩ ὁ δι᾽ ἀγάπην τὴν πρὸς τὸν θεὸν παθὼν **2**
20 διὰ τὴν ἰδίαν ἔπαθε σωτηρίαν ὅ τε αὖ διὰ τὴν ἰδίαν ἀποθνήσκων
σωτηρίαν διὰ τὴν ἀγάπην ὑπομένει τοῦ κυρίου. καὶ γὰρ αὐτὸς ζωὴ
ὢν δι᾽ οὖ ἔπαθεν παθεῖν ἠθέλησεν, ἵνα τῷ πάθει ζήσωμεν αὐτοῦ·
»τί με λέγετε· κύριε κύριε,« φησί, »καὶ οὐ ποιεῖτε ἃ λέγω;« ὁ μὲν **3**
γὰρ τοῖς χείλεσιν ἀγαπῶν λαός, τὴν δὲ καρδίαν μακρὰν ἔχων ἀπὸ
25 τοῦ κυρίου ἄλλος ἐστίν, ἄλλῳ πεπεισμένος, καὶ τούτῳ ἑκὼν ἑαυτὸν
πέπρακεν· ὅσοι δὲ τὰς ἐντολὰς τοῦ σωτῆρος ἐπιτελοῦσιν, καθ᾽ ἑκά- **4**
στην πρᾶξιν μαρτυροῦσι, ποιοῦντες μὲν ὃ θέλει, ἀκολούθως δὲ ὀνο-
μάζοντες τὸν κύριον καὶ δι᾽ ἔργου μαρτυροῦντες ᾧ πείθονται εἶναι,
οἱ τὴν σάρκα σὺν ταῖς ἐπιθυμίαις καὶ τοῖς | παθήμασι σταυρώσαντες. **211 S**
30 »εἰ ζῶμεν πνεύματι, πνεύματι καὶ στοιχῶμεν,« λέγει. »ὁ σπείρων εἰς **5**

2f. vgl. Petrus Laod. p. 40, 10 H.; Fr in ZntW 36 (1937) 82   11 Io 1, 4   11f.
vgl. z. B. Mt 6, 30 (ὀλιγόπιστοι); 17, 17 (ἄπιστοι); 23, 13 (ὑποκριταί)   13 vgl. z. B.
Mt 24, 45   16 vgl. Ier 23, 23   19 vgl. z. B. Mt 12, 48   23 Lc 6, 46 24f. vgl. Is
29, 13 (= Mt 15, 8; Mc 7, 6)   29 vgl. Gal 5, 24   30 Gal 5, 25   30—S. 268, 2 Gal 6, 8

5 στρατιὰν St   12 ἐπιγεγραμμένους He ὑπογεγραμμένους L ὑποκεκριμένους Ρο
17 ⟨θανῇ⟩ Wi   ⟨ἔσει⟩ ἑλόμενος Ma (θεὸς .. σωζόμενον) ἐλεγχθήσῃ θάνατον ἑλό-
μενος Fr   19 ⟨ὅτι⟩ ὁ Wi ὁ ⟨γὰρ⟩ Ma   22 δι᾽ οὖ L (die Richtigkeit der Überlieferung
von Fr PhW 59, 1939, Sp. 1090 erwiesen) δι᾽ οὓς Schw   25 ἄλλος] ἄλλου St; doch
vgl. S. 262, 17

τὴν σάρκα ἑαυτοῦ ἐκ τῆς σαρκὸς θερίσει φθοράν, ὁ δὲ σπείρων εἰς
τὸ πνεῦμα ἐκ τοῦ πνεύματος θερίσει ζωὴν αἰώνιον.«

Τοῖς δὲ ἀθλίοις τῶν ἀνθρώπων θάνατος εἶναι ὁ βιαιότατος ἤ 44, 1
δι᾽ αἵματος μαρτυρία τοῦ κυρίου δοκεῖ, οὐκ εἰδόσι τῆς ὄντως οὔσης
5 ζωῆς ἀρχὴν εἶναι τὴν τοιαύτην τοῦ θανάτου πύλην. καὶ οὔτε τὰς
τιμὰς τὰς μετὰ θάνατον τῶν ὁσίως βεβιωκότων οὔτε τὰς κολάσεις
τῶν ἀδίκως καὶ ἀσελγῶς πεπολιτευμένων συνεῖναι βούλονται, οὐκ
ἐκ τῶν ἡμετέρων μόνον λέγω γραφῶν (σχεδὸν γὰρ πᾶσαι αἱ ἐντολαὶ
ταῦτα μηνύουσιν), ἀλλ᾽ οὐδὲ τῶν οἰκείων ἐθέλουσιν ὑπακοῦσαι λόγων.
10 Θεανὼ γὰρ ἡ Πυθαγορικὴ γράφει· »ἦν γὰρ ⟨ἂν⟩ τῷ ὄντι τοῖς κακοῖς 2
εὐωχία ὁ βίος πονηρευσαμένοις· ἔπειτα τελευτῶσιν, εἰ μὴ ἦν ἀθάνα-
τος ἡ ψυχή, ἕρμαιον ὁ θάνατος« καὶ Πλάτων ἐν Φαίδωνι »εἰ μὲν γὰρ 3
ἦν ὁ θάνατος τοῦ παντὸς ἀπαλλαγή, ⟨ἕρμαιον ἂν ἦν⟩« καὶ τὰ ἑξῆς.
οὐκ ἔστιν οὖν κατὰ τὸν Αἰσχύλου Τήλεφον νοεῖν »ἁπλῆν οἶμον εἰς 45, 1
15 Ἅιδου φέρειν«, ὁδοὶ δὲ πολλαὶ αἱ ἀπά|γουσαι, ἁμαρτίαι πολυπλα- 584 P
νεῖς. τούτους, ὡς ἔοικε, τοὺς ἀπίστους διακωμῳδῶν Ἀριστοφάνης 2

ἄγετε (φησίν), ἄνδρες ἀμαυρόβιοι, φύλλων γενεᾷ προσόμοιοι,
ὀλιγοδρανέες, πλάσματα κηροῦ, σκιοειδέα φῦλα, ἀμενηνοί,
ἀπτῆνες, ἐφημέριοι.

20 καὶ ὁ Ἐπίχαρμος »αὖτα φύσις ἀνθρώπων, ἀσκοὶ πεφυσημένοι.« ἡμῖν 3. 4
δὲ ὁ σωτὴρ εἴρηκεν· »τὸ πνεῦμα πρόθυμον, ἡ δὲ σὰρξ ἀσθενής·«
διότι »τὸ φρόνημα τῆς σαρκὸς ἔχθρα εἰς θεὸν« ὁ ἀπόστολος ἐξη-
γεῖται, »τῷ γὰρ νόμῳ τοῦ θεοῦ οὐχ ὑποτάσσεται, οὐδὲ γὰρ δύναται·
οἱ δὲ ἐν σαρκὶ ὄντες θεῷ ἀρέσαι οὐ δύνανται.« καὶ ἐπεκδιηγούμενος 5
25 ἐπιφέρει, ἵνα μὴ ὡς Μαρκίων ἀχαρίστως ἐκδέξηταί τις τὴν δημιουρ-
γίαν κακήν· »εἰ δὲ Χριστὸς ἐν ὑμῖν, τὸ μὲν σῶμα νεκρὸν δι᾽ ἁμαρ-
τίαν, τὸ δὲ πνεῦμα ζωὴ διὰ δικαιοσύνην.« πάλιν τε αὖ· »εἰ γὰρ 6

10–12 Theano Fr. 5 Mullach FPG II 115 12f. Plato Phaed. p. 107 C 14f.
Aeschylus Telephos Fr. 239 (aus Plato Phaed. p. 108 A) 17–19 Aristoph. Av.
684–686 20 Epicharm Fr. 10 Diels⁶ I S. 200, 12; Theodoret Gr. aff. c. I 82; vgl.
Bergk Opusc. II S. 276; Hiller, Jahrbb. f. Philol. 135 (1887) S. 202ff. vgl. Orig.
c. Cels. IV 37 (I S. 308, 15) παραπλησίως τοῖς ἐμφυσωμένοις ἀσκοῖς, Petron. 42, 4
utres inflati (Fr) 21 Mt 26, 41; Mc 14, 38 22–24 Rom 8, 7f. 26f. Rom 8, 10
27–S. 269, 4 Rom 8, 13ª. 18. 17ᵇª

10 ⟨ἂν⟩ Wi Schw κακοῖς Sy καλοῖς L 12 ἑρμαῖον L [ἕρμαιον ὁ θάνατος]
Wyttenbach zu Platos Phaedon (1810) p. 338 ~ nach βίος (Z. 11) Hiller 13 ⟨ἕρ-
μαιον ἂν ἦν⟩ aus Plato St ⟨ἕρμαιον ἂν ἦν τοῖς κακοῖς ἀποθανοῦσιν⟩ Wyttenbach
14f. ἁπλῆν οἶμον εἰς ἀΐδου L 15 αἱ Wi καὶ L 16 διακομῳδῶν L 17 ἄγε δὴ φύσιν
Arist. γενεαί dann ein Buchst. ausrad. L 18 κηροῦ] πηλοῦ Arist.

κατὰ σάρκα ζῆτε, μέλλετε ἀποθνήσκειν· λογίζομαι γὰρ ὅτι οὐκ ἄξια
τὰ παθήματα τοῦ νῦν καιροῦ πρὸς τὴν μέλλουσαν δόξαν ἀποκα-
λυφθῆναι εἰς ἡμᾶς, εἴπερ συμπάσχομεν, ἵνα καὶ συνδοξασθῶμεν, ὡς
συγκληρονόμοι Χριστοῦ.‹ ›οἴδαμεν δὲ ὅτι τοῖς ἀγαπῶσι τὸν θεὸν 46, 1
5 πάντα συνεργεῖ εἰς τὸ ἀγαθόν, τοῖς κατὰ πρόθεσιν κλητοῖς οὖσι.
ὅτι οὓς προέγνω, καὶ προώρισεν συμμόρφους τῆς εἰκόνος τοῦ υἱοῦ
αὐτοῦ, εἰς τὸ εἶναι αὐτὸν πρωτότοκον ἐν πολλοῖς ἀδελφοῖς· οὓς δὲ
προώρισεν, τούτους καὶ ἐκάλεσεν· οὓς δὲ ἐκάλεσεν, τούτους καὶ ἐδι-
καίωσεν· οὓς δὲ ἐδικαίωσε, τούτους καὶ ἐδόξασεν.‹ ὁρᾷς δι' ἀγάπην
10 διδασκομένην μαρτυρίαν. κἂν δι' ἀμοιβὴν ἀγαθῶν ἐθελήσῃς μαρτυ- 2
ρῆσαι, ἀκούσῃ πάλιν· ›τῇ γὰρ ἐλπίδι ἐσώθημεν· ἐλπὶς δὲ βλεπομένη
οὐκ ἔστιν ἐλπίς· ὃ γὰρ βλέπει τις, τί καὶ ἐλπίζει; εἰ δὲ ὃ οὐ βλέπο-
μεν ἐλπίζομεν, δι' ὑπομονῆς ἀπεκδεχόμεθα.‹ ›ἀλλ' εἰ καὶ πάσχομεν 3
διὰ δικαιοσύνην, μακάριοι,‹ φησὶν ὁ Πέτρος. ›τὸν δὲ φόβον αὐτῶν
15 μὴ φοβηθῆτε μηδὲ ταραχθῆτε, κύριον δὲ τὸν Χριστὸν ἁγιάσατε ἐν
ταῖς καρδίαις ὑμῶν, ἕτοιμοι δὲ ἀεὶ πρὸς ἀπολογίαν παντὶ τῷ αἰτοῦντι
ὑμᾶς λόγον περὶ τῆς ἐν ὑμῖν ἐλπίδος, ἀλλὰ | μετὰ πραΰτητος καὶ 585 P
φόβου, συνείδησιν ἔχοντες ἀγαθήν, ἵνα ἐν ᾧ καταλαλεῖσθε, καταισχυν-
θῶσιν οἱ ἐπηρεάζοντες· τὴν καλὴν ἀναστροφὴν ὑμῶν ἐν Χριστῷ.
20 κρεῖττον γὰρ ἀγαθοποιοῦντας, εἰ θέλοι τὸ θέλημα τοῦ θεοῦ, πάσχειν
ἢ κακοποιοῦντας.‹

Κἂν τις ἐρεσχελῶν λέγῃ· καὶ πῶς οἷόν τέ ἐστι τὴν σάρκα τὴν 47, 1
ἀσθενῆ πρὸς τὰς δυνάμεις καὶ τὰ πνεύματα τῶν ἐξουσιῶν ἀνθίστα-
σθαι; ἀλλ' ἐκεῖνο γνωριζέτω ὅτι τῷ παντοκράτορι καὶ τῷ κυρίῳ 2
25 θαρροῦντες ἀντιπολιτευόμεθα ταῖς ἀρχαῖς τοῦ σκότους καὶ τῷ θα-
νάτῳ. ›ἔτι σοῦ λαλοῦντος‹, φησίν, ›ἐρεῖ· ἰδοὺ πάρειμι.‹ ὅρα τὸν 3
ἀήττητον βοηθόν, τὸν ὑπερασπίζοντα ἡμῶν. ›μὴ ξενίζεσθε τοίνυν‹, 4
ὁ Πέτρος λέγει, ›τῇ ἐν ὑμῖν πυρώσει πρὸς πειρασμὸν ὑμῖν γινομένῃ,
ὡς ξένου ὑμῖν συμβαίνοντος, ἀλλὰ καθὸ κοινωνεῖτε τοῖς τοῦ Χρι-
30 στοῦ παθήμασι, χαίρετε, ἵνα καὶ ἐν τῇ ἀποκαλύψει τῆς δόξης αὐτοῦ
χαρῆτε ἀγαλλιώμενοι. εἰ ὀνειδίζεσθε ἐν ὀνόματι Χριστοῦ, μακάριοι,
ὅτι τὸ τῆς δόξης καὶ τὸ τοῦ θεοῦ πνεῦμα ἐφ' ὑμᾶς ἀναπαύεται‹·
›καθάπερ γέγραπται ὅτι ἕνεκεν σοῦ θανατούμεθα ὅλην τὴν ἡμέραν, 5
ἐλογίσθημεν ὡς πρόβατα σφαγῆς. ἀλλ' ἐν τούτοις πᾶσιν ὑπερνι-
35 κῶμεν διὰ τοῦ ἀγαπήσαντος ἡμᾶς.‹

4—9 Rom 8, 28—30   11—13 Rom 8, 24f.   13—21 I Petr 3, 14—17   22f. vgl.
Mt 26, 41 (Mc 14, 38) 23f. vgl. Eph 6, 12   26 Is 58, 9   27—32 I Petr 4, 12—14
33—35 Rom 8, 36f. (Ps 43, 23)

13 ὑπομονῆς (μο üb. d. Z.) L¹

ἃ δ' ἐκπυθέσθαι τῆς ἐμῆς χρῄζεις φρενός,   48, 1
οὔτ' ἂν καταίθων οὔτε κρατὸς ἐξ ἄκρου
δεινοὺς καθιεὶς πρίονας εἰς ἄκρους πόδας
πύθοι' ἄν, οὐδ' εἰ δεσμὰ πάντα προσβάλοις,

5 ἀφόβως ἀνδρεϊζομένη παρὰ τῇ τραγῳδίᾳ λέγει γυνή. ἥ τε Ἀντιγόνη 2
τοῦ Κρεοντείου καταφρονοῦσα κηρύγματος θαρσοῦσά φησιν·

οὐ γάρ τί μοι Ζεὺς ἦν ὁ κηρύσσων τάδε·

θεὸς δὲ ἡμῖν κηρύσσει καὶ πειστέον αὐτῷ· »καρδίᾳ γὰρ πιστεύεται 8
εἰς δικαιοσύνην, στόματι δὲ ὁμολογεῖται εἰς σωτηρίαν. λέγει γοῦν
10 ἡ γραφή· »πᾶς ὁ πιστεύων ἐπ' αὐτῷ οὐ καταισχυνθήσεται.« εἰκότως 4
οὖν Σιμωνίδης γράφει·

ἔστι τις λόγος
τὰν Ἀρετὰν ναίειν δυσαμβάτοις ἐπὶ πέτραις,
νυμφᾶν δέ μιν θοᾶν χορὸν ἁγνὸν ἀμφέπειν·
οὐδὲ πάντων βλεφάροις θνατῶν ἔσοπτος,
15
ᾧ μὴ δακέθυμος | ἱδρὼς ἔνδοθεν μόλῃ   586 P
ἵκῃ τ' ἐς ἄκρον ἀνδρείας.

καὶ ὁ Πίνδαρος·   49, 1

νέων δὲ μέριμναι σὺν πόνοις εἱλισσόμεναι
20 δόξαν εὑρίσκουσι, λάμπει δὲ χρόνῳ
ἔργα μετ' αἰθέρα λαμπευθέντα.

ταύτης τῆς ἐννοίας καὶ Αἰσχύλος ἐπιλαβόμενός φησι·   2

1—S. 274, 15 vgl. Elter Gnom. hist. 92—95   1—4 TGF Adesp. 114   7 Soph. Ant
450   8—10 Rom 10, 10f. (Is 28, 16)   12f. Theodoret Gr. aff. c. XII 46   12—17 Si-
monides v. Keos Fr. 37 Diehl (Anth. lyr.² II p. 78); vgl. E. Maass, Aratea S. 138
19—21 Pindar Fr. 227 Schroeder

3 δεινὸν—πρίον' Porson   4 πύθοι L   δεσμὰ] δεινὰ Cobet S. 447 u. Nov. lect. 563
5 τῷ τραγῳδῷ Ma   7 κηρύξας Soph. u. Strom. V 84, 3   8 πειστέον Di πιστέον L
13 ναίειν Theodor. νέειν L   14 νυμφᾶν Wi, Gött. Nachr. 1898 S. 215 νῦν L   θοαν
L   χορὸν Wi χῶρον L   15 ἔσοπτὸς L   16 δακέθυμος Sy δ' ἀκέθυμος L   17 ἀνδρείᾳ
Wi [daß ἀνδρείας L richtig ist, zeigt O. Becker, Das Bild des Weges, Hermes
Sonderheft 4, 1937 S. 59 A 25 (Fr)]   19 εἱλισσόμεναι Boeckh ἐλισσόμεναι (sic) L
21 μετ' αἰθέρα λαμπευθέντα] μετ' αἰθέρ' ἀερθέντα Boeckh (vgl. Pind. Nem. 8, 41)

τῷ πονοῦντι δ' ἐκ θεῶν
ὀφείλεται τέκνωμα τοῦ | πόνου κλέος.　　　212 S

»μόροι γὰρ μέζονες μέζονας μοίρας λαγχάνουσι« καθ᾽ Ἡράκλειτον.　8

τίς δ᾽ ἔστι δοῦλος τοῦ θανεῖν ἄφροντις ὤν;　　4

5 »οὐ γὰρ ἔδωκεν ἡμῖν ὁ θεὸς πνεῦμα δουλείας πάλιν εἰς φόβον, ἀλλὰ 5
δυνάμεως καὶ ἀγάπης καὶ σωφρονισμοῦ. μὴ οὖν ἐπαισχυνθῇς τὸ
μαρτύριον τοῦ κυρίου ἡμῶν μηδὲ ἐμὲ τὸν δέσμιον αὐτοῦ,« τῷ Τιμο-
θέῳ γράφει. εἴη δ᾽ ἂν ὁ τοιοῦτος ὁ κολλώμενος τῷ ἀγαθῷ κατὰ 6
τὸν ἀπόστολον, ἀποστυγῶν τὸ πονηρόν, ἀγάπην ἔχων ἀνυπόκριτον·
10 »ὁ γὰρ ἀγαπῶν τὸν ἕτερον νόμον πεπλήρωκεν« εἰ δὲ »ὁ θεὸς τῆς 7
ἐλπίδος« οὗτός ἐστιν ᾧ μαρτυροῦμεν, ὥσπερ οὖν ἐστι, τὴν ἐλπίδα
ἡμῶν ὁμολογοῦμεν εἰς τὴν ἐλπίδα σπεύδοντες· οἱ δὲ »μεστοὶ τῆς
ἀγαθωσύνης πεπληρωμένοι«, φησί, »πάσης τῆς γνώσεως.«

Ἰνδῶν οἱ φιλόσοφοι Ἀλεξάνδρῳ λέγουσι τῷ Μακεδόνι· »σώματα 50, 1
15 μὲν μετάξεις ἐκ τόπου εἰς τόπον, ψυχὰς δ᾽ ἡμετέρας οὐκ ἀναγκάσεις
ποιεῖν ἃ μὴ βουλόμεθα. πῦρ ἀνθρώποις μέγιστον κολαστήριον·
τούτου ἡμεῖς καταφρονοῦμεν.« κἀντεῦθεν Ἡράκλειτος ἓν ἀντὶ πάν- 2
των κλέος ᾑρεῖτο, τοῖς δὲ πολλοῖς παραχωρεῖν ὁμολογεῖ »κεκορῆσθαι
ὅκωσπερ κτήνεσι«.

20　　　τοῦ σώματος γὰρ οὕνεκα οἱ πολλοὶ πόνοι,　　8
　　　τοῦθ᾽ οὕνεκα οἶκον στεγανὸν ἐξευρήκαμεν
　　　λευκόν τε ὀρύττειν ἄργυρον σπείρειν τε γῆν,
　　　τά τε ἄλλα ὅσα ἡμεῖς ὀνόμασι⟨ν⟩ γινώσκομεν.

τοῖς μὲν οὖν πολλοῖς ἡ ματαιοπονία αὕτη αἱρετή, ἡμῖν δὲ ὁ ἀπό- 51, 1

1f. Aeschylus Fr. inc. 315　3 Heraklit Fr. 25 Diels⁶ I S. 156, 10; Theodoret
Gr. aff. c. VIII 39　4 Euripides Fr. inc. 958; vgl. Elter Gnom. hist. 53 vgl. auch
Philo Qu. omn. pr. lib. 22　5—7 II Tim 1,.7f. (δουλείας πάλιν εἰς φόβον Z. 5 statt
δειλίας aus Rom 8, 15)　8f. vgl. Rom 12, 9　10 Rom 13, 8　10f. 12f. Rom 15, 13f.
14—17 vgl. Kalanos bei Philo Quod omn. prob. lib. 96 (VI p. 27)　17—19 vgl.
Heraklit Fr. 29 Diels⁶ I S. 157, 6; Strom. V 59, 5　20—23 TGF Adesp. 115

3 μόροι] μόνοι Theod.　μείζονες μείζονος Theod.　zw. μέζονες u. μέζονας ist
μεζ von L¹ gestrichen　12 μεστοὶ Rom μέγιστοι L　18 ὡμολόγει Sy κεκορῆσθαι
Sy καὶ κορῆσθαι L　19 ὅκωσπερ Bernays οὐχ ὥσπερ L οὕτως ὥσπερ Sy ὅπως
Strom. V　21 ἕνεκα L ἐξηυρήκαμεν Nauck　22 ὀρύσσειν Nauck　23 γιγνώσκομεν
Nauck

στολός φησι· »τοῦτο δὲ γινώσκομεν, ὅτι ὁ παλαιὸς ἄνθρωπος ἡμῶν
συνεσταύρωται, ἵνα καταργηθῇ τὸ σῶμα τῆς | ἁμαρτίας, τοῦ μηκέτι 587
δουλεύειν ἡμᾶς τῇ ἁμαρτίᾳ.« ἀρ᾽ οὐκ ἐμφανῶς κἀκεῖνα ἐπιφέρει ὁ 2
ἀπόστολος δεικνὺς τὸν καταισχυμὸν τῆς πίστεως παρὰ τοῖς πολλοῖς;
5 »δοκῶ γάρ, ὁ θεὸς ἡμᾶς τοὺς ἀποστόλους ἐσχάτους ἀπέδειξεν ὡς
ἐπιθανατίους, ὅτι θέατρον ἐγενήθημεν τῷ κόσμῳ καὶ ἀγγέλοις καὶ
ἀνθρώποις· ἄχρι τῆς ἄρτι ὥρας καὶ πεινῶμεν καὶ διψῶμεν καὶ γυμνη- 3
τεύομεν καὶ κολαφιζόμεθα καὶ ἀστατοῦμεν καὶ κοπιῶμεν ἐργαζόμενοι
ταῖς ἰδίαις χερσί· λοιδορούμενοι εὐλογοῦμεν, διωκόμενοι ἀνεχόμεθα,
10 δυσφημούμενοι παρακαλοῦμεν· ὡς περικαθάρματα τοῦ κόσμου ἐγενή-
θημεν.« τοιαῦτα καὶ τὰ τοῦ Πλάτωνος ἐν Πολιτείᾳ, κἂν στρεβλῶται 52,
ὁ δίκαιος κἂν ἐξορύττηται τὼ ὀφθαλμώ, ὅτι εὐδαίμων ἔσται. οὔκουν 2
ἐπὶ τῇ τύχῃ τὸ τέλος ἕξει ποτὲ ὁ γνωστικὸς κείμενον, ἀλλ᾽ ἐπ᾽
αὐτῷ τὸ εὐδαιμονεῖν ἂν εἴη καὶ τὸ μακαρίῳ εἶναι βασιλικῷ τε φίλῳ
15 τοῦ θεοῦ· κἂν ἀτιμίᾳ τις περιβάλλῃ τοῦτον φυγῇ τε καὶ δημεύσει 3
καὶ ἐπὶ πᾶσι θανάτῳ, οὐκ ἀποσπασθήσεταί ποτε τῆς ἐλευθερίας καὶ
κυριωτάτης πρὸς τὸν θεὸν ἀγάπης, ἢ »πάντα στέγει καὶ πάντα ὑπο-
μένει«· καλῶς πάντα τὴν θείαν διοικεῖν πρόνοιαν πέπεισται ἡ ἀγάπη. 4
»παρακαλῶ οὖν ὑμᾶς, μιμηταί μου γίνεσθε«, φησίν. ὁ μὲν οὖν 58,
20 πρῶτος βαθμὸς τῆς σωτηρίας ἡ μετὰ φόβου διδασκαλία, δι᾽ ἣν ἀπε-
χόμεθα τῆς ἀδικίας, δεύτερος δὲ ἡ ἐλπίς, δι᾽ ἣν ἐφιέμεθα τῶν βελ-
τίστων, τελειοῖ δὲ ἡ ἀγάπη, ὡς προσῆκόν ἐστι, γνωστικῶς ἤδη
παιδεύουσα.

Ἕλληνες γὰρ οὐκ οἶδ᾽ ὅπως ἀνάγκῃ δεδωκότες ἀλόγῳ τὰ συμ- 2
25 βαίνοντα ἄκοντες πείθεσθαι ὁμολογοῦσιν. ὁ γοῦν Εὐριπίδης λέγει· | 3

ἃ γ᾽ οὖν παραινῶ, ταῦτά μου δέξαι, γύναι. 588
ἔφυ μὲν οὐδεὶς ὅστις οὐ πονεῖ βροτῶν,
θάπτει τε τέκνα καὶ ἕτερα σπείρει νέα,
αὐτός τε θνῄσκει. καὶ τάδ᾽ ἄχθονται βροτοί.

1–3 Rom 6, 6   5–11 I Cor 4, 9. 11–13   11f. vgl. Plato Rep. II p. 361 E (voll-
ständiger Strom. V 108, 3)   17f. I Cor 13, 7   19 I Cor 4, 16   19–23 vgl. Strom.
VII 57, 4   26–S. 273, 4 Euripides Hypsipyle Fr. 757; vgl. Stob. Flor. 108, 11; Plut.
Mor. p. 110 F. 111 A; 117 Ð; erhalten auch Pap. Oxyrh. VI Fr. LX col. 2, 89–92
(Arnim, Suppl. Eurip. S. 62) (Fr)

12 τῶι ὀφθαλμῶι L   13 τύχῃ Bywater, Journ. of Philol. 4 (1872) S. 211 u.
Elter Gnom. hist. 93 ψυχῆι L   vor ἕξει ist ἔσται getilgt L¹   13f. ἐπ᾽ αὐτῷ τὸ εὐδ.
ἂν εἴη καὶ τὸ Bywater ἐπ᾽ αὐτὸ τὸ εὐδ. αἰεὶ καὶ τῶ L   18 καλῶς] καθὼς Wi   πέ-
πεισται Höschel πεπεῖσθαι L   20 τῆς σωτηρίας Po τοῦ σώματος L ⟨τῆς καταργή-
σεως⟩ τοῦ σώματος Schw   26 γύναι L   28 χάτερα Stob. χάτερ᾽ αὖ Plut.

εἶτα ἐπιφέρει·   4

τοῦτα δεῖ
στέγειν ἅπερ δεῖ κατὰ φύσιν διεκπερᾶν·
οὐ δεινὸν οὐδὲν τῶν ἀναγκαίων βροτοῖς.

5   Πρόκειται δὲ τοῖς εἰς τελείωσιν σπεύδουσιν ἡ γνῶσις ἡ λογική, 54, 1
ἧς θεμέλιος ἡ ἁγία τριάς, »πίστις, ἐλπίς, ἀγάπη· μείζων δὲ τούτων
ἡ ἀγάπη.« ἀμέλει »πάντα ἔξεστιν, ἀλλ' οὐ πάντα συμφέρει· πάντα 2
ἔξεστιν, ἀλλ' οὐ πάντα οἰκοδομεῖ«, φησὶν ὁ ἀπόστολος. καὶ »μηδεὶς
τὸ ἑαυτοῦ ζητείτω μόνον, ἀλλὰ καὶ τὸ τοῦ ἑτέρου«, ὡς ποιεῖν ὁμοῦ
10 καὶ διδάσκειν δύνασθαι οἰκοδομοῦντα καὶ ἐποικοδομοῦντα. ὅτι μὲν 8
γὰρ »τοῦ κυρίου ἡ γῆ καὶ τὸ πλήρωμα αὐτῆς«, ὡμολόγηται, ἀλλ' ἡ
συνείδησις τοῦ ἀσθενοῦντος ὑποφέρεται. »συνείδησιν δὲ λέγω οὐχὶ 4
τὴν ἑαυτοῦ, ἀλλὰ τὴν τοῦ ἑτέρου. ἵνα τί γὰρ ἡ ἐλευθερία μου κρί-
νεται ὑπὸ ἄλλης συνειδήσεως; εἰ ἐγὼ χάριτι μετέχω, τί βλασφημοῦ-
15 μαι ὑπὲρ οὗ ἐγὼ εὐχαριστῶ; εἴτε οὖν ἐσθίετε εἴτε πίνετε εἴτε τι
ποιεῖτε, πάντα εἰς δόξαν θεοῦ ποιεῖτε.« »ἐν σαρκὶ γὰρ περιπα- 5
τοῦντες οὐ κατὰ σάρκα στρατευόμεθα· τὰ γὰρ ὅπλα τῆς στρατείας
ἡμῶν οὐ σαρκικά, ἀλλὰ δυνατὰ τῷ θεῷ πρὸς καθαίρεσιν ὀχυρω-
μάτων, λογισμοὺς καθαιροῦντες καὶ πᾶν ὕψωμα ἐπαιρόμενον κατὰ
20 τῆς γνώσεως τοῦ κυρίου.« τούτοις ὁ γνωστικὸς τοῖς ὅπλοις κορυσ- 55, 1
σόμενος, ὦ κύριε, φησί, δὸς περίστασιν καὶ λάβε ἐπίδειξιν, ἴτω τὸ δεινὸν
τοῦτο, κινδύνων ὑπερφρονῶ διὰ τὴν πρὸς σὲ ἀγάπην·

ὀθούνεκ' ἀρετὴ τῶν ἐν ἀνθρώποις μόνη   2
οὐκ ἐκ θυραίων τἀπίχειρα λαμβάνει,
25   αὐτὴ ·δ' ἑαυτὴν ἆθλα τῶν πόνων ἔχει.

»ἐνδύσασθε οὖν, ὡς ἐκλεκτοὶ τοῦ θεοῦ ἅγιοι καὶ ἠγαπημένοι, σπλάγχ- 8
να οἰκτιρμῶν, χρηστότητα, ταπεινοφροσύνην, πραότητα, μακροθυ-
μίαν, ἐπὶ πᾶσι δὲ τούτοις τὴν ἀγάπην, ὅ ἐστι σύνδεσμος τῆς τελειό-
τητος. καὶ ἡ εἰρήνη τοῦ Χριστοῦ βραβευέτω ἐν ταῖς καρδίαις ὑμῶν, 4
30 εἰς ἣν καὶ ἐκλήθητε ἐν ἑνὶ σώματι· καὶ εὐχάριστοι γίνεσθε,« οἱ ἐν
σώ|ματι ἔτι ὄντες, καθάπερ οἱ παλαιοὶ δίκαιοι ἀπάθειαν ψυχῆς καὶ 213 8

6f. I Cor 13, 13   7—9 I Cor 10, 23f.   11 I Cor 10, 26 (Ps 23, 1); vgl. I Cor 8, 10
12—16 I Cor 10, 29—31   16—20 II Cor 10, 3—5   23—25 TGF Adesp. 116   26—30 Col
3, 12. 14f.

*   2f. τί ταῦτα δεῖ στένειν Stob. Plut. στέργειν J. P. Postgate The Class. Quart. 8,
1914, S. 245   3 διεκπερᾶν Stob. Plut. δεῖ δ' ἐκπερᾶν L   4 οὐ He οὐ L   οὐδὲν γὰρ
δεινὸν Plut. p. 117 δεινὸν γὰρ οὐδὲν Plut. p. 111 οὐκ αἰσχρὸν οὐδὲν Stob. Flor. 29, 56
6 δὲ I Cor τε L   10 ⟨τὰ⟩ οἰκοδομοῦντα St   23 ὅθ' οὕνεκ' L   24 θυραίων Sy
θυρεῶν L   25 δὲ αὐτὴν L

Clemens II.   18

ἀταραξίαν καρπούμενοι· | (VIII.) ἐπεὶ οὐ μόνον † Αἰσώπιοι καὶ Μακε- 589 P
δόνες καὶ Λάκωνες στρεβλούμενοι ἐκαρτέρουν, ὥς φησιν Ἐρατοσθένης
ἐν τοῖς Περὶ ἀγαθῶν καὶ κακῶν, ἀλλὰ καὶ Ζήνων ὁ Ἐλεάτης ἀναγκα-
ζόμενος κατειπεῖν τι τῶν ἀπορρήτων ἀντέσχεν πρὸς τὰς βασάνους
5 οὐδὲν ἐξομολογούμενος, ὅς γε καὶ τελευτῶν τὴν γλῶσσαν ἐκτρώγων
προσέπτυσε τῷ τυράννῳ, ὃν οἱ μὲν Νέαρχον, οἱ δὲ Δημύλον προσα-
γορεύουσιν. ὁμοίως δὲ καὶ Θεόδοτος ὁ Πυθαγόρειος ἐποίησεν καὶ 2
Πραΰλος ὁ Λακύδου γνώριμος, ὥς φησι Τιμόθεος ὁ Περγαμηνὸς ἐν
τῷ Περὶ τῆς τῶν φιλοσόφων ἀνδρείας καὶ Ἀχαϊκὸς ἐν τοῖς Ἠθικοῖς.
10 ἀλλὰ καὶ Πόστουμος ὁ Ῥωμαῖος ληφθεὶς ὑπὸ Πευκετίωνος οὐχ ὅπως 3
τι τῶν κεκρυμμένων οὐκ ἐδήλωσεν, ἀλλὰ καὶ τὴν χεῖρα ἐπὶ τοῦ
πυρὸς θεὶς καθαπερεὶ χαλκὸν κατέτηκεν ἀτρέπτῳ πάνυ τῷ παραστή-
ματι. τὰ γὰρ Ἀναξάρχου σιωπῶ ‹πτίσσε‹ ἐπιβοῶντος ‹τὸν Ἀναξ- 4
άρχου θύλακον· Ἀνάξαρχον γὰρ οὐ πτίσσεις‹, ὁπηνίκα πρὸς τοῦ
15 τυράννου ὑπέροις σιδηροῖς ἐπτίσσετο.

Οὔτ' οὖν ἡ τῆς εὐδαιμονίας ἐλπὶς οὔθ' ἡ πρὸς τὸν θεὸν ἀγάπη 57, 1
δυσανασχετεῖ πρὸς τὰ ὑποπίπτοντα, μένει δὲ ἐλευθέρα, κἂν θηρίοις
τοῖς ἀγριωτάτοις, κἂν τῷ παμφάγῳ ὑποπέσῃ πυρί, κἂν κατακτεί-
νηται βασάνοις τυραννικαῖς, τῆς θείας ἀπαρτωμένη φιλίας ἀδούλωτος
20 ἄνω περιπολεῖ, τὸ σῶμα παραδοῦσα τοῖς τούτου μόνου | ἔχεσθαι 590 P
δυναμένοις. Γέται δὲ ἔθνος βάρβαρον οὐκ ἄγευστον φιλοσοφίας 2
πρεσβευτὴν αἱροῦνται πρὸς Ζάμολξιν ἥρωα κατ' ἔτος. ὁ δὲ Ζάμολξις
ἦν τῶν Πυθαγόρου γνωρίμων. ἀποσφάττεται οὖν ὁ δοκιμώτατος 58, 1

---

* 1—15 vgl. Philo Quod. omn. prob. lib. 105ff. (VI p. 30f.); De provid. II 10f.
p. 51 Aucher 1—7 Eratosthenes Op. philos. Fr. 8 Bernhardy p. 195; vgl. Stiehle,
Zu den Fragm. des Eratosth., Philol. 2. Suppl. (1863) S. 487 2—15 Theodoret VIII
57. 58 (daraus Cramer, Anecd. Oxon. IV p. 251, 31—252, 9) 3—7 vgl. Diels⁶ I
S. 249, 30—35, dazu Plut. Mor. p. 1051 C/D und 1126 D (von Diels angegeben)
8 Über Timotheos von Perg. vgl. FHG IV p. 523 9 zu Achaikos vgl. Diog.
Laert. VI 99; Zeller, Phil. d. Gr. III 1³ S. 779 Anm. 10—13 vgl. Plut. Poplic. 17,
wo Mucius Scaevola auch Ὀψίγονος (= Πόστουμος) genannt ist 13—15 vgl. Diog.
Laert. IX 59; Diels⁶ II 239, 1—3; Elter, Gnom. hist. 90 21—23 vgl. Herodot IV
93. 94; Diog. Laert. VIII 2 u. Maass, De biogr. graec. quaest. sel. p. 88

1 Αἰσώπιοι] Ἀζώτιοι (vgl. Herodot 2, 157) Schw Αἰγύπτιοι Cobet S. 229 vgl.
Aelian. Var. hist. VII 18 6 προσέπτυσε corr. aus προσέπτυσσε L¹ δήμυλον L 7 πυ-
θαγόριος L 8 Πραΰλος Bergk, Philol. 42 (1884) S. 250⁴⁶ u. Wilamowitz, Antigonos
von Karystos 107⁹ vgl. Phylarchos bei Diog. Laert. IX 115 παΰλος L 12 καθα-
περεὶ Heyse καθάπερ εἰς L 13 ἀναξάρξου L 13f. ἀναξάρχου (χ corr. aus ξ) L¹
17 κἂν L 19 τῆς θείας—φιλίας Sy ταῖς θείαις—φιλίαις L 21 Γέται W. T(euffel) in
Zimmermanns Zeitschr. f. d. Alterthumswiss. 2 (1835) S. 85 und Cobet S. 228 λέ-
γεται L 22 πρεσβευτὴν Sy πρεσβύτην L ζάλμοξις L

κριθεὶς ἀνιωμένων τῶν φιλοσοφησάντων μέν, οὐχ αἱρεθέντων δέ, ὡς
ἀποδεδοκιμασμένων εὐδαίμονος ὑπηρεσίας. μεστὴ μὲν οὖν πᾶσα ἡ 2
ἐκκλησία τῶν μελετησάντων τὸν ζωοποιὸν θάνατον εἰς Χριστὸν παρ'
ὅλον τὸν βίον καθάπερ ἀνδρῶν οὕτω δὲ καὶ γυναικῶν σωφρόνων.
5 ἔξεστι γὰρ τῷ καθ' ἡμᾶς πολιτευομένῳ καὶ ἄνευ γραμμάτων φιλο- 3
σοφεῖν, κἂν βάρβαρος ᾖ κἂν Ἕλλην κἂν δοῦλος κἂν γέρων κἂν παιδίον
κἂν γυνή· κοινὴ γὰρ ἁπάντων τῶν ἀνθρώπων τῶν γε ἑλομένων ἡ 4
σωφροσύνη· ὡμολόγηται δ' ἡμῖν τὴν αὐτὴν φύσιν κατὰ γένος ἕκαστον
τὴν αὐτὴν καὶ ἴσχειν ἀρετήν. οὐκ ἄλλην τοίνυν πρὸς τὴν ἀνθρωπό- 59, 1
10 τητα φύσιν ἔχει⟨ν⟩ ἢ γυνή, ἄλλην δὲ ὁ ἀνὴρ φαίνεται. ἀλλ' ἢ τὴν αὐ-
τήν, ὥστε καὶ τὴν ἀρετήν. εἰ δὲ ἀνδρὸς ἀρετὴ σωφροσύνη δήπουθεν 2
καὶ δικαιοσύνη καὶ ὅσαι ταύταις ἀκόλουθοι νομίζονται, ⟨ἆρ'⟩ ἀνδρὶ
μόνῳ ἐναρέτῳ εἶναι προσήκει, γυναικὶ δὲ ἀκολάστῳ καὶ ἀδίκῳ;
ἀλλὰ ἀπρεπὲς τοῦτο καὶ λέγειν. σωφροσύνης οὖν ἐπιμελητέον καὶ 3
15 δικαιοσύνης καὶ τῆς ἄλλης ἀρετῆς ἁπάσης ὁμοίως μὲν γυναικί, ὁμοίως
δὲ ἀνδρί, ἐλευθέρῳ τε καὶ δούλῳ, ἐπειδὴ μίαν καὶ τὴν αὐτὴν ἀρετὴν
εἶναι τῆς αὐτῆς φύσεως συμβέβηκεν. τὸ μὲν τοίνυν τὴν αὐτὴν εἶναι 4
φύσιν τοῦ θήλεος πρὸς τὸ ἄρρεν, καθὸ θῆλύ ἐστιν, οὐ φαμέν· πάν-
τως γὰρ τινα καὶ διαφορὰν ὑπάρχειν προσῆκεν ἑκατέρῳ τούτων, δι'
20 ἣν τὸ μὲν θῆλυ αὐτῶν, τὸ δὲ ἄρρεν γέγονεν· τὸ γοῦν κυοφορεῖν καὶ 5
τὸ τίκτειν τῇ γυναικὶ προσεῖναί φαμεν, καθὸ θήλεια τυγχάνει, οὐ
καθὸ ἄνθρωπος· εἰ δὲ μηδὲν ἦν τὸ διάφορον ἀνδρὸς καὶ γυναικός,
τὰ αὐτὰ ἂν ἑκάτερον αὐτῶν ἔδρα τε καὶ ἔπασχεν. ᾗ μὲν τοίνυν 60, 1
ταὐτόν ἐστι, καθὸ ψυχή, ταύτῃ ἐπὶ τὴν αὐτὴν ἀφίξεται ἀρετήν·
25 ᾗ δὲ διάφορον, κατὰ τὴν τοῦ σώματος ἰδιότητα, ἐπὶ τὰς | κυήσεις καὶ 591 P
τὴν οἰκουρίαν. »θέλω γὰρ ὑμᾶς«, φησὶν ὁ ἀπόστολος, »εἰδέναι ὅτι 2
παντὸς ἀνδρὸς ἡ κεφαλὴ ὁ Χριστός, κεφαλὴ δὲ γυναικὸς ὁ ἀνήρ.
οὐ γάρ ἐστιν ἀνὴρ ἐκ γυναικός, ἀλλὰ γυνὴ ἐξ ἀνδρός. πλὴν οὔτε
γυνὴ χωρὶς ἀνδρὸς οὔτε ἀνὴρ χωρὶς γυναικὸς ἐν κυρίῳ.« ὡς γὰρ 3
30 σώφρονα τὸν ἄνδρα καὶ τῶν ἡδονῶν κρείττονα δεῖν εἶναί φαμεν.
οὕτω καὶ τὴν γυναῖκα σώφρονά τε ὁμοίως ἀξιώσαιμεν εἶναι καὶ

---

3 vgl. Plato Phaed. p. 67 E; 81 A 6f. vgl. Gal 3, 28 7ff. vgl. Paed. I 10f.;
Musonii rell. p. 8ff. Hense; vgl. Heraklit Fr. 116 (Diels⁶ I S. 176, 11) ἀνθρώποισι
πᾶσι μέτεστιν σωφρονεῖν (Fr) 8—11 Chrysipp Fr. mor. 254 Arnim 23 vgl. Paed.
III 19, 2 [ferner Philo Leg. all. II 38; Serv. zu Verg. Aen. IV 638 (= Chrys. Fr.
phys. 1070 Arn.) Fr] 26—29 I Cor 11, 3. 8. 11 29—31 vgl. Musonii rell. p. 14, 12ff.
Hense: σωφρονεῖν μὲν αὖ καλὸν τὴν γυναῖκα, καλὸν δ' ὁμοίως καὶ τὴν ἄνδρα.

3 ζωοποιὸν Bywater S. 212; vgl. Strom. IV 68, 1 ζώπυρον L 9 ἴσχειν (ει in
Ras.) L¹ 10 ἔχειν Sy ἔχει L 12 ὅσαι Sy ὅσοι L ⟨ἆρ'⟩ Mü 23 ἔδρα L ἦ μὲν L
24 κατὰ ψυχήν St 25 ᾗ δὲ L 28 ἐκ γυναικὸς 'ἀνὴρ Zeichen der Umstellung L¹
31 ⟨ἂν⟩ εἶναι Di

18*

πρὸς τὰς ἡδονὰς διαμάχεσθαι μεμελετηκυῖαν· ›λέγω δέ· πνεύματι 4
περιπατεῖτε καὶ ἐπιθυμίαν σαρκὸς οὐ μὴ τελέσητε‹, ἡ ἀποστολικὴ
συμβουλεύει ἐντολή· ›ἡ γὰρ σὰρξ ἐπιθυμεῖ κατὰ τοῦ πνεύματος, τὸ
δὲ πνεῦμα κατὰ τῆς σαρκός. ταῦτα‹ οὖν ›ἀντίκειται‹ οὐχ ὡς κακὸν
5 ἀγαθῷ, ἀλλ' ὡς συμφερόντως μαχόμενα. ἐπιφέρει γοῦν· ›ἵνα μὴ ἃ 61, 1
ἂν θέλητε ταῦτα ποιῆτε.‹ ›φανερὰ δέ ἐστι τὰ ἔργα τῆς σαρκός,
ἅτινά ἐστι πορνεία, ἀκαθαρσία, ἀσέλγεια, εἰδωλολατρεία, φαρμακεῖαι,
ἔχθραι, ἔρεις, ζῆλοι, θυμοί, ἐριθίαι, διχοστασίαι, αἱρέσεις, φθόνοι,
μέθαι, κῶμοι, καὶ τὰ ὅμοια τούτοις, ἃ προλέγω ὑμῖν καθὼς καὶ
10 προεῖπον, ὅτι οἱ τὰ τοιαῦτα πράσσοντες βασιλείαν θεοῦ οὐ κληρονο-
μήσουσιν. ὁ δὲ καρπὸς τοῦ πνεύματός ἐστιν ἀγάπη, χαρά, εἰρήνη,
μακροθυμία, χρηστότης, ἐγκράτεια, ἀγαθωσύνη, πίστις, πραότης.‹
›σάρκα‹, οἶμαι, τοὺς ἁμαρτωλούς, ·ὡς ›πνεῦμα‹ τοὺς δικαίους εἴρη-
κεν. καὶ μὴν τὸ τῆς ἀνδρείας πρὸς τὸ εὐθαρσὲς καὶ τὸ ὑπομονη- 2
15 τικὸν παραληπτέον, ὡς τῷ τύπτοντι τὴν σιαγόνα παραθεῖναι τὴν
ἑτέραν καὶ τῷ τὸ ἱμάτιον αἴροντι καὶ τοῦ χιτῶνος παραχωρεῖν θυ-
μοῦ κρατοῦντας ἐρρωμένως. οὐ γάρ τινας Ἀμαζόνας τὰ πολεμικὰ 3
ἀνδρείας ἀσκοῦμεν τὰς γυναῖκας, ὅπου γε καὶ τοὺς ἄνδρας εἰρηνικοὺς
εἶναι βουλόμεθα. ἀκούω δ' ἔγωγε καὶ Σαυρομάτιδας γυναῖκας πο- 62, 1
20 λέμῳ χρωμένας ἀνδρῶν οὐκ ἔλαττον, καὶ Σακίδας ἄλλας, αἳ τοξεύ-
ουσιν εἰς τοὐπίσω φεύγειν προσποιούμεναι τοῖς ἀνδράσιν ἐπ' ἴσης.
οἶδα καὶ τὰς πλησίον τῆς Ἰβηρίας γυναῖκας ἔργῳ | καὶ | πόνῳ χρω- 2 21
μένας ἀνδρικῷ, κἂν πρὸς τὸ ἀποκνεῖν γένωνται οὐδὲν ἀνιείσας τῶν
πρακτέων, ἀλλ' ἐν αὐτῇ πολλάκις τῇ ἁμίλλῃ τῶν πόνων ἡ γυνὴ
25 ἀποκυήσασα τὸ βρέφος ἀνελομένη οἴκαδε φέρει. ἤδη γοῦν αἱ κύνες 3
οὐδὲν ἔλαττον τῶν ἀρρένων καὶ οἰκουροῦσι καὶ θηρεύουσι καὶ τὰς
ποίμνας φυλάττουσι.

Κρῆσσα κύων ἐλάφοιο κατ' ἴχνιον ἔδραμε Γοργώ.

1–6 Gal 5, 16f. 6–12 Gal 5, 19–23 15–17 vgl. Lc 6, 29 19f. vgl. Stob. Ecl.
III 1, 200 p. 152, 10f. Hense (Flor. V 73 Mein.); vgl. Plato Ges. VII p. 804 E a. E.
(Fr) 21 zu dieser Kampfart der Barb. Xen. An. III 3, 10, wo K. W. Krüger Plut.
Crass. 24 und Herodian III 4, 8 vergleicht (Fr) 22–25 vgl. Strabo III 4, 17
p. 165; Diod. Sic. IV 20 22–28 vgl. Ael. Nat. an. VII 12 25–27 vgl. Plato Rep. V
p. 451 D τὰς θηλείας τῶν φυλάκων κυνῶν πότερα ξυμφυλάττειν οἰόμεθα δεῖν, ἅπερ
ἂν οἱ ἄρρενες φυλάττωσι, καὶ ξυνθηρεύειν . . . ἢ τὰς μὲν οἰκουρεῖν . . ., τοὺς δὲ
πονεῖν . . . περὶ τὰ ποίμνια; 26f. vgl. Musonii p. 13, 12 Hense αἱ κύνες αἱ θήλειαι
παραπλησίως τοῖς ἄρρεσι διδάσκονται θηρᾶν (Fr) 28 Antipater Anth. Pal. IX 268, 1

8 αἱρέσεις Gal. ἐρέσεις L 15 παραθεῖναι Po παραταθεῖναι L 16 χιτῶνος corr.
aus χειμῶνος L³ 19 σαυρωμάτιδας L 23 τῷ Höschel 25 βρέφος corr. aus φρέφος
L¹ κύνες Schw γυναῖκες L 28 Γοργώ Nauck, Bull. de l'Acad. de St. Pétersb. 17
(1872) S. 269 aus Anth. Pal. γοργώς L

φιλοσοφητέον οὖν καὶ ταῖς γυναιξὶν ἐμφερῶς τοῖς ἀνδράσι, κἂν βελ- 4
τίους οἱ ἄρρενες τά ⟨τε⟩ πρῶτα ἐν πᾶσι φερόμενοι τυγχάνωσιν, ἐκτὸς
εἰ μὴ καταμαλακισθεῖεν. ἀναγκαῖον οὖν σύμπαντι τῷ τῶν ἀνθρώπων 63, 1
γέν ι παιδεία τε καὶ ἀρετή, εἴ γε ἐπὶ τὴν εὐδαιμονίαν σπεύδοιεν. καί 2
5 πως οὐ μάτην Εὐριπίδης ποικίλως γράφει· ποτὲ μὲν

πᾶσα γὰρ ἀνδρὸς κακίων ἄλοχος,
κἂν ὁ κάκιστυς
γήμῃ τὴν εὐδοκιμοῦσαν·

ποτὲ δὲ										3

10		πᾶσα γὰρ δούλη ἐστὶν ἀνδρὸς ἡ σώφρων γυνή,
		ἡ δὲ μὴ σώφρων ἀνοίᾳ τὸν ξυνόντα ὑπερφέρει.

			οὐ μὲν γὰρ κρεῖσσον καὶ ἄρειον				4
		ἢ ὅθ' ὁμοφρονέοντε νοήμασιν οἶκον ἔχητον
		ἀνὴρ ἠδὲ γυνή.

15 κεφαλὴ τοίνυν τὸ ἡγεμονικόν. εἰ δὲ »κύριος κεφαλὴ τοῦ ἀνδρός, 5
κεφαλὴ δὲ γυναικὸς ὁ ἀνήρ,« κύριος ὁ ἀνὴρ τῆς γυναικός, »εἰκὼν καὶ
δόξα θεοῦ· ὑπάρχων. διὸ καὶ ἐν τῇ πρὸς Ἐφεσίους γράφει· »ὑπο- 64, 1
τασσόμενοι ἀλλήλοις ἐν φόβῳ θεοῦ· αἱ γυναῖκες τοῖς ἰδίοις ἀνδράσιν
ὡς τῷ κυρίῳ, ὅτι ἀνήρ ἐστι κεφαλὴ τῆς γυναικὸς ὡς καὶ ὁ Χριστὸς
20 κεφαλὴ τῆς ἐκκλησίας, αὐτὸς ὁ σωτὴρ τοῦ σώματος. ἀλλ' ὡς ἡ ἐκ-
κλησία ὑποτάσσεται τῷ Χριστῷ, οὕτως καὶ αἱ γυναῖκες τοῖς ἰδίοις
ἀνδράσιν ἐν παντί. οἱ ἄνδρες, ἀγαπᾶτε τὰς γυναῖκας, καθὼς καὶ ὁ 2
Χριστὸς ἠγάπησεν τὴν ἐκκλησίαν· | οὕτω καὶ οἱ ἄνδρες ὀφείλουσιν 593 P
ἀγαπᾶν τὰς ἑαυτῶν γυναῖκας ὡς τὰ ἑαυτῶν σώματα. ὁ ἀγαπῶν τὴν
25 ἑαυτοῦ γυναῖκα ἑαυτὸν ἀγαπᾷ· οὐδεὶς γάρ ποτε τὴν ἑαυτοῦ σάρκα
ἐμίσησεν.« κἂν τῇ πρὸς Κολοσσαεῖς »αἱ γυναῖκες« φησίν, »ὑποτάσ- 65, 1
σεσθε τοῖς ἀνδράσιν, ὡς ἀνήκει ἐν κυρίῳ. οἱ ἄνδρες, ἀγαπᾶτε τὰς
γυναῖκας καὶ μὴ πικραίνεσθε πρὸς αὐτάς. τὰ τέκνα, ὑπακούετε τοῖς
γονεῦσι κατὰ πάντα· τοῦτο γὰρ εὐάρεστον τῷ κυρίῳ. οἱ πατέρες,
30 μὴ ἐρεθίζετε τὰ τέκνα ὑμῶν, ἵνα μὴ ἀθυμῶσιν. οἱ δοῦλοι, ὑπακούετε 2

1 Chysipp Fr. mor. 254 Arnim   6—8. 10f. Euripides Oedipus Fr. 546. 545; vgl.
Stob. Flor. 73, 28; 69, 18   12—14 ζ 182—184   15f. I Cor 11, 3   16f. I Cor 11, 7
17—26 Eph 5, 21—25. 28f.   26—S. 278, 8 Col 3, 18—4, 1

2 ⟨τε⟩ Schw   4f. καὶ πῶς L   6 κακίων] χείρων Cobet μείων Nauck   7 κά-
κιστος Stob. κράτιστος L   10 ἐστίν] πέφυκεν Stob.   11 ξυνόντα ὑπερφέρει] ξυνόνθ'
ὑπερφρονεῖ Stob.   12 γάρ] + τοῦγε Hom.   ἄρειον L   17 θεοῦ am Rand L¹ vor
γράφει ist ὑπάρχει getilgt L¹

κατὰ πάντα τοῖς κατὰ σάρκα κυρίοις, μὴ ἐν ὀφθαλμοδουλείαις ὡς
ἀνθρωπάρεσκοι, ἀλλ᾽ ἐν ἁπλότητι καρδίας φοβούμενοι τὸν κύριον.
καὶ πᾶν ὃ ἐὰν ποιῆτε, ἐκ ψυχῆς ἐργάζεσθε ὡς τῷ κυρίῳ δουλεύοντες
καὶ οὐκ ἀνθρώποις, εἰδότες ὅτι ἀπὸ κυρίου ἀπολήψεσθε τὴν ἀντα-
5 πόδοσιν τῆς κληρονομίας. τῷ γὰρ κυρίῳ Χριστῷ δουλεύετε· ὁ γὰρ
ἄδικος κομίσεται ὃ ἠδίκησεν, καὶ οὐκ ἔστι προσωποληψία. οἱ κύριοι, 8
τὸ δίκαιον καὶ τὴν ἰσότητα τοῖς δούλοις παρέχετε, εἰδότες ὅτι καὶ
ὑμεῖς ἔχετε κύριον ἐν οὐρανῷ,« »ὅπου οὐκ ἔνι Ἕλλην καὶ Ἰουδαῖος, 4
περιτομὴ καὶ ἀκροβυστία, βάρβαρος, Σκύθης, δοῦλος, ἐλεύθερος, ἀλλὰ
10 πάντα καὶ ἐν πᾶσι Χριστός.« εἰκὼν δὲ τῆς οὐρανίου ἐκκλησίας ἡ 66, 1
ἐπίγειος, ὅπερ εὐχόμεθα καὶ ἐπὶ γῆς γενέσθαι τὸ θέλημα τοῦ θεοῦ
ὡς ἐν οὐρανῷ· »ἐνδυσάμενοι σπλάγχνα οἰκτιρμοῦ, χρηστότητα, τα- 2
πεινοφροσύνην, πραότητα, μακροθυμίαν, ἀνεχόμενοι ἀλλήλων καὶ
χαριζόμενοι ἑαυτοῖς, ἐάν τις πρός τινα ἔχῃ μομφήν· καθὼς καὶ ὁ
15 Χριστὸς ἐχαρίσατο ἡμῖν, οὕτως καὶ ἡμεῖς. ἐπὶ πᾶσι δὲ τούτοις ἡ 8
ἀγάπη, ὅ ἐστι σύνδεσμος τῆς τελειότητος. καὶ ἡ εἰρήνη τοῦ Χριστοῦ
βραβευέτω ἐν ταῖς καρδίαις ὑμῶν, εἰς ἣν καὶ ἐκλήθητε ἐν ἑνὶ σώματι·
καὶ εὐχάριστοι γίνεσθε.« οὐδὲν γὰρ κωλύει πολλάκις τὴν αὐτὴν 4
παρατίθεσθαι γραφὴν εἰς ἐντροπὴν Μαρκίωνος, ἤν πως μεταβάληται
20 πεισθείς, εὐχάριστον δεῖν μαθὼν τὸν πιστὸν εἶναι τῷ δημιουργῷ
θεῷ τῷ καλέσαντι ἡμᾶς καὶ εὐαγγελισαμένῳ ἐν σώματι.

Σαφὲς ἡμῖν ἐκ τούτων ἡ ἐκ πίστεως ἑνότης, καὶ τίς ὁ τέλειος 67, 1
δέδεικται, ὥστε καὶ ἀκόντων τινῶν καὶ τὰ πλεῖστα ἐνισταμένων,
κἂν κολάσεις ἐπαρτῶνται πρὸς τοῦ ἀνδρὸς ἢ πρὸς τοῦ δεσπότου,
25 φιλοσοφήσει ὅ τε οἰκέτης ἥ τε γυνή. ναὶ μὴν καὶ ἐλεύθερος, κἂν 2
⟨πρὸς⟩ τυράννου θάνατος ἀπειλῆται τούτῳ, κἂν ἐπὶ δικαστήρια ἄγη-
ται καὶ εἰς κινδύνους ἐσχάτους περιέλκηται περί τε τῆς κτήσεως
ἁπάσης κινδυνεύσῃ, οὐκ | ἀφέξεται τῆς θεοσεβείας οὐδ᾽ ὁπωστιοῦν· 594 P
οὐδὲ ἀπαυδήσει ποτὲ ἡ μὲν γυνὴ φαύλῳ συνοικοῦσα ἀνδρί, ὁ δὲ υἱὸς 8
30 ἐὰν φαῦλον ἔχῃ πατέρα ἢ πονηρὸν δεσπότην ὁ οἰκέτης, τῆς ἀρετῆς
ἐχόμενοι γενναίως· ἀλλ᾽ ὡς ἀνδρὶ ἀποθνήσκειν καλὸν ὑπέρ τε ἀρετῆς 4
ὑπέρ τε ἐλευθερίας ὑπέρ τε ἑαυτοῦ, ὡσαύτως καὶ γυναικί· οὐ γὰρ
τῆς τῶν ἀρρένων φύσεως τοῦτο ἴδιον, ἀλλὰ τῆς τῶν ἀγαθῶν.
πιστῶς οὖν καὶ ὁ πρεσβύτης καὶ ὁ νέος καὶ ὁ οἰκέτης ὑπακούων ταῖς 68, 1
35 ἐντολαῖς βιώσεταί τε καί, ἐὰν δέῃ, τεθνήξεται, ὅπερ ἂν εἴη διὰ θα-

---

8—10 Col 3, 11 11f. vgl. Mt 6, 10 12—18 Col 3, 12—15

8 ἔνι (νι in Ras.; am Rand νι ausrad.) L¹ 11ᵏ διόπερ Sy ὥσπερ St ὅπερ ⟨λογι-
ζόμενοι⟩ Fr 15f. τὴν ἀγάπην Col 22 σαφὲς L σαφῶς Ma 26 ⟨πρὸς⟩ Sy 32 γυ-
ναικί Sy γυναικῶν L γυναικῶν ⟨γένει⟩ Fr

νάτου ζωοποιηθῆναι. ἴσμεν γοῦν καὶ παῖδας καὶ οἰκέτας καὶ γυναῖκας 2
πολλάκις ἀκόντων πατέρων καὶ δεσποτῶν καὶ ἀνδρῶν βελτίστους
γεγονέναι. οὔκουν ἔλαττον προθυμεῖσθαι χρὴ τοὺς μέλλοντας θεο- 3
σεβῶς ζήσειν, ἐπειδὰν εἴργειν αὐτούς τινες δοκῶσιν, ἀλλὰ πολὺ πλέον
5 οἶμαι προσήκειν σπεύδειν τε καὶ ἀγωνίζεσθαι διαφερόντως, ὅπως ἂν
μὴ ἡττηθέντες ἀποπέσωσι τῶν ἀρίστων καὶ ἀναγκαιοτάτων βουλευ-
μάτων. οὐ γὰρ οἶμαι σύγκρισιν ἐπιδέχεσθαι πότερον ἄμεινον δια- 4
σώτην γενέσθαι τοῦ παντοκράτορος ἢ τὸ τῶν δαιμόνων ἑλέσθαι
σκότος. τὰ μὲν γὰρ ἄλλων | ἕνεκα πραττόμενα ἡμῖν ἑκάστοτε πρά- 5 215 S
10 ξαιμεν ἂν εἰς ἐκείνους ἀποβλέπειν πειρώμενοι, ὧν ἕνεκα γίνεσθαι
δοκεῖ, μέτρον ἡγούμενοι τοῦτο τὸ [ἐν] ἐκείνοις κεχαρισμένον· ἃ δὲ
αὐτῶν μᾶλλον ἢ τινων ἑτέρων, ταῦτα ἂν ἡμῖν γίγνοιτο μετὰ τῆς
ἴσης σπουδῆς, ἐάν τε ἀρέσκειν τισὶ δοκῇ ἐάν τε καὶ μή. εἰ δὴ τῶν 69, 1
ἀδιαφόρων ἔνια τοιαύτην εἴληχε τιμὴν ὥστε καὶ ἀκόντων τινῶν
15 αἱρετὰ εἶναι δοκεῖν, πολὺ δὲ πλέον τὴν ἀρετὴν περιμάχητον νομι-
στέον, μὴ εἰς ἄλλο τι ἀφορῶντας, ἀλλὰ εἰς αὐτὸ τὸ καλῶς πραχθῆναι
δυνάμενον, ἐάν τε ἑτέρως δοκῇ τισιν ἐάν τε καὶ μή. καλῶς οὖν 2
καὶ Ἐπίκουρος Μενοικεῖ γράφων· »μήτε νέος τις ὢν μελλέτω φιλο-
σοφεῖν, μήτε γέρων ὑπάρχων κοπιάτω φιλοσοφῶν. οὔτε γὰρ ἄωρος
20 οὐδείς ἐστιν οὔτε πάρωρος πρὸς τὸ κατὰ ψυχὴν ὑγιαίνειν. ὁ δὲ 3
λέγων μήπω τοῦ φιλοσοφεῖν ὑπάρχειν ὥραν ἢ παρεληλυθέναι τὴν
ὥραν ὅμοιός ἐστι τῷ λέγοντι πρὸς εὐδαιμονίαν ἢ μήπω παρεῖναι
τὴν ὥραν ἢ μηκέτ᾽ εἶναι τὴν ὥραν. ὥστε φιλοσοφητέον καὶ νεω|τέρῳ 4 595 P
καὶ γέροντι, τῷ μὲν ὅπως γηράσκων νεάζῃ τοῖς ἀγαθοῖς διὰ τὴν
25 χάριν τῶν γεγονότων, τῷ δὲ ὅπως νέος ἅμα καὶ παλαιὸς ᾖ διὰ τὴν
ἀφοβίαν τῶν μελλόντων.«

IX. Περὶ δὲ τοῦ μαρτυρίου διαρρήδην ὁ κύριος εἴρηκεν, καὶ τὰ 70, 1
διαφόρως γεγραμμένα συντάξωμεν· »λέγω δὲ ὑμῖν, πᾶς ὃς ἐὰν ὁμο-
λογήσῃ ἐν ἐμοὶ ἔμπροσθεν τῶν ἀνθρώπων, καὶ ὁ υἱὸς τοῦ ἀνθρώπου
30 ὁμολογήσει ἐν αὐτῷ ἔμπροσθεν τῶν ἀγγέλων τοῦ θεοῦ· τὸν δὲ
ἀρνησάμενόν με ἐνώπιον τῶν ἀνθρώπων ἀπαρνήσομαι αὐτὸν ἔμπρο-

13—17 εἰ τῶν—μή Sacr. Par. 240 Holl   Chrysipp Fr. mor. 46 Arnim   18—26
Epikur Ep. III Anf. Diog. Laert. X 122 = Usener Ep. 59, 1—10   27 von hier ab
Zusammenstellung des Herakleon, den Clemens erst S. 280, 10 nennt, vgl. ThLz
17, 1892, S. 72 (Fr)   28—S. 280, 1 Lc 12, 8f.

1 καὶ γυναῖκας καὶ οἰκέτας Zeichen der Umst. L¹   οἰκέτας corr. aus ἱκέτας
L¹   4 ζήσειν (σ corr. aus ν) L¹   6 ἀποπέσωσι unsicher L ἀποπτέσωσι Vi ἀπο-
πταίσωσι Sy   7f. θειασώτην L   11 τούτων Hiller [ἐν] Ma   12 αὐτῶν L   13 ἀρέ-
σκειν corr. aus ἀρέσκῃ L¹   15 [δὲ] Wi   περιμ. + εἶναι Sacr. Par.   16 ἀλλὰ]
ἀλλ᾽ ἢ Sacr. Par.   17 ἑτέρως Mü ἑτέροις L   18 μελλέτω Vi μελέτω L   20 ὑγιαῖνον
Diog.   21 [ὥραν] Usener ⟨τὴν⟩ ὥραν Cobet   22 μήπω] μὴ Diog.   23 τὴν ὥραν²
< Diog.   νέῳ Diog.

σθεν τῶν ἀγγέλων.‹ ›ὃς γὰρ ἂν ἐπαισχυνθῇ με ἢ τοὺς ἐμοὺς λόγους 2
ἐν τῇ γενεᾷ ταύτῃ τῇ μοιχαλίδι καὶ ἁμαρτωλῷ, καὶ ὁ υἱὸς τοῦ ἀν-
θρώπου ἐπαισχυνθήσεται αὐτόν, ὅταν ἔλθῃ ἐν τῇ δόξῃ τοῦ πατρὸς
αὐτοῦ μετὰ τῶν ἀγγέλων αὐτοῦ.‹ ›πᾶς οὖν ὅστις ἐὰν ὁμολογήσῃ 3
5 ἐν ἐμοὶ ἔμπροσθεν τῶν ἀνθρώπων, ὁμολογήσω κἀγὼ ἐν αὐτῷ ἔμ-
προσθεν τοῦ πατρός μου τοῦ ἐν οὐρανοῖς.‹ ›ὅταν δὲ φέρωσιν ὑμᾶς 4
εἰς τὰς συναγωγὰς καὶ τὰς ἀρχὰς καὶ τὰς ἐξουσίας, μὴ προμεριμνᾶτε
πῶς ἀπολογηθῆτε ἢ τί εἴπητε· τὸ γὰρ ἅγιον πνεῦμα διδάξει ὑμᾶς
ἐν αὐτῇ τῇ ὥρᾳ τί δεῖ εἰπεῖν.‹

10　　　Τοῦτον ἐξηγούμενος τὸν τόπον Ἡρακλέων ὁ τῆς Οὐαλεντίνου 71,1
σχολῆς δοκιμώτατος κατὰ λέξιν φησὶν ὁμολογίαν εἶναι τὴν μὲν ἐν
πίστει καὶ πολιτείᾳ, τὴν δὲ ἐν φωνῇ. ›ἡ μὲν οὖν ἐν φωνῇ ὁμολογία 2
καὶ ἐπὶ τῶν ἐξουσιῶν γίνεται, ἣν μόνην, φησίν, ὁμολογίαν ἡγοῦνται
εἶναι οἱ πολλοὶ οὐχ ὑγιῶς, δύνανται δὲ ταύτην τὴν ὁμολογίαν καὶ
15 οἱ ὑποκριταὶ ὁμολογεῖν. ἀλλ' οὐδ' εὑρεθήσεται οὗτος ὁ λόγος καθο- 3
λικῶς εἰρημένος· οὐ γὰρ πάντες οἱ σῳζόμενοι ὡμολόγησαν τὴν διὰ
τῆς φωνῆς ὁμολογίαν καὶ ἐξῆλθον, ἐξ ὧν Ματθαῖος, Φίλιππος,
Θωμᾶς, Λευῒς καὶ ἄλλοι πολλοί. καὶ ἔστιν ἡ διὰ τῆς φωνῆς ὁμολογία 4
οὐ καθολική, ἀλλὰ μερική. καθολικὴ δὲ ἦν νῦν λέγει, ἡ ἐν ἔργοις καὶ
20 πράξεσι καταλλήλοις τῆς εἰς αὐτὸν πίστεως. ἕπεται δὲ ταύτῃ τῇ
ὁμολογίᾳ καὶ ἡ μερικὴ ἡ ἐπὶ τῶν ἐξουσιῶν, ἐὰν δέῃ καὶ ὁ λόγος
αἱρῇ. ὁμολογήσει γὰρ οὗτος καὶ τῇ φωνῇ, ὀρθῶς προομολογήσας
πρότερον τῇ διαθέσει. καὶ καλῶς ἐπὶ μὲν | τῶν ὁμολογούντων ›ἐν 72,1 5
ἐμοὶ‹ εἶπεν, ἐπὶ δὲ τῶν ἀρνουμένων τὸ ›ἐμὲ‹ προσέθηκεν. οὗτοι
25 γάρ, κἂν τῇ φωνῇ ὁμολογήσωσιν αὐτόν, ἀρνοῦνται αὐτόν, τῇ πράξει
μὴ ὁμολογοῦντες. μόνοι δ' ἐν αὐτῷ ὁμολογοῦσιν οἱ ἐν τῇ κατ'
αὐτὸν πολιτείᾳ καὶ πράξει βιοῦντες, ἐν οἷς καὶ αὐτὸς ὁμολογεῖ ἐνει-
λημμένος αὐτοὺς καὶ ἐχόμενος ὑπὸ τούτων. διόπερ ἀρνήσασθαι αὐτὸν
οὐδέποτε δύνανται· ἀρνοῦνται δὲ αὐτὸν οἱ μὴ ὄντες ἐν αὐτῷ. οὐ 3
30 γὰρ εἶπεν ›ὃς ἀρνήσηται ἐν ἐμοί‹, ἀλλ' ›ἐμέ‹· οὐδεὶς γάρ ποτε ὢν
ἐν αὐτῷ ἀρνεῖται αὐτόν. τὸ δὲ ›ἔμπροσθεν τῶν ἀνθρώπων,‹ καὶ 4
τῶν σῳζομένων καὶ τῶν ἐθνικῶν δὲ ὁμοίως παρ' οἷς μὲν καὶ τῇ

1—4 Mc 8, 38　4—6 Mt 10, 32　6—9 Lc 12, 11f. das Zit. ist beeinflußt von Mc
13, 11 προμεριμνᾶτε [Z. 8 statt ἀπολογηθῆτε Lc 12, 11 ἀπολογήσεσθε (Fr)]　10—
281, 1 τὴν ὁμολογίαν διττὴν φησιν Ἡρακλέων—τῇ φωνῇ Ath fol. 69ᵛ Ἡρακλέωνος
10—S. 281, 2 Herakleon Fr. 50 Brooke; vgl. Hilgenfeld, Ketzergeschichte S. 473
23ff. 29ff. vgl. Petrus Laod. p. 115, 1ff. H.; Fr in ZntW 36 (1937) 84

4 αὐτοῦ²] αὐ üb. d. Z., nach τοῦ Ras. L¹ (es hieß wohl τοῦ θεοῦ)　10 τόπον Vi
τρόπον L　11 nach ἐν ist τῆι getilgt L¹　19 ἢ St τὴν L ἐξουσιῶν + γινομένη Ath
22 αἱρῇ Grabe αἴρη L καὶ < Ath　27 πολιτείᾳ Ath ὁμολογίᾳ L　28 αὐτοὺς corr. aus
αὐτός L¹ αὐτὸς auch Ath　[ὑπὸ] Schw　28f. αὐτόν—δύνανται St aus S. 281, 1f.
ἑαυτὸν—δύναται (vgl. II Tim 2, 13) L (auch Ath u. wohl richtig Fr)

πολιτεία, παρ' οἷς δὲ καὶ τῇ φωνῇ. [διόπερ ἀρνήσασθαι αὐτὸν οὐδέ-
ποτε δύνανται· ἀρνοῦνται δὲ αὐτὸν οἱ μὴ ὄντες ἐν αὐτῷ.]«

　　Ταῦτα μὲν ὁ Ἡρακλέων· καὶ τὰ μὲν ἄλλα φαίνεται ὁμοδοξεῖν 73, 1
ἡμῖν κατὰ τὴν περικοπὴν ταύτην, ἐκεῖνο δὲ οὐκ ἐπέστησεν ὅτι εἰ
5 καὶ μὴ πράξει τινὲς καὶ τῷ βίῳ ὡμολόγησαν τὸν Χριστὸν ἔμπροσθεν
τῶν ἀνθρώπων, τῷ μέντοι κατὰ φωνὴν ὁμολογεῖν ἐν δικαστηρίοις
καὶ μέχρι θανάτου βασανιζομένους μὴ ἀρνεῖσθαι ἀπὸ διαθέσεως πε-
πιστευκέναι φαίνανται· διάθεσις δὲ ὁμολογουμένη καὶ μάλιστα ἡ μηδὲ 2
θανάτῳ·τρεπομένη ὑφ' ἓν ἁπάντων τῶν παθῶν, ἃ δὴ διὰ τῆς σω-
10 ματικῆς ἐπιθυμίας ἐγεννᾶτο, ἀποκοπὴν ποιεῖται· ἔστι γὰρ ὡς ἔπος 8
εἰπεῖν ἐπὶ τέλει τοῦ βίου ἀθρόα κατὰ τὴν πρᾶξιν μετάνοια καὶ ἀλη-
θὴς εἰς Χριστὸν ὁμολογία ἐπιμαρτυρούσης τῆς φωνῆς. εἰ δὲ »τὸ 4
πνεῦμα τοῦ πατρὸς« ἐν ἡμῖν μαρτυρεῖ, πῶς ἔτι ὑποκριταί, οὓς φωνῇ
μόνῃ.μαρτυρεῖν εἴρηκεν; δοθήσεται δέ τισιν, ἐὰν συμφέρῃ, ἀπολο- 5
15 γήσασθαι, ἵνα διά τε τῆς μαρτυρίας διά τε τῆς ὁμολογίας ὠφελῶνται
οἱ πάντες, ἰσχυροποιούμενοι μὲν οἱ κατ' ἐκκλησίαν, θαυμάζοντες δὲ
καὶ εἰς πίστιν ὑπαγόμενοι οἱ ἐξ ἐθνῶν τὴν σωτηρίαν πολυπραγμονή-
σαντες, οἱ λοιποὶ δὲ ὑπ' ἐκπλήξεως κατεχόμενοι. ὥστε τὸ ὁμολογεῖν 74, 1
ἐκ παντὸς δεῖ, ἐφ' ἡμῖν γάρ, ἀπολογεῖσθαι δὲ οὐκ ἐκ παντός, οὐ γὰρ
20 καὶ τοῦτο ἐφ' ἡμῖν. »ὁ δὲ ὑπομείνας εἰς τέλος, οὗτος σωθήσεται·«
ἐπεὶ τίς οὐκ ἂν τῶν εὖ φρονούντων βασιλεύειν ἐν θεῷ, ἀλλ' οὐ δου- 2
λεύειν ἕλοιτο; »θεὸν οὖν ὁμολογοῦσί« τινες »εἰδέναι« κατὰ τὸν ἀπό- 8
στολον, »τοῖς δὲ ἔργοις ἀρνοῦνται, βδελυκτοὶ ὄντες καὶ ἀπειθεῖς καὶ
πρὸς πᾶν ἔργον ἀγαθὸν ἀδόκιμοι,« οἳ δέ, | κἂν τοῦτο μόνον ὁμολο- 216 S
25 γήσωσιν, ἕν τι κατεπράξαντο ἐπὶ τέλει ἔργον ἀγαθόν. ἔοικεν οὖν
τὸ μαρτύριον ἀποκάθαρσις εἶναι ἁμαρτιῶν μετὰ δόξης. αὐτίκα ὁ 4
Ποιμὴν φησιν· »ἐκφεύξεσθε | τὴν ἐνέργειαν τοῦ ἀγρίου θηρίου, ἐὰν 597 P
ἡ καρδία ὑμῶν γένηται καθαρὰ καὶ ἄμωμος.« ἀλλὰ καὶ αὐτὸς ὁ
κύριος »ἐξῃτήσατο ὑμᾶς ὁ σατανᾶς« λέγει »σινιάσαι· ἐγὼ δὲ παρῃ-
30 τησάμην.« μόνος τοίνυν ὁ κύριος διὰ τὴν τῶν ἐπιβουλευόντων αὐτῷ 75,.1
ἄνοιαν καὶ ι.ʃν τῶν ἀπίστων ἀποκάθαρσιν ἔπιεν τὸ ποτήριον·

12f. Mt 10, 20　　14—16 Cramer, Cat. in Mt I 78, 20 unter dem Lemma Κυρίλλου;
vgl. Fr in ZntW 36 (1937) 88　　14f. vgl. Lc 12, 11f.　　18—20 vgl. Petrus Laod.
p. 110, 12 H.; Fr in ZntW 36 (1937) 84　　20 Mt 10, 22; 24, 13; Mc 13, 13　　22—24
Tit 1, 16　　25f. ἔοικε(ν) τὸ—δόξης Sacr. Par. 241 Holl　　26—28 vgl. Herm. Vis. IV 2, 5
τὸ θηρίον τοῦτο τύπος ἐστὶ θλίψεως τῆς μελλούσης τῆς μεγάλης· ἐὰν οὖν . . . μετα-
νοήσητε . . ., δυνήσεσθε ἐκφυγεῖν αὐτήν, ἐὰν ἡ καρδία ὑμῶν γένηται καθαρὰ καὶ ἄμω-
μος.　29f. Lc 22, 31f.　　31. S. 282, 6 vgl. Mt 20, 22; 26, 39

*　　1f. [διόπερ—αὐτῷ] St als Randverbesserung zu S. 280, 28f.　4 ἐκείνῳ Ma ⟨ἐπ'⟩
ἐκεῖνο St　6 τῷ Po τὸ L　9 ὑφ' ἓν ἁπάντων Heyse ὑφ' ἕνα πάντων L　10 ἐγενᾶτο
corr. aus ἐγένετο L¹　15 ὁμολογίας L u. Cyr. ἀπολογίας Wi　21 nach τίς ist ἂν ge-
tilgt L¹　30 μόνος L πρῶτος St　31 ἄνοιαν Fr ἀνθρώπων (= ανων, Fehlschreibung
für ἄνοιαν) L

ὃν μιμούμενοι οἱ ἀπόστολοι ὡς ἂν τῷ ὄντι γνωστικοὶ καὶ τέλειοι
ὑπὲρ τῶν ἐκκλησιῶν ἃς ἔπηξαν ἔπαθον. οὕτως οὖν καὶ οἱ κατ᾽ 2
ἴχνος τὸ ἀποστολικὸν πορευόμενοι γνωστικοὶ ἀναμάρτητοί τε εἶναι
ὀφείλουσι καὶ δι᾽ ἀγάπην τὴν πρὸς τὸν κύριον ἀγαπᾶν καὶ τὸν πλη-
5 σίον, ἵν᾽, εἰ καλοίη περίστασις, ὑπὲρ ἐκκλησίας ἀσκανδάλιστοι τὰς
θλίψεις ὑπομένοντες τὸ ποτήριον πίωσιν. ὅσοι δὲ ἔργῳ μὲν παρὰ 3
τὸν βίον, λόγῳ δὲ ἐν δικαστηρίῳ μαρτυροῦσι κἂν ἐλπίδα ἐκδεχόμενοι,
κἂν φόβον ὑφορώμενοι, βελτίους οὗτοι τῶν στόματι μόνον ὁμολο-
γούντων τὴν σωτηρίαν. ἀλλ᾽ εἰ καὶ ὑπερβαίη τις ἐπὶ τὴν ἀγάπην, 4
10 τῷ ὄντι μακάριος οὗτος καὶ γνήσιος μάρτυς, τελείως ὁμολογήσας καὶ
ταῖς ἐντολαῖς καὶ τῷ θεῷ διὰ τοῦ κυρίου, ὃν ἀγαπήσας ἀδελφὸν
ἐγνώρισεν, ὅλον ἑαυτὸν ἐπιδοὺς διὰ ⟨τὴν ἀγάπην τὴν πρὸς⟩ τὸν
θεόν, οἷον παρακαταθήκην εὐγνωμόνως καὶ ἀγαπητικῶς ἀποδιδοὺς
τὸν ἀπαιτούμενον ἄνθρωπον.

15   Χ. Ἐπὰν δ᾽ ἔμπαλιν εἴπῃ ›ὅταν διώκωσιν ὑμᾶς ἐν τῇ πόλει ταύ- 76, 1
τῃ, φεύγετε εἰς τὴν ἄλλην,‹ οὐχ ὡς κακὸν   τὸ διώκεσθαι παραινεῖ
φεύγειν οὐδ᾽ ὡς θάνατον φοβουμένους διὰ φυγῆς ἐκκλίνειν προσ-
τάττει τοῦτον· βούλεται δὲ ἡμᾶς μηδενὶ αἰτίους μηδὲ συναιτίους 2
κακοῦ τινος γίνεσθαι, σφίσιν τε αὐτοῖς πρὸς δὲ καὶ τῷ διώκοντι
20 καὶ τῷ ἀναιροῦντι· τρόπον γάρ τινα παραγγέλλει αὐτὸν περίστα-
σθαι, ὁ δὲ παρακούων τολμηρὸς καὶ ῥιψοκίνδυνος. εἰ δὲ ὁ ἀναιρῶν 77, 1
›ἄνθρωπον θεοῦ‹ εἰς θεὸν ἁμαρτάνει, καὶ τοῦ ἀποκτεννύντος αὐτὸν
ἔνοχος καθίσταται ὁ ἑαυτὸν προσάγων τῷ δικαστηρίῳ· οὗτος δ᾽ ἂν
εἴη ὁ μὴ περιστελλόμενος τὸν διωγμόν, ἁλώσιμον διὰ θράσος παρέ-
25 χων ἑαυτόν. οὗτός ἐστι τὸ | ὅσον ἐφ᾽ ἑαυτῷ ὁ συνεργὸς γινόμενος 598 P
τῇ τοῦ διώκοντος πονηρίᾳ, εἰ δὲ καὶ προσερεθίζοι, τέλεον αἴτιος,
ἐκκαλούμενος τὸ θηρίον. ὡς δ᾽ αὕτως κἂν αἰτίαν μάχης παράσχῃ 2
τινὰ ἢ ζημίας ἢ ἔχθρας ἢ δίκης, ἀφορμὴν ἐγέννησε διωγμοῦ. διὰ 3
τοῦτ᾽ οὖν μηδενὸς ἀντέχεσθαι τῶν ἐν τῷ βίῳ προστέτακται ἡμῖν,
30 ἀλλὰ καὶ τῷ αἴροντι τὸ ἱμάτιον καὶ τὸν χιτῶνα προσδιδόναι, οὐχ
ἵνα ἀπροσπαθεῖς διαμένωμεν μόνον, ἀλλ᾽ ὡς μὴ ἀντιποιούμενοι τοὺς
ἐπιδικαζομένους ἐφ᾽ ἑαυτοὺς ἀγριαίνωμεν καὶ δι᾽ ἡμῶν ἐπὶ τὴν τοῦ
ὀνόματος διακινῶμεν βλασφημίαν.

15f. Mt 10, 23 16—33 οὐχ ὡς κακὸν—βλασφημίαν Ath fol. 68ʳ 17f. vgl. Orig.
in Mt X 33 (S. 31, 23f.) (Fr) 22 vgl. I Tim 6, 11 30—32 vgl. Petrus Laod.
p. 55, 3 H.; Fr in ZntW 36 (1937) 82 30 vgl. Lc 6, 29

3 τε Wi γε L 12 διὰ ⟨τὴν ἀγάπην τὴν πρὸς⟩ τὸν θεόν Schw δι᾽ ⟨αὐτοῦ⟩ τῷ
θεῷ Ma 19 γίνεσθαι * * Schw 20 παραγγέλλει St προσαγγέλλει L so auch Ath
αὐτὸν Bywater ἑαυτὸν L 20f. ἑαυτὸν περιστέλλεσθαι Ma 22 ἀποκτεννῦντος L
24 ὑποστελλόμενος oder περιστάμενος Ma (doch vgl. Strom. VII 66, 4) 28 ἢ δίκης
ἢ ἔχθρας Zeichen der Umstellung L¹ ἐγένησε L

XI. *Ναί, φασίν, εἰ κήδεται ὑμῶν ὁ θεός, τί δήποτε διώκεσθε* 78, 1
καὶ φονεύεσθε; ἢ αὐτὸς ὑμᾶς εἰς τοῦτο ἐκδίδωσιν; ἡμεῖς δὲ οὐχ οὕτως
ὑπολαμβάνομεν τοῖς περιστατικοῖς περιπίπτειν ἡμᾶς τὸν κύριον βου-
ληθῆναι, ἀλλὰ προφητικῶς τὰ συμβήσεσθαι μέλλοντα προειρηκέναι,
5 *ὡς διὰ τὸ ὄνομα αὐτοῦ διωχθησόμεθα, φονευθησόμεθα, ἀνασκινδυ-*
λευθησόμεθα. ὥστ' οὐ διώκεσθαι ἠθέλησεν ἡμᾶς, ἀλλ' ἃ πεισόμεθα 2
προεμήνυσεν, διὰ τῆς τοῦ συμβήσεσθαι προαγορεύσεως εἰς καρτερίαν
γυμνάσας, ᾗ τὴν κληρονομίαν ἐπηγγείλατο. καίτοι οὐ μόνοι, ἀλλὰ
μετὰ πολλῶν κολαζόμεθα. ἀλλ' ἐκεῖνοι, φασί, κακοῦργοι τυγχάνοντες
10 *δικαίως ὑπίσχουσι τὴν τιμωρίαν. ἄκοντες οὖν μαρτυροῦσιν ἡμῖν τὴν* 79, 1
δικαιοσύνην τοῖς διὰ δικαιοσύνην ἀδίκως κολαζομένοις. ἀλλ' οὐδὲ
τὸ ἄδικον τοῦ δικαστοῦ τῆς προνοίας ἅπτεται· δεῖ γὰρ κύριον εἶναι
τὸν κριτὴν τῆς ἑαυτοῦ γνώμης, μὴ νευροσπαστούμενον ἀψύχων δίκην
ὀργάνων ἀφορμὰς ἴσως μόνον παρὰ τῆς ἔξωθεν αἰτίας λαμβάνοντα.
15 *δοκιμάζεται γοῦν ἐν ᾧ κρίνει καθάπερ καὶ ἡμεῖς κατά τε τὴν τῶν* 2
αἱρετῶν ἐκλογὴν κατά τε τὴν ὑπομονήν· κἂν μὴ ἀδικῶμεν, ἀλλ' ὡς
*ἀδικοῦσιν ἡμῖν ὁ δικαστὴς ** ἀφορᾷ· οὐ γὰρ οἶδεν τὰ καθ' ἡμᾶς οὐδὲ*
θέλει μαθεῖν, προλήψει δὲ συναπάγεται κενῇ, διὸ καὶ κρίνεται. διώ- 3
κουσι τοίνυν ἡμᾶς οὐκ ἀδίκους εἶναι καταλαβόντες, ἀλλ' αὐτῷ μόνῳ
20 *τῷ Χριστιανοὺς εἶναι τὸν βίον ἀδικεῖν ὑπολαμβάνοντες αὐτούς τε*
οὕτω πολιτευομένους καὶ τοὺς ἄλλους τὸν ὅμοιον αἱρεῖσθαι βίον
προτρεπομένους.

Διὰ τί δὲ οὐ βοηθεῖσθε διωκόμενοι; | φασί. τί γὰρ καὶ ἀδικού- 80, 1 599 P
μεθα ὡς πρὸς ἡμᾶς αὐτούς, θανάτῳ ἀπολυόμενοι πρὸς τὸν κύριον
25 *καὶ καθάπερ ἡλικίας μεταβολήν, οὕτω δὲ καὶ βίου ἐναλλαγὴν ὑπο-*
μένοντες; εἰ δὲ εὖ φρονοῖμεν, χάριν εἰσόμεθα τοῖς τὴν ἀφορμὴν τῆς
*ταχείας ἀποδημίας παρεσχημένοις, ** εἰ δι' ἀγάπην μαρτυροῖμεν· εἰ δὲ* 2
μὴ φαῦλοί τινες ἄνδρες εἶναι τοῖς πολλοῖς ἐδοκοῦμεν ἡμεῖς, [εἰ] ᾔδε-
σαν δὲ καὶ αὐτοὶ τὴν ἀλήθειαν, πάντες μὲν ἂν ἐπεπήδων τῇ ὁδῷ,
30 *ἐκλογὴ δὲ οὐκ ἂν ἦν. ἀλλὰ γὰρ ἡ ἡμετέρα πίστις, »φῶς« οὖσα »τοῦ* 3
κόσμου«, ἐλέγχει τὴν ἀπιστίαν. »ἐμὲ μὲν γὰρ Ἄνυτός τε καὶ Μέλητος 4
ἀποκτείνειεν μέντ' ἄν, βλάψειεν δ' ἂν οὐδ' ὁπωστιοῦν· οὐ γὰρ οἶμαι

1—8 εἰ κήδεται—γυμνάσας Ath fol. 143ᵛ   1f. vgl. Epikur Fr. 374 Usener; Lact.
De ira dei 13, 9; Min. Fel. Oct. 12, 2   .5 ἀνασκινδ. aus Plato Rep. II p. 362 A
30f. Mt 5, 14   31—S. 284, 1 vgl. Plato Apol. p. 30 CD ἐμὲ μὲν γὰρ οὐδὲν ἂν βλάψειεν
οὔτε Μέλητος οὔτε Ἄνυτος· οὐδὲ γὰρ ἂν δύναιτο· οὐ γὰρ οἶμαι θεμιτὸν εἶναι ἀμείνονι
ἀνδρὶ ὑπὸ χείρονος βλάπτεσθαι. ἀποκτείνειε μέντ' ἂν ἴσως ἢ ἐξελάσειεν ἢ ἀτιμώσειεν.

5f. ἀνασκινδυλευθησόμεθα (θη üb. d. Z.) L¹   7 προαγορεύσεως Sy u. Ath προσ-
αγορεύσεως L   8 γυμνάσας (wie Ath) ἢ Sy γυμνασίας ἢ L   17 etwa ⟨τὴν ζημίαν
ἐπιβάλλων εἰς τοὺς ἔξωθεν⟩ ἀφορᾷ Wi ἐφορᾷ Sy ἐφορμᾷ Po   20 τῷ Sy τὸ L   26
φρονοῦμεν Sy   27 ** Schw   28 [εἰ] Ma (vgl. Po)   32 ὁπωστιοῦν Sy ὁπωστισοῦν L

θεμιτὸν εἶναι τὸ ἄμεινον πρὸς τοῦ χείρονος βλάπτεσθαι.‹ ὥστε 5
θαρροῦντα ἡμῶν ἕκαστον λέγειν· ›κύριος ἐμοὶ βοηθός, οὐ φοβη-
θήσομαι· τί ποιήσει μοι ἄνθρωπος;‹ ›δικαίων γὰρ ψυχαὶ ἐν χειρὶ
θεοῦ, καὶ οὐ μὴ ἅψηται αὐτῶν βάσανος.‹

5   XII. Βασιλείδης δὲ ἐν τῷ εἰκοστῷ τρίτῳ τῶν Ἐξηγητικῶν περὶ 81, 1
τῶν κατὰ τὸ μαρτύριον κολαζομένων αὐταῖς λέξεσι τάδε φησί· ›φημὶ 2
γάρ | τοι, ὁπόσοι ὑποπίπτουσι ταῖς λεγομέναις θλίψεσιν, ἤτοι ἡμαρ- 217 S
τηκότες ἐν ἄλλοις λανθάνοντες πταίσμασιν εἰς τοῦτο | ἄγονται τὸ 600 P
ἀγαθόν, χρηστότητι τοῦ περιάγοντος ἄλλα ἐξ ἄλλων ὄντως ἐγκαλού-
10 μενοι, ἵνα μὴ ὡς κατάδικοι ἐπὶ κακοῖς ὁμολογουμένοις πάθωσι, μηδὲ
λοιδορούμενοι ὡς ὁ μοιχὸς ἢ ὁ φονεύς, ἀλλ᾽ ὅτι Χριστιανοὶ †πεφυ-
κότες, ὅπερ αὐτοὺς παρηγορήσει μηδὲ πάσχειν δοκεῖν· κἂν μὴ ἡμαρ- 3
τηκὼς δ᾽ ὅλως τις ἐπὶ τὸ παθεῖν γένηται, σπάνιον μέν, ἀλλ᾽ οὐδὲ
οὗτος κατ᾽ ἐπιβουλὴν δυνάμεώς τι πείσεται, ἀλλὰ πείσεται ὡς ἔπασχε
15 καὶ τὸ νήπιον τὸ δοκοῦν οὐχ ἡμαρτηκέναι.‹ εἶθ᾽ ὑποβὰς πάλιν 82, 1
ἐπιφέρει· ›ὡς οὖν τὸ νήπιον οὐ προημαρτηκὸς ἢ ἐνεργῶς μὲν οὐχ
ἡμαρτηκὸς οὐδέν, ἐν ἑαυτῷ [τῷ] δὲ τὸ ἁμαρτῆσαι ἔχον, ἐπὰν ὑποβληθῇ
τῷ παθεῖν, εὐεργετεῖται [τε], πολλὰ κερδαῖνον δύσκολα, οὑτωσὶ δὴ
κἂν τέλειος μηδὲν ἡμαρτηκὼς ἔργῳ τύχῃ, πάσχῃ δέ, ὃ ἂν πάθῃ, τοῦτο
20 ἔπαθεν ἐμφερῶς τῷ νηπίῳ· ἔχων μὲν ⟨γὰρ⟩ ἐν ἑαυτῷ τὸ ἁμαρτητικόν,
ἀφορμὴν δὲ πρὸς τὸ ἡμαρτηκέναι μὴ λαβὼν οὐχ ἥμαρτανεν. ὥστ᾽
οὐχ αὐτῷ τὸ μὴ ἁμαρτῆσαι λογιστέον. ὡς γὰρ ὁ μοιχεῦσαι θέλων 2
μοιχός ἐστι, κἂν τοῦ μοιχεῦσαι μὴ ἐπιτύχῃ, καὶ ὁ ποιῆσαι φόνον
θέλων ἀνδροφόνος ἐστί, κἂν μὴ δύνηται φονεῦσαι, οὑτωσὶ δὴ καὶ
25 τὸν ἀναμάρτητον ὂν λέγω ἐὰν ἴδω πάσχοντα, κἂν μηδὲν ᾖ κακὸν
πεπραχώς, κακὸν ἐρῶ τῷ θέλειν ἁμαρτάνειν. πάντ᾽ ἐρῶ γὰρ μᾶλλον
ἢ κακὸν τὸ προνοοῦν ἐρῶ.‹ εἶθ᾽ ὑποβὰς καὶ περὶ τοῦ κυρίου ἄν- 83, 1
τικρυς ὡς περὶ ἀνθρώπου λέγει· ›ἐὰν μέντοι παραλιπὼν τούτους
ἅπαντας τοὺς λόγους ἔλθῃς ἐπὶ τὸ δυσωπεῖν με διὰ προσώπων
30 τινῶν, εἰ τύχοι, λέγων, ὁ δεῖνα οὖν ἥμαρτεν, ἔπαθεν γὰρ ὁ δεῖνα,
ἐὰν μὲν ἐπιτρέπῃς, ἐρῶ, οὐχ ἥμαρτεν μέν, ὅμοιος δὲ ἦν τῷ πάσχοντι

2 f. Ps 117, 6   3 f. Sap 3, 1   5—S. 285, 3 vgl. Hilgenfeld, Ketzergeschichte
S. 208 ff.   11 f. vgl. I Petr 4, 15 f.   22 f. vgl. Mt 5, 28

7 τοι üb. d. Z. L¹   9 ⟨οὐ δὲ⟩όντως Schw ψευδῶς St   11 ὅτι] ὡς Ma Χριστιανοί
⟨εἰσι, σωζόμενοι (vgl. S. 287, 16)⟩ πεφυκότες St Χριστιανοὶ πεφυκότες ⟨δοκοῦσιν⟩
Schw ⟨οὔπω γεγονότες, ἀλλὰ μόνον εἰς τοῦτο⟩ πεφυκότες K. Holl zu Epiph. I S. 262, 19
[vielleicht genügt ἀλλ᾽ ὅτι Χριστιανοὶ ⟨χαίρουσι⟩ πεφυκότες (entspr. der φύσις-
Lehre der Gnostiker); vgl. auch Athenag. pro Christianis 2 (Fr)]   14 πάσχει Ma
17 οὐδέν, ἐν ἑαυτῷ δὲ Grabe οὐδὲν ἐν ἑαυτῷ, τῷ δὲ L   ἁμαρτῆσαν Ro ἁμαρτητικὸν
(vgl. Z. 20) Ma   18 [τε] St   19 ὃ ἂν Schw καὶ L   τοῦτο St ταυτὸ L ταῦτα Ma
20 ⟨γὰρ⟩ St   22 οὐχ αὐτῶι L   24 δὴ (vgl. Z. 18) Di δὲ L   26 τῷ Sy τὸ L   31 δέ
Sy τε L

νηπίῳ· εἰ μέντοι σφοδρότερον ἐκβιάσαιο τὸν λόγον, ἐρῶ, ἄνθρωπον
ὄντιν᾿ ἂν ὀνομάσῃς ἄνθρωπον εἶναι, δίκαιον δὲ τὸν θεόν. καθαρὸς
γὰρ οὐδείς, ὥσπερ εἰπέ τις, ἀπὸ ῥύπου.‹ ἀλλὰ τῷ Βασιλείδῃ ἡ 2
ὑπόθεσις προαμαρτήσασάν φησι τὴν ψυχὴν ἐν ἑτέρῳ βίῳ τὴν κόλασιν
5 ὑπομένειν ἐνταῦθα, τὴν μὲν ἐκλεκτὴν ἐπιτίμως διὰ μαρτυρίου, τὴν
ἄλλην δὲ καθαιρομένην οἰκείᾳ κολάσει. καὶ πῶς τοῦτο ἀληθὲς ἐφ᾽
ἡμῖν κειμένου τοῦ ὁμολογῆσαι καὶ κολασθῆναι ἢ μή; | λύεται γὰρ 601 P
ἐπὶ τοῦ ἀρνησομένου ἡ κατὰ τὸν Βασιλείδην πρόνοια. ἐρωτῶ τοίνυν 84, 1
αὐτὸν ἐπὶ τοῦ κρατηθέντος ὁμολογητοῦ, πότερον μαρτυρήσει καὶ
10 κολασθήσεται κατὰ τὴν πρόνοιαν ἢ οὔ. ἀρνούμενος γὰρ οὐ κολα-
σθήσεται. εἰ δὲ ἐκ τῆς ἀποβάσεως καὶ τὸ μὴ δεῖν κολασθῆναι 2
τοῦτον φήσει, τὴν ἀπώλειαν τῶν ἀρνησομένων ἐκ προνοίας ἄκων
προσμαρτυρήσει. πῶς δὲ ἔτι μισθὸς ὁ ἐνδοξότατος ἐν οὐρανῷ ἀπό- 3
κειται τῷ μαρτυρήσαντι διὰ τὸ μαρτυρῆσαι; εἰ δὲ τὸν ἁμαρτητικὸν
15 οὐκ εἴασεν ἡ πρόνοια ἐπὶ τὸ ἁμαρτεῖν ἐλθεῖν, ἄδικος γίνεται κατ᾽
ἄμφω, καὶ τὸν διὰ δικαιοσύνην εἰς κόλασιν ἑλκόμενον μὴ ῥυομένη,
καὶ τὸν ἀδικεῖν ἐθελήσαντα ῥυσαμένη, τοῦ μὲν ποιήσαντος δι᾽ ὧν
ἐβουλήθη, τῆς δὲ κωλυσάσης τὸ ἔργον καὶ μὴ δικαίως περιεπούσης
τὸν ἁμαρτητικόν. πῶς δὲ οὐκ ἄθεος θειάζων μὲν τὸν διάβολον, 85
20 ἄνθρωπον δὲ ἁμαρτητικὸν τολμήσας εἰπεῖν τὸν κύριον; πειράζει γὰρ
ὁ διάβολος εἰδὼς μὲν ὅ ἐσμεν, οὐκ εἰδὼς δὲ εἰ ὑπομενοῦμεν· ἀλλὰ
ἀποσεῖσαι τῆς πίστεως ἡμᾶς βουλόμενος καὶ ὑπάγεσθαι ἑαυτῷ πει-
ράζει, ὅπερ καὶ μόνον ἐπιτέτραπται αὐτῷ διά τε τὸ ἡμᾶς ἐξ ἑαυ-
τῶν σῴζεσθαι δεῖν, ἀφορμὰς παρὰ τῆς ἐντολῆς εἰληφότας, διά τε
25 τὸν καταισχυμμὸν τοῦ πειράσαντος καὶ ἀποτυχόντος διά τε τὴν
ἰσχυροποίησιν τῶν κατὰ τὴν ἐκκλησίαν διά τε τὴν συνείδησιν τῶν
θαυμασάντων τὴν ὑπομονήν. εἰ δὲ τὸ μαρτύριον ἀνταπόδοσις διὰ 2
κολάσεως, καὶ ἡ πίστις καὶ ἡ διδασκαλία, δι᾽ ἃς τὸ μαρτύριον· συν-
εργοὶ ἄρα αὗται κολάσεως, ἧς τίς ἂν ἄλλη μείζων ἀπέμφασις γένοιτο;
30 ἀλλὰ πρὸς μὲν τὰ δόγματα ἐκεῖνα, εἰ μετενσωματοῦται ἡ ψυχή, καὶ 3
περὶ τοῦ διαβόλου κατὰ τοὺς οἰκείους λεχθήσεται καιρούς, νυνὶ δὲ
τοῖς εἰρημένοις καὶ ταῦτα προσθῶμεν· ποῦ ἔτι ἡ πίστις κατὰ ἀντα-
πόδοσιν τῶν προημαρτημένων τοῦ μαρτυρίου γινομένου, ποῦ δὲ ἡ
ἀγάπη, ἡ πρὸς τὸν θεὸν διὰ τὴν ἀλήθειαν διωκομένη καὶ ὑπομέ-

2f. Iob 14, 4; vgl. Strom. III 100, 4 mit Anm. 20 vgl. S. 284, 28f. u. oben
Z. 1f. 26 vgl. Strom. IV 73, 5 (S. 281, 16) (Fr)

1 am Rand ση. φλυαρεῖς L³ 4 προαμαρτήσασάν (ν üb. d. Z.) L¹ 8 ἐρωτῶ Heyse
ἐρῶ L 11 ἐκ—τὸ Mü καὶ—τοῦ L ⟨τῆσδε⟩ τῆς Ma ἀποφάσεως St 18 περιεπούσης
Ρο περιέποντος L 20 πειράζει St πειράζων L 28f. καὶ ἡ πίστις καὶ ἡ διδασκαλία
(δι᾽ ἃς τὸ μαρτύριον) συνεργοὶ ἔσονται κολάσεως (vgl. S. 286, 7) Klst 29 ἧς τίς He·
ἧτις L

νουσα, ποῦ δὲ ἔπαινος ὁμολογήσαντος ἢ ψόγος ἀρνησαμένου, εἰς τί
δὲ ἔτι χρησίμη ἡ πολιτεία ἡ ὀρθή, τὸ νεκρῶσαι τὰς ἐπιθυμίας καὶ
μηδὲν τῶν κτισμάτων μισεῖν; εἰ δέ, ὡς αὐτός φησιν ὁ Βασιλείδης,   86, 1
ἓν μέρος ἐκ τοῦ λεγομένου θελήματος τοῦ θεοῦ ὑπειλήφαμεν τὸ ἠγα-
5 πηκέναι ἅπαντα, ὅτι λόγον ἀποσῴζουσι πρὸς τὸ πᾶν ἅπαντα, ἕτερον
δὲ | τὸ μηδενὸς ἐπιθυμεῖν καὶ τρίτον ⟨τὸ⟩ μισεῖν μηδὲ ἕν, θελήματι τοῦ   602 P
θεοῦ καὶ ⟨αἱ⟩ κολάσεις ἔσονται· ὅπερ ἀσεβὲς ἐννοεῖν. οὔτε γὰρ ὁ κύριος   2
θελήματι ἔπαθεν τοῦ πατρὸς οὔθ᾽ οἱ διωκόμενοι βουλήσει τοῦ θεοῦ
διώκονται, ἐπεὶ δυεῖν θάτερον, ἢ καλόν τι ἔσται διωγμὸς διὰ τὴν
10 βούλησιν τοῦ θεοῦ, ἢ ἀθῷοι οἱ διατιθέντες καὶ θλίβοντες. ἀλλὰ   3
μὴν οὐδὲν ἄνευ θελήματος τοῦ κυρίου τῶν ὅλων. λείπεται δὴ συν-
τόμως φάναι τὰ τοιαῦτα συμβαίνειν μὴ κωλύσαντος τοῦ θεοῦ· τοῦτο
γὰρ μόνον σῴζει καὶ τὴν πρόνοιαν καὶ τὴν ἀγαθότητα τοῦ θεοῦ.
οὐ τὸ ἐνεργεῖν τοίνυν αὐτὸν τὰς θλίψεις οἴεσθαι χρή, μὴ γὰρ εἴη   87, 1
15 τοῦτο ἐννοεῖν, ἀλλὰ μὴ κωλύειν τοὺς ἐνεργοῦντας πεπεῖσθαι προσῆκεν
καταχρῆσθαί τε εἰς καλὸν τοῖς τῶν ἐναντίων τολμήμασιν (»καθελῶ«   2
γοῦν φησι, »τὸν τοῖχον καὶ ἔσται εἰς καταπά|τημα«), παιδευτικῆς   218 S
τέχνης τῆς τοιαύτης οὔσης προνοίας ἐπὶ μὲν τῶν ἄλλων διὰ τὰς
οἰκείας ἑκάστου ἁμαρτίας, ἐπὶ δὲ τοῦ κυρίου καὶ τῶν ἀποστόλων διὰ
20 τὰς ἡμῶν. αὐτίκα ὁ θεῖος ἀπόστολος »τοῦτο γάρ ἐστι τὸ θέλημα   3
τοῦ θεοῦ« φησίν, »ὁ ἁγιασμὸς ὑμῶν, ἀπέχεσθαι ὑμᾶς ἀπὸ τῆς πορ-
νείας, εἰδέναι ἕκαστον ὑμῶν τὸ ἑαυτοῦ σκεῦος κτᾶσθαι ἐν ἁγιασμῷ
καὶ τιμῇ, μὴ ἐν πάθει ἐπιθυμίας καθάπερ καὶ τὰ ἔθνη τὰ μὴ εἰδότα
τὸν κύριον, τὸ μὴ ὑπερβαίνειν καὶ πλεονεκτεῖν ἐν τῷ πράγματι τὸν
25 ἀδελφὸν αὐτοῦ, διότι ἔκδικος ὁ κύριος περὶ πάντων τούτων, καθὼς
καὶ προείπομεν ὑμῖν καὶ διεμαρτυράμεθα. οὐ γὰρ ἐκάλεσεν ἡμᾶς ὁ   4
θεὸς ἐπὶ ἀκαθαρσίᾳ, ἀλλ᾽ ἐν ἁγιασμῷ. τοιγαροῦν ὁ ἀθετῶν οὐκ ἄν-
θρωπον ἀθετεῖ, ἀλλὰ τὸν θεὸν τὸν καὶ δόντα τὸ πνεῦμα αὐτοῦ τὸ
ἅγιον εἰς ὑμᾶς.« διὰ τοῦτον οὖν τὸν ἁγιασμὸν ἡμῶν οὐκ ἐκωλύθη
30 παθεῖν ὁ κύριος. εἰ τοίνυν ἀπολογούμενός τις αὐτῶν λέγοι κολά-   88, 1
ζεσθαι μὲν τὸν μάρτυρα διὰ τὰς πρὸ τῆσδε τῆς ἐνσωματώσεως
ἁμαρτίας, τὸν καρπὸν δὲ τῆς κατὰ τόνδε τὸν βίον πολιτείας αὖθις
ἀπολήψεσθαι, οὕτω γὰρ διατετάχθαι τὴν διοίκησιν, πευσόμεθα αὐτοῦ,
εἰ ἐκ προνοίας γίνεται ἡ ἀνταπόδοσις· εἰ μὲν γὰρ μὴ εἴη τῆς θείας   2
35 διοικήσεως, οἴχεται ἡ οἰκονομία τῶν καθαρσίων καὶ πέπτωκεν ἡ ὑπό-
θεσις αὐτοῖς, εἰ δὲ ἐκ προνοίας τὰ καθάρσια, ἐκ προνοίας καὶ αἱ

---

2 vgl. Col 3, 5   3—6 vgl. Strom. VII 81, 2 (Fr)   7—16 οὔτε γὰρ—τολμήμασιν
Ath fol. 67ᵛ 16f. Is 5, 5; vgl. Strom. I 81, 5   20—29 I Thess 4, 3—8

6 ⟨τὸ⟩ Mü   7 ⟨αἱ⟩ Schw   17f. vielleicht παιδευτικῇ τέχνῃ [τῆς] τοιάδε οὐ
κωλυούσης ⟨τῆς⟩ προνοίας St   18 τῆς τοιαύτης Ma u. Wi τῆς τοιάδε αὐτῆς L τῆς
τοιᾶσδε αὐτῷ Sy   25 αὐτοῦ L   29 ἡμῶν corr. aus ὑμῶν L¹

κολάσεις. ἡ πρόνοια δὲ εἰ καὶ ἀπὸ τοῦ Ἄρχοντος, ὡς φασιν, κινεῖ- 8
σθαι ἄρχεται, ἀλλ' ἐγκατεσπάρη ταῖς οὐσίαις σὺν καὶ τῇ τῶν οὐσιῶν
γενέσει πρὸς τοῦ θεοῦ τῶν ὅλων. ὧν οὕτως ἐχόντων ἀνάγκη ὁμο- 4
λογεῖν αὐτοὺς ἢ τὴν κόλασιν μὴ εἶναι ἄδικον (καὶ δικαιοπραγοῦσιν | οἱ 603 P
5 καταδικάζοντες καὶ διώκοντες τοὺς μάρτυρας) ἢ ἐκ θελήματος ἐνερ-
γεῖσθαι τοῦ θεοῦ καὶ τοὺς διωγμούς. οὐκέτι οὖν ὁ πόνος καὶ ὁ 5
φόβος, ὡς αὐτοὶ λέγουσιν, ἐπισυμβαίνει τοῖς πράγμασιν ὡς ὁ ἰὸς τῷ
σιδήρῳ, ἀλλ' ἐκ βουλήσεως ἰδίας προσέρχεται τῇ ψυχῇ.

XIII. Καὶ περὶ μὲν τούτων πολὺς ὁ λόγος, ὃν ἐν ὑστέρῳ σκοπεῖν 89, 1
10 ἀποκείσεται κατὰ καιρὸν διαλαμβάνουσιν. Οὐαλεντῖνος δὲ ἔν τινι
ὁμιλίᾳ κατὰ λέξιν γράφει· »ἀπ' ἀρχῆς ἀθάνατοί ἐστε καὶ τέκνα ζωῆς 2
ἐστε αἰωνίας καὶ τὸν θάνατον ἠθέλετε μερίσασθαι εἰς ἑαυτούς, ἵνα
δαπανήσητε αὐτὸν καὶ ἀναλώσητε, καὶ ἀποθάνῃ ὁ θάνατος ἐν ὑμῖν
καὶ δι' ὑμῶν. ὅταν γὰρ τὸν μὲν κόσμον λύητε, ὑμεῖς δὲ μὴ κατα- 3
15 λύησθε, κυριεύετε τῆς κτίσεως καὶ τῆς φθορᾶς ἁπάσης.« φύσει γὰρ 4
σῳζόμενον γένος ὑποτίθεται καὶ αὐτὸς ἐμφερῶς τῷ Βασιλείδῃ, ἄνω-
θεν δὲ ἡμῖν δεῦρο τοῦτο δὴ τὸ διάφορον γένος ἐπὶ τὴν τοῦ θανάτου
καθαίρεσιν ἥκειν, θανάτου δὲ γένεσιν ἔργον εἶναι τοῦ κτίσαντος
τὸν κόσμον. διὸ καὶ τὴν γραφὴν ἐκείνην οὕτως ἐκδέχεται· »οὐδεὶς 5
20 ὄψεται τὸ πρόσωπον τοῦ θεοῦ καὶ ζήσεται« ὡς θανάτου αἰτίου.
περὶ τούτου τοῦ θεοῦ ἐκεῖνα αἰνίττεται γράφων αὐταῖς λέξεσιν·
»ὁπόσον ἐλάττων ἡ εἰκὼν τοῦ ζῶντος προσώπου, τοσοῦτον ἥσσων
ὁ κόσμος τοῦ ζῶντος αἰῶνος. τίς οὖν αἰτία τῆς εἰκόνος; μεγαλω- 90, 1
σύνη τοῦ προσώπου παρεσχημένου τῷ ζωγράφῳ τὸν τύπον, ἵνα τι-
25 μηθῇ δι' ὀνόματος αὐτοῦ· οὐ γὰρ αὐθεντικῶς εὑρέθη μορφή, ἀλλὰ
τὸ ὄνομα ἐπλήρωσεν τὸ ὑστερῆσαν ἐν πλάσει. συνεργεῖ δὲ καὶ τὸ
τοῦ θεοῦ ἀόρατον εἰς πίστιν τοῦ πεπλασμένου.« τὸν μὲν γὰρ 2
Δημιουργὸν ὡς θεὸν καὶ πατέρα κληθέντα εἰκόνα τοῦ ἀληθινοῦ θεοῦ
καὶ προφήτην προσεῖπεν, ζωγράφον δὲ τὴν Σοφίαν, ἧς τὸ πλάσμα
30 ἡ εἰκών, εἰς δόξαν τοῦ ἀοράτου, ἐπεὶ ὅσα ἐκ συζυγίας προέρχεται,

11—S. 288, 9 vgl. Hilgenfeld ZwTh 23 (1880) S. 292f.; Ketzergeschichte S. 298ff.
11—15 vgl. Herm. Trismeg. Poemandr. Cap. 28 τί ἑαυτούς, ὦ ἄνδρες γηγενεῖς, εἰς
θάνατον ἐκδεδώκατε ἔχοντες ἐξουσίαν τῆς ἀθανασίας μεταλαβεῖν; μετανοήσατε οἱ συνο-
δεύσαντες τῇ πλάνῃ καὶ συγκοινωνήσαντες τῇ ἀγνοίᾳ, ἀπαλλάγητε τοῦ σκοτεινοῦ φω-
τός, μεταλάβετε τῆς ἀθανασίας καταλείψαντες τὴν φθοράν. 14f. zu κόσμος u. κτίσις
vgl. Herakleon Fr. 20 Brooke 19f. Exod 33, 20 26f. vgl. Rom 1, 20 29f. vgl.
Col 1, 15 30f. vgl. Exc. ex Theod. 32

1 ὥς φασιν St vgl. Hort, Diction. of Christ. Biogr. I p. 270ᵃ ὡς φάναι L 4 ⟨ὥστε⟩
καὶ Schw 9 ὃν Ma ὅσον L 17 διαφέρον Ma (vgl. aber Exc. ex Theod. 41, 3)
20 αἰτίου ⟨ἐκείνου⟩ Schw 25 αὐθεντικὴ St ἐρρέθη Sy 26 ἐπλήρωσεν Sy ἐπλήρωσ̓
(= ἐπλήρωσαν) L

πληρώματά ἐστιν, ὅσα δὲ ἀπὸ ἑνός, εἰκόνες. ἐπεὶ δὲ τὸ φαινόμενον 3
αὐτοῦ οὐκ ἔστιν ἡ ἐκ μεσότητος ψυχή, ἔρχεται τὸ διαφέρον, καὶ τοῦτ᾽
ἔστι τὸ ἐμφύσημα τοῦ διαφέροντος πνεύματος, [καὶ καθ᾽ ὅλου] ὃ
ἐμπνεῖται τῇ ψυχῇ, τῇ εἰκόνι τοῦ πνεύματος, καὶ καθόλου τὰ ἐπὶ
5 τοῦ Δημιουργοῦ λεγόμενα τοῦ »κατ᾽ εἰκόνα« γενομένου, ταῦτ᾽ ἐν
εἰκόνος αἰσθητῆς μοίρᾳ ἐν τῇ Γενέσει περὶ | τὴν ἀνθρωπογονίαν 604
προπεφητεῦσθαι λέγουσι. καὶ δὴ μετάγουσι τὴν ὁμοιότητα καὶ ἐφ᾽ 4
ἑαυτούς, ἄγνωστον τῷ Δημιουργῷ τὴν τοῦ διαφέροντος ἐπένθεσιν
πνεύματος γεγενῆσθαι παραδιδόντες. ὅταν μὲν οὖν περὶ τοῦ ἕνα 91,
10 εἶναι τὸν θεὸν τὸν διὰ νόμου καὶ προφητῶν καὶ εὐαγγελίου κηρυσ-
σόμενον διαλαμβάνωμεν, καὶ πρὸς τοῦτο διαλεξόμεθα (ἀρχικὸς γὰρ ὁ
λόγος), πρὸς δὲ τὸ κατεπεῖγον ἀπαντητέον. εἰ ἐπὶ τὸ καταλῦσαι 2
θάνατον ἀφικνεῖται τὸ διαφέρον γένος, οὐχ ὁ Χριστὸς τὸν θάνατον
κατήργησεν, εἰ μὴ καὶ αὐτὸς αὐτοῖς ὁμοούσιος λεχθείη· εἰ δ᾽ εἰς
15 τοῦτο κατήργησεν ὡς μὴ τοῦ διαφέροντος ἅπτεσθαι γένους, οὐχ
οὗτοι τὸν θάνατον καταργοῦσιν οἱ ἀντίμιμοι τοῦ Δημιουργοῦ, οἱ τῇ
ἐκ μεσότητος ψυχῇ, τῇ σφετέρᾳ εἰκόνι, ἐμφυσῶντες τὴν ζωὴν τὴν
ἄνωθεν κατὰ τὴν τοῦ δόγματος αἵρεσιν, κἂν διὰ τῆς μητρὸς τοῦτο
συμβαίνειν λέγωσιν· ἀλλὰ κἂν εἰ σὺν Χριστῷ καταστρατεύεσθαι τοῦ 3
20 θανάτου λέγοιεν, ὁμολογούντων τὸ δόγμα τὸ κεκρυμμένον, ὡς τῆς
θείας τοῦ Δημιουργοῦ κατατρέχειν τολμῶσι δυνάμεως, τὴν κτίσιν
τὴν αὐτοῦ ὡς κρείττους ἐπανορθούμενοι, πειρώμενοι σῴζειν τὴν
ψυχικὴν εἰκόνα, ἣν αὐτὸς ῥύσασθαι τῆς φθορᾶς οὐ κατίσχυσεν. εἴη 4
δ᾽ ἂν καὶ ὁ κύριος ἀμείνων τοῦ δημιουργοῦ θεοῦ· οὐ γὰρ ἂν ποτε
25 ὁ υἱὸς τῷ πατρὶ διαφιλονικοίη καὶ ταῦτα ἐν θεοῖς. ὅτι δὲ οὗτός 92,
ἐστιν ὁ τοῦ υἱοῦ πατήρ, ὁ δημιουργὸς τῶν συμπάντων, ὁ παντο-
κράτωρ κύριος, εἰς ἐκείνην ἀνεβαλόμεθα τὴν σκέψιν καθ᾽ | ἣν πρὸς 219
τὰς αἱρέσεις ὑπεσχήμεθα διαλέξασθαι, τοῦτον εἶναι μόνον δεικνύντες
τὸν ὑπ᾽ αὐτοῦ κεκηρυγμένον. ἀλλ᾽ ἡμῖν γε ὁ ἀπόστολος εἰς τὴν τῶν 2
30 θλίψεων ὑπομονὴν γράφων »καὶ τοῦτο« φησὶν »ἀπὸ θεοῦ· ὅτι ὑμῖν
ἐχαρίσθη τὸ ὑπὲρ Χριστοῦ, οὐ μόνον τὸ εἰς αὐτὸν πιστεύειν, ἀλλὰ

1f. vgl. Lipsius, Jahrbb. f. protest. Theol. 13 (1887) S. 622   3f. vgl. Gen 2, 7
5. 7 vgl. Gen 1, 26   13f. vgl. II Tim 1, 10   30—S. 289, 5 Phil 1, 28—2, 2

3 [καὶ καθ᾽ ὅλου] Ma   5 λεγόμενα] γενόμενα St   12 ἐπὶ τῷ Sy   16f. τῇ—ψυχῇ
Schw τῆς—ψυχῆς L   24 ⟨ὅπερ ἀδύνατον·⟩ οὐ γὰρ St   26 mit τῶν beginnt fol. 168
in L; von fol. 168. 169. 170. 173 ist der Rand mit manchen Buchstaben weg-
geschnitten; im folgenden ist dies nur erwähnt, wo die Lesart zweifelhaft ist
27 ἐκείνην St ἐκείν| L ἐκείνων Vi

καὶ τὸ ὑπὲρ αὐτοῦ πάσχειν· τὸν αὐτὸν ἀγῶνα ἔχοντες, οἷον ' εἴδετε
ἐν ἐμοὶ καὶ νῦν ἀκούετε ἐν ἐμοί. εἴ τις οὖν παράκλησις ἐν Χριστῷ, 3
εἴ τι παραμύθιον ἀγάπης, εἴ τις κοινωνία πνεύματος, εἴ τις σπλάγχνα
καὶ οἰκτιρμοί, πληρώσατέ μου τὴν χαράν, ἵνα τὸ αὐτὸ φρονῆτε, τὴν
5 αὐτὴν ἀγάπην ἔχοντες, σύμψυχοι, τὸ ἓν φρονοῦντες.‹ εἰ δὲ σπένδεται 4
›ἐπὶ τῇ θυσίᾳ καὶ τῇ λειτουργίᾳ τῆς πίστεως‹ χαίρων καὶ συγχαίρων,
⟨τοὺς δέ,⟩ πρὸς οὓς ὁ λόγος τῷ ἀποστόλῳ, τοὺς Φιλιππησίους, συμ-
μετόχους τῆς χάριτος καλῶν, πῶς αὐτοὺς συμψύχους καὶ ψυχικοὺς
λέγει; ὁμοίως καὶ περὶ Τιμοθέου καὶ ἑαυτοῦ γράφων ›οὐδένα γὰρ 5
10 ἔχω‹ φησὶν ›ἰσόψυχον, ὅστις γνησίως τὰ περὶ ὑμῶν μεριμνήσει· οἱ
πάντες γὰρ τὰ ἑαυτῶν ζητοῦσιν, οὐ τὰ Ἰησοῦ Χριστοῦ.‹

Μὴ τοίνυν ψυχικοὺς ἐν ὀνείδους μέρει λεγόντων ἡμᾶς οἱ προειρη- 93, 1
μένοι, ἀλλὰ καὶ | οἱ Φρύγες· ἤδη γὰρ καὶ οὗτοι τοὺς τῇ νέᾳ προφη- 605 P
τείᾳ μὴ προσέχοντας ψυχικοὺς καλοῦσιν, πρὸς οὓς ἐν τοῖς Περὶ προ-
15 φητείας διαλεξόμεθα. ἀγάπην οὖν ἀσκεῖν τὸν τέλειον χρή, κἀνθένδε 2
ἐπὶ τὴν θείαν φιλίαν σπεύδειν, δι' ἀγάπην ἐκτελοῦντα τὰς ἐντολάς. τὸ 3
δὲ ἀγαπᾶν τοὺς ἐχθροὺς οὐκ ἀγαπᾶν τὸ κακὸν λέγει οὐδὲ ἀσέβειαν ἢ
μοιχείαν ἢ κλοπήν, ἀλλὰ τὸν κλέπτην καὶ τὸν ἀσεβῆ καὶ τὸν μοιχόν,
οὐ καθὸ ἁμαρτάνει καὶ τῇ ποιᾷ ἐνεργείᾳ μολύνει τὴν ἀνθρώπου
20 προσηγορίαν, καθὸ δὲ ἄνθρωπός ἐστι καὶ ἔργον θεοῦ. ἀμέλει τὸ
ἁμαρτάνειν ⟨ἐν⟩ ἐνεργείᾳ κεῖται, οὐκ οὐσίᾳ· διὸ οὐδὲ ἔργον θεοῦ. ἐχθροὶ 94, 1
δὲ οἱ ἁμαρτάνοντες εἴρηνται θεοῦ, οἱ ἐχθροὶ δὴ τῶν ἐντολῶν αἷς
μὴ [δὲ] ὑπακηκόασι γενόμενοι, ὥσπερ φίλοι οἱ ὑπακηκοότες, οἳ μὲν διὰ
τὴν οἰκείωσιν, οἳ δὲ διὰ τὴν ἀπαλλοτρίωσιν τὴν ἐκ προαιρέσεως
25 προσαγορευθέντες· οὐθὲν γὰρ ἡ ἔχθρα οὐδ' ἡ ἁμαρτία ἄνευ τοῦ 2
ἐχθροῦ καὶ τοῦ ἁμαρτάνοντος. καὶ τὸ μηδενὸς ἐπιθυμεῖν οὐχ ὡς
ἀλλοτρίων τῶν ἐπιθυμητῶν ὄντων πόθον μὴ ἔχειν διδάσκει, καθ-
άπερ ὑπειλήφασιν οἱ τὸν κτίστην ἄλλον εἶναι παρὰ τὸν πρῶτον
θεὸν δογματίζοντες, οὐδ' ὡς ἐβδελυγμένης καὶ κακῆς οὔσης τῆς
30 γενέσεως, ἄθεοι γὰρ αἱ δόξαι αὗται· ἀλλότρια δὲ ἡμεῖς φαμεν τὰ τοῦ 3
κόσμου οὐχ ὡς ἄτοπα, οὐδ' ὡς οὐχὶ τοῦ θεοῦ τοῦ πάντων κυρίου,
ἀλλ' ἐπειδὴ μὴ καταμένομεν ἐν αὐτοῖς τὸν πάντα αἰῶνα, κτήσει ὄντα

*   5—8 vgl. Phil 2, 17; 1, 7   8 vgl. Phil 2, 2   9—11 Phil 2, 20f.   13f. vgl. Harnack,
Dogmengesch. I³ S. 399²   14f. vgl. Strom. I 158, 1 mit Anm.   16—26 τὸ δὲ ἀγαπᾶν—
τοῦ ἁμαρτάνοντος Ath fol. 11ᵛ   16—21 τὸ ἀγαπᾶν—ἔργον θεοῦ Sacr. Par. 242 Holl;
Antonius Melissa p. 31. 132 Gesner   17—21 vgl. Petrus Laod. p. 56, 2 H.; Cramer,
Cat. in Mt I 41, 26 mit dem Lemma Κυρίλλου; Fr in ZntW 36 (1937) 82f.   21f. vgl.
Rom 8, 7; Iac 4, 4   26f. vgl. Exod 20, 17; Deut 5, 21; Rom 7, 7; 13, 9

1 ἴδετε L   7 ⟨τοὺς δέ,⟩ Schw   13 ⟨λέγουσιν δ' οὐ μόνον ἐκεῖνοι,⟩ ἀλλὰ καὶ Schw
ἀλλὰ μηδὲ St   16 σπεύδειν Sy σπένδειν L   18 καὶ τὸν ἀσεβῆ < Sacr. Par. Ant.   21
⟨ἐν⟩ St   ἐνεργείᾳ κεῖται καὶ οὐκ οὐσίᾳ Sacr. Par. ἐνέργειά ἐστι καὶ οὐκ οὐσία Ant.
ἐνέργεια κεῖται, οὐκ οὐσία Bywater Ath wie L   22 [οἳ²] Ma   23 [δὲ] Schw   29 οὐθ' L

ἀλλότρια καὶ τῶν κατὰ διαδοχὴν ὑπάρχοντα, χρήσει δὲ ἑκάστου ἡμῶν
ἴδια, δι᾽ οὒς καὶ ἐγένετο, πλὴν ἐφ᾽ ὅσον γε αὐτοῖς ἀναγκαῖον συμ-
παρεῖναι. κατὰ φυσικὴν τοίνυν ὄρεξιν χρηστέον τοῖς ⟨μὴ⟩ κεκωλυ- 4
μένοις καλῶς, πᾶσαν ὑπερέκπτωσιν καὶ συμπάθειαν παραιτουμένους.

5   XIV. Ὅση δὲ καὶ χρηστότης· ›ἀγαπᾶτε τοὺς ἐχθροὺς ὑμῶν‹ 95, 1
λέγει, ›εὐλογεῖτε τοὺς καταρωμένους ὑμᾶς, καὶ προσεύχεσθε ὑπὲρ
τῶν ἐπηρεαζόντων ὑμῖν‹ καὶ τὰ ὅμοια· οἷς προστίθησιν· ›ἵνα γένη-
σθε υἱοὶ τοῦ πατρὸς ὑμῶν τοῦ ἐν τοῖς οὐρανοῖς‹, τὴν ἐξομοίωσιν
τὴν πρὸς θεὸν αἰνισσόμενος. πάλιν δ᾽ αὖ φησιν· ›ἴσθι εὐνοῶν τῷ 2
10 ἀντιδίκῳ σου ταχύ, ἕως ὅτου εἶ ἐν τῇ ὁδῷ μετ᾽ αὐτοῦ‹· ἀντίδικος
δὲ οὐ τὸ σῶμα, ὥς τινες βούλονται, ἀλλ᾽ ὁ διάβολος (καὶ οἱ τούτῳ
ἐξομοιούμενοι), ὁ συνοδεύων ἡμῖν δι᾽ ἀνθρώπων τῶν ζηλούντων τὰ
ἔργα αὐτοῦ ἐν τῷ ἐπιγείῳ τῷδε βίῳ. οὐχ οἷόν τε οὖν μὴ | παθεῖν 3 60
τὰ ἔχθιστα τοὺς ὁμολογοῦντας μὲν ἑαυτοὺς εἶναι [τοῖς] τοῦ Χριστοῦ,
15 ἐν δὲ τοῖς τοῦ διαβόλου καταγινομένους ἔργοις· γέγραπται γάρ· ›μή
ποτε παραδῷ σε τῷ κριτῇ, ὁ κριτὴς δὲ τῷ ὑπηρέτῃ‹ τῆς ἀρχῆς τοῦ
διαβόλου. ›πέπεισμαι γὰρ ὅτι οὔτε θάνατος‹, ὁ κατ᾽ ἐπιφορὰν τῶν 96, 1
διωκόντων, ›οὔτε ζωή‹, ἡ κατὰ τὸν βίον τοῦτον, ›οὔτε ἄγγελοι‹,
οἱ ἀποστάται, ›οὔτε ἀρχαί‹ (ἀρχὴ δὲ τῷ Σατανᾷ ὁ βίος ὃν εἵλετο·
20 τοιαῦται γὰρ αἱ κατ᾽ αὐτὸν ἀρχαί τε καὶ ἐξουσίαι τοῦ σκότους),
›οὔτε τὰ ἐνεστῶτα‹, ἐν οἷς ἐσμεν κατὰ τὸν τοῦ βίου χρόνον, ὡς
τοῦ μὲν στρατιώτου ἡ ἐλπίς, τοῦ ἐμπόρου δὲ τὸ κέρδος, ›οὔτε ὕψωμα 2
οὔτε βάθος, οὔτε τις κτίσις ἑτέρα‹ (κατ᾽ ἐνέργειαν τὴν οἰκείαν ἀνθρώπῳ
ἀντιπράττειν τῇ πίστει τοῦ προαιρουμένου· κτίσις δὲ συνωνύμως
25 καὶ ἐνέργεια λέγεται, ἔργον ἡμέτερον οὖσα ἡ τοιάδε ἐνέργεια) ›οὐ
δυνήσεται ἡμᾶς χωρίσαι ἀπὸ τῆς ἀγάπης τοῦ θεοῦ τῆς ἐν Χριστῷ
Ἰησοῦ τῷ κυρίῳ ἡμῶν‹. ἔχεις συγκεφαλαίωσιν γνωστικοῦ μάρτυρος.
      XV. ›Οἴδαμεν δὲ ὅτι πάντες γνῶσιν ἔχομεν‹ τὴν κοινὴν ἐν τοῖς 97, 1
κοινοῖς καὶ τὴν ὅτι εἷς θεός· πρὸς πιστοὺς γὰρ ἐπέστελλεν· ὅθεν
30 ἐπιφέρει· ›ἀλλ᾽ οὐκ ἐν πᾶσιν ἡ γνῶσις‹ ⟨ἡ⟩ ἐν ὀλίγοις παραδιδομένη·

3f. κατὰ φυσικὴν ὄρεξιν—παραιτουμένους Sacr. Par. 243 Holl   **5—8** Mt 5, 44
(= Lc 6, 27 f.). **45**   χρηστότης aus Ps 30, 20 (Fr)   Sf. vgl. Plato Theaet. 25 p. 176
A/B (Fr) **9f. 15f.** Mt 5, 25   **10—17** ἀντίδικος—διαβόλου Ath fol. 31ᵛ **17—27** Rom
8, 38f. **17—19** Cat. zu Rom 8, 38 bei Cramer IV 291, 9—11 (= Monac. 412 p. 244
u. Barb. V 42 fol. 88ᵛ) umgestaltet: κλήμεντος· ἢ ζωὴν τὴν κατὰ τὸν παρόντα βίον
καὶ θάνατον τὸν κατ᾽ ἐπιφορὰν τῶν διωκόντων, ἀγγέλους τε καὶ ἀρχὰς καὶ δυνάμεις
τὰ ἀποστολικὰ (lies ἀποστατικὰ) πνεύματα.   **20** vgl. Eph 6, 12   **22** vgl. E. Norden,
18. Suppl.-Bd. d. Jahrbb. f. Philol. (1892) S. 295³   **28.** S. 291, 1 I Cor 8, 1   **30—**
S. 291, 3 I Cor 8, 7. 9. 11

   3 ⟨μὴ⟩ aus Sacr. Par.   **7** ὑμᾶς Barnard   **14** ἑαυτοὺς < Ath   τοῖς L < Ath
22 ἐλπίς] ληῖς Klst **23ff.** Interpunktion nach Tengblad S. 34ff.   **30** ⟨ἡ⟩ Schw

εἰσὶ δὲ οἳ φασι τὴν ›περὶ τῶν εἰδωλοθύτων‹ γνῶσιν οὐκ ἐν πᾶσι
* * φέρειν, ›μή πως ἡ ἐξουσία ἡμῶν πρόσκομμα τοῖς ἀσθενέσι
γένηται· ἀπόλλυται γὰρ ὁ ἀσθενῶν τῇ σῇ γνώσει.‹ κἂν φάσκωσι 2
›πᾶν τὸ ἐν μακέλλῳ πωλούμενον ἀγοράζειν δεῖ‹, κατὰ πεῦσιν ἐπά-
5 γοντες τὸ ›μηδὲν ἀνακρίνοντες‹ ἐπ᾽ ἴσης τῷ ἀνακρίνοντες, γελοίαν
ἐξήγησιν παραθήσονται. ὁ γὰρ ἀπόστολος ›πάντα‹ φησὶ ›τὰ ἄλλα 3
ὠνεῖσθε ἐκ μακέλλου μηδὲν ἀνακρίνοντες‹, καθ᾽ ὑπεξαίρεσιν τῶν
δηλουμένων κατὰ τὴν ἐπιστολὴν τὴν καθολικὴν τῶν ἀποστόλων
ἁπάντων, σὺν τῇ εὐδοκίᾳ τοῦ ἁγίου πνεύματος, τὴν γεγραμμένην
10 μὲν ἐν ταῖς Πράξεσι τῶν ἀποστόλων, διακομισθεῖσαν δὲ εἰς τοὺς πι-
στοὺς δι᾽ αὐτοῦ διακονοῦντος τοῦ Παύλου· ἐμήνυσαν γὰρ ›ἐπάναγκες
ἀπέχεσθαι | δεῖν εἰδωλοθύτων καὶ αἵματος καὶ πνικτῶν καὶ πορνείας, 220 S
ἐξ ὧν διατηροῦντας ἑαυτοὺς εὖ πράξειν.‹ ἕτερον οὖν ἐστι τὸ εἰρη- 4
μένον πρὸς τοῦ ἀποστόλου· ›μὴ οὐκ ἔχομεν ἐξουσίαν φα|γεῖν καὶ 607 P
15 πιεῖν; μὴ οὐκ ἔχομεν ἐξουσίαν ἀδελφὴν γυναῖκα περιάγειν, ὡς καὶ οἱ
λοιποὶ ἀπόστολοι καὶ οἱ ἀδελφοὶ τοῦ κυρίου καὶ Κηφᾶς; ἀλλ᾽ οὐκ
ἐχρησάμεθα τῇ ἐξουσίᾳ ταύτῃ,‹ φησίν, ›ἀλλὰ πάντα στέγομεν, ἵνα
μὴ ἐγκοπὴν δῶμεν τῷ εὐαγγελίῳ τοῦ Χριστοῦ,‹ ἤτοι φορτία περιά- 5
γοντες, δέον εὐλύτους εἰς πάντα εἶναι, ἢ ὑπόδειγμα τοῖς θέλουσιν
20 ἐγκρατεύεσθαι γινόμενοι, [μὴ] οἰκοδομουμένοις εἰς τὸ ἀδεῶς τὰ παρα-
τιθέμενα ἐσθίειν καὶ ὡς ἔτυχεν ὁμιλεῖν τῇ γυναικί· μάλιστα δὲ τοὺς
τηλικαύτην ›οἰκονομίαν πεπιστευμένους‹ ὑπόδειγμα τοῖς μανθάνουσιν
ἄχραντον ἐκκεῖσθαι προσήκει. ›ἐλεύθερος γὰρ ὢν ἐκ πάντων πᾶσιν 98, 1
ἐμαυτὸν ἐδούλωσα,‹ φησίν, ›ἵνα τοὺς πάντας κερδήσω,‹ καὶ ›πᾶς δὲ
25 ὁ ἀγωνιζόμενος πάντα ἐγκρατεύεται‹ ›ἀλλὰ τοῦ κυρίου ἡ γῆ καὶ
τὸ πλήρωμα αὐτῆς.‹ ›διὰ τὴν συνείδησιν‹ οὖν ἀφεκτέον ὧν ἀφε- 2
κτέον. ›συνείδησιν δὲ λέγω οὐχὶ τὴν ἑαυτοῦ,‹ γνωστικὴ γάρ, ›ἀλλὰ
τὴν τοῦ ἑτέρου,‹ ἵνα μὴ κακῶς οἰκοδομηθῇ ἀμαθίᾳ μιμούμενος ὃ μὴ
γινώσκει, καταφρονητὴς ἀντὶ μεγαλόφρονος γινόμενος. ›ἵνα τί γὰρ 3
30 ἡ ἐλευθερία μου κρίνεται ὑπὸ ἄλλης συνειδήσεως; εἰ ἐγὼ χάριτι μετ-

4f. 6f. vgl. I Cor 10, 25   **9f. 11—13** vgl. Act 15, 28f.   **10f.** vgl. Act 15, 25
14—18 I Cor 9, 4f. 12   **18f.** vgl. Strom. III 53, 1   **19—21** vgl. I Cor 8, 10   **22** vgl.
I Cor 9, 17   **23f.** I Cor 9, 19   **24f.** I Cor 9, 25   **25f.** I Cor 10, 26 (Ps 23, 1)   **26** vgl.
I Cor 10, 27f.   **27f. 29—S. 292, 2** I Cor 10, 29—31

2 ⟨εἶναι· αὐτὸν γὰρ ἐπι⟩φέρειν Schw   **5** ⟨μὴ⟩ ἀνακρίνοντες Po; aber vgl. S. 56,
21f.   **9f.** τὴν γεγραμμένην—διακομισθεῖσαν Ma τῇ γεγραμμένῃ—διακομισθείσῃ L
13 διατηροῦντας Sy διατηροῦντες L   πράξετε Act   **17** πάντα Sy πάντας L   **20** [μὴ]
Lowth μὴ οἰκοδομῶμεν Schw οἰκοδομουμένοις St οἰκοδομούμενοι L οἰκοδομού-
μενοι εἰς τὸ μὴ ἀηδῶς τὰ παρατιθέμενα ἐσθίειν Lowth ansprechend (Fr)   ἀδεῶς Wi
ἀηδῶς L ἀφειδῶς Schw   **22** πεπιστευμένους Po πεπεισμένους L

ἔχω, τί βλασφημοῦμαι ὑπὲρ οὗ ἐγὼ εὐχαριστῶ; πάντα οὖν ὅσα
ποιεῖτε εἰς δόξαν θεοῦ ποιεῖτε·‹ ὅσα ὑπὸ τὸν κανόνα τῆς πίστεως
ποιεῖν ἐπιτέτραπται.

XVI. ›Καρδίᾳ μὲν πιστεύεται εἰς δικαιοσύνην, στόματι δὲ ὁμο- 99, 1
5 λογεῖται εἰς‚ σωτηρίαν. λέγει γοῦν ἡ γραφή ›πᾶς ὁ πιστεύων ἐπ'
αὐτῷ οὐ καταισχυνθήσεται.‹ ›τοῦτ' ἔστι τὸ ῥῆμα τῆς πίστεως ὃ
κηρύσσομεν, ὅτι ἐὰν ὁμολογήσῃς τὸ ῥῆμα τῷ στόματί σου ὅτι κύριος
Ἰησοῦς καὶ πιστεύσῃς ἐν τῇ καρδίᾳ σου ὅτι ὁ θεὸς ἤγειρεν αὐτὸν ἐκ
νεκρῶν, σωθήσῃ.‹ ἄντικρυς τελείαν δικαιοσύνην ὑπογράφει ἔργῳ 2
10 τε καὶ θεωρίᾳ πεπληρωμένην. ›εὐλογητέον οὖν τοὺς διώκοντας·
εὐλογεῖτε καὶ μὴ καταρᾶσθε.‹ ›ἡ γὰρ καύχησις ἡμῶν αὕτη ἐστί, τὸ 3
μαρτύριον τῆς συνειδήσεως ἡμῶν, ὅτι ἐν ἁγιότητι καὶ εἰλικρινείᾳ‹
θεὸν ἔγνωμεν, δι' ὀλίγης ταύτης προφάσεως τὸ τῆς ἀγάπης ἔργον
ἐνδεικνύμενοι, ὅτι ›οὐκ ἐν σοφίᾳ σαρκικῇ, ἀλλ' ἐν χάριτι θεοῦ
15 ἀνεστράφημεν ἐν τῷ κόσμῳ‹. ταῦτα μὲν περὶ τῆς γνώσεως ὁ ἀπό- 100
στολος· τὴν δὲ κοινὴν διδασκαλίαν τῆς πίστεως | ›ὀσμὴν γνώσεως‹ 608 P
εἴρηκεν ἐν τῇ δευτέρᾳ πρὸς Κορινθίους. ›ἄχρι γὰρ τῆς σήμερον 2
ἡμέρας τὸ αὐτὸ κάλυμμα τοῖς πολλοῖς ἐπὶ τῇ ἀναγνώσει τῆς παλαιᾶς
διαθήκης μένει, μὴ ἀνακαλυπτόμενον· κατὰ τὴν πρὸς τὸν κύριον
20 ἐπιστροφήν. διὰ τοῦτο καὶ ἀνάστασιν ἔδειξε τοῖς διορᾶν δυναμένοις τὴν 3
ἔτι ἐν σαρκὶ τοῦ βίου ⟨τοῦ⟩ ἕρποντος ἐπὶ κοιλίαν. ἔνθεν καὶ ›γεννή-
ματα ἐχιδνῶν‹ τοὺς τοιούτους ἐκάλεσεν, τοὺς φιληδόνους, τοὺς γαστρὶ
καὶ αἰδοίοις δουλεύοντας, καὶ τὰς ἀλλήλων διὰ ›τὰς κοσμικὰς ἐπιθυ-
μίας‹ ἀποτέμνοντας κεφαλάς. ›τεκνία, μὴ ἀγαπῶμεν λόγῳ μηδὲ 4
25 γλώσσῃ,‹ ⟨φησὶν⟩ Ἰωάννης τελείους εἶναι διδάσκων, ›ἀλλ' ἐν ἔργῳ
καὶ ἀληθείᾳ. ἐν τούτῳ γνωσόμεθα ὅτι ἐκ τῆς ἀληθείας ἐσμέν.‹ εἰ 5
δὲ ἀγάπη ὁ θεός, ἀγάπη καὶ ἡ θεοσέβεια· ›φόβος οὐκ ἔστιν ἐν τῇ
ἀγάπῃ, ἀλλ' ἡ τελεία ἀγάπη ἔξω βάλλει τὸν φόβον.‹ ›αὕτη ἐστὶν ἡ
ἀγάπη τοῦ θεοῦ, ἵνα τὰς ἐντολὰς αὐτοῦ τηρῶμεν.‹ πάλιν τε αὖ τῷ 6
30 γνωστικῷ ποθοῦντι γενέσθαι γέγραπται· ›ἀλλὰ τύπος γίνου τῶν

*   4–6 Rom 10, 10f. (Z. 5f. = Is 28, 16)   6–9 Rom 10, 8f.   10f. Rom 12, 14
11f. 14f. II Cor 1, 12   16f. τὴν—εἴρηκεν (+ ὁ θεῖος ἀπόστολος Cat.), S. 293, 2
πίστεως–πίστιν Cat. zu II Cor 2, 14 in Vatic. 692 fol. 51ʳ Inc. τὴν κοινὴν διδασκαλίαν
expl. διαστέλλεται πίστιν   16 II Cor 2, 14   17–19 II Cor 3, 14   19f. vgl. II Cor 3, 16
21–24 vgl. Petrus Laod. p. 22, 3 H.; Fr in ZntW 36 (1937) 81f.   21 vgl. Gen 3, 14
21f. Mt 3, 7; 12, 34; 23, 33; Lc 3, 7   22–24 vgl. Physiol. 10; Herodot 3, 109
22f. vgl. Rom 16, 18   23f. Tit 2, 12   24–26 I Io 3, 18f.   26f. vgl. I Io 4, 16
27f. I Io 4, 18   28f. I Io 5, 3   30f. I Tim 4, 12

    21 ⟨τοῦ⟩ St   κοιλίας Sy (so auch Petr. Laod.); vgl. aber ἐπὶ γαστέρα(ς) ἕρπειν
Protr. 111, 1; Paed. II 7, 4   25 ⟨φησὶν⟩ Sy

πιστῶν ἐν λόγῳ, ἐν ἀναστροφῇ, ἐν ἀγάπῃ, ἐν πίστει, ἐν ἁγνείᾳ·«
πίστεως γάρ, οἶμαι, τελειότης πρὸς τὴν κοινὴν διαστέλλεται πίστιν.
καὶ δὴ γνωστικοῦ κανόνα ὁ θεῖος ἀπόστολος διὰ τοσῶνδε παρίστησι, 101, 1
τοῦτο μὲν γράφων »ἐγὼ γὰρ ἔμαθον ἐν οἷς εἰμι αὐτάρκης εἶναι.
5 οἶδα καὶ ταπεινοῦσθαι, οἶδα καὶ περισσεύειν· ἐν παντὶ καὶ ἐν πᾶσι
μεμύημαι, καὶ χορτάζεσθαι καὶ πεινᾶν, καὶ περισσεύειν καὶ ὑστερεῖ-
σθαι. πάντα ἰσχύω ἐν τῷ ἐνδυναμοῦντί με«, τοῦτο δὲ καὶ πρὸς ἐν-
τροπὴν ἄλλοις διαλεγόμενος οὐκ ὀκνεῖ λέγειν· »ἀναμιμνήσκεσθε δὲ 2
τὰς πρότερον ἡμέρας, ἐν αἷς φωτισθέντες πολλὴν ἄθλησιν ὑπεμείνατε
10 παθημάτων. τοῦτο μὲν ὀνειδισμοῖς τε καὶ θλίψεσι θεατριζόμενοι,
τοῦτο δὲ κοινωνοὶ τῶν οὕτως ἀναστρεφομένων γενηθέντες. καὶ γὰρ
τοῖς δεσμοῖς μου συνεπαθήσατε, καὶ τὴν ἁρπαγὴν τῶν ὑπαρχόντων
ὑμῶν μετὰ χαρᾶς προσεδέξασθε γινώσκοντες ἔχειν ἑαυτοὺς κρείττονα
ὕπαρξιν καὶ μένουσαν. μὴ ἀποβάλητε οὖν τὴν παρρησίαν ὑμῶν, ἥτις 3
15 ἔχει μεγάλην μισθαποδοσίαν. ὑπομονῆς γὰρ ἔχετε χρείαν, ἵνα τὸ
θέλημα τοῦ θεοῦ ποιήσαντες κομίσησθε τὴν ἐπαγγελίαν· ἔτι γὰρ
μικρὸν ὅσον ὅσον, ὁ ἐρχόμενος ἥξει καὶ οὐ χρονιεῖ. ὁ δὲ δίκαιός μου
ἐκ πίστεως ζήσεται. καὶ ἐὰν ὑπο στείληται, οὐκ εὐδοκεῖ ἡ ψυχή μου 609 P
ἐν αὐτῷ. ἡμεῖς δὲ οὐκ ἐσμεν ὑποστολῆς εἰς ἀπώλειαν, ἀλλὰ πίστεως
20 εἰς περιποίησιν ψυχῆς.« εἶτά σοι σμῆνος ὑποδειγμάτων θείων παρί- 102, 1
στησιν. ἢ γὰρ οὐ πίστει, φησί, δι' ὑπομονῆς κατώρθωσαν οἱ »ἐμ-
παιγμῶν καὶ μαστίγων πεῖραν« λαβόντες, »ἔτι δὲ δεσμῶν καὶ φυλα-
κῆς; ἐλιθάσθησαν, ἐπειράσθησαν, ἐν φόνῳ μαχαίρας ἀπέθανον,
περιῆλθον ἐν μηλωταῖς, ἐν αἰγείοις δέρμασιν, ὑστερούμενοι, θλιβό-
25 μενοι, κακουχούμενοι, ὧν οὐκ ἦν ἄξιος ὁ κόσμος, ἐν ἐρημίαις πλανώ- 2
μενοι καὶ ὄρεσι καὶ σπηλαίοις καὶ ταῖς ὀπαῖς τῆς γῆς. καὶ πάντες
μαρτυρηθέντες διὰ τῆς πίστεως οὐκ ἐκομίσαντο τὴν ἐπαγγελίαν τοῦ
θεοῦ.« ἀπολείπεται νοεῖν τὸ κατὰ παρασιώπησιν εἰρημένον μόνοι.
ἐπιφέρει γοῦν· »περὶ ἡμῶν | κρεῖττόν τι προειδομένου τοῦ θεοῦ,« 103, 1 221 S
30 ἀγαθὸς γὰρ ἦν, »ἵνα μὴ χωρὶς ἡμῶν τελειωθῶσι. τοιγαροῦν καὶ
ἡμεῖς, τοσοῦτον ἔχοντες περικείμενον ἡμῖν νέφος« ἅγιον καὶ διειδὲς
»μαρτύρων, ὄγκον ἀποθέμενοι πάντα καὶ τὴν εὐπερίστατον ἁμαρτίαν,
δι' ὑπομονῆς τρέχωμεν τὸν προκείμενον ἡμῖν ἀγῶνα, ἀφορῶντες εἰς
τὸν τῆς πίστεως ἀρχηγὸν καὶ τελειωτὴν Ἰησοῦν.« ὅτι μὲν οὖν μίαν 2
35 σωτηρίαν λέγει ἐν Χριστῷ τῶν δικαίων καὶ ἡμῶν, σαφῶς μὲν εἴρη-

---

* 2 πίστεως—πίστιν Ath fol. 91ᵛ 4—7 Phil 4, 11—13 8—20 Hebr 10, 32—39 (V. 37.
38 = Is 26, 20; Hab 2, 3 f.) 21—28 Hebr 11, 36—40 29—34 Hebr 11, 40; 12, 1 f.

3 τῶνδε Arcerius παρίστησι aus παρίστησιν corr. L¹ 35 ⟨πάλαι⟩ δικαίων St
ἀρχαίων Ma

κεν πρότερον, οὐδὲν δὲ ἧττον καὶ περὶ Μωυσέως λέγων ἐπιφέρει·
»μείζονα πλοῦτον ἡγησάμενος τῶν Αἰγύπτου θησαυρῶν τὸν ὀνει-
δισμὸν τοῦ Χριστοῦ· ἀπέβλεπε γὰρ εἰς τὴν μισθαποδοσίαν· πίστει
κατέλιπεν Αἴγυπτον, μὴ φοβηθεὶς τὸν θυμὸν τοῦ βασιλέως· τὸν γὰρ
5 ἀόρατον ὡς ὁρῶν ἐκαρτέρησεν.« ἡ θεία σοφία περὶ τῶν μαρτύρων
λέγει· »ἔδοξαν ἐν ὀφθαλμοῖς ἀφρόνων τεθνάναι καὶ ἐλογίσθη κά- 3
κωσις ἡ ἔξοδος αὐτῶν καὶ ἡ ἀφ᾽ ἡμῶν πορεία σύντριμμα· οἳ δέ
εἰσιν ἐν εἰρήνῃ. καὶ γὰρ ἐν ὄψει ἀνθρώπων ἐὰν κολασθῶσιν, ἡ
ἐλπὶς αὐτῶν ἀθανασίας πλήρης.« εἶτα ἐπάγει, κάθαρσιν ἔνδοξον τὸ 104,
10 μαρτύριον διδάσκουσα· »καὶ ὀλίγα παιδευθέντες μεγάλα εὐεργετη-
θήσονται, ὅτι ὁ θεὸς ἐπείρασεν αὐτούς,« τουτέστιν εἰς δοκίμιον καὶ
δυσωπίαν τοῦ πειράζοντος εἴασεν αὐτοὺς πειρασθῆναι, »καὶ εὗρεν
αὐτοὺς ἀξίους ἑαυτοῦ,« υἱοὺς κληθῆναι δηλονότι· »ὡς χρυσὸν ἐν 2
χωνευτηρίῳ ἐδοκίμασεν αὐτοὺς καὶ ὡς ὁλοκάρπωμα θυσίας προσε-
15 δέξατο αὐτούς. καὶ ἐν καιρῷ ἐπισκοπῆς αὐτῶν ἀναλάμψουσι καὶ ὡς
σπινθῆρες ἐν καλάμῃ διαδραμοῦνται. κρινοῦσιν ἔθνη καὶ κρατήσουσι
λαῶν, καὶ βασιλεύσει αὐτῶν κύριος εἰς τοὺς αἰῶνας.«

XVII. Ναὶ μὴν ἐν τῇ πρὸς Κορινθίους ἐπιστολῇ ὁ ἀπόστολος 105, 1
Κλήμης καὶ αὐτὸς ἡμῖν τύ|πον τινὰ τοῦ γνωστικοῦ ὑπογράφων λέγει· 610 P
20 »τίς γὰρ παρεπιδημήσας πρὸς ὑμᾶς τὴν πανάρετον καὶ βεβαίαν πίστιν 2
ὑμῶν οὐκ ἐδοκίμασεν; τήν τε σώφρονα καὶ ἐπιεικῆ ἐν Χριστῷ εὐσέ-
βειαν οὐκ ἐθαύμασεν; καὶ τὸ μεγαλοπρεπὲς τῆς φιλοξενίας ὑμῶν
ἦθος οὐκ ἐκήρυξεν; καὶ τὴν τελείαν καὶ ἀσφαλῆ γνῶσιν οὐκ ἐμακά-
ρισεν; ἀπροσωπολήπτως γὰρ πάντα ἐποιεῖτε, καὶ ἐν τοῖς νομίμοις
25 τοῦ θεοῦ ἐπορεύεσθε« καὶ τὰ ἑξῆς. εἶτ᾽ ἐμφανέστερον· »ἀτενίσωμεν 3
οὖν εἰς τοὺς τελείως λειτουργήσαντας αὐτοῦ τῇ μεγαλοπρεπεῖ δόξῃ.
λάβωμεν Ἐνώχ, ὃς ἐν ὑπακοῇ δίκαιος εὑρεθεὶς μετετέθη, καὶ Νῶε,
ὃς πιστεύσας διεσώθη, καὶ Ἀβραάμ, ὃς διὰ πίστιν καὶ φιλοξενίαν
φίλος θεοῦ, πατὴρ δὲ τοῦ Ἰσαὰκ προσηγορεύθη. διὰ φιλοξενίαν καὶ 4
30 εὐσέβειαν Λὼτ ἐσώθη ἐκ Σοδόμων· διὰ πίστιν καὶ φιλοξενίαν ἐσώθη
Ῥαὰβ ἡ πόρνη· δι᾽ ὑπομονὴν καὶ πίστιν ἐν δέρμασιν αἰγείοις καὶ
μηλωταῖς καὶ τριχῶν καμηλείων πλέγμασιν περιεπάτησαν κηρύσ-
σοντες τὴν βασιλείαν τοῦ Χριστοῦ, λέγομεν δὲ Ἠλίαν καὶ Ἐλισσαῖον,
Ἰεζεκιήλ τε καὶ | Ἰωάννην, τοὺς προφήτας.« ὁ γάρ τοι φίλος θεοῦ 611 P
35 διὰ πίστιν ἐλευθέραν κληθεὶς Ἀβραὰμ οὐκ ἐπήρθη τῇ δόξῃ, μετριο-

2—5 Hebr 11, 26f. 6—17 Sap 3, 2—8 9f. vgl. Strom. IV 74, 3 (S. 281; 26)
13 vgl. z. B. Mt 5, 9 20—25 I Clem. ad Cor. 1, 2f. 25—29 vgl. ebenda 9, 2—4;
10; l. 7; 17, 2 29—34 vgl. ebenda 11, 1; 12, 1; 17, 1 (vgl. Hebr 11, 37) 31—33 vgl.
Paed. II 112, 3 35f. vgl. I Clem. ad Cor. 17, 2 (Gen 18, 27)

27 ἐνώχ (ώχ in Ras.) L¹

παϑῶν δὲ ἔλεγεν· »ἐγὼ δέ εἰμι γῆ καὶ σποδός.« »περί τε τοῦ Ἰὼβ 2
οὕτως γέγραπται· »Ἰὼβ δὲ ἦν δίκαιος καὶ ἄμεμπτος, ἀληϑινὸς καὶ
ϑεοσεβής, ἀπεχόμενος ἀπὸ παντὸς κακοῦ.« οὗτος ὁ νικήσας δι᾽ ὑπο- 3
μονῆς τὸν πειράσαντα καὶ μαρτυρήσας ἅμα καὶ μαρτυρηϑεὶς ὑπὸ τοῦ
5 ϑεοῦ [ὃς] ταπεινοφροσύνης ἀντέχεται καὶ λέγει· »οὐδεὶς καϑαρὸς ἀπὸ
ῥύπου, οὐδ᾽ εἰ μιᾶς ἡμέρας ἡ ζωὴ αὐτοῦ.« Μωυσῆς, »ὁ πιστὸς ϑε- 4
ράπων ἐν ὅλῳ τῷ οἴκῳ αὐτοῦ,« πρὸς τὸν χρηματίζοντα ἐκ τῆς βάτου
εἶπεν· »τίς εἰμι ἐγώ, ὅτι με πέμπεις; ἐγὼ δέ εἰμι ἰσχνόφωνος καὶ
βραδύγλωσσος« φωνὴν κυρίου διὰ γλώσσης ἀνϑρωπίνης διακονῆσαι.
10 καὶ πάλιν· »ἐγὼ δέ εἰμι ἀτμὶς ἀπὸ χύτρας.« »ϑεὸς γὰρ ὑπερηφάνοις
ἀντιτάσσεται, ταπεινοῖς δὲ δίδωσι χάριν.« ναὶ μὴν καὶ Δαβίδ, ἐφ᾽ 107, 1
οὗ μαρτυρῶν ὁ κύριος λέγει· »εὗρον ἄνδρα κατὰ τὴν καρδίαν μου,
Δαβὶδ τὸν τοῦ Ἰεσσαί· ἐν ἐλαίῳ ἁγίῳ ἔχρισα αὐτόν·« ἀλλὰ καὶ αὐτὸς 2
λέγει πρὸς τὸν ϑεόν· »ἐλέησόν με, ὁ ϑεός, κατὰ τὸ μέγα ἔλεός σου,
15 καὶ κατὰ τὸ πλῆϑος τῶν οἰκτιρμῶν σου ἐξάλειψον τὸ ἀνόμημά μου.
ἐπὶ πλεῖον πλῦνόν με ἀπὸ τῆς ἀνομίας μου, καὶ ἀπὸ τῆς ἁμαρτίας 3
μου καϑάρισόν με· ὅτι τὴν ἀνομίαν μου ἐγὼ γινώσκω, καὶ ἡ ἁμαρτία
μου ἐνώπιόν μού ἐστι διὰ παντός.« ἔπειτα τὴν οὐχ ὑποπίπτουσαν 4
νόμῳ αἰνιττόμενος ἁμαρτίαν γνωστικῶς μετριοπαϑῶν ἐπιφέρει· »σοὶ
20 μόνῳ ἥμαρτον καὶ τὸ πονηρὸν ἐνώπιόν σου ἐποίησα.« λέγει γάρ που 5
ἡ γραφή· »πνεῦμα κυρίου λύχνος ἐρευνῶν τὰ ταμεῖα τῆς γαστρός.«
καὶ ὅσῳ τις δικαιοπραγῶν γνωστικώτερος γίνεται, προσεχέστερον 6
τούτῳ τὸ πνεῦμα τὸ φωτεινόν. οὕτως ἐγγίζει τοῖς δικαίοις ὁ κύριος 7
καὶ »οὐδὲν λέληϑεν αὐτὸν τῶν ἐννοιῶν καὶ τῶν διαλογισμῶν ὧν
25 ποιούμεϑα· τὸν κύριον Ἰησοῦν« λέγω, τὸν τῷ παντοκρατορικῷ ϑε- 8
λήματι ἐπίσκοπον τῆς καρδίας ἡμῶν· »οὗ τὸ αἷμα ὑπὲρ ἡμῶν
ἡγιάσϑη. ἐντρα|πῶμεν οὖν τοὺς προηγουμένους ἡμῶν καὶ αἰδεσϑῶ- 108, 1 612 P
μεν, τοὺς πρεσβυτέρους τιμήσωμεν, τοὺς νέους παιδεύσωμεν τὴν παι-
δείαν τοῦ ϑεοῦ.« μακάριος γὰρ ὃς ἂν διδάσκῃ καὶ ποιῇ τὰ τοῦ κυρίου 2
30 κατ᾽ ἀξίαν· μεγαλόφρονος δὲ ἐννοίας ἐστὶν καὶ ϑεωρητικῆς τῆς ἀλη-
ϑείας. »τὰς γυναῖκας ἡμῶν ἐπὶ τὸ ἀγαθὸν διορϑωσώμεϑα, τὸ ἀξια- 3
γάπητον ἦϑος τῆς ἁγνείας«, φησίν, »ἐνδειξάσϑωσαν· τὸ ἀκέραιον

1—3 I Clem. ad Cor. 17, 3 (Iob 1, 1)   5f. ebenda 17, 4 (Iob 14, 4f.; vgl. zu
Strom. III 100, 4)   6—10 vgl. ebenda 17, 5f. (Z. 6f.: Num 12, 7; vgl. Hebr 3, 5;
Z. 8f.: Exod 3, 11; 4, 10; Z. 10: woher?)   10f. Prov 3, 34; vgl. Iac 4, 6; I Petr 5, 5
11—18. 19f. vgl. I Clem. ad Cor. 18, 1—4 (Z. 12f.: Ps 88, 21; Z. 14—18. 19f.: Ps
50, 3—6)   20f. 24—29. 31—S. 296, 9 ebenda 21, 2—4. 6—9 (Z. 21: Prov 20, 21 (27)
S. 296, 3: vgl. I Tim 5, 21)   30f. vgl. Plato Rep. V p. 475 E τοὺς τῆς ἀληϑείας
φιλοϑεάμονας.

5 [ὃς] St ὡς Sy   8 με üb. d. Z. L¹

τῆς πραΰτητος αὐτῶν βούλημα ἀποδειξάτωσαν· τὸ ἐπιεικὲς τῆς
γλώσσης αὐτῶν διὰ τῆς σιγῆς φανερὸν ποιησάτωσαν, τὴν | ἀγάπην 222 S
αὐτῶν μὴ κατὰ προσκλίσεις, ἀλλὰ πᾶσι τοῖς φοβουμένοις τὸν θεὸν
ὁσίως ἴσην παρεχέτωσαν. τὰ τέκνα ἡμῶν τῆς ἐν Χριστῷ παιδείας 4
5 μεταλαβέτωσαν· μαθέτωσαν τί ταπεινοφροσύνη παρὰ θεῷ ἰσχύει, τί
ἀγάπη ἁγνὴ παρὰ θεῷ δύναται, πῶς ὁ φόβος τοῦ κυρίου καλὸς καὶ
μέγας, σῴζων πάντας τοὺς ἐν αὐτῷ ὁσίως ἀναστρεφομένους ἐν κα-
θαρᾷ καρδίᾳ. ἐρευνητὴς γὰρ ἐννοιῶν καὶ ἐνθυμημάτων· οὗ ἡ πνοὴ 5
αὐτοῦ ἐν ἡμῖν ἐστι, καὶ ὅταν θέλῃ, ἀνελεῖ αὐτήν. ταῦτα δὲ πάντα 109.
10 βεβαιοῖ ἡ ἐν Χριστῷ πίστις· ›δεῦτε, τέκνα,‹ ὁ κύριος λέγει· ›ἀκούσατέ
μου, φόβον κυρίου διδάξω ὑμᾶς. τίς ἐστιν ἄνθρωπος ὁ θέλων ζωήν,
ἀγαπῶν ἡμέρας ἰδεῖν ἀγαθάς;‹‹ εἶτα ἑβδομάδος καὶ ὀγδοάδος μυστή- 2
ριον γνωστικὸν ἐπιφέρει· ››παῦσον τὴν γλῶσσάν σου ἀπὸ κακοῦ καὶ
χείλη σου τοῦ μὴ λαλῆσαι δόλον· ἔκκλινον ἀπὸ κακοῦ καὶ ποίησον
15 ἀγαθόν, ζήτησον εἰρήνην καὶ δίωξον αὐτήν.‹‹ γνῶσιν γὰρ αἰνίττεται 3
διὰ τούτων μετά τε ἀποχῆς κακῶν μετά τε ἐνεργείας ἀγαθῶν, ἔργῳ
τε καὶ λόγῳ τελειοῦσθαι διδάσκων. ››ὀφθαλμοὶ κυρίου ἐπὶ δικαίους
καὶ ὦτα αὐτοῦ εἰς δέησιν αὐτῶν· πρόσωπον δὲ κυρίου ἐπὶ ποιοῦντας
κακά, τοῦ ἐξολοθρεῦσαι ἐκ γῆς τὸ μνημόσυνον αὐτῶν. ἐκέκραξεν δὲ 110,
20 ⟨ὁ δίκαιος καὶ⟩ ὁ κύριος εἰσήκουσε καὶ ἐκ πασῶν τῶν θλίψεων ἐρρύ-
σατο αὐτόν.‹ ›πολλαὶ μὲν γὰρ μάστιγες τῶν | ἁμαρτωλῶν, τοὺς δὲ 613 F
ἐλπίζοντας ἐπὶ κύριον ἔλεος κυκλώσει.‹‹ ⟨ὑπὸ⟩ πλήθους ἐλέου πε-
ριέχεσθαι τὸν ἐλπίζοντα γνησίως λέγει· ὅτι ἐν τῇ πρὸς Κορινθίους 2
ἐπιστολῇ γέγραπται· ›διὰ Ἰησοῦ Χριστοῦ ἡ ἀσύνετος καὶ ἐσκοτισμένη
25 διάνοια ἡμῶν ἀναθάλλει εἰς τὸ φῶς. διὰ τούτου ἠθέλησεν ὁ δεσπό-
της τῆς ἀθανάτου γνώσεως ἡμᾶς γεύσασθαι.‹ ῥητότερον καὶ τὸ τῆς 3
γνώσεως ἰδίωμα ἐμφαίνων ἐπήγαγεν· ›προδήλων οὖν ὄντων ἡμῖν
τούτων, καὶ ἐγκεκυφότες εἰς τὰ βάθη τῆς θείας γνώσεως, πάντα
τάξει ποιεῖν ὀφείλομεν, ὅσα ὁ δεσπότης ἐπιτελεῖν ἐκέλευσεν, κατὰ
30 καιροὺς τεταγμένους.‹ ›ὁ σοφὸς τοίνυν ἐνδεικνύσθω τὴν σοφίαν 4
αὐτοῦ μὴ λόγοις μόνον, ἀλλ᾽ ἐν ἔργοις ἀγαθοῖς· ὁ ταπεινόφρων
μαρτυρείτω μὴ ἑαυτῷ, ἀλλ᾽ ἐάτω ὑφ᾽ ἑτέρου αὐτὸν μαρτυρεῖσθαι

9—12. 13—15. 17—22 I Clem. ad Cor. 22, 1—8 (Z. 10—15. 17—21: Ps 33, 12—18;
Z. 21f.: Ps 31, 10) 24—26 ebenda 36, 2 27—30 ebenda 40, 1 30—S. 297, 2 ebenda
38, 2

9 ἀνέλει L 16 ἀγαθῶν] ἀγα(θῶν weggeschnitten) L 20 ὁ δίκαιος καὶ ὁ κύριος
aus Ps u. Clem. Rom. ὁ κύριος καὶ L 22 ⟨ὑπὸ⟩ πλήθους Ma πλῆθος Sy 23 ὅτι]
ἔτι St + δ Vi 26 καὶ ῥητότερον ~ Sy 28 ἐγκεκυφότες Clem. Rom. ἐκκεκυφότες L
82 ἐάτω Clem. Rom. ἐν τῷ L αὐτὸν L

ὁ ἁγνὸς τῇ σαρκὶ μὴ ἀλαζονευέσθω, γινώσκων ὅτι ἕτερός ἐστιν ὁ
ἐπιχορηγῶν αὐτῷ τὴν ἐγκράτειαν.‹ ›ὁρᾶτε, ἀδελφοί, ὅσῳ πλείονος 5
κατηξιώθημεν γνώσεως, τοσούτῳ ὑποκείμεθα μᾶλλον κινδύνῳ.‹

XVIII. Ἡ σεμνὴ οὖν τῆς φιλανθρωπίας ἡμῶν καὶ ἁγνὴ ἀγωγὴ 111,1
5 κατὰ τὸν Κλήμεντα τὸ κοινωφελὲς ζητεῖ, ἐάν τε μαρτυρῇ ἐάν τε καὶ
παιδεύῃ ἔργῳ τε καὶ λόγῳ, διττῷ δὲ τούτῳ, ἀγράφῳ τε καὶ ἐγγράφῳ.
αὕτη ἐστὶν ἡ ἀγάπη, τὸ ἀγαπᾶν τὸν θεὸν καὶ τὸν πλησίον, αὕτη 2
εἰς τὸ ἀνεκδιήγητον ὕψος ἀνάγει· ›ἀγάπη καλύπτει πλῆθος ἁμαρ- 3
τιῶν‹, ἀγάπη πάντα ἀνέχεται, πάντα μακροθυμεῖ, ἀγάπη κολλᾷ ἡμᾶς
10 τῷ θεῷ, πάντα ποιεῖ ἐν ὁμονοίᾳ· ἐν τῇ ἀγάπῃ ἐτελειώθησαν πάντες
οἱ ἐκλεκτοὶ τοῦ θεοῦ· δίχα ἀγάπης οὐδὲν εὐάρεστ᾽ τῷ θεῷ.‹ ›τῆς 4
τελειότητος αὐτῆς οὐκ ἔστιν ἐξήγησις‹, φησί. ›τίς ἱκανὸς ἐν αὐτῇ
εὑρεθῆναι, εἰ μὴ οὓς ἂν | αὐτὸς καταξιώσῃ ὁ θεός;‹ αὐτίκα ὁ ἀπό- 614 P 5
στολος Παῦλος ›ἐὰν τὸ σῶμά μου ἐπιδῶ‹ φησίν, ›ἀγάπην δὲ μὴ
15 ἔχω, χαλκός εἰμι ἠχῶν καὶ κύμβαλον ἀλαλάζον·‹ ἢν μὴ ἐκ διαθέσεως
ἐκλεκτῆς, δι᾽ ἀγάπης γνωστικῆς μαρτυρήσω, λέγει, φόβῳ δέ· εἴπερ 112, 1
οὖν καὶ μισθῷ προσδοκωμένῳ ἐπικροτῶν τὰ χείλη εἰς μαρτυρίαν
κυρίου ὁμολογήσω κύριον, κοινός εἰμι ἄνθρωπος, ἠχῶν τὸν κύριον,
οὐ γινώσκων. ἔστι γὰρ καὶ ὁ λαὸς ὁ τοῖς χείλεσιν ἀγαπῶν, ἔστι καὶ
20 ἄλλος ⟨ὁ⟩ παραδιδοὺς τὸ σῶμα, ἵνα καυθήσεται. ›κἂν ψωμίσω πάντα 2
τὰ ὑπάρχοντά μου,‹ φησίν, οὐ κατὰ τὸν τῆς κοινωνίας τῆς ἀγαπη-
τικῆς λόγον, ἀλλὰ κατὰ τὸν τῆς ἀνταποδόσεως ἢ παρὰ τοῦ εὐεργε-
τουμένου ἀνθρώπου ἢ παρὰ τοῦ ἐπηγγελμένου κυρίου· ›κἂν ἔχω 3
πᾶσαν τὴν πίστιν ὥστε ὄρη μεθιστάναι‹ καὶ τὰ ἐπισκοτοῦντα ἀπο-
25 βαλεῖν πάθη, μὴ δι᾽ ἀγάπην δὲ πιστωθῶ τῷ κυρίῳ, ›οὐθέν εἰμι‹,
ὡς πρὸς σύγκρισιν τοῦ γνωστικῶς μαρτυροῦντος, εἰς πλῆθος καὶ τὸ
μηδὲν διαφέρον λογιζόμενος. ›αἱ γενεαὶ δὲ πᾶσαι ἀπὸ Ἀδὰμ ἕως 4
τῆσδε τῆς ἡμέρας παρῆλθον· ἀλλ᾽ οἱ ἐν ἀγάπῃ τελειωθέντες κατὰ
τὴν τοῦ θεοῦ χάριν ἔχουσι χώραν εὐσεβῶν· οἳ φανερωθήσονται ἐν

2f. I Clem. ad Cor. 41, 4   4f. vgl. ebenda 48, 1 ὅπως ... ἐπὶ τὴν σεμνὴν τῆς
φιλαδελφίας ἡμῶν καὶ ἁγνὴν ἀγωγὴν ἀποκαταστήσῃ ἡμᾶς u. 48, 6 ζητεῖν τὸ κοινω-
φελὲς πᾶσιν.   6 vgl. Strom. I 4, 1   7 vgl. z. B. Mt 22, 37. 39   7f. vgl. I Clem. ad Cor.
49, 4 τὸ ὕψος εἰς ὃ ἀνάγει ἡ ἀγάπη ἀνεκδιήγητόν ἐστιν.   8—11 ebenda 49, 5 (Z. 8f.:
I Petr 4, 8; Z. 9: vgl. I Cor 13, 7. 4)   11—13 ebenda 50, 1f.   14f. I Cor 13, 3. 1
19 vgl. Is 29, 13 (Mt 15, 8; Mc 7, 6)   19—21 vgl. I Cor 13, 3   23—25 vgl. I Cor 13, 2
27—S. 298, 1 I Clem. ad Cor. 50, 3

6 nach ἐγγράφῳ ist ἔργῳ τε καὶ λόγῳ von L¹ getilgt   19 [ὁ] λαὸς Ma ἄλλος
λαὸς Mü   20 ⟨ὁ⟩ Schw   καυχήσεται Westcott-Hort zu I Cor 13, 3   29 χῶρον Clem.
Rom. (aber municipium Lat.)

τῇ ἐπισκοπῇ τῆς βασιλείας τοῦ Χριστοῦ.‹ ἡ ἀγάπη ἁμαρτάνειν οὐκ 118,
ἐᾷ· ἣν δὲ καὶ περιπέσῃ ἄκων τοιαύτῃ τινὶ περιστάσει διὰ τὰς παρ-
εμπτώσεις τοῦ ἀντικειμένου, μιμησάμενος τὸν Δαβὶδ ψαλεῖ· ›ἐξο- 2
μολογήσομαι τῷ κυρίῳ, καὶ ἀρέσει αὐτῷ ὑπὲρ μόσχον νέον, φέροντα
5 κέρατα καὶ ὁπλάς. ἰδέτωσαν πτωχοὶ καὶ εὐφρανθήτωσαν.‹ λέγει γάρ· 3
›θῦσον τῷ θεῷ θυσίαν αἰνέσεως καὶ ἀπόδος τῷ κυρίῳ τὰς εὐχάς
σου· καὶ ἐπικάλεσαί με ἐν ἡμέρᾳ θλίψεώς σου, καὶ ἐξελοῦμαί σε καὶ
δοξάσεις με‹· ›θυσία γὰρ τῷ θεῷ πνεῦμα συντετριμμένον.‹‹ ἀγάπη 4
τοίνυν καὶ ὁ θεὸς εἴρηται, ἀγαθὸς ὤν. οὐ ›ἡ ἀγάπη τῷ πλησίον
-10 κακὸν οὐκ ἐργάζεται,‹ μήτε ἀδικοῦσα μήτε ἀνταδικοῦσά ποτε, ἀγαθο-
ποιοῦσα δὲ πρὸς πάντας ἁπαξαπλῶς κατ᾿ εἰκόνα θεοῦ. ›πλήρωμα 5
οὖν νόμου ἡ ἀγάπη,‹ καθάπερ ὁ Χριστός, τουτέστιν ἡ παρουσία τοῦ
ἀγαπῶντος ἡμᾶς κυρίου, καὶ ἡ κατὰ Χριστὸν ἀγαπητικὴ ἡμῶν διδα-
σκαλία τε καὶ πολι|τεία. ἀγάπῃ γοῦν τὸ μὴ μοιχεῦσαι καὶ τὸ μὴ 615 P
15 ἐπιθυμῆσαι τῆς τοῦ πλησίον τελειοῦται, φόβῳ πρότερον κεκωλυ-
μένον. τὸ αὐτὸ γοῦν ἔργον διαφορὰν ἴσχει ἢ διὰ φόβον γενόμενον
ἢ δι᾿ ἀγάπην τελεσθὲν καὶ ἤτοι διὰ πίστεως ἢ καὶ γνωστικῶς ἐνερ-
γούμενον. εἰκότως γοῦν καὶ τὰ τούτων | ⟨ἆθλα⟩ διάφορα· τῷ μὲν 114,
γνωστικῷ ἡτοίμασται ›ἃ ὀφθαλμὸς οὐκ εἶδεν οὐδὲ οὖς ἤκουσεν οὐδὲ
20 ἐπὶ καρδίαν ἀνθρώπου ἀνέβη‹, τῷ δὲ ἁπλῶς πεπιστευκότι μαρ-
τυρεῖ ἑκατονταπλασίονα ὧν ἀπολέλοιπεν, ἣν ἐπαγγελίαν εἰς σύνεσιν
ἀνθρώπων πίπτειν συμβέβηκεν.

Ἐνταῦθα γενόμενος ἀνεμνήσθην τινὸς φάσκοντος ἑαυτὸν γνω- 2
στικόν. ἐξηγούμενος γὰρ τὸ ›ἐγὼ δὲ λέγω, ὁ ⟨ἐμ⟩βλέψας τῇ γυναικὶ
25 πρὸς ἐπιθυμίαν ἤδη μεμοίχευκεν‹ οὐ ψιλὴν τὴν ἐπιθυμίαν ἠξίου
κρίνεσθαι, ἀλλὰ ἐὰν τῇ ἐπιθυμίᾳ τὸ κατ᾿ αὐτὴν ἔργον περαιτέρω
τῆς ἐπιθυμίας χωροῦν ἐν αὐτῇ ἐκτελῆται· εἰ γὰρ ὄναρ τῇ φαντασίᾳ,
συγκαταχρῆται ἤδη καὶ τῷ σώματι. λέγουσιν οὖν οἱ τὰς ἱστορίας 115,
συνταξάμενοι Βοχχόριδος τοῦ δικαίου κρίσιν τοιάνδε. ἐρῶν ἑταίρας
30 νεανίας πείθει μισθῷ τινι ὡρισμένῳ τὴν παῖδα ἀφικέσθαι τῇ ὑστε-
ραίᾳ πρὸς αὐτόν. προλαβούσης ὄναρ τῆς ἐπιθυμίας τὴν παῖδα παρ᾿ 2

* 1–3 vgl. I Clem. ad Cor. 51, 1 ὅσα οὖν παρεπέσαμεν καὶ ἐποιήσαμεν διά τινας
⟨παρεμπτώσεις⟩ τοῦ ἀντικειμένου, ἀξιώσωμεν ἀφεθῆναι ἡμῖν. 3–8 ebenda 52, 2–4
(Z. 3–5: Ps 117, 19 u. ö.; Ps 68, 31–33; Z. 6–8: Ps 49, 14f.; Z. 8: Ps 50, 19) 8f.
vgl. I Io 4, 8. 16 9f. 11f. Rom 13, 10 12 vgl. Mt 5, 17 14f. vgl. Rom 13, 9
19f. 1 Cor 2, 9 20f. vgl. Mc 10, 30 24f. Mt 5, 28 28—S. 299, 7 vgl. Plut.
Demetr. 27 vgl. auch Ael. Var. hist. 12, 63

4 νέον Ps νέων L 14 ἀγάπη L 18 τούτων ⟨ἆθλα⟩ Schw u. St ⟨ἐκ⟩ oder ⟨ἀντὶ⟩
τούτων Wi ⟨καὶ⟩ τῷ Wi 20f. μάρτυρι Schw 24 ⟨ἐμ⟩βλέψας Sy βλέψας L 26f. ἡ
ἐπιθυμία–ἐν ἑαυτῇ ἐκτελῇ καὶ ἥπερ ὄναρ Mü 27 ἐν] ἅμα (vgl. S. 299, 10) Schw ἐν
ἑαυτῷ ἐκτελῇ Wi αὐτῇ Po ἑαυτῇ L εἰ Schw ἢ L ἡ Bywater ἡ φαντασία Schw
31 [τὴν παῖδα] Wi u. Schw

ἐλπίδα κορεσθεὶς ἤκουσαν τὴν ἐρωμένην κατὰ τὸ τεταγμένον εἴργει
τῆς εἰσόδου, ἡ δὲ ἐκμαθοῦσα τὸ γεγονὸς ἀπήτει τὸν μισθόν, καὶ τῆδέ
πως αὐτὴ τὴν ἐπιθυμίαν τῷ ἐραστῇ πεπληρωκέναι λέγουσα. ἦκον
οὖν ἐπὶ τὸν κριτήν. τὸ βαλλάντιον οὗτος τοῦ μισθώματος τὸν 3
5 νεανίσκον προτείνειν κελεύσας, ἐν ἡλίῳ δέ, τὴν ἑταίραν λαβέσθαι
προσέταξεν τῆς σκιᾶς, χαριέντως | εἴδωλον μισθώματος ἀποδιδόναι 616 P
κελεύσας εἰδώλου συμπλοκῆς.

Ὀνειρώττει μὲν οὖν τις συγκαταθεμένης τῇ φαντασίᾳ τῆς ψυχῆς, 116, 1
ὕπαρ δὲ ὀνειρώττει ὁ πρὸς ἐπιθυμίαν βλέπων, οὐ μόνον ὡς ἐκεῖνος
10 ἔλεγεν ὁ δῆθεν γνωστικός, ἐὰν ἅμα τῇ ὄψει τῆς γυναικὸς συλλάβῃ
κατ᾽ ἔννοιαν τὴν ὁμιλίαν (τοῦτο γὰρ ἤδη ἔργον ἐστὶν ἐπιθυμίας ὡς
ἐπιθυμίας), ἀλλ᾽ ἐὰν εἰς κάλλος σώματος βλέψῃ τις, ὁ λόγος φησί,
καὶ αὐτῷ ἡ σὰρξ εἶναι κατ᾽ ἐπιθυμίαν δόξῃ καλή, σαρκικῶς ἰδὼν καὶ
ἁμαρτητικῶς δι᾽ οὗ τεθαύμακεν κρίνεται· ἔμπαλιν γὰρ ὁ δι᾽ ἀγάπην 2
15 τὴν ἁγνὴν προσβλέπων τὸ κάλλος οὐ τὴν σάρκα ἡγεῖται, ἀλλὰ τὴν
ψυχὴν καλήν, τὸ σῶμα, οἶμαι, ὡς ἀνδριάντα θαυμάσας, δι᾽ οὗ κάλ-
λους ἐπὶ τὸν τεχνίτην καὶ τὸ ὄντως καλὸν αὐτὸς αὐτὸν παραπέμπει,
σύμβολον ἅγιον τὸν χαρακτῆρα τῆς δικαιοσύνης τὸν φωτεινὸν ἐπι-
δεικνύμενος τοῖς ἐφεστῶσι τῇ ἀνόδῳ ἀγγέλοις, τὸ χρῖσμα τῆς εὐαρε-
20 στήσεως λέγω, τὴν ποιότητα τῆς διαθέσεως τὴν ἐπικειμένην τῇ ψυχῇ
κατ᾽ ἐπιχώρησιν τοῦ ἁγίου πνεύματος γεγανωμένη. ταύτην τὴν 117, 1
δόξαν τὴν ἐκλάμψασαν ἐπὶ τοῦ προσώπου Μωυσέως ὁ λαὸς οὐχ οἷός
τε ἦν προσβλέπειν, διὸ καὶ κάλυμμα ἐλάμβανε τῆς δόξης πρὸς τοὺς
σαρκικῶς θεωμένους. τοὺς μὲν γὰρ ἐπαγομένους τινὰ τῶν κοσμικῶν 2
25 κατέχουσιν οἱ τὸ τέλος ἀπαιτοῦντες τοῖς σφετέροις βαρουμένους
πάθεσι, τὸν δὲ γυμνὸν μὲν τῶν ὑποπιπτόντων τῷ τέλει, πλήρη δὲ
γνώσεως καὶ τῆς ἐξ ἔργων δικαιοσύνης συνεχόμενοι παραπέμπουσι,
τὸν ἄνδρα σὺν καὶ τῷ ἔργῳ μακαρίσαντες· »καὶ τὸ φύλλον αὐτοῦ 3
οὐκ ἀπορρυήσεται«, τοῦ ζωτικοῦ ξύλου, τοῦ κατὰ »τὰς διεξόδους
30 τῶν ὑδάτων« τεθραμμένου· καρποφόροις δὲ ὁ δίκαιος ἀπεικάζεται 4
δένδροις, οὐ μόνον τοῖς κατὰ τὴν τῶν μεταρσίων ** θυσίαν· | ἦσαν 617 P
δὲ κἂν ταῖς τῶν θυσιῶν προσαγωγαῖς παρὰ τῷ νόμῳ οἱ τῶν ἱερείων

---

* 　12—16 vgl. Cramer, Cat. in Mt I 37, 25 (ohne Lemma)　15f. vgl. Sokrates bei
Lukian Vitar. auct. 15 οὐ τῶν σωμάτων ἐραστής εἰμι, τὴν ψυχὴν δ᾽ ἡγοῦμαι καλήν.
16f. vgl. Maximus Tyr. Diss. 26, 8 ἐρᾷ Σπαρτιάτης ἀνὴρ μειρακίου Λακωνικοῦ, ἀλλ᾽
ἐρᾷ μόνον ὡς ἀγάλματος καλοῦ.　21—24 vgl. Exod 34, 29f. 33 vgl. Philo De v. Mos.
II 70　25f. vgl. Orig. in Lucam² 23 S. 144, 16ff. Rauer (Fr)　28—30 vgl. Ps 1, 3
29f. zu ζωτικὸν ξύλον u. καρποφόροις vgl. Apc 22, 2

3 αὐτή corr. aus αὐτῇι L　4 βαλλάντιον L　17 αὐτὸς L　31 ** St θυσίαν]
φύσιν Po

μωμοσκόποι. ὄρεξιν οὖν ἐπιθυμίας διακρίνουσιν οἱ περὶ ταῦτα δεινοί, 5
καὶ τὴν μὲν ἐπὶ ἡδοναῖς καὶ ἀκολασίᾳ τάττουσιν ἄλογον οὖσαν, τὴν
δὲ ὄρεξιν ἐπὶ τῶν κατὰ φύσιν ἀναγκαίων λογικὴν ὑπάρχουσαν
κίνησιν.

5   XIX. Ταύτης τοι τῆς τελειότητος ἔξεστιν ἐπ᾽ ἴσης μὲν ἀνδρί, 118, 1
ἐπ᾽ ἴσης δὲ καὶ γυναικὶ μεταλαβεῖν. αὐτίκα οὐχ ὁ Μωυσῆς μόνος, 2
ἀκούσας παρὰ τοῦ θεοῦ· »λελάληκα πρὸς σὲ ἅπαξ καὶ δὶς λέγων·
ἑώρακα τὸν λαὸν τοῦτον, καὶ ἰδού ἐστι σκληροτράχηλος· ἔασόν με
ἐξολοθρεῦσαι αὐτούς, καὶ ἐξαλείψω τὸ ὄνομα αὐτῶν ὑποκάτωθεν
10 τοῦ οὐρανοῦ καὶ ποιήσω σε εἰς ἔθνος μέγα καὶ θαυμαστὸν καὶ πολὺ
μᾶλλον ἢ τοῦτο· ἀποκρίνεται δεόμενος μὴ τὸ ἑαυτοῦ σκοπῶν, ἀλλὰ 3
τὴν κοινὴν σωτηρίαν· »μηδαμῶς, κύριε, ἄφες τὴν ἁμαρτίαν τῷ λαῷ
τούτῳ, ἢ κἀμὲ ἐξάλειψον ἐκ βίβλου ζώντων.« ὅση τελειότης τοῦ
συναποθανεῖν ἐθελήσαντος τῷ λαῷ ἢ σῴζεσθαι μόνος. ἀλλὰ καὶ 4
15 Ἰουδὶθ ἡ ἐν γυναιξὶ τελειωθεῖσα ἐν συγκλεισμῷ τῆς πόλεως γενο-
μένης δεηθεῖσα τῶν πρεσβυτέρων εἰς μὲν τὴν παρεμβολὴν τῶν ἀλλο-
φύλων ἐξέρχεται, τοῦ παντὸς καταφρονήσασα κινδύνου, ὑπὲρ τῆς
πατρίδος ἑαυτὴν ἐπιδοῦσα τοῖς πολεμίοις ἐν πίστει θεοῦ· λαμβάνει
δ᾽ εὐθὺς τἀπίχειρα τῆς πίστεως ἀριστεύσασα γυνὴ κατὰ τοῦ πολε-
20 μίου τῆς πίστεως, κυρία τῆς Ὀλοφέρνου γενομένη κεφαλῆς. πάλιν 119, 1
τε αὖ ἡ τελεία κατὰ πίστιν Ἐσθὴρ ὀνομένη τὸν Ἰσραὴλ τυραννικῆς
ἐξουσίας καὶ τῆς τοῦ σατράπου ὠμότητος, μόνη γυνὴ νηστείαις
τεθλιμμένη | πρὸς μυρίας ὡπλισμένας ἀντετάξατο δεξιάς, τυραννικὸν 618 P
διὰ πίστεως ἀναλύουσα δόγμα· καὶ δὴ τὸν μὲν ἐτιθάσευεν, ἀνέστει- 2
25 λεν δὲ τὸν Ἀμὰν καὶ τὸν Ἰσραὴλ τῇ τελείᾳ πρὸς· τὸν θεὸν δεήσει
ἀπαθῆ διεφύλαξεν. σιωπῶ γὰρ Σουσάνναν καὶ τὴν Μωυσέως ἀδελ- 3

1 zu μωμοσκόποι vgl. Philo De agric. 130 (II p. 121) 1—4 Chrysipp Fr. mor.
442 Arnim; vgl. Paed. I 101, 1; Strom. II 119, 3 5f. vgl. Paed. I 10 7—11 Deut
9, 13f. aus I Clem. ad Cor. 53, 3 12f. Exod 32, 32 aus I Clem. ad Cor. 53, 4 13f.
vgl. ebenda 53, 5 14—20 vgl. ebenda 55, 4f. Ἰουδὶθ ἡ μακαρία, ἐν συγκλεισμῷ
οὔσης τῆς πόλεως, ᾐτήσατο παρὰ τῶν πρεσβυτέρων ἐαθῆναι αὐτὴν ἐξελθεῖν εἰς τὴν
παρεμβολὴν τῶν ἀλλοφύλων. παραδοῦσα οὖν ἑαυτὴν τῷ κινδύνῳ ἐξῆλθεν δι᾽ ἀγάπην
τῆς πατρίδος καὶ τοῦ λαοῦ τοῦ ὄντος ἐν συγκλεισμῷ, καὶ παρέδωκεν κύριος Ὀλοφέρνην
ἐν χειρὶ θηλείας (vgl. Iud 8ff.). 20—26 vgl. ebenda 55, 6 οὐχ ἧττον (ἥττονι A) καὶ
ἡ τελεία κατὰ πίστιν Ἐσθὴρ κινδύνῳ ἑαυτὴν παρέβαλεν, ἵνα τὸ δωδεκάφυλον τοῦ
Ἰσραὴλ μέλλον ἀπολέσθαι ῥύσηται. διὰ γὰρ τῆς νηστείας καὶ τῆς ταπεινώσεως αὐτῆς
ἠξίωσεν τὸν παντεπόπτην δεσπότην, θεὸν τῶν αἰώνων· ὃς ἰδὼν τὸ ταπεινὸν τῆς ψυχῆς
αὐτῆς ἐρύσατο τὸν λαὸν ὧν χάριν ἐκινδύνευσεν (vgl. Est 7ff.). 26—S. 301, 4 vgl. z. B.
Exod 15, 20f.; Sus 1—64

23 τεθλιμμένη Hervet τεθλιμμέναις L ὡπλισμένας Sy ὁπλισαμένας L

φήν, ὡς ἢ μὲν συνεστρατήγησεν τῷ προφήτῃ πασῶν ἐξάρχουσα τῶν
κατὰ σοφίαν παρ' Ἑβραίοις εὐδοκίμων γυναικῶν, ἢ δὲ σεμνότητος
ὑπερβολῇ καὶ μέχρι θανάτου χωροῦσα πρὸς τῶν ἀκολάστων ἐραστῶν
κατακρινομένη μάρτυς ἁγνείας ἔμεινεν ἀρρεπής.

5   Ναὶ μὴν Δίων ὁ φιλόσοφος Λυσιδίκην τινὰ γυναῖκα ἱστορεῖ δι' 120, 1
ὑπερβολὴν αἰδοῦς αὐτῷ χιτῶνι λούεσθαι, Φιλωτέραν δέ, ὁπότε
μέλλοι | εἰσιέναι τὴν πύελον, ἡσυχῇ ἐπαναστέλλεσθαι τὸν χιτῶνα 224 S
καθ' ὅσον τὰ γυμνὰ τὸ ὕδωρ ἔσκεπεν, εἶτα κατ' ὀλίγον αὖθις ἀνιοῦ-
σαν ἐπενδύσασθαι. ἡ γὰρ οὐχὶ καὶ βασάνους ἤνεγκεν ἀνδρείως Λέαινα 2
10 ἡ Ἀττική; συνειδυῖα αὕτη τοῖς ἀμφὶ τὸν Ἁρμόδιον καὶ Ἀριστογεί-
τονα τὴν κατὰ Ἱππάρχου ἐπιβουλὴν οὐδ' ὁπωστιοῦν ἐξεῖπεν εὖ μάλα
στρεβλουμένη. φασὶ δὲ καὶ τὰς Ἀργολικὰς ἡγουμένης αὐτῶν Τελε- 3
σίλλης τῆς ποιητρίας Σπαρτιάτας τοὺς ἀλκίμους τὰ πολέμια φανείσας
μόνον τρέψασθαι καὶ ἐκείναις τὸ ἀδεὲς τοῦ θανάτου περιποιή-
15 σασθαι. τὰ ὅμοια λέγει καὶ ὁ τὴν Δαναΐδα πεποιηκὼς ἐπὶ τῶν 4
Δαναοῦ θυγ~τέρων ὧδε·

καὶ τότ' ἄρ' ὡπλίζοντο θοῶς Δαναοῖο θύγατρες
πρόσθεν ἐυρρεῖος ποταμοῦ Νείλοιο ἄνακτος,

καὶ τὰ ἑξῆς. ᾄδουσι δὲ οἱ λοιποὶ τῶν ποιητῶν τὴν Ἀταλάντης ἐν 121, 1
20 θήρα ὠκύτητα καὶ τὴν Ἀντικλείας φιλοστοργίαν καὶ τὴν Ἀλκήστιδος
φιλανδρίαν καὶ τὴν Μακαρίας καὶ τῶν Ὑακινθίδων εὐψυχίαν. τί δέ; 2
οὐχὶ Θεανὼ μὲν ἡ Πυθαγορικὴ εἰς τοσοῦτον ἧκεν φι|λοσοφίας ὡς 619 P
πρὸς τὸν περιέργως ἀπιδόντα καὶ εἰπόντα ›καλὸς ὁ πῆχυς‹ ›ἀλλ' οὐ
δημόσιος‹ ἀποκρίνασθαι. τῆς αὐτῆς φέρεται σεμνότητος κἀκεῖνο τὸ 3

5-9. 22—S. 302, 3 Theodoret Gr. aff. c. XII 73   5—S. 302, 20 Didymos, Συμ-
ποσιακά Fr. 7 Schmidt p. 375; vgl. zu Strom. I 61, 1; 80, 4   6 zu Φιλωτέρα
(Schwester Ptolem. II.) vgl. Strabo XIV 4, 5 p. 769; Meineke zu Steph. Byz. p. 666;
Pfeiffer, Kallimachos, 1949, I fr. 228, 43 App (Fr)   9—12 vgl. Plut. Mor. p. 505 DE;
Pausan. I 23, 2   12—15 vgl. Plut. Mor. p. 245 Cff.; Pausan. II 20, 8; Suid. s. v.
Τελέσιλλα 17f. Danais Fr. 1 Kinkel   19f. vgl. z. B. Anth. Plan. IV 144   20 'Αντ.
vgl. λ 202f.; ο 358   'Αλκ. vgl. Eurip. Alk. 17ff.   21 Μακ. vgl. Eurip. Herakl. 474ff.;
Paus. I 32, 6   'Υακ. vgl. Apollod. III 15, 8; Phrynichos Fr. 30 CAF I p. 378
22—S. 302, 14 vgl. Maass, De biogr. graec. quaest. sel. p. 110 sq.   22—S. 302, 3 vgl.
Elter Gnom. hist. ram. 12   22—24 Theano Fr. 3 Mullach FPG II p. 115; vgl. Paed.
II 114, 2

1 ὡς] ὧν Mü   9 ἐπενδύσασθαι (α¹ in Ras., am Rand ε) L¹ ἐπενδύεσθαι St
ἢ L   10 αὕτη Ρο αὐτῇ L   17f. Δαναοῖο ἄνακτος—Νείλοιο θύγατρες Köchly, Coni.
ep. I p. 11   20 ἀλκίστιδος L   21 Μακαρίας Ρο μακαιρίας L   δαί L

ἀπόφθεγμα· ἐρωτηθεῖσα γάρ, ποσταία γυνὴ ἀπὸ ἀνδρὸς εἰς τὸ θεσμο-
φόριον κάτεισιν, »ἀπὸ μὲν ἰδίου καὶ παραχρῆμα« ἔφη, »ἀπὸ δὲ τοῦ
ἀλλοτρίου οὐδεπώποτε«. ναὶ μὴν καὶ Θεμιστὼ ἡ Ζωίλου ἡ Λαμψα- 4
κηνὴ ἡ Λεοντέως γυνὴ τοῦ Λαμψακηνοῦ τὰ Ἐπικούρεια ἐφιλοσόφει
5 καθάπερ Μυῖα ἡ Θεανοῦς θυγάτηρ τὰ Πυθαγόρεια καὶ Ἀριγνώτη ἡ
τὰ περὶ Διονύσου γραψαμένη· αἱ γὰρ Διοδώρου τοῦ Κρόνου ἐπικλη- 5
θέντος θυγατέρες πᾶσαι διαλεκτικαὶ γεγόνασιν, ὥς φησι Φίλων ὁ
διαλεκτικὸς ἐν τῷ Μενεξένῳ, ὧν τὰ ὀνόματα παρατίθεται τάδε·
Μενεξένη, Ἀργεία, Θεογνίς, Ἀρτεμισία, Παντάκλεια. μέμνημαι καὶ 6
10 Κυνικῆς τινος, Ἱππαρχία δὲ ἐκαλεῖτο, ἡ Μαρωνῖτις, ἡ Κράτητος γυνή,
ἐφ᾽ ᾗ καὶ τὰ κυνογάμια ἐν τῇ Ποικίλῃ ἐτέλεσεν. Ἀρήτη δὲ ἡ Ἀρι- 122, 1
στίππου ⟨ἡ⟩ Κυρηναϊκὴ τὸν Μητροδίδακτον ἐπικληθέντα ἐπαίδευσεν
Ἀρίστιππον. παρὰ Πλάτωνί τε ἐφιλοσόφουν Λασθένεια ἡ Ἀρκαδία 2
καὶ Ἀξιοθέα ἡ Φλιασία· Ἀσπασίας γὰρ τῆς Μιλησίας, περὶ ἧς καὶ οἱ 3
15 κωμικοὶ πολλὰ δὴ καταγράφουσιν, Σωκράτης μὲν ἀπέλαυσεν εἰς φιλο-
σοφίαν, Περικλῆς δὲ εἰς ῥητορικήν. παραπέμπομαι τοίνυν τὰς ἄλλας 4
διὰ τὸ μῆκος τοῦ λόγου, μήτε τὰς ποιητρίας καταλέγων, | Κόρινναν 620 P
καὶ Τελέσιλλαν Μυῖάν τε καὶ Σαπφώ, ἢ τὰς ζωγράφους, καθάπερ
Εἰρήνην τὴν Κρατίνου θυγατέρα καὶ Ἀναξάνδραν τὴν Νεάλκους, ἅς
20 φησι Δίδυμος ἐν Συμποσιακοῖς. ἡ δὲ Κλεοβούλου θυγάτηρ τοῦ σοφοῦ 123, 1
καὶ Λινδίων μοναρχοῦντος τῶν ξένων τῶν πατρῴων οὐκ ᾐδεῖτο
ἀπονίπτειν τοὺς πόδας· ἐπεὶ καὶ ἡ τοῦ Ἀβραὰμ γυνὴ Σάρρα ἡ μα-
καρία αὐτὴ τοὺς ἐγκρυφίας παρεσκεύασε τοῖς ἀγγέλοις, καὶ βασιλικαὶ
κόραι παρὰ τοῖς Ἑβραίοις τὰ πρόβατα ἔνεμον, ὅθεν καὶ ἡ παρ᾽
25 Ὁμήρῳ Ναυσικάα ἐπὶ τοὺς πλυνοὺς ᾔει.

1—3 Theano Fr. 4 Mullach II p. 115; vgl. Stob. Flor. 74, 53; Diog. Laert. VIII
43 u. a. [das Apophthegma ist bei Iambl. Vit. Pyth. 55 (p. 30, 5 Deubner) de m
Pythagoras zugeschrieben, ebd. 132 (p. 75, 3) der Deino oder Theano (Fr)] 6—9 vgl.
Hieron. c. Jovin. I 42 Diodorus Socraticus quinque filias dialecticas insignis pudi-
citiae habuisse narratur, de quibus et Philo Carneadis magister plenissimam scribit
historiam. 6f. vgl. Diog. Laert. II 111f.; Zeller, Phil. d. Gr. II 1⁴ S. 247⁷ 7f. vgl.
Diog. Laert. VII 16; Zeller a. a. O. S. 250¹ 10f. vgl. Diog. Laert. VI 97; Zeller
a. a. O. S. 327²; Corn. Nep. bei August. op. imperf. in Jul. IV 43 (dazu Dessau,
Hermes 25 [1890] S. 471f.); Theodoret Gr. aff. c. XII 49 11f. zu Arete vgl. Aelian
Nat. an. III 40; Diog. Laert. II 72. 86; Zeller a. a. O. S. 340⁴; Theodoret XI 1
13f. vgl. Mullach FPG III p. 65 not. 75 14—16 Theodoret I 17; vgl. Plato Menex.
p. 235 E; Plut. Perikl. 24 20—22 vgl. Plut. Mor. p. 148 CD 22f. vgl. Gen 18, 6
23f. vgl. z. B. Gen 29, 6; Exod 2, 16 24f. vgl. ζ 86

3f. λαμψακινή—λαμψακινοῦ L 5 πυθαγόρια L 6 Διονύσου (vgl. Suid. s. v.
Ἀριγνώτη) Menage, Hist. mul. philos. (1690) p. 98 διονυσίου L 6f. ἐπικληθέντος
Vi ἐπικληθέντες L 9 θέογνις L Θεογενίς? Di Ἀρτεμισία Sy ἀρτεμησία L 11 κυνο-
γάμια Theod. κυνογάμεια L ἐτέλεσεν (vgl. Theod.) St ἐτέλεστο L ἐτετέλεστο Di
12 ⟨ἡ⟩ Mü 13 Ἀρκαδική Po 14 φλιασία corr. aus φλιασέα L¹ 17 ⟨ὡς⟩ Κόρινναν
Crönert Rhein. Mus. 63, 1908, S. 162 18 τελεσίλλαν L ἢ L 19 ἅς Wi ὥς L

Ἕλοιτ᾽ ἂν οὖν ἡ σώφρων πρῶτον μὲν πείθειν τὸν ἄνδρα κοι- 2
νωνὸν αὐτῇ γίνεσθαι τῶν πρὸς εὐδαιμονίαν φερόντων, εἰ δὲ ἀδυνά-
τως ἔχοι, μόνη σπευδέτω ἐπ᾽ ἀρετήν, πάντα μὲν τῷ ἀνδρὶ πειθομένη
ὡς μηδὲν ἄκοντος ἐκείνου πρᾶξαί ποτε πλὴν ὅσα εἰς ἀρετήν· τε καὶ᾽
5 σωτηρίαν διαφέρειν νομίζεται· ἀλλὰ καί, εἰ καί τις εἴργοι τῆς τοιαύ- 3
της διαθέσεως ἀνυποκρίτως ὁρμῶσαν ἤτοι γυναῖκα ἢ καὶ θεράπαιναν,
οὐκ ἄλλο τι φαίνεται τὸ τηνικάδε δρῶν ὁ τοιοῦτος ἢ δικαιοσύνης
μὲν καὶ σωφροσύνης ἀπάγειν προῃρημένος, ἄδικον δὲ ἅμα καὶ ἀκό-
λαστον παρασκευάζειν βεβουλημένος τὸν οἶκον τὸν ἑαυτοῦ. οὐχ οἷόν 124, 1
10 τε οὖν ἐστιν ἄνδρα ἢ γυναῖκα ἐν ὁτῳοῦν ἐλλόγιμον γενέσθαι μὴ
μαθήσει μηδὲ μελέτῃ τε καὶ ἀσκήσει προσχρησαμένους, τὴν δὲ ἀρετὴν
οὐκ ἐπ᾽ ἄλλοις τισὶν εἶναί φαμεν ἢ πάντων μάλιστα ἐφ᾽ ἡμῖν. τὰ 2
μὲν οὖν ἄλλα εἴργειν δύναταί τις προσπολεμῶν, τὸ δ᾽ ἐφ᾽ ἡμῖν
οὐδαμῶς, οὐδ᾽ ἂν μάλιστα ἐνίσταιτο· θεόσδοτον γὰρ τὸ δῶρον καὶ
15 οὐχ ὑποπῖπτον ἄλλῳ τινί. ὅθεν ἀκολασία μὲν οὐκ ἄλλου τινὸς ἂν 3
δοξάζοιτο εἶναι κακὸν ἢ τοῦ ἀκολασταίνοντος, σωφροσύνη δὲ ἀγαθὸν
αὖ τοῦ τὸ σωφρονεῖν δυναμένου.

XX. Φίλανδρον μετὰ σεμνότητος ὑπογράφει γυναῖκα Εὐριπίδης 125, 1
παραινῶν·

20   εὖ λέγειν δ᾽, ὅταν τι λέξῃ, χρὴ δοκεῖν, κἂν μὴ λέγῃ,
       κἀκπονεῖν ἂν τῷ ξυνόντι πρὸς χάριν μέλλῃ λέγειν. |

καὶ αὖθίς που τούτοις τὰ ὅμοια·   621 P 2

       ἡδὺ δέ, ἢν κακὸν πράξῃ τι, συσκυθρωπάζειν πόσει
       ἄλοχον ἐν κοινῷ τε λύπης ἡδονῆς τ᾽ ἔχειν μέρος.

25 τό τε πρᾶον καὶ φιλόστοργον ὧδέ πως ὑποδεικνύων κἀν ταῖς συμ- 3
φοραῖς ἐπιφέρει·

       σοὶ δ᾽ ἔγωγε καὶ νοσοῦντι συννοσοῦσ᾽ ἀνέξομαι
       καὶ κακῶν τῶν σῶν συνοίσω, καὶ οὐδέν ἐστί μοι πικρόν·

μετὰ γὰρ τῶν φίλων
30   εὐτυχεῖν
       ⟨δυστυχεῖν⟩ τε χρή· τί γὰρ δὴ τὸ φίλον ἄλλο πλὴν τόδε;

11—15 vgl. Epiktet Ench. 1, 1   18ff. vgl. C. Robert Oidipus, Berlin 1915, I
S. 314ff.   20—31. S. 304, 7—15 Euripides Fr. inc. 909. Nauck ordnet mit Musgrave:
304, 7—15; oben 20—28 und erklärt 29—31 mit Dobree für indigna Euripide.

11 μηδὲ St μήτε L   13 δύναιτ᾽ ἂν Ma   14 ἂν] εἰ Ma   17 τοῦ τὸ] ἢ τοῦ Mü
20 εὖ λέγειν Sy εὐλογεῖν L   21 ἂν Nauck ἂν L   23 τι πράξῃ ~ Grotius πάθῃ τι
Nauck   24 τε λύπης ~ Sy λύπης τε L   28 κοὐδὲν ἔσται Musgrave   31 ⟨δυστυχεῖν⟩
Dobree

ἁγιάζεται γοῦν καὶ γάμος κατὰ λόγον τελειούμενος, ἐὰν ἡ συζυγία 126, 1
ὑποπίπτῃ τῷ θεῷ καὶ διοικῆται ›μετὰ ἀληθινῆς καρδίας ἐν πληρο-
φορίᾳ πίστεως, ἡγνισμένων τὰς καρδίας ἀπὸ συνειδήσεως πονηρᾶς
καὶ λελουμένων τὸ σῶμα ὕδατι καθαρῷ καὶ ἐχόντων τὴν ὁμολογίαν
5 τῆς ἐλπίδος· πιστὸς γὰρ ὁ ἐπαγγειλάμενος.‹ χρὴ δὲ τὸν εὐδαίμονα 225 8
γάμον οὔτε πλούτῳ ποτὲ οὔτε κάλλει κρίνεσθαι. ἀλλ᾽ ἀρετῇ.

        οὐδεμίαν,   8

φησὶν ἡ τραγῳδία,

            ὤνησε κάλλος εἰς πόσιν ξυνάορον,
10   ἀρετὴ δὲ ὤνησε πολλάς· πᾶσα γὰρ ἀγαθὴ γυνή,
        ἥτις ἀνδρὶ συντέτηκε, σωφρονεῖν ἐπίσταται.

εἶτα οἷον παραινέσεις διδοῦσά φησι·   4

            πρῶτα μέν γε τοῦθ᾽ ὑπάρχει, κἂν ἄμορφος ᾖ πόσις,
        χρὴ δοκεῖν εὔμορφον εἶναι τῇ γε νοῦν κεκτημένῃ.
15   οὐ γὰρ ὀφθαλμὸς τὸ κρινόν ἐστιν, ἀλλὰ νοῦς ⟨ὁρᾷ⟩, |

καὶ τὰ ἐπὶ τούτοις. πάνυ γὰρ κυρίως ἡ γραφὴ βοηθὸν εἶπεν τὴν 622 P
γυναῖκα δεδόσθαι τἀνδρὶ παρὰ τοῦ θεοῦ. δῆλον οὖν οἶμαι ὡς ἕκα- 127, 1
στον τῶν προσπιπτόντων λυπηρῶν πρὸς τἀνδρὸς κατὰ τὴν οἰκου-
ρίαν λόγῳ θεραπεύειν μετὰ πειθοῦς προαιρήσεται· εἰ δὲ μὴ ὑπακούοι, 2
20 τότε ἤδη πειράσεται καθ᾽ ὅσον οἷόν τέ ἐστιν ἀνθρωπίνῃ φύσει
ἀναμάρτητον διεξάγειν βίον, ἐάν τε ἀποθνήσκειν δέῃ μετὰ τοῦ λόγου
ἐάν τε ζῆν, συλλήπτορα καὶ κοινωνὸν τῆς τοιαύτης πράξεως τὸν
θεὸν εἶναι νομίζουσα, τὸν τῷ ὄντι παραστάτην καὶ σωτῆρα εἴς τε τὸ
παρὸν εἴς τε τὸ μέλλον, στρατηγόν τε καὶ ἡγεμόνα πάσης πράξεως
25 ἐκεῖνον πεποιημένη, σωφροσύνην μὲν καὶ δικαιοσύνην ἔργον ἡγουμένη,
τὸ θεοφιλὲς δὲ ποιουμένη τέλος. χαριέντως γοῦν ἐν τῇ πρὸς Τίτον 128, 1
ἐπιστολῇ ὁ ἀπόστολος δεῖν εἶναί φησι ›τὰς πρεσβύτιδας ἐν καταστή-
ματι ἱεροπρεπεῖ, μὴ διαβόλους, μὴ οἴνῳ πολλῷ δεδουλωμένας, ἵνα σω-
φρονίζωσι τὰς νέας φιλάνδρους εἶναι, φιλοτέκνους, σώφρονας, ἁγνάς,
30 οἰκουρούς, ἀγαθάς, ὑποτασσομένας τοῖς ἰδίοις ἀνδράσιν, ἵνα μὴ ὁ

* 1 vgl. I Tim 4, 5   2—5 vgl. Hebr 10, 22f.   5f. vgl. Musonii rell. p. 69, 6ff. οὔτε
γὰρ πλοῦτος οὔτε κάλλος οὔτ᾽ εὐγένεια κοινωνίαν μᾶλλον αὔξειν πέφυκε u. die von
C. Weyman, Bl. f. d. bayer. Gymn. 38 (1902) S. 342 ges. Stellen   16f. vgl. Gen
2, 18   27—S. 305, 1 Tit 2, 3—5

10 ἀρετὴ Nauck ἀρετὴ L   15 κρινόν Sy κρίνειν L   ⟨ὁρᾷ⟩ Wi   26 χαριέντως L

λόγος τοῦ θεοῦ βλασφημῆται.‹ ›μᾶλλον δέ‹, φησίν, ›εἰρήνην διώκετε 2
μετὰ πάντων καὶ τὸν ἁγιασμόν, οὗ χωρὶς οὐδεὶς ὄψεται τὸν κύριον,
ἐπισκοποῦντες μή τις πόρνος ἢ βέβηλος ὡς Ἠσαῦ, ὃς ἀντὶ βρώσεως
μιᾶς ἀπέδοτο τὰ πρωτοτόκια, καὶ μή τις ῥίζα πικρίας ἄνω φύουσα
5 ἐνοχλῇ καὶ δι' αὐτῆς μιανθῶσιν οἱ πολλοί.‹ εἶθ' οἷον κολοφῶνα 129, 1
ἐπιθεὶς τῷ περὶ γάμου ζητήματι ἐπιφέρει· ›τίμιος ὁ γάμος ἐν πᾶσι
καὶ ἡ κοίτη ἀμίαντος· πόρνους δὲ καὶ μοιχοὺς κρινεῖ ὁ θεός.‹ ἑνὸς 2
δὴ σκοποῦ καὶ ἑνὸς δὴ τέλους ἀνδρὶ καὶ γυναικὶ δεδειγμένου, ⟨τί⟩ τὸ
τέλειον, ὁ Πέτρος ἐν τῇ ἐπιστολῇ φησι· ›ὀλίγον ἄρτι εἰ δέον λυπη- 3
10 θέντες ἐν ποικίλοις πειρασμοῖς, ἵνα τὸ δοκίμιον τῆς πίστεως ὑμῶν
πολὺ τιμιώτερον χρυσίου τοῦ ἀπολλυμένου καὶ διὰ πυρὸς δεδοκι-
μασμένου εὑρεθῇ εἰς ἔπαινον καὶ δόξαν ἐν ἀποκαλύψει Ἰησοῦ Χριστοῦ·
ὃν οὐκ εἰδότες ἀγαπᾶτε, εἰς ὃν ἄρτι μὴ ὁρῶντες, πιστεύοντες δὲ 4
ἀγαλλιᾶσθε χαρᾷ ἀνεκλαλήτῳ καὶ δεδοξασμένῃ, κομιζόμενοι τὸ τέλος
15 τῆς πίστεως σωτηρίαν ψυχῶν.‹ διὸ καὶ Παῦλος καυχᾶται διὰ Χρι- 5
στὸν γεγονέναι ›ἐν κόποις περισσοτέρως, ἐν πληγαῖς ὑπερβαλλόντως,
ἐν θανάτοις πολλάκις‹.

XXI. Ἐνταῦθα τὸ τέλειον εὑρίσκω πολλαχῶς ἐκλαμβανόμενον 130, 1
κατὰ τὸν ἐν ἑκάστῃ κατορθοῦντα ἀρετῇ. τελειοῦται γοῦν τις καὶ
20 ὡς εὐλαβὴς καὶ ὡς ὑπομονητικὸς καὶ ὡς ἐγκρατὴς καὶ ὡς ἐργάτης
καὶ ὡς μάρτυς καὶ ὡς γνωστικός· πάντα | δὲ ὁμοῦ τέλειος οὐκ οἶδ' 2 623 P
εἴ τις ἀνθρώπων, ἔτι ἄνθρωπος ὤν, πλὴν μόνον ὁ δι' ἡμᾶς ἄνθρω-
πον ἐνδυσάμενος. καίτοι ⟨καὶ⟩ κατὰ νόμον ψιλόν τις ἂν εἴη τέλειος, ὃς
ἀποχὴν κακῶν ἐπαγγέλλεται· ὁδὸς δέ ἐστιν αὐτη ἐπί τε τὸ εὐαγγέλιον
25 ἐπί τε τὴν εὐποιίαν. ἀλλὰ νομικοῦ μὲν τελείωσις γνωστικὴ εὐαγ-
γελίου πρόσληψις, ἵνα γένηται ὁ κατὰ νόμον τέλειος· οὕτω γὰρ
προεθέσπισεν ὁ κατὰ νόμον Μωυσῆς ἀκοῦσαι δεῖν, ἵνα ἐκδεξώμεθα
κατὰ τὸν ἀπόστολον πλήρωμα νόμου τὸν Χριστόν. ἐν εὐαγγελίῳ δὲ 4
ἤδη προκόπτει ὁ γνωστικός, οὐ βαθμῷ χρησάμενος τῷ νόμῳ μόνον,
30 συνιεὶς δὲ αὐτὸν καὶ νοήσας ὡς παρέδωκε τοῖς ἀποστόλοις ὁ τὰς
διαθήκας δεδωκὼς κύριος. εἰ δὲ καὶ πολιτεύσαιτο ὀρθῶς (ὥσπερ οὖν 5
ἀδύνατον δυσεργείᾳ γνῶσιν ἐπακολουθεῖν) μάρτυς τε ἐπὶ τοῖσδε ὀρ-
θότατα ὁμολογήσας δι' ἀγάπην γένοιτο, πλείονα τὴν ἀξίαν ὡς ἐν

---

* 1—5 Hebr 12, 13—15. 16. 15 5f. zu κολοφῶνα ἐπιθεὶς vgl. z. B. Plato Euthyd.
p. 301 E 6f. Hebr 13, 4 9—15 I Petr 1, 6—9 16f. II Cor 11, 23 23—25 vgl.
Strom. VI 60, 2f. 26f. vgl. Deut 18, 15 28 vgl. Rom 10, 4; Mt 5, 17

5 ἐνοχλῇ corr. aus ἐνοχλεῖ L¹ 8f. ⟨τί⟩ τὸ τέλειον (vgl. Z. 18) St τὸν τέλειον L
τοῦ τελείου Sy 23 ⟨καὶ⟩ St ἂν Hervet οὖν L 26 πρόληψις St οὕτω] τούτου
Schw 27 ⟨αὐτοῦ⟩ oder ⟨τοῦ προφήτου⟩ ἀκοῦσαι St 28 ⟨τὸ⟩ κατὰ Klst

ἀνθρώποις λαμβάνων. οὐδ᾽ οὕτως φθάσει τέλειος ἐν σαρκὶ κληθείς,
ἐπεὶ τὴν προσηγορίαν ταύτην προείληφεν ἡ συμπεραίωσις τοῦ βίου,
φθάσαντος ἤδη τοῦ γνωστικοῦ μάρτυρος τὸ τέλειον ἔργον ἐνδείξα-
σθαι καὶ παραστῆσαι κυρίως δι᾽ ἀγάπης γνωστικῆς εὐχαριστηθέντος
5 αἵματος παραπεμπομένου τὸ πνεῦμα. μακάριος δ᾽ ἔνθεν ἂν εἴη τέ- 181, 1
λειός τε ἐν δίκῃ κηρυχθείη, ›ἵνα ἡ ὑπερβολὴ τῆς δυνάμεως ᾖ τοῦ
θεοῦ καὶ μὴ ἐξ ἡμῶν,‹ ὥς φησιν ὁ ἀπόστολος· μόνον τὸ προαιρετι-
κὸν καὶ τὴν ἀγάπην σῴζωμεν, ›ἐν παντὶ θλιβόμενοι, ἀλλ᾽ οὐ
στενοχωρούμενοι, ἀπορούμενοι, ἀλλ᾽ οὐκ ἐξαπορούμενοι, διωκόμενοι,
10 ἀλλ᾽ οὐκ ἐγκαταλειπόμενοι, καταβαλλόμενοι, ἀλλ᾽ οὐκ ἀπολλύμενοι‹.
χρὴ γὰρ τοὺς σπεύδοντας εἰς συντελείωσιν κατὰ τὸν αὐτὸν ἀπόστο- 2
λον ›μηδεμίαν ἐν μηδενὶ‹ διδόναι ›προσκοπήν, ἀλλ᾽ ἐν παντὶ‹ συνι-
στάναι ἑαυτοὺς οὐκ ἀνθρώποις, ἀλλὰ τῷ θεῷ. ἔστω δὲ κατ᾽ 8
ἐπακολούθημα πείθεσθαι καὶ τοῖς ἀνθρώποις· καὶ γὰρ τούτοις εὔλο-
15 γον διὰ τὰς ἐπηρεαζούσας βλασφημίας. ἡ δὲ διασύστασις ›ἐν ὑπο- 4
μονῇ πολλῇ, ἐν θλίψεσιν, ἐν ἀνάγκαις, ἐν στενοχωρίαις, ἐν πληγαῖς,
ἐν φυλακαῖς, ἐν ἀκαταστασίαις, ἐν κόποις, ἐν ἀγρυπνίαις, ἐν νηστείαις,
ἐν ἁγνότητι, | ἐν γνώσει, ἐν μακροθυμίᾳ, ἐν χρηστότητι, ἐν πνεύματι 624 P
ἁγίῳ, ἐν ἀγάπῃ ἀνυποκρίτῳ, ἐν λόγῳ ἀληθείας, ἐν δυνάμει θεοῦ,‹
20 ἵνα ὦμεν ναοὶ θεοῦ καθαρισθέντες ›ἀπὸ παντὸς μολυσμοῦ σαρκὸς
καὶ πνεύματος‹· ›κἀγώ‹, φησίν, ›εἰσδέξομαι ὑμᾶς | καὶ ἔσομαι ὑμῖν εἰς 5 226
πατέρα, καὶ ὑμεῖς ἔσεσθέ μοι εἰς υἱοὺς καὶ θυγατέρας, λέγει κύριος
παντοκράτωρ.‹ ›ἐπιτελῶμεν οὖν‹, φησίν, ›ἁγιωσύνην ἐν φόβῳ 6
θεοῦ.‹ εἰ γὰρ καὶ λύπην ὁ φόβος γεννᾷ, ›χαίρω‹ λέγει, ›οὐχ ὅτι
25 ἐλυπήθητε, ἀλλ᾽ ὅτι ἐλυπήθητε εἰς μετάνοιαν· ἐλυπήθητε γὰρ κατὰ
θεόν, ἵνα ἐν μηδενὶ ζημιωθῆτε ἐξ ἡμῶν. ἡ γὰρ κατὰ θεὸν λύπη
μετάνοιαν εἰς σωτηρίαν ἀμεταμέλητον ἐργάζεται· ἡ δὲ τοῦ κόσμου
λύπη θάνατον κατεργάζεται. ἰδοὺ γὰρ αὐτὸ τοῦτο τὸ κατὰ θεὸν 7
λυπηθῆναι ὑμᾶς πόσην κατειργάσατο ὑμῖν σπουδήν, ἀλλὰ ἀπολογίαν,
30 ἀλλὰ ἀγανάκτησιν, ἀλλὰ φόβον, ἀλλὰ ἐπιπόθησιν, ἀλλὰ ζῆλον,
ἀλλὰ ἐκδίκησιν. ἐν παντὶ συνεστήσατε ἑαυτοὺς ἁγνοὺς εἶναι τῷ
πράγματι.‹

Ταῦτα γνωστικῆς ἀσκήσεως προγυμνάσματα. ἐπεὶ δὲ ὁ παντο- 182, 1
κράτωρ θεὸς αὐτὸς ›ἔδωκεν τοὺς μὲν ἀποστόλους, τοὺς δὲ προφή-
35 τας, τοὺς δὲ εὐαγγελιστάς, τοὺς δὲ ποιμένας καὶ διδασκάλους, πρὸς

6—10 II Cor 4, 7—9   12f. vgl. II Cor 6, 31.   13 vgl. vielleicht Col 3, 23
15—19 II Cor 6, 4—7   20f. vgl. II Cor 6,.16; 7, 1   21—23 II Cor 6, 17f.   23f. vgl.
II Cor 7, 1   24—32 II Cor 7, 9—11   34—S. 307, 4 Eph 4, 11—13

4f. εὐχαριστηθὲν τοῦ σώματος Schw   13f. κατεπακολούθημα L   15 ἡ δὲ ἰδία
σύστασις Schw   23 ἐπιτελῶμεν Po ἐπιτελοῦμεν L

τὸν καταρτισμὸν τῶν ἁγίων εἰς ἔργον διακονίας, εἰς οἰκοδομὴν τοῦ
σώματος τοῦ Χριστοῦ, μέχρι καταντήσωμεν πάντες εἰς τὴν ἑνότητα
τῆς πίστεως καὶ τῆς ἐπιγνώσεως τοῦ υἱοῦ τοῦ θεοῦ, εἰς ἄνδρα τέ-
λειον, εἰς μέτρον ἡλικίας τοῦ πληρώματος τοῦ Χριστοῦ,‹ σπευστέον
5 ἀπανδροῦσθαι γνωστικῶς καὶ τελειοῦσθαι ὡς ὅτι μάλιστα ἔτι ἐν
σαρκὶ καταμένοντας, ἐκ τῆς τελείας ἐνθένδε ὁμοφροσύνης μελετή-
σαντας συνδραμεῖν τῷ θελήματι τοῦ θεοῦ εἰς τὴν ἀποκατάστασιν
τῆς τῷ ὄντι τελείας εὐγενείας τε καὶ συγγενείας εἰς τὸ ›πλήρωμα
τοῦ Χριστοῦ‹ τὸ ἐκ καταρτισμοῦ τελείως ἀπηρτισμένον. ἤδη συνο- 2
10 ρῶμεν ὅπῃ καὶ ὅπως καὶ ὁπότε ὁ θεῖος ἀπόστολος τὸν τέλειον
λέγει καὶ ὡς τελείων ἐμφαίνει διαφοράς. πάλιν τε αὖ ›ἑκάστῳ δί- 8
δοται ἡ φανέρωσις τοῦ πνεύματος πρὸς τὸ συμφέρον. ᾧ μὲν γὰρ
δίδοται διὰ τοῦ πνεύματος λόγος σοφίας, ἄλλῳ δὲ λόγος γνώσεως
κατὰ τὸ αὐτὸ πνεῦμα, ἑτέρῳ πίστις ἐν τῷ αὐτῷ πνεύματι, ἄλλῳ
15 δὲ χαρίσματα ἰαμάτων ἐν τῷ αὐτῷ πνεύματι, ἄλλῳ δὲ ἐνεργήματα
δυνάμεων, ἄλλῳ προφητεία, ἄλλῳ διάκρισις πνευμάτων, ἑτέρῳ γένη
γλωσσῶν, ἄλλῳ δὲ ἑρμηνεία γλωσσῶν· | πάντα δὲ ταῦτα ἐνεργεῖ τὸ 625 P
ἓν καὶ τὸ αὐτὸ πνεῦμα, διαιροῦν ἰδίᾳ ἑκάστῳ καθὼς βούλεται.‹ ὧν 188, 1
οὕτως ἐχόντων οἱ μὲν προφῆται ἐν προφητείᾳ τέλειοι, οἱ δίκαιοι δὲ
20 ἐν δικαιοσύνῃ καὶ οἱ μάρτυρες ἐν ὁμολογίᾳ, ἄλλοι δὲ ἐν κηρύγματι,
οὐχ ἀμέτοχοι μὲν τῶν κοινῶν ἀρετῶν, κατορθοῦντες δὲ ἐν οἷς
ἐτάχθησαν· ἐπεὶ τίς ἂν εὖ φρονῶν εἴποι τὸν προφήτην οὐ δίκαιον;
τί γάρ; οὐχὶ καὶ οἱ δίκαιοι ὥσπερ Ἀβραὰμ προεφήτευσαν;

ἄλλῳ μὲν γὰρ ἔδωκε θεὸς πολεμήϊα ἔργα,   2
25   ἄλλῳ δ᾽ ὀρχηστύν, ἑτέρῳ κίθαριν καὶ ἀοιδήν,

Ὅμηρος λέγει. ›ἀλλ᾽ ἕκαστος ἴδιον ἔχει χάρισμα ἀπὸ θεοῦ, ὃ μὲν 8
οὕτως, ὃ δὲ οὕτως,‹ οἱ ἀπόστολοι δὲ ἐν πᾶσι πεπληρωμένοι. εὑρή- 184, 1
σεις γοῦν, ἢν θελήσῃς, ἐκ τῶν πράξεων καὶ τῶν συγγραμμάτων
αὐτῶν τὴν γνῶσιν, τὸν βίον, τὸ κήρυγμα, τὴν δικαιοσύνην, τὴν
30 ἁγνείαν, τὴν προφητείαν. ἰστέον μέντοι ὅτι, εἰ καὶ ὁ Παῦλος τοῖς 2
χρόνοις νεάζει, εὐθέως μετὰ τὴν τοῦ κυρίου ἀνάληψιν ἀκμάσας, ἀλλ᾽
οὖν ἡ γραφὴ αὐτῷ ἐκ τῆς παλαιᾶς ἤρτηται διαθήκης, ἐκεῖθεν ἀνα-
πνέουσα καὶ λαλοῦσα· ἡ γὰρ εἰς Χριστὸν πίστις καὶ ἡ τοῦ εὐαγγελίου 8
γνῶσις ἐξήγησίς ἐστι καὶ τοῦ νόμου πλήρωσις. καὶ διὰ τοῦτο εἴρηται 4

8f. vgl. Eph 4, 13   11—18 I Cor 12, 7—11   24f. N 730f.   26f. I Cor 7, 7
32f. vgl. Strom. VII 1, 4

2 καταντήσωμεν Eph καταντήσωμεν L   8 τοῦ υἱοῦ] τοῦ θῦ τοῦ υἱοῦ L¹   9 ⟨τε-
λείου⟩ τελείως κατηρτισμένον Schw   28 προεφήτευσαν Sy προεφήτευσεν L   84 τοῦ
νόμου καὶ ~ Po; vgl. aber Tengblad S. 93f.

20*

τοῖς Ἑβραίοις· ›ἐὰν μὴ πιστεύσητε, οὐ μὴ συνῆτε‹, τουτέστιν ἐὰν
μὴ πιστεύσητε τῷ διὰ νόμου προφητευθέντι καὶ ὑπὸ νόμου θεσπι-
σθέντι. οὐ συνήσετε τὴν διαθήκην τὴν παλαιάν, ἣν αὐτὸς κατὰ τὴν
ἰδίαν ἐξηγήσατο παρουσίαν.

5   XXII. Ὁ δὴ συνίων καὶ διορατικὸς οὗτός ἐστιν ὁ γνωστικός. 185,
ἔργον δὲ αὐτοῦ οὐχ ἡ ἀποχὴ τῶν κακῶν (ἐπιβάθρα γὰρ αὕτη προ-
κοπῆς μεγίστης), οὐδὲ μὴν ποιεῖν τι ἀγαθὸν ἤτοι διὰ φόβον (γέ- 2
γραπται γάρ· ›ποῦ φύγω καὶ ποῦ κρυβήσομαι ἀπὸ προσώπου σου;
ἐὰν ἀναβῶ εἰς τὸν οὐρανόν, σὺ ἐκεῖ εἶ· ἐὰν ἀπέλθω εἰς τὰ ἔσχατα
10 τῆς θαλάσσης, ἐκεῖ ἡ δεξιά σου· ἐὰν καταβῶ εἰς ἀβύσσους, ἐκεῖ τὸ
πνεῦμά σου‹, ἀλλ᾽ οὐδὲ δι᾽ ἐλπίδα τιμῆς ἐπηγγελμένης (εἴρηται γάρ· 3
›ἰδοὺ κύριος καὶ ὁ μισθὸς αὐτοῦ ἀπὸ προσώπου αὐτοῦ, ἀποδοῦναι
ἑκάστῳ κατὰ τὰ ἔργα αὐτοῦ‹ ›ἃ ὀφθαλμὸς οὐκ εἶδε καὶ οὓς οὐκ
ἤκουσεν καὶ ἐπὶ καρδίαν ἀνθρώπου οὐκ ἀνέβη, ἃ ἡτοίμασεν ὁ θεὸς
15 τοῖς ἀγαπῶσιν αὐτόν‹), μόνη δ᾽ ἡ δι᾽ ἀγάπην εὐποιία ἢ δι᾽ αὐτὸ 4
τὸ καλὸν αἱρετὴ τῷ γνωστικῷ. αὐτίκα ἐκ προσώπου τοῦ θεοῦ τῷ 186,
κυρίῳ | λέλεκται· ›αἴτησαι παρ᾽ ἐμοῦ καὶ δώσω σοι ἔθνη τὴν κληρο- 626 P
νομίαν σου‹, αἴτημα τὸ βασιλικώτατον διδάσκων αἰτεῖσθαι τὴν τῶν
ἀνθρώπων σωτηρίαν ἀμισθί, ἵνα δὴ ἡμεῖς κληρονομήσωμεν καὶ κτη-
20 σώμεθα τὸν κύριον. ἔμπαλιν γὰρ χρείας τινὸς ἕνεκεν, ἵνα μοι τόδε 2
γένηται καὶ τόδε μὴ γένηται, τῆς ἐπιστήμης ἐφίεσθαι τῆς περὶ τὸν
θεὸν οὐκ ἴδιον γνωστικοῦ, ἀπόχρη δ᾽ αὐτῷ αἰτία τῆς θεωρίας ἡ
γνῶσις αὐτή. τολμήσας γὰρ εἴποιμ᾽ ἄν, οὐ διὰ τὸ σῴζεσθαι βούλε- 3
σθαι τὴν γνῶσιν αἱρήσεται ὁ δι᾽ αὐτὴν τὴν θείαν ἐπιστήμην μεθέπων
25 τὴν γνῶσιν· τὸ μὲν γὰρ νοεῖν ἐκ συνασκήσεως εἰς τὸ ἀεὶ νοεῖν 4
ἐκτείνεται, τὸ δὲ ἀεὶ νοεῖν, οὐσία τοῦ γινώσκοντος κατὰ ἀνάκρασιν
ἀδιάστατον γενομένη καὶ ἀίδιος θεωρία, ζῶσα ὑπόστασις μένει. εἰ 5
γοῦν τις καθ᾽ ὑπόθεσιν προθείη τῷ γνωστικῷ, πότερον ἑλέσθαι
βούλοιτο, τὴν γνῶσιν τοῦ θεοῦ ἢ τὴν σωτηρίαν τὴν αἰώνιον, εἴη
30 δὲ ταῦτα κεχωρισμένα (παντὸς μᾶλλον ἐν ταυτότητι ὄντα), οὐδὲ
καθ᾽ ὁτιοῦν διστάσας ἕλοιτ᾽ ἂν τὴν γνῶσιν τοῦ θεοῦ, δι᾽ αὐτὴν 227 S
αἱρετὴν κρίνας εἶναι τὴν ἐπαναβεβηκυῖαν τῆς πίστεως δι᾽ ἀγάπην
εἰς γνῶσιν ἰδιότητα. αὕτη τοίνυν ἡ πρώτη ἀγαθοποιία τοῦ τελείου, 187,
ὅταν μὴ διά τι χρειῶδες τῶν εἰς αὐτὸν συντεινόντων γίνηται, κρί-

---

1 Is 7, 9 6f. vgl. S. 305, 24. 29 8—11 vgl. Ps 138, 7—10 (die Form beeinflußt
von I Clem. ad Cor. 28, 3) 12f. aus I Clem. ad Cor. 34, 3 (vgl. Is 40, 10; 62, 11;
Ps 61, 13; Apc 22, 12; Rom 2, 6) 13—15 I Cor 2, 9 (vielleicht aus I Clem. ad Cor.
34, 8) 17f. Ps 2, 8

5 συνιὼν L 22 οὐκ corr. aus οὐχ L¹ 23 αὕτη L 31 αὐτὴν L

ναντος δ᾽ ὅτι καλὸν τὸ ἀγαθὸν ποιεῖν, ἐκτενῶς ἡ ἐνέργεια φερομένη
ἐν πάσῃ πράξει ἀγαθύνηται, οὐκ ἐφ᾽ ὧν μέν, ἐφ᾽ ὧν δ᾽ οὔ, ἀλλ᾽ ἐν
ἕξει εὐποιίας καταστᾶσα μήτε διὰ δόξαν ἔτι ἤ, ὥς φασιν οἱ φιλό-
σοφοι, τὴν εὔκλειαν μήτε διὰ μισθὸν εἴτε παρὰ ἀνθρώπων εἴτε καὶ
5 ἐκ θεοῦ · ** ›κατ᾽ εἰκόνα καὶ καθ᾽ ὁμοίωσιν‹ τοῦ κυρίου τὸν βίον
ἐκτελοίη. κἂν πως ἀγαθοεργοῦντι αὐτῷ ἐναντίον τι ἀπαντήσῃ. ὡς 2
ἀπαθὴς τὴν ἀντιμισθίαν ἀμνησικάκως προήσεται, ἐπὶ ›δικαίους καὶ
ἀδίκους‹ δίκαιος καὶ ἀγαθὸς γινόμενος. τοιούτοις τισὶν ὁ κύριος 3
λέγει· ›γίνεσθε ὡς ὁ πατὴρ ὑμῶν τέλειος.‹ τούτῳ τέθνηκεν ἡ σάρξ.
10 ζῇ δὲ αὐτὸς μόνος ἀφιερώσας τὸν τάφον εἰς ναὸν ἅγιον κυρίῳ, τὴν
παλαιὰν ἁμαρτητικὴν ψυχὴν ἐπιστρέψας πρὸς θεόν. οὐκ ἐγκρατὴς 188, 1
οὗτος ἔτι, ἀλλ᾽ ἐν ἕξει γέγονεν ἀπα|θείας, σχῆμα θεῖον ἐπενδύσασθαι 627 P
ἀναμένων. ἐὰν ποιήσῃς, φησίν, ἐλεημοσύνην, μηδεὶς γινωσκέτω. καὶ 2
ἐὰν νηστεύσῃς, ἄλειψαι, ἵνα ὁ θεὸς μόνος γινώσκῃ, ἀνθρώπων δὲ
15 οὐδὲ εἷς, ἀλλ᾽ οὐδὲ αὐτὸς ὁ ἐλεῶν ὅτι ἐλεεῖ. γινώσκειν ὀφείλει· ἔσται
γὰρ οὕτω ποτὲ μὲν οἰκτίρμων, ἄλλοτε δὲ οὔ. ἐπὰν δὲ ἐν ἕξει ποιήσῃ 3
τὸ εὐεργετητικόν, φύσιν ἀγαθοῦ μιμήσεται· ἡ δὲ διάθεσις καὶ φύσις
ἔσται καὶ συνάσκησις. οὐ δεῖ δὲ ἀρθέντας μετατεθῆναι, ἀλλὰ βαδί- 4
ζοντας ἀφικέσθαι οἷ δεῖ, διὰ πάσης τῆς στενῆς διελθόντας ὁδοῦ·
20 τοῦτο γάρ ἐστι τὸ ἑλκυσθῆναι ὑπὸ τοῦ πατρός, τὸ ἄξιον γενέσθαι
τὴν δύναμιν τῆς χάριτος παρὰ τοῦ θεοῦ λαβεῖν ⟨καὶ⟩ ἀκωλύτως ἀνα-
δραμεῖν· κἂν μισῶσι τὸν ἐκλεκτόν τινες, οἶδεν οὗτος τὴν ἄγνοιαν 5
αὐτῶν, οἰκτείρων τῆς ἀμαθίας τὴν γνώμην αὐτῶν. εἰκότως οὖν ἡ 189, 1
γνῶσις αὕτη ἀγαπᾷ καὶ τοὺς ἀγνοοῦντας διδάσκει τε καὶ παιδεύει
25 τὴν πᾶσαν κτίσιν τοῦ παντοκράτορος θεοῦ τιμᾶν. εἰ δὲ ἀγαπᾶν 2
μεμάθηκε τὸν θεόν, οὐχ ἕξει τὴν ἀρετὴν ἀπόβλητον οὗτος οὐδαμῶς
οὔτε ὕπαρ οὔτε ὄναρ οὐδὲ κατὰ φαντασίαν τινά· ἐπεὶ μηδ᾽ ἐξίσταταί
ποθ᾽ ἑαυτῆς ἡ ἕξις ἀποπεσοῦσα τοῦ ἕξις εἶναι, εἴτ᾽ οὖν ἕξις ἡ γνῶσις

---

* 5 vgl. Gen 1, 26 7f. vgl. Mt 5, 45 9 Mt 5, 48 9f. vgl. Gal 2, 20 10 vgl.
I Cor 3, 17 12f. vgl. II Cor 5, 2. 4 13—15 vgl. Mt 6, 2—4. 16—18 14—16 vgl.
Petrus Laod. p. 57, 10 H.; Cat. zu Mt 6, 1 bei Cramer I p. 43, 13—15: Κλήμεντος·
τοῦτό φησιν, ἵνα ὁ θεὸς μόνος γινώσκῃ (γινώσκει Cod.)· οὔτε γὰρ αὐτὸς ὁ ἐλεῶν ὀφείλει
γινώσκειν· ἐπεὶ συμβαίνει διὰ τούτου, ποτὲ μὲν ἐλεᾶν ποτὲ δὲ οὔ Fr in ZntW 36
(1937) 83 19f. vgl. Mt 7; 13f.; Lc 13, 24 20f. vgl. Io 6, 44 26—S. 310, 4 Chrysipp
Fr. mor. 240 Arnim 28f. vgl. Arist. cat. 8 p. 8b 27 διαφέρει δὲ ἕξις διαθέσεως τῷ
πολὺ χρονιώτερον εἶναι καὶ μονιμώτερον (Fr)

2 πάσῃ Sy πᾶσι L 4 τὴν] δι᾽ St 5 ⟨τότ᾽ ἄν⟩ κατ᾽ St ⟨οὕτως ἄν⟩ κατ᾽ Schw
6 κἂν Di κὴν L 6f. ὡς ἀπαθὴς Tengblad S. 94 ὡς ἀγαθὴν L ὡς ⟨οὐκ⟩ ἀγαθὴν
Lowth δι᾽ ἀγάπην Schw ὡς ἀπηγορευμένην Ma 11 πάλαι Mü 13 nach ἐὰν ist μὴ
getilgt L¹ 20 τοῦτο—πατρός ~ nach ὁδοῦ Po nach δεῖ (Z. 19) L 21 ⟨καὶ⟩ St
⟨, οὐ τὸ⟩ Schw 25 δὲ Ma γε L

εἴτε διάθεσις εἶναι λέγοιτο. τῷ γὰρ μὴ παρεισιέναι ποτὲ ἐννοίας 3
διαφόρους ἀναλλοίωτον τὸ ἡγεμονικὸν μένον οὐ προσλαμβάνει τινὰ
ἑτεροίωσιν φαντασιῶν, τὰς ἐκ τῶν μεθημερινῶν κινήσεων ἀνειδω-
λοποιίας ὀνειρῶττον. διὰ τοῦτό τοι καὶ ὁ κύριος ἐγρηγορέναι παρ- 4
5 αγγέλλει, ὥστε μηδὲ ὄναρ ἡμῶν παθαίνεσθαί ποτε τὴν ψυχήν, ἀλλὰ
καὶ τῆς νυκτὸς τὴν πολιτείαν ὡς ἐν ἡμέρα ἐνεργουμένην καθαρὰν
καὶ ἀκηλίδωτον διαφυλάττειν προστάττει. αὕτη γὰρ ἡ κατὰ δύναμιν
ἐξομοίωσις πρὸς θεὸν τὸ φυλάττειν τὸν νοῦν ἐν τῇ κατὰ τὰ αὐτὰ
σχέσει· αὕτη δὲ νοῦ σχέσις ὡς νοῦ, ἡ δὲ ποικίλη διάθεσις γίνεται τῇ 5
10 πρὸς τὰ ὑλικὰ πρόσπαθεία. ἦ μοι δοκοῦσιν εὐφρόνην κεκληκέναι 140,
τὴν νύκτα, ἐπειδὴ τηνικάδε ἡ ψυχὴ | πεπαυμένη τῶν αἰσθήσεων συν- 628 P
νεύει πρὸς αὐτὴν καὶ μᾶλλον μετέχει τῆς φρονήσεως. διὰ ταῦτ' 2
οὖν καὶ αἱ τελεταὶ γίνονται νυκτὸς μάλιστα, σημαίνουσαι τὴν ἐν
νυκτὶ τῆς ψυχῆς συστολὴν ἀπὸ τοῦ σώματος. ›ἆρ᾽ οὖν μὴ καθεύ- 3
15 δωμεν ὡς οἱ λοιποί, ἀλλὰ γρηγορῶμεν καὶ νήφωμεν. οἱ γὰρ καθεύ-
δοντες νυκτὸς καθεύδουσι καὶ οἱ μεθυσκόμενοι νυκτὸς μεθύουσιν·
ἡμεῖς δὲ ἡμέρας ὄντες νήφωμεν, ἐνδυσάμενοι θώρακα πίστεως καὶ
ἀγάπης καὶ περικεφαλαίαν ἐλπίδα σωτηρίου.‹ ὅσα δ᾽ αὖ περὶ ὕπνου 141,
λέγουσι, τὰ αὐτὰ χρὴ καὶ περὶ θανάτου ἐξακούειν. ἑκάτερος γὰρ δηλοῖ
20 τὴν ἀπόστασιν τῆς ψυχῆς, ὁ μὲν μᾶλλον, ὁ δὲ ἧττον, ὅπερ ἐστὶ καὶ
παρὰ Ἡρακλείτου λαβεῖν· ›ἄνθρωπος ἐν εὐφρόνῃ φάος· ἅπτεται 2
ἑαυτῷ ἀποθανών, ἀποσβεσθεὶς ὄψεις, ζῶν δέ· ἅπτεται τεθνεῶτος
εὕδων, ἀποσβεσθεὶς ὄψεις· ἐγρηγορὼς ἅπτεται εὕδοντος.‹ μακάριοι 3
γὰρ οἱ ›εἰδότες τὸν καιρὸν‹ κατὰ τὸν ἀπόστολον, ›ὅτι ὥρα ὑμᾶς
25 ἤδη ἐξ ὕπνου ἐγερθῆναι· νῦν γὰρ ἐγγύτερον ἡμῶν ἡ σωτηρία ἢ ὅτε
ἐπιστεύσαμεν. ἡ νὺξ προέκοψεν, ἡ δὲ ἡμέρα ἤγγικεν. ἀποθώμεθα
οὖν τὰ ἔργα τοῦ σκότους, ἐνδυσώμεθα δὲ τὰ ὅπλα τοῦ φωτός.‹
ἡμέραν δὲ τὸν υἱὸν ἀλληγορεῖ καὶ φῶς, τάς τε αὖ παραγγελίας ὅπλα 4
φωτὸς μεταφορικῶς. ταύτῃ τοι λελουμένους φασὶ δεῖν ἐπὶ τὰς ἱερο-
30 ποιίας καὶ τὰς εὐχὰς ἰέναι. καθαροὺς καὶ λαμπρούς· καὶ τοῦτο μὲν 142,

* 4f. vgl. Mt 24, 42 7—9 vgl. Plato Theaet. p. 176 B (Strom. II 136, 6 u. ö.)
10—12 vgl. Plut. Mor. p. 521 DE τὴν νύκτα προσεῖπον εὐφρόνην, μέγα πρὸς εὕρεσιν τῶν
ζητουμένων καὶ σκέψιν ἡγούμενοι τὴν ἡσυχίαν καὶ τὸ ἀπερίσπαστον [vgl. Schmid I 2
(1934) S. 594 A 8; PhW 51, 1931, Sp. 660; K. Reinhardt, Poseidonios S. 437 (Fr)]
14—18 I Thess 5, 6—8 18—20 ὅσα περὶ—ἧττον Sacr. Par. 244 Holl; Maximus Cap. 29;
Flor. Mon. fol. 70ᵛ 21—23 Heraklit Fr. 26 Diels 24—27 Rom 13, 11f.

4 ὀνειρῶττον corr. aus ὀνειρώττων L¹ 12 αὐτὴν L 18 σωτηρίου aus Eph 6, 17
20 ἀπόστασίαν Sacr. Par. Max. Flor. Mon. ἧττον corr. aus ἥττων L¹ 21 εὐφρόνῃ Sy
εὐφροσύνῃ L φάους St Schw 22 [ἀποθανών] Wi [ἀποσβεσθεὶς ὄψεις] St [ὄψεις]
Vi »hat vielleicht ζωήν verdrängt« Diels [ἀποσβ. ὄψ.] ζῶν δέ· Schw 23 [ἀπο-
σβεσθεὶς ὄψεις] Wi ~ nach εὕδοντος St 24 καιρὸν Rom κύριον L 27 ὅπλα (ὅπλ in
Ras.) L¹

συμβόλου χάριν γίνεται τὸ ἔξωθεν κεκοσμῆσθαί τε καὶ ἡγνίσθαι,
›ἀγνεία δέ ἐστι φρονεῖν ὅσια‹, καὶ δὴ καὶ [ἡ] εἰκὼν τοῦ βαπτίσματος
εἴη ἂν [καὶ ἡ] ἐκ Μωυσέως παραδεδομένη τοῖς ποιηταῖς ὧδέ πως·

    ἦ δ᾽ ὑδρηναμένη, καθαρὰ χροῒ εἵματ᾽ ἔχουσα,   2

5 ἡ Πηνελόπη ἐπὶ τὴν εὐχὴν ἔρχεται· Τηλέμαχος δέ,

    χεῖρας νιψάμενος πολιῆς ἁλός, εὔχετ᾽ Ἀθήνῃ.

ἔθος τοῦτο Ἰουδαίων, ὡς καὶ τὸ πολλάκις ἐπὶ κοίτῃ βαπτίζεσθαι. 8
εὖ γοῦν κἀκεῖνο εἴρηται· |

    ἴσθι μὴ λουτρῷ, ἀλλὰ νόῳ καθαρός.   629 P

10 ἀγνεία γάρ, οἶμαι, τελεία ἡ τοῦ νοῦ καὶ τῶν ἔργων καὶ τῶν διανοη- 4
μάτων, πρὸς δὲ καὶ τῶν λόγων εἰλικρίνεια καὶ τελευταία ἡ κατὰ τὰ
ἐνύπνια ἀναμαρτησία.

    Ἱκανὴ δέ, οἶμαι, ἀνθρώπῳ κάθαρσις μετάνοια ἀκριβὴς καὶ βεβαία, 148, 1
εἴ γε κατεγνωκότες ἑαυτῶν ἐπὶ ταῖς προγενομέναις πράξεσι προΐεμεν
15 [εἰς] τὸ πρόσθεν, μετὰ ταῦτα νοήσαντες καὶ τὸν νοῦν ἐξαναδύντες
τῶν τε κατ᾽ αἴσθησιν τερπόντων καὶ | τῶν πρόσθεν πλημμελημά- 228 8
των. εἰ γοῦν τὴν ἐπιστήμην ἐτυμολογεῖν χρὴ καὶ ἀπὸ τῆς στάσεως 2
τὴν ἐπιβολὴν αὐτῆς ληπτέον, ›ὅτι ἵστησιν ἡμῶν ἐν τοῖς πράγμασι
τὴν ψυχήν‹, ἄλλοτε ἄλλως πρότερον φερομένην, ὡσαύτως καὶ τὴν 8
20 πίστιν ἐτυμολογητέον τὴν περὶ τὸ ὂν στάσιν τῆς ψυχῆς ἡμῶν. ἡμεῖς 4
δὲ τὸν ἀεὶ καὶ ἐν πᾶσι δίκαιον ποθοῦμεν μαθεῖν, ὃς μήτε τὴν ἐκ
τοῦ νόμου δεδιὼς κόλασιν μήτε τὴν τῶν συνόντων καὶ ἐπεξιόντων
τοῖς πλημμεληθεῖσι μισοπονηρίαν εὐλαβούμενος μήτε τὸν ἐξ αὐτῶν
τῶν ἀδικουμένων κίνδυνον ὑφορώμενος διαμένει δίκαιος· ὁ γὰρ διὰ 5
25 ταῦτα τοῦ πράττειν τι τῶν ἀδίκων ἀπεχόμενος οὐχ ἑκὼν χρηστός,

---

2 Schluß des Epigramms von Epidaurus Anth. Pal. App. 99; vgl. Strom. V 13,3;
Preger, Inscr. graec. metr. p. 164 Nr. 207 4 δ 750 6 β 261 ⸗9 vgl. das von N. Pic-
colos, Suppl. à l'Anth. gr. p. 187 aus Laur. 32, 37 u. Tych. Mommsen, Schol. Ger-
mani in Pind. Ol. p. 2 aus Vindob. 130 veröff. Orakel; dazu G. Wolff, De noviss.
orac. aet. p. 16 u. Philol. 17 (1861) p. 551   14 vgl. die Defin. der μεταμέλεια bei
Andron. De aff. 2 = Chrys. Fr. mor. 414 Arn.   18—20 vgl. Plato Krat. p. 437 AB
18f. vgl. auch Aristot. Probl. 30, 14 p. 956ᵇ 40, Phys. acr. 8, 3 p. 247ᵇ 11   19f. Theo-
doret Gr. aff. c. I 91   20—S. 312, 1 ἡμεῖς τὸν—ἀγαθός Sacr. Par. 245 Holl

1 γίνεται Hiller γίνεσθαι L   2. 3 [ἡ]—[ἡ] Ma   3 [καὶ ἡ] Heyse καὶ ⟨αὐτ⟩ὴ Mü
4 ὑδριναμένη L   ἵματ᾽ L   9 ἴσθι auch Laur. u. Vind. ἴστω Mommsen εἴσιθι Piccolos
(richtig für das Original) λουτροῖς Laur. Vind. λοετροῖς Piccolos   14 πρόιμεν Sy
(Index)   15 [εἰς] St ⟨τὰ⟩ μετὰ Lowth. μετα[ταυτα]νοήσαντες Ma   17 ἐτοιμολογεῖν
L   18 ἐν] ἐπὶ Pohlenz aus Plat. Krat. 42 p. 437 A   20 ἐτυμολογητέον L   21 πο-
θοῦμεν μαθεῖν] ἐπιθυμοῦμεν ἰδεῖν Sacr. Par.   21f. μήτε—κόλασιν < Sacr. Par.

φόβῳ δὲ ἀγαθός. καὶ ὅ γε Ἐπίκουρος ἀδικεῖν ἐπὶ κέρδει τινὶ βού- 6
λεσθαι ⟨οὔ⟩ φησι τὸν κατ' αὐτὸν σοφόν· πίστιν γὰρ λαβεῖν περὶ τοῦ
λαθεῖν οὐ δύνασθαι. ὥστε εἰ πεισθήσεται λήσειν, ἀδικήσει κατ'
αὐτόν. καὶ τοιαῦτα μὲν τὰ σκοτεινὰ δόγματα· εἰ δὲ καὶ ἐλπίδι τῆς ἐπὶ 144, 1
5 δικαίοις παρὰ τοῦ θεοῦ ἀμοιβῆς ἀφέξεταί τις τοῦ ἀδικεῖν, οὐδ' οὗτος
ἑκὼν χρηστεύσεται· ὡς γὰρ ἐκεῖνον ὁ φόβος, οὕτω τοῦτον ὁ μισθὸς
δικαιοῖ, μᾶλλον δὲ δίκαιον εἶναι δοκεῖν δείκνυσι. τὴν δὲ ἐλπίδα τὴν 2
μετὰ θάνατον οὐ μόνον οἱ τὴν βάρβαρον σοφίαν μετιόντες ἴσασι τοῖς
μὲν ἀγαθοῖς καλήν, τοῖς δὲ φαύλοις ἔμπαλιν, ἀλλὰ καὶ οἱ Πυθαγό-
10 ρειοι· τέλος γὰρ κἀκεῖνοι τὴν ἐλπίδα ὑπηγόρευον τοῖς φιλοσοφοῦσιν,
ὅπου γε καὶ ὁ Σωκράτης ἐν Φαίδωνι »μετὰ ἀγαθῆς ἐλπίδος« φησὶ
τὰς καλὰς | ψυχὰς ἐνθένδε ἀπιέναι, καὶ πάλιν τοὺς πονηροὺς κακίζων 630 P
ἀντιτίθησι »ζῶσι γὰρ μετὰ κακῆς ἐλπίδος« λέγων. συνᾴδειν τούτῳ 8
καὶ ὁ Ἡράκλειτος φαίνεται δι' ὧν φησι περὶ τῶν ἀνθρώπων δια-
15 λεγόμενος· »ἀνθρώπους μένει ἀποθανόντας ἄσσα οὐκ ἔλπονται οὐδὲ
δοκέουσιν.«

Θείως οὖν ὁ Παῦλος Ῥωμαίοις ἄντικρυς ἐπιστέλλει· »ἡ θλῖψις 145, 1
ὑπομονὴν κατεργάζεται, ἡ δὲ ὑπομονὴ δοκιμήν, ἡ δὲ δοκιμὴ ἐλπίδα,
ἡ δὲ ἐλπὶς οὐ καταισχύνει.« δι' ἐλπίδα μὲν γὰρ τὴν μέλλουσαν ἡ
20 ὑπομονή· ἐλπὶς δὲ ὁμωνύμως καὶ ἡ τῆς ἐλπίδος ἀπόδοσίς τε καὶ
ἀποκατάστασις, ἣ ·καὶ »οὐ καταισχύνει« μὴ ὀνειδιζομένη ἔτι. ὁ δὲ 2
ψιλῇ κλήσει καθὸ κέκληται ὑπακούων οὔτε διὰ φόβον οὔτε διὰ ἡδο-
νὰς ἐπὶ τὴν γνῶσιν ἵεται· οὐ γὰρ περισκέπτεται εἴ τι λυσιτελὲς
ἔξωθεν ἕπεται κέρδος ἢ ἀπόλαυσις αὐτῷ, ἀγάπῃ δὲ τοῦ ὄντως ὄντος
25 ἐραστοῦ ἑλκόμενος καὶ πρὸς τὸ δέον ἀγόμενος θεοσεβεῖ. ὅθεν οὐδ' 146, 1
εἰ καθ' ὑπόθεσιν ἐξουσίαν λάβοι παρὰ τοῦ θεοῦ πράττειν τὰ ἀπηγο-
ρευμένα ἀτιμώρητος [τε] ὤν, οὐδ' εἰ καὶ μισθὸν τὰ μακάρων ἀγαθὰ
λήψεσθαι ἐπὶ τοῖσδε ἐπαγγελίαν προσλάβοι, ἀλλ' εἰ καὶ λήσεσθαι τὸν
θεὸν ἐφ' οἷς πράττει πεισθείη, ὅπερ ἀδύνατον, πρᾶξαί τι παρὰ τὸν
30 λόγον τὸν ὀρθὸν ἐθελήσαι ποτ' ἄν, τὸ ὄντως καλὸν καὶ αἱρετὸν ἐξ
ἑαυτοῦ καὶ ταύτῃ ἀγαπητὸν εἶναι ἅπαξ ἑλόμενος·

1—4 Epikur Fr. 582 Usener p. 333, 17   11—18 Theodoret Gr. aff. c. VIII 45
11f. vgl. Plato Phaed. p. 67 C   18 Plato Rep. I p. 330 E   15f. Heraklit Fr. 27
Diels⁶ I 157, 1; vgl. Protr. 22, 1; Theodoret VIII 41   17—19 Rom 5, 3—5   20f. vgl.
Strom. II 136, 3

1f. ⟨μὴ⟩ βούλεσθαι Lowth   2 ⟨οὔ⟩ Bywater S. 213   8 πεισθήσεται Sy (Index)
πιστήσεται L ἐπιστήσεται Po   5 οὗτος Hiller οὕτως L   6 χρηστεύσεται Wi χρηστεύ-
εται L   9f. πυθαγόριοι L   15 ἄσσα L   20 ὁμώνυμος Ma   28 ἵεται L   24 ἢ Sy ἡ L
27 [τε] Ma   81 εἶναι] εἰς Schw

οὐ γὰρ ἐν γαστρὸς βορᾷ
τὸ χρηστὸν εἶναι

διειλήφαμεν. ἀκήκοεν δ᾽ ἐκεῖνος ὡς »βρῶμα ἡμᾶς οὐ παραστήσει« 2
οὐδὲ μὴν γάμος, ἀλλ᾽ οὐδὲ ἀποχὴ γάμου ἐν ἀγνωσίᾳ, ἀλλὰ τὸ κατ᾽
5 ἀρετὴν ἔργον τὸ γνωστικόν, ἐπεὶ καὶ ὁ κύων τὸ ζῷον τὸ ἄλογον
ἐγκρατὲς λεγέσθω τὸν ἐπαιρόμενον τὴν βακτηρίαν δεδιὸς καὶ διὰ
τοῦτο τοῦ ὄψου ἀπεχόμενον. τῶν τοιούτων εὖ ἴσθι ὅτι περιαιρε- 8
θεῖσα ἡ ὑπόσχεσις ἡ προεπηγγελμένη καὶ ὁ φόβος περιγραφεὶς ὁ
ἐπηπειλημένος καὶ χωρισθεὶς ὁ κίνδυνος ὁ ἐπηρτημένος τὴν πρό-
10 θεσιν ἐλέγχει.

XXIII. Οὐ γὰρ αὐτῇ τῇ φύσει τοῦ πράγματος οἰκειοῦνται ὡς τῷ 147, 1
ὄντι γνωστικῶς καταλαβέσθαι καλὰ μὲν εἶναι πάντα ὅσα εἰς χρῆσιν
ἡμῶν ἐκτίσθη, ὡς γάμον φέρε εἰπεῖν καὶ παιδοποιίαν μετὰ σωφρο-
σύνης παρειλημμένα, καλοῦ δὲ | εἶναι ἄμεινον ⟨τὸ διὰ⟩ τὴν πρὸς τὸ 631 P
15 θεῖον ἐξομοίωσιν ἀπαθῆ καὶ ἐνάρετον γενέσθαι. τοῖς δὲ ἔξωθεν 2
εὐχρήστοις ἢ δυσχρήστοις προσαγόμενοι τῶν μὲν ἀπέχονται, τῶν δ᾽
οὔ· ἀλλὰ καὶ ὧν ἀφίστανται, μυσαττόμενοι ταῦτα φαίνονται, τὴν
κτίσιν καὶ τὸν δημιουργὸν διαβάλλοντες, κἂν τῷ δοκεῖν πιστῶς
ἀναστρέφεσθαι τὴν κρίσιν ἔχουσιν ἀνόσιον. τὸ δὲ »οὐκ ἐπιθυμήσεις« 8
20 οὔτε ἀνάγκης τῆς ἐκ φόβου δεῖται, τῆς βιαζομένης ἀπέχεσθαι τῶν
ἡδέων, οὔτε μισθοῦ τοῦ δι᾽ ἐπαγγελίας ἀναπείθοντος ἀνακόπτειν τὰς
ὁρμάς· οὐδὲ τὴν ὑπακοὴν διὰ τὴν ἐντολήν, διὰ δὲ τὴν ἐπαγγελίαν 4
αἱροῦνται οἱ διὰ τὴν ἐπαγγελίαν ὑπακηκοότες τῷ θεῷ, δελέατι ἡδο-
νῆς ᾑρημένοι, οὐδὲ μὴν ἡ τῶν αἰσθητῶν ἀποστροφὴ τὴν πρὸς τὰ 148, 1
25 νοητὰ οἰκείωσιν ἀκολούθως ποιοίη ἄν, ἔμπαλιν δὲ ἡ πρὸς τὰ νοητὰ
οἰκείωσις κατὰ φύσιν περιαγωγὴ τῷ γνωστικῷ ἀπὸ τῶν αἰσθητῶν
γίνεται κατ᾽ ἐκλογὴν τῶν καλῶν τἀγαθὸν ἑλομένῳ γνωστικῶς, θαυ-
μάζοντι μὲν τὴν γένεσιν καὶ ἁγιάζοντι τὸν ποιητήν, ἁγιάζοντι δὲ
τὴν πρὸς τὸ θεῖον ἐξομοίωσιν· »αὐτὰρ ἐγὼν ἐμὲ λύσομαι« τῆς ἐπι- 2
30 θυμίας, φήσει, διὰ τὴν πρὸς σὲ οἰκείωσιν, κύριε. καλὴ γὰρ ἡ κτι-

1f. Eurip. Suppl. 865f. (von Kock CAF III p. 519 als Adesp. 617 aufgeführt;
vgl. Herm. 21 [1886] S. 385)   8 I Cor 8, 8   17 f. vgl. Strom. III 102, 2 (Fr)
19 Exod 20, 17   29 K 378

3 διειλήφαμεν] παρειλήφαμεν Nauck, Bull. de l'Acad. de St. Pétersb. 17 (1872)
S. 268   6 δεδιὸς corr. aus δεδιὼς L¹   7 τοῦτο corr. aus τοῦτον L¹   11 οἰκειοῦνται St
οἰκειοῦται L   14 ⟨τὸ διὰ⟩ (vgl. Z. 30) St ⟨κατὰ⟩ Heyse; möglich auch καλοῦ δὲ εἶναι
ἄμεινον τὴν πρὸς τὸ θεῖον ἐξομοίωσιν ⟨τῷ⟩ ἀπαθῆ καὶ ἐνάρετον γενέσθαι Fr   16 προσα-
γόμενοι St u. Bywater προσαγομένοις L προσαγομένοις ⟨προσφερόμενοι⟩ Heyse u.
Ma   18f. κἂν τῷ—ἀναστρέφεσθαι St κἂν τῷ . . ἀναστρέφονται (sic) L κἂν τῷ—ἀναστρέ-
φωνται Di   22 οὐδὲ Di οὔτε L   28 αἱροῦνται. οἱ ⟨δὲ⟩ Wi τῆς ἐπαγγελίας L   29
αὐτὰρ Hom. ἀτὰρ L   30 φήσει Sy φῆσαι L

σθεῖσα δὴ οἰκονομία καὶ πάντα εὖ διοικεῖται, οὐδὲν ἀναιτίως γίνεται,
ἐν τοῖς σοῖς εἶναί με δεῖ, παντοκράτορ· κἂν ἐνταῦθα ὦ, παρὰ σοὶ
εἰμι· ἀδεὴς δ᾿ εἶναι θέλω, ἵνα σοὶ συνεγγίζειν δυνηθῶ, καὶ ὀλίγοις
ἀρκεῖσθαι, μελετῶν τὴν σὴν ἐκλογὴν τὴν δικαίαν τῶν καλῶν ἀπὸ
5 τῶν ὁμοίων. μυστικώτατα καὶ ὁσιώτατα ὁ ἀπόστολος διδάσκων 149,
ἡμᾶς τὴν ἀληθῶς εὐχάριστον ἐκλογὴν οὐ κατὰ ἀπεκλογὴν τῶν ἑτέ-
ρων ὡς φαύλων, ἀλλ᾿ ὡς καλῶν καλλίονα ποιεῖσθαι μεμήνυκεν
εἰπών· »ὥστε καὶ ὁ γαμίζων τὴν παρθένον αὐτοῦ καλῶς ποιεῖ, καὶ 2
ὁ μὴ γαμίζων κρεῖσσον | ποιεῖ πρὸς τὸ εὔσχημον καὶ εὐπάρεδρον τῷ 229 S
10 κυρίῳ ἀπερισπάστως.« ἴσμεν δὲ τὰ μὲν δυσπόριστα οὐκ ἀναγκαῖα, 3
τὰ δὲ ἀναγκαῖα εὐπόριστα γεγενῆσθαι φιλαγάθως παρὰ τοῦ θεοῦ.
διόπερ ὁ Δημόκριτος εὖ λέγει, ὡς »[ἡ] φύσις τε καὶ διδαχὴ παραπλή- 4
σιόν ἐστι« καὶ τὴν αἰτίαν συντόμως προσαποδέδωκεν· »καὶ γὰρ ἡ
διδαχὴ μεταρυθμίζει τὸν ἄνθρωπον, μεταρυθμοῦσι δὲ φύσις ποιεῖ,«
15 καὶ διήνεγκεν οὐδὲν ἢ φύσει πλασθῆναι τοιόνδε ἢ χρόνῳ καὶ μαθήσει
μετατυπωθῆναι. ἄμφω δὲ ὁ κύριος παρέσχηται τὸ μὲν κατὰ τὴν δημι- 5
ουργίαν, τὸ δὲ κατὰ τὴν ἐκ | τῆς διαθήκης ἀνάκτισίν τε καὶ ἀνανέωσιν. 632 P
τὸ δὲ συμφέρον τῷ κυριωτέρῳ τοῦτο αἱρετώτερον, κυριώτατον δὲ πάν- 6
των ἡ διάνοια. ὅτῳ τοίνυν ⟨τὰ⟩ τῷ ὄντι καλὰ φαίνεται ἥδιστα, παρ᾿ 7
20 αὐτοῦ πορίζεται ὃν ποθεῖ καρπόν, τὴν τῆς ψυχῆς εὐστάθειαν. »ὁ δὲ 8
ἐμοῦ ἀκούων«, φησίν, »ἀναπαύσεται ἐπ᾿ εἰρήνῃ πεποιθὼς καὶ ἡσυχάσει
ἀφόβως ἀπὸ παντὸς κακοῦ.« »ἴσθι πεποιθὼς ἐν ὅλῃ καρδίᾳ σου καὶ
τῇ διανοίᾳ σου ἐπὶ τῷ θεῷ.« τούτῳ δυνατὸν τῷ τρόπῳ τὸν γνω-
στικὸν ἤδη γενέσθαι θεόν· »ἐγὼ εἶπα· θεοί ἐστε καὶ υἱοὶ ὑψίστου.«
25 φησὶ δὲ καὶ ὁ Ἐμπεδοκλῆς τῶν σοφῶν τὰς ψυχὰς θεοὺς γίνεσθαι 150,
ὧδέ πως γράφων·

εἰς δὲ τέλος μάντεις τε καὶ ὑμνοπόλοι καὶ ἰητροὶ
καὶ πρόμοι ἀνθρώποισιν ἐπιχθονίοισι πέλονται·
ἔνθεν ἀναβλαστοῦσι θεοὶ τιμῇσι φέριστοι.

---

* 2 vgl. Lc 2, 49 8—10 I Cor 7, 38. 35; vgl. J. Sickenberger, Bibl. Zeitschr. 3
(1905) S. 48 ff. 12—14 Demokrit Fr. 33 Diels[6] II S. 153, 1—3; vgl. Stob. Ecl. II 31, 65
p. 213, 1—3 Wachsm.; Theodoret Gr. aff. c. IV 1 20—22 Prov 1, 33 22 f. Prov 3, 5
(beeinflußt von Mt 22, 37) 24 Ps 81, 6 27—29 Empedokles Fr. 146 Diels[6] I
S. 270; 1—3; Theodoret Gr. aff. c. VIII 36

3 καὶ ὀλίγοις Schw ὀλίγοις καὶ L 12 [ἡ] Wi τε καὶ ⟨ἡ⟩ Natorp καὶ ἡ Stob.
13 προσαποδέδωκεν Cobet S. 532 προσαποδεδώκαμεν L 14 μετὰ ῥυσμοῦ Stob. HS
(daraus μεταρρυσμοῖ Mullach) μεταρρυσμοῦσα Stob. μετὰ ῥυθμοῦ Schw φύσις
ποιεῖ L* Stob. φυσιοποιεῖ Lcorr. ⟨καὶ⟩ φύσις ποιεῖ Usener 19 ⟨τὰ⟩ Heyse 20 αὐτοῦ
L αὑτῶν St 29 ἔνθεν] ἔνθα oder ἔνθ᾿ Theod.

Ὁ μὲν οὖν ἄνθρωπος ἁπλῶς οὕτως κατ᾽ ἰδέαν πλάσσεται τοῦ 2
συμφυοῦς πνεύματος· οὐδὲ γὰρ ἀνείδεος οὐδ᾽ ἀσχημάτιστος ἐν τῷ
τῆς φύσεως ἐργαστηρίῳ δημιουργεῖται, ἔνθα μυστικῶς ἀνθρώπου
ἐκτελεῖται γένεσις, κοινῆς οὔσης καὶ τῆς τέχνης καὶ τῆς οὐσίας, ὁ δέ
5 τις ἄνθρωπος κατὰ τύπωσιν τὴν ἐγγινομένην τῇ ψυχῇ ὧν ἂν αἱρή-
σηται χαρακτηρίζεται. ᾗ καὶ τὸν Ἀδὰμ τέλειον μὲν ὡς πρὸς τὴν 3
πλάσιν γεγονέναι φαμέν· οὐδὲν γὰρ τῶν χαρακτηριζόντων τὴν ἀν-
θρώπου ἰδέαν τε καὶ μορφὴν ἐνεδέησεν αὐτῷ. ὃ δὲ ἐν τῷ γίνεσθαι 4
τὴν τελείωσιν ἐλάμβανεν καὶ δι᾽ ὑπακοῆς ἐδικαιοῦτο, τοῦτο ἦν
10 ἀπανδρούμενον τὸ ἐπ᾽ αὐτῷ κείμενον· αἰτία δὲ ἑλομένου, καὶ ἔτι
μᾶλλον τὸ κωλυθὲν ἑλομένου, ὁ θεὸς ἀναίτιος· διττὴ γὰρ ἡ γένεσις,
ἣ μὲν τῶν γεννωμένων, ἣ δὲ τῶν γινομένων. καὶ ἡ μὲν τοῦ ἀν- 151, 1
θρώπου ἀνδρεία ἐμπαθοῦς ὄντος, φασί, κατὰ τὴν οὐσίαν ἄφοβον καὶ
ἀήττητον τὸν μετέχοντα αὐτῆς ποιεῖ, καὶ ἔστι δορυφόρος τοῦ νοῦ ὁ
15 θυμὸς ἐν ὑπομονῇ καὶ καρτερίᾳ καὶ τοῖς ὁμοίοις, ἐπὶ δὲ τῇ ἐπιθυμίᾳ
τάττεται καὶ ἡ σωφροσύνη καὶ ἡ σωτήριος φρόνησις, θεὸς δὲ ἀπα-
θὴς ἄθυμός τε καὶ ἀνεπιθύμητος· καὶ οὐ ταύτῃ ἄφοβος ᾗ | τὰ δεινὰ 2 633 P
⟨οὐκ⟩ ἐκκλίνει οὐδὲ μὴν σώφρων ᾗ τῶν ἐπιθυμιῶν ἄρχει· οὔτε γὰρ
ἂν περιπέσοι τινὶ δεινῷ ἡ τοῦ θεοῦ φύσις οὔτε φεύγει ὁ θεὸς δει-
20 λίαν, ὥσπερ οὐδὲ ἐπιθυμήσει, ἵνα καὶ ἄρξῃ ἐπιθυμίας. μυστικῶς οὖν 3
ἐφ᾽ ἡμῶν καὶ τὸ Πυθαγόρειον ἐλέγετο ›ἕνα γενέσθαι καὶ τὸν ἄν-
θρωπον δεῖν‹, ἐπεὶ καὶ αὐτὸς ὁ ἀρχιερεὺς εἷς, ἑνὸς ὄντος τοῦ θεοῦ
κατὰ τὴν ἀμετάτρεπτον τοῦ ἀεὶ θεῖν τὰ ἀγαθὰ ἕξιν. αὐτίκα ὁ 152, 1
σωτὴρ διὰ τῆς ἐπιθυμίας συνανῄρει καὶ τὸν θυμόν, τιμωρίας ὄντα
25 ἐπιθυμίαν· καθόλου γὰρ τὸ παθητικὸν ✱ ✱ παντὶ γένει ἐπιθυμίας, εἰς
δὲ τὴν ἀπάθειαν θεούμενος ἄνθρωπος ἀχράντως μοναδικὸς γίνεται.
καθάπερ οὖν οἱ ἐν θαλάττῃ ἀπὸ ἀγκύρας τονούμενοι ἕλκουσι μὲν 2
τὴν ἄγκυραν, οὐκ ἐκείνην δὲ ἐπισπῶνται, ἀλλ᾽ ἑαυτοὺς ἐπὶ τὴν ἄγ-
κυραν, οὕτως οἱ κατὰ τὸν γνωστικὸν βίον ἐπισπώμενοι τὸν θεὸν
30 ἑαυτοὺς ἔλαθον προσαγόμενοι πρὸς τὸν θεόν· θεὸν γὰρ ὁ θερα-
πεύων ἑαυτὸν θεραπεύει. ἐν οὖν τῷ θεωρητικῷ βίῳ ἑαυτοῦ τις 3

---

* 3 vgl. zu S. 234, 13 10f. vgl. Plato Rep. X p. 617 E; Strom. I 4, 1 u. ö. 21f.
Pyth. Symb. 71 Mullach FPG I p. 508 23 vgl. Plato Kratyl. p. 397 D; Protr. 26, 1
24f. Lact. de ira d. 17 ira cupiditas ulciscendae iniuriae (Fr) 27—29 vgl. Dionysius
Areopag. De divin. nomin. III 1 (PG 3, 680) ὥσπερ εἰς ναῦν ἐμβεβηκότες καὶ
ἀντεχόμενοι τῶν ἔκ τινος πέτρας εἰς ἡμᾶς ἐκτεινομένων πεισμάτων καὶ οἷον ἡμῖν εἰς
ἀντίληψιν ἐκδιδομένων, οὐκ ἐφ᾽ ἡμᾶς τὴν πέτραν, ἀλλ᾽ ἡμᾶς αὐτοὺς τῷ ἀληθεῖ καὶ τὴν
ναῦν ἐπὶ τὴν πέτραν προσήγομεν.

1 οὕτως Ma οὗτος L 4 κοινῆς οὔσης sc. τῷ ἁπλῶς οὕτως ἀνθρώπῳ καὶ τῷ τινὶ
ἀνθρώπῳ (Fr) 5 ⟨δι᾽⟩ ὧν Schw 6 ᾗ L 17f. ἡ τὰ—ἡ τῶν L 18 ⟨οὐκ⟩ Po
21 πυθαγόριον L 25 παντὶ γένει] παντοίας γέμει Bywater S. 214 ⟨ποικίλον μεμο-
λυσμένον⟩ παντὶ γένει Schw ⟨παντοδαπόν ἐστιν καὶ δουλούμενον⟩ παντὶ γένει Wi

ἐπιμελεῖται θρησκεύων τὸν θεὸν καὶ διὰ τῆς ἰδίας εἰλικρινοῦς καθάρ-
σεως ἐποπτεύει τὸν θεὸν ἅγιον ἁγίως· ἡ γὰρ σωφροσύνη ἐν παρα-
στάσει γε νοουμένη ἑαυτὴν ἐπισκοποῦσα καὶ θεωροῦσα ἀδιαλείπτως
ἐξομοιοῦται κατὰ δύναμιν θεῷ.

5 XXIV. Αὐτίκα τὸ ἐφ᾽ ἡμῖν ἐστιν οὗπερ ἐπ᾽ ἴσης αὐτοῦ τε κύριοί 153, 1
ἐσμεν καὶ τοῦ ἀντικειμένου αὐτῷ, ὡς τὸ φιλοσοφεῖν ἢ μή, καὶ τὸ
πιστεύειν ἢ ἀπιστεῖν. διὰ γοῦν τὸ ἑκατέρου τῶν ἀντικειμένων ἐπ᾽
ἴσης εἶναι ἡμᾶς κυρίους δυνατὸν εὑρίσκεται τὸ ἐφ᾽ ἡμῖν. καὶ δὴ αἱ 2
ἐντολαὶ οἷαί τε γενέσθαι καὶ μὴ γενέσθαι ὑφ᾽ ἡμῶν, οἷς εὐλόγως
10 ἕπεται ἔπαινός τε καὶ ψόγος, οἵ τ᾽ αὖ κολαζόμενοι ἕνεκεν τῶν γενο-
μένων αὐτοῖς ἁμαρτημάτων ἐπ᾽ αὐτοῖς μόνοις κολάζονται· παρῆλθε
γὰρ τὰ γενόμενα οὐδὲ ἀγένητον γένοιτ᾽ ἄν ποτε τὸ γενόμενον. ἀφίεν- 3
ται γοῦν πρὸς τοῦ κυρίου αἱ πρὸ τῆς πίστεως ⟨ἁμαρτίαι⟩, οὐχ ἵνα
μὴ ὦσι γενόμεναι, ἀλλ᾽ ὡς μὴ | γενόμεναι. πλὴν οὐδὲ πάσας ὁ Βασι- 634 P
15 λείδης φησί, μόνας δὲ τὰς ἀκουσίους καὶ κατὰ ἄγνοιαν ἀφίεσθαι.
καθάπερ ἀνθρώπου τινός, ἀλλ᾽ οὐ θεοῦ τὴν τοσαύτην παρεχομένου
δωρεάν. τούτῳ φησὶν ἡ γραφή· »ὑπέλαβες, ἄνομε, ὅτι ἔσομαί σοι
ὅμοιος.« ἀλλ᾽ εἰ καὶ ἐπὶ ταῖς ἑκουσίοις κολαζόμεθα, οὐχ ἵνα μὴ 5
γένωνται γενόμεναι, ἀλλ᾽ ὅτι ἐγένοντο, τιμωρούμεθα. κόλασις δὲ 6
20 τὸν ἁμαρτήσαντα οὐκ ὠφελεῖ εἰς τὸ μὴ πεποιηκέναι, ἀλλ᾽ εἰς τὸ
μηκέτι ἁμαρτάνειν μηδὲ μὴν ἄλλον τινὰ τοῖς ὁμοίοις περιπεσεῖν.
ἐνταῦθα οὖν ὁ ἀγαθὸς θεὸς διὰ τρεῖς ταύτας παιδεύει αἰτίας· πρῶ- 154, 1
τον μὲν [τὴν] ἵν᾽ αὐτὸς ἀμείνων αὐτοῦ γένηται ὁ παιδευόμενος,
[εἰσ]έπειτα ὅπως οἱ δι᾽ ὑποδειγμάτων σωθῆναι δυνάμενοι προανα-
25 κρούωνται νουθετούμενοι, καὶ τρίτον ὡς μὴ ὁ ἀδικούμενος εὐκατα-
φρόνητος ἢ καὶ ἐπιτήδειος ἀδικεῖσθαι. δύο δὲ καὶ ⟨οἱ⟩ τρόποι τῆς 2
ἐπανορθώσεως, | ὃ μὲν διδασκαλικός, ὃ δὲ κολαστικός, ὃν καὶ παι- 230 S
δευτικὸν εἰρήκαμεν. ἰστέον μέντοι τοὺς μετὰ τὸ λουτρὸν τοῖς ἁμαρ- 3
τήμασι περιπίπτοντας τούτους εἶναι τοὺς παιδευομένους· τὰ μὲν
30 γὰρ προενεργηθέντα ἀφείθη, τὰ δὲ ἐπιγινόμενα ἐκκαθαίρεται. περὶ 4
τῶν ἀπίστων εἴρηται »λελογίσθαι τούτους ὡς χνοῦν, ὃν ἐκρίπτει ὁ
ἄνεμος ἀπὸ προσώπου τῆς γῆς, καὶ ὡς σταγόνα ἀπὸ κάδου.«

4 vgl. S. 310, 7f. (Plato Theaet. p. 176 B)   11f. vgl. A. Otto, Sprichw. S. 129f.;
Weyman, Archiv. f. lat. Lexik. 13 (1904) S. 381; vgl. Plat. Ges. XI 12 p. 934 AB
[ferner Prot. 13 p. 324 B (Fr)]   17f. Ps 49, 21   22 die gleichen Gründe entwickelt
Kalvisios Tauros bei Gellius VII 14 [Basil. M. epist. 112, 3 (PG 32, 524 C) (Fr)]
27f. vgl. Strom. I 168, 3   31f. vgl. Ps 1, 4; Is 40, 15 (ebenso verbunden Strom.
VI 111, 2; VII 110, 3)

8 γε νοουμένη (vgl. Strom. I 82, 3)] γενομένη Sy   6 τὸ—τὸ] τοῦ—τοῦ Ma   13
⟨ἁμαρτίαι⟩ Heyse   22 αἰτίας am Rand L¹ ὁ θσ im Text getilgt L¹   23 [τὴν] Sy
24 [εἰσ]έπειτα Ma   26 ⟨οἱ⟩ Wi   32 ὡς σταγόνα St σταγόνα ὁ L σταγόνα τὴν Sy

XXV.　　Ὄλβιος ὅστις τῆς ἱστορίας　　155, 1
　　　　ἔσχε μάθησιν,
　　　　μήτε πολιτῶν ἐπὶ πημοσύνην
　　　　μήτ' εἰς ἀδίκους πράξεις ὁρμῶν,
5　　　　ἀλλ' ἀθανάτου καθορῶν φύσεως
　　　　κόσμον ἀγήρω, πῇ τε συνέστη
　　　　καὶ †ὅπῃ καὶ ὅπως.
　　　　τοῖς δὲ τοιούτοις οὐδέποτ' αἰσχρῶν
　　　　ἔργων μελέτημα προσίζει.

10 εἰκότως οὖν καὶ Πλάτων τὸν τῶν ἰδεῶν θεωρητικὸν θεὸν ἐν ἀν- 2
θρώποις ζήσεσθαί φησι· νοῦς δὲ χώρα ἰδεῶν, νοῦς δὲ ὁ θεός. τὸν
⟨οὖν⟩ ἀοράτου θεοῦ θεωρητικὸν θεὸν ἐν ἀνθρώποις ζῶντα εἴρηκεν
καὶ ἐν τῷ Σοφιστῇ δὲ τὸν Ἐλεάτην ξένον διαλεκτικὸν ὄντα ὁ 8
Σωκράτης θεὸν ὠνόμασεν, οἵους τοὺς θεοὺς »ξείνοισιν ἐοικότας ἀλλο-
15 δαποῖσιν« ἐπιφοιτῶντας τοῖς ἄστεσιν * *. ὅταν γὰρ ψυχὴ γενέσεως | 4
ὑπεξαναβᾶσα καθ' ἑαυτήν τε ᾖ καὶ ὁμιλῇ τοῖς εἴδεσιν, οἷός ἐστιν ὁ 635 P
ἐν τῷ Θεαιτήτῳ »κορυφαῖος«, οἷον ἄγγελος ἤδη γενόμενος σὺν
Χριστῷ [τε] ἔσται, θεωρητικὸς ὤν, ἀεὶ τὸ βούλημα τοῦ θεοῦ
σκοπῶν, τῷ ὄντι »οἷος πεπνυμένος, τοὶ δ' ὡς σκιαὶ ἀΐσσουσιν«·
20 νεκροὶ γὰρ τοὺς ἑαυτῶν θάπτουσι νεκρούς. ὅθεν Ἱερεμίας λέγει· 5
»πληρώσω αὐτὴν νεκρῶν γηγενῶν, οὓς ἔπαισεν ἡ ὀργή μου.« ὁ μὲν 156, 1
οὖν θεὸς ἀναπόδεικτος ὢν οὐκ ἔστιν ἐπιστημονικός, ὁ δὲ υἱὸς σοφία
τέ ἐστι καὶ ἐπιστήμη καὶ ἀλήθεια καὶ ὅσα ἄλλα τούτῳ συγγενῆ, καὶ
δὴ καὶ ἀπόδειξιν ἔχει καὶ διέξοδον. πᾶσαι δὲ αἱ δυνάμεις τοῦ πνεύ-
25 ματος συλλήβδην μὲν ἕν τι πρᾶγμα γενόμεναι συντελοῦσιν εἰς τὸ
αὐτό, τὸν υἱόν, ἀπαρέμφατος δέ ἐστι τῆς περὶ ἑκάστης αὐτοῦ τῶν
δυνάμεων ἐννοίας. καὶ δὴ οὐ γίνεται ἀτεχνῶς ἓν ὡς ἕν, οὐδὲ πολλὰ 2

*　　1—9 Euripides Fr. inc. 910　10—15 drei parallele Fassungen des gleichen, auf
Plato Sophist. zurückgehenden Gedankens　11 vgl. Strom. V 73, 3; Aristot. De
anim. III 4 p. 429ᵃ 27 καὶ εὖ δὴ οἱ λέγοντες τὴν ψυχὴν εἶναι τόπον εἰδῶν. Philo De
Cher. 49 (I p. 182) θεὸς . . ἀσωμάτων ἰδεῶν ἀσώματος χώρα. 13f. vgl. Plato Sophist.
p. 216 AB　14f. ϱ 485 Das Zitat auch Philo Qu. in Gen. IV 2 a. E. De somn. I 233
(III p. 254) (Fr)　15f. γενέσεως ὑπεξαναβᾶσα = S. 319, 1 ἐξαναδῦναι γενέσεως aus
Plato Staat VII 8 p. 525 B (Fr)　17 vgl. Plato Theaet. p. 173 C zu οἷον ἄγγελος vgl.
Mt 22, 30　18 vgl. Phil. 1, 23　19 vgl. κ 495　20 vgl. Mt 8, 22; Lc 9, 60　21 Ier
40 (33), 5

　　3 πημοσύνην Pierson πημοσύνη L πημοσύνας Themist. Orat. p. 307 D　4f. ὁρμᾶν—
καθορᾶν Nauck　5 φύσιος Them.　6 ἀγήρων Nauck　7 ὅπῃ] ὅθεν Wilamowitz, Anti-
gonus von Carystus S. 180 ὅπου Meineke　9 μελέδημα Nauck　11 φήσας Ma δέ¹]
γὰρ Ma　12 ⟨οὖν⟩ Schw　15 * * St τοῖς ἄστεσιν ⟨Ὅμηρος πεποίηκεν⟩ Fr.　16 τε Sy
γε L　18 [τε] St　19 οἷος L　27 οὐ He οὖ L

ὡς μέρη ὁ υἱός, ἀλλ᾽ ὡς πάντα ἕν. ἔνθεν καὶ πάντα· κύκλος γὰρ
ὁ αὐτὸς πασῶν τῶν δυνάμεων εἰς ἓν εἰλουμένων καὶ ἑνουμένων.
διὰ τοῦτο »ἄλφα καὶ ὦ« ὁ λόγος εἴρηται, οὗ μόνου τὸ τέλος ἀρχὴ   157, 1
γίνεται καὶ τελευτᾷ πάλιν ἐπὶ τὴν ἄνωθεν ἀρχήν, οὐδαμοῦ διάστασιν
5 λαβών. διὸ δὴ καὶ τὸ εἰς αὐτὸν καὶ τὸ δι᾽ αὐτοῦ πιστεῦσαι μονα- 2
δικόν ἐστι γενέσθαι, ἀπερισπάστως ἑνούμενον ἐν αὐτῷ, τὸ δὲ ἀπι-
στῆσαι διστάσαι ἐστὶ καὶ διαστῆναι καὶ μερισθῆναι. »διὰ τοῦτο τάδε 8
λέγει κύριος· πᾶς υἱὸς ἀλλογενὴς ἀπερίτμητος καρδίᾳ καὶ ἀπερίτμη-
τος [ἐστι] σαρκί«, τουτέστιν ἀκάθαρτος σώματί τε καὶ πνεύματι,
10 »οὐκ εἰσελεύσεται εἰς τὰ ἅγια ἀπὸ τῶν ἀλλογενῶν ἐν μέσῳ οἴκου
Ἰσραήλ, ἀλλ᾽ ἢ οἱ Λευῖται.« ἀλλογενεῖς δὲ εἴρηκεν τοὺς μὴ πιστεῦσαι
βουληθέντας, ἀλλ᾽ ἀπιστεῖν ἐθέλοντας. μόνοι τοίνυν οἱ καθαρῶς 158, 1
βιοῦντες ἱερεῖς ὄντως τοῦ θεοῦ. διὰ τοῦτο πασῶν περιτεμνομένων
τῶν φυλῶν ἁγιώτεραι ἐλογίσθησαν αἱ εἰς ἀρχιερεῖς τε καὶ βασιλεῖς
15 καὶ προφήτας χρίουσαι. ὅθεν μηδὲ ἅπτεσθαι | νεκρῶν αὐτοὺς κε- 2 636
λεύει μηδ᾽ ἐπεισιέναι κατοιχομένοις, οὐχ ὡς μιαροῦ τοῦ σώματος
ὄντος, ἀλλ᾽ ὡς τῆς ἁμαρτίας καὶ ἀπειθείας σαρκικῆς τε οὔσης καὶ
ἐνσωμάτου καὶ νεκρᾶς καὶ διὰ τοῦτο βδελυκτῆς. μόνῳ οὖν πατρὶ 8
καὶ μητέρι υἱῷ τε καὶ θυγατρὶ τελευτήσαντι ἐπιτέτραπται ἐπεισιέναι
20 τὸν ἱερέα, ὅτι συγγενεῖς οὗτοι σαρκὸς καὶ σπέρματος μόνοι, παρ᾽ ὧν
τὴν προσεχῆ αἰτίαν τῆς εἰς τὸν βίον παρόδου καὶ ὁ ἱερεὺς εἴληφεν.
καθαρίζονται δὲ καὶ οὗτοι ἡμέραις ἑπτὰ δι᾽ ὅσων ἡ γένεσις τελειοῦ- 4
ται· τῇ ἑβδόμῃ γὰρ ἡ ἀνάπαυσις θρησκεύεται, τῇ δὲ ὀγδόῃ ἱλασμὸν
προσφέρει, ὡς ἐν τῷ Ἰεζεκιὴλ γέγραπται, καθ᾽ ὃν ἱλασμὸν ἔστι λαβεῖν
25 [ἐστι] τὴν ἐπαγγελίαν. τέλειος δ᾽, οἶμαι, καθαρισμὸς ἡ διὰ νόμου καὶ 159, 1
προφητῶν εἰς τὸ εὐαγγέλιον πίστις· ἱλασμὸς δὲ ἡ δι᾽ ὑπακοῆς πάσης
ἁγνεία σὺν καὶ τῇ ἀποθέσει τῶν κοσμικῶν εἰς τὴν ἐκ τῆς ἀπολαύ-
σεως τῆς ψυχῆς εὐχάριστον τοῦ σκήνους ἀπόδοσιν. εἶτ᾽ οὖν ὁ 2
χρόνος εἴη ὁ διὰ τῶν ἑπτὰ περιόδων τῶν ἀριθμουμένων εἰς τὴν
30 ἀκροτάτην ἀνάπαυσιν ἀποκαθιστὰς εἴτε ἑπτὰ οὐρανοί, οὕς τινες
ἀριθμοῦσι κατ᾽ ἐπανάβασιν, εἴτε καὶ ἡ ἀπλανὴς χώρα ἡ πλησιάζουσα

* 1f. zu κύκλος vgl. Plotin Enn. V 1, 7   8 Apc 1, 8 (11); 21, 6; 22, 13   6 zu
ἀπερισπάστως vgl. I Cor 7, 35   7—11 Ez 44, 9f.   13—15 vgl. Strom. V 40, 4   15f.
vgl. Ez 44, 25   vgl. Phil. De spec. leg. I 112f. (Fr)   18—20. 22 vgl. Ez 44, 25f.
28f. vgl. Ez 44, 27   28 zu σκήνους vgl. II Cor 5, 1. 4   28—30 vgl. Lev 25, 8   80
vgl. z. B. II Cor 12, 2; Strom. V 77, 2

1 ἔνθεν καὶ ἄλλως πάντα ἕν Apocal. Komm.   2 [ὁ] St   8 τὸ ἇ καὶ τὸ ῶ Apocal.-
Komm.   5 τὸ² < Apocal.-Komm.   8 καρδίᾳ L   9 [ἐστι] St   15 χρισθεῖσαι Lowth
αὐτοὺς St   αὐτοῖς L   24 ἔστι Wi τὸ L   25 [ἐστι] Wi   26 ἱλασμὸς δὲ Ma ἵλεως καὶ
L   27 ἁγνεία Vi ἁγνείας L.   27f. ἀπολύσεως (vgl. Plato Phaed. p. 81 D ἀπολυθεῖσαι)
St; doch vgl. Tengblad S. 17f.

τῷ νοητῷ κόσμῳ ὀγδοὰς λέγοιτο, πλὴν ἐξαναδῦναι γενέσεώς τε καὶ
ἁμαρτίας χρῆναι λέγει τὸν γνωστικόν. ἐπὶ γοῦν ταῖς ἑπτὰ ἡμέραις 8
τὰ ἱερεῖα ὑπὲρ ἁμαρτιῶν θύεται, ἔτι γὰρ τροπῆς εὐλάβεια καὶ τῆς
ἑβδόμης ἅπτεται περιφορᾶς.

5　　Ἰὼβ δὲ ὁ δίκαιος »αὐτὸς« φησὶ »γυμνὸς ἐξῆλθον ἐκ κοιλίας μη- 160, 1
τρός μου, γυμνὸς καὶ ἀπελεύσομαι ἐκεῖ«, οὐ κτημάτων γυμνός (τοῦτο
μὲν γὰρ μικρόν τε καὶ κοινόν), ἀλλ' ὡς δίκαιος γυμνὸς ἄπεισι κακίας
τε καὶ ἁμαρτίας καὶ τοῦ ἑπομένου τοῖς ἀδίκως βιώσασιν ἀειδοῦς
εἰδώλου· τοῦτο γὰρ ἦν τὸ εἰρημένον »ἐὰν μὴ σ ἀφέντες γένησθε ὡς τὰ 2
10　παιδία«, καθαροὶ | μὲν τὴν σάρκα, ἅγιοι δὲ τὴν ψυχὴν κατὰ ἀποχὴν 637 P
κακῶν ἔργων, δεικνύντος ⟨τοῦ θεοῦ⟩ ὅτι τοιούτους ἡμᾶς εἶναι βούλεται,
οἵους καὶ γεγέννηκεν ἐκ μήτρας ὕδατος· γένεσις γὰρ γένεσιν διαδεχο- 8
μένη κατὰ προκοπὴν ἀπαθανατίζειν βούλεται, »τῶν δὲ ἀσεβῶν ὁ
λύχνος σβεσθήσεται«. ναὶ μὴν τὴν κατά τε σῶμα κατά τε ψυχὴν 161, 1
15　ἁγνείαν, ἣν μέτεισιν ὁ γνωστικός, ὁ πάνσοφος Μωυσῆς ἐκπρεπῶς τῇ
ἐπαναλήψει χρησάμενος ἐμήνυσεν, τὸ ἀδιάφθορον τοῦ τε σώματος
τῆς τε ψυχῆς διαγράφων ἐπὶ τῆς Ῥεβέκκας ὧδέ πως· »ἡ δὲ παρθένος
ἦν καλή, ⟨παρθένος ἦν,⟩ ἀνὴρ οὐκ ἔγνω αὐτήν.« Ῥεβέκκα δὲ ἑρμη- 2
νεύεται θεοῦ δόξα, θεοῦ δὲ δόξα ἀφθαρσία. αὕτη ἡ | τῷ ὄντι δικαιο- 231 8
20　σύνη, μὴ πλεονεκτεῖν ἐν θατέρῳ, ὅλον δὲ εἶναι ἡγιασμένον νεὼν
τοῦ κυρίου. δικαιοσύνη οὖν ἐστιν εἰρήνη βίου καὶ εὐστάθεια, ἐφ' ἣν
ὁ κύριος ἀπέλυε λέγων· »ἄπελθε εἰς εἰρήνην·« Σαλὴμ γὰρ ἑρμη- 8
νεύεται εἰρήνη, ἧς ὁ σωτὴρ ἡμῶν ἀναγράφεται βασιλεύς, ὃν φησι
Μωυσῆς, »Μελχισεδὲκ βασιλεὺς Σαλὴμ ὁ ἱερεὺς τοῦ θεοῦ τοῦ ὑψί-
25　στου,« ὁ τὸν οἶνον καὶ τὸν ἄρτον τὴν ἡγιασμένην διδοὺς τροφὴν εἰς

*　　1 s. zu 317, 15　5f. Iob 1, 21　5—9 Ἰὼβ—εἰδώλου Nicetascat. zu Iob (1, 21) bei
Junius, Cat. gr. pat:. in Iob p. 59; Monac. 32 fol. 120ʳ in folgender Umgestaltung:
κλήμεντος· ἀλλὰ τὰ τοῦ Ἰὼβ κομψότερον μὲν οὕτω νοητέον· γυμνὸς κακίας καὶ ἁμαρ-
τίας ὡς ἐκ κοιλίας μητρὸς ἐκ τῆς γῆς κατ' ἀρχὰς διεπλάσθην, γυμνὸς εἰς τὴν (+ αὐτὴν
Mon.) γῆν καὶ ἀπελεύσομαι (ἀναλύσω Mon.), γυμνὸς οὐ κτημάτων (τοῦτο γὰρ μικρόν
τε καὶ κοινόν), ἀλλὰ κακίας καὶ πονηρίας καὶ τοῦ ἑπομένου τοῖς ἀδίκως βιώσασιν ἀειδοῦς
εἰδώλου.　6—9 οὐ κτημάτων—εἰδώλου wörtlich in Cat. zu Iob (1, 21) in Monac. 491
fol. 7ᵛ: κλήμεντος· οὐ κτλ.　7f. ὡς—ἁμαρτίας Cat. zu Iob (1, 21) in Monac.. 148
fol. 4ᵛ (ohne Lemma) Inc. ὁ ἰὼβ ὡς κτλ.　8f. vgl. Plato Phaed. p. 81 CD (?)
9f. Mt 18, 3　12 zu μήτρας ὕδατος vgl. H. Usener, Religionsgesch. Unters. I S. 167;
A. Dieterich, Mutter Erde S. 114; C. Weyman, Philol. 55 (1896). S. 468¹⁵　18f. Iob
21, 17　17f. Gen 24, 16　18f. Ῥεβέκκα sonst = ὑπομονή.　Vgl. S. 20, 12 mit Anm.
20f. vgl. I Cor 3, 17　21—28 320, 2 δικαιοσύνη—βασιλεύς· συνωνυμία—εἰρήνης Ath
fol. 65ᵛ　22 Mc 5, 34　22f. vgl. Hebr 7, 2; Philo Leg. all. III 79 (I p. 130)
24f. vgl. Gen 14, 18 (Hebr 7, 1)

8 τοῦ ἑπομένου] τοῦτο μὲν οὐ Mon. 491　ἀειδοῦς] γεώδους Ma　11 δεικνύντος
⟨τοῦ θεοῦ⟩ St δεικνῦντες L δεικνὺν Ma　18 ⟨παρθένος ἦν⟩ aus Gen wegen ἐπαναλήψει
(Z. 16) St　19 αὕτη ⟨δ'⟩ Schw

τύπον εὐχαριστίας. καὶ δὴ ἑρμηνεύεται ὁ Μελχισεδὲκ βασιλεὺς δί-
καιος, συνωνυμία δέ ἐστι δικαιοσύνης καὶ εἰρήνης. Βασιλείδης δὲ 162,
ὑποστατὰς Δικαιοσύνην τε καὶ τὴν θυγατέρα αὐτῆς τὴν Εἰρήνην
ὑπολαμβάνει ἐν ὀγδοάδι μένειν ἐνδιατεταγμένας.

5 Μετιτέον δὴ ἀπὸ τῶν φυσικωτέρων ἐπὶ τὰ προφανέστερα ⟨τὰ⟩ἠθικά· 2
ὁ γὰρ περὶ ἐκείνων λόγος μετὰ τὴν ἐν χερσὶ πραγματείαν ἕψεται.
αὐτὸς οὖν ἡμᾶς ὁ σωτὴρ ἀτεχνῶς κατὰ τὴν τραγῳδίαν μυσταγωγεῖ, | 3

ὁρῶν ὁρῶντας καὶ δίδωσιν ὄργια.
                                                                638 F
κἂν πύθῃ·

10   τὰ δὲ ὄργια ἐστὶ τίν' ἰδέαν ἔχοντά σοι;
ἀκούσῃ πάλιν·

ἄρρητ' ἀβακχεύτοισιν εἰδέναι βροτῶν,
κἂν πολυπραγμονῇ τις ὁποῖα εἴη, αὖθις ἀκουσάτω·   4

ου θέμις ἀκοῦσαί σε, ἔστι[ν] δ' ἄξι' εἰδέναι·
15   ἀσέβειαν ἀσκοῦντα ὄργι' ἐχθαίρει θεοῦ·

ὁ θεὸς δὲ ἄναρχος, ἀρχὴ τῶν ὅλων παντελής, ἀρχῆς ποιητικός. ἣ 5
μὲν οὖν ἐστιν οὐσία, ἀρχὴ τοῦ φυσικοῦ τόπου· καθ' ὅσον ἐστὶν τἀ-
γαθόν, τοῦ ἠθικοῦ· ἣ δ' αὖ ἐστι νοῦς, τοῦ λογικοῦ καὶ κριτικοῦ
τόπου· ὅθεν καὶ διδάσκαλος μόνος ὁ λόγος, υἱὸς τοῦ νοῦ πατρός,
20 ὁ παιδεύων τὸν ἄνθρωπν.

XXVI. Οὔκουν εὐλόγως οἱ κατατρέχοντες τῆς πλάσεως καὶ κακί- 168,
ζοντες τὸ σῶμα, οὐ συνορῶντες τὴν κατασκευὴν τοῦ ἀνθρώπου
ὀρθὴν πρὸς τὴν οὐρανοῦ θέαν γενομένην. καὶ τὴν τῶν αἰσθήσεων
ὀργανοποιίαν πρὸς γνῶσιν συντείνουσαν τά τε μέλη καὶ μέρη πρὸς
25 τὸ καλόν, οὐ πρὸς ἡδονὴν εὔθετα. ὅθεν ἐπιδεκτικὸν γίνεται τῆς 2
τιμιωτάτης τῷ θεῷ ψυχῆς τὸ οἰκητήριον τοῦτο καὶ πνεύματος ἁγίου
κατὰ τὸν τῆς ψυχῆς τε καὶ σώματος ἁγιασμὸν καταξιοῦται τῷ τοῦ
σωτῆρος καταρτισμῷ τελειούμενον. καὶ δὴ ἡ ἀντακολουθία τῶν 3

1f. vgl. Hebr 7, 2 8. 10. 12. 14f. Eurip. Bakch. 470—472. 474. 476 12 Theo-
doret Gr. aff. c. I 86 16 vgl. Tatian 4 p. 4, 29—5, 2 Schw θεὸς ὁ καθ' ἡμᾶς οὐκ
ἔχει σύστασιν ἐν χρόνῳ, μόνος ἄναρχος ὢν καὶ αὐτὸς ὑπάρχων τῶν ὅλων ἀρχή. 22f.
vgl. z. B. Ovid Metam. 1, 84ff.; F. Boll, Stud. zu Claud. Ptolem. S. 148²; 240 23
vgl. Protr. 63, 4 mit Anm.; [vgl. auch Philon De plant. 17, letzthin Plat. Tim. 43
p. 90 A (Fr)] 26—28 vgl. I Thess 5, 23 27f. vgl. Strom. III 81, 1

3 ὑποστατὰς (vgl. Strom. VIII 3, 2; 21, 3)] ὑποστάτας Po vgl. Hilgenfeld, Ketzer-
gesch. S. 219 Anm: 351 τε Sy δὲ L 5 ⟨τὰ⟩ Schw 10 ἐστὶ τίν' ἰδέαν ἔχοντά Eur.
εἴτιν' εἰδέαν ἔχεταί L 12 ἄρρητα βακχευτοῖσιν L 13 αὖθις He αὖτις L 15 ἐχθαίρει
(nach θ ist ρ gestrichen) L¹ 16. 18 ἣ L 17 φυσικοῦ Bywater S. 214 ποιητικοῦ
L ὅσον ⟨δὲ⟩ Ma 19 λόγος, υἱὸς τοῦ νοῦ (vgl. S. 331, 10) Schw μόνος ὑψίστου ἁγνοῦ L

τριῶν ἀρετῶν περὶ τὸν ἄνθρωπον εὑρίσκεται τὸν γνωστικὸν ἠθικῶς
τε καὶ φυσικῶς καὶ λογικῶς περὶ τὸ θεῖον πραγματευόμενον. σοφία 4
μὲν γὰρ ἐπιστήμη τῶν θείων καὶ τῶν ἀνθρωπίνων, δικαιοσύνη δὲ
συμφωνία τῶν τῆς ψυχῆς μερῶν, ὁσιότης δὲ θεραπεία τοῦ θεοῦ. εἰ 5
5 δέ τις διαβάλλεσθαι τὴν σάρκα καὶ δι' αὐτῆς τὴν γένεσιν φάσκοι
παραθεὶς Ἡσαΐαν λέγοντα »πᾶσα σὰρξ χόρτος καὶ πᾶσα δόξα ἀν-
θρώπου ὡς ἄνθος χόρτου· ἐξηράνθη ὁ χόρτος καὶ τὸ ἄν|θος ἐξέπεσεν· 639 P
τὸ δὲ ῥῆμα κυρίου μένει εἰς τὸν αἰῶνα«, ἀκουσάτω ἑρμηνεύοντος τὸ
ζητούμενον διὰ Ἰερεμίου τοῦ πνεύματος· »καὶ διέσπειρα αὐτοὺς ὡς
10 φρύγανα πετώμενα ὑπὸ ἀνέμου εἰς ἔρημον. οὗτος ὁ κλῆρος καὶ 164, 1
μερὶς τοῦ ἀπειθεῖν ὑμᾶς, λέγει κύριος· ὡς ἐπελάθου μου καὶ ἤλπισας
ἐπὶ ψεύδεσι, κἀγὼ ἀποκαλύψω τὰ ὀπίσω σου ἐπὶ πρόσωπόν σου, καὶ
ὀφθήσεται ἡ ἀτιμία σου, μοιχεία σου καὶ χρεμετισμός σου« καὶ τὰ
ἑξῆς. τοῦτο γὰρ »τὸ ἄνθος τοῦ χόρτου«, καὶ τὸ »κατὰ σάρκα περι- 2
15 πατεῖν« καὶ »σαρκικοὺς εἶναι« κατὰ τὸν ἀπόστολον, ἐν ἁμαρτίαις
ὄντας. κρεῖττον μὲν τοῦ ἀνθρώπου ὡμολόγηται ἡ ψυχή, ἧττον δὲ 3
τὸ σῶμα. ἀλλ' οὔτε ἀγαθὸν ἡ ψυχὴ φύσει οὔτε αὖ κακὸν φύσει τὸ
σῶμα, οὐδὲ μὴν ὃ μή ἐστιν ἀγαθόν, τοῦτο εὐθέως κακόν. εἰσὶ γὰρ 4
οὖν καὶ μεσότητές τινες καὶ προηγμένα καὶ ἀποπροηγμένα ἐν τοῖς
20 μέσοις. ἐχρῆν δὴ οὖν τὴν σύνθεσιν τοῦ ἀνθρώπου ἐν αἰσθητοῖς 5
γενομένην ἐκ διαφόρων συνεστάναι, ἀλλ' οὐκ ἐξ ἐναντίων, σώματός
τε καὶ ψυχῆς. ἀεὶ τοίνυν αἱ ἀγαθαὶ πράξεις ὡς ἀμείνους τῷ κρείτ- 165, 1
τονι τῷ πνευματικῷ προσάπτονται, αἱ δὲ φιλήδονοι καὶ ἁμαρτητικαὶ
τῷ ἥττονι τῷ ἁμαρτητικῷ περιτίθενται. αὐτίκα ἡ τοῦ σοφοῦ τε 2
25 καὶ γνωστικοῦ ψυχή, οἷον ἐπιξενουμένη τῷ σώματι, σεμνῶς αὐτῷ
καὶ τιμητικῶς προσφέρεται, οὐ προσπαθῶς, ὅσον οὐδέπω, ἐὰν ὁ
καιρὸς τῆς ἀποδημίας καλῇ, ἀπολείπουσα τὸ σκῆνος. »πάροικος«, 3
φησίν, »ἐν τῇ γῇ καὶ παρεπίδημος ἐγώ εἰμι μεθ' ὑμῶν.« καὶ ἐντεῦ-
θεν ξένην τὴν ἐκλογὴν τοῦ κόσμου ὁ Βασιλείδης εἴληφε λέγειν, ὡς
30 ἂν ὑπερκόσμιον φύσει οὖσαν. τὸ δ' οὐχ οὕτως ἔχει. ἑνὸς γὰρ τὰ 4
πάντα θεοῦ,, καὶ οὐκ ἄν τις εἴη φύσει τοῦ κόσμου ξένος, μιᾶς μὲν
τῆς οὐσίας οὔσης, ἑνὸς δὲ τοῦ θεοῦ, ἀλλ' ὁ ἐκλεκτὸς ὡς ξένος πολι-
τεύεται, κτητά τε καὶ ἀπόκτητα εἰδὼς πάντι.

* 2f. vgl. Paed. II 25, 3 mit Anm.   3f. vgl. Albinus in C. F. Hermanns Plato VI
p. 182, 32; Plato Def. p. 411 D; Fr in PhW 57 (1937) 592   4 vgl. S. 123, 25f. mit
Anm.   6—8 Is 40, 6—8   9—13 Ier 13, 24—27   14 Is 40, 6 (Iac 1, 10; I Petr 1, 24)
14f. II Cor 10, 2   15 I Cor 3, 3   15f. vgl. I Cor 15, 17   18—20 vgl. Diog. Laert.
VII 105f.; Chrys. Fr. mor. 122ff. Arnim [ἀποδημία im Sinn des Abscheidens aus
dem Leben zuerst Plat. Phaed. 5 p. 61 E, (Fr)]   27 zu σκῆνος vgl. S. 318, 28 mit
Anm.   27f. Gen 23, 4; Ps 38, 13   32f. vgl. Hebr 11, 13

13 χραιμετισμός L   23 πνευματικῷ] πνικῶι (daher πνεύματι κυρίῳ Ausgg.) L
27 ἀπολειποῦσα L   29 ⟨παρ⟩είληφε Schw
Clemens II.   21

Ὅσα δὲ τριττὰ εἶναι ἀγαθὰ οἱ Περιπατητικοὶ θέλουσι, χρῆται 166,
αὐτοῖς, ἀλλὰ καὶ τῷ σώματι, ὥς τις μακρὰν στελλόμενος ἀποδημίαν
πανδοχείοις καὶ ταῖς παρ᾽ ὁδὸν οἰκήσεσιν, ἐπιμελούμενος μὲν καὶ
κοσμῶν τὸν τόπον ἔνθα κατα|λύει, ἀπολείπων δὲ τὴν οἴκησιν καὶ 640
5 τὴν κτῆσιν καθάπερ καὶ τὴν χρῆσιν ἀπροσπαθῶς, προθύμως τῷ
ἀπάγοντι τοῦ βίου συνεπόμενος, οὐδαμῶς ὀπίσω κατ᾽ οὐδεμίαν ἀφορ-
μὴν ἐπιστρεφόμενος, εὐχαριστήσας μὲν ἐπὶ τῇ παροικίᾳ, εὐλογῶν δὲ
ἐπὶ τῇ ἐξόδῳ, τὴν μονὴν ἀσπαζόμενος τὴν ἐν οὐρανῷ. »οἴδαμεν 2
γὰρ ὅτι, ἐὰν ἡ ἐπίγειος ἡμῶν οἰκία τοῦ σκήνους καταλυθῇ, οἰκοδο-
10 μὴν ἐκ θεοῦ ἔχομεν, οἰκίαν ἀχειροποίητον αἰώνιον ἐν τοῖς οὐρανοῖς.
καὶ γὰρ ἐν τούτῳ στενάζομεν, τὸ οἰκητήριον ἡμῶν τὸ ἐξ οὐρανοῦ
ἐπενδύσασθαι ἐπιποθοῦντες, εἴ γε καὶ ἐνδυσάμενοι οὐ γυμνοὶ εὑρε-
θησόμεθα· διὰ πίστεως γὰρ περιπατοῦμεν, οὐ διὰ εἴδους,« ὡς ὁ ἀπό-
στολός φησιν. »εὐδοκοῦμεν δὲ μᾶλλον ἐκδημῆσαι ἐκ τοῦ σώματος 3
15 καὶ ἐνδημῆσαι πρὸς τὸν | θεόν.« ἐν συγκρίσει δὲ τὸ μᾶλλον, ἡ δὲ 232
σύγκρισις ἐπὶ τῶν καθ᾽ ὁμοίωσιν ὑποπιπτόντων, ὡς ὁ ἀνδρειότερος
ἀνδρείων ἀνδρειότερος, δειλῶν δὲ ἀνδρειότατος. ὅθεν ἐπήγαγεν 167,
»διὸ φιλοτιμούμεθα, εἴτε ἐκδημοῦντες εἴτε ἐνδημοῦντες, εὐάρεστοι
εἶναι αὐτῷ«, τῷ ἑνὶ δηλονότι θεῷ, οὗ τὰ πάντα ἔργον τε καὶ κτίσις,
20 ὅ τε κόσμος καὶ τὰ ὑπερκόσμια. ἄγαμαι τὸν Ἐπίχαρμον σαφῶς 2
λέγοντα·

　　　　εὐσεβὴς νόῳ πεφυκὼς οὐ πάθοις κ᾽ οὐδὲν κακὸν
　　　　κατθανών, ἄνω τὸ πνεῦμα διαμένει κατ᾽ οὐρανόν·

καὶ τὸν μελοποιὸν ᾄδοντα·　　　　　　　　　　　　　　　3

25　　　　ψυχαὶ δ᾽ ἀσεβῶν ὑπουράνιοι γαίᾳ πωτῶνται
　　　　ἐν ἄλγεσι φονίοις ὑπὸ ζεύγλαις ἀφύκτοις κακῶν,
　　　　εὐσεβῶν δὲ ἐπουράνιοι νάουσι,
　　　　μολπαῖς μάκαρα μέγαν ἀείδουσ᾽ ἐν ὕμνοις·

οὔκουν οὐρανόθεν καταπέμπεται δεῦρο ἐπὶ τὰ ἥττω ψυχή, ὁ θεὸς 4

1f. vgl. Aristot. Eth. Nic. I 8 p. 1098ᵇ 12ff. u. ö.; Strom. II 34, 1　6f. vgl. Lc
17, 31　8—19 II Cor 5, 1—3; 7—9　22f. Epicharm Fr. 22 Diels⁶ (I S. 202, 3)
25—28 Pindar zweifelhaftes Fr. 132 Schroeder　27f. Theodoret Gr. aff. c. VIII 35

3 πάροδον L　4 κοσμῶν Anon. in Villoison, Epist. Vinar. p. 96 κοσμικῶν L　ἀπο-
λιπὼν L　22 νόῳ W. T(euffel) in Zinimermanns Zeitschr. f. d. Alterthumswiss. 2
(1835) S. 88 νῷ L τὸν νοῦν Grotius　κ᾽ Ahrens γ᾽ L　25 ποτῶνται Schroeder　27
εὐσεβέων Theod. HSS　νάοσι] νέονσαι oder ναίουσαι Theod. HSS　28 μακάρων
μέτα Schw ἀείδοντ᾽ Boeckh

γὰρ ἐπὶ τὰ ἀμείνω πάντα ἐργάζεται, ἀλλ᾽ ἢ τὸν ἄριστον ἑλομένη
βίον ἐκ θεοῦ [καὶ] δικαιοσύνης γῆς οὐρανὸν ἀνταλλάσσεται.

Εἰκότως οὖν γνώσεως ἐπήβολος ὁ Ἰὼβ γενόμενος »νῦν οἶδα« 168, 1
εἶπεν »ὅτι πάντα δύνασαι, ἀδυνατεῖ δέ σοι οὐθέν. τίς γὰρ ἀπαγ-
5 γέλλει μοι ἃ οὐκ ᾔδειν, μεγάλα καὶ θαυμαστὰ ἃ οὐκ ἠπιστάμην; ἐγὼ
δὲ ἐφαύλισα ἐμαυτὸν ἡγησάμενος ἐμαυτὸν εἶναι γῆν καὶ σποδόν.« ὁ 2
γὰρ ἐν ἀγνοίᾳ ὢν ἁμαρτητικός τέ ἐστι καὶ γῆ καὶ σποδός, ὁ δ᾽ ἐν
γνώσει καθεστώς, ἐξομοιούμενος θεῷ εἰς ὅσον δύναται, ἤδη πνευμα-
τικὸς καὶ διὰ τοῦτο ἐκλεκτός. ὅτι δὲ τοὺς ἀνοήτους καὶ ἀπειθεῖς 3
10 γῆν καλεῖ ἡ γραφή, σαφὲς ποιήσει Ἱερεμίας ὁ προφήτης κατὰ Ἰωακεὶμ
καὶ τῶν ἀδελφῶν αὐτοῦ λέγων· »γῆ γῆ, ἄκουε λόγον κυρίου· γράψον
τὸν ἄνδρα τοῦτον ἐκκήρυκτον ἄνθρωπον.« ἄλλος δ᾽ αὖ προφήτης 169, 1
φησίν· | »ἄκουε, οὐρανέ, καὶ ἐνωτίζου, γῆ,« τὴν σύνεσιν ἀκοὴν εἰπών, 641 P
καὶ οὐρανὸν τὴν τοῦ γνωστικοῦ ψυχὴν τὴν οὐρανοῦ καὶ τῶν θείων
15 θέαν ἐπανῃρημένου καὶ ταύτῃ Ἰσραηλίτην γεγονέναι· ἔμπαλιν γὰρ 2
αὖ τὸν ἑλόμενον τὴν ἀμαθίαν καὶ τὴν σκληροκαρδίαν γῆν εἴρηκεν
καὶ τὸ »ἐνωτίζου« ἀπὸ τῶν ὀργάνων τῆς ἀκοῆς τῶν ὤτων προση-
γόρευσεν, τὰ σαρκικὰ τοῖς προσανέχουσι τοῖς αἰσθητοῖς ἀπονείμας.
οὗτοί εἰσι περὶ ὧν Μιχαίας ὁ προφήτης λέγει· »ἀκούσατε λαοὶ λόγον 3
20 κυρίου οἱ συνοικοῦντες ὀδύναις.« καὶ ὁ Ἀβραὰμ »μηδαμῶς,« εἶπεν, 4
»κύριε, ὁ κρίνων τὴν γῆν,« ἐπεὶ »ὁ ἀπιστήσας« κατὰ τὴν σωτήριον
φωνὴν »ἤδη κέκριται.« γέγραπται δὲ κἀν ταῖς Βασιλείαις ἡ κρίσις 170, 1
καὶ ἡ ἀπόφασις τοῦ κυρίου ὧδε ἔχουσα· »δικαίων εἰσακούει ὁ θεός,
ἀσεβεῖς δὲ οὐ σῴζει, παρὰ τὸ μὴ βούλεσθαι εἰδέναι αὐτοὺς τὸν θεόν·
25 ἄτοπα γὰρ οὐ συντελέσει ὁ παντοκράτωρ.« τί πρὸς ταύτην ἔτι 2
φθέγγονται τὴν φωνὴν αἱ αἱρέσεις, ἀγαθὸν θεὸν τὸν παντοκράτορα
κηρυττούσης τῆς γραφῆς καὶ ἀναίτιον κακίας τε καὶ ἀδικίας, εἴ γε
ἡ μὲν ἄγνοια διὰ τὸ μὴ γινώσκειν φύεται, ὁ θεὸς δὲ οὐδὲν ἄτοπον
ποιεῖ; »οὗτος γάρ ἐστι«, φησίν, »ὁ θεὸς ἡμῶν καὶ οὐκ ἔστι πλὴν 3
30 αὐτοῦ σῴζων·« »οὐδὲ γάρ ἐστιν ἀδικία παρὰ τῷ θεῷ« κατὰ τὸν
ἀπόστολον. σαφῶς δὲ ἔτι ὁ προφήτης τὴν βουλὴν τοῦ θεοῦ καὶ 4

3—6 Iob 42, 2f. 6   7—9 vgl. Plato Theaet. p. 176 B   11f. Ier 22, 29f.   13 Is 1,2
14f. vgl. Protr. 65, 4 mit Anm.; oben S. 320, 23   15 vgl. die Etymologie von Ἰσραὴλ
Paed. I 57, 2 mit Anm.   19f. vgl. Mich 1, 1f. 12   20f. Gen·18, 25   21f. Io 3, 18
23f. Iob 36, 10a. 12   25 vgl. Iob 34, 12; 35, 13 (συντελέσει viell. veranlaßt durch
Iob 35, 14)   29f. vgl. Is 45, 21   30 Rom 9, 14

2 [καὶ] Ma   3 ἐπήβολος Sy ἐπίβολος L   15 Ἰσραηλίτου γεγονότος St Ἰσραηλίτην
⟨ἑλομένου⟩ γεγονέναι Ma lies mit Parenthese (καὶ ταύτῃ Ἰσραηλίτην γεγονέναι ⟨αὐτὸν
εἴποιμεν ἄν⟩) Fr.   16 αὖ τὸν Bernays αὐτὸν L

21*

τὴν προκοπὴν τὴν γνωστικὴν διὰ τούτων διδάσκει· ‹καὶ νῦν, Ἰσραήλ,
τί κύριος ὁ θεός σου αἰτεῖται παρὰ σοῦ, ἀλλ᾽ ἢ φοβεῖσθαι κύριον
τὸν θεόν σου καὶ πορεύεσθαι ἐν πάσαις ταῖς ὁδοῖς αὐτοῦ καὶ ἀγαπᾶν
αὐτὸν καὶ λατρεύειν αὐτῷ μόνῳ;‹ ⟨τοῦτο⟩ αἰτεῖται παρὰ σοῦ, τοῦ
5 τὴν ἐξουσίαν ἔχοντος ἑλέσθαι τὴν σωτηρίαν.

Τί τοίνυν οἱ Πυθαγόρειοι βουλόμενοι μετὰ φωνῆς εὔχεσθαι κε- 171
λεύουσιν; ἐμοὶ δοκεῖ οὐχ ὅτι τὸ θεῖον ᾤοντο μὴ δύνασθαι τῶν
ἡσυχῇ φθεγγομένων ἐπαΐειν, ἀλλ᾽ ὅτι δικαίας ἐβούλοντο εἶναι τὰς
εὐχάς, ἃς οὐκ ἄν τις αἰδεσθείη ποιεῖσθαι πολλῶν συνειδότων. ἡμεῖς 2
10 δὲ περὶ μὲν τῆς εὐχῆς κατὰ καιρὸν προϊόντος τοῦ λόγου διαληψό-
μεθα, τὰ δὲ ἔργα κεκραγότα ἔχειν ὀφείλομεν ‹ὡς | ἐν ἡμέρᾳ περιπα- 642
τοῦντες‹. ‹λαμψάτω γάρ σου τὰ ἔργα.‹ ‹καὶ ἰδοὺ ἄνθρωπος καὶ τὰ 8
ἔργα αὐτοῦ πρὸ προσώπου αὐτοῦ. ἰδοὺ γὰρ ὁ θεὸς καὶ τὰ ἔργα
αὐτοῦ.‹ θεὸν χρὴ μιμεῖσθαι εἰς ὅσον δύναμις τῷ γνωστικῷ. ἐμοὶ 4
15 δὲ καὶ οἱ ποιηταὶ τοὺς ἐκλεκτοὺς παρὰ σφίσι θεοειδέας προσαγο-
ρεύειν δοκοῦσι καὶ δίους καὶ ἀντιθέους καὶ Διὶ μῆτιν ἀταλάντους
καὶ ‹θεοῖς ἐναλίγκια μήδε᾽ ἔχοντας‹ καὶ θεοεικέλους, τὸ ‹κατ᾽ εἰκόνα
καὶ ὁμοίωσιν‹ περιτρώγοντες. ὁ μὲν οὖν Εὐριπίδης   172

χρύσεαι δή μοι πτέρυγες περὶ νώτῳ

20 φησὶ

καὶ τὰ Σειρήνων ἐρόεντα πέδιλα ἁρμόζεται,
βάσομαί τ᾽ ἐς αἰθέρα πουλὺν ἀερθεὶς
Ζηνὶ προσμίξων.

ἐγὼ δὲ ἂν εὐξαίμην τὸ πνεῦμα τοῦ Χριστοῦ πτερῶσαί με εἰς τὴν 2
25 Ἱερουσαλὴμ τὴν ἐμήν· λέγουσι γὰρ καὶ οἱ Στωϊκοὶ τὸν μὲν οὐρανὸν
κυρίως πόλιν, τὰ δὲ ἐπὶ γῆς ἐνταῦθα οὐκέτι πόλεις· λέγεσθαι μὲν
γὰρ οὐκ εἶναι δέ· σπουδαῖον γὰρ ἡ πόλις καὶ ὁ δῆμος ἀστεῖόν τι
σύστημα καὶ πλῆθος ἀνθρώπων ὑπὸ νόμου διοικούμενον, καθάπερ ἡ

---

* 1—4 Deut 10, 12 (beeinflußt von Mt 4, 10; Lc 4, 8)   6f. Pyth. Symb. 70 Mullach
FPG I p. 508   11f. Rom 13, 13   12 vgl. Mt 5, 16   12—14 vgl. Is 40, 10; 62, 11;
Apc 22, 12; Resch, Agrapha² Log. 38 S. 315ff.; Ropes, Sprüche Jesu S. 45f.   15—17
vgl. z. B. B 623. 714; A 264; B 169. 407. 636; K 137; ν 89; A 131 vgl. Plut. de Is.
et Os. 26 p. 360 F—361 A (Fr)   17f. vgl. Gen 1, 26   19—23 Euripides Fr. inc. 911
25—28 Chrysipp Fr. mor. 327 Arnim; vgl. Stob. Ecl. II 7, 11ⁱ p. 103, 11—17 Wachsm.

4 ⟨τοῦτο⟩ St   6 πυθαγόριοι L   9 ⟨οἵ⟩ας Ma ⟨καὶ τοιαύτας⟩ ἃς Schw   17 θεο-
εικέλλους L   21 ἐρόεντα] πτερόεντα Grotius   πτερόεντα Pap. Ox. 1176 wie Grotius
22 μαιδα Pap. = βάσομαι δ᾽ ἂν   πουλὺν Pap. (wie es das Metrum erfordert Fr) |
πολὺν L

ἐκκλησία ὑπὸ λόγου, ἀπολιόρκητος ἀτυράννητος πόλις ἐπὶ γῆς, θέ-
λημα θεῖον ἐπὶ γῆς ὡς ἐν οὐρανῷ. εἰκόνας τῆσδε τῆς πόλεως καὶ 3
οἱ ποιηταὶ κτίζουσι γράφοντες· αἱ γὰρ Ὑπερβόρεοι καὶ Ἀριμάσπειοι
πόλεις καὶ τὰ Ἠλύσια πεδία δικαίων πολιτεύματα· ἴσμεν δὲ καὶ τὴν
5 Πλάτωνος πόλιν παράδειγμα ἐν οὐρανῷ κειμένην. ‖

1f. vgl. Mt 6, 10   vgl. M. Werner, Die Entstehung des christlichen Dogmas,
Bern-Leipzig, 1941, S. 643: „. . . die Idee von der Kirche als dem Gottesstaat, die
vor Augustin nicht Origenes, sondern vor diesem bereits Clemens Al. als erster
deutlich postuliert“ (dazu Anm. 15: Strom. IV 172, 2) (Fr)   3 vgl. z. B. Herodot
4, 13. 32—36   4 vgl. z. B. δ 563—568   4f. vgl. Plato Rep. IX p. 592 B; Orig. c.
Cels. V 43 p. 47, 8 Koetschau

1 [ἐπὶ γῆς] Schw   3 ὑπερβόριοι L   ἀριμάσπιοι L   5 κείμενον Ja

Subscriptio: στρωματέων δ′ L

ΚΛΗΜΕΝΤΟΣ

ΣΤΡΩΜΑΤΕΩΝ ΠΕΜΠΤΟΣ

I. Περὶ μὲν τοῦ γνωστικοῦ τοσαῦτα ὡς ἐν ἐπιδρομῇ, χωρῶμεν δὲ 1, 1
ἤδη ἐπὶ τὰ ἑξῆς, καὶ δὴ τὴν πίστιν αὖθις διαθρητέον· εἰσὶ γὰρ οἱ
5 τὴν ⟨μὲν⟩ πίστιν ἡμῶν περὶ τοῦ υἱοῦ, τὴν δὲ γνῶσιν περὶ τοῦ πατρὸς
εἶναι διαστέλλοντες. λέληθεν δὲ αὐτοὺς ὅτι πιστεῦσαι μὲν ἀληθῶς 2
τῷ υἱῷ δεῖ, ὅτι τε υἱὸς καὶ ὅτι ἦλθεν καὶ πῶς καὶ διὰ τί καὶ περὶ
τοῦ πάθους, γνῶναι δὲ ἀνάγκη τίς ἐστιν ὁ υἱὸς τοῦ θεοῦ. ἤδη δὲ 3
οὔτε ἡ γνῶσις ἄνευ πίστεως οὔθ' ἡ πίστις ἄνευ γνώσεως, οὐ μὴν
10 οὐδὲ ὁ πατὴρ ἄνευ υἱοῦ· ἅμα γὰρ τῷ πατὴρ υἱοῦ πατήρ, υἱὸς δὲ
περὶ πατρὸς ἀληθὴς διδάσκαλος. καὶ ἵνα τις πιστεύσῃ τῷ υἱῷ, 4
γνῶναι δεῖ τὸν πατέρα πρὸς ὃν καὶ ὁ υἱός. αὖθίς τε ἵνα τὸν πα-
τέρα ἐπιγνῶμεν, πιστεῦσαι δεῖ τῷ υἱῷ, ὅτι ὁ τοῦ θεοῦ υἱὸς διδάσκει·
ἐκ πίστεως γὰρ εἰς γνῶσιν, | διὰ υἱοῦ πατήρ· γνῶσις δὲ υἱοῦ καὶ 644 P
15 πατρὸς ἡ κατὰ τὸν κανόνα τὸν γνωστικὸν τὸν τῷ ὄντι γνωστικὸν
ἐπιβολὴ καὶ διάληψίς ἐστιν ἀληθείας διὰ τῆς ἀληθείας. ἡμεῖς ἄρα 5
ἐσμὲν οἱ ἐν τῷ ἀπιστουμένῳ πιστοὶ καὶ οἱ ἐν τῷ ἀγνώστῳ γνωστι-
κοί, τουτέστιν ἐν τῷ πᾶσιν ἀγνοουμένῳ καὶ ἀπιστουμένῳ, ὀλίγοις δὲ
πιστευομένῳ τε καὶ γινωσκομένῳ γνωστικοί· γνωστικοὶ δὲ οὐ λόγῳ,
20 ἔργα ἀπογραφόμενοι, ἀλλ' αὐτῇ τῇ θεωρίᾳ.

»Μακάριος ὁ λέγων εἰς ὦτα ἀκουόντων« πίστις δὲ ὦτα ψυχῆς, 2, 1
καὶ ταύτην αἰνίσσεται τὴν πίστιν ὁ κύριος λέγων »ὁ ἔχων ὦτα
ἀκούειν ἀκουέτω«, ἵνα δὴ πιστεύσας συνῇ ἃ λέγει, ὡς λέγει. ἀλλά 2
τοι καὶ Ὅμηρος ὁ ποιητῶν πρεσβύτατος ἐπὶ τοῦ αἰσθάνεσθαι τῷ

8f. vgl. Theodoret Gr. aff. c. I 92   9f. vgl. Orig. de princ. I 2, 10 (S. 41, 11 K)
quemadmodum pater non potest esse quis, si non filius sit etc. (Fr)   12 vgl. Io 1, 1
13 vgl. Io 1, 18   16 vgl. Io 14, 6f.   21 Sir 25, 9   21—S. 327, 3 πίστις—σωτηρίαν
Ath fol. 81ʳ.   22f. Mt 11, 15 u. ö.   23 vgl. Is 7, 9 (Fr)   24f. vgl. Lobeck, ῬΗΜΑ-
ΤΙΚΟΝ p. 336

5 ⟨μὲν⟩ Sy   πατρὸς St π̄ν̄σ̄ L   10 ἅμα γὰρ τῷ] ἀλλὰ γάρ τοι Jaˡ   13 ὅ τι Ma
15 [τὸν γνωστικὸν] Ma; doch vgl. Strom. VI 42, 2   τῶν τῷ ὄντι γνωστικῶν Schw
23f. ἀλλά τοι Ma ἀλλά τι L ἀλλὰ καὶ Ὅ. Ath ἀλλ' ἔτι Bywater   24 τοῦ—τῷ Sy
τῶν—τοῦ L τοῦ (wie Sy) — τὸ Ath

ἀκούειν, εἰδικῷ ἀντὶ γενικοῦ, χρησάμενος »μάλιστα δέ τ᾽ ἔκλυον
αὐτοὶ« γράφει· τὸ γὰρ ὅλον ἡ συνῳδία καὶ ἡ συμφωνία τῆς ἀμφοῖν
πίστεως εἰς ἓν πέρας καταγίνεται τὴν σωτηρίαν. μάρτυς ἡμῖν νη- 3
μερτὴς ὁ ἀπόστολος λέγων· »ἐπιποθῶ γὰρ ἰδεῖν ὑμᾶς, ἵνα τι μεταδῶ
5 χάρισμα ὑμῖν πνευματικὸν εἰς τὸ στηριχθῆναι ὑμᾶς· τοῦτο δέ ἐστι
συμπαρακληθῆναι ἐν ὑμῖν διὰ τῆς ἐν ἀλλήλοις πίστεως ὑμῶν τε καὶ
ἐμοῦ.« καὶ πάλιν ὑποβὰς ἐπάγει· »δικαιοσύνη δὲ θεοῦ ἐν αὐτῷ ἀπο-
καλύπτεται ἐκ πίστεως εἰς πίστιν.« φαίνεται οὖν ὁ ἀπόστολος διτ- 4
τὴν καταγγέλλων πίστιν, μᾶλλον δὲ μίαν, αὔξησιν καὶ τελείωσιν
10 ἐπιδεχομένην· ἡ μὲν γὰρ κοινὴ πίστις καθάπερ θεμέλιος ὑπόκειται 5
(τοῖς γοῦν θεραπευθῆναι ποθοῦσιν ὁ κύριος πιστῶς κινουμένοις
ἐπέλεγεν· »ἡ πίστις σου σέσωκέν σε«), ἡ δὲ ἐξαίρετος ἐποικοδομου- 6
μένη συντελειοῦται τῷ πιστῷ καὶ συναπαρτίζεται αὐτῇ ἡ ἐκ μαθήσεως
περιγινομένη καὶ τοῦ λόγου τὰς ἐντολὰς ἐπιτελεῖν, ὁποῖοι ἦσαν οἱ
15 ἀπόστολοι, ἐφ᾽ ὧν τὴν πίστιν ὄρη μετατιθέναι καὶ δένδρα μετα-
φυτεύειν δύνασθαι εἴρηται. ὅθεν αἰσθόμενοι τοῦ μεγαλείου τῆς δυνά- 3, 1
μεως ἠξίουν προστιθέναι αὐτοῖς πίστιν τὴν ὡς »κόκκον σινάπεως«
ἐπιδάκνουσαν ὠφελίμως τὴν ψυχὴν καὶ ἐν αὐτῇ αὔξουσαν μεγαλωστί,
ὡς ἐπαναπαύεσθαι αὐτῇ τοὺς περὶ τῶν μεταρσίων λόγους. εἰ γὰρ 2
20 φύσει τις τὸν θεὸν ἐπίσταται, ὡς Βασι|λείδης οἴεται, [τὴν] νόησιν τὴν 645 P
ἐξαίρετον πίστιν ἅμα καὶ βασιλείαν καὶ καλῶν κτίσιν, †οὐσίας ἀξίαν
τοῦ ποιήσαντος πλησίον ὑπάρχειν αὐτήν, ἑρμηνεύων, οὐσίαν, ἀλλ᾽ οὐκ
ἐξουσίαν, καὶ φύσιν καὶ ὑπόστασιν, κτίσεως ἀνυπερθέτου κάλλος
ἀδιόριστον, οὐχὶ δὲ ψυχῆς αὐτεξουσίαν λογικὴν συγκατάθεσιν λέγει
25 τὴν πίστιν. παρέλκουσι τοίνυν αἱ ἐντολαὶ αἵ τε κατὰ τὴν παλαιὰν 3
αἵ τε κατὰ τὴν νέαν διαθήκην, φύσει σῳζομένου, ὡς Οὐαλεντῖνος
βούλεται, τινὸς καὶ φύσει πιστοῦ καὶ ἐκλεκτοῦ ὄντος, ὡς Βασιλείδης
νομίζει. ἦν δ᾽ ἂν καὶ δίχα τῆς τοῦ σωτῆρος παρουσίας χρόνῳ ποτὲ
ἀναλάμψαι δύνασθαι τὴν φύσιν. εἰ δὲ ἀναγκαίαν τὴν ἐπιδημίαν τοῦ 4

1f. ζ 185. 4—8 Rom 1, 11f. 17   7—19 δικαιοσύνη—λόγους Ath fol. 91ᵛ   12 vgl.
Mt 9, 22 u. ö.   15f. vgl. Mt 17, 20; Lc 17, 6; I Cor 13, 2   17 vgl. Lc 17, 5   vgl.
Mt 17, 20; Lc 17, 6   19 vgl. Mt 13, 31f.; Mc 4, 31f.; Lc 13, 19   19f. vgl. Strom. II
10, 1   24f. vgl. Strom. II 8, 4; 9, 1; 27, 2; V 86, 1

   1 εἰδικῷ Sy ἰδικῶς L εἰδικῶς Ath (vielleicht richtig)   δέ τ᾽ Hom. u. Ath
δ᾽ ὅτ᾽ L   2 αὐτοῦ (falsch) Ath; auffällig auch bei Hesych s. v. αἰσθάνομαι die Ver-
wechslung von ζ 185 mit Α 218 (Fr)   6 ἐν¹ corr. aus ἐφ' L¹   ὑμῖν rad. aus ἡμῖν L¹
12 ἐξαίρετος Ath ἐξαιρέτως L   13f. αὐτῇ ἡ — περιγινομένη Ath αὖ τῇ (< ἡ) — η L
17 προστεθῆναι Ath   20 [τὴν] Schw   νόησιν ⟨καὶ⟩ Po   21 ⟨καὶ τὴν⟩ πίστιν R. Liechten-
han, Die Offenbarung im Gnosticismus, S. 99³   ⟨τὴν⟩ βασιλ. Po   [καὶ] καλῶν Po
καὶ καλὴν (vgl. Z. 23) St καλῶν καὶ ∼ Hilgenfeld, Ketzergeschichte S. 226 Anm. 371
21f. vielleicht οὐσίαν—[αὐτήν] St   22 ⟨καὶ⟩ πλησίον Po   οὐσίαν beginnt den Nach-
satz   28f. ποτὲ nach ἀναλάμψαι wiederholt, aber durch Punkte getilgt L¹

κυρίου φήσαιεν, οἴχεται αὐτοῖς τὰ τῆς φύσεως ἰδιώματα, μαθήσει καὶ
καθάρσει καὶ τῇ τῶν ἔργων εὐποιίᾳ, ἀλλ᾽ οὐ φύσει σῳζομένης τῆς
ἐκλογῆς. ὁ γοῦν Ἀβραὰμ δι᾽ ἀκοῆς πιστεύσας τῇ φωνῇ τῇ ὑπὸ τὴν   4, 1
δρῦν τὴν ἐν Μαμβρῇ ἐπαγγειλαμένῃ »σοὶ δίδωμι τὴν γῆν ταύτην
5 καὶ τῷ σπέρματί σου« ἤτοι ἐκλεκτὸς ἦν ἤ, οὔ; ἀλλ᾽ εἰ μὲν οὐκ ἦν,
πῶς εὐθέως ἐπίστευσεν οἷον φυσικῶς; εἰ δὲ ἦν ἐκλεκτός, λέλυται
αὐτοῖς ἡ ὑπόθεσις, εὑρισκομένης καὶ πρὸ τῆς τοῦ κυρίου παρουσίας
ἐκλογῆς καὶ δὴ καὶ σῳζομένης· »ἐλογίσθη γὰρ αὐτῷ εἰς δικαιοσύνην.«
ἐὰν γάρ τις τολμήσας λέγῃ Μαρκίωνι ἑπόμενος τὸν δημιουργὸν σῴζειν   2
10 τὸν εἰς αὐτὸν πιστεύσαντα [καὶ πρὸ τῆς τοῦ κυρίου παρουσίας ἐκ-
λογῆς καὶ δὴ καὶ σῳζομένης] τὴν ἰδίαν αὐτοῦ σωτηρίαν, παρευδοκι-
μηθήσεται αὐτῷ ἡ τοῦ ἀγαθοῦ δύναμις, ὀψὲ καὶ μετὰ τὸν ὑπ᾽ αὐτῶν
εὐφημούμενον δημιουργὸν ἐπιβαλλομένη σῴζειν καὶ αὐτὴ ἤτοι μαθή-
σει ἢ καὶ μιμήσει τούτου. ἀλλὰ κἂν οὕτως ἔχων σῴζῃ κατ᾽ αὐτοὺς   3
15 ὁ ἀγαθός, οὔτε τοὺς ἰδίους οὔτε μετὰ τῆς γνώμης τοῦ πεποιηκότος
τὴν κτίσιν ἐπιχειρεῖ τὴν σωτηρίαν, βίᾳ δὲ ἢ δόλῳ. καὶ πῶς ἔτι ἀγα-   4
θὸς ὁ οὕτως καὶ ὕστερος; εἰ δὲ ὁ τόπος διαφέρει καὶ ἡ μονὴ τοῦ
παντοκράτορος λείπεται ἀπὸ τῆς τοῦ ἀγαθοῦ θεοῦ μονῆς, ἀλλ᾽ ἡ
τοῦ σῴζοντος βούλησις οὐκ ἀπολείπεται τοῦ ἀγαθοῦ ἥ γε προκατ-
20 άρξασα.

Ἀνόητοι | ἄρα οἱ ἄπιστοι ἐκ τῶν προδιηνυσμένων ἡμῖν δείκνυν-   5, 1
ται· »αἱ γὰρ τρίβοι αὐτῶν διεστραμμέναι καὶ οὐκ ἴσασιν εἰρήνην«
φησὶν | ὁ προφήτης· »τὰς δὲ μωρὰς καὶ ἀπαιδεύτους ζητήσεις παραι-   646
τεῖσθαι« ὁ θεσπέσιος παρήνεσε Παῦλος. »ὅτι γεννῶσι μάχας«· ὅ τε
25 Αἰσχύλος κέκραγε·

τὰ μηδὲν ὠφελοῦντα μὴ πόνει μάτην.

τὴν μὲν γὰρ μετὰ πίστεως συνιοῦσαν ζήτησιν, ἐποικοδομοῦσαν τῷ   2
θεμελίῳ τῆς πίστεως τὴν μεγαλοπρεπῆ τῆς ἀληθείας γνῶσιν, ἀρίστην
ἴσμεν. ἴσμεν δὲ ὡς ἄρα οὔτε τὰ φανερὰ ζητεῖται (οἷον εἰ ἡμέρα   3
30 ἐστὶν ἡμέρας οὔσης), οὔτε τὰ ἄδηλα καὶ οὐδέποτε γενησόμενα φανερὰ
(ὡς τὸ εἰ ἄρτιοί εἰσ·ν οἱ ἀστέρες ἢ περιττοί), ἀλλ᾽ οὐδὲ τὰ ἀντι-

4f. vgl. Gen 18, 1; 17, 8   8 Gen 15, 6; Rom 4, 3   9ff. vgl. A. Harnack Marcion²
S. 294   22 Is 59, 8   23f. II Tim 2, 23   26 Aesch. Prom. 44; Theodoret Gr. aff.
c. IV 24; vgl. Elter Gnom. hist. 95   27ff. vgl. I Cor 3, 10   31f. ἀντιστρέφειν er-
klärt Gellius V 10; IX 16; vgl. C. Prantl, Gesch. d. Logik im Abendlande I S. 394f.
31. vgl. Sext. Emp. Adv. Math. XI 159 (Chrys. fr. mor. 122 Arn.) τὸ ἀδιάφορον . . .
οἷόν ἐστι τὸ περιττοὺς ἢ ἀρτίους εἶναι τοὺς ἀστέρας

10f. [καὶ—σῳζομένης] Hiller vgl. Z. 7f.   12 τὸν Vi τῶν L   13 δυσφημούμενον
Ma   15 ἰδίους ⟨σώζει⟩ Ma   18 λείπεται ἀπὸ] ἀπολείπεται Ma   26 ζήτει Theod.

στρέφοντα (ἀντιστρέφει δὲ ἃ καὶ τοῖς τὸν ἐναντίον χειρίζουσι λόγον
ἐπ᾽ ἴσης ἔστιν εἰπεῖν, ὡς τὸ εἰ ζῷον τὸ κατὰ γαστρὸς ἢ οὐ ζῷον)·
τέταρτός ἐστι τρόπος, ὅταν ἐκ θατέρου τούτων μέρους ἀναντίρρητον
καὶ ἄλυτον ἐνθύμημα προτείνηται. εἰ τοίνυν ἡ τοῦ ζητεῖν αἰτία 4
5 κατὰ πάντας τοὺς τρόπους ἀναιρεῖται, πίστις ἐμπεδοῦται· προτείνο-
μεν γὰρ αὐτοῖς τὸ ἀναντίρρητον ἐκεῖνο, ὃ ὁ θεός ἐστιν ὁ λέγων
καὶ περὶ ἑνὸς ἑκάστου ὧν ἐπιζητῶ παριστὰς ἐγγράφως. τίς οὖν οὕτως 6, 1
ἄθεος ⟨ὡς⟩ ἀπιστεῖν θεῷ καὶ τὰς ἀποδείξεις ὡς παρὰ ἀνθρώπων
ἀπαιτεῖν τοῦ θεοῦ; πάλιν τῶν ζητημάτων ἃ μὲν αἰσθήσεως δεῖται,
10 οἷον ἐὰν ζητῇ τις, εἰ τὸ πῦρ θερμὸν ἢ ἡ χιὼν λευκή· τινὰ δὲ νου-
θεσίας καὶ ἐπιπλήξεως, ὥς φησιν Ἀριστοτέλης, ὡς τὸ ἐρώτημα ἐκεῖνο,
εἰ χρὴ γονεῖς τιμᾶν. ἔστιν δὲ ἃ καὶ κολάσεως ἄξια, ὁποῖόν ἐστι τὸ
αἰτεῖν ἀποδείξεις, εἰ πρόνοιά ἐστι. προνοίας τοίνυν οὔσης, μὴ κατὰ 2
πρόνοιαν γεγονέναι πᾶσαν τήν τε προφητείαν καὶ τὴν περὶ τὸν
15 σωτῆρα οἰκονομίαν ἡγεῖσθαι ἀνόσιον, καὶ ἴσως οὐδὲ χρὴ τὰ τοιαῦτα
πειρᾶσθαι ἀποδεικνύναι, φανερᾶς οὔσης τῆς θείας προνοίας ἔκ τε
τῆς ὄψεως τῶν ὁρωμένων πάντων, τεχνικῶν καὶ σοφῶν ποιημάτων,
καὶ τῶν μὲν τάξει γινομένων, τῶν δὲ τάξει φανερουμένων· ὁ δὲ 3
μεταδοὺς ἡμῖν τοῦ εἶναί τε καὶ ζῆν μεταδέδωκεν καὶ τοῦ λόγου,
20 λογικῶς τε ἅμα καὶ εὖ ζῆν ἐθέλων ἡμᾶς· ὁ γὰρ τοῦ πατρὸς τῶν
ὅλων λόγος οὐχ οὗτός ἐστιν ὁ προφορικός, σοφία δὲ καὶ χρηστότης
φανερωτάτη τοῦ θεοῦ δύνα|μίς τε αὖ παγκρατὴς καὶ τῷ ὄντι 647 P
θεία, οὐδὲ τοῖς μὴ ὁμολογοῦσιν ἀκατανόητος, θέλημα παντοκρα-
τορικόν.
25   Ἐπεὶ δὲ οἱ μὲν ἄπιστοι, οἱ δὲ ἐριστικοί, οὐ πάντες τυγχάνουσι 7, 1
τῆς τελειότητος τοῦ ἀγαθοῦ. οὔτε γὰρ ἄνευ προαιρέσεως τυχεῖν
οἷόν τε, οὐ μὴν οὐδὲ τὸ πᾶν ἐπὶ τῇ γνώμῃ τῇ ἡμετέρᾳ κεῖται, οἷον
τὸ ἀποβησόμενον. ›χάριτι γὰρ σῳζόμεθα‹, οὐκ ἄνευ μέντοι τῶν 2
καλῶν ἔργων, ἀλλὰ δεῖ μὲν πεφυκότας πρὸς τὸ ἀγαθὸν σπουδήν
30 τινα περιποιήσασθαι πρὸς αὐτό· δεῖ δὲ καὶ τὴν γνώμην ὑγιῆ κεκτῆ- 3
σθαι τὴν ἀμετανόητον πρὸς τὴν θήραν τοῦ καλοῦ, πρὸς ὅπερ μάλιστα

---

1 f. vgl. Maxim. Conf. schol. in opera Dionysii II p. 215 Corderius   2 vgl. Strom.
VIII 9, 7.   9—13 vgl. Aristot. Topic. 1, 11 p. 105ᵃ 3—9 οὐ δεῖ δὲ πᾶν πρόβλημα οὐδὲ
πᾶσαν θέσιν ἐπισκοπεῖν· ἀλλ᾽ ἣν ἀπορήσειεν ἄν τις τῶν λόγων δεομένων, καὶ μὴ κολά-
σεως ἢ αἰσθήσεως. οἱ μὲν γὰρ ἀποροῦντες, πότερον δεῖ τοὺς θεοὺς τιμᾶν καὶ τοὺς γονεῖς
ἀγαπᾶν ἢ οὔ, κολάσεως δέονται, οἱ δέ, πότερον ἡ χιὼν λευκὴ ἢ οὔ, αἰσθήσεως. οὐδὲ
δὴ ὧν σύνεγγυς ἡ ἀπόδειξις οὐδ᾽ ὧν λίαν πόρρω· τὰ μὲν γὰρ οὐκ ἔχει ἀπορίαν, τὰ δὲ
πλείω ἢ κατὰ γυμναστικήν.   23 f. vgl. Paed. III 98, 1; Strom. V 54, 4   28 Eph 2, 5

6 ὃ] ὅτι Pohlenz   7 f. τίς οὖν αἰτία ἀθέως ἀπιστεῖν Ja¹   7 οὕτως St ἔτι L   8 ⟨ὡς⟩
Ma ⟨οἷός τ᾽⟩ Schw   10 εἰ τὸ corr. aus εἰς τὸ L¹   17 πάντων ⟨τῶν⟩ Ma

τῆς θείας χρήζομεν χάριτος διδασκαλίας τε ὀρθῆς καὶ εὐπειθείας
ἁγνῆς καὶ τῆς τοῦ πατρὸς πρὸς αὐτὸν ὁλκῆς· ἐνδεδεμένοι γὰρ τῷ 4
γεώδει σώματι τῶν μὲν αἰσθητῶν διὰ σώματος ἀντιλαμβανόμεθα,
τῶν δὲ νοητῶν δι᾽ αὐτῆς τῆς λογικῆς ἐφαπτόμεθα δυνάμεως. ἐὰν 5
5 δέ τις αἰσθητῶς τὰ πάντα καταλήψεσθαι προσδοκήσῃ, πόρρωθεν τῆς
ἀληθείας πέπτωκεν· πνευματικῶς γοῦν ὁ ἀπόστολος ἐπὶ τῆς γνώσεως
τοῦ θεοῦ γράφει· »βλέπομεν γὰρ νῦν ὡς δι᾽ ἐσόπτρου, τότε δὲ πρό-
σωπον πρὸς πρόσωπον.« ὀλίγοις γὰρ ἡ τῆς ἀληθείας θέα δέδοται. 6
λέγει γοῦν καὶ Πλάτων ἐν τῇ Ἐπινομίδι· »οὔ φημι δυνατὸν εἶναι
10 πᾶσιν ἀνθρώποις μακαρίοις τε καὶ εὐδαίμοσι γίνεσθαι πλὴν ὀλίγων·
μέχρι περ ἂν ζῶμεν, τοῦτο διορίζομαι· καλὴ δὲ ἐλπὶς τελευτήσαντι
τυχεῖν ἁπάντων.« τὰ ἴσα τούτοις βούλεται τὰ παρὰ Μωυσεῖ· »οὐδεὶς 7
ὄψεταί μου τὸ πρόσωπον καὶ ζήσεται·« δῆλον γὰρ μηδένα ποτὲ
δύνασθαι παρὰ τὸν τῆς ζωῆς χρόνον τὸν θεὸν ἐναργῶς καταλαβέ-
15 σθαι· »οἱ καθαροὶ δὲ τῇ καρδίᾳ τὸν θεὸν ὄψονται«, ἐπὰν εἰς τὴν
ἐσχάτην ἀφίκωνται τελείωσιν. ἐπεὶ γὰρ ἠσθένει πρὸς κατάληψιν 8
τῶν ὄντων ἡ ψυχή, θείου διδασκάλου ἐδεήθημεν· καταπέμπεται ὁ
σωτήρ, τῆς ἀγαθοῦ κτήσεως διδάσκαλός τε καὶ χορηγός, τὸ ἀπόρρη-
τον τῆς μεγάλης προνοίας ἅγιον γνώρισμα. »ποῦ τοίνυν γραμμα- 8, 1
20 τεύς; ποῦ συζητητὴς τοῦ αἰῶνος τούτου; οὐχὶ ἐμώρανεν ὁ θεὸς τὴν
σοφίαν τοῦ κόσμου τούτου;« φησί. καὶ πάλιν· »ἀπολῶ τὴν σοφίαν
τῶν σοφῶν καὶ τὴν σύνεσιν τῶν συνετῶν ἀθετήσω«, τῶν δοκησι-
σόφων καὶ ἐριστικῶν τούτων δηλονότι. παγκάλως γοῦν Ἱερεμίας 2
φησί· »τάδε λέγει κύριος· στῆτε ἐπὶ ταῖς ὁδοῖς | καὶ ἐρωτήσατε τρί- 648 P
25 βους αἰωνίας, ποία ἐστὶν ἡ ὁδὸς ἡ ἀγαθή, καὶ βαδίσατε ἐν αὐτῇ,
καὶ εὑρήσετε ἁγνισμὸν ταῖς ψυχαῖς ὑμῶν.« »ἐρωτήσατε«, φησί, καὶ 3
πύθεσθε παρὰ τῶν εἰδότων ἀφιλονίκως καὶ ἀδηρίτως. μαθόντες
δὲ ἄρα τῆς ἀληθείας τὴν ὁδὸν εὐθεῖαν βαδίζωμεν ἀμεταστρεπτί,
ἄχρις ἂν περιτύχωμεν τῷ ποθουμένῳ. εἰκότως ἄρα ὁ μὲν βασιλεὺς 4
30 Ῥωμαίων (Νομᾶς ὄνομα αὐτῷ) Πυθαγόρειος ὢν πρῶτος ἀνθρώπων
ἁπάντων Πίστεως καὶ Εἰρήνης ἱερὸν ἱδρύσατο. »τῷ δὲ Ἀβραὰμ 5

2 vgl. Io 6, 44   2—4 vgl. Plato Phaed. p. 79 Cff.; 81 E (ἐνδοῦνται); 81 C (γεώ-
δες); 79 D (ἐφαπτομένη)   7f. I Cor 13, 12   8 ὀλίγοις ἡ τῆς ἀληθείας δέδοται θέα
Sacr. Par. 246 Holl   9—12 Plato Epinom. p. 973 C; Theodoret Gr. aff. c. VIII 49;
XII 36   12—16 τὰ ἴσα—τελείωσιν Ath fol. 26ʳ   12f. Exod 33, 20   15 Mt 5, 8
19—21 I Cor 1, 20   21f. I Cor 1, 19   24—26 Ier 6, 16   29—31 vgl. Plut. Numa 16
31f. vgl. Gen 15, 6

1 εὐπειθείας Sy (vgl. S. 334, 13 und Protr. 115, 1) εὐπαθείας L εὐμαθείας St
2 αὐτὸν L   6 ἐπὶ] περὶ Ma   10 εὐδαίμοσι L¹ εὐδαίμοσιν L*   11 ζῶμεν Plato ζῶμαι
L   17 καταπέμπεται ⟨οὖν⟩ Ma θείου δὲ διδασκάλου ἐδεήθημεν, καταπέμπεται Klst
18f. τῶν ἀπορρήτων Schw   27 ἀφιλονείκως L   30 νουμας L   πυθαγόριος L

πιστεύσαντι δικαιοσύνη ἐλογίσθη.‹ οὗτος τὴν μετάρσιον τῶν κατὰ
τὸν ἀέρα συμβαινόντων καὶ τὴν μετέωρον τῶν κατὰ τὸν οὐρανὸν
κινουμένων φιλοσοφίαν μετιὼν Ἀβρὰμ ἐκαλεῖτο, ὃ μεθερμηνεύεται
›πατὴρ μετέωρος‹· ὕστερον δὲ ἀναβλέψας εἰς τὸν οὐρανόν, εἴτε τὸν 6
5 υἱὸν ἐν τῷ πνεύματι ἰδών, ὡς ἐξηγοῦνταί τινες, εἴτε ἄγγελον ἔνδο-
ξον εἴτε καὶ ἄλλως ἐπιγνοὺς θεὸν | κρείττονα τῆς ποιήσεως καὶ 235 S
πάσης τῆς ἐν αὐτῇ τάξεως, προσλαμβάνει τὸ ἄλφα, τὴν γνῶσιν τοῦ
ἑνὸς καὶ μόνου θεοῦ, καὶ λέγεται Ἀβραάμ, ἀντὶ φυσιολόγου σοφὸς
καὶ φιλόθεος γενόμενος. ἑρμηνεύεται μὲν γὰρ ›πατὴρ ἐκλεκτὸς 7
10 ἠχοῦς‹· ἠχεῖ μὲν γὰρ ὁ γεγονὼς λόγος, πατὴρ δὲ τούτου ὁ νοῦς,
ἐξειλεγμένος δὲ ὁ τοῦ σπουδαίου νοῦς.

Καί μοι σφόδρα ἐπαινεῖν ἔπεισι τὸν Ἀκραγαντῖνον ποιητὴν 9, 1
ἐξυμνοῦντα τὴν πίστιν ὧδέ πως·

ὦ φίλοι, οἶδα μὲν οὕνεχ᾽ ἀληθείη παρὰ μύθοις, |
15 οὓς ἐγὼ ἐξερέω· μάλα δ᾽ ἀργαλέη   γε τέτυκται   649 P
ἀνδράσι καὶ δύσζηλος ἐπὶ φρένα πίστιος ὁρμή.

διὰ τοῦτο καὶ ὁ ἀπόστολος παρακαλεῖ, ›ἵνα ἡ πίστις ἡμῶν μὴ ᾖ ἐν 2
σοφίᾳ ἀνθρώπων‹ τῶν πείθειν ἐπαγγελλομένων, ›ἀλλ᾽ ἐν δυνάμει
θεοῦ‹, τῇ μόνῃ καὶ ἄνευ τῶν ἀποδείξεων διὰ ψιλῆς τῆς πίστεως
20 σῴζειν δυναμένῃ. › δοκεόντων γὰρ ὃ δοκιμώτατον γινώσκει, φυλάσ- 3
σειν‹· καὶ μέντοι καὶ ›δίκη καταλήψεται ψευδῶν τέκτονας καὶ μάρ-
τυρας,‹ ὁ Ἐφέσιός φησιν. οἶδεν γὰρ καὶ οὗτος ἐκ τῆς βαρβάρου 4

1—4 vgl. Philo De Cher. 4 (I p. 171) ἦν ὁ μὲν Ἀβρὰμ »πατὴρ μετέωρος«
[vgl. Leg. all. III 83 (I p. 131); De gigant. 62 (II p. 53); De mut. nom. 66
(III p. 69); De Abr. 82 (IV p. 20)] τὴν μετάρσιον τῶν κατὰ τὸν ἀέρα συμβαινόν-
των καὶ τὴν μετέωρον τῶν κατὰ τὸν οὐρανὸν ὑπαρχόντων φιλοσοφίαν μετιών.   4f. vgl.
Gen 15, 5; Strom. I 31, 2   4—7 vgl. S. Krauss, Jew. Quart. Rev. 5 (1893) S. 137f.
8—11 vgl. Philo De Cher. 7 ὅταν δὲ ἤδη ὁ Ἀβρὰμ ἀντὶ φυσιολόγου γένηται σοφὸς καὶ
φιλόθεος μετονομασθεὶς Ἀβραάμ, ὃς ἑρμηνεύεται »πατὴρ ἐκλεκτὸς ἠχοῦς« — ἠχεῖ μὲν
γὰρ ὁ γεγονὼς λόγος, πατὴρ δὲ τούτου ὁ νοῦς, ἐξειλεγμένος δὲ ὁ τοῦ σπουδαίου —
(vgl. zur Lesart Cohn praef. vol. I p. LX u. De gig. 64; De mut. nom. 69; De Abr.
82f.)   9f. vgl. auch Philo Quaest. in Gen. III 43 pater electi (lies -us) sonitus (Fr)
14—16 Empedokles Fr. 114 Diels⁶ I 355, 12—356, 2; vgl. Diels, Hermes 15 (1880)
p. 172   14—22 vgl. Elter Gnom. hist. 95   17—19 I Cor 2, 5   20—22 Heraklit Fr. 28
Diels⁶ I 157, 3—5   22—S. 332, 4 vgl. Strom. V 104, 5; 105, 1

10 ἠχοῦς L   γεγονὼς L* γεγονὼς L³   14 οὕνεχ᾽ Meineke bei Bergk, Opusc. II
p. 20 οὖν ἐκ τ᾽ L   15 ἐγὼ Sy ἔγωγ᾽ L   20 ὃ δοκιμώτατον Wilamowitz ὁ δοκιμώ-
τατος L; vgl. Nachtrag

φιλοσοφίας μαθὼν τὴν διὰ πυρὸς κάθαρσιν τῶν κακῶς βεβιωκότων, ἣν ὕστερον ἐκπύρωσιν ἐκάλεσαν οἱ Στωικοί· καθ᾽ ὃν καὶ τὸν ἰδίως ποιὸν ἀναστήσεσθαι δογματίζουσι, τοῦτ᾽ ἐκεῖνο τὴν ἀνάστασιν περιέποντες. ὁ δὲ Πλάτων τὴν γῆν χρόνοις τισὶ διὰ πυρὸς καθαίρεσθαι 5 καὶ ὕδατος ὧδέ πώς φησι· »πολλαὶ κατὰ πολλὰ φθοραὶ γεγόνασιν ἀνθρώπων καὶ | ἔσονται, πυρὶ μὲν καὶ ὕδατι μέγισται, μυρίοις δὲ καὶ 650] ἄλλοις ἕτεραι βραχύτεραι.« καὶ μετ᾽ ὀλίγα ἐπιφέρει· »τὸ δ᾽ ἀληθές 6 ἐστι τῶν περὶ γῆν καὶ κατ᾽ οὐρανὸν ἰόντων παράλλαξις καὶ διὰ μακρῶν χρόνων γινομένη τῶν ἐπὶ γῆς πυρὶ πολλῷ φθορά.« ἔπειτα 7
10 περὶ τοῦ κατακλυσμοῦ ἐποίσει· »ὅταν δ᾽ αὖ θεοὶ γῆν ὕδασι καθαίροντες κατακλύζωσιν, οἱ μὲν ἐν τοῖς ὄρεσι διασῴζονται, βουκόλοι νομεῖς, οἱ δ᾽ ἐν ταῖς παρ᾽ ἡμῖν πόλεσιν εἰς τὴν θάλασσαν ὑπὸ τῶν ποταμῶν φέρονται.«

Παρεστήσαμεν δ᾽ ἐν τῷ πρώτῳ Στρωματεῖ κλέπτας λέγεσθαι 10, 1
15 τοὺς τῶν Ἑλλήνων φιλοσόφους, παρὰ Μωυσέως καὶ τῶν προφητῶν τὰ κυριώτατα τῶν δογμάτων οὐκ εὐχαρίστως εἰληφότας. οἷς δὴ κἀκεῖνα προσθήσομεν, ὡς οἱ ἄγγελοι ἐκεῖνοι οἱ τὸν ἄνω κλῆρον εἰληχότες κατολισθήσαντες εἰς ἡδονὰς ἐξεῖπον τὰ ἀπόρρητα ταῖς γυναιξίν, ὅσα γε εἰς γνῶσιν αὐτῶν ἀφῖκτο, κρυπτόντων τῶν ἄλλων
20 ἀγγέλων, μᾶλλον δὲ τηρούντων εἰς τὴν τοῦ κυρίου παρουσίαν. ἐκεῖθεν ἡ τῆς προνοίας διδασκαλία ἐρρύη καὶ ἡ τῶν μετεώρων ἀποκάλυψις. τῆς προφητείας δὲ ἤδη εἰς τοὺς τῶν Ἑλλήνων ⟨ποιητὰς⟩ 8 διαδοθείσης ἡ δογματικὴ πραγματεία τοῖς φιλοσόφοις πῆ μὲν ἀληθὴς κατὰ στοχ⟨ασμ⟩ὸν ἐπιβαλλομένοις, πῆ δὲ πεπλανημένη τὸ ἐπικεκρυ-
25 μένον τῆς προφητικῆς ἀλληγορίας μὴ συνιεντῶν γέγονεν, ὃ καὶ παρασημήνασθαι πρόκειται διὰ βραχέων ἐπιδραμοῦσι τὰ κατεπείγοντα.

Τὴν πίστιν τοίνυν οὐκ ἀργὴν καὶ μόνην, ἀλλὰ σὺν ζητήσει δεῖν 11, 1

1f. vgl. Heraklit Fr. 66 Diels⁶ I 165, 6f. πάντα τὸ πῦρ ἐπελθὸν κρινέει καὶ καταλήψεται. 2—4 Chrysipp Fr. phys. 630 Arnim 2f. vgl. Zeller, Philos. d. Griech. III 1³ S. 155¹; Alex. Aphrod. comm. in Aristot. Anal. pr. p. 180, 33 Wallies μετὰ τὴν ἐκπύρωσιν πάλιν πάντα ταῦτα ἐν τῷ κόσμῳ γίνεσθαι κατ᾽ ἀριθμόν, ὡς καὶ τὸν ἰδίως ποιὸν πάλιν αὐτὸν τῷ πρόσθεν εἶναί τε καὶ γίνεσθαι ἐν ἐκείνῳ τῷ κόσμῳ, ὡς ἐν τοῖς Περὶ κόσμου Χρύσιππος λέγει. Orig. c. Cels. IV 68 p. 338, 5—8 K.; V 20 p. 21, 23 K.; Tatian 3 p. 3, 22 ff. Schwartz 5—7. 7—9. 10—13 Plato Tim. p. 22 C—E 14—16 vgl. Strom. I 87, 2 u. ö. 16—20 vgl. Enoch 16, 3; Paed. III 14, 2; Strom. I 81, 4; III 59, 2 27—S. 333, 22 vgl. Elter Gnom. hist. 96

5 πολλαὶ] + καὶ Plato 10 τὴν γῆν Plato 11 κατακλύζωσιν Plato κατακλύζουσιν L 12 νομεῖς] + τε Plato ὑμῖν Plato 19 γε St τε L 22 ⟨ποιητὰς⟩ Ma ⟨φιλοσόφους⟩ Sy 23 f. ἀληθής—πεπλανημένη Sy ἀληθῆ—πεπλανημένα L 24 στοχ⟨ασμ⟩ὸν Schw στοχὸν L

προβαίνειν φαμέν. οὐ γὰρ τοῦτο λέγω μηδ᾽ ὅλως ζητεῖν· ›ζήτει
γάρ, καὶ εὑρήσεις‹ λέγει.

     τὸ δὲ ζητούμενον   2
   ἁλωτόν, ἐκφεύγει δὲ τἀμελούμενον,

5 κατὰ τὸν Σοφοκλέα. τὰ δ᾽ ὅμοια καὶ Μένανδρος ὁ κωμικὸς λέγει· 3

     πάντα τὰ ζητούμενα
   δεῖσθαι μερίμνης φασὶν οἱ σοφώτατοι.

ἀλλὰ τὸ μὲν διορατικὸν τῆς ψυχῆς ἀποτείνειν πρὸς τὴν εὕρεσιν χρὴ 4
καὶ τὰ ἐμποδὼν διακαθαίρειν φιλονικίαν τε αὖ καὶ φθόνον καὶ τὴν
10 ἔριν αὐτὴν τὴν κάκιστα ἐξ ἀνθρώπων ὀλουμένην ἀπορρῖψαι τέλεον.
παγκάλως γὰρ ὁ Φλειάσιος Τίμων γράφει· | 5

   φοιτᾷ δὲ βροτολοιγὸς Ἔρις κενεὸν λελακυῖα,   651 P
   Νείκης ἀνδροφόνοιο κασιγνήτη καὶ ἔριθος·
   ἥ τ᾽ ἀλαὴ περὶ πάντα κυλίνδεται, αὐτὰρ ἔπειτα
15   ἐς βροτοῦ ἐστήριξε κάρη καὶ ἐς ἐλπίδα βάλλει.

ἔπειτα ὀλίγον ὑποβὰς ἐπιφέρει·   6

   τίς γὰρ τούσδ᾽ ὀλοῇ ἔριδι ξυνέηκε μάχεσθαι;
   Ἠχοῦς σύνδρομος ὄχλος· ὃ γὰρ σιγῶσι χολωθεὶς
   νοῦσον ἐπ᾽ ἀνέρας ὦρσε λάλην, ὀλέκοντο δὲ πολλοὶ

20 περὶ ψευδαποφάσκοντος λόγου καὶ κερατίνου διαλεληθότος τε αὖ καὶ
κροκοδειλίνου σωρίτου τε ἔτι καὶ ἐγκεκαλυμμένου περί τε ἀμφιβο-
λιῶν καὶ σοφισμάτων.

  1f. vgl. Mt 7, 7; Lc 11, 9 3f. Soph. Oed. tyr. 110f.; vgl. Stob. Flor. 29, 48
6f. Menander Fr 164 Koerte p. 67; vgl. Stob. Flor. 29, 47 10 vgl. Σ 107 **12—19**
Timon ●Sill. Fr. 14f. Wachsmuth, 21f. Diels; vgl. Ε 518; Δ 440—443; Α 8—10
17 Theodoret Gr. aff. c. V 16 **20—22** vgl. C. Prantl, Gesch. d. Logik im Abendlande
I S. 50—53; 490—494; J. Bernays, Ges. Abh. I S. 112[1]; vgl. auch Stoic. vet. fr. II
p. 90, 35ff. und II 8, 8ff. [K. Barge, Der Horn- und Krokodilschluß, Archiv für
Kulturgesch. 18. Bd. Heft 1, S. 1—40, Auszug Wiener Blätter für die Freunde d.
Ant. 8, 1931/32 S. 92—96 (Fr)]

  1 προβαίνειν Sy προφαίνειν L 3 δὲ < Stob. 4 δὲ τἀμελούμενον] δ᾽ ἀμελούμενον
Stob. 7 σοφώτεροι Stob. 9 φιλονεικίαν L 11 φλιάσιος L 12 κένεον L 13 νίκης
Eus. Praep. Ev. XV 62, 15 Bl Νίκης Mullach 14 ἀλαὴ R. Stephanus ἄλλα L ἀλλὰ
ἦ Eus. 15 ἐς βροτοῦ ἐστήριξε Wi ἐς βροτοὺς ἐστήριξε L Eus. ἐς ⟨τε⟩ βροτοὺς στήριξε
Sy 18 σιγῶσι].σιωπῶσι Eus. 19 λάλην Eus. κακὴν L (aus Hom.) 20 ⟨μαχόμενοι⟩
περὶ Schw 21 ἐγκεκ. Ρο ἐκκεκ. L

Τὸ δὲ ἄρα ζητεῖν περὶ θεοῦ, ἂν μὴ εἰς ἔριν, ἀλλὰ εἰς εὕρεσιν 12, 1
τείνῃ, σωτήριόν ἐστι. γέγραπται γὰρ ἐν τῷ Δαβίδ »φάγονται πέ-
νητες καὶ ἐμπλησθήσονται καὶ αἰνέσουσι κύριον οἱ ἐκζητοῦντες αὐτόν·
ζήσεται ἡ καρδία αὐτῶν εἰς τὸν αἰῶνα τοῦ αἰῶνος.« οἱ γὰρ ζη- 2
5 τοῦντες κατὰ τὴν ζήτησιν τὴν ἀληθῆ αἰνοῦντες κύριον ἐμπλησθή-
σονται τῆς δόσεως τῆς παρὰ τοῦ θεοῦ, τουτέστι τῆς γνώσεως, καὶ
ζήσεται ἡ ψυχὴ αὐτῶν· καρδία γὰρ ἡ ψυχὴ ἀλληγορεῖται ἡ τὴν
ζωὴν | χορηγήσασα, ὅτι δι᾽ υἱοῦ ὁ πατὴρ γνωρίζεται. οὐδὲ μὴν πᾶσιν 652 P
ἀνέδην τοῖς λέγουσί τε καὶ γράφουσιν ἔκδοτα τὰ ὦτα παρέχειν χρή,
10 ἐπεὶ καὶ αἱ κύλικες πρὸς πολλῶν λαμβανόμεναι τῶν ὤτων κατα-
ρυπανθεῖσαι ἀποβάλλουσι μὲν τὰ ὦτα, πρὸς δὲ τούτοις ἀποπίπτουσαι
κατάγνυνται καὶ αὐταί. τὸν αὐτὸν γὰρ τρόπον καὶ οἱ ταῖς πολλαῖς 4
φλυαρίαις καταρυπάναντες τὴν ἁγνὴν τῆς πίστεως ἀκοὴν τέλος ἤδη
ἐκκωφούμενοι πρὸς τὴν ἀλήθειαν ἀχρεῖοί τε γίγνονται καὶ εἰς γῆν
15 ἀποπίπτουσιν. οὔκουν εἰκῇ τοῖς παιδίοις παρακελευόμεθα τῶν ὤτων 13, 1
λαμβανομένοις φιλεῖν τοὺς προσήκοντας, τοῦτο δήπου αἰνιττόμενοι
δι᾽ ἀκοῆς ἐγγίγνεσθαι τῆς ἀγάπης τὴν συναίσθησιν, »ἀγάπη δὲ ὁ
θεός« ὁ τοῖς ἀγαπῶσι | γνωστός, ὡς »πιστὸς ὁ θεός« ὁ τοῖς πιστοῖς 236 S
παραδιδόμενος διὰ τῆς μαθήσεως. καὶ χρὴ ἐξοικειοῦσθαι ἡμᾶς αὐτῷ 2
20 δι᾽ ἀγάπης τῆς θείας, ἵνα δὴ τὸ ὅμοιον τῷ ὁμοίῳ θεωρῶμεν, κατα-
κούοντες τοῦ λόγου τῆς ἀληθείας ἀδόλως καὶ καθαρῶς δίκην τῶν
πειθομένων ἡμῖν παίδων. καὶ τοῦτο ἦν ὃ ἠνίξατο ὅστις ἄρα ἦν 3
ἐκεῖνος ὁ ἐπιγράψας τῇ εἰσόδῳ τοῦ ἐν Ἐπιδαύρῳ νεώ·

ἁγνὸν χρὴ νηοῖο θυώδεος ἐντὸς ἰόντα
25 ἔμμεναι· ἁγνείη δ᾽ ἐστὶ φρονεῖν ὅσια.

»κἂν μὴ γένησθε ὡς τὰ παιδία ταῦτα, οὐκ εἰσελεύσεσθε«, φησίν, »εἰς 4
τὴν βασιλείαν τῶν οὐρανῶν·« ἐνταῦθα γὰρ ὁ νεὼς τοῦ θεοῦ, τρισὶν
ἡδρασμένος θεμελίοις, πίστει, ἐλπίδι, ἀγάπῃ, φαίνεται.

1f. τὸ ἄρα—ἐστιν Sacr. Par. 247 Holl   2—4 Ps 21, 27   6 vgl. Strom. VIII 2, 1
(Bd. III S. 80, 16) dazu W. Ernst (App. zu S. 22, 2) S. 9 (Fr)   8 vgl. Lc 10, 22
8f. οὐ πᾶσιν—παρέχειν τὰ ὦτα Sacr. Par. 248 Holl   15f. vgl. Plut. Mor. p. 38 C οἵ
τε πολλοὶ τὰ μικρὰ παιδία καταφιλοῦντες αὐτοί τε τῶν ὤτων ἅπτονται κἀκεῖνα τοῦτο
ποιεῖν κελεύουσιν. Eunikos Fr. 1 CAF I p. 781; Pollux X 100; Tibull II 5, 91f.;
Theokrit V 132f.; Sittl, Gebärden d. Gr. u. R. S. 40   17f. I Io 4, 16   18 I Cor 1, 9;
10, 13   20 vgl. S. 338, 7f.   21 λόγ. τῆς ἀληθ. vgl. z. B. II Tim 2, 15   24 vgl. Pseudo-
phokyl. 228 (215) ἀγνείη ψυχῆς, οὐ σώματος, εἰσὶ καθαρμοί.   24f. Anthol. Pal.
Append. 99; vgl. Preger, Inscr. graec. metr. p. 164 Nr. 207; Porphyr. de abstin.
II 19 u. Strom. IV 142, 1   26f. Mt 18, 3   28 vgl. z. B. I Cor 13, 13

1 ἐὰν Sacr. Par.   2 συντείνῃ Sacr. Par.   9 ἀναίδην L   26 vor κἂν ist o von
L¹ getilgt

II. Περὶ μὲν οὖν πίστεως ἱκανὰ μαρτύρια τῶν παρ' Ἕλλησι **14, 1**
γραφῶν παρατεθείμεθα· ὡς δὲ μὴ ἐπὶ μήκιστον παρεξίωμεν καὶ περὶ
τῆς ἐλπίδος καὶ τῆς ἀγάπης πλεῖστα φιλοτιμούμενοι συναγαγεῖν,
ἀπόχρη μόνα ταῦτα εἰπεῖν, ὡς ἐν τῷ Κρίτωνι ὁ Σωκράτης, πρὸ
5 τοῦ ζῆν τὸ εὖ ζῆν καὶ τεθνάναι τιθέμενος, ἐλπίδα τινὰ ἑτέρου βίου
μετὰ τὴν τελευτὴν ἔχειν οἴεται. καὶ γὰρ καὶ ἐν τῷ Φαίδρῳ αὐτὴν **2**
καθ' αὑτὴν γενομένην τὴν ψυχὴν λέγων μόνην δύνασθαι τῆς ἀλη-
θινῆς σοφίας | καὶ κρείττονος τῆς ἀνθρωπίνης δυνάμεως μεταλαβεῖν, **653 P**
ὅταν αὐτὴν ὁ ἐνθένδε ἔρως εἰς οὐρανὸν πτερώσῃ, διὰ τῆς φιλοσόφου
10 ἀγάπης εἰς τὸ τῆς ἐλπίδος τέλος ἀφικομένην φησὶν ἄλλου βίου
ἀιδίου ἀρχὴν λαμβάνειν. ἐν δὲ τῷ Συμποσίῳ πᾶσι μὲν ἔρωτα φυ- **15, 1**
σικὸν ἐγκεκρᾶσθαι λέγει τῆς τοῦ ὁμοίου γενέσεως, καὶ τοῖς μὲν
ἀνθρώποις ἀνθρώπων μόνον, τῷ δὲ σπουδαίῳ τοῦ παραπλησίου.
ἀδύνατον δ' ἐστὶ τοῦτο ποιῆσαι τὸν σπουδαῖον μὴ ἔχοντα τελείους **2**
15 τὰς ἀρετάς, καθ' ἃς παιδεύσει τοὺς προσιόντας νέους καὶ, ὡς ἐν
Θεαιτήτῳ φησί, γεννήσει καὶ ἀνθρώπους ἀποτελέσει· κυεῖν γὰρ τοὺς **3**
μὲν κατὰ σῶμα, τοὺς δὲ κατὰ ψυχήν, ἐπεὶ καὶ παρὰ τοῖς βαρβάροις
φιλοσόφοις τὸ κατηχῆσαί τε καὶ φωτίσαι ἀναγεννῆσαι λέγεται, καὶ
»ἐγὼ ὑμᾶς ἐγέννησα ἐν Χριστῷ Ἰησοῦ« ὁ καλός που λέγει ἀπόστολος.
20 ὁ δὲ Ἐμπεδοκλῆς ἐν ταῖς ἀρχαῖς καὶ φιλότητα συγκαταριθμεῖται, **4**
συγκριτικήν τινα ἀγάπην νοῶν,

ἣν σὺ νόῳ δέρκευ μηδ' ὄμμασιν ἧσο τεθηπώς.

ἀλλὰ καὶ Παρμενίδης ἐν τῷ αὑτοῦ ποιήματι περὶ τῆς Ἐλπίδος αἰνισ- **5**
σόμενος τὰ τοιαῦτα λέγει·

25   λεῦσσε δ' ὅμως ἀπεόντα νόῳ παρεόντα βεβαίως·
οὐ γὰρ ἀποτμήξει τὸ ἐὸν τοῦ ἐόντος ἔχεσθαι
οὔτε σκιδνάμενον πάντῃ πάντως κατὰ κόσμον
οὔτε συνιστάμενον·

4 vgl. Plato Kriton p. 48 B   6—11 vgl. Plato Phaedr. p. 248. 249   11—13 vgl.
Plato Symp. p. 206 C; 207 ACD; 208 B   14—16 vgl. z. B. Plato Theaet. p. 150 BC
16f. vgl. Plato Symp. p. 206 C κυοῦσι . . . πάντες ἄνθρωποι καὶ κατὰ τὸ σῶμα καὶ
κατὰ τὴν ψυχήν.   18 vgl. I Petr 1, 3. 23 (ἀναγεννᾶν)   19 I Cor 4, 15   20f. vgl. Diog.
Laert. VIII 76 φιλίαν τε ἣ συγκρίνεται   22 Empedokles Fr. 17, 21 Diels⁶ I S. 317, 2;
vgl. Plut. Mor. p. 756 D; Simpl. phys. p. 158, 20; 188, 26 Diels   25—28 Parmenides
Fr. 4 Diels-Kranz (Vors.⁶ I S. 232, 7—10); vgl. Damascius I 67, 23 Ruelle. — Vgl.
auch E. Loew, Rhein. Mus. 78, 1929 S. 152 u. K. Reinhardt Parmenides S. 49
25 Theodoret Gr. aff. c. I 72

10 ἀφικνομένην L* corr. L¹   22 ἣν σὺ νόῳ Vi ἣν σὺν νόῳ L τὴν σὺ νόῳ Simpl.
158 (DE) τὴν σὺν νῷ Simpl. 158 (F); Plut. ἀλλὰ νόῳ Simpl. 188   δέρκευ L δέρκου
Simpl. Plut.   ἧσο L   25 λεῦσσε oder λεύσει Theodor. HSS λεῦσε L   26 ἀποτμήσει
Dam.   ἔχεσθαι Dam. ἐχθεσθαι L

(III.) ἐπεὶ καὶ ὁ ἐλπίζων, καθάπερ ὁ πιστεύων, τῷ νῷ ὁρᾷ τὰ νοητὰ 16, 1
καὶ τὰ μέλλοντα. εἰ τοίνυν φαμέν τι εἶναι δίκαιον, φαμὲν δὲ καὶ
καλόν, ἀλλὰ καὶ ἀλήθειάν τι λέγομεν, οὐδὲν δὲ πώποτε τῶν τοιού-
των τοῖς ὀφθαλμοῖς εἴδομεν ἀλλ᾽ ἢ μόνῳ τῷ νῷ, ὁ δὲ λόγος τοῦ
5 θεοῦ »ἐγώ« φησιν »εἰμὶ ἡ ἀλήθεια« νῷ ἄρα | θεωρητὸς ὁ λόγος. 654 P
»τοὺς δὲ ἀληθινούς; ἔφη, φιλοσόφους τίνας λέγεις; τοὺς τῆς ἀλη- 2
θείας, ἦν δ᾽ ἐγώ, φιλοθεάμονας.« ἐν δὲ τῷ Φαίδρῳ περὶ ἀληθείας 3
ὡς ἰδέας λέγων ὁ Πλάτων δηλώσει **. ἡ δὲ ἰδέα ἐννόημα τοῦ θεοῦ,
ὅπερ οἱ βάρβαροι λόγον εἰρήκασι τοῦ θεοῦ· ἔχει δὲ τὰ τῆς λέξεως 4
10 ὧδε· »τολμητέον γὰρ οὖν τό γε ἀληθὲς εἰπεῖν ἄλλως τε καὶ περὶ
ἀληθείας λέγοντα· ἡ γὰρ ἀχρώματός τε καὶ ἀσχημάτιστος καὶ ἀναφὴς
οὐσία ὄντως οὖσα ψυχῆς κυβερνήτῃ μόνῳ νῷ θεατή.« προελθὼν δὲ 5
ὁ λόγος δημιουργίας αἴτιος, ἔπειτα καὶ ἑαυτὸν γεννᾷ, ὅταν ὁ λόγος
σὰρξ γένηται, ἵνα καὶ θεαθῇ. ὁ τοίνυν δίκαιος ζητήσει εὕρεσιν ἀγα- 6
15 πητικήν, εἰς ἣν σπεύδων εὐτυχεῖ· »τῷ κρούοντι«, γάρ φησιν, »ἀνοι-
γήσεται· αἰτεῖτε καὶ δοθήσεται ὑμῖν·« οἱ γὰρ ἁρπάζοντες τὴν βασι- 7
λείαν »βιασταὶ« οὐ τοῖς ἐριστικοῖς λόγοις, ἐνδελεχείᾳ δὲ ὀρθοῦ βίου
ἀδιαλείπτοις τε εὐχαῖς ἐκβιάζεσθαι εἴρηνται, τὰς ἐπὶ τοῖς προτέροις
ἁμαρτήμασιν ἀπαλείφοντες κηλῖδας.

20   τὴν μέντοι κακότητα καὶ ἱλαδὸν ἔστιν ἑλέσθαι.   8

        τῷ δ᾽ αὖ πονοῦντι καὶ θεὸς συλλαμβάνει.

          οὐ γὰρ ἐν μέσοισι κεῖται
          δῶρα δυσμάχητα Μοισᾶν
          τὠπιτυχόντι φέρειν.

25 ἡ γοῦν τῆς ἀγνοίας ἐπίστασις τὸ πρῶτόν ἐστι μάθημα τῷ κατὰ 17, 1
λόγον βαδίζοντι. ἀγνοήσας τις ἐξήτησεν, καὶ ζητήσας εὑρίσκει τὸν
διδάσκαλον εὑρών τε ἐπίστευσεν καὶ πιστεύσας ἤλπισεν ἀγαπήσας τε
ἐντεῦθεν ἐξομοιοῦται τῷ ἠγαπημένῳ, τοῦτ᾽ εἶναι σπεύδων ὃ φθάσας
ἠγάπησεν. τοιαύτην τινὰ μέθοδον Σωκράτης ὑποδείκνυσιν Ἀλκιβιάδῃ 2

2—4 Plato Phaedon 10 p. 65 D (Fr)   5 Io 14, 6   6f. Plato Rep. V p. 475 E
7f. vgl. vielleicht Plato Phaedr. p. 246 A   8 vgl. vielleicht Plato Parm. p. 132 B;
zu ἡ ἰδέα ἐννόημα θεοῦ vgl. Albinus in C. F. Hermanns Plato VI p. 163, 13. 27 ἰδέα
νόησις θεοῦ   10—12 Plato Phaedr. p. 247 C   13f. vgl. Io 1, 14   vgl. Qu. div. salv.
37, 1   15f. vgl. Mt 7, 8. 7   16—19 οἱ γὰρ—κηλῖδας Ath fol. 73ᵛ   16f. vgl. Mt 11, 12
18 vgl. I Thess 5, 17   20—24 vgl. Elter Gnom. hist. 45. 96   20 Hesiod Op. 287
21 Euripides Hippolytus prior Fr. 432; vgl. Theodoret Gr. aff. c. I 87; Strom. VI
10, 6; Stob. Flor. 29, 34 Mein.   22—24 PLG⁴ Adesp. 86 B   29—S. 337, 4 Theodoret
Gr. aff. c. I 84

8 ** St   12 νῷ Plato θεῷ L   18 vor εἴρηνται ist ε η von L¹ gestrichen
19 ἀπαλείφοντες Ath (richtig) ἀπειληφότες L   21 δ᾽ αὖ] γὰρ Strom. VI 10 Stob.

ὧδε πυνθανομένῳ· | ›Οὐκ ἂν οἴει ἄλλως εἰδέναι με περὶ τῶν δι- 655 P
καίων; — Ναί, εἴ γε εὕροις. — Ἀλλ᾽ οὐκ ἂν εὑρεῖν με ἡγῇ; — Καὶ
μάλα γε, εἰ ζητήσαις. — Εἶτα ζητῆσαι οὐκ ἂν οἴει με; — Ἔγωγε, εἰ
οἰηθείης γε μὴ εἰδέναι.‹ ταύτῃ τοι καὶ αἱ τῶν φρονίμων παρθένων 3
5 λαμπάδες αἱ νύκτωρ ἀνημμέναι ἐν πολλῷ τῷ τῆς ἀγνοίας σκότει,
ἣν νύκτα ᾐνίξατο ἡ γραφή· φρόνιμοι ψυχαί, καθαραὶ ὡς παρθένοι,
συνεῖσαι σφᾶς αὐτὰς ἐν ἀγνοίᾳ καθεστώσας κοσμικῇ, τὸ φῶς ἀνά-
πτουσι καὶ τὸν νοῦν ἐγείρουσι καὶ φωτίζουσι τὸ σκότος καὶ τὴν
ἄγνοιαν ἐξελαύνουσι καὶ ζητοῦσι τὴν ἀλήθειαν καὶ τοῦ διδασκάλου
10 τὴν ἐπιφάνειαν ἀναμένουσι. ›φιλόσοφον μὲν οὖν, ἦν δ᾽ ἐγώ, πλῆ- 4
θος ἀδύνατον γενέσθαι.‹ ›ναρθηκοφόροι μὲν πολλοί, βάκχοι δέ τε
παῦροι‹ κατὰ τὸν Πλάτωνα. ›πολλοὶ γὰρ κλητοί, ὀλίγοι δὲ ἐκλεκ- 5
τοί‹ καὶ ›οὐκ ἐν πᾶσι φησὶν ὁ ἀπόστολος | ἡ γνῶσις‹. ›προσ- 237 S
εύχεσθε δὲ ἵνα ῥυσθῶμεν ἀπὸ τῶν ἀτόπων καὶ πονηρῶν ἀνθρώπων·
15 οὐ γὰρ πάντων ἡ πίστις.‹ καὶ ἡ Κλεάνθους δὲ τοῦ Στωϊκοῦ φιλό- 6
σοφος ποιητικὴ ὧδέ πως τὰ ὅμοια γράφει·

μὴ πρὸς δόξαν ὅρα, ἐθέλων σοφὸς αἶψα γενέσθαι,
μηδὲ φοβοῦ πολλῶν ἄκριτον καὶ ἀναιδέα δόξαν.
οὐ γὰρ πλῆθος ἔχει συνετὴν κρίσιν οὔτε | δικαίαν
20 οὔτε καλήν, ὀλίγοις δὲ παρ᾽ ἀνδράσι τοῦτό κεν εὕροις.

γνωμικώτερον δὲ ὁ κωμικὸς ἐν βραχεῖ· 18, 1

αἰσχρὸν δὲ κρίνειν τὰ καλὰ τῷ πολλῷ ψόφῳ.

ἀκηκόασι γάρ, οἶμαι, τῆς καλῆς ἐκείνης λεγούσης ἡμῖν σοφίας· ›εἰς 2
μέσον ἀσυνέτων συντήρησον καιρόν, εἰς μέσον δὲ διανοουμένων
25 ἐνδελέχιζε.‹ καὶ πάλιν· ›σοφοὶ κρύψουσιν αἴσθησιν·‹ ἐνέχυρον γὰρ 3
τῆς ἀληθείας τὴν ἀπόδειξιν ἀπαιτοῦσιν οἱ πολλοὶ οὐκ ἀρκούμενοι
ψιλῇ τῇ ἐκ πίστεως σωτηρίᾳ. |

1—4 Plato Alcib. I p. 109 E; vgl. Stob. Flor. 9, 68 Mein. 4—6 vgl. Strom. VII
72, 5. 6 4—10 vgl. Mt 25, 1—13 10—12. 15—22 vgl. Elter Gnom. hist. 97 10—13
Theodoret Gr. aff. c. XII 35 10f. Plato Rep. VI p. 494 A 11f. Plato Phaed. p. 69
C; vgl. Leutsch zu Greg. Cypr. Cod. Mosqu. IV 99 12f. Mt 22, 14 13 I Cor 8, 7
13—15 II Thess 3, 1f. 17—20 Kleanthes Fr. 100 Pearson, 559 Arnim Stoic. vet.
fr. I p. 127; fr. 4 Powell S. 230; vgl. Wachsmuth, Comm. II de Zenone Cit. et Cle-
anthe Assio p. 8 22 CAF III p. 503 Adesp. 518 23—25 Sir 27, 12 25 Prov 10, 14

1f. δικαίων] ἀδίκων Stob. δικαίων καὶ ἀδίκων Plato 2 ἡγῇ Stob. ἡγήσῃ L ἡγεῖ
Plato 5 ἀγνοίας Sy ἀγνείας L 15f. φιλόσοφος (vgl. Strom. V 122, 3) Wachsmuth
φιλοσόφου L 17 ὁρᾶν Usener 18 δόξαν] βάξιν Meineke Praef. hist. crit. com. Gr.
p. XII; doch vgl. Pearson 19f. δικαίων—καλῶν Wi: aber vgl. S. 338, 20

Clemens II.
22

ἀλλὰ κακοῖς μὲν κάρτα πέλει κρατέουσιν ἀπιστεῖν·   **4 656**
ὡς δὲ παρ᾽ ἡμετέρης κέλεται πιστώματα Μούσης,
γνῶθι διατμηθέντος ἐνὶ σπλάγχνοισι λόγοιο.

τοῖς μὲν γὰρ κακοῖς τοῦτο σύνηθες, φησὶν ὁ Ἐμπεδοκλῆς, τὸ ἐθέλειν
5 κρατεῖν τῶν ἀληθῶν διὰ τοῦ ἀπιστεῖν. ὅτι δέ ἐστι τὰ ἡμέτερα ἔν- 5
δοξα καὶ πιστεύεσθαι ἄξια, γνώσονται Ἕλληνες τοῦ λόγου μᾶλλον
ἐξεταζομένου διὰ τῶν ἐπομένων· τῷ γὰρ ὁμοίῳ τὸ ὅμοιον ἐκδιδα-
σκόμεθα. ὅτι ⟨‹ἀποκρίνου›⟩ φησὶν ὁ Σολομὼν ‹τῷ μωρῷ ἐκ τῆς
μωρίας αὑτοῦ.‹ διὸ καὶ τοῖς τὴν σοφίαν αἰτοῦσι τὴν παρ᾽ αὑτοῖς 6
10 ὀρεκτέον τὰ οἰκεῖα, ὡς ἂν ῥᾷστα διὰ τῶν ἰδίων εἰς πίστιν ἀληθείας
εἰκότως ἀφίκοιντο· ‹τοῖς γὰρ πᾶσι πάντα ἐγενόμην,‹ λέγει, ‹ἵνα τοὺς 7
πάντας κερδήσω,‹ ἐπεὶ καὶ τῆς θείας χάριτος ὁ ὑετὸς ἐπὶ δικαίους
καὶ ἀδίκους καταπέμπεται· ‹ἢ Ἰουδαίων μόνων ἐστὶν ὁ θεός; οὐχὶ 8
καὶ ἐθνῶν; ναὶ καὶ ἐθνῶν, εἴπερ εἷς ὁ θεός‹, ὁ γενναῖος κέκραγεν
15 ἀπόστολος.

IV. Ἀλλ᾽ ἐπεὶ μήτε τῷ ἀγαθῷ δικαίως μήτε τῇ γνώσει εἰς σω- 19, 1
τηρίαν πιστεύειν ἐθέλουσιν, ἡμεῖς αὐτοὶ τὰ ἐκείνων ἴδια ἡγούμενοι
ὅτι πάντα τοῦ θεοῦ, καὶ μάλιστα ἐπειδὴ τὰ καλὰ παρ᾽ ἡμῶν ὥρ-
μηται τοῖς Ἕλλησιν, ἐγχειρῶμεν αὐτοῖς, ὡς ἀκούειν πεφύκασι· τὸ
20 γὰρ συνετὸν ἤτοι τὸ δίκαιον ὁ πολὺς οὗτος ὄχλος οὐκ ἐκ τῆς ἀλη-
θείας, ἀλλ᾽ ἐξ ὧν ἂν ἡσθῇ, δοκιμάζει. ἥδοιτο δ᾽ ἂν οὐχ ἑτέροις 2
μᾶλλον ἢ τοῖς ὁμοίοις αὐτοῦ· ὅσον γὰρ τυφλὸν ἔτι καὶ κωφόν, οὐ
ξύνεσιν ἔχον οὐδὲ φιλοθεάμονος ψυχῆς ὄψιν ἀθαμβῆ τε καὶ ὀξυδερκῆ,
ἣν ὁ σωτὴρ ἐντίθησι μόνος, ὥσπερ ἐν τελεταῖς ἀμύητον ἢ ἐν χορείαις
25 ἄμουσον, οὔπω καθαρὸν ⟨ὂν⟩ οὐδὲ ἄξιον ἁγνῆς ἀληθείας, ἐκμελὲς δὲ καὶ
ἄτακτον καὶ ὑλικόν, ἔτι ἔξω θείου χοροῦ ἵστασθαι δεῖ· πνευματικοῖς 3
[τε] γὰρ πνευματικὰ συγκρίνομεν. διὰ τοῦτό τοι τῆς ἐπικρύψεως τὸν
τρόπον, θεῖον ὄντα ὡς ἀληθῶς καὶ ἀναγκαιότατον ἡμῖν ⟨διὰ τὸν⟩ ἐν τῷ
ἀδύτῳ τῆς ἀληθείας ἀποκείμενον, ἱερὸν ἀτεχνῶς λόγον, Αἰγύπτιοι μὲν
30 διὰ τῶν παρ᾽ αὐτοῖς ἀδύτων καλουμένων, Ἑβραῖοι δὲ διὰ τοῦ παραπε-

---

* 1—3 Empedokles Fr. 4 Diels-Kranz I S. 311, 6—8   1f. Theodoret Gr. aff. c. I 71
7f. vgl. S. 334, 20   8f. Prov 26, 5   9 vgl. I Cor 1, 22   11f. vgl. I Cor 9, 22   12f. vgl.
Mt 5, 45   13f. Rom 3, 29f.   17f. vgl. Protr. 122, 3 mit Anm.   23—26 vgl. Plato
Rep. V p. 475 E (φιλοθεάμονας); VII p. 518 C (ὄψιν ἐντιθέντες); Phaed. p. 69 C
(ἀμύητος καὶ ἀτέλεστος); Phaedr. p. 247 A (φθόνος ἔξω θείου χοροῦ ἵσταται)
26f. vgl. I Cor 2, 13   30f. vgl. Hebr 9, 3ff.

1 κάρτα] χαρτὰ Diels   μέλει Schw   ἄπιστον Wi   2 ὡς δὲ παρ᾽ L ὧδε γὰρ Theodor.
3 διατμηθέντος] διασσηθέντος Diels διατμισθέντος Wi [vgl. Strom. VI 119, 2 S. 491, 23
διατμηθέντων τῶν δογμάτων (Fr)]   8 [ὅτι] St ὅτι * * Wi ⟨ἀποκρίνου⟩ Di   22 γὰρ]
γε Höschel.   25 οὔπω Sy οὕτω L   ⟨ὂν⟩ Wi   δὲ Wi τε L   27 [τε] Wi   28 ⟨διὰ τὸν⟩
St ἡμῖν ⟨εἰσάγομεν, καθάπερ τὸν⟩ Fr

τάσματος ἠνίξαντο, ⟨δι' οὗ⟩ μόνοις ἐξῆν ἐπιβαίνειν αὐτῶν τοῖς ἱερω- 4
μένοις, τουτέστι τοῖς ἀνακειμένοις τῷ θεῷ, | τοῖς περιτετιμημένοις 657 P
τὰς τῶν παθῶν ἐπιθυμίας διὰ τὴν πρὸς μόνον τὸ θεῖον ἀγάπην·
οὐ καθαρῷ γὰρ καθαροῦ ἐφάπτεσθαι οὐ θεμιτὸν εἶναι συνεδόκει καὶ
5 Πλάτωνι. ἐντεῦθεν αἱ προφητεῖαι οἵ τε χρησμοὶ λέγονται δι' αἰνι- 20, 1
γμάτων καὶ αἱ τελεταὶ τοῖς ἐντυγχάνουσιν ἀνέδην οὐ δείκνυνται, ἀλλὰ
μετά τινων καθαρμῶν καὶ προρρήσεων·

     ἃ Μοῦσα γὰρ οὐ φιλοκερδής πω τότ' ἦν οὐδ' ἐργάτις·   2
     οὐδ' ἐπέρναντο γλυκεῖαι μελίφθογγοι ποτὶ Τερψιχόρας
10   ἀργυρωθεῖσαι πρόσωπα μαλθακόφωνοι ἀοιδαί.

    Αὐτίκα οἱ παρ' Αἰγυπτίοις παιδευόμενοι πρῶτον μὲν πάντων 8
τὴν Αἰγυπτίων γραμμάτων μέθοδον ἐκμανθάνουσι, τὴν ἐπιστολο-
γραφικὴν καλουμένην· δευτέραν δὲ τὴν ἱερατικήν, ᾗ χρῶνται οἱ
ἱερογραμματεῖς· ὑστάτην δὲ καὶ τελευταίαν τὴν ἱερογλυφικήν, ἧς ἣ
15 μέν ἐστι διὰ τῶν πρώτων στοιχείων κυριολογική, ἣ δὲ συμβολική.
τῆς δὲ συμβολικῆς ἣ μὲν κυριολογεῖται κατὰ μίμησιν, ἣ δ' ὥσπερ
τροπικῶς γράφεται, ἣ δὲ ἄντικρυς ἀλληγορεῖται κατά τινας αἰνιγμούς.
    Ἥλιον γοῦν γράψαι βουλόμενοι κύκλον ποιοῦσι, σελήνην δὲ σχῆμα 4
μηνοειδὲς κατὰ τὸ κυριολογούμενον εἶδος.
20   Τροπικῶς δὲ κατ' οἰκειότητα μετάγοντες καὶ μετατιθέντες, τὰ 5
δ' ἐξαλλάττοντες, τὰ δὲ πολλαχῶς μετασχηματίζοντες χαράττουσιν.
τοὺς γοῦν τῶν βασιλέων ἐπαίνους, θεολογουμένοις μύθοις παραδι- 21, 1
δόντες, ἀναγράφουσι διὰ τῶν ἀναγλύφων.
    Τοῦ δὲ κατὰ τοὺς αἰνιγμοὺς τρίτου εἴδους δεῖγμα ἔστω τόδε· τὰ 2
25 μὲν γὰρ τῶν ἄλλων ἄστρων διὰ τὴν πορείαν τὴν λοξὴν ὄφεων σώ-
μασιν ἀπείκαζον, τὸν δὲ ἥλιον τῷ τοῦ κανθάρου, ἐπειδὴ κυκλοτερὲς

---

*   2f. vgl. Col 2, 11; 3, 5   4f. vgl. Plato Phaed. p. 67 B; Theodoret Gr. aff. c. I 85
8—10 Pind. Isthm. 2, 5—8   10 vgl. W. R. Paton, The Class. Rev. 2 (1888) S. 180
11—S. 340, 4 Vet. script. de reb. Aegypt. . . . . fragmenta coll. Bunsen p. 91 (Ägyp-
tens Stelle in der Weltgeschichte II; vgl. I S. 393—403); vgl. Letronne, Précis du
système hiérogl.² (1827) p. 376—399; Ed. Dulaurier, Examen d'un passage des stro-
mates de S. Clém. d'Alex. relat. aux écritures égyptiennes Paris 1833; A. Wiede-
mann, Herodots zweites Buch S. 162 ff.; Deiber, Clément d'Alexandrie et l'Égypte
p. 13—32   11—17 vgl. Porphyr. Vita Pyth. 12 (Fr., s. Nachträge)   15 zu den πρῶτα
στοιχεῖα vgl. Lepsius, Rhein. Mus. 4 (1836) S. 142—148 · 24—S. 340, 4 vgl. Hora-
pollon Hierogl. I 10; Porphyrius bei Euseb. Praep. ev. III 4, 13; Suidas s. v. κάν-
θαρος. Aus Clemens schöpft [Eustathius] Comm. in Hexaëm. PG 18 Col. 748 C
24—26 vgl. F. Boll, Sphaera S. 172

    1 ⟨δι' οὗ⟩ St   ἐξὸν Wi   6 ἀναίδην L   9 οὐδὲ πέρναντο L   μελιφθόγγου Heyne
26 τῷ Sy τὸ L

ἐκ τῆς βοείας | ὄνϑου σχῆμα πλασάμενος ἀντιπρόσωπος κυλίνδει. 658 P
φασὶ δὲ καὶ ἑξάμηνον μὲν ὑπὸ γῆς, ϑάτερον δὲ τοῦ ἔτους τμῆμα τὸ 3
ζῷον τοῦτο ὑπὲρ γῆς διαιτᾶσϑαι σπερμαίνειν τε εἰς τὴν σφαῖραν καὶ
γεννᾶν καὶ ϑῆλυν κάνϑαρον μὴ γίνεσϑαι.

5   Πάντες οὖν, ὡς ἔπος εἰπεῖν, οἱ ϑεολογήσαντες βάρβαροί τε καὶ 4
Ἕλληνες τὰς μὲν ἀρχὰς τῶν πραγμάτων ἀπεκρύψαντο, τὴν δὲ ἀλή-
ϑειαν αἰνίγμασι καὶ συμβόλοις ἀλληγορίαις τε αὖ καὶ μεταφοραῖς καὶ
τοιούτοις τισὶ τρόποις παραδεδώκασιν, ὁποῖα καὶ παρ᾽ Ἕλλησι τὰ
μαντεῖα, καὶ ὅ γε Ἀπόλλων ὁ Πύϑιος Λοξίας λέγεται.

10   Ναὶ μὴν καὶ τῶν παρ᾽ Ἕλλησι σοφῶν καλουμένων τὰ ἀποφϑέ- 22
γματα ὀλίγαις λέξεσι μείζονος πράγματος δήλωσιν ἐμφαίνει, οἷον
ἀμέλει τὸ ›χρόνου φείδου‹ ἤτοι | ἐπεὶ ὁ βίος βραχύς, καὶ οὐ δεῖ 238 S
τὸν χρόνον τοῦτον εἰς μάτην καταναλῶσαι, ἢ κατ᾽ ἐναντιότητα φεί-
σασϑαι τῶν ἀναλωμάτων τῶν ἰδιωτικῶν, ἵνα κἂν πολλὰ ἔτη ζήσῃς,
15 φησί, μὴ ἐπιλείπῃ σοι τὰ ἐπιτήδεια. ὡσαύτως καὶ τὸ ›γνῶϑι σαυ- 23, 1
τόν‹ πολλὰ ἐνδείκνυται, καὶ ὅτι ϑνητὸς εἶ καὶ ὅτι ἄνϑρωπος ἐγένου,
καὶ ἤδη πρὸς τὰς ἄλλας τοῦ βίου ὑπεροχὰς κατὰ σύγκρισιν ὅτι
οὐδενὸς λόγου ὑπάρχεις, ἔνδοξον λέγων ἢ πλούσιον, ἢ τοὐναντίον,
ὅτι πλούσιος ὢν καὶ ἔνδοξος οὐ παραμόνῳ σεμνύνῃ πλεονεκτήματι·
20 καὶ εἰς τί γέγονας, γνῶϑι, φησί, καὶ τίνος εἰκὼν ὑπάρχεις, τίς τέ
σου ἡ οὐσία καὶ τίς ἡ δημιουργία καὶ ἡ πρὸς τὸ ϑεῖον οἰκείωσις τίς,
καὶ τὰ τούτοις ὅμοια. λέγει δὲ καὶ διὰ Ἡσαΐου τοῦ προφήτου τὸ 2
πνεῦμα· ›δώσω σοι ϑησαυροὺς σκοτεινοὺς ἀποκρύφους.‹ ϑησαυροὶ
δὲ τοῦ ϑεοῦ καὶ πλοῦτος ἀνεκλιπὴς ἡ δυσϑήρατός ἐστι σοφία.

25   Ἀλλὰ καὶ οἱ παρὰ τούτων τῶν προφητῶν τὴν ϑεολογίαν δεδι- 24, 1
δαγμένοι ποιηταὶ δι᾽ ὑπονοίας | πολλὰ φιλοσοφοῦσι, τὸν Ὀρφέα λέγω, 659 P
τὸν Λίνον, τὸν Μουσαῖον, τὸν Ὅμηρον καὶ Ἡσίοδον καὶ τοὺς ταύτῃ
σοφούς. παραπέτασμα δὲ αὐτοῖς πρὸς τοὺς πολλοὺς ἡ ποιητικὴ 2

10—13 vgl. Philo De vita cont. 16 (VI p. 50) αἱ γὰρ χρημάτων καὶ κτη-
μάτων ἐπιμέλειαι τοὺς χρόνους ἀναλίσκουσι· χρόνου δὲ φείδεσϑαι καλόν, ἐπειδὴ κατὰ
τὸν ἰατρὸν Ἱπποκράτην ὁ μὲν βίος βραχύς, ἡ δὲ τέχνη μακρή (Hippokr. Aphor. 1).
Vgl. Wendland, Jahrbb. 22. Suppl.-Bd. S. 699 12 zu χρόνου φείδου vgl. Roscher,
Philol. 59 (1900) S. 35ff. [vgl. Zenon bei Stob. flor. 98, 68 (fr. 323 Arn.) (Fr)] 15f.
vgl. Strom. I 60,3 mit Anm.   16 ἄνϑρωπος ἐγένου Übereinstimmung mit dem
Tragikerfrg. S. 206, 6 zufällig? (Fr) 23 Is 45, 3 23f. vgl. Lc 12, 33 (ϑησαυρὸς
ἀνέκλειπτος); Paed. III 87, 3 (σοφίας ϑησαυροὶ ἀνέκλειπτοι); Sir 30, 22 (Vulg.) the-
saurus sine defectione sanctitatis 25—S. 341, 1 vgl. Plato Prot. p. 316 D

8 τοιούτοις Di τοιούτοισί L 12 [καὶ] St δεῖ L δεῖν St 18 λέγων Ma λέγον
Heyse 19 παραμόνῳ (vgl. z. B. Paed. III 62, 1) Hiller παρὰ μόνῳ L Ausgg.
22 τούτοις (οις in Ras., für ων?) L¹ 24 ἀνεκλειπὴς L

ψυχαγωγία· ὄνειροί τε καὶ σύμβολα ἀφανέστερα πάντα τοῖς ἀνθρώ-
ποις οὐ φθόνῳ (οὐ γὰρ θέμις ἐμπαθῆ νοεῖν τὸν θεόν), ἀλλ' ὅπως
εἰς τὴν τῶν αἰνιγμάτων ἔννοιαν ἡ ζήτησις παρεισδύουσα ἐπὶ τὴν
εὕρεσιν τῆς ἀληθείας ἀναδράμῃ. ταύτῃ τοι Σοφοκλῆς, ὁ τῆς τρα- 3
5 γῳδίας ποιητής, φησί που·

    καὶ τὸν θεὸν τοιοῦτον ἐξεπίσταμαι·
    σοφοῖς μὲν αἰνικτῆρα θεσφάτων ἀεί,
    σκαιοῖς δὲ φαῦλον κἂν βραχεῖ διδάσκαλον,

τὸ φαῦλον ἐπὶ τοῦ ἁπλοῦ τάσσων. ἄντικρυς γοῦν περὶ πάσης γρα- 25, 1
10 φῆς τῆς καθ' ἡμᾶς ἐν τοῖς ψαλμοῖς γέγραπται ὡς ἐν παραβολῇ
εἰρημένης· ›ἀκούσατε, λαός μου, τὸν νόμον μου, κλίνατε τὸ οὖς
ὑμῶν εἰς τὰ ῥήματα τοῦ στόματός μου· ἀνοίξω ἐν παραβολαῖς τὸ
στόμα μου, φθέγξομαι προβλήματα ἀπ' ἀρχῆς.‹ καὶ ὁ γενναῖος ἀπό- 2
στολος τὰ ὅμοια ὧδέ πως λέγει· ›σοφίαν δὲ λαλοῦμεν ἐν τοῖς τε-
15 λείοις, σοφίαν δὲ οὐ τοῦ αἰῶνος τούτου οὐδὲ τῶν ἀρχόντων τοῦ
αἰῶνος τούτου τῶν καταργουμένων· ἀλλὰ λαλοῦμεν θεοῦ σοφίαν ἐν
μυστηρίῳ, τὴν ἀποκεκρυμμένην, ἣν προώρισεν ὁ θεὸς πρὸ τῶν αἰώ-
νων εἰς δόξαν ἡμῶν· ἣν οὐδεὶς τῶν ἀρχόντων τοῦ αἰῶνος τούτου
ἔγνωκεν· εἰ γὰρ ἔγνωσαν, οὐκ ἂν τὸν κύριον τῆς δόξης ἐσταύρω-
20 σαν.‹ οἱ φιλόσοφοι δὲ οὐκ ἐνηργήθησαν ἐνυβρίσαι τὴν παρουσίαν 3
τοῦ κυρίου· ἀπόκειται τοίνυν τὴν οἴησιν τῶν ἐν Ἰουδαίοις σοφῶν
ἐπιρραπίζειν τὸν ἀπόστολον· διὸ καὶ ἐπιφέρει· ›ἀλλὰ κηρύσσομεν 4
καθὼς γέγραπται,‹ φησίν, ›ἃ ὀφθαλμὸς οὐκ εἶδεν καὶ οὖς οὐκ ἤκου-
σεν καὶ ἐπὶ καρδίαν ἀνθρώπου οὐκ ἀνέβη, ἃ ἡτοίμασεν ὁ θεὸς τοῖς
25 ἀγαπῶσιν αὐτόν. ἡμῖν γὰρ ἀπεκάλυψεν ὁ θεὸς διὰ τοῦ πνεύματος·
τὸ γὰρ πνεῦμα πάντα ἐρευνᾷ, καὶ τὰ βάθη τοῦ θεοῦ.‹ πνευματικὸν 5
γὰρ καὶ γνωστικὸν οἶδεν τὸν τοῦ ἁγίου πνεύματος μαθητὴν τοῦ ἐκ
θεοῦ χορηγουμένου, ὅ ἐστι νοῦς Χριστοῦ. ›ψυχικὸς δὲ ἄνθρωπος

2 vgl. Plato Phaedr. p. 247 A Tim. p. 29 E; Aristot. Metaph. I 2 p. 983ᵃ 2
(οὔτε τὸ θεῖον φθονερὸν ἐνδέχεται εἶναι)   6—8 Sophokles Fr. inc. 704   9 vgl. Schol.
zu Greg. Naz. PG 36 col. 914 A aus Cod. Mon. 499 fol. 50ᵛ τὸ δὲ φαῦλον ὁμώνυμός
ἐστι φωνή, εἰς πολλὰς σημασίας διαιρουμένη· λέγεται γὰρ φαῦλον τὸ ἁπλοῦν ὡς Εὐρι-
πίδης ›φαῦλος, ἄκομψος‹. (fr. 473 N²), dazu Belege bei Nauck (Fr)]   11—13 Ps
77, 1f.   14—20 I Cor 2, 6—8   22—26 I Cor 2, 9f. (zu κηρύσσομεν vgl. z. B. I Cor 1, 23;
15, 11)   26f. πνευματικὸν καὶ—μαθητήν Sacr. Par. 249 Holl   26—28 vgl. I Cor 2, 15
(πνευματικός; 2, 12 (ἐλάβομεν . . τὸ πνεῦμα τὸ ἐκ τοῦ θεοῦ); 2, 16 (ἡμεῖς δὲ νοῦν
Χριστοῦ ἔχομεν)   28f. I Cor 2, 14

1 πάντα ἀφανέστερα corr. L¹ πάντως Mü (überflüssig Fr)   7 ἐνικτῆρα—ἀεί L
20 ἐνηργήθησαν (η¹ corr. aus ε) L¹   21 ὑπόκειται Schw ἀπολείπεται St   22 ἐπιραπίζειν
L κηρύσσομεν (ο corr. aus ω) L¹   27 οἶδεν] τὸν αὐτὸν οἶδεν ὁ ἀπόστολος Sacr. Par.
27f. τοῦ—χορηγουμένου Lowth τὸν—χορηγούμενον L

οὐ δέχεται τὰ τοῦ πνεύματος· μωρία γὰρ αὐτῷ ἐστιν.‹ αὐτίκα ὁ 26, 1
ἀπόστολος πρὸς ἀντιδιαστολὴν γνωστικῆς τελειότητος τὴν κοινὴν
πίστιν πῇ μὲν θεμέλιον λέγει, πῇ δὲ γάλα, γράφων τὸν τρόπον
τοῦτον· ›ἀδελφοί, | οὐκ ἠδυνήθην λαλῆσαι ὑμῖν ὡς πνευματικοῖς, 660 P
5 ἀλλ' ὡς σαρκικοῖς, ὡς νηπίοις ἐν Χριστῷ. γάλα ὑμᾶς ἐπότισα, οὐ
βρῶμα· οὔπω γὰρ ἐδύνασθε. ἀλλ' οὐδὲ ἔτι νῦν δύνασθε, ἔτι γὰρ
σαρκικοί ἐστε. ὅπου γὰρ ἐν ὑμῖν ζῆλος καὶ ἔρις, οὐχὶ σαρκικοί ἐστε
καὶ κατὰ ἄνθρωπον περιπατεῖτε;‹ τὰ αἱρετὰ τοῖς ἁμαρτωλοῖς 2
τῶν ἀνθρώπων, οἱ δὲ τούτων ἀπεσχημένοι τὰ θεῖα φρονοῦσι καὶ
10 βρώματος γνωστικοῦ μεταλαμβάνουσιν. ›κατὰ τὴν χάριν‹, φησί, 3
›τὴν δοθεῖσάν μοι ὡς σοφὸς ἀρχιτέκτων θεμέλιον τέθεικα, ἄλλος δὲ
ἐποικοδομεῖ χρυσίον καὶ ἀργύριον, λίθους τιμίους.‹ ταῦτα γνωστικὰ 4
ἐποικοδομήματα τῇ κρηπῖδι τῆς πίστεως τῆς εἰς Ἰησοῦν Χριστόν,
›καλάμη‹ δὲ τὰ τῶν αἱρέσεων ἐπαναθήματα καὶ ›ξύλα‹ καὶ ›χόρτος‹.
15 ›ὁποῖον δὲ ἑκάστου τὸ ἔργον, τὸ πῦρ δοκιμάσει.‹ τὴν γνωστικὴν 5
οἰκοδομὴν κἂν τῇ πρὸς Ῥωμαίους ἐπιστολῇ αἰνισσόμενός φησιν·
›ἐπιποθῶ γὰρ ἰδεῖν ὑμᾶς, ἵνα τι μεταδῶ χάρισμα ὑμῖν πνευματικὸν
εἰς τὸ στηριχθῆναι ὑμᾶς.‹ ἀποκεκαλυμμένως δὲ οὐχ οἷόν τε ἦν τὰ
τοιαῦτα τῶν χαρισμάτων ἐπιστέλλειν.

20   V. Αὐτίκα τῆς βαρβάρου φιλοσοφίας πάνυ σφόδρα ἐπικεκρυ- 27, 1
μένως ἤρτηται τὰ Πυθαγόρεια σύμβολα.

       Παραινεῖ γοῦν ὁ Σάμιος ›χελιδόνα ἐν οἰκίᾳ μὴ ἔχειν‹, τουτέστι
λάλον καὶ ψίθυρον καὶ πρόγλωσσον ἄνθρωπον, μὴ δυνάμενον στέγειν
ὧν ἂν μετάσχῃ, μὴ δέχεσθαι. ›χελιδὼν γὰρ καὶ τρυγών, ἀγροῦ 2
25 στρουθία, ἔγνωσαν καιροὺς εἰσόδων αὐτῶν‹, φησὶν ἡ γραφή, καὶ οὐ
χρὴ ποτε φλυαρίᾳ συνοικεῖν. ναὶ μὴν γογγύζουσα ἡ τρυγὼν μέμψεως 3
καταλαλιὰν ἀχάριστον ἐμφαίνουσα εἰκότως ἐξοικίζεται·

       ὡς μή μοι τρύζητε παρήμενοι ἄλλοθεν ἄλλος.

       3 zu θεμέλιον vgl. I Cor 3, 10—12   4—8 I Cor 3, 1—3   10—12. 14 vgl. I Cor
3, 10. 12   12—19 vgl. Strom. VI 152, 1   15 I Cor 3, 13   17f. Rom 1, 11   20—S. 346,
13 zu den Symb. Pyth. vgl. Plut. Mor. p. 727 Bff.; Porph. Vit. Pyth. 42; Jambl.
Protr. 21; Diog. Laert. VIII 17ff.; Maass, De biogr. graec. quaest. p. 95—98; C. Hölk,
De acusmatis sive symbolis Pythag. Kieler Diss. 1894; bes. S. 60—65   22 Pyth.
Symb. 7 Mullach FPG I p. 505   vgl. Leutsch zu Macar. V 49   23 vgl. Plut. p. 727 D
(ψιθυροὺς, ψιθυρισμοῦ, λαλιᾶς, πολυφωνίας)   24f. Ier 8, 7   28 I 311

       7 ἔρεις L S ⟨ταῦ⟩τα St ⟨κατὰ⟩ τὰ Ma 9 οἱ δὲ … φρονοῦσι, Heyse 21 πυ-
θαγόρια L 23 ψίθυρον L

ἢ χελιδὼν δέ, ἢ τὸν μῦθον αἰνίττεται τὸν Πανδίονος, ἀφοσιοῦσθαι 4
ἀξία ⟨διὰ⟩ τὰ ἐπ' ἐκείνῃ θρυλούμενα πάθη, ἐξ ὧν τὸν Τηρέα τὰ
μὲν παθεῖν, τὰ δὲ | καὶ δρᾶσαι παρειλήφαμεν. διώκει δὲ ἄρα καὶ 661 P
τέττιγας τοὺς μουσικούς, ὅθεν ἀπωθεῖσθαι δίκαιος ὁ διώκτης τοῦ
5 λόγου.

        ναὶ τὰν Ὄλυμπον καταδερκομέναν σκηπτοῦχον Ἥραν   5
        ἔστι μοι πιστὸν ταμιεῖον ἐπὶ γλώσσας,

ἡ ποιητική φησιν. ὅ τε Αἰσχύλος·   6

        ἀλλ' ἔστι κἀμοὶ κλεὶς ἐπὶ γλώσσῃ φύλαξ. |

10   Πάλιν ὁ Πυθαγόρας ›τῆς χύτρας ἀρθείσης ἀπὸ τοῦ πυρὸς τὸν 7 239 S
ἐν τῇ σποδῷ τύπον μὴ ἀπολιπεῖν, ἀλλὰ συγχεῖν‹ προσέταττεν καὶ
›ταράττειν ἀναστάντας ἐξ εὐνῆς τὰ στρώματα‹· οὐ γὰρ τὸν τῦφον 8
ἀφανίζειν μόνον δεῖν ᾐνίττετο, ἀλλὰ μηδὲ ὀργῆς ἴχνος ἀπολιπεῖν,
ἐπὰν δὲ ἀναζέσασα παύσηται, καθίστασθαι αὐτὴν καὶ πᾶσαν ἀπα-
15 λείφειν μνησικακίαν. ›ἥλιος δὲ ὑμῖν τῇ ὀργῇ‹, φησὶν ἡ γραφή, ›μὴ 9
ἐπιδυέτω‹· καὶ ὁ εἰπὼν ›οὐκ ἐπιθυμήσεις‹ πᾶσαν ἀφεῖλεν μνησικα-
κίαν· θυμὸς γὰρ εὑρίσκεται ὁρμὴ ἐπιθυμίας ἡμέρου ψυχῆς κατ' ἐξο- 10
χὴν ἀμύνης ἐφετικὸς ἀλόγως. τῷ ὁμοίῳ τρόπῳ καὶ ἡ κοίτη ταράσ- 28, 1
σεσθαι παραινεῖται, ὡς μήτε ὀνειρωγμοῦ τινος μηδὲ μὴν ὕπνου μεθ'
20 ἡμέραν, ἀλλὰ μηδὲ τῆς ἐν νυκτὶ ἡδονῆς ἐπιμεμνῆσθαι ἔτι. τάχα δὲ 2
καὶ φαντασίαν τὴν ζοφερὰν συγχεῖν τῷ τῆς ἀληθείας φωτὶ δεῖν
ᾐνίσσετο· ›ὀργίζεσθε καὶ μὴ ἁμαρτάνετε‹, ὁ Δαβὶδ λέγει, μὴ συγκα-

---

1—4 vgl. Plut. p. 727 D. Ϝ ἆρ' οὖν .. διὰ τὸν μῦθον τὸν περὶ τὴν παιδοφονίαν
ἀφοσιοῦνται τὰς χελιδόνας, ἄπωθεν ἡμᾶς πρὸς ἐκεῖνα τὰ πάθη διαβάλλοντες, ἐξ ὧν
τὸν Τηρέα καὶ τὰς γυναῖκας τὰ μὲν δρᾶσαι τὰ δὲ παθεῖν ἄθεσμα καὶ σχέτλια λέ-
γουσι· ... τοὺς τέττιγας, ἱεροὺς καὶ μουσικοὺς ὄντας, ἀποκτίννυσι καὶ σιτεῖται.   4 vgl.
Protr. 1, 2   6f. PLG⁴ Adesp. 87 fr. ad. 13 Diehl (Anth. l. II p. 319)   9 Aeschylus
Fr. inc. 316   10—12 Pyth. Symb. 10, 33 Mullach FPG I p. 505f.   12—15 vgl. Plut.
p. 728 B τῆς μὲν γὰρ χύτρας τὸν τύπον ἔφη Φιλῖνος ἀφανίζειν αὐτούς, διδάσκοντας ὅτι
δεῖ μηδὲν ὀργῆς ἔνδηλον ἀπολείπειν ἴχνος, ἀλλ' ὅταν ἀναζέσασα παύσηται καὶ καταστῇ,
πᾶσαν ἐξαληλίφθαι μνησικακίαν.   15f. Eph 4, 26   16 Exod 20, 17   17f. diese De-
finition wörtlich bei Origen. in Ps VI 2, 3 (Pitra, An. Sacr. II p. 546); vgl. auch
Klostermann ZntW 37, 1938 S. 59 (Fr)   18—20 vgl. Plut. p. 728 C ὁ Σύλλας .. εἴκαζε
κοιμήσεως μεθημερινῆς ἀποτροπὴν εἶναι τὸ σύμβολον, ἀναιρουμένης ἕωθεν εὐθὺς τῆς
πρὸς τὸν ὕπνον παρασκευῆς· ὡς νυκτὸς ἀναπαύεσθαι δεῖν, ἡμέρας δὲ πράττειν ἀναστάν-
τας καὶ μὴ περιορᾶν οἷον ἴχνος πτώματος   22 Ps 4, 5

---

1 πανδίωνος L   2 ἀξία ⟨διὰ⟩ (vgl. Plut.) St ἄξιον L   6 Ὀλύμπου St   11 τύπον
Vi τόπον L   12 τῦφον] τύπον Sy   18 ἐφετικῆς St   22f. συγκατατίθεσθαι (αι corr.
aus ε) L¹

τατίθεσθαι τῇ φαντασίᾳ μηδὲ τὸ ἔργον ἐπάγειν κυροῦντα τὴν ὀργὴν
χρῆναι διδάσκων.

Πάλιν »ἐπὶ γῆς μὴ πλεῖν« Πυθαγόρειόν ἐστι σύμβολον, δηλοῖ δὲ 3
τὰ | τέλη καὶ τὰ ὅμοια τῶν μισθωμάτων ταραχώδη καὶ ἄστατα ὄντα 662 P
5 παραιτεῖσθαι δεῖν. διὰ τοῦτό τοι ὁ λόγος τοὺς τελώνας λέγει δυσκό-
λως σωθήσεσθαι.

Πάλιν δ᾽ αὖ »δακτύλιον μὴ φορεῖν μηδὲ εἰκόνας αὐτοῖς ἐγχαράσ- 4
σειν θεῶν« παρεγγυᾷ ὁ Πυθαγόρας, ὥσπερ Μωυσῆς πρόπαλαι διαρ-
ρήδην ἐνομοθέτησεν μηδὲν δεῖν γλυπτὸν ἢ χωνευτὸν ἢ πλαστὸν ἢ
10 γραπτὸν ἄγαλμά τε καὶ ἀπεικόνισμα ποιεῖσθαι, ὡς μὴ τοῖς αἰσθητοῖς
προσανέχωμεν, ἐπὶ δὲ τὰ νοητὰ μετίωμεν· ἐξευτελίζει γὰρ τὴν τοῦ 5
θείου σεμνότητα ἡ ἐν ἑτοίμῳ τῆς ὄψεως συνήθεια, καὶ τὴν νοητὴν
οὐσίαν δι᾽ ὕλης σεβάζεσθαι ἀτιμάζειν ἐστὶν αὐτὴν δι᾽ αἰσθήσεως.
διὸ καὶ τῶν Αἰγυπτίων ἱερέων οἱ σοφώτατοι τὸ τῆς Ἀθηνᾶς ἕδος 6
15 ὕπαιθρον ἀφώρισαν, ὡς Ἑβραῖοι τὸν νεὼν ἄνευ ἀγάλματος εἰσάμενοι.
εἰσὶ δὲ οἳ τὸν θεὸν σέβοντες οὐρανοῦ μίμημα ποιησάμενοι περιέχον
τὰ ἄστρα προσκυνοῦσιν. καὶ μὴν λεγούσης τῆς γραφῆς »ποιήσωμεν 29, 1
ἄνθρωπον κατ᾽ εἰκόνα καὶ ὁμοίωσιν ἡμετέραν«, ἄξιον ἡγοῦμαι καὶ
τὴν Εὐρύσου τοῦ Πυθαγορείου παραθέσθαι φωνὴν οὕτως ἔχουσαν,
20 ὃς ἐν τῷ Περὶ τύχας τὸν δημιουργὸν φήσας αὐτῷ χρώμενον παρα-
δείγματι ποιῆσαι τὸν ἄνθρωπον ἐπήγαγεν »τὸ δὲ σκᾶνος τοῖς λοιποῖς 2
ὅμοιον, οἷα γεγονὸς ἐκ τᾶς αὐτᾶς ὕλας, ὑπὸ τεχνίτα δὲ εἰργασμένον
λῴστω, ὃς ἐτεχνίτευσεν αὐτὸ ἀρχετύπῳ χρώμενος ἑαυτῷ.« καὶ ὅλως 3
ὁ Πυθαγόρας καὶ οἱ ἀπ᾽ αὐτοῦ σὺν καὶ Πλάτωνι μάλιστα τῶν ἄλλων
25 φιλοσόφων σφόδρα τῷ νομοθέτῃ ὡμίλησαν, ὡς ἔστιν ἐξ αὐτῶν
συμβαλέσθαι τῶν δογμάτων. καὶ κατά τινα μαντείας εὔστοχον φή-
μην οὐκ ἀθεεὶ συνδραμόντες ἔν τισι προφητικαῖς φωναῖς τὴν ἀλή-

* 3 Pyth. Symb. 68 Mullach FPG I p. 508 5f. vgl. Mt 19, 23; Mc 10, 23; Lc
18, 24 7f. Pyth. Symb. 27. 28 Mullach FPG I p. 506; vgl. Plut. Symp. IV Probl. IX
εἰ δεῖ θεῶν εἰκόνας ἐν ταῖς σφραγῖσιν ἢ σοφῶν ἀνδρῶν φορεῖν. 9—11 vgl. Exod 20, 4;
Lev 26, 1; Deut 4, 15—17 14f. vgl. Deiber S. 108 16f. vgl. Porph. De antr.
nymph. 6 17f. Gen 1, 26 21—23 Eurysos Fr. 1 Mullach FPG II p. 112 24f. Plato
und Pythagoras angeblich von Moses abhängig auch Strom. I 150, 3 (S. 93, 7) (Fr)
25 νομοθέτῃ = Moses 26f. vgl. Plato Leg. VII p. 792 D κατά τινα μαντείας φήμην
εὐστόχως

6 πυθαγόριον L 8 παρεγγυᾶ L 11 προσανέχοιμεν L 15 εἰσάμενοι L 16f.
περιέχον τὰ Vi περιέχοντα L 19 Εὐρύσου] Εὐρύτου Po vgl. auch Zeller Phil. d.
Gr. I⁵ S. 338 Anm. 5. Aber Εὔρυσος auch Stob. Ecl. I 6, 19 p. 89, 24 Wachsm.; vgl.
Zeller a. a. O. III 2³ S. 100 Anm. 1 (17); Diels⁶ I 419, 27 πυθαγορίου L 22 γε-
γονὼς L τᾶς αὐτᾶς Vi τὰς (corr. aus της) αὐτᾶς L 23 αὐτὸ Mullach αὐτὸν L

θειαν κατὰ μέρη καὶ εἴδη διαλαβόντες, προσηγορίαις οὐκ ἀφεγγέσιν |
οὐδὲ ἔξωθεν τῆς τῶν πραγμάτων δηλώσεως πορευομέναις ἐτίμησαν, 663 P
τῆς περὶ τὴν ἀλήθειαν οἰκειότητος ἔμφασιν εἰληφότες. ὅθεν ἡ μὲν 5
Ἑλληνικὴ φιλοσοφία τῇ ἐκ τῆς θρυαλλίδος ἔοικεν λαμπηδόνι, ἢν
5 ἀνάπτουσιν ἄνθρωποι,

　　　　　　παρ᾽ ἡλίου κλέπτοντες ἐντέχνως τὸ φῶς·

κηρυχθέντος δὲ τοῦ λόγου πᾶν ἐκεῖνο τὸ ἅγιον ἐξέλαμψεν φῶς. εἶτα 6
κατὰ μὲν τὰς οἰκίας νύκτωρ χρησιμεύει τὸ κλέμμα, ἡμέρας δὲ καταυ-
γάζεται τὸ πῦρ καὶ πᾶσα ἡ νὺξ ἐκφωτίζεται τῷ τοσούτῳ τοῦ νοη-
10 τοῦ φωτὸς ἡλίῳ.

　　Αὐτίκα ἐπιτομὴν τῶν περὶ δικαιοσύνης εἰρημένων Μωυσεῖ ὁ 30, 1
Πυθαγόρας πεποίηται λέγων »ζυγὸν μὴ ὑπερβαίνειν«, τουτέστι
μὴ παρέρχεσθαι τὸ πρὸς τὰς διανομὰς ἴσον, τιμῶντας τὴν δικαιο-
σύνην,
15　　　　　　ἢ φίλους ἀεὶ φίλοις　　　　　　2
　　πόλεις τε πόλεσι συμμάχους τε συμμάχοις
　　συνδεῖ· τὸ γὰρ ἴσον νόμιμον ἀνθρώποις ἔφυ,
　　τῷ πλέονι δ᾽ ἀεὶ πολέμιον καθίσταται
　　τοὔλασσον ἐχθρᾶς θ᾽ ἡμέρας κατάρχεται

20 κατὰ τὴν ποιητικὴν χάριν. διὰ τοῦτο ὁ κύριος »ἄρατε τὸν ζυγόν 3
μου« φησίν, »ὅτι χρηστός ἐστι καὶ ἀβαρής«. καὶ τοῖς περὶ πρω-
τείων φιλονικοῦσι γνωρίμοις μετὰ ἁπλότητος τὴν ἰσότητα παρεγ-
γυᾷ λέγων ὡς τὰ παιδία αὐτοὺς γενέσθαι δεῖν. ὡσαύτως καὶ ὁ 4
ἀπόστολος μηδένα εἶναι ἐν Χριστῷ δοῦλον ἢ ἐλεύθερον γράφει ἢ
25 Ἕλληνα ἢ Ἰουδαῖον· καινὴ γὰρ ἡ κτίσις ἡ ἐν Χριστῷ ἀφιλόνικος
καὶ ἀπλεονέκτητος καὶ ἰσότης δικαία· »φθόνος γὰρ ἔξω θείου χοροῦ 5
ἵσταται« καὶ· ζῆλος καὶ λύπη, ἢ καὶ οἱ μύσται »καρδίαν ἐσθίειν«
ἀπαγορεύουσιν, μὴ χρῆναί ποτε διδάσκοντες βαρυθυμίαις καὶ ὀδύναις

6 CAF III p. 483 Adesp. 395, vgl. auch Cobet, Λογ. Ἑρμ. I p. 515; Nov. lect.
p. 343　7. 9 vgl. Io 1, 9　12 Pyth. Symb. 2 Mullach FPG I p. 504; vgl. Strom. II
79, 2　15—19 Eurip. Phoen. 536—540; vgl. Elter Gnom. hist. 88　20f. Mt 11, 29f.
22 zu ἁπλότητος vgl. Paed. I 12, 4　23 vgl. Mt 18, 3　23—25 vgl. Gal 3, 28　25 καινὴ
κτίσις II Cor 5, 17; Gal 6, 15　26f. φθόνος—ζῆλος vgl. Gal 5, 20f.　Plato Phaedr.
p. 247 A; vgl. Philo Quod omn. prob. lib. 13 (VI p. 4); Elter Gnom. hist. 88
27 Pyth. Symb. 4 Mullach FPG I p. 504

8 οἰκίας Sy οἰκείας L　19 ἐχθρὰς L　22 φιλονεικοῦσι L　25 ἀφιλόνεικος L
27 ἢ L　28 βαρυθυμίαις St ῥᾳθυμίαις L ἀθυμίαις Ja

ἐπὶ τοῖς ἀβουλήτως συμβαίνουσι δάκνειν καὶ κατεσθίειν τὴν ψυχήν.
ἄθλιος γοῦν ἐκεῖνος, ὅν φησι καὶ Ὅμηρος πλανώμενον μόνον ὅν
θυμὸν | κατέδειν.   664 M

Πάλιν αὖ δύο ὁδοὺς ὑποτιθεμένου τοῦ εὐαγγελίου καὶ τῶν ἀπο- 31, 1
5 στόλων ὁμοίως τοῖς προφήταις ἄπασι καὶ τὴν μὲν καλούντων ›στενὴν
καὶ τεθλιμμένην‹ τὴν κατὰ τὰς ἐντολὰς καὶ ἀπαγορεύσεις περιεσταλ-
μένην, τὴν δὲ ἐναντίαν τὴν εἰς ἀπώλειαν φέρουσαν ›πλατεῖαν καὶ
εὐρύχωρον‹, ἀκώλυτον ἡδοναῖς τε καὶ θυμῷ, καὶ φασκόντων ›μακά-
ριος ἀνήρ, ὃς οὐκ ἐπορεύθη ἐν βουλῇ ἀσεβῶν καὶ ἐν ὁδῷ ἁμαρτωλῶν
10 οὐκ ἔστη‹, ὅ τε τοῦ Κείου Προδίκου ἐπί τε τῆς Ἀρετῆς καὶ τῆς 2
Κακίας μῦθος πρόεισιν, καὶ Πυθαγόρας οὐκ ὀκνεῖ ἀπαγορεύειν ›τὰς
λεωφόρους ὁδοὺς βαδίζειν‹, προστάττων μὴ δεῖν ταῖς τῶν πολλῶν
ἕπεσθαι γνώμαις ἀκρίτοις καὶ ἀνομολογουμέναις οὔσαις.

Ἀριστόκριτος δ' ἐν τῇ πρώτῃ τῶν πρὸς Ἡρακλεόδωρον ἀντι- 3
15 δοξουμένων μέμνηταί τινος ἐπιστολῆς οὕτως ἐχούσης· ›Βα|σιλεὺς 240 S
Σκυθῶν Ἀτοίας Βυζαντίων δήμῳ. μὴ βλάπτετε προσόδους ἐμάς,
ἵνα μὴ ἐμαὶ ἵπποι ὑμέτερον ὕδωρ πίωσι.‹ συμβολικῶς γὰρ ὁ βάρ-
βαρος τὸν μέλλοντα πόλεμον αὐτοῖς ἐπάγεσθαι παρεδήλωσεν. ὁμοίως 4
καὶ Εὐφορίων ὁ ποιητὴς τὸν Νέστορα ›παράγει λέγοντα·

20   οἱ δ' οὔπω Σιμόεντος Ἀχαΐδας ἄρσαμεν ἵππους.

Διὰ τοῦτό τοι καὶ Αἰγύπτιοι πρὸ τῶν ἱερῶν τὰς σφίγγας ἱδρύον- 5
ται, ὡς αἰνιγματώδους τοῦ περὶ θεοῦ λόγου καὶ ἀσαφοῦς ὄντος,
τάχα δὲ καὶ ὅτι φιλεῖν τε δεῖν καὶ φοβεῖσθαι τὸ θεῖον, ἀγαπᾶν μὲν
ὡς προσηνὲς καὶ εὐμενὲς τοῖς ὁσίοις, δεδιέναι δὲ ὡς ἀπαραιτήτως
25 δίκαιον τοῖς ἀνοσίοις. θηρίου · γὰρ ὁμοῦ καὶ ἀνθρώπου ἡ σφὶγξ
αἰνίσσεται τὴν εἰκόνα.

VI. Μακρὸν δ' ἂν εἴη πάντα ἐπεξιέναι τὰ προφητικὰ καὶ τὰ 32, 1
νομικὰ τὰ δι' αἰνιγμάτων εἰρημένα ἐπιλεγομένους. σχεδὸν γὰρ ἡ

2f. vgl. Ζ 202   4—8 vgl. Mt 7, 13f.; Lc 13, 24   8—10 Ps 1, 1   10f. vgl. Xenoph.
Mem. II 1, 21—34 als Prod. fr. 2 abgedruckt bei Diels⁶ II S. 313, 4; Cic. De off. I 32,
118   11f. Pyth. Symb. 14 Mullach FPG I p. 505   11—13 vgl. Philo Quod omn. pr.
lib. 2 (VI p. 1); Elter Gnom. hist. 88   14—18 Aristokritos Fr. 4 FHG IV p. 336
20 Euphorion Chalc. Fr. 75 Meineke Anal. Alex. S. 112 fr. 66 Powell S. 42; vgl.
Düntzer, Fragm. d. ep. Poes. d. Gr. II S. 53   21f. vgl. Deiber S. 53f.   23f. vgl.
z. B. Deut 10, 20; 11, 1

10 κίον L   16 Ἀτέας Plut. Mor. p. 174 E; 792 C; 1095 E u. a.   17 ὑμέτερον (ὑ
corr. aus ἡ) L¹   20 οἱ δ'] εἰ δ' Düntzer οἵ ;‹ Heyse   ἤρσαμεν Meineke   21 πρὸ Sy
πρὸς L   23 δεῖ Vi

πᾶσα ὧδέ πως θεσπίζεται γραφή. ἀπόχρη δ᾽, οἶμαι, τῷ γε νοῦν
κεκτημένῳ εἰς ἔνδειξιν τοῦ προκειμένου ὀλίγα τινὰ ἐκτεθέντα παρα-
δείγματα. αὐτίκα ὁμολογεῖ τὴν ἐπίκρυψιν ἡ περὶ τὸν νεὼν τὸν πα- 2
λαιὸν τῶν ἑπτὰ περιβόλων πρός τι ἀναφορὰ παρ᾽ Ἑβραίοις ἱστο-
5 ρουμένη ἥ τε κατὰ τὸν ποδήρη διασκευή, διὰ ποικίλων τῶν πρὸς
τὰ | φαινόμενα συμβόλων τὴν ἀπ᾽ οὐρανοῦ μέχρι γῆς αἰνισσομένη 665 P
συνθήκην. τό τε κάλυμμα καὶ παραπέτασμα ὑακίνθῳ καὶ πορφύρᾳ 3
κόκκῳ τε καὶ βύσσῳ πεποίκιλτο, ᾐνίττετο δ᾽ ἄρα, ὡς ἡ τῶν στοιχείων
φύσις περιέχει, τὴν ἀποκάλυψιν τοῦ θεοῦ· ἐξ ὕδατος μὲν γὰρ ἡ πορ-
10 φύρα, βύσσος δὲ ἐκ γῆς, ὑάκινθός τε ὡμοίωται ἀέρι ζοφώδης ὤν,
ὥσπερ ὁ κόκκος τῷ πυρί. ἀνὰ μέσον δὲ τοῦ καλύμματος καὶ τοῦ 33, 1
παραπετάσματος, ἔνθα τοῖς ἱερεῦσιν ἐξῆν εἰσιέναι, θυμιατήριον [τε]
ἔκειτο σύμβολον τῆς ἐν μέσῳ τῷ κόσμῳ τῷδε κειμένης γῆς, ἐξ ἧς
αἱ ἀναθυμιάσεις. μέσος δὲ καὶ ὁ τόπος ἐκεῖνος τοῦ τε ἐντὸς τοῦ 2
15 καταπετάσματος, ἔνθα μόνῳ τῷ ἀρχιερεῖ ἐπετέτραπτο ῥηταῖς εἰσιέναι
ἡμέραις, καὶ τῆς ἔξωθεν περικειμένης αὐλαίας τῆς πᾶσιν ἀνειμένης
Ἑβραίοις· διὸ μεσαίτατον οὐρανοῦ φασι καὶ γῆς· ἄλλοι δὲ κόσμου
τοῦ νοητοῦ καὶ τοῦ αἰσθητοῦ λέγουσιν εἶναι σύμβολον. τὸ μὲν οὖν 3
κάλυμμα κώλυμα λαϊκῆς ἀπιστίας ᾗ τίπροσθε τῶν πέντε τετάνυστο

1f. vgl. Eur. oben S. 304, 14 (Fr) 5f. vgl. Exod 28, 4ff. 5–7 vgl. Philo De
vita Mos. II [III] 118 (IV p. 227) ἀρκτέον δ᾽ ἀπὸ τοῦ ποδήρους· οὗτος ὁ χιτὼν
σύμπας ἐστὶν ὑακίνθινος, ἀέρος ἐκμαγεῖον· φύσει γὰρ ὁ ἀὴρ μέλας καὶ τρόπον τινὰ
ποδήρης, ἄνωθεν ἀπὸ τῶν μετὰ σελήνην ἄχρι τῶν γῆς ταθεὶς περάτων, πάντη κεχυ-
μένος· ὅθεν καὶ ὁ χιτὼν ἀπὸ στέρνων ἄχρι ποδῶν περὶ ὅλον τὸ σῶμα κέχυται. 7f. vgl.
Exod 26, 1 7–11 vgl. Philo De vita Mos. II [III] 88 (IV p. 220f.) τὰς δὲ τῶν
ὑφασμάτων ὕλας ἀριστίνδην ἐπέκρινεν ἐκ μυρίων ὅσων ἑλόμενος τοῖς στοιχείοις ἰσα-
ρίθμους, ἐξ ὧν ἀπετελέσθη ὁ κόσμος, καὶ πρὸς αὐτὰ λόγον ἐχούσας, γῆν καὶ ὕδωρ καὶ
ἀέρα καὶ πῦρ· ἡ μὲν γὰρ βύσσος ἐκ γῆς, ἐξ ὕδατος δ᾽ ἡ πορφύρα, ἡ δ᾽ ὑάκινθος ἀέρι
ὁμοιοῦται — φύσει γὰρ μέλας οὗτος —, τὸ δὲ κόκκινον πυρί, διότι φοινικοῦν ἑκάτερον·
ἦν γὰρ ἀναγκαῖον ἱερὸν χειροποίητον κατασκευάζοντας τῷ πατρὶ καὶ ἡγεμόνι τοῦ παντὸς
τὰς ὁμοίας λαβεῖν οὐσίας, αἷς τὸ ὅλον ἐδημιούργει. Vgl. De congr. erud. gr. 117 (III
p. 95f.) [u. Qu. in Ex. II 85; Orig. Hom. in Ex. XIII 3 (Fr)] 11f. vgl. Exod 30,
1–10 11–S. 348, 1 vgl. Philo De vita Mos. II [III] 101 (IV p. 224) ἐν δὲ τῷ με-
θορίῳ τῶν τεσσάρων καὶ πέντε κιόνων, ὅπερ ἐστὶ κυρίως εἰπεῖν πρόναον εἰργόμενον
δυσὶν ὑφάσμασι, τῷ μὲν ἔνδον ὃ καλεῖται καταπέτασμα, τῷ δ᾽ ἐκτὸς ὃ προσαγορεύεται
κάλυμμα, τὰ λοιπὰ τρία σκεύη τῶν προειρημένων ἱδρύετο· μέσον μὲν τὸ θυμιατήριον,
γῆς καὶ ὕδατος σύμβολον εὐχαριστίας, ἣν ἕνεκα τῶν γινομένων ἀφ᾽ ἑκατέρου προσῆκε
ποιεῖσθαι· τὸν γὰρ μέσον ταῦτα τοῦ κόσμου τόπον κεκλήρωται. 13f. aus Philo De v.
Mos. II 105 τῶν δὲ περιγείων, ἐξ ὧν αἱ ἀναθυμιάσεις κτλ. (Fr) 15f. vgl. Exod 30, 10;
Lev 16, 2; Hebr 9, 7 18–S. 348, 1 vgl. Exod 26, 36f.

1 ἀπόχρην L 9 περιέχει Schw ἐπέχει L 10 δὲ Sy τε L 12 [τε] Cohn 17
διὸ St τὸ L ⟨ὂν⟩ τὸ Cohn ⟨ὅνπερ οἱ μὲν⟩ τὸ Ma

κιόνων, εἶργον τοὺς ἐν τῷ περιβόλῳ. ταύτῃ τοι μυστικώτατα πέντε 4
ἄρτοι πρὸς τοῦ σωτῆρος κατακλῶνται καὶ πληθύνουσι τῷ ὄχλῳ τῶν
ἀκροωμένων. πολὺς γὰρ ὁ τοῖς αἰσθητοῖς ὡς μόνοις οὖσι προσανέ-
χων. ›ἄθρει δὴ περισκοπῶν,‹ φησὶν ὁ Πλάτων, ›μή τις τῶν 5
5 ἀμυήτων ἐπακούῃ. εἰσὶ δὲ οὗτοι οἱ οὐδὲν ἄλλο οἰόμενοι εἶναι ἢ οὗ
ἂν ἀπρὶξ τοῖν χειροῖν λαβέσθαι δύναιντο, πράξεις δὲ καὶ γενέσεις
καὶ πᾶν τὸ ἀόρατον οὐκ ἀποδεχόμενοι ὡς ἐν οὐσίας μέρει·‹ τοιοῦτοι 6
γὰρ οἱ τῇ πεντάδι τῶν αἰσθήσεων προσανέχοντες μόνῃ. ἄβατον δὲ
ἀκοαῖς καὶ τοῖς ὁμογενέσιν ἡ νόησις τοῦ θεοῦ. ἐντεῦθεν πρόσωπον 84, 1
10 εἴρηται τοῦ πατρὸς ὁ υἱός, αἰσθήσεων πεντάδι σαρκοφόρος γενόμενος,
ὁ λόγος ὁ τοῦ πατρῴου μηνυτὴς ἰδιώματος. ›εἰ δὲ ζῶμεν πνεύματι, 2
πνεύματι καὶ στοιχῶμεν.‹ ›διὰ πίστεως περιπατοῦμεν, οὐ διὰ εἴδους,‹
ὁ καλὸς ἀπόστολος λέγει. ἔνδον μὲν οὖν τοῦ καλύμ|ματος ἱερατικὴ 3 666
κέκρυπται διακονία καὶ τοὺς ἐν αὐτῇ πονουμένους πολὺ τῶν ἔξω
15 εἴργει. πάλιν τὸ παραπέτασμα τῆς εἰς τὰ ἅγια τῶν ἁγίων παρόδου, 4
κίονες τέτταρες αὐτόθι, ἁγίας μήνυμα τετράδος διαθηκῶν παλαιῶν,
ἀτὰρ καὶ τὸ τετράγραμμον ὄνομα τὸ μυστικόν, ὃ περιέκειντο οἷς 5
μόνοις τὸ ἄδυτον βάσιμον ἦν· λέγεται δὲ Ἰαουέ, ὃ μεθερμηνεύεται
ὁ ὢν καὶ ὁ ἐσόμενος. καὶ μὴν καὶ καθ᾽ Ἕλληνας θεὸς τὸ ὄνομα 6
20 τετράδα περιέχει γραμμάτων. εἰς δὲ τὸν νοητὸν κόσμον μόνος ὁ 7

---

*   1–11 ὑστηκότα (so statt μυστικώτατα) — ἰδιώματος Ath fol. 50ʳ mit Auslassungen
1–3 vgl. Io 6, 9   3 zu αἰσθητοῖς vgl. Philo De vita Mos. II [II.] 81 (IV p. 219) ἡ
πεντὰς αἰσθήσεων ἀριθμός ἐστιν κτλ.   Ähnlich De opif. m. 62 (I p. 20); De plant. 133
(II p. 159); De migr. Abr. 201 (II p. 307)   4–7 Plato Theaet. p. 155 E; Theodoret
Gr. aff. c. I 80   9 f. vgl. Paed. I 57, 2; Strom. VII 58, 3 (wo Ps 23, 6 πρόσωπον τοῦ
θεοῦ auf Christus gedeutet ist); Exc. ex Theod. 10, 6; 12, 1; 23, 5   11 f. Gal 5, 25
12 II Cor 5, 7   15 f. vgl. Exod 26, 32   16 vier διαθῆκαι mit Adam, Noah, Abraham
und Moses; die viei Bünde Ecl. proph. 51, 1   17–19 καὶ τὸ τετράγραμμον—ἐσόμενος
und S. 349, 3–350, 7 ἥ τε λυχνία—δηλοῖ Cat. in Oktat. bei Niceph. I Col. 883 und
Col. 856; Monac. gr. 9 fol. 203ʳ; Monac. gr. 82 fol. 399ᵛ; Coisl. 113 fol. 368ᵛ; Cod.
Reg. 1825; Reg. 1888; Seguer. 308 (diese drei bei Potter p. 1031); lateinisch bei
Moyses enucleatus ed. Zephyrus p. 146. Inc. κλήμεντος· καὶ τὸ κτλ.   17 f. vgl.
Exod 28, 32 (36); Philo, De vita Mos. II [III] 114 f. (IV p. 227)   18 f. vgl. Exod
3, 14   20–S. 349, 2 vgl. Hebr 9, 11 f.

2 πληθύνουσιν (ν² getilgt) L¹   4–7 ἄθρει—μέρει < Ath   5 ἐπακούῃ Plato ἐπα-
κούει L   οἱ L   ἄλλο οὐδὲν corr. L¹   8 ἄβατον—θεοῦ < Ath   16 ⟨ἐπεὶ⟩ κίονες St
17 τετραγράμματον Höschel aus Philo   περιέκειντο L Coisl. περιέκειτο Cat. περιέχειτο
Reg. 1888   18 δὲ < Cat.   Ἰαουέ Didymus Taurinensis de pronunc. divini nominis
quatuor literarum (Parmae 1799) p. 32 ff. (vgl. Hengstenberg, Beiträge z. Einl. ins
Alte Test. II [1836] S. 226 f.; v. Baudissin, Studien z. semit. Religionsgeschichte I
[1876] S. 181 ff.) ἰαοὺ L ἰὰ οὐαὶ Nic. ἰὰ οὐέ Mon. 9. 82 Reg. 1888 Taurin. III 50 (bei
Did.) ἰαουε Coisl. Seg. 308 Reg. 1825   19 δ² < Coisl.

κύριος ⟨ἀρχιερεὺς⟩ γενόμενος εἴσεισι, ⟨διὰ⟩ τῶν παθῶν εἰς τὴν τοῦ
ἀρρήτου γνῶσιν παρεισδυόμενος, ὑπὲρ »πᾶν ὄνομα« ἐξαναχωρῶν, ὃ
φωνῇ γνωρίζεται. ναὶ μὴν ἥ τε λυχνία ἐν τοῖς νοτίοις ἔκειτο τοῦ 8
θυμιατηρίου, δι' ἧς αἱ τῶν ἑπτὰ φωσφόρων κινήσεις δεδήλωνται
5 νοτίους τὰς περιπολήσεις ποιουμένων. τρεῖς γὰρ ἑκατέρωθεν τῆς 9
λυχνίας ἐμπεφύκασι κλάδοι καὶ ἐπ' αὐτοῖς οἱ λύχνοι, ἐπεὶ καὶ ὁ ἥλιος
ὥσπερ ἡ λυχνία μέσος τῶν ἄλλων πλανητῶν τεταγμένος τοῖς τε
ὑπὲρ αὐτὸν τοῖς τε ὑπ' αὐτὸν κατά τινα θείαν μουσικὴν ἐνδίδωσι
τοῦ φωτός. ἔχει δέ τι καὶ ἄλλο αἴνιγμα ἡ λυχνία ἡ χρυσῆ τοῦ 85, 1
10 σημείου τοῦ Χριστοῦ, οὐ τῷ σχήματι μόνῳ, | ἀλλὰ καὶ τῷ φωτεμ- 667 P
βολεῖν »πολυτρόπως καὶ πολυμερῶς« τοὺς εἰς αὐτὸν πιστεύοντας
ἐλπίζοντάς τε καὶ βλέποντας διὰ τῆς τῶν πρωτοκτίστων διακονίας.
φασὶ δ' εἶναι »ἑπτὰ ὀφθαλμοὺς« κυρίου τὰ »ἑπτὰ πνεύματα«, ⟨τὰ⟩ 2
ἐπαναπαυόμενα τῇ ῥάβδῳ τῇ ἀνθούσῃ »ἐκ τῆς ῥίζης Ἰεσσαί«. πρὸς 8
15 δὲ τοῖς βορείοις τοῦ θυμιατηρίου τράπεζα εἶχε τὴν θέσιν, ἐφ' ἧς ἡ
παράθεσις τῶν ἄρτων, ὅτι τροφιμώτατα τῶν πνευμάτων τὰ βόρεια.
εἶεν δ' ἂν μοναί τινες εἰς ἓν σῶμα καὶ σύνοδον μίαν συμπνεουσῶν 4
ἐκκλησιῶν. τά τε ἐπὶ τῆς ἁγίας κιβωτοῦ ἱστορούμενα μηνύει τὰ τοῦ 5

2 Phil 2, 9   3—6 vgl. Exod 25, 30 ff.; 26, 35   3—9 vgl. Philo De vita Mos. II
[III] 102 f. (IV p. 224'.) τὴν δὲ λυχνίαν ἐν τοῖς νοτίοις, δι' ἧς αἰνίττεται .τὰς τῶν
φωσφόρων κινήσεις ἀστέρων· ἥλιος γὰρ καὶ σελήνη καὶ οἱ ἄλλοι πολὺ τῶν βορείων
ἀφεστῶτες νοτίους ποιοῦνται τὰς περιπολήσεις· ὅθεν ἐξ μὲν κλάδοι, τρεῖς δ' ἑκατέρωθεν,
τῆς μέσης λυχνίας ἐκπεφύκασιν εἰς ἀριθμὸν ἕβδομον· ἐπὶ δὲ πάντων λαμπάδιά τε καὶ
λύχνοι ἑπτά, σύμβολα τῶν λεγομένων παρὰ τοῖς φυσικοῖς ἀνδράσι πλανήτων· ὁ γὰρ
ἥλιος, ὥσπερ ἡ λυχνία, μέσος τῶν ἓξ τεταγμένος ἐν τετάρτῃ χώρᾳ φωσφορεῖ τοῖς
ὑπεράνω τρισὶ καὶ τοῖς ὑπ' αὐτὸν ἴσοις, ἁρμοζόμενος τὸ μουσικὸν καὶ θεῖον ὡς ἀληθῶς
ὄργανον. vgl. Qu. rer. div. her. 221 ff.; Quaest. in Ex. II 78. 79 (Fr)   8 vgl. Plato
Rep. X p. 617 B   11 vgl. Hebr 1, 1   12 πρωτοκτ. sc. ἄγγελοι   13 vgl. Apc 5, 6;
Zach 4, 10   13 f. vgl. Is 11, 1 f.   14 f. vgl. Exod 26, 35   14—16 vgl. Philo a. a. O. 104
ἡ δὲ τράπεζα τίθεται πρὸς τοῖς βορείοις, ἐφ' ἧς ἄρτοι καὶ ἅλες, ἐπειδὴ τῶν πνευμάτων
τὰ βόρεια τροφιμώτατα. 17 f. vgl. Eph 4, 4   18—S. 350, 2 vgl. Philo a. a. O. 95 ἡ
δὲ κιβωτὸς ἐν ἀδύτῳ καὶ ἀβάτῳ τῶν καταπετασμάτων εἴσω. 82 τὰ ἄδυτα τῆς σκηνῆς,
ἅπερ ἐστὶ συμβολικῶς νοητά, τὰ δ' ἐκτός . . . . , ἅπερ ἐστὶν αἰσθητά. Vgl. auch
S. 350, 18 mit Anm.

1 ⟨ἀρχιερεὺς⟩ Ma   ⟨διὰ⟩ Po   4 θυσιαστηρίου Cat.   ἑωσφόρων Mon. 9   φωστή-
ρων Reg. 1888   δεδήλωνται] πεποίηται Seg.   5 περιήσεις Mon. 9   6 ἐκπεφύκασι(ν)
Nic. Mon. 9 Coisl. ἐκπεφοίκασι Mon. 82   αὐτῆς Mon. 82   7 ἡ < Cat.   μέσον Mon. 82
9—14 ἔχει—Ἰεσσαί < Cat.   12 vor τῶν ist πρ getilgt L¹   13 ⟨τὰ⟩ Ma   15 θυσιασ-
τηρίου ἡ τράπεζα Cat.   16 πρόθεσις Cat.   πνευμάτων] ἀνθρώπων Cat.   βόρια L
17—S. 350, 2 εἶεν—πολλοῖς < Cat.

νοητοῦ κόσμου τοῦ ἀποκεκρυμμένου καὶ ἀποκεκλεισμένου τοῖς πολ-
λοῖς. ναὶ μὴν καὶ τὰ χρυσᾶ ἐκεῖνα ἀγάλματα, ἐξαπτέρυγον ἑκάτερον 6
αὐτῶν, εἴτε τὰς δύο ἄρκτους, ὡς βούλονταί τινες, ἐμφαίνει, εἴτε,
ὅπερ μᾶλλον, τὰ δύο ἡμισφαίρια, ἐθέλει δὲ τὸ ὄνομα τῶν Χερουβὶμ
5 δηλοῦν ἐπίγνωσιν πολλήν. ἀλλὰ δώδεκα πτέρυγας ἄμφω ἔχει καὶ 7
διὰ τοῦ ζῳδιακοῦ κύκλου καὶ τοῦ κατ᾽ αὐτὸν φερομένου χρόνου τὸν
αἰσθητὸν κόσμον δηλοῖ. περὶ τούτων οἶμαι καὶ ἡ τραγῳδία φυσιο-   36, 1
λογοῦσά | φησιν·   241 S

        ἀκάμας τε χρόνος περὶ τ᾽ ἀενάῳ
10   ῥεύματι πλήρης φοιτᾷ τίκτων
        αὐτὸς ἑαυτόν, δίδυμοί τ᾽ ἄρκτοι
        ταῖς ὠκυπλάνοις πτερύγων ῥιπαῖς
        τὸν Ἀτλάντειον τηροῦσι πόλον.

Ἄτλας δὲ ὁ μὴ πάσχων πόλος δύναται μὲν εἶναι καὶ ἡ ἀπλανὴς σφαῖρα, 2
15 βέλτιον δὲ ἴσως αἰῶνα ἀκίνητον νοεῖσθαι. ἄμεινον δ᾽ ἡγοῦμαι τὴν 8
κιβωτὸν ἐκ τοῦ Ἑβραϊκοῦ ὀνόματος θηβωθὰ καλουμένην ἄλλο τι
σημαίνειν. ἑρμηνεύεται μὲν ἓν ἀνθ᾽ ἑνὸς πάντων τόπων. εἴτ᾽ οὖν
ὀγδοὰς καὶ ὁ νοητὸς κόσμος εἴτε καὶ ὁ [περὶ] πάντων περιεκτικὸς
ἀσχημάτιστός τε καὶ ἀόρατος δηλοῦται θεός, τὰ νῦν ὑπερκείσθω
20 λέγειν· πλὴν ἀγάπαυσιν μηνύει τὴν μετὰ τῶν δοξολόγων πνευμά-

---

*   1. 18 vgl. auch Philo Quaest. in Ex. II 68 κιβωτὸς νοητοῦ κόσμου σύμβολον
2 vgl. Exod 25, 17 zu ἐξαπτέρυγον vgl. Is 6, 2; Apc 4, 8 2—5 vgl. Philo De vit.
Mos. II [III] 97 f. τὸ δ᾽ ἐπίθεμα τὸ προσαγορ ευόμενον ἱλαστήριον βάσις ἐστὶ πτηνῶν
δυοῖν, ἃ πατρίῳ μὲν γλώττῃ προσαγορεύεται Χερουβίμ, ὡς δ᾽ ἂν Ἕλληνες εἴποιεν, ἐπί-
γνωσις καὶ ἐπιστήμη πολλή (vgl. Quaest. in Exod. II 62 p. 512 Aucher). ταῦτα δέ
τινες μέν φασιν εἶναι σύμβολα τῶν ἡμισφαιρίων ἀμφοῖν κατὰ τὴν ἀντιπρόσωπον θέσιν,
τοῦ τε ὑπὸ γῆν καὶ ὑπὲρ γῆν· πτηνὸν γὰρ ὁ σύμπας οὐρανός;. 4 vgl. auch Philo De
Cher. 25 (Fr) 9—13 [Euripides] Peirithoos Fr. 594; Kritias Fr. 18 Diels⁶ II S. 384,
14—18 13 vgl. Schol. zu Aristoph. Av. 179; Suidas s. v. πόλος 14 vgl. Hesychius
ἄτλας ἀπαθής· 16 θηβωθά = כֵּיבוֹתָא, wovon κιβωτός abgeleitet ist; vgl. F. E. C.
Dietrich, Abhandlungen f. sem. Wortforschung S. 34; Fleischer, Sitzungsber. d. k.
sächs. Ges. d. W. 1866 S. 310 20f. vgl. Is 11, 2; 6, 3

        2 καὶ μὴν Vi Nic. χρυσᾶ Cat. χρύσια L 3 τοὺς δύο Coisl. 4 τῶν Χερουβίμ]
τὸ χερουβίμ (oder χερουβείμ) Cat. 5 ἀλλὰ—ἔχει] δώδεκα δὲ πτέρυγας ἀμφότερα ἔχει
(εἶχε Nic. Mon. 9) Cat. 9 χρόνος περὶ τ᾽ Schw χρόνος περὶ γ᾽ L πέριξ χρόνος
Meineke 13 Ἀτλάντειον He ἀτλάντιον L τηροῦσι] φρουρῶν Schol. Arist. Suid.
φρουροῦσι Herwerden, Mnemos. 12 (1884) p. 314 17 μὲν ⟨γὰρ⟩ Wi πάντων] ἐναν-
τίων Hozakowski, De chronogr. Clem. Alex. p. 30 18 [περὶ] Wi πέριξ Sv

των, ἃ αἰνίσσεται Χερουβίμ· οὐ γὰρ ἄν ποτε ὁ μηδὲ γλυπτὸν εἴδω- 4
λον δημιουργεῖν παραινέσας αὐτὸς ἀπεικόνιζεν τῶν ἁγίων ἄγαλμα,
οὐδ' ἔστι τὴν ἀρχὴν ἐπισύνθετόν τι καὶ αἰσθητὸν ζῷον ἐν οὐρανῷ
ὧδέ πως ἔχον, σύμβολον δ' ἐστὶ λογικῆς μὲν | τὸ πρόσωπον ψυχῆς, 668 P
5 πτέρυγες δὲ λειτουργίαι τε καὶ ἐνέργειαι αἱ μετάρσιοι δεξιῶν τε ἅμα
καὶ λαιῶν δυνάμεων, ἡ φωνὴ δὲ δόξα εὐχάριστος ἐν ἀκαταπαύστῳ
θεωρίᾳ.

Ἀπόχρη μέχρι τοῦδε προχωρῆσαι τὴν μυστικὴν ἑρμηνείαν· τοῦ 37, 1
δὲ ἀρχιερέως ὁ ποδήρης κόσμου ἐστὶν αἰσθητοῦ σύμβολον, τῶν μὲν
10 ἑπτὰ πλανητῶν οἱ πέντε λίθοι καὶ οἱ δύο ἄνθρακες διά τε τὸν
Κρόνον καὶ τὴν Σελήνην· ὃ μὲν γὰρ μεσημβρινὸς καὶ ὑγρὸς καὶ
γεώδης καὶ βαρύς, ἢ δὲ ἀερώδης· διὸ Ἄρτεμις πρός τινων εἴρηται
ἀεροτόμος τις οὖσα, ζοφερὸς δὲ ὁ ἀήρ. συνεργοῦντας δὲ εἰς γένεσιν 2
τῶν τῇδε τοὺς ἐφεστῶτας τοῖς πλανήταις κατὰ τὴν θείαν πρόνοιαν
15 ἐπί τε τοῦ στήθους καὶ τῶν ὤμων εἰκότως ἱδρῦσθαι διαγράφει, δι' ὧν
ἡ πρᾶξις ἡ ἐπιγενεσιουργός, ἡ ἑβδομὰς ἡ πρώτη· στῆθος δ' οἰκητήριον
καρδίας τε καὶ ψυχῆς. εἶεν δ' ἂν καὶ ἄλλως λίθοι ποικίλοι σωτηρίας 3
τρόποι, οἳ μὲν ἐν τοῖς ὑπεραναβεβηκόσιν, οἳ δ' ἐν τοῖς ὑποβεβηκόσιν
ἱδρυμένοι παντὸς τοῦ σῳζομένου σώματος. οἵ τε τριακόσιοι ἑξή- 4
20 κοντα κώδωνες οἱ ἀπηρτημένοι τοῦ ποδήρους χρόνος ἐστὶν ἐνιαύσιος,
»ἐνιαυτὸς κυρίου δεκτός«, κηρύσσων καὶ κατηχῶν τὴν μεγίστην τοῦ
σωτῆρος ἐπιφάνειαν. ἀλλὰ καὶ ὁ πῖλος ὁ χρυσοῦς ὁ ἀνατεταμένος 5
τὴν ἐξουσίαν μηνύει τὴν βασιλικὴν τοῦ κυρίου, εἴ γε »ἡ κεφαλὴ τῆς
ἐκκλησίας« ὁ σωτήρ. σημεῖον γοῦν ἡγεμονικωτάτης ἀρχῆς ὁ πῖλος ὁ 38, 1
25 ὑπὲρ αὐτὴν ἄλλως τε ἀκηκόαμεν, ὡς εἴρηται· »καὶ τοῦ Χριστοῦ
κεφαλὴ ὁ θεός« »καὶ πατὴρ τοῦ κυρίου ἡμῶν Ἰησοῦ Χριστοῦ«.

1f. vgl. Exod 20, 4   8 vgl. Sap 18, 24   8f. vgl. Philo De vita Mos. II [III] 117
(IV p. 227) ὅλη (ἡ τοῦ ἀρχιερέως ἐσθής) γέγονεν ἀπεικόνισμα καὶ μίμημα τοῦ κόσ-
μου. Im übrigen weicht Clem. von Exod 28 und Philo ab.   12f. vgl. RE II
1337, 23   13 vgl. Philo Quaest. in Exod. II 85 subniger est aer (Chrys. fr. phys.
562 Arn.); De Abr. 205 (Fr)   15f. vgl. S. 352, 1. 6f.   19f. vgl. Exod 28, 29—31;
zur Zahl 360 vgl. Hozakowski S. 28; E. Nestle, ZatW 25 (1905) S. 205f.; L. Fendt,
Die Dauer d. öff. Wirksamkeit Jesu (München 1906) S. 38f.   vgl. auch Fr. Kampers,
Vom Werdegang der abendländischen Kaisermystik, Leipzig u. Berlin 1924, S. 11, 2
21 vgl. Is 61, 2; Lc 4, 19   21f. vgl. Strom. I 145, 3   22—25 vgl. Philo De vit. Mos.
II [III] 131 (IV p. 230) κίδαριν δὲ ἀντὶ διαδήματος ἐπιτίθησι τῇ κεφαλῇ δικαιῶν τὸν
ἱερωμένον τῷ θεῷ, καθ' ὃν χρόνον ἱεραται, προφέρειν ἁπάντων καὶ μὴ μόνον ἰδιωτῶν
ἀλλὰ καὶ βασιλέων u. 116 (p. 227) κιδάρει γὰρ οἱ τῶν ἑῴων βασιλεῖς ἀντὶ διαδήματος
εἰώθασι χρῆσθαι   23f. Eph 5, 23   25f. vgl. I Cor 11, 3   26 vgl. z. B. Rom 15, 6;
II Cor 11, 31

10 πέντε] ε L

ναὶ μὴν τὸ μὲν περιστήθιον ἔκ τε ἐπωμίδος, ἥ ἐστιν ἔργου σύμβολον, 2
ἔκ τε τοῦ λογίου (τὸν λόγον δὲ τοῦτο αἰνίσσεται) [ᾧ] συνέστηκεν καὶ
ἔστιν οὐρανοῦ εἰκὼν τοῦ λόγῳ γενομένου, τοῦ ὑποκειμένου τῇ κε-
φαλῇ τῶν πάντων τῷ Χριστῷ ⟨καὶ⟩ κατὰ τὰ αὐτὰ καὶ ὡσαύτως
5 κινουμένου. οἱ οὖν ἐπὶ τῆς ἐπωμίδος σμαράγδου φωτεινοὶ λίθοι 3
ἥλιον καὶ σελήνην μηνύουσι τοὺς συνεργοὺς τῆς φύσεως. χειρὸς δέ, 4
οἶμαι, ὦμος ἀρχή. οἱ δὲ ἐπὶ τῷ στήθει τέτραχα τεταγμένοι δώδεκα
τὸν ζωδιακὸν διαγράφουσιν ἡμῖν κύκλον κατὰ τὰς τέσσαρας τοῦ ἔτους
τροπάς. ἄλλως τε ἐχρῆν | τῇ κεφαλῇ τῇ κυριακῇ νόμον μὲν καὶ 5 66
10 προφήτας ὑποκεῖσθαι, δι᾽ ὧν οἱ δίκαιοι μηνύονται καθ᾽ ἑκατέρας
τὰς διαθήκας· προφήτας γὰρ ἅμα καὶ δικαίους εἶναι τοὺς ἀποστόλους
λέγοντες εὖ ἂν εἴποιμεν, ἑνὸς καὶ τοῦ αὐτοῦ ἐνεργοῦντος διὰ πάν-
των ἁγίου πνεύματος. ὥσπερ δὲ ὁ κύριος ὑπεράνω τοῦ κόσμου 6
παντός, μᾶλλον δὲ ἐπέκεινα τοῦ νοητοῦ, οὕτως καὶ τὸ ἐν τῷ πε-
15 τάλῳ ἔγγραπτον ὄνομα ›ὑπεράνω πάσης ἀρχῆς καὶ ἐξουσίας‹ εἶναι
ἠξίωται, ἔγγραπτον δὲ διά τε τὰς ἐντολὰς τὰς ἐγγράφους διά τε τὴν
αἰσθητὴν παρουσίαν. ὄνομα δὲ εἴρηται θεοῦ. ἐπεί, ὡς βλέπει τοῦ 7
πατρὸς τὴν ἀγαθότητα, ὁ υἱὸς ἐνεργεῖ, θεὸς σωτὴρ κεκλημένος, ἡ

1f. vgl. S. 351, 15f.; Philo De vita Mos. II [III] 130 (IV p. 230) τὸ λογεῖον
ἤρτησεν ἐκ τῆς ἐπωμίδος, ἵνα μὴ χαλᾶται, τὸν λόγον οὐ δικαιώσας, ἔργων ἀπεζεῦχθαι·
τὸν γὰρ ὦμον ἐνεργείας καὶ πράξεως ποιεῖται σύμβολον (vgl. De mut. nom. 193 [III
p. 189] ὦμος, πόνου σύμβολον). Doch enthält die Stelle Mißverständnisse; denn
περιστήθιον und λογεῖον sind gleichbedeutend (= ‏‏ z. B. Exod 28, 4. 15) und bei
Philo ist nicht περιστήθιον, sondern ἐπωμίς = οὐρανοῦ σύμβολον vgl. a. a. O. 122
(III p. 251). Doch vgl. auch De somn. I 214f. (IV p. 228) 2 vgl. z. B. Philo Leg.
all. III 119 (I p. 139) λόγιον οὖν ἐστιν ἐν ἡμῖν τὸ φωνητήριον ὄργανον, ὅπερ ἐστιν
ὁ γεγωνὸς λόγος. 3f. vgl. I Cor 11, 3; Eph 1, 22 5—6 vgl. Philo De vita Mos. II
[III] 122 (IV p. 228) οἱ ἐπὶ τῶν ἀκρωμίων σμαράγδου δύο λίθοι περιφερεῖς μη-
νύουσιν, ὡς μὲν οἴονταί τινες, ἀστέρων τοὺς ἡμέρας καὶ νυκτὸς ἡγεμόνας, ἥλιον καὶ
σελήνην. 6—9 vgl. Philo a. a. O. 124 οἱ κατὰ τὰ στέρνα δώδεκα λίθοι ταῖς χρόαις
οὐχ ὅμοιοι διανεμηθέντες εἰς τέσσαρας στοίχους ἐκ τριῶν τίνος ἑτέρου δεῖγματ᾽ εἰσὶν
ἢ τοῦ ζωδιακοῦ κύκλου· καὶ γὰρ οὗτος τετραχῇ διανεμηθεὶς ἐκ τριῶν ζῳδίων τὰς
ἐτησίους ὥρας ἀποτελεῖ, ἔαρ, θέρος, μετόπωρον, χειμῶνα, τροπὰς τέσσαρας, ὧν
ἑκάστης ὅρος τρία ζῴδια. Ähnlich De spec. leg. I 87 (V p. 22) 6f. vgl. S. 351, 15f.,
oben 1f.; Philo a. a. O. 130 (IV p. 230) τὸν γὰρ ὦμον ἐνεργείας καὶ πράξεως ποιεῖται
σύμβολον. 12f. vgl. I Cor 12, 11 13f. 15 vgl. Eph 1, 21; Phil 2, 9 16f. vgl.
S. 353, 30 17f. vgl. Io 5, 19

1 nach ἥ Ras. von 2—3 Buchst. L 2 [ᾧ] St Ma 4 ⟨καὶ⟩ St 5 κινουμένου
St Ma κινούμενα L 10 vor δι᾽ ist δὲ getilgt L¹ 18 vor θεὸς ist ὁ getilgt L¹

τῶν ὅλων ἀρχή, ἥτις ἀπεικόνισται μὲν ἐκ ›τοῦ θεοῦ τοῦ ἀοράτου‹
πρώτη καὶ πρὸ αἰώνων, τετύπωκεν δὲ τὰ μεθ᾽ ἑαυτὴν ἅπαντα γενό-
μενα. ναὶ μὴν τὸ λόγιον τὴν προφητείαν τὴν ἐκβοῶσαν τῷ λόγῳ 39, 1
καὶ κηρύσσουσαν καὶ τὴν κρίσιν τὴν ἐσομένην δηλοῖ, ἐπεὶ ὁ αὐτός
5 ἐστι λόγος ὁ προφητεύων κρίνων τε ἅμα καὶ διακρίνων ἕκαστα.
φασὶ δὲ καὶ τὸ ἔνδυμα, τὸν ποδήρη, τὴν κατὰ σάρκα προφητεύειν 2
οἰκονομίαν, δι᾽ ἣν προσεχέστερον εἰς κόσμον ὤφθη. ταύτῃ τοι ἀπο- 3
δὺς τὸν ἡγιασμένον χιτῶνα ὁ ἀρχιερεὺς (κόσμος δὲ καὶ ἡ ἐν κόσμῳ
κτίσις ἡγίασται πρὸς τοῦ καλὰ συγκαταθεμένου τὰ γινόμενα) λούεται
10 καὶ τὸν ἄλλον ἐνδύεται ἅγιον ἁγίου ὡς εἰπεῖν χιτῶνα, τὸν συνεισ-
ιόντα εἰς τὰ ἄδυτα αὐτῷ, ἐμοὶ δοκεῖν ἐμφαίνων τὸν Λευίτην καὶ 4
γνωστικὸν ὡς ἂν τῶν ἄλλων ἱερέων ἄρχοντα, ὕδατι ἀπολελουμένων
ἐκείνων καὶ πίστιν ἐνδεδυμένων μόνην καὶ τὴν ἰδίαν ἐκδεχομένων
μονήν, αὐτὸν διακρίναντα τὰ νοητὰ τῶν αἰσθητῶν, κατ᾽ ἐπανάβασιν
15 τῶν ἄλλων ἱερέων σπεύδοντα ἐπὶ τὴν τοῦ νοητοῦ δίοδον, τῶν τῇδε
ἀπολουόμενον οὐκέτι ὕδατι, ὡς πρότερον ἐκαθαίρετο εἰς Λευιτικὴν
ἐντασσόμενος φυλήν, ἀλλ᾽ ἤδη τῷ γνωστικῷ λόγῳ. καθαρὸς μὲν ⟨οὖν⟩ 40, 1
τὴν καρδίαν πᾶσαν, κατορθώσας δ᾽ εὖ μάλα καὶ τὴν πολιτείαν ἐπ᾽ ἄκρον,
πέρα τοῦ ἱερέως ἐπὶ μεῖζον αὐξήσας, ἀτεχνῶς ἡγνισμένος καὶ λόγῳ
20 καὶ βίῳ, ἐπενδυσάμενος τὸ γάνωμα τῆς δόξης, τοῦ πνευματικοῦ
ἐκείνου καὶ τελείου ἀνδρὸς τὴν ἀπόρρητον κληρονομίαν ἀπολαβών,
›ἣν ὀφθαλμὸς οὐκ εἶδεν καὶ οὖς οὐκ ἤκουσεν καὶ ἐπὶ καρδίαν ἀν-
θρώπου | οὐκ ἀνέβη,‹ υἱὸς καὶ φίλος γενόμενος, ›πρόσωπον‹ ἤδη 670 P
›πρὸς πρόσωπον‹ ἐμπίπλαται τῆς ἀκορέστου θεωρίας. οὐδὲν δὲ |
25 οἷον αὐτοῦ ἐπακοῦσαι τοῦ λόγου, πλείονα τὸν νοῦν διὰ τῆς γραφῆς 242 S
ἐνδιδόντος. λέγει γὰρ ὧδε ›καὶ ἐκδύσεται τὴν στολὴν τὴν λινῆν, 2
ἣν ἐνδεδύκει εἰσπορευόμενος εἰς τὰ ἅγια, καὶ ἀποθήσει αὐτὴν ἐκεῖ.
καὶ λούσεται τὸ σῶμα αὐτοῦ ὕδατι ἐν τόπῳ ἁγίῳ καὶ ἐνδύσεται τὴν
στολὴν αὐτοῦ.‹ ἄλλως δ᾽, οἶμαι, ὁ κύριος ἀποδύεταί τε καὶ ἐνδύεται 3
30 κατιὼν εἰς αἴσθησιν, ἄλλως ὁ δι᾽ αὐτοῦ πιστεύσας ἀποδύεταί τε καὶ

*　　1 vgl. Col 1, 18 (ἀρχή)　1—3 vgl. Col 1, 15f.　7—11 vgl. Lev 16, 23f.　9 vgl.
Gen 1, 31　11—15 vgl. Philo Leg. all. II 56 (I p. 101) τούτου χάριν ὁ ἀρχιερεὺς εἰς
τὰ ἅγια τῶν ἁγίων οὐκ εἰσελεύσεται ἐν τῷ ποδήρει, ἀλλὰ τὸν τῆς δόξης καὶ φαντασίας
ψυχῆς χιτῶνα ἀποδυσάμενος καὶ καταλιπὼν τοῖς τὰ ἐκτὸς ἀγαπῶσι καὶ δόξαν πρὸ ἀλη-
θείας τετιμηκόσι κτλ.　De somn. I 216 (III p. 251)　16f. vgl. Num 8, 7　17f. vgl.
Mt 5, 8　19f. vgl. z. B. Aristot. Eth. Nic. IV 13 p. 1127ᵃ 24 ὢν ἀληθευτικὸς καὶ τῷ
βίῳ καὶ τῷ λόγῳ　22f. I Cor 2, 9　23f. I Cor 13, 12　24f. vgl. Isid. Pelus. II 158
26—29 Lev 16, 23f.

6 τὸ ἐνδῦναι τὸν ποδήρη Ja　16 ἀπολουόμενον St ἀπολούεσθαι L　17 ⟨οὖν⟩ Wi
18 ἄκρον Ma ἄκρων L　19 πέρα Schw παρὰ L　23 nach ἀνέβη ist ἃ ἑτοίμασεν
ὁ θεός von L¹ getilgt

ἐπενδύεται, ὡς καὶ ὁ ἀπόστολος ἐμήνυσεν, τὴν ἡγιασμένην στολήν.
ἐντεῦθεν κατ᾽ εἰκόνα τοῦ κυρίου ἀρχιερεῖς ἀπὸ τῆς ἁγιασθείσης 4
ᾑροῦντο φυλῆς οἱ δοκιμώτατοι καὶ οἱ εἰς βασιλείαν καὶ οἱ εἰς προ-
φητείαν ἐκλεκτοὶ ἐχρίοντο.

5   VII. Ὅθεν καὶ Αἰγύπτιοι οὐ τοῖς ἐπιτυχοῦσι τὰ παρὰ σφίσιν 41, 1
ἀνετίθεντο μυστήρια οὐδὲ μὴν βεβήλοις τὴν τῶν θείων εἴδησιν ἐξέ-
φερον, ἀλλ᾽ ἢ μόνοις γε τοῖς μέλλουσιν ἐπὶ βασιλείαν προϊέναι καὶ
τῶν ἱερέων τοῖς κριθεῖσιν εἶναι δοκιμωτάτοις ἀπό τε τῆς τροφῆς
καὶ τῆς παιδείας καὶ τοῦ γένους.

10   Ὅμοια γοῦν τοῖς Ἑβραϊκοῖς κατά γε τὴν ἐπίκρυψιν καὶ τὰ τῶν 2
Αἰγυπτίων αἰνίγματα. Αἰγυπτίων οἳ μὲν ἐπὶ πλοίου, οἳ δὲ ἐπὶ κρο-
κοδείλου τὸν ἥλιον δεικνύουσι. σημαίνουσι δὲ ὅτι ὁ ἥλιος, δι᾽ ἀέρος 3
γλυκεροῦ καὶ ὑγροῦ τὴν πορείαν ποιούμενος, γεννᾷ τὸν χρόνον, ὃν
αἰνίσσεται ὁ κροκόδειλος διά τινα ἄλλην ἱερατικὴν ἱστορίαν. ναὶ μὴν 4
15 καὶ ἐν Διοσπόλει τῆς Αἰγύπτου ἐπὶ τοῦ ἱεροῦ καλουμένου πυλῶνος
διατετύπωται παιδίον μὲν γενέσεως σύμβολον, φθορᾶς δὲ ὁ γέρων,
θεοῦ τε αὖ ὁ ἱέραξ, ὡς ὁ ἰχθὺς μίσους, καὶ κατ᾽ ἄλλο πάλιν σημαινό-
μενον ὁ κροκόδειλος ἀναιδείας. φαίνεται τοίνυν συντιθέμενον τὸ 42, 1
πᾶν σύμβολον δηλωτικὸν εἶναι τοῦδε· »ὦ γινόμενοι καὶ ἀπογινό-
20 μενοι, θεὸς μισεῖ | ἀναίδειαν.« τά τε ὦτα καὶ τοὺς ὀφθαλμοὺς οἱ 2 671
δημιουργοῦντες ἐξ ὕλης τιμίας καθιεροῦσιν τοῖς θεοῖς ἀνατιθέντες
εἰς τοὺς νεώς, τοῦτο δήπου αἰνισσόμενοι ὡς πάντα θεὸς ὁρᾷ καὶ
ἀκούει. πρὸς τοῖσδε ἀλκῆς μὲν καὶ ῥώμης σύμβολον αὐτοῖς ὁ λέων· 3
ὥσπερ ἀμέλει γῆς τε αὐτῆς καὶ γεωργίας καὶ τροφῆς ὁ βοῦς, ἀνδρείας
25 τε καὶ παρρησίας ὁ ἵππος, ἀλκῆς τε αὖ μετὰ συνέσεως ἡ σφίγξ, τὸ
μὲν σῶμα πᾶν λέοντος, τὸ πρόσωπον δὲ ἀνθρώπου ἔχουσα. ὁμοίως 4
τε τούτοις σύνεσιν καὶ μνήμην καὶ κράτος καὶ τέχνην ὁ ἄνθρωπος
αἰνισσόμενος τοῖς ἱεροῖς πρὸς αὐτῶν ἐγγλύφεται. ἤδη δὲ κἀν ταῖς 43, 1
καλουμέναις παρ᾽ αὐτοῖς κωμασίαις τῶν θεῶν χρυσᾶ ἀγάλματα, δύο

1 vgl. II Cor 5, 2—4   2—4 vgl. Strom. 1V 158, 1   5—14 vgl. Deiber p. 36—40
11—14 vgl. Porphyrius bei Euseb. Praep. ev. III 11, 48 ἥλιον δὲ σημαίνουσι ποτὲ
μὲν δι᾽ ἀνθρώπου ἐπιβεβηκότος πλοίου, τοῦ πλοίου (viell. ποτὲ δὲ) ἐπὶ κροκοδείλου
κειμένου. δηλοῖ δὲ τὸ μὲν πλοῖον τὴν ἐν ὑγρῷ κίνησιν, ὁ δὲ κροκόδειλος πότιμον ὕδωρ,
ἐν ᾧ φέρεται ὁ ἥλιος. ἐσήμαινε τοίνυν ὁ ἥλιος δι᾽ ἀέρος ὑγροῦ καὶ γλυκέος τὴν περι-
πόλησιν ποιεῖσθαι. vgl. Fr. Börtzler, Porphyrius' Schrift von den Götterbildern,
Diss. Erlangen, 1903 S. 40, der Chairem. als Quelle des Cl. und Porph. annimmt;
H. R. Schwyzer, Chairemon Fr. 8 und dazu S. 76f.   Plut. Mor. p. 364 C ἥλιον καὶ
σελήνην οὐχ ἅρμασιν, ἀλλὰ πλοίοις ὀχήμασι χρωμένους περιπλεῖν φασιν. Porphyr. De
Antr. Nymph. 10 p. 63, 13ff. Nauck   14—20 vgl. Plut. Mor. p. 363 F; Deiber p. 40—45
20—22 vgl. Deiber p. 47—50   22f. vgl. Γ 277; λ 109; μ 323   23—28 vgl. Deiber
p. 51—56   28—S. 355, 12 vgl. Deiber p. 57—63

μὲν κύνας, ἕνα δὲ ἱέρακα καὶ ἶβιν μίαν περιφέρουσι καὶ καλοῦσι τὰ
τέσσαρα τῶν ἀγαλμάτων εἴδωλα τέσσαρα γράμματα. εἰσὶ γοῦν οἱ 2
μὲν κύνες σύμβολα τῶν δυεῖν ἡμισφαιρίων, οἷον περιπολούντων καὶ
φυλασσόντων· ὁ δὲ ἱέραξ ἡλίου· πυρώδης γὰρ καὶ ἀναιρετικός·
5 αὐτίκα τὰς λοιμικὰς νόσους ἡλίῳ ἀνατιθέασιν· ἡ δὲ ἶβις σελήνης, τὰ
μὲν σκιερὰ τῷ μέλανι, τὰ δὲ φωτεινὰ τῷ λευκῷ τῶν πτίλων εἰκα-
ζόντων. εἰσὶν δ᾽ οἳ τοὺς μὲν τροπικοὺς πρὸς τῶν κυνῶν μηνύεσθαι 3
βούλονται, οἳ δὴ διαφυλάσσουσι καὶ πυλωροῦσι τὴν ἐπὶ νότον καὶ
ἄρκτον πάροδον τοῦ ἡλίου· τὸν δ᾽ ἰσημερινόν, ὑψηλὸν ὄντα καὶ
10 διακεκαυμένον, ὁ ἱέραξ δηλοῖ, καθάπερ ἡ ἶβις τὸν λοξόν· ἀριθμοῦ
γὰρ ἐπινοίας καὶ μέτρου μάλιστα τῶν ζῴων ἡ ἶβις ἀρχὴν παρεσχῆ-
σθαι τοῖς Αἰγυπτίοις δοκεῖ, ὡς τῶν κύκλων ὁ λοξός.

VIII. Ἀλλὰ γὰρ οὐ μόνον Αἰγυπτίων οἱ λογιώτατοι, πρὸς δὲ 44. 1
καὶ τῶν ἄλλων βαρβάρων ὅσοι φιλοσοφίας ὠρέχθησαν, τὸ συμβολι-
15 κὸν εἶδος ἐζήλωσαν.

Φασὶ γοῦν καὶ Ἰδανθούραν τὸν Σκυθῶν βασιλέα, ὡς ἱστορεῖ 2
Φερεκύδης ὁ Σύριος, Δαρείῳ διαβάντι τὸν Ἴστρον πόλεμον ἀπει-
λοῦντα πέμψαι σύμβολον ἀντὶ τῶν γραμμάτων μῦν, βάτραχον,
ὄρνιθα, οἰστόν, ἄροτρον. ἀπορίας δὲ οὔσης, οἷα | εἰκός, ἐπὶ τούτοις 3 672 P
20 Ὀροντοπάτας μὲν ὁ χιλίαρχος ἔλεγεν παραδώσειν αὐτοὺς τὴν ἀρχήν,
τεκμαιρόμενος ἀπὸ μὲν τοῦ μυὸς τὰς οἰκήσεις, ἀπὸ δὲ τοῦ βατράχου
τὰ ὕδατα τὸν ἀέρα τε ἀπὸ τῆς ὄρνιθος καὶ ἀπὸ τοῦ οἰστοῦ τὰ
ὅπλα, ἀπὸ δὲ τοῦ ἀρότρου τὴν χώραν. Ξιφόδρης δὲ ἔμπαλιν ἡρμή- 4
νευσεν· ἔφασκεν γάρ· ἐὰν μὴ ὡς ὄρνιθες ἀναπτῶμεν ἢ ὡς μύες κατὰ
25 τῆς γῆς ἢ ὡς οἱ βάτραχοι καθ᾽ ὕδατος δύωμεν, οὐκ ἂν φύγοιμεν τὰ
ἐκείνων βέλη, τῆς γὰρ χώρας οὐκ ἐσμεν κύριοι.

Ἀνάχαρσίν τε τὸν Σκύθην φασὶ καὶ αὐτὸν κοιμώμενον κατέχειν 5
τῇ μὲν λαιᾷ τὰ αἰδοῖα, τῇ δεξιᾷ δὲ τὸ στόμα, αἰνιττόμενον δεῖν μὲν
ἀμφοῖν, μεῖζον δὲ εἶναι γλώττης κρατεῖν ἢ ἡδονῆς.

30 Καὶ τί μοι περὶ τοὺς βαρβάρους ἐνδιατρίβειν, ἐξὸν αὐτοὺς τοὺς 45, 1
Ἕλληνας σφόδρα τῇ ἐπικρύψει κεχρημένους παραστῆσαι;

5—7 vgl. Plut. Mor. p. 381 D 10f. vgl. Plato Phaedr. 59 p. 274C (Fr) 16—
29 Pherekydes Fr. 113 FHG I p. 98 FGrHist. 3 F 174; vgl. Herod. 4, 131 f. u. Leutsch
zu Macar. VIII 22 27—29 Parallelen bei Sternbach, Gnomol. Vatic. 136 (Arsen.
Viol. p. 106, 17 Walz; Theodoret Gr. aff. c. XII 45 = Cram. Anecd. Oxon. IV
p. 253, 3 ff.) vgl. auch Plut. Mor. p. 505 A

*   16 Ἰδανθοῦραν L Ἰδάνθυρσος Herod. 4, 76 u. ö.; vgl. Müller, Ctesiae fragm.
p. 65 τὸν Sy τῶν L 19 οἷα Excerpthss οἷας L 20 Ὀροντοπάτας Lagarde, Sym-
micta [I] 1877 p. 17 ὀροντοπάγας L 23f. εἰρμήνευσεν L 25 [τῆς] u. [οἱ] Cobet
S. 517 δύωμεν Sy δύοιμεν L 27 φασὶ Wi φησὶ L 28 vor δεῖν ist δὲ von L¹ getilgt

'Ανδροκύδης γοῦν ὁ Πυθαγορικὸς τὰ 'Εφέσια καλούμενα γράμ- 2
ματα ἐν πολλοῖς δὴ πολυθρύλητα ὄντα συμβόλων ἔχειν φησὶ τάξιν,
σημαίνειν δὲ Ἄσκιον μὲν τὸ σκότος, μὴ γὰρ ἔχειν τοῦτο σκιάν· φῶς
δὲ Κατάσκιον, ἐπεὶ καταυγάζει τὴν σκιάν· Λίξ τέ ἐστιν ἡ γῆ κατὰ
5 ἀρχαίαν ἐπωνυμίαν καὶ Τετρὰξ ὁ ἐνιαυτὸς διὰ τὰς ὥρας, Δαμνα-
μενεὺς δὲ ὁ ἥλιος ὁ δαμάζων, τὰ Ἄσιά τε ἡ ἀληθὴς φωνή. σημαίνει 3
δ' ἄρα τὸ σύμβολον ὡς κεκόσμηται τὰ θεῖα, οἷον σκότος πρὸς φῶς
καὶ ἥλιος πρὸς ἐνιαυτὸν καὶ γῆ πρὸς παντοίαν φύσεως γένεσιν.

'Αλλὰ καὶ Διονύσιος ὁ Θρᾷξ ὁ γραμματικὸς ἐν τῷ Περὶ τῆς 4
10 ἐμφάσεως περὶ τοῦ τῶν τροχίσκων συμβόλου φησὶ κατὰ λέξιν· »ἐσή-
μαινον γοῦν οὐ διὰ λέξεως μόνον, ἀλλὰ καὶ διὰ συμβόλων ἔνιοι τὰς
πράξεις, διὰ λέξεως μὲν ὡς ἔχει τὰ λεγόμενα Δελφικὰ παραγγέλματα,
τὸ »μηδὲν ἄγαν« καὶ τὸ »γνῶθι σαυτὸν« καὶ τὰ τούτοις ὅμοια, | διὰ 243
δὲ συμβόλων ὡς ὅ τε τροχὸς ὁ στρεφόμενος ἐν τοῖς τῶν θεῶν
15 τεμένεσιν εἱλκυσμένος παρὰ Αἰγυπτίων καὶ τὸ τῶν θαλλῶν τῶν
διδομένων τοῖς προσκυνοῦσι. φησὶ γὰρ Ὀρφεὺς ὁ Θράκιος· | 5

θαλλῶν δ' ὅσσα βροτοῖσιν ἐπὶ χθονὸς ἔργα μέμηλεν,   673
οὐδὲν ἔχει μίαν αἶσαν ἐπὶ φρεσίν, ἀλλὰ κυκλεῖται
πάντα πέριξ, στῆναι δὲ καθ' ἓν μέρος οὐ θέμις ἐστίν,
20   ἀλλ' ἔχει, ὡς ἤρξαντο, δρόμου μέρος ἴσον ἕκαστος.

οἱ θαλλοὶ ἤτοι τῆς πρώτης τροφῆς σύμβολον ὑπάρχουσιν, ἢ ὅπως 6
ἐπιστῶνται οἱ πολλοὶ τοὺς μὲν καρποὺς δι' ὅλου θάλλειν καὶ
αὔξεσθαι διαμένοντας ἐπὶ πλεῖστον, σφᾶς δὲ αὐτοὺς ὀλίγον εἰληχέναι
τὸν τῆς ζωῆς χρόνον, τούτου χάριν δίδοσθαι τοὺς θαλλοὺς βούλον-

1 vgl. Diels⁶ I S. 465, 24 App. zu 'Εφέσια γράμματα vgl. Strom. I 73, 1 und
Nachtrag zu S. 46, 26; ferner Hesychius s. v.; Wyttenbach zu Plut. Mor. p. 85 B;
Roscher, Philol. 60 (1901) S. 88ff.; Wünsch, Rhein. Mus. 55 (1900) S. 78ff.; Ziebarth,
Nachr. d. Ges. d. Wiss. z. Gött. 1899 S. 129ff.   1—8 Androkydes Fr. 2 Hölk (De
acusm. sive symb. Pyth. p. 47)   9—S. 357, 3 Dionysios Thrax Fr. 2 M. Schmidt
(Philol. 7 [1852] S. 369f.)   13 vgl. Strom. I 61, 1; 60, 3   13—15 vgl. Plut. Numa 14
τοῖς Αἰγυπτίοις τροχοῖς αἰνίττεταί τι. Heron I 32 ἐν τοῖς Αἰγυπτίων ἱεροῖς πρὸς ταῖς
παραστάσι τροχοὶ χάλκεοι ἐπιστρεπτοὶ γίνονται πρὸς τὸ τοὺς εἰσερχομένους ἐπιστρέφειν
αὐτοὺς διὰ τὸ δοκεῖν τὸν χαλκὸν ἁγνίζειν.   Vgl. II 32; Erman, Zeitschr. f. ägypt.
Spr. 38 (1900) S. 53f.; v. Bissing u. Capart, Zeitschr. f. ägypt. Spr. 39 (1901)
S. 144ff.; W. Simpson, The Journ. of the Roy. Asiatic Society 30 (1898) S. 873—875
17—20 Orpheus Fr. 251 Abel (wohl von Clem. in das Excerpt aus Dionys. Thr.
eingeschoben)

4 αἶξ Hesych.   5 τετρὰξ Hesych. u. Inschrift bei Ziebarth τετρὰς L   10 περὶ
τοῦ ∼ Heyse τοῦ περὶ L   τοῦ [περὶ τῶν τροχίσκων] Diels bei Erman   12 nach μὲν
ist γὰρ von L¹ getilgt   Δελφικὰ Vi ἀδελφικὰ L   15. 17 θάλλων L   17 θαλλοῖς Mullach
FPG I p. 177   ὅσσα] ἴσα Lobeck, Aglaoph. p. 836, Mullach   ἐπὶ χθονὸς] ἐνὶ φρεσίν
Lobeck   18 ἐπὶ φρεσίν] ἐπὶ χθονός Lobeck

ται, ἴσως δὲ καὶ ἵνα ἐπιστῶνται, ὅτι, ὡς οὗτοι [αὖ] καίονται, οὕτως
καὶ ⟨αὖ⟩τοὺς δεῖ τοῦτον τὸν βίον ταχέως ἐκλιπεῖν καὶ πυρὸς ἔργον
γενέσθαι.«

Χρησιμώτατον ἄρα τὸ τῆς συμβολικῆς ἑρμηνείας εἶδος εἰς πολλά, 46, 1
5 καὶ πρὸς τὴν ὀρθὴν θεολογίαν συνεργοῦν καὶ πρὸς εὐσέβειαν καὶ
πρὸς ἐπίδειξιν συνέσεως καὶ πρὸς βραχυλογίας ἄσκησιν καὶ σοφίας
ἔνδειξιν· »σοφοῦ γὰρ τὸ χρῆσθαι τῇ συμβολικῇ φράσει δεξιῶς«, φησὶν 2
ὁ γραμματικὸς Δίδυμος, »καὶ τὸ γνωρίσαι τὸ διὰ ταύτης δηλού-
μενον.«

10 Ναὶ μὴν ἡ στοιχειωτικὴ τῶν παίδων διδασκαλία τὴν τῶν τετ- 3
τάρων στοιχείων περιείληφεν ἑρμηνείαν. βέδυ μὲν γὰρ τοὺς Φρύγας 4
τὸ ὕδωρ φησὶ καλεῖν, καθὰ καὶ Ὀρφεύς·

καὶ βέδυ νυμφάων καταλείβεται ἀγλαὸν ὕδωρ.

ἀλλὰ καὶ ὁ θύτης Δίων ὁμοίως φαίνεται γράφων· »καὶ βέδυ λαβὼν 5
15 κατὰ χειρῶν καταχέου καὶ ἐπὶ τὴν ἱεροσκοπίην τρέπου.« ἔμπαλιν 6
δὲ ὁ κωμικὸς Φιλύλλιος βέδυ τὸν ἀέρα βιόδωρον ὄντα διὰ τούτων
γινώσκει·

ἕλκειν τὸ βέδυ σωτήριον προσεύχομαι,
ὅπερ μέγιστόν ἐστιν ὑγιείας μέρος,
20 τὸ τὸν ἀέρα ἕλκειν καθαρόν, οὐ τεθολωμένον.

συνομόλογος τῆς τοιᾶσδε δόξης καὶ ὁ Κυζικηνὸς Νεάνθης γράφων 47, 1
τοὺς Μακεδόνων ἱερεῖς ἐν ταῖς κατευχαῖς βέδυ κατακαλεῖν ἵλεω αὐτοῖς
τε καὶ τοῖς τέκνοις, ὅπερ ἑρμηνεύουσιν ἀέρα. ζὰψ δὲ τὸ πῦρ οἳ μὲν 2
παρὰ τὴν ζέσιν ἀμαθῶς ἐδέξαντο· καλεῖται δ' οὕτως ἡ θάλασσα, ὡς
25 Εὐφορίων ἐν ταῖς πρὸς Θεοδωρίδαν ἀντιγραφαῖς·

7—9 Didymos, Συμποσιακά Fr. 9 Schmidt p. 379. 404   11 zu βέδυ vgl. Jo. Fron-
tonis Epist. et diss. eccl. (Hamburg 1720) p. 100f.; Paul de Lagarde, Ges. Abhandl.
S. 285; D. Detschew, Glotta 16, 1928, S. 280—285, vermutet, daß Philyll. τὸ ναερὸν
das Flüssige, geschrieben, Cl. aber bereits τὸν ἀέρα gelesen habe; C. F. Lehmann-
Haupt, Klio 22, 1928, S. 401f. [gegen Detschew mit Recht Schmid I 4 (1946)
S. 169 A 4 (Fr)   13 Orpheüs Fr. 252 Abel   16 βιόδωρος Etymologie von βέδυ
18—20 Philyllios F. 20 CAF I p. 787   21—23 Neanthes Fr. 27 FHG III p. 9
25 vgl. Düntzer, Fragm. d. ep. Poes. d. Gr. II S. 45

1 [αὖ] καίονται St αὐαίνονται Schw   2 ⟨αὖ⟩τοὺς δεῖ St τοὺς εἰς L   βίον ⟨εἰσιόν-
τας⟩ Sy βίον ⟨ἥκοντας⟩ Lobeck, Aglaoph. p. 835   ἐκλιπεῖν ⟨δεῖ⟩ Ma   3 γενέσθαι Ma
γενήσεσθαι L   11 περιείληφεν (φεν in Ras.) L¹   14 λαβῶν (zw. β u. ῶ ist o getilgt)
L¹   16 Φιλύλλιος Casaubonus, Animadv. ad Athen. III 9 p. 169, 18 φιλύδεος L   19
ὑγιείας Sy ὑγείας L   20 τὸ τὸν ἀέρα doppelt, einmal getilgt L¹   25 Θεοδωρίδαν
Meursius zu Hellad. p. 697 (vgl. Meineke, Anal. Alex. p. 18) θεωρίδαν L

ζὰψ δὲ ποτὶ σπιλάδεσσι νεῶν ὀλέτειρα κακύνει. |

Διονύσιός τε ὁ Ἴαμβος ὁμοίως·   8 67

     πόντου μαινομένοιο περιστείνει ἀλυκὴ ζάψ.

ὁμοίως δὲ Κρατῖνος ὁ νεώτερος κωμικός·   4

5   καρῖδας ἡ ζὰψ ἐκφέρει ἰχθύδια.

καὶ Σιμμίας ὁ Ῥόδιος·   5

                                      ἀμμὰς
     Ἰγνήτων καὶ Τελχίνων ἔφυ ἡ ἀλυκὴ ζάψ.

χθὼν δὲ ἡ γῆ εἰς μέγεθος κεχυμένη. καὶ πλῆκτρον οἳ μὲν τὸν 6
10 πόλον, οἳ δὲ τὸν ἀέρα τὸν πάντα πλήσσοντα καὶ κινοῦντα εἰς φύσιν
τε καὶ αὔξησιν ἢ τὸν πάντων πληρωτικόν. οὐκ ἀνέγνωσαν δ᾽ οὗτοι 48, 1
Κλεάνθην τὸν φιλόσοφον, ὃς ἄντικρυς πλῆκτρον τὸν ἥλιον καλεῖ·
ἐν γὰρ ταῖς ἀνατολαῖς ἐρείδων τὰς αὐγάς, οἷον πλήσσων τὸν κόσμον,
εἰς τὴν ἐναρμόνιον πορείαν τὸ φῶς ἄγει· ἐκ δὲ τοῦ ἡλίου σημαίνει
15 καὶ τὰ λοιπὰ ἄστρα. σφὶγξ δὲ οὐχ ἡ τῶν ὅλων σύνδεσις καὶ ἡ τοῦ 2
κόσμου κατὰ τὸν ποιητὴν Ἄρατον περιφορά, ἀλλὰ τάχα μὲν ὁ διή-
κων πνευματικὸς τόνος καὶ συνέχων τὸν κόσμον εἴη ἄν· ἄμεινον δὲ 3
ἐκδέχεσθαι τὸν αἰθέρα πάντα συνέχοντα καὶ σφίγγοντα, καθὰ καὶ ὁ
Ἐμπεδοκλῆς φησιν·

20   εἰ δ᾽ ἄγε τοι λέξω ⟨κείνων⟩ πρῶθ᾽ ἥλιον ἀρχήν,
ἐξ ὧν δὴ ἐγένοντο τὰ νῦν ἐσορώμενα πάντα,
γαῖά τε καὶ πόντος πολυκύμων ἠδ᾽ ὑγρὸς ἀὴρ
Τιτὰν ἠδ᾽ αἰθὴρ σφίγγων περὶ κύκλον ἅπαντα.

---

1 Euphorion Fr. 3 Meineke Anal. Alex. S. 40, fr. 3 Powell S. 29   2 zu Dion.
vgl. Düntzer a. a. O. S. 91; RE V 915, 36ff.   5 Kratinos der Jüngere Fr. 13 CAF II
p. 293   6 zu Simmias v. Rh. vgl. Düntzer a. a. O. S. 5f., fr. 11 Powell S. 113;
H. Fränkel, De Simmia Rhodio, Diss. Gött. 1915 (fr. 8, S. 44—46) [(zur Erklärung
vgl. Diodor V 55 (Fr)]   9 κεχυμένη Etymologie von χθών   11—15 Kleanthes Fr. 31
Pearson, 502 Arnim Stoic. vet. fr. I p. 112; vgl. Wachsmuth, Comm. II de Zen. Cit.
et Cleanthe Assio p. 10   12 vgl. Skythinos von Teos Fr. 1, 3 Diels λαμπρὸν πλῆκτρον
ἠλίου φάος.   15—18 Chrysipp Fr. phys. 447 Arnim   16 vgl. Arạt. Phaen. 22—24
20—26 Empedokles Fr. 38 Diels⁶ I S. 328, 15—239, 2 u. Nachtrag S. 500, 23

1 σπιλάδεσι—ὀλέτηρα L   5 ἡ] ἢ L   7 ἄμμας (ἀμμὰς Di) Ἰγνήτων Bochart,
Geogr. sacr.⁴ (1707) p. 372, 5 ἄμα σιγνήτων L   14 [τὸ φῶς] Arnim   15 σύνδεσις Sy
σύνεσις L   20 ⟨νῦν⟩ τοι ⟨ἐγὼ⟩ Ma   τοι ⟨μὲν ἐγὼ⟩ Po   ⟨κείνων⟩ Fr ⟨πάντων⟩ Sy
ἐσορῶμεν ἅπαντα Gomperz   22f. ἠδ᾽—ἠδ᾽ Po ἢ δ᾽—ἢ δ᾽ L

Ἀπολλόδωρος δ' ὁ Κερκυραῖος τοὺς στίχους τούσδε ὑπὸ Βράγχου 4
ἀναφωνηθῆναι τοῦ μάντεως λέγει Μιλησίους καθαίροντος ἀπὸ λοι-
μοῦ. ὁ μὲν γὰρ ἐπιρραίνων τὸ πλῆθος δάφνης κλάδοις προκατήρ-
χετο τοῦ ὕμνου ὡδέ πως·

5   μέλπετε, ὦ παῖδες, ἑκάεργον καὶ ἑκαέργαν·

ἐπέψαλλεν δὲ ὡς εἰπεῖν ὁ λαός· »βέδυ, ζάψ, χθώμ, πλῆκτρον, σφίγξ· 5
κναξζβίχ, θύπτης, φλεγμό, δρώψ.« μέμνηται τῆς ἱστορίας καὶ Καλλί-
μαχος ἐν ἰάμβοις. | κναξζβίχ δὲ κατὰ παραγωγὴν ἡ νόσος παρὰ τὸ 6 675 P
κναίειν καὶ διαφθείρειν, θῦψαί τε τὸ κεραυνῷ φλέξαι. Θέσπις 7
10 μέντοι ὁ τραγικὸς διὰ τούτων ἄλλο τι σημαίνεσθαί φησιν ὡδέ πως
γράφων·

           ἴδε σοι σπένδω κναξζβὶχ [τὸ] λευκὸν
           ἀπὸ θηλαμόνων θλίψας κνακῶν·
           ἴδε σοι θύπτην τυρὸν μίξ ς
15   ἐρυθρῷ μελιτῷ, κατὰ τῶν σῶν, Πὰν
           δίκερως, τίθεμαι βωμῶν ἁγίων.
           ἴδε σοι Βρομίου [αἴθοπα] φλεγμὸν λείβω.

αἰνίσσεται, οἶμαι, τὴν ἐκ τῶν τεσσάρων καὶ εἴκοσι στοιχείων ψυχῆς 8
γαλακτώδη πρώτην τροφήν, μεθ' ἣν ἤδη πεπηγὸς γάλα τὸ βρῶμα,
20 τελευταῖον δὲ αἷμα ἀμπέλου τοῦ λόγου τὸν »αἴθοπα οἶνον«, τὴν
τελειοῦσαν τῆς ἀγωγῆς εὐφροσύνην, διδάσκει. δρώψ δὲ ὁ λόγος ὁ 9

1–S. 366, 2 vgl. W. Schultz, Memnon 2, 1908, S. 36—82   6f. zu diesen aus den
24 Buchst. des Alphabets gebildeten Wörtern vgl. Bentley, Epist. ad Millium p. 47f.;
Lobeck, Aglaoph. p. 1331   7f. Kallimachos fr. 194, 28 (Pfeiffer 1949)   12—17 Thes-
pis Fr. inc. 4 TGF² p. 833; vgl. Welcker, Die griech. Tragödien S. 1096ff.; Hesychius
κνάξ· γάλα λευκόν. ζ[α]βίχ· λευκόν. θύπτης· ὁ τυρός. φλεγμός· τὸ αἷμα. 20 vgl.
z. B. A 462   21 vgl. Hesych. δρώψ· ἄνθρωπος.

* 1 Κερκυραῖος] Ἀθηναῖος Christ, Philol. Stud. S. 27 Κυρηναῖος (vgl. RE I 2886)
Koetschau ThLz 26 (1901) Sp. 417   [ὑπὸ] Βράγχου oder ὑπὸ Βράγχου ⟨ἀνευρεθέντας⟩
Schneider   2 μιλισίους L   3 ἐπιρρένων L   6 ζάψ, χθώμ Nauck, Bull. de l'Acad.
de St. Pétersb. 17 (1872) S. 270 ζάψ, χθών L ζάμψ, χθώ Bentley   7 κναξζβίχ,
θύπτης ⟨vgl. Hesych.⟩ St κναα ζβὶ χθύπτης L   φλεγμώ, δρώψ Porphyrius MS bei
Bentley vgl. aber Z. 17. 21   8 κναξζβὶχ St κναξζβὶ L   9 διαφθείρειν Sy διαφέρειν L
θῦψρι (von τύφω) Sy θρύψαι L   τὸ corr. aus τῶι L¹   12 κναξζβὶχ St κναξζβὶ L
κνάξ, ζβὶχ (vgl. Hesych.) Salmasius   [τὸ] Toup, Emend. in Suid. 2 p. 565   13 ἀπὸ]
γάλα Nauck   14 θύπτην (vgl. θῦψαι oben Z. 9 u. Hesych.) Salmasius χθύπτην L
15 μελιτῷ (vgl. Diels zu Empedokles Fr. 128, 7) Schw μέλιτι L μέλιτι ~ Nauck
vor χθύπτην   15f. Πὰν δίκερως Sy πανδικαίρως L   17 βρομίου Sy βρωμίου L   [αἴ-
θοπα] Nauck αἴθωπα L   φλεγμὸν Ro φλογμὸν L   19 πρώτην He πρώκτην L   20
αἴθοπα corr. aus αἴθωπα L¹

δραστήριος, ὁ ἐκ κατηχήσεως τῆς πρώτης εἰς αὔξησιν ἀνδρός, »εἰς
μέτρον ἡλικίας«, ἐκφλέγων καὶ ἐκφωτίζων τὸν ἄνθρωπον.

Ἀλλὰ καὶ ᵗρίτος ὑπογραμμὸς φέρεται παιδικός· »μάρπτε, σφίγξ, 49, 1
κλώψ, ζβυχθηδόν·« σημαίνει δ᾽, οἶμαι, διὰ τῆς τῶν στοιχείων καὶ τοῦ
5 κόσμου διοικήσεως τὴν ὁδὸν ἡμῖν δεῖν ἐπὶ τὴν τῶν τελειοτέρων
γίνεσθαι γνῶσιν, βίᾳ καὶ πόνῳ περιγινομένης τῆς αἰωνίου σωτηρίας·
μάρψαι μὲν γὰρ τὸ καταλαβεῖν, τὴν δὲ τοῦ κόσμου ἁρμονίαν ἡ σφίγξ, 2
ζβυχθηδὸν δὲ τὴν χαλεπότητα μηνύει, καὶ κλὼψ τὴν λανθάνουσαν
κυρίου γνῶσιν | ἅμα καὶ ἡμέραν δηλοῖ.   244 S

10   Τί δ᾽; οὐχὶ καὶ Ἐπιγένης ἐν τῷ περὶ τῆς Ὀρφέως ποιήσεως τὰ 3
ἰδιάζοντα παρ᾽ Ὀρφεῖ ἐκτιθέμενός φησι »κερκίσι καμπυλόχρωσι« τοῖς 676 P
ἀρότροις μηνύεσθαι, »στήμοσι« δὲ τοῖς αὔλαξι· »μίτον« δὲ τὸ σπέρμα
ἀλληγορεῖσθαι, καὶ »δάκρυα Διὸς« τὸν· ὄμβρον δηλοῦν, »Μοίρας« τε
αὖ τὰ μέρη τῆς σελήνης, τριακάδα καὶ πεντεκαιδεκάτην καὶ νου-
15 μηνίαν· διὸ καὶ »λευκοστόλους« αὐτὰς καλεῖν τὸν Ὀρφέα φωτὸς
οὔσας μέρη. πάλιν »ἄνθιον« μὲν τὸ ἔαρ διὰ τὴν φύσιν, »ἀργίδα« δὲ 4
τὴν νύκτα διὰ τὴν ἀνάπαυσιν, καὶ »Γοργόνιον« τὴν σελήνην διὰ τὸ
ἐν αὐτῇ πρόσωπον, »Ἀφροδίτην« τε τὸν καιρὸν καθ᾽ ὃν δεῖ σπείρειν,
λέγεσθαι παρὰ τῷ θεολόγῳ.

20   Τοιαῦτα καὶ οἱ Πυθαγόρειοι ἠνίσσοντο, Φερσεφόνης μὲν κύνας 50, 1
τοὺς πλανήτας, Κρόνου δὲ δάκρυον τὴν θάλασσαν ἀλληγοροῦντες.
καὶ μυρία ἐπὶ μυρίοις εὕροιμεν ἂν ὑπό τε φιλοσόφων ὑπό τε ποιη- 2
τῶν αἰνιγματωδῶς εἰρημένα. ὅπου γε καὶ ὅλα βιβλία ἐπικεκρυμμένην
τὴν τοῦ συγγραφέως βούλησιν ἐπιδείκνυται, ὡς καὶ τὸ Ἡρακλείτου
25 περὶ φύσεως, ὃς καὶ δι᾽ αὐτὸ τοῦτο Σκοτεινὸς προσηγόρευται. ὁμοία 3
τούτῳ τῷ βιβλίῳ καὶ ἡ Φερεκύδους θεολογία τοῦ Συρίου. Εὐφορίων
γὰρ ὁ ποιητὴς καὶ τὰ Καλλιμάχου Αἴτια καὶ ἡ Λυκόφρονος Ἀλεξάν-

---

1f. vgl. Eph 4, 13 6 vgl. vielleicht Mt 11, 12 7 vgl. S. 358, 15f. 8f. vgl.
I Cor 2, 7 (σοφίαν ἀποκεκρυμμένην); I Thess 5, 2. 4; II Petr 3, 10 (ἡμέρα κυρίου ὡς
κλέπτης) 10—19 Orpheus Fr. 253 Abel fr. 22 Diels⁶ I S. 18, 12—19, 9). — Vgl.
Ziegler RE VII Sp. 1644, 28 ff. 20f. vgl. Plut. Mor. p. 364 A τὸ ὑπὸ τῶν Πυθα-
γορικῶν λεγόμενον, ὡς ἡ θάλαττα Κρόνου δάκρυόν ἐστιν. Porphyr. Vita Pythag. 41
Ἀριστοτέλης ἀνέγραψεν ... ὅτι τὴν θάλατταν μὲν ἐκάλει Κρόνου δάκρυον (Aristot.
Fr. 196 Rose³), ... τοὺς δὲ πλανήτας κύνας τῆς Περσεφόνης. 24f. vgl. Zeller, Phil.
d. Gr. I⁵ S. 626ff. Anm. 25f. Heraklits Buch περὶ φύσεως Diels⁶ I S. 140, 27;
Beiname S. 143, 14. 32; 153, 9 27 Kallim. test. 26 (Pfeiffer 1953 S. XCIX)

4 ζβυχθηδόν (ο aus ω corr.) L¹ 8 κλὼψ St κλῶπα L 11 καμπυλόχοισι Lobeck,
Aglaoph. p. 838 aus Hesych. 20 πυθαγόριοι L 24 ἐπιδείκνυται L 26 εὐφορίων
(εὐ aus ἐ corr.) L¹ 27 τὰ Καλλ. Αἴτια] ἡ Καλλ. Ἴβις καὶ τὰ Αἴτια führt Dion.
Salvagnius Miscella (Lugduni 1661) p. 47 zu Ovid. Lib. in Ibin 57 als handschrift-
liche Lesart an (sic enim manuscriptus meus pervetustus Codex), was aber auf
Irrtum oder Fälschung beruht; vgl. Callimachus ed. Ernesti I p. 464

δρα καὶ τὰ τούτοις παραπλήσια γυμνάσιον εἰς ἐξήγησιν γραμματικῶν
ἔκκειται παισίν.

Οὔκουν ἀπεικὸς καὶ τὴν βάρβαρον φιλοσοφίαν, περὶ ἧς ἡμῖν **51, 1**
πρόκειται λέγειν, ἐπικεκρυμμένως καὶ διὰ συμβόλων προφητεύειν ἔν
5 τισιν, ὡς ἀποδέδεικται. τοιαῦτα γοῦν καὶ ὁ Μωυσῆς παραινεῖ, τὰ **2**
κοινὰ | δὴ ταῦτα· »οὐ φάγεσθε χοῖρον οὔτε ἀετὸν οὔτε ὀξύπτερον 677 P
οὔτε κόρακα.« ὁ μὲν γὰρ χοῖρος φιλήδονον καὶ ἀκάθαρτον ἐπιθυ- **3**
μίαν ⁻ροφῶν καὶ ἀφροδισίων λίχνον καὶ μεμολυσμένην ἀκολασίαν
μηνύει, ἀεὶ κνηστιῶσαν ὑλικήν τε καὶ ἐν βορβόρῳ κειμένην, εἰς σφα-
10 γὴν καὶ ἀπώλειαν πιαινομένην. ἔμπαλιν δὲ ἐπιτρέπει διχηλοῦν καὶ **4**
μαρυκώμενον ἐσθίειν, μηνύων, φησὶν ὁ Βαρνάβας, κολλᾶσθαι δεῖν
»μετὰ τῶν φοβουμένων τὸν κύριον καὶ μετὰ τῶν μελετώντων ὃ
ἔλαβον διάσταλμα ῥήματος ἐν τῇ καρδίᾳ, μετὰ τῶν λαλούντων
δικαιώματα κυρίου καὶ τηρούντων, μετὰ τῶν εἰδότων ὅτι ἡ μελέτη
15 ἐστὶν ἔργον εὐφροσύνης καὶ ἀναμαρυκωμένων τὸν λόγον κυρίου. τί **5**
δὲ τὸ διχηλοῦν; ὅτι ὁ δίκαιος καὶ ἐν τούτῳ τῷ κόσμῳ περιπατεῖ
καὶ τὸν ἅγιον αἰῶνα ἐκδέχεται.« εἶτα ἐπιφέρει· »βλέπετε πῶς ἐνο- **6**
μοθέτησεν ὁ Μωυσῆς καλῶς. ἀλλὰ πόθεν ἐκείνοις ταῦτα νοῆσαι ἢ
συνιέναι; ἡμεῖς δικαίως νοήσαντες τὰς ἐντολάς, λαλοῦμεν ὡς ἠθέ-
20 λησεν κύριος. διὰ τοῦτο περιέτεμε τὰς ἀκοὰς ἡμῶν καὶ τὰς καρδίας,
ἵνα συνιῶμεν ταῦτα.« ναὶ μὴν ὅταν λέγῃ »οὐ φάγῃ τὸν ἀετόν, τὸν **52, 1**
ὀξύπτερον καὶ τὸν ἰκτῖνον καὶ τὸν κόρακα«, »οὐ κολληθήσῃ, φησίν,
οὐδὲ ὁμοιωθήσῃ τοῖς ἀνθρώποις τούτοις, οἳ οὐκ ἴσασι διὰ πόνου
καὶ ἱδρῶτος πορίζειν ἑαυτοῖς τὴν τροφήν, ἀλλ' ἐν ἁρπαγῇ καὶ ἀνομίᾳ
25 βιοῦσιν·« ἀετὸς μὲν γὰρ ἁρπαγήν, ὀξύπτερος δὲ ἀδικίαν καὶ πλεονε- **2**
ξίαν ὁ κόραξ μηνύει. γέγραπται δέ· »μετὰ ἀνδρὸς ἀθῴου ἀθῷος ἔσῃ **3**
καὶ μετὰ ἐκλεκτοῦ ἐκλεκτὸς ἔσῃ καὶ μετὰ στρεβλοῦ διαστρέψεις.«
κολλᾶσθαι οὖν τοῖς ἁγίοις προσήκει, »ὅτι οἱ κολλώμενοι αὐτοῖς
ἁγιασθήσονται«. ἐντεῦθεν ὁ Θέογνις γράφει·   **4**

5—29 vgl. Paed. III 75, 3—76, 2; Strom. II 67   **6f.** Barnab. Ep. 10, 1 (vgl. Lev
11, 7. 13f.; Deut 14, 8. 12f.)   **9** zu βορβόρῳ vgl. Heraklit Fr. 13 Diels⁶ I 154, 9;
Protr. 92, 4 mit Anm.   **9f.** vgl. Kleanthes Fr. 44 Pearson; 516 Arnim; Strom. II
105, 2; VII 33, 3   **10f.** vgl. Lev 11, 3; Deut 14, 6   **10—21** vgl. Barnab. Ep. 10, 11f.
21f. vgl. Lev 11, 13—16; Deut 14, 12—16   **21—25** Barnab. Ep. 10, 4   **26f.** Ps 17, 26f.
(aus I Clem ad Cor. 46, 3)   **28f.** vgl. I Clem. ad Cor. 46, 2; Resch, Agrapha² S. 88
Nr. 67; Ropes, Sprüche Jesu S. 22f.; Paed. II 50, 4 mit Anm.

2 παισίν (vgl. Paed. I 20, 1; Strom. I 79, 2) Davies zu Cic. de div. II 64 ἄπασιν
L   **3** ἀπεικότως Ma   **4f.** ἔν τισιν Heyse ἔνεστιν L   **11** δεῖν Vi δεῖ L   **18** καλῶς
Barn. κλως L   **19** ἡμεῖς] + δὲ Barn.   **21** συνίωμεν L   **23** τοῖς ἀνθρ. τούτοις] ἀνθρ.
τοιαύτοις Barn.   πόνου] κόπου Barn.   **24f.** ἀλλὰ ἁρπάζουσιν τὰ ἀλλότρια ἐν ἀνομίᾳ
αὐτῶν Barn.

ἐσθλῶν μὲν γὰρ ἄπ᾽ ἐσθλὰ μαθήσεαι· ἢν δὲ κακοῖσι
συμμί⟨σ⟩γῃς, ἀπολεῖς καὶ τὸν ἐόντα νόον.

ὅταν τε αὖ ἐν τῇ ᾠδῇ λέγῃ ›ἐνδόξως γὰρ δεδόξασται, ἵππον καὶ 5
ἀναβάτην ἔρριψεν εἰς θάλασσαν‹, τὸ πολυσκελὲς καὶ κτηνῶδες καὶ
5 ὁρμητικὸν πάθος, τὴν ἐπιθυμίαν, σὺν καὶ τῷ ἐπιβεβηκότι ἡνιόχῳ
τὰς ἡνίας ταῖς ἡδοναῖς ἐπιδεδωκότι ›ἔρριψεν εἰς | θάλασσαν‹, εἰς τὰς 678 P
κοσμικὰς ἀταξίας ἀποβαλών. οὕτως καὶ Πλάτων ἐν τῷ Περὶ ψυχῆς 53, 1
τόν τε ἡνίοχον καὶ τὸν ἀποστατήσαντα ἵππον (τὸ ἄλογον μέρος, ὃ
δὴ δίχα τέμνεται, εἰς θυμὸν καὶ ἐπιθυμίαν,) καταπίπτειν φησίν.
10 ἢ καὶ τὸν Φαέθοντα δι᾽ ἀκρασίαν τῶν πώλων ἐκπεσεῖν ὁ μῦθος
αἰνίττεται.

Ναὶ μὴν καὶ ἐπὶ τοῦ Ἰωσὴφ· νέον τοῦτον ζηλώσαντες οἱ ἀδελ- 2
φοὶ πλεῖόν τι προορώμενον κατὰ τὴν γνῶσιν ›ἐξέδυσαν τὸν χιτῶνα
τὸν ποικίλον καὶ λαβόντες ἔρριψαν εἰς λάκκον, ὁ δὲ λάκκος κενὸς
15 ὕδωρ οὐκ εἶχε·‹ τὴν ἐκ φιλομαθίας τοῦ σπουδαίου ποικίλην γνῶσιν
ἀποσκορακίσαντες ἢ ψιλῇ τῇ κατὰ νόμον πίστει κεχρημένοι ἔρριψαν 3
εἰς λάκκον τὸν ὕδατος κενόν, εἰς Αἴγυπτον ἀπεμπολήσοντες τὴν τοῦ
θείου λόγου ἔρημον. κενὸς δὲ ἐπιστήμης ὁ λάκκος, ἐν ᾧ ῥιφεὶς καὶ
τὴν γνῶσιν ἀποδυσάμενος ὅμοιος τοῖς ἀδελφοῖς ἐδόκει γυμνὸς γνώ-
20 σεως ὁ διαλεληθὼς σοφός. κατ᾽ ἄλλο σημαινόμενον εἴη [δ᾽] ἂν ἐπι- 4
θυμία ⟨τὸ⟩ ποικίλον ἔνδυμα, εἰς ἀχανὲς ἀπάγουσα βάραθρον. ›ἐὰν 5
δέ τις ἀνοίξῃ λάκκον ἢ λατομήσῃ‹, φησί, ›καὶ μὴ καλύψῃ αὐτόν,
ἐμπέσῃ δ᾽ ἐκεῖ μόσχος ἢ ὄνος, ὁ κύριος τοῦ λάκκου ἀποτίσει ἀργύ-
ριον καὶ δώσει τῷ πλησίον, τὸ δὲ τεθνηκὸς αὐτῷ ἔσται.‹ ἐνταῦθά 54, 1
25 μοι τὴν προφητείαν ἐκείνην ἔπαγε· ›ἔγνω βοῦς τὸν κτησάμενον καὶ
ὄνος τὴν φάτνην τοῦ κυρίου αὐτοῦ, Ἰσραὴλ δέ με οὐ συνῆκεν.‹ ἵνα 2

1f. Theognis 35f.; vgl. Musonius (rell. p. 62, 9f. Hense) bei Stob. Flor. 56, 18;
Plato Menon p. 95 D; Xenophon Mem. I 2, 20 u. Symp. 2, 4 u. a. 3f. 6 Exod 15, 1.
21 4–7 vgl. Philo De somn. II 267 (κτηνῶδες). 269f. (III p. 301); De agric. 82f.
(II p. 111); Leg. alleg. II 99 (τετρασκελὲς ... τὸ πάθος ὡς ἵππος καὶ ὁρμητικόν)
(I p. 110) 7–9 vgl. Plato Phaedr. p. 247 B 8f. vgl. z. B. Plato Rep. IV p. 439 DE;
Plut. Mor. p. 898 E 13–15 Gen 37, 23f. 15f. vgl. Philo Quod det. pot. 6 (I p. 259);
De somn. I 219f. (III p. 252) ὁ διαλεληθὼς σοφός stoisch, vgl. Stob. ecl. II 7 (vol. II
p. 113, 12 W) u. Philo De agr. 37 (= Chrys. fr. mor. 540. 541 vol. III p. 541 Arn.)
(Fr) 21–24 Exod 21, 33f. 25f. Is 1, 3

1 ἀπεσθλὰ L μαθήσεαι L Theogn. Muson. διδάξεαι Xenoph. Plato 2 συμ-
μιγῇς L Muson. u. a. συμμίσγῃς Xenoph. Mem. Cod. Paris. 1302 u. einige HSS des
Theogn., andere συμμιχθῇς, vgl. O. Crueger, De loc. Theogn. .... pretio diss. Regi-
montii 1882 p. 56 7 Περὶ ψυχῆς] Clem. verwechselt Phaedon u. Phaedrus 10 ἢ
Sy ἢ L 17 ἀπεμπολήσοντες Po ἀπεμπολήσαντες L 20 [δ᾽] St 21 ⟨τὸ⟩ St ποι-
κίλη τὸ Ma ἀπάγουσα Heyse ἀπέχουσα L

οὖν μή τις τούτων, ἐμπεσὼν εἰς τὴν ὑπὸ σοῦ διδασκομένην γνῶσιν,
ἀκρατὴς γενόμενος τῆς ἀληθείας, παρακούσῃ τε καὶ παραπέσῃ,
ἀσφαλής, φησί, περὶ τὴν χρῆσιν τοῦ λόγου γίνου, καὶ πρὸς μὲν τοὺς
ἀλόγως προσιόντας ἀπόκλειε τὴν ζῶσαν ἐν βάθει πηγήν, ποτὸν δὲ
5 ὄρεγε τοῖς τῆς ἀληθείας δεδιψηκόσιν. ἐπικρυπτόμενος δ᾽ οὖν πρὸς 8
τοὺς οὐχ οἵους τε ὄντας παραδέξασθαι τὸ ›βάθος τῆς γνώσεως‹
κα|τακάλυπτε τὸν λάκκον. ὁ κύριος οὖν τοῦ λάκκου, ὁ γνωστικὸς 4 245 8
αὐτός, ζημιωθήσεται, φησί, τὴν αἰτίαν ὑπέχων τοῦ σκανδαλισθέντος
ἤτοι καταποθέντος τῷ μεγέθει τοῦ λόγου, μικρολόγου ἔτι ὄντος, ἢ
10 μετακινήσας τὸν ἐργάτην ἐπὶ τὴν θεωρίαν καὶ ἀποστήσας διὰ προ- 679 P
φάσεως τῆς αὐτοσχεδίου πίστεως. ›ἀργύριον δὲ δώσει‹, τῷ παντο-
κρατορικῷ βουλήματι ὑπέχων λόγον καὶ εὐθύνας.

Οὗτος μὲν οὖν ὁ τύπος νόμου καὶ προφητῶν ὁ μέχρις Ἰωάννου· 55. 1
ὃ δέ, καίτοι φανερώτερον λαλήσας ὡς ἂν μηκέτι προφητεύων, ἀλλὰ
15 δεικνύων ἤδη παρόντα τὸν ἐξ ἀρχῆς καταγγελλόμενον συμβολικῶς,
ὅμως ›οὐκ εἰμι‹ φησὶν ›ἄξιος τὸν ἱμάντα τοῦ ὑποδήματος λῦσαι
κυρίου·‹ μὴ γὰρ ἄξιος εἶναι ὁμολογεῖ τὴν τοσαύτην βαπτίσαι δύνα- 2
μιν, χρῆναι γὰρ τοὺς καθαροποιοῦντας ἀπολύειν τοῦ σώματος καὶ
τῶν τούτου ἁμαρτημάτων τὴν ψυχὴν ὥσπερ τοῦ δεσμοῦ τὸν πόδα.
20 τάχα δὲ καὶ τὴν τελευταίαν τοῦ σωτῆρος εἰς ἡμᾶς ἐνέργειαν, τὴν 8
προσεχῆ, λέγει, τὴν διὰ τῆς παρουσίας, ἐπικρυπτομένην τῷ τῆς προ-
φητείας αἰνίγματι· ὁ ⟨γὰρ⟩ διὰ τῆς αὐτοψίας τὸν θεσπιζόμενον δείξας,
τὴν εἰς φανερὸν πόρρωθεν ὁδεύουσαν μηνύσας ἥκουσαν παρουσίαν,
ὄντως ἔλυσεν τὸ πέρας τῶν λογίων τῆς οἰκονομίας, ἐκκαλύψας τὴν
25 ἔννοιαν τῶν συμβόλων.

Καὶ τὰ παρὰ Ῥωμαίοις ἐπὶ τῶν διαθηκῶν γινόμενα τάξιν εἴληχε, 4
τὰ διὰ δικαιοσύνην ἐκεῖνα ζυγὰ καὶ ἀσσάρια καρπισμοί τε καὶ αἱ τῶν

---

4 vgl. Ier 2, 13   6 vgl. Rom 11, 33   10 ἐργάτην mit Bezug auf βοῦς u. ὄνος
S. 362, 25f.   11 Exod 21, 34   13 vgl. Mt 11, 13; Lc 16, 16   16—25 οὐκ εἰμι—συμ-
βόλων Ath fol. 41ʳ   16f. Mc 1, 7; Lc 3, 16; Io 1, 27   17—25 vgl. Catena patr. graec.
in evang. sec. Marcum coll. et interpr. P. Possino p. 13 (zu Mc 1, 7) Ἀνωνύμου
Βατικ. ἔργον τοῦ βαπτίζοντος λύειν τὸν βαπτιζόμενον τῶν ἁμαρτιῶν ὡς πόδα ἀπὸ ὑπο-
δήματος· φησὶν οὖν ὁ Ἰωάννης· οὐχ ἱκανὸς ἐγὼ τὸ ἔργον τοῦ βαπτιστοῦ εἰς τὸν κύριον
ἐπιδείξασθαι. τί γὰρ καὶ λύσειέν τις ἐκείνου, ὃς ἁμαρτίαν οὐκ ἐποίησεν, οὔτε εὑρέθη
δόλος ἐν τῷ στόματι αὐτοῦ, καθὼς γέγραπται; οὕτως ὁ Κλήμης ἐν με′ (lies ε′) στρώ-
ματι, ἢ ὅτι οὐκ εἰμι ἄξιος τὰ εἰς αὐτὸν εἰρημένα προφητικὰ αἰνίγματα ἐπιλῦσαι διὰ τὸ
φανερῶς αὐτὸν ἐπιδεῖξαι τῷ κόσμῳ· καὶ τοῦτο ὁ Κλήμης.

2 ἀκρατὴς L; richtig, vgl. Strom. II 61, 2 (S. 146, 6) (Fr) ἀκροατὴς Heyse
παραπαίσῃ Cobet S. 214   7 vor οὖν ist ω getilgt L¹   21 λέγει St λέγω L u. Ath
22 ⟨γὰρ⟩ St   26 ⟨συμβόλων⟩ τάξιν (vgl. S. 356, 2) Fr

ὤτων ἐπιφαύσεις, τὰ μὲν γὰρ ἵνα δικαίως γίνηται, τὰ δὲ εἰς τὸν τῆς
τιμῆς μερισμόν, τὸ δ᾽ ὅπως ὁ παρατυχών, ὡς βάρους τινὸς αὐτῷ
ἐπιτιθεμένου, ἑστὼς ἀκούσῃ καὶ τάξιν μεσίτου λάβῃ.

IX. Ἀλλ᾽, ὡς ἔοικεν, ἔλαθον ὑπὸ φιλοτιμίας ἀποδεικτικῆς πε- 56, 1
5 ραιτέρω τοῦ δέοντος παρεκβάς. ἐπιλείψει γάρ με ὁ βίος τὸ πλῆθος
τῶν συμβολικῶς φιλοσοφούντων παρατιθέμενον. μνήμης τε οὖν 2
ἕνεκεν καὶ συντομίας καὶ τοῦ πρὸς τὴν ἀλήθειαν ἀνατετάσθαι τοι-
αῦταί τινες αἱ τῆς βαρβάρου φιλοσοφίας γραφαί. τῶν γὰρ πολλάκις 3
αὐταῖς πλησιαζόντων καὶ δοκιμασίαν δεδωκότων κατά τε τὴν πίστιν
10 κατά τε τὸν βίον. ἅπαντα μόνων ἐθέλουσιν ὑπάρχειν τὴν ὄντως
οὖσαν φιλοσοφίαν καὶ τὴν ἀληθῆ θεολογίαν. ναὶ μὴν ἐξηγητοῦ τινος 4
καὶ καθηγητοῦ χρείαν ἔχειν ἡμᾶς βούλονται· οὕτως γὰρ καὶ σπου-
δασθήσεσθαι μᾶλλον καὶ ὠφελήσειν τοὺς ἀξίους αὐτῶν διελάμβανον
καὶ ἀνεξαπατήτους ⟨τούτους⟩ ἔσεσθαι, παρὰ τῶν εὖ εἰδότων παρα-
15 λαμβάνοντας. ἄλλως τε καὶ πάνθ᾽, ὅσα διά τινος παρακαλύμματος 5
ὑποφαίνεται, μείζονά τε καὶ σεμνοτέραν δείκνυσι τὴν ἀλήθειαν.
καθάπερ | τὰ μὲν ὥρια διαφαίνοντα τοῦ ὕδατος, αἱ μορφαὶ δὲ διὰ 680 P
τῶν παρακαλυμμάτων συνεμφάσεις τινὰς αὐταῖς προσχαριζομένων.
ἐλεγκτικαὶ γὰρ αἱ περιαύγειαι πρὸς τῷ καὶ τὰ φανερὰ μονοτρόπως
20 κατανοεῖσθαι. συνεκδοχὰς τοίνυν πλείονας ἐξὸν εἶναι λαμβάνειν. 57, 1
ὥσπερ οὖν λαμβάνομεν, ἐκ τῶν μετ᾽ ἐπικρύψεως εἰρημένων. ὧν
οὕτως ἐχόντων σφάλλεται μὲν ὁ ἄπειρος καὶ ἀμαθής, καταλαμβάνει
δὲ ὁ γνωστικός. ἤδη γοῦν οὐδὲ τοῖς τυχοῦσιν ἤθελον ἀνέδην ἐκκεῖ- 2
σθαι πάντα, ›οὐδὲ κοινοποιεῖσθαι τὰ σοφίας ἀγαθὰ τοῖς μηδ᾽ ὄναρ
25 τὴν ψυχὴν κεκαθαρμένοις· οὐ γὰρ θέμις ὀρέγειν τοῖς ἀπαντῶσι τὰ
μετὰ τοσούτων ἀγώνων πορισθέντα οὐδὲ μὴν βεβήλοις τὰ τοῦ λόγου
μυστήρια διηγεῖσθαι.‹ φασὶ γοῦν Ἵππαρχον τὸν Πυθαγόρειον, αἰτίαν 3
ἔχοντα γράφασθαι τὰ τοῦ Πυθαγόρου σαφῶς, ἐξελαθῆναι τῆς δια-
τριβῆς καὶ στήλην ἐπ᾽ αὐτῷ γενέσθαι οἷα νεκρῷ. διὸ καὶ ἐν τῇ 4
30 βαρβάρῳ φιλοσοφίᾳ νεκροὺς καλοῦσι τοὺς ἐκπεσόντας τῶν δογμάτων
καὶ καθυποτάξαντας τὸν νοῦν τοῖς πάθεσι τοῖς ψυχικοῖς. ›τίς γὰρ 5
μετοχὴ δικαιοσύνῃ καὶ ἀνομίᾳ,‹ κατὰ τὸν θεῖον ἀπόστολον, ›ἢ τίς

24—27 aus dem (gefälschten) Brief des Lysis an Hipparchos Jambl. Vita Pyth.75
p. 43, 8—12 Deubner   24 vgl. S. 372, 25; Apostol. XIII 15 i (οὐδ᾽ ὄναρ)   27—29 vgl.
Diels⁶ I S. 108, 23—26 unter Hippasos   30 vgl. z. B. Rom 6, 11; Eph 2, 1   31—
S. 365, 2. 3—5 II Cor 6, 14f. 17f.

5 παρεκβάς corr. aus ἀπεκβάς L¹   13 καί—διελάμβανον ∼ nach μᾶλλον St ∼
nach παραλαμβάνοντας L   14 ⟨τούτους⟩ St   20 [εἶναι] Ma vgl. aber St BPhW 24
(1904) Sp. 231   23 ἀναίδην L   26 τοῦ λόγου] ταῖν Ἐλευσινίαιν θεαῖν Jambl.   27
πυθαγόριον L   30 ἐκπεσόντας Sy ἐκπεσοῦντας L

κοινωνία φωτὶ πρὸς σκότος; τίς δὲ συμφώνησις Χριστοῦ πρὸς Βελίαρ;
ἢ τίς μερὶς πιστῷ μετὰ ἀπίστου;‹ δίχα γὰρ Ὀλυμπίων καὶ φθιμένων
τιμαί. ›διὸ καὶ ἐξέρχεσθε ἐκ μέσου αὐτῶν καὶ ἀφορίσθητε, λέγει 6
κύριος, καὶ ἀκαθάρτου μὴ ἅπτεσθε· κἀγὼ εἰσδέξομαι ὑμᾶς καὶ ἔσομαι
5 ὑμῖν εἰς πατέρα, καὶ ὑμεῖς ἔσεσθέ μοι εἰς υἱοὺς καὶ θυγατέρας.‹

Οὐ μόνοι ἄρα οἱ Πυθαγόρειοι καὶ Πλάτων τὰ πολλὰ ἐπεκρύ- 58, 1
πτοντο, ἀλλὰ καὶ οἱ Ἐπικούρειοι φασί τινα καὶ παρ᾽ αὐτοῦ ἀπόρρητα
εἶναι καὶ μὴ πᾶσιν ἐπιτρέπειν ἐντυγχάνειν τούτοις τοῖς γράμμασιν.
ἀλλὰ καὶ οἱ Στωϊκοὶ λέγουσι Ζήνωνι τῷ πρώτῳ | γεγράφθαι τινά, 2 681 P
10 ἃ μὴ ῥαδίως ἐπιτρέπουσι τοῖς μαθηταῖς ἀναγινώσκειν, μὴ οὐχὶ πεῖραν
δεδωκόσι πρότερον, εἰ γνησίως φιλοσοφοῖεν. λέγουσι δὲ καὶ οἱ Ἀρι- 3
στοτέλους τὰ μὲν ἐσωτερικὰ εἶναι τῶν συγγραμμάτων αὐτοῦ, τὰ δὲ
κοινά τε καὶ ἐξωτερικά. ἀλλὰ καὶ οἱ τὰ μυστήρια θέμενοι, φιλό- 4
σοφοι ὄντες, τὰ αὐτῶν δόγματα τοῖς μύθοις κατέχωσαν, ὥστε μὴ
15 εἶναι ἅπασι δῆλα· εἶθ᾽ οἳ μέν, ἀνθρωπίνας κατακρύψαντες δόξας, 5
τοὺς ἀμαθεῖς ἐκώλυσαν ἐντυγχάνειν, τὴν δὲ τῶν ὄντων ὄντως ἁγίαν
καὶ μακαρίαν θεωρίαν οὐ παντὸς μᾶλλον ἐπικεκρύφθαι συνέφερεν·
πλὴν οὔτε τὰ τῆς βαρβάρου φιλοσοφίας οὔθ᾽ οἱ μῦθοι οἱ Πυθαγό- 6
ρειοι, ἀλλ᾽ οὐδ᾽ οἱ παρὰ Πλάτωνι ἐν Πολιτείᾳ Ἠρὸς τοῦ Ἀρμενίου
20 καὶ ἐν Γοργίᾳ Αἰακοῦ καὶ Ῥαδαμάνθος καὶ ἐν Φαίδωνι ὁ τοῦ Ταρ-
τάρου καὶ ἐν Πρωταγόρᾳ ὁ Προμηθέως καὶ Ἐπιμηθέως πρός τε
τούτοις ὁ τοῦ πολέμου τῶν Ἀτλαντικῶν καὶ τῶν Ἀθηναίων ἐν τῷ
Ἀτλαντικῷ, οὐχ ἁπλῶς κατὰ πάντα τὰ ὀνόματα ἀλληγορητέοι, ἀλλ᾽
ὅσα τῆς διανοίας τῆς καθόλου σημαν|τικά, καὶ δὴ ταῦτα ἐξεύροιμεν 246 S
25 ἂν διὰ συμβόλων ὑπὸ παρακαλύμματι τῇ ἀλληγορίᾳ μηνυόμενα.

Ναὶ μὴν καὶ ἡ Πυθαγόρου συνουσία καὶ ἡ πρὸς τοὺς ὁμιλητὰς 59, 1
διττὴ κοινωνία, ἀκουσματικοὺς τοὺς πολλοὺς καί τινας μαθημα-
τικοὺς ἑτέρους καλοῦσα, τοὺς γνησίως ἀνθαπτομένους τῆς φιλο-
σοφίας,

2f. δίχα—τιμαί wohl Zitat; vgl. Paed. II 8, 4 δίχα σῳζομένων καὶ φθιμένων
τροφαί; vgl. auch Plato Ges. IV 8 p. 717 AD [ibid. V 1 p. 727 E οὐδὲν γηγενὲς Ὀλυμ-
πίων ἐντιμότερον (Fr)] 7f. vgl. Usener, Epicurea S. 404 9—11 vgl. Zeno Fr. 43 Arnim
11 γνησίως φιλοσοφεῖν z. B. Plato Rep. V p. 473 D 11—13 vgl. Zeller, Phil. d. Gr.
II 2³ S. 116³; Orig. c. Cels. I 7 p. 60, 10 K 19—21 vgl. Plato Rep. X p. 614 B; Gorg.
p. 524 A; Phaedon p. 112 A; Protag. p. 320 D 22f. vgl. Plato Tim. p. 25 B—D; Kritias
p. 108ff. 26—S. 366, 2 vgl. Porph. Vit. Pyth. 37; Maass, De biogr. graec. p. 99f.

3 ἀφορίσθητε L 6 πυθαγόριοι L 7 ἐπικύριοι L 12 αὐτοῦ Rittershausen zu
Porph. Vit. Pyth. p. 23, 7 αὐτῶν L αὐτῷ Sy 18 οὔτε Di οὐδὲ L τὰ üb. d. Z. L¹
18f. πυθαγόριοι L 19 Ἠρὸς Leopardus, Emend. IX 2 p. 227 πρὸς L 22 Ἀτλαν-
τικῶν Di ἀτλαντινῶν L 28 γνησίως Sy γνησίους L 28f. φιλοσοφίας, ⟨οὐχὶ πᾶσαν
πᾶσι τὴν ἀλήθειαν συνεχώρησεν⟩ Ma

ἀλλὰ τὸ μὲν φάσθαι, τὸ δὲ ⟨καὶ⟩ κεκρυμμένον εἶναι

πρὸς τοὺς πολλοὺς ᾐνίσσετο. ἴσως δὲ καὶ τὸ διττὸν ἐκεῖνο εἶδος 2
τῶν ἐκ τοῦ Περιπάτου, τὸ ἐν τοῖς λόγοις ἔνδοξόν τε καὶ ἐπιστη-
μονικὸν καλούμενον, οὐκ ἀπήλλακται | ⟨τοῦ⟩ διαιρεῖν δόξαν ἀπό τε εὐ- 682 P
5 κλείας καὶ ἀληθείας.

μηδέ σέ γ᾽ εὐδόξοιο βιήσεται ἄνθεα τιμῆς   3
πρὸς θνητῶν ἀνελέσθαι, ἐφ᾽ ᾧ θ᾽ ὁσίης πλέον εἰπεῖν.

αἱ γοῦν Ἰάδες μοῦσαι διαρρήδην λέγουσι τοὺς μὲν πολλοὺς καὶ δοκη- 4
σισόφους δήμων ἀοιδοῖσιν ἕπεσθαι καὶ νόμοισι χρέεσθαι, εἰδότας ὅτι
10 πολλοὶ κακοί, ὀλίγοι δὲ ἀγαθοί· τοὺς ἀρίστους δὲ τὸ κλέος μετα-
διώκειν. ›αἱρεῦνται γάρ‹, φησίν, ›ἓν ἀντὶ πάντων οἱ ἄριστοι κλέος 5
ἀέναον θνητῶν, οἱ δὲ πολλοὶ κεκόρηνται ὅπως κτήνεα,‹ ›γαστρὶ
καὶ αἰδοίοις καὶ τοῖς αἰσχίστοις τῶν ἐν ἡμῖν μετρήσαντες τὴν εὐδαι-
μονίαν‹· ὅ τ᾽ Ἐλεάτης Παρμενίδης ὁ μέγας διττῶν εἰσηγεῖται διδα- 6
15 σκαλίαν ὁδῶν ὧδέ πως γράφων·

ἠμὲν Ἀληθείης εὐπειθέος ἀτρεμὲς ἦτορ,
ἠδὲ βροτῶν δόξας, ταῖς οὐκ ἔνι πίστις ἀληθής.

X. Εἰκότως ἄρα ὁ θεσπέσιος ἀπόστολος ›κατὰ ἀποκάλυψιν‹ 60, 1
φησὶν ›ἐγνωρίσθη μοι τὸ μυστήριον, καθὼς προέγραψα ἐν ὀλίγῳ,
20 πρὸς ὃ δύνασθε ἀναγινώσκοντες νοῆσαι τὴν σύνεσίν μου ἐν τῷ μυ-

*   1 Homer λ 443 (Fr)   3 zu ἔνδοξον, ἐπιστημ., vgl. Arist. Top. I, 1 p. 100ᵒ 19ff.
6—17 vgl. Elter Gnom. hist. 97   6f. Empedokles Fr. 3, 6f. Diels-Kranz (Vors.⁶ I
S. 310, 6f.; früher fr. 4)   8 Ἰάδες μοῦσαι = Heraklit aus Plato Sophist. p. 242 D
8—12 Heraklit Fr. 104 Diels⁶ I S. 174, 4—6; Bernays, Ges. Abh. I p. 31ff.   9f. vgl.
Strom. I 61, 3   11f. vgl. Strom. IV 50, 2; Heraklit fr. 29 (Diels⁶ I S. 157, 7—9)
12—14 Demosth. De cor. 296 (auch bei Plut. Mor. p. 97 D); vgl. Hemsterhuys
zu Lukian Nigr. 15 (I p. 249f. Edit. Bipont.); Wyttenbach, Bibl. crit. I 2 (1777)
p. 59f.; Elter Gnom. hist. 101   14 ὁ μέγας aus Plato Sophist. p. 237 A; vgl. Strom.
V 112, 2   16f. Parmenides Fr. 1, 29f. Diels⁶ I 230, 11f.   18—S. 367, 3 Eph 3, 3—5

   1 φάσθαι L   ⟨καὶ⟩ Homertext   3 τῶν corr. aus τὸ L¹   4 ⟨τοῦ⟩ διαιρεῖν Schw
διαιροῦν Rittershausen a. a. O.   9 [δήμων] Byw.   νόμοισι] διδασκάλῳ ὁμίλῳ Procl. in
Alcib. I p. 525, 22 Cumont   10 δὲ τὸ κλέος ~ Sy τὸ κλέος δὲ L   11 ἓν ἀντὶ Cobet,
Mnemos. 9 (1860) p. 437, aus Strom. IV 50 ἐναντία L   12 [οἱ] Cobet   ὅπως] οὐχ
ὥσπερ Strom. IV HS ὅκωσπερ Bernays   16f. ἠμὲν—ἠδὲ] ἡ μὲν—ἡ δὲ L   16 εὐπειθέος
L·Plut. Mor. p. 1114 D; Sext. Emp. Math. VII 111; Diog. Laert. IX 22 εὐκυκλέος
Simpl. De cael. p. 557, 26 Heib. εὐφεγγέος Procl. in Tim. p. 248 Schn.   ἀτρεμὲς L
Sext. (Paraphr.) Simpl. ἀτρεκὲς Plut. Sext. (Text) Diog.   17 δόξας Sext. Simpl.
Diog. Plut. δόξαις L δόξαι oder δόξαις Procl.   ταῖς L Sext. Simpl. αἷς Plut. Procl.
τῆς Diog.   ἔνι] ἔτι Diog.   20 δύνασθε ἀναγινώσκοντες Eph. δύνασθαι ἀναγιγνώ-
σκοντας L

στηρίῳ τοῦ Χριστοῦ, ὃ ἑτέραις γενεαῖς οὐκ ἐγνωρίσθη τοῖς υἱοῖς
τῶν ἀνθρώπων, ὡς νῦν ἀπεκαλύφθη τοῖς ἁγίοις ἀποστόλοις αὐτοῦ
καὶ προφήταις.‹ ἔστιν γάρ τις καὶ τελείων μάθησις, περὶ ἧς πρὸς 2
τοὺς Κολοσσαεῖς γράφων φησίν· ›οὐ παυόμεθα ὑπὲρ ὑμῶν προσευ-
5 χόμενοι καὶ αἰτούμενοι, ἵνα πληρωθῆτε τὴν ἐπίγνωσιν τοῦ θελήματος
αὐτοῦ ἐν πάσῃ σοφίᾳ καὶ συνέσει πνευματικῇ, περιπατῆσαι ἀξίως
τοῦ κυρίου εἰς πᾶσαν ἀρέσκειαν, παντὶ ἔργῳ ἀγαθῷ καρποφοροῦντες
καὶ αὐξανόμενοι τῇ ἐπιγνώσει τοῦ θεοῦ, ἐν πάσῃ δυνάμει ἐνδυνα-
μούμενοι κατὰ τὸ κράτος τῆς δόξης αὐτοῦ.‹ καὶ πάλιν ›κατὰ τὴν 3
10 οἰκονομίαν τοῦ θεοῦ τὴν δοθεῖσάν μοι‹ φησὶν ›εἰς ὑμᾶς πληρῶσαι
τὸν λόγον τοῦ θεοῦ, τὸ μυστήριον τὸ ἀποκεκρυμμένον ἀπὸ τῶν
αἰώνων καὶ ἀπὸ τῶν γενεῶν, ὃ νῦν ἐφανερώθη τοῖς ἁγίοις αὐτοῦ,
οἷς ἠθέλησεν ὁ θεὸς γνωρίσαι, τί τὸ πλοῦτος τῆς δόξης τοῦ μυστη-
ρίου τούτου ἐν τοῖς ἔθνεσιν.‹ ὥστε ἄλλα μὲν τὰ μυστήρια τὰ ἀπο- 61, 1
15 κεκρυμμένα ἄχρι τῶν ἀποστόλων καὶ ὑπ᾽ αὐτῶν παραδοθέντα ὡς
ἀπὸ τοῦ κυρίου παρειλήφασιν (ἀποκεκρυμμένα δὲ ἐν τῇ παλαιᾷ δια-
θήκῃ), ἃ ›νῦν | ἐφανερώθη τοῖς ἁγίοις,‹ ἄλλο δὲ ›τὸ πλοῦτος τῆς 683 P
δόξης τοῦ μυστηρίου τοῦ ἐν τοῖς ἔθνεσιν‹, ὅ ἐστιν ἡ πίστις καὶ ἡ
ἐλπὶς ἡ εἰς Χριστόν, ὃν ἀλλαχῇ ›θεμέλιον‹ εἴρηκεν. καὶ πάλιν οἷον 2
20 φιλοτιμούμενος ἐμφῆναι τὴν γνῶσιν ὧδέ πως γράφει· ›νουθετοῦντες
πάντα ἄνθρωπον ἐν πάσῃ σοφίᾳ, ἵνα παραστήσωμεν πάντα ἄνθρω-
πον τέλειον ἐν Χριστῷ·‹ οὐ ›πάντα‹ ἁπλῶς ›ἄνθρωπον‹, ἐπεὶ οὐδεὶς 3
ἂν ἦν ἄπιστος, οὐδὲ μὴν ›πάντα‹ τὸν πιστεύοντα ›τέλειον ἐν Χρι-
στῷ‹, ἀλλὰ ›πάντα ἄνθρωπον‹ λέγει, ὡς εἰπεῖν ὅλον τὸν ἄνθρωπον,
25 οἷον σώματι καὶ ψυχῇ ἡγνισμένον, ἐπεί, ὅτι ›οὐ πάντων ἡ γνῶσις‹,
διαρρήδην ἐπιφέρει· ›συμβιβασθέντες ἐν ἀγάπῃ καὶ εἰς πᾶν πλοῦτος 4
τῆς πληροφορίας τῆς συνέσεως, εἰς ἐπίγνωσιν τοῦ μυστηρίου τοῦ
θεοῦ ἐν Χριστῷ, ἐν ᾧ εἰσι πάντες οἱ θησαυροὶ τῆς σοφίας καὶ τῆς
γνώσεως ἀπόκρυφοι.‹ ›τῇ προσευχῇ προσκαρτερεῖτε, γρηγοροῦντες
30 ἐν αὐτῇ ἐν εὐχαριστίᾳ·‹ ἡ εὐχαριστία δὲ οὐκ ἐπὶ ψυχῆς μόνον καὶ 5
τῶν πνευματικῶν ἀγαθῶν, ἀλλὰ καὶ ἐπὶ τοῦ σώματος γίνεται καὶ
τῶν τοῦ σώματος ἀγαθῶν. καὶ ἔτι σαφέστερον ἐκκαλύπτει τὸ μὴ 62, 1
πάντων εἶναι τὴν γνῶσιν, ἐπιλέγων· ›προσευχόμενοι ἅμα καὶ περὶ
ἡμῶν, ἵνα ὁ θεὸς ἀνοίξῃ ἡμῖν θύραν τοῦ λαλῆσαι τὸ μυστήριον τοῦ

4—9 Col 1, 9—11   9—14 Col 1, 25—27   17f. Col 1, 26f.   19 I Cor 3, 10   20—22
Col 1, 28   24f. vgl. I Thess 5, 23   25 vgl. I Cor 8, 7   26—29 Col 2, 2f.   29f. Col
4, 2   32f. vgl. I Cor 8, 7   33—S. 368, 1 Col 4, 3f.

18 τοῦ²] viell. τού⟨του⟩ aus Z. 14 St   34 τοῦ¹] + λόγου I Cor

Χριστοῦ, δι' ὃ καὶ δέδεμαι, ἵνα φανερώσω αὐτὸ ὡς δεῖ με λαλῆσαι.«
ἦν γάρ τινα ἀγράφως παραδιδόμενα. αὐτίκα τοῖς Ἑβραίοις »καὶ γὰρ 2
ὀφείλοντες εἶναι διδάσκαλοι διὰ τὸν χρόνον« φησίν, ὡς ἂν ἐγγηρά-
σαντες τῇ διαθήκῃ τῇ παλαιᾷ, »πάλιν χρείαν ἔχετε τοῦ διδάσκειν
5 ὑμᾶς, τίνα τὰ στοιχεῖα τῆς ἀρχῆς τῶν λογίων τοῦ θεοῦ, καὶ γεγό-
νατε χρείαν ἔχοντες γάλακτος καὶ οὐ στερεᾶς τροφῆς· πᾶς γὰρ ὁ 3
μετέχων γάλακτος ἄπειρος λόγου δικαιοσύνης, νήπιος γάρ ἐστι,« τὰ
πρῶτα μαθήματα πεπιστευμένος· »τελείων δέ ἐστιν ἡ στερεὰ τροφή, 4
τῶν διὰ τὴν ἕξιν τὰ αἰσθητήρια γεγυμνασμένα ἐχόντων πρὸς διάκρι-
10 σιν καλοῦ τε καὶ κακοῦ. διὸ ἀφέντες τὸν τῆς ἀρχῆς τοῦ Χριστοῦ
λόγον ἐπὶ τὴν τελειότητα φερώμεθα.«
  Ἀλλὰ καὶ Βαρνάβας ὁ καὶ αὐτὸς συγκηρύξας τῷ ἀποστόλῳ κατὰ 63, 1
τὴν διακονίαν τῶν ἐθνῶν τὸν λόγον »ἁπλούστερον« φησὶν »ὑμῖν
γράφω, ἵνα συνιῆτε«. εἶθ' ὑποβὰς ἤδη σαφέστερον γνωστικῆς παρα- 2
15 δόσεως ἴχνος παρατιθέμενος λέγει· »τί λέγει ὁ ἄλλος προφήτης
Μωϋσῆς αὐτοῖς; -ἰδοὺ τάδε λέγει κύριος ὁ θεός· εἰσέλθετε εἰς τὴν 3
γῆν τὴν ἀγαθήν, ἣν ὤμοσεν κύριος ὁ θεός, ὁ θεὸς Ἀβραὰμ καὶ Ἰσαὰκ
καὶ Ἰακώβ, καὶ κατακληρονομήσατε αὐτήν, γῆν ῥέουσαν γάλα καὶ
μέλι.« τί λέγει ἡ γνῶσις; μάθετε. ἐλπίσατε, φησίν, ἐπὶ τὸν ἐν σαρκὶ 4
20 μέλλοντα φανεροῦσθαι ὑμῖν Ἰησοῦν· ἄνθρωπος | γὰρ γῆ ἐστι πά- 684 P
σχουσα· ἀπὸ προσώπου γὰρ γῆς ἡ πλάσις τοῦ Ἀδὰμ ἐγένετο· τί οὖν 5
λέγει· »εἰς τὴν γῆν τὴν ἀγαθήν, γῆν ῥέουσαν γάλα καὶ μέλι;« εὐλο-
γητὸς ⟨ὁ⟩ κύριος ἡμῶν, ἀδελφοί, ὁ σοφίαν καὶ νοῦν θέμενος ἐν ἡμῖν 247 S
τῶν κρυφίων αὐτοῦ. λέγει γὰρ ὁ προφήτης· »παραβολὴν κυρίου τίς 6
25 νοήσει, εἰ μὴ σοφὸς καὶ ἐπιστήμων καὶ ἀγαπῶν τὸν κύριον αὐτοῦ;«
ἐπεὶ ὀλίγων ἐστὶ ταῦτα χωρῆσαι. »οὐ γὰρ φθονῶν«, φησί, »παρήγ- 7
γειλεν ὁ κύριος« ἔν τινι εὐαγγελίῳ· »μυστήριον ἐμὸν ἐμοὶ καὶ τοῖς
υἱοῖς τοῦ οἴκου μου«, ἐν τῷ ἀσφαλεῖ καὶ ἀμερίμνῳ τὴν ἐκλογὴν
ποιούμενος, ἵνα τὰ οἰκεῖα ὧν εἵλετο λαβοῦσα ἀνωτέρα ζήλου γένηται·
30 ὁ μὲν γὰρ μὴ ἔχων γνῶσιν ἀγαθοῦ πονηρός ἐστιν, ὅτι »εἷς ἀγαθός«, 8
ὁ· πατήρ· τὸ δὲ ἀγνοεῖν τὸν πατέρα θάνατός ἐστιν, ὡς τὸ γνῶναι

2–11 Hebr 5, 12–6, 1   7f. zu τὰ πρῶτα μαθ. vgl. Paed. I 39, 1   12 vgl. Act 13, 1
13f. Barnab. Ep. 6, 5   15–25 Barnab. Ep. 6, 8–10   16–19 Exod 33, 1. 3 (vgl. Lev
20, 24)   24f. vgl. Prov 1, 6; Is 40, 13   26 vgl. Mt 19, 11   26–28 vgl. Is 24, 16
(Symm. Theod. u. a.); Hilgenfeld, Nov. Test. extra can. IV² p. 43, 46; Resch, Agra-
pha² S. 108f. Agr. 84; Ropes, Sprüche Jesu S. 94ff.; Zahn, Gesch. d. ntl. Kan. II
S. 737ff.   30f. Mt 19, 17   31f. vgl. Io 17, 3

1 διὸ L   14 συνίητε L   17 ὁ θεός, ὁ θεός] τῷ Barn.   21 τῆς γῆς Barn.   22 γῆν²
Barn. (vgl. oben Z. 18) τὴν L   23 ⟨ὁ⟩ aus Barn.   24f. wohl mit Barn. zu schreiben:
λέγει γὰρ ὁ προφήτης παραβολὴν κυρίου· τίς νοήσει, εἰ ... αὐτοῦ   26 ἐπεὶ Sy ἐπὶ L

ζωὴ αἰώνιος κατὰ μετουσίαν τῆς τοῦ ἀφθάρτου δυνάμεως. καὶ τὸ
μὲν μὴ φθείρεσθαι θειότητος μετέχειν ἐστί, φθορὰν δὲ ἡ ἀπὸ τῆς
τοῦ θεοῦ γνώσεως ἀπόστασις παρέχει. πάλιν ὁ προφήτης· »καὶ 64, 1
δώσω σοι θησαυροὺς ἀποκρύφους, σκοτεινούς, ἀοράτους, ἵνα γνῶσιν
5 ὅτι ἐγὼ κύριος ὁ θεός.« τὰ εἰκότα τούτοις καὶ ὁ Δαβὶδ ψάλλει· 2
»ἰδοὺ γὰρ ἀλήθειαν ἠγάπησας, τὰ ἄδηλα καὶ τὰ κρύφια τῆς σοφίας
σου ἐδήλωσάς μοι.« »ἡμέρα γὰρ τῇ ἡμέρᾳ ἐρεύγεται ῥῆμα«, τὸ 3
γεγραμμένον ἄντικρυς, »καὶ νὺξ νυκτὶ ἀναγγέλλει γνῶσιν«, τὴν ἐπι-
κεκρυμμένην μυστικῶς, »καὶ οὐκ εἰσι λόγοι οὐδὲ λαλιαί, ὧν οὐχ
10 ἀκούονται αἱ φωναὶ αὐτῶν« τῷ θεῷ τῷ φήσαντι· »ποιήσει τις κρύφα,
καὶ οὐχὶ ἐπόψομαι αὐτόν;« διὰ τοῦτο »φωτισμὸς« ἡ μαθητεία κέκλη- 4
ται ἡ τὰ κεκρυμμένα φανερώσασα, ἀποκαλύψαντος μόνου τοῦ διδα-
σκάλου τὸ πῶμα τῆς κιβωτοῦ, ἔμπαλιν ἢ οἱ ποιηταὶ τὸν Δία φασὶ
τὸν μὲν τῶν ἀγαθῶν πίθον ἐπιλαβεῖν, ἀνοῖξαι δὲ τὸν τῶν | φαύλων. 685 P
15 »οἶδα ὅτι ἐρχόμενος« φησὶ »πρὸς ὑμᾶς« ὁ ἀπόστολος »ἐν πληρώματι 5
εὐλογίας Χριστοῦ ἐλεύσομαι«, τὸ »πνευματικὸν χάρισμα« καὶ τὴν γνω-
στικὴν παράδοσιν, ἣν μεταδοῦναι αὐτοῖς παρὼν παροῦσι ποθεῖ (οὐ γὰρ
δι' ἐπιστολῆς οἷά τε ἦν ταῦτα μηνύεσθαι), »πλήρωμα Χριστοῦ« καλέσας,
»κατὰ ἀποκάλυψιν μυστηρίου χρόνοις αἰωνίοις σεσιγημένου, φανερω- 6
20 θέντος δὲ νῦν διά τε γραφῶν προφητικῶν κατ' ἐπιταγὴν τοῦ αἰω-
νίου θεοῦ εἰς ὑπακοὴν πίστεως εἰς πάντα τὰ ἔθνη γνωρισθέντος«,
τουτέστι τοὺς ἐξ ἐθνῶν πιστεύοντας, ὅτι ἐστίν· ὀλίγοις δὲ ἐκ τού-
των καὶ τό, τίνα ταῦτά ἐστι τὰ ἐν μυστηρίῳ, δείκνυται.

Εἰκότως τοίνυν καὶ Πλάτων ἐν ταῖς Ἐπιστολαῖς περὶ θεοῦ δια- 65, 1
25 λαμβάνων »φραστέον δή σοι« φησὶ »δι' αἰνιγμάτων, ἵν' ἤν τι ⟨ἡ⟩ δέλτος
ἢ πόντου ἢ γῆς ἐν πτυχαῖς πάθη, ὁ ἀναγνοὺς μὴ γνῷ.« ὁ γὰρ τῶν 2
ὅλων θεὸς ὁ ὑπὲρ πᾶσαν φωνὴν καὶ πᾶν νόημα καὶ πᾶσαν ἔννοιαν
οὐκ ἄν ποτε γραφῇ παραδοθείη, ἄρρητος ὢν δυνάμει τῇ αὐτοῦ.
ὅπερ καὶ αὐτὸ δεδήλωκεν Πλάτων λέγων· »πρὸς ταῦτ' οὖν σκοπῶν 3

3—5 Is 45, 3 (wohl entnommen aus Barnab. Ep. 11, 4) 6f. Ps 50, 8 7—10 Ps
18, 3f. 10f Ier 23, 24; zur Form vgl. Protr. 78, 1; Strom. II 5, 5; V 119, 3; St
Clem. Al. u. d. LXX S. 66f. 11 vgl. II Cor 4, 4. 6 13f. vgl. Ω 527ff.; Hes. Op.
94ff. 15f. 18 Rom 15, 29 16f. vgl. Rom 1, 11 19—21 Rom 16, 25f. 25f.
29—S. 370, 3 Plato Epist. II p. 312 D; 314 BC 25f. TGF² Adesp. 348; vgl. Cobet
Λόγ. Ἑρμ. 1 p. 456 26—28 vgl. z. B. Philo Quod deus s. imm. 55; De mutat. nom.
14 (ἄρρητος); De somn. I 184 (II p. 68; III p. 159. 244)

13 φασὶ corr. aus φησὶ L¹ 20 vor διά ist δι getilgt L¹ 22 ὅ τί L 25 αἰνιγμῶν
Plato Eus. (außer I) Praep. Ev. XI 20, 2 ἤν τι] ἄν τι Plato Eus. ⟨ἡ⟩ aus Plato
26 πτύχαις L

εὐλαβοῦ, μή ποτέ σοι μεταμελήσῃ τῶν νῦν ἀναξίως ἐκπεσόντων·
μεγίστη δὲ φυλακὴ τὸ μὴ γράφειν, ἀλλ᾿ ἐκμανθάνειν· οὐ γὰρ ἔστιν,
οὐκ ἔστιν τὰ γραφέντα μὴ οὐκ ἐκπεσεῖν.‹ ἀδελφὰ τούτοις ὁ ἅγιος 4
ἀπόστολος Παῦλος λέγει, τὴν προφητικὴν καὶ τῷ ὄντι ἀρχαίαν σοφ-
5 ζῶν ἐπίκρυψιν, ἀφ᾿ ἧς τὰ καλὰ τοῖς Ἕλλησιν ἐρρύη δόγματα· ›σο- 5
φίαν δὲ λαλοῦμεν ἐν τοῖς τελείοις, σοφίαν δὲ οὐ τοῦ αἰῶνος τούτου
οὐδὲ τῶν ἀρχόντων τοῦ αἰῶνος τούτου τῶν καταργουμένων· ἀλλὰ
λαλοῦμεν θεοῦ σοφίαν ἐν μυστηρίῳ, τὴν ἀποκεκρυμμένην.‹ ἔπειτα 66, 1
ὑποβὰς τὸ εὐλαβὲς τῆς εἰς τοὺς πολλοὺς τῶν λόγων ἐκφοιτήσεως
10 ὧδέ πως διδάσκει· ›κἀγώ, ἀδελφοί, οὐκ ἠδυνήθην ὑμῖν λαλῆσαι ὡς
πνευματικοῖς, ἀλλ᾿ ὡς σαρκίνοις, ὡς νηπίοις ἐν Χριστῷ, γάλα ὑμᾶς
ἐπότισα, οὐ βρῶμα· οὔπω γὰρ ἐδύνασθε· ἀλλ᾿ οὐδὲ ἔτι νῦν δύνασθε· ἔτι
γὰρ ἐστε σαρκικοί.‹ εἰ τοίνυν τὸ μὲν γάλα τῶν νηπίων, τὸ βρῶμα 2
δὲ τῶν τελείων τροφὴ πρὸς τοῦ ἀποστόλου εἴρηται, γάλα μὲν ἡ
15 κατήχησις οἱονεὶ πρώτη ψυχῆς τροφὴ νοηθήσεται, βρῶμα δὲ ἡ
ἐποπτικὴ θεωρία· σάρκες αὗται καὶ αἷμα τοῦ λόγου, τουτέστι κατά-
ληψις τῆς θείας δυνάμεως καὶ οὐσίας. ›γεύσασθε καὶ ἴδετε ὅτι χρη- 3
στὸς ὁ κύριος‹, φησίν· οὕτως γὰρ ἑαυτοῦ μεταδίδωσι τοῖς πνευμα-
τικώτερον τῆς τοιαύτης μεταλαμβάνουσι | βρώσεως, ὅτε δὴ ἡ ψυχὴ 686 P
20 αὐτὴ ἑαυτὴν ἤδη τρέφει κατὰ τὸν φιλαλήθη Πλάτωνα· βρῶσις γὰρ
καὶ πόσις τοῦ θείου λόγου ἡ γνῶσίς ἐστι τῆς θείας οὐσίας. διὸ καὶ 4
φησιν ἐν δευτέρῳ Πολιτείας ὁ Πλάτων· ›θυσαμένους οὐ χοῖρον, ἀλλά
τι μέγα καὶ ἄπορον θῦμα,‹ οὕτω χρῆναι ζητεῖν περὶ θεοῦ. ὁ δὲ 5
ἀπόστολος ›καὶ τὸ πάσχα ἡμῶν ἐτύθη‹ γράφει ›Χριστός‹, ἄπορον
25 ὡς ἀληθῶς θῦμα, υἱὸς θεοῦ ὑπὲρ ἡμῶν ἁγιαζόμενος.

XI. Θυσία δὲ ἡ τῷ θεῷ δεκτὴ σώματός τε καὶ τῶν τούτου 67, 1
παθῶν ἀμετανόητος χωρισμός. ἡ ἀληθὴς τῷ ὄντι θεοσέβεια αὕτη.
καὶ μή τι εἰκότως μελέτη θανάτου διὰ τοῦτο εἴρηται τῷ Σωκράτει 2
ἡ φιλοσοφία· ὁ γὰρ μήτε τὴν ὄψιν παρατιθέμενος ἐν τῷ διανοεῖσθαι

5—8 I Cor 2, 6f.   10—13 I Cor 3, 1—3   13f. vgl. Hebr 5, 13f.   16 vgl. Io 6, 53
17f. Ps 33, 9   19f. vgl. [Plato] Epist. VII p. 341 CD οἷον . . . φῶς ἐν τῇ ψυχῇ γενό-
μενον αὐτὸ ἑαυτὸ ἤδη τρέφει.   22f. Plato Rep. II p. 378 A   24 I Cor 5, 7   25 vgl.
Io 17, 19   26 vgl. Phil 4, 18   28f. vgl. Plato Phaed. p. 67 D (woher auch χωρισμός
Z. 27); 80 E. 81 A ausgeschrieben bei Theodor. Gr. aff. c. VIII 45 (Fᵣ in PhW 59,
1939, Sp. 766)   29—S. 371, 2 vgl. Plato Phaed. p. 65 E 66 A ὅστις ὅτι μάλιστα αὐτῇ
τῇ διανοίᾳ. ἴοι ἐφ᾿ ἕκαστον, μήτε τὴν ὄψιν παρατιθέμενος ἐν τῷ διανοεῖσθαι μήτε τινὰ
ἄλλην αἴσθησιν ἐφέλκων μηδεμίαν μετὰ τοῦ λογισμοῦ, ἀλλ᾿ αὐτῇ καθ᾿ αὑτὴν εἰλικρινεῖ
τῇ διανοίᾳ χρώμενος αὐτὸ καθ᾿ αὑτὸ εἰλικρινὲς ἕκαστον ἐπιχειροῖ θηρεύειν τῶν ὄντων.

17f. χρηστὸς Ps χ̅σ̅ L (vgl. Protr. 87, 4)   23. 24 ἄπυρον Di (Vol. I praef. p. LIII)
vgl. S. 373, 10. 12   23 vor θῦμα ist χρῆ getilgt L¹   25 σφαγιαζόμενος Morellus; vgl.
aber Iο 17, 19   28 Σωκράτει Di σωκράτη L

μήτε τινὰ τῶν ἄλλων αἰσθήσεων ἐφελκόμενος, ἀλλ' αὐτῷ καθαρῷ
τῷ νῷ τοῖς πράγμασιν ἐντυγχάνων τὴν ἀληθῆ φιλοσοφίαν μέτεισιν.
τοῦτο ἄρα βούλεται καὶ τῷ Πυθαγόρᾳ ἡ τῆς πενταετίας σιωπή, ἣν 8
τοῖς γνωρίμοις παρεγγυᾷ, ὡς δὴ ἀποστραφέντες τῶν αἰσθητῶν ψιλῷ
5 τῷ νῷ τὸ θεῖον ἐποπτεύοιεν. ** παρὰ Μωυσέως τοιαῦτα φιλοσοφή-
σαντες οἱ τῶν Ἑλλήνων ἄκροι. προστάσσει γὰρ »τὰ ὁλοκαυτώματα 4
δείραντας εἰς μέλη διανεῖμαι«, ἐπειδὴ γυμνὴν τῆς ὑλικῆς δορᾶς γενο-
μένην τὴν γνωστικὴν ψυχὴν ἄνευ τῆς σωματικῆς φλυαρίας καὶ τῶν
παθῶν πάντων, ὅσα περιποιοῦσιν αἱ κεναὶ καὶ ψευδεῖς ὑπολήψεις,
10 ἀποδυσαμένην τὰς σαρκικὰς ἐπιθυμίας, τῷ φωτὶ καθιερωθῆναι |
ἀνάγκη. οἱ δὲ πλεῖστοι τῶν ἀνθρώπων τὸ θνητὸν ἐνδυόμενοι καθ- 248 S 68,1
άπερ οἱ κοχλίαι | καὶ περὶ τὰς αὐτῶν ἀκρασίας ὥσπερ οἱ ἐχῖνοι 687 P
σφαιρηδὸν εἰλούμενοι περὶ τοῦ μακαρίου καὶ ἀφθάρτου θεοῦ τοιαῦτα
οἷα καὶ περὶ αὐτῶν δοξάζουσιν. λέληθεν δ' αὐτούς, κἂν πλησίον 2
15 ἡμῶν τύχωσιν, ὡς μυρία ὅσα δεδώρηται ἡμῖν ὁ θεός, ὧν αὐτὸς
ἀμέτοχος, γένεσιν μὲν ἀγένητος ὤν, τροφὴν δὲ ἀνενδεὴς ὤν, καὶ
αὔξησιν ἐν ἰσότητι ὤν, εὐγηρίαν τε καὶ εὐθανασίαν ἀθάνατός τε καὶ
ἀγήρως ὑπάρχων. διὸ καὶ χεῖρας καὶ πόδας καὶ στόμα καὶ ὀφθαλ- 8
μοὺς καὶ εἰσόδους καὶ ἐξόδους καὶ ὀργὰς καὶ ἀπειλὰς μὴ πάθη θεοῦ
20 τις ὑπολάβῃ παρὰ Ἑβραίοις λέγεσθαι, μηδαμῶς, ἀλληγορεῖσθαι δέ
τινα ἐκ τούτων τῶν ὀνομάτων ὁσιώτερον, ἃ δὴ καὶ προϊόντος τοῦ
λόγου κατὰ τὸν οἰκεῖον καιρὸν διασαφήσομεν.

3—5 vgl. Theodoret Gr. aff. c. I 55. 128   3f. vgl. Zeller, Phil. d. Griech. I⁵ S. 315³
6f. Lev 1, 6   6—11 vgl. Philo De sacrif. Ab. et Cain. 84 (I p. 236) προστέτακται
μέντοι καὶ »τὸ ὁλοκαύτωμα δείραντας εἰς μέλη διανεῖμαι«, ὑπὲρ τοῦ πρῶτον μὲν γυμνὴν
ἄνευ σκεπασμάτων, ὅσα περιποιοῦσιν αἱ κεναὶ καὶ ψευδεῖς ὑπολήψεις, τὴν ψυχὴν φανῆναι.
10 vgl. I Petr 2, 11   11—14 vgl. Philo a. a. O. 95 (p. 241) εἰς τὸ θνητὸν εἰσδυό-
μενοι καθάπερ οἱ κοχλίαι καὶ περὶ ἑαυτοὺς ὥσπερ οἱ ἐχῖνοι σφαιρηδὸν εἰλούμενοι καὶ
περὶ τοῦ μακαρίου καὶ ἀφθάρτου τὰ αὐτὰ ἃ καὶ περὶ ἑαυτῶν δοξάζομεν.   14—18 vgl.
Philo a. a. O. 98 (p. 242) μυρία γὰρ ἡμῖν ἡ φύσις ἐπιβάλλοντα ἀνθρώπων γένει δε-
δώρηται, ὧν ἀμέτοχος ἁπάντων ἐστὶν αὐτή, γένεσιν ἀγένητος οὖσα, τροφὴν τροφῆς οὐ
δεομένη, αὔξησιν ἐν ὁμοίῳ μένουσα, τὰς κατὰ χρόνον ἡλικίας ἀφαίρεσιν ἢ πρόσθεσιν
οὐκ ἐπιδεχομένη.   100 εὐγηρία καὶ εὐθανασία ... ὧν οὐδετέρου κοινωνὸς ἡ φύσις
ἀγήρως τε καὶ ἀθάνατος οὖσα.   [vgl. auch Philo Qu. d. sit imm. 60 (Fr)]   18—20 vgl.
Philo a. a. O. 96 διὰ τοῦτο χεῖρας, πόδας, εἰσόδους, ἐξόδους, ἔχθρας, ἀποστροφάς,
ἀλλοτριώσεις, ὀργὰς προσαναπλάττομεν, ἀνοίκεια καὶ μέρη καὶ πάθη τοῦ αἰτίου. Vgl.
auch Philo De somn. I 235 (III p. 254)

4 παρεγγυᾷ corr. aus παρεγγυιᾷ L¹ παρηγγύα Rittershausen zu Porph. Vit. Pyth.
p. 13, 5   5 etwa ⟨ὠφέληνται δὲ⟩ παρὰ Schw u. St   17 εὐθανασίαν Arcerius (wie
Philo) ἀθανασίαν L

ἢ παναχὲς πάντων φάρμαχον ⟨ἁ⟩ σοφία, 4

Καλλίμαχος ἐν τοῖς ἐπιγράμμασι γράφει·

ἕτερος (δὲ) ἐξ ἑτέρου σοφὸς τό τε πάλαι τό τε νῦν, 5

φησὶ Βαχχυλίδης ἐν τοῖς Παιᾶσιν·

5   οὐδὲ γὰρ ῥᾷστον ἀρρήτων ἐπέων πύλας
      ἐξευρεῖν·

καλῶς ἄρα Ἰσοκράτης ἐν τῷ Παναθηναϊκῷ »τίνας οὖν καλῶ πεπαι- 69, 1
δευμένους;« προθεὶς ἐπιφέρει· »πρῶτον μὲν τοὺς καλῶς χρωμένους
τοῖς πράγμασι τοῖς κατὰ τὴν ἡμέραν ἑκάστην προσπίπτουσι καὶ τὴν
10 δόξαν ἐπιτυχῆ τῶν καιρῶν ἔχοντας καὶ δυναμένην ὡς ἐπὶ τὸ πολὺ
στοχάζεσθαι τοῦ συμφέροντος· ἔπειτα τοὺς πρεπόντως καὶ δικαίως 2
ὁμιλοῦντας ἀεὶ τοῖς πλησιάζουσι καὶ τὰς μὲν τῶν ἄλλων ἀηδίας καὶ
βαρύτητας εὐκόλως καὶ ῥᾳδίως φέροντας, σφᾶς δ᾽ αὐτοὺς ὡς δυνα-
τὸν ἐλαφροτάτους καὶ μετριωτάτους τοῖς ξυνοῦσι παρέχοντας· ἔτι 3
15 δὲ τοὺς τῶν μὲν ἡδονῶν κρατοῦντας, τῶν δὲ συμφορῶν μὴ λίαν
ἡττωμένους, ἀλλ᾽ ἀνδρωδῶς ἐν αὐταῖς ἀναστρεφομένους καὶ τῆς
φύσεως ἀξίως ἧς μετέχοντες τυγχάνομεν· τέταρτον, | ὅπερ μέγιστόν 4 688
ἐστι, τοὺς μὴ διαφθειρομένους ὑπὸ τῶν εὐπραγιῶν μηδ᾽ ἐξισταμένους
αὐτῶν μηδὲ ὑπερηφάνους γινομένους, ἀλλ᾽ ἐμμένοντας τῇ τάξει τῶν
20 εὖ φρονούντων.« εἶτα ἐπιφέρει τὸν κολοφῶνα τοῦ λόγου· »τοὺς δὲ 5
μὴ μόνον πρὸς ἓν τούτων, ἀλλὰ πρὸς ἅπαντα ταῦτα τὴν ἕξιν τῆς
ψυχῆς εὐάρμοστοι ἔχοντας, τούτους φημὶ καὶ φρονίμους εἶναι καὶ
τελείους ἄνδρας καὶ πάσας ἔχειν τὰς ἀρετάς.« ὁρᾷς πῶς τὸν γνω- 6
στικὸν βίον καὶ Ἕλληνες, καίτοι μὴ εἰδότες ὡς ἐπίστασθαι χρή, ἐκ-
25 θειάζουσι; τίς δ᾽ ἔστιν ἡ γνῶσις, οὐδὲ ὄναρ ἴσασιν.

1 Kallimachos Epigr. 46, 4 aus Anth. Pal. XII 150 (II p. 94 Pfeiffer 1950)
3—6 Bakchylides Fr. 5·Snell   5f. Theodoret Gr. aff. c. I 78   7—23 Isokrates Panath.
30—32 p. 239 A—C; vgl. Stob. Flor. 1, 44; Corp. Paris. 552 Elter   25 vgl. S. 364, 24

1 ἢ παναχὲς Bentley ἢ παναχὴς L ηπανὲς (sic) Pal.   φάρμαχον ⟨ἁ⟩ aus Pal. φαρ-
μάχων L   3 δὲ sagt Cl, nicht Bakch.   5 ῥᾷστον] ῥᾷ ᾽στίν Bergk etwa ἀνυστὸν Wi
8 προθεὶς Sy προσθεὶς L   12 τοῖς ἀεὶ Is. Stob.   ἀηδείας L   14 ἐλαφροτέρους Cobet
S. 520 συνοῦσι Is. Stob.   15 δὲ < Is. (Cod. Γ) Stob.   κρατοῦντας] ἀεὶ κρατοῦντας Is.
Stob.   16 ἀναστρεφομένους] διακειμένους Is. Stob.   18 ἐστι < Is. Stob.   ἐξ⟨αν⟩ιστα-
μένους Cobet   19 αὐτῶν Is. HSS αὑτῶν L Stob.   μηδ᾽ Is.   ἐμμένοντας Is. Stob.
ἐπιμένοντας L   τῶν] τῇ τῶν Is. (Cod. Γ)   21 ἀλλὰ] ἀλλὰ καὶ Is. (Cod. Γ)   22 καὶ¹
< Stob.   23 τελέους Is. (Codd.) ΓΔ   25 δ᾽] γὰρ Wi

Εἰ τοίνυν λογικὸν ἡμῖν βρῶμα ἡ γνῶσις εἶναι συμπεφώνηται, 70, 1
›μακάριοι‹ τῷ ὄντι κατὰ τὴν γραφὴν ›οἱ πεινῶντες καὶ διψῶντες‹
τὴν ἀλήθειαν, ὅτι πλησθήσονται τροφῆς ἀιδίου. πάνυ θαυμαστῶς 2
ὁ ἐπὶ τῆς σκηνῆς φιλόσοφος Εὐριπίδης τοῖς προειρημένοις ἡμῖν συνῳ-
5 δὸς διὰ τούτων εὑρίσκεται, πατέρα καὶ υἱὸν ἅμα οὐκ οἶδ᾽ ὅπως
αἰνισσόμενος·

> σοὶ τῷ πάντων μεδέοντι χοὴν   3
> πέλανόν τε φέρω, Ζεὺς εἴτ᾽ Ἀίδης
> ὀνομαζόμενος στέργεις· σὺ δέ μοι
> 10 θυσίαν ἄπορον παγκαρπείας
> δέξαι πλήρη προχυτίαν.

ὁλοκάρπωμα γὰρ ὑπὲρ ἡμῶν ἄπορον θῦμα ὁ Χριστός. καὶ ὅτι τὸν 4
σωτῆρα αὐτὸν οὐκ εἰδὼς λέγει, σαφὲς ποιήσει ἐπάγων·

> σὺ γὰρ ἔν τε θεοῖς τοῖς οὐρανίδαις   5
> 15 σκῆπτρον τὸ Διὸς μεταχειρίζεις
> χθονίων τ᾽ Ἀίδῃ μετέχεις ἀρχῆς.

ἔπειτα ἄντικρυς λέγει·   6

> πέμψον δ᾽ ἐς φῶς ψυχὰς ἐνέρων
> τοῖς βουλομένοις ἄθλους προμαθεῖν
> 20 πόθεν ἔβλαστον, τίς ῥίζα κακῶν,
> τίνα δεῖ μακάρων ἐκθυσαμένους
> εὑρεῖν μόχθων ἀνάπαυλαν.

οὐκ ἀπεικότως ἄρα καὶ τῶν μυστηρίων τῶν παρ᾽ Ἕλλησιν ἄρχει | 7
μὲν τὰ καθάρσια, καθάπερ καὶ τοῖς βαρβάροις τὸ λουτρόν.   μετὰ 689 P 71, 1

---

1 vgl. S. 370, 20f.   2 Mt 5, 6   4 σκηνικὸς φιλόσοφος heißt Eur. z. B. Ath. IV
p. 158 E; XIII p. 561 A; Sext. Emp. Adv. Math. I 288; Orig. c. Cels. IV 77 p. 347, 11 K
— Stellensammlung bei Schmid I 3 (1940) S. 318 A 5 (Fr)   7—22 Euripides Fr. inc.
912   12 vgl. S. 370, 24f.

7 χοὴν] χλόην Bergk   7—9 vgl. Oxyrh. Pap. 1176 fr. 37 III 9—14; χλόην auch
dort   8 φέρω Grotius φέρων L   10 ἄπορον L   ἄπυρον Abresch, Animadv. ad Aeschy-
lum p. 256   ἄπυρον Eur., aber Cl. hat die S. 370, 23 zitierte Platostelle im Kopf und
schreibt 10 und 12 ἄπορον (Fr)   παγκαρπίας L   11 προχυθεῖσαν Valckenaer, Diatr.
in Eur. rell. p. 42ᶜ   12 ἄπορον L ἄπυρον Valck. p. 44ᵇ   15 μεταχειρίζεις Herwerden,
Exerc. crit. p. 67 μεταχειρίζων L   16 τ᾽ Sy δ᾽ L   ἀίδῃ L   18 δ᾽ἐς Nauck, Eurip.
Stud. II 151 Anm. u. Bull. de l'Acad. de St. Pétersbourg 17 (1872) p. 270; vgl.
Aesch. Pers. 630f.   μὲν L   ἐνέρων Nauck, Di ἀνέρων L   18f. πέμψον μὲν φῶς ψυχαῖς
ἀνέρων ταῖς βουλομέναις Grotius   19 προμαθεῖν Grotius προσμαθεῖν L   21 τίνι
Blaydes zu Soph. El. 572   δεῖ Grotius, Nauck δὴ L   ἐκθυσαμένους Valckenaer zu
Herod. 6, 91 ἐκθυσαμένοις L

ταῦτα δ' ἐστὶ τὰ μικρὰ μυστήρια διδασκαλίας τινὰ ὑπόθεσιν ἔχοντα
καὶ προπαρασκευῆς τῶν μελλόντων, τὰ δὲ μεγάλα περὶ τῶν συμπάν-
των, οὗ μανθάνειν ⟨οὐκ⟩έτι ὑπολείπεται, ἐποπτεύειν δὲ καὶ περινοεῖν
τήν τε φύσιν καὶ τὰ πράγματα. λάβοιμεν δ' ἂν τὸν μὲν καθαρτικὸν 2
5 τρόπον ὁμολογίᾳ, τὸν δὲ ἐποπτικὸν ἀναλύσει ἐπὶ τὴν πρώτην νόη-
σιν προχωροῦντες, δι' ἀναλύσεως ἐκ τῶν ὑποκειμένων αὐτῷ τὴν
ἀρχὴν ποιούμενοι, ἀφελόντες μὲν τοῦ σώματος τὰς φυσικὰς ποιότη-
τας, περιελόντες δὲ τὴν εἰς τὸ βάθος διάστασιν, εἶτα τὴν εἰς τὸ
πλάτος, καὶ ἐπὶ τούτοις τὴν εἰς τὸ μῆκος· τὸ γὰρ ὑπολειφθὲν σημ-
10 εῖόν ἐστι μονὰς ὡς εἰπεῖν θέσιν ἔχουσα, ἧς ἐὰν περιέλωμεν τὴν
θέσιν, νοεῖται μονάς. εἰ τοίνυν, ἀφελόντες πάντα ὅσα πρόσεστι τοῖς 3
σώμασιν καὶ τοῖς λεγομένοις ἀσωμάτοις, ἐπιρρίψαιμεν ἑαυτοὺς εἰς τὸ
μέγεθος τοῦ Χριστοῦ κἀκεῖθεν εἰς τὸ ἀχανὲς ἁγιότητι προΐοιμεν, τῇ
νοήσει τοῦ παντοκράτορος ἀμῇ γέ πῃ προσάγοιμεν ⟨ἄν⟩, οὐχ ὅ ἐστιν,
15 ὃ δὲ μή ἐστι γνωρίσαντες· σχῆμα δὲ καὶ κίνησιν ἢ στάσιν ἢ θρόνον 4
ἢ τόπον ἢ δεξιὰ ἢ ἀριστερὰ τοῦ τῶν ὅλων πατρὸς οὐδ' ὅλως ἐν-
νοητέον, καίτοι καὶ ταῦτα γέγραπται· ἀλλ' ὃ βούλεται δηλοῦν αὐτῶν
ἕκαστον, κατὰ τὸν οἰκεῖον ἐπιδειχθήσεται τόπον. οὔκουν ἐν τόπῳ 5
τὸ πρῶτον αἴτιον, ἀλλ' ὑπεράνω καὶ τόπου καὶ χρόνου καὶ ὀνόματος
20 καὶ νοήσεως. διὰ τοῦτο καὶ ὁ Μωυσῆς φησιν ⟩ἐμφάνισόν μοι σαυ-
τόν⟨, ἐναργέστατα αἰνισσόμενος μὴ εἶναι διδακτὸν πρὸς ἀνθρώπων
μηδὲ ῥητὸν τὸν θεόν, ἀλλ' ἢ μόνῃ τῇ παρ' αὐτοῦ δυνάμει γνωστόν.
ἡ μὲν γὰρ ζήτησις ἀειδὴς καὶ ἀόρατος, ἡ χάρις δὲ τῆς γνώσεως παρ'
αὐτοῦ διὰ τοῦ υἱοῦ. σαφέστατα δὲ ὁ Σολομῶν μαρτυρήσει ἡμῖν ὧδέ 72, 1
25 πως λέγων· ⟩φρόνησις ἀνθρώπου οὐκ ἔστιν ἐν ἐμοί, θεὸς δὲ δίδωσί
μοι σοφίαν· ἅγια δὲ ἐπίσταμαι.⟨ αὐτίκα τὴν φρόνησιν θείαν ἀλλη- 2
γορῶν ὁ Μωυσῆς | ⟩ξύλον | ζωῆς⟨ ὠνόμασεν ἐν τῷ παραδείσῳ πε- 690 P 2
φυτευμένον, ὃς δὴ παράδεισος καὶ κόσμος εἶναι δύναται, ἐν ᾧ πέφυ-

2—4 vgl. Plut. Vit. Alex. 7; Lobeck, Aglaoph. p. 141f. 4ff. vgl. Strom. VI 90, 4
4f. vgl. Bratke, Studien und Kritiken 60, 1887, S. 702 9—11 vgl. Arist. De anima
I 4 p. 409ᵃ 6 ἡ γὰρ στιγμή (= σημεῖον) μονάς ἐστιν θέσιν ἔχουσα. Anal. post. I 27
p. 87ᵃ 36 μονὰς οὐσία ἄθετος, στιγμὴ δὲ οὐσία θετός. Nicom. Geras. Introd. arithm.
II 3 p. 84, 8 Hoche ἔσται οὖν ἡ μὲν μονὰς σημείου τόπον ἐπέχουσα. vgl. auch S.
Emp. Adv. M. X 281 14f. vgl. Plot. V 3, 14, 6 λέγομεν ὃ μή ἐστιν, ὃ δέ ἐστιν,
οὐ λέγομεν (Fr) 18ff. vgl. Strom. II 6, 1 18—22 vgl. Strom. II 6, 1; V 78, 3; Philo
De post. Caini 14 (II p. 4) 20f. Exod 33, 13 21 ἐναργέστατα aus Philo a. a. O. 16
23 vgl. Philo a. a. O. 15 εἰς ἀειδῆ καὶ ἀόρατον ἔρχεται ζήτησιν (ἡ ψυχή). 23f. vgl.
Mt 11, 27; Lc 10, 22 25f. vgl. Prov 24, 25f. (30, 2f.) 27 vgl. Gen 2, 9

2 προπαρασκευῆ Sy 3 ⟨ἄν⟩ οὐ μανθ. ἔτι Schw ⟨οὐκ⟩έτι St 9f. σημεῖόν ἐστι
~ St ἐστι σημεῖον L 12 ἐπιρρίψαιμεν St ἐπιρρίψομεν (o corr. aus ω) L¹ 14 ⟨ἄν⟩
Heyse 15 θρόνον] χρόνον Mangey zu Philo I p. 228 (falsch) 17 δηλοῦν Sy δῆλον
L 18 ἐν τόπῳ ⟨ἢ χρόνῳ⟩ Mangey

κεν τὰ ἐκ δημιουργίας ἅπαντα. ἐν τούτῳ καὶ ὁ λόγος ἤνθησέν τε 3
καὶ ἐκαρποφόρησεν σὰρξ γενόμενος καὶ τοὺς γευσαμένους τῆς χρηστό-
τητος αὐτοῦ ἐζωοποίησεν, ἐπεὶ μηδὲ ἄνευ τοῦ ξύλου εἰς γνῶσιν ἡμῖν
ἀφῖκται· ἐκρεμάσθη γὰρ ἡ ζωὴ ἡμῶν εἰς πίστιν ἡμῶν. καὶ ὅ γε 4
5 Σολομὼν πάλιν φησίν· ›δένδρον ἀθανασίας ἐστὶ τοῖς ἀντεχομένοις
αὐτῆς.‹ διὰ τοῦτο λέγει· ›ἰδοὺ δίδωμι πρὸ προσώπου σου τὴν ζωὴν 5
καὶ τὸν θάνατον, τὸ ἀγαπᾶν κύριον τὸν θεὸν καὶ πορεύεσθαι ἐν
ταῖς ὁδοῖς αὐτοῦ καὶ τῆς φωνῆς αὐτοῦ ἀκούειν καὶ πιστεύειν τῇ
ζωῇ· ἐὰν δὲ παραβῆτε τὰ δικαιώματα καὶ τὰ κρίματα ἃ δέδωκα ὑμῖν,
10 ἀπωλείᾳ ἀπολεῖσθε· τοῦτο γὰρ ἡ ζωὴ καὶ ἡ μακρότης τῶν ἡμερῶν
σου, τὸ ἀγαπᾶν κύριον τὸν θεόν σου.‹ πάλιν· ›ὁ Ἀβραὰμ ἐλθὼν 78, 1
εἰς τὸν τόπον ὃν εἶπεν αὐτῷ ὁ θεὸς τῇ τρίτῃ ἡμέρᾳ ἀναβλέψας ὁρᾷ
τὸν τόπον μακρόθεν‹ πρώτη μὲν γὰρ ἡ δι᾽ ὄψεως τῶν καλῶν 2
ἡμέρα, δευτέρα δὲ ἡ ψυχῆς ⟨τῶν⟩ ἀρίστων ἐπιθυμία, τῇ τρίτῃ δὲ ὁ νοῦς
15 τὰ πνευματικὰ διορᾷ, διοιχθέντων τῶν τῆς διανοίας ὀμμάτων πρὸς τοῦ
τῇ τρίτῃ ἡμέρᾳ διαναστάντος διδασκάλου. εἶεν δ᾽ ἂν καὶ αἱ τρεῖς
ἡμέραι τῆς σφραγῖδος μυστήριον, δι᾽ ἧς ὁ τῷ ὄντι πιστεύεται θεός.
μακρόθεν οὖν ἀκολούθως ὁρᾷ τὸν τόπον· δυσάλωτος γὰρ ἡ χώρα 3
τοῦ θεοῦ, ὃν χώραν ἰδεῶν ὁ Πλάτων κέκληκεν, παρὰ Μωυσέως λα-
20 βὼν τόπον εἶναι αὐτόν, ὡς τῶν ἁπάντων καὶ τῶν ὅλων περι-
εκτικόν. ἀτὰρ εἰκότως πόρρωθεν ὁρᾶται τῷ Ἀβραὰμ διὰ τὸ ἐν γενέσει 4
εἶναι, καὶ δι᾽ ἀγγέλου προσεχῶς μυσταγωγεῖται. ἐντεῦθεν ὁ ἀπό- 74, 1
στολος ›βλέπομεν νῦν ὡς δι᾽ ἐσόπτρου‹ φησί, ›τότε δὲ πρόσωπον
πρὸς πρόσωπον‹, κατὰ μόνας ἐκείνας τὰς ἀκραιφνεῖς καὶ ἀσωμάτους
25 τῆς διανοίας ἐπιβολάς. ›δυνατὸν δὲ κἂν τῷ διαλέγεσθαι τὸ κατα- 2
μαντεύεσθαι τοῦ θεοῦ, ἐὰν ἐπιχειρῇ τις ἄνευ πασῶν τῶν αἰσθήσεων
διὰ τοῦ λόγου ἐπ᾽ αὐτὸ ὅ ἐστιν ἕκαστον ὁρμᾶν καὶ μὴ ἀποστατεῖν
τῶν ὄντων, πρὶν ⟨ἂν⟩, ἐπαναβαίνων ἐπὶ τὰ ὑπερκείμενα, αὐτὸ ὃ

* 2 vgl. Io 1, 14 2f. vgl. I Petr 2, 3 5f. Prov 3, 18 (vgl. St Clem. Alex. u. d.
LXX S. 30) 6—11 vgl. Deut 30, 15—20 11—13. 15. 18 vgl. Philo De post. Cain.
17f. (II p. 4), woher διοιχθέντων τῶν τῆς διανοίας ὀμμάτων u. δυσάλωτος. 11—
13 vgl. Gen 22, 3f. 13—15 vgl. Plato Phaedr. p. 250 Cff. 15 vgl. Eph 1, 18 18
vgl. Philo De somn. I 64—66 (III p. 218f.) 19 vgl. Strom. IV 155, 2 mit Anm. 20f.
S. 376, 5f. vgl. Philo a. a. O. 64 τὸ γὰρ περιεχόμενον διαφέρει τοῦ περιέχοντος, τὸ δὲ
θεῖον ὑπ᾽ οὐδενὸς περιεχόμενον ἀναγκαίως ἐστὶν αὐτὸ τόπος ἑαυτοῦ. 23f. I Cor 13, 12
25—S. 376, 2 vgl. Plato Rep. VII p. 532 AB οὕτω καὶ ὅταν τις τῷ διαλέγεσθαι ἐπι-
χειρῇ ἄνευ πασῶν τῶν αἰσθήσεων διὰ τοῦ λόγου ἐπ᾽ αὐτὸ ὅ ἐστιν ἕκαστον ὁρμᾶν (ὁρμᾷ
HSS) καὶ μὴ ἀποστῇ, πρὶν ἂν αὐτὸ ὅ ἐστιν ἀγαθὸν αὐτῇ νοήσει λάβῃ, ἐπ᾽ αὐτῷ γί-
γνεται τῷ τοῦ νοητοῦ τέλει.

14 ⟨τῶν⟩ ἀρίστων St ἀρίστης L ἡ ψυχῆς ⟨τῆς οὐσίας τῆς⟩ ἀρίστης ἐπιθυμία Fr,
vgl. Protr. 117, 1 Bd. I S. 82, 20 28 τῶν ὄντων ~ nach ὑπερκείμενα (vgl. aber
S. 381, 20) Bywater p. 214 ⟨ἂν⟩ Byw. aus Plato αὐτὸ Byw. aus Plato αὐτῶι L

ἐστιν ἀγαθὸν αὐτῇ νοήσει λάβῃ, ἐπ᾽ αὐτῷ γινόμενος τῷ τοῦ νοητοῦ
τέλει« κατὰ Πλάτωνα. πάλιν ὁ Μωυσῆς οὐκ ἐπιτρέπων βωμοὺς καὶ 3
τεμένη . ολλαχοῦ κατασκευάζεσθαι, ἵνα δ᾽ οὖν νεὼν ἱδρυσάμενος τοῦ
θεοῦ, μονογενῆ τε κόσμον, ὡς φησιν ὁ Βασιλείδης, καὶ τὸν ἕνα, ὡς
5 οὐκέτι τῷ Βασιλείδῃ δοκεῖ, κατήγγελλε θεόν. καὶ ὅτι οὐ περιλαμ- 4
βάνει τόπῳ τὸ ἀπερίληπτον ὁ γνωστικὸς Μωυσῆς, ἀφίδρυμα | οὐδὲν 691 P
ἀνέθηκεν εἰς τὸν νεὼν σεβάσμιον, ἀόρατον καὶ ἀπερίγραφον δηλῶν
εἶναι τὸν θεόν, προσάγων δὲ ἀμῇ γέ πῃ εἰς ἔννοιαν τοῦ θεοῦ τοὺς
Ἑβραίους διὰ τῆς τιμῆς τοῦ κατὰ τὸν νεὼν ὀνόματος. ἀλλὰ γοῦν 5
10 κωλύων ὁ λόγος τάς τε τῶν ἱερῶν κατασκευὰς καὶ τὰς θυσίας ἁπά-
σας τὸ μὴ ἕν τινι εἶναι τὸν παντοκράτορα αἰνίσσεται δι᾽ ὧν φησι·
»ποῖον οἶκον οἰκοδομήσετέ μοι; λέγει κύριος. ὁ οὐρανός μοι θρόνος«
καὶ τὰ ἑξῆς. περί τε τῶν θυσιῶν ὁμοίως· »αἷμα ταύρων καὶ στέαρ 6
ἀρνῶν οὐ βούλομαι«, καὶ ὅσα ἐπὶ τούτοις διὰ τοῦ προφήτου τὸ
15 πνεῦμα τὸ ἅγιον ἀπαγορεύει. παγκάλως τοίνυν καὶ ὁ Εὐριπίδης 75, 1
συνᾴδει τούτοις γράφων·

        ποῖος δ᾽ ἂν οἶκος τεκτόνων πλασθεὶς ὑπὸ
    •   δέμας τὸ θεῖον περιβάλοι τοίχων πτυχαῖς;

καὶ ἐπὶ των θυσιῶν ὡσαύτως λέγει·   2

20   δεῖται γὰρ ὁ θεός, εἴπερ ἐστ᾽ ὀρθῶς θεός,
        ⟨οὐδενός⟩· ἀοιδῶν οἵδε δύστηνοι λόγοι.

»οὐ γὰρ χρείας ἕνεκεν ὁ θεὸς πεποίηκεν τὸν κόσμον, ἵνα τιμὰς πρός 3
τε ἀνθρώπων καὶ πρὸς θεῶν τῶν ἄλλων καὶ δαιμόνων«, φησὶν ὁ
Πλάτων, »καρποῖτο, οἷον πρόσοδόν τινα ἀπὸ τῆς γενέσεως ἀρνύ-
25 μενος, παρὰ μὲν ἡμῶν καπνούς, παρὰ δὲ θεῶν καὶ δαιμόνων τὰς
οἰκείας λειτουργίας.« διδασκαλικώτατα ἄρα ὁ Παῦλος ἐν ταῖς Πρά-
ξεσι τῶν ἀποστόλων »ὁ θεὸς ὁ ποιήσας τὸν κόσμον« φησὶ »καὶ
πάντα τὰ ἐν αὐτῷ, οὗτος οὐρανοῦ καὶ γῆς κύριος ὑπάρχων οὐκ ἐν
χειροποιήτοις ναοῖς κατοικεῖ, οὐδὲ ὑπὸ χειρῶν ἀνθρωπίνων θερα-
30 πεύεται προσδεόμενός τινος, αὐτὸς διδοὺς πᾶσι πνοὴν καὶ ζωὴν καὶ

2—5 vgl. Hilgenfeld, Ketzergesch. S. 219   5f. vgl. zu S. 375, 20f.   12 Is 66, 1
13f. Is 1, 11   17f. Euripides Fr. [dub.] 1130   20f. Euripides Herc. fur. 1345f.; vgl.
Elter Gnom. hist. 29   22—26 woher?   vgl. Theodoret Gr. aff. c. IV 34; VII 48
27—S. 377, 1 Act 17, 24f.

4 τὸν ἕνα] τὸν ὄντα Harvey, Praef. zu Iren. I p. XCIII   11 τὸ Sy τῶι L   17
ὑπὸ L   18 πτύχαις L   20 ὀρθῶς (so auch Plut. Mor. p. 1052 E)] ὄντως Eur.   21
⟨οὐδενός⟩ aus Eur.   οἱ δὲ L   25 nach μὲν Ras. 3 Buchst.

τὰ πάντα.‹ λέγει δὲ καὶ Ζήνων ὁ τῆς Στωϊκῆς κτίστης αἱρέσεως 76, 1
ἐν τῷ τῆς πολιτείας βιβλίῳ μήτε ναοὺς δεῖν ποιεῖν μήτε ἀγάλματα·
μηδὲν γὰρ εἶναι τῶν θεῶν ἄξιον κατασκεύασμα, καὶ γράφειν οὐ δέ-
διεν αὐταῖς λέξεσι τάδε· ›ἱερά τε οἰκοδομεῖν οὐδὲν δεήσει· ἱερὸν γὰρ
5 μὴ πολλοῦ ἄξιον καὶ ἅγιον οὐδὲν χρὴ νομίζειν· οὐδὲν δὲ πολλοῦ
ἄξιον καὶ ἅγιον οἰκοδόμων ἔργον καὶ βαναύσων.‹ εἰκότως οὖν καὶ 2
Πλάτων, νεὼν τοῦ θεοῦ τὸν κόσμον εἰδώς, τοῖς πολίταις ἐναπέ-
δειξεν χωρίον τῆς πόλεως, | ἵνα ἔμελλεν ἀνακεῖσθαι αὐτοῖς τὰ 692 P
εἴδωλα, ἰδίᾳ δὲ ἀπεῖπεν μηδενὶ κεκτῆσθαι θεῶν ἀγάλματα. ›μη- 8
10 δεὶς οὖν ἑτέρως‹, φησίν, ›ἱερὰ καθιερούτω θεοῖς· χρυσὸς μὲν γὰρ
καὶ ἄργυρος ἐν ἄλλαις [τε] πόλεσιν ἰδίᾳ ⟨τε⟩ καὶ ἐν ἱεροῖς ἐστιν
ἐπίφθονον κτῆ·ια· ἐλέφας δὲ ἀπολελοιπότος ψυχὴν σώματος οὐκ
εὐαγὲς ἀνάθημα· σίδηρος δὲ καὶ χαλκὸς πολέμων ὄργανα· ξύλου δὲ
μονόξυλον, ὅ τι ἂν θέλῃ τις, ἀνατιθέτω, ὡσαύτως καὶ λίθου πρὸς
15 τὰ κοινὰ ἱερά.‹ εἰκότως οὖν ἐν τῇ μεγάλῃ ἐπιστολῇ ›ῥητὸν γὰρ‹ 77, 1
φησὶν ›οὐδαμῶς ἐστιν ὡς τὰ ἄλλα μαθήματα, ἀλλ᾽ (ἐκ) πολλῆς
ξυνουσίας γιγνομένης περὶ τὸ πρᾶγμα αὐτὸ καὶ τοῦ συζῆν ἐξαίφνης
οἷον ἀπὸ πυρὸς πηδήσαντος ἐξαφθὲν φῶς ἐν τῇ ψυχῇ γενόμενον
αὐτὸ ἑαυτὸ ἤδη τρέφει.‹ ἆρ᾽ οὐχ ὅμοια ταῦτα τοῖς ὑπὸ Σο|φονία 2 250 S
20 λεχθεῖσι τοῦ προφήτου; ›καὶ ἀνέλαβέν με πνεῦμα καὶ ἀνήνεγκέν με
εἰς οὐρανὸν πέμπτον καὶ ἐθεώρουν ἀγγέλους καλουμένους κυρίους,
καὶ τὸ διάδημα αὐτῶν ἐπικείμενον ἐν πνεύματι ἁγίῳ καὶ ἦν ἑκάστου
αὐτῶν ὁ θρόνος ἑπταπλασίων φωτὸς ἡλίου ἀνατέλλοντος, οἰκοῦντας
ἐν ναοῖς σωτηρίας καὶ ὑμνοῦντας θεὸν ἄρρητον ὕψιστον.‹
25 XII. ›Τὸν γὰρ πατέρα καὶ ποιητὴν τοῦδε τοῦ παντὸς εὑρεῖν τε 78, 1
ἔργον καὶ εὑρόντα εἰς πάντας ἐξειπεῖν ἀδύνατον. ῥητὸν γὰρ οὐδα-
μῶς ἐστιν ὡς τᾶλλα μαθήματα‹, ὁ φιλαλήθης λέγει Πλάτων. ἀκή- 2
κοεν γὰρ εὖ μάλα ὡς ὁ πάνσοφος Μωυσῆς εἰς τὸ ὄρος ἀνιὼν (διὰ
τὴν ἁγίαν θεωρίαν ἐπὶ τὴν κορυφὴν τῶν νοητῶν) ἀναγκαίως δια-
30 στέλλεται μὴ τὸν πάντα λαὸν συναναβαίνειν ἑαυτῷ· καὶ ὅταν λέγῃ 8

1–3. 9—15 Theodoret Gr. aff. c. III 74. 75   1—6 Zeno Fr. 164 Pearson, 264 Ar-
nim; vgl. Plut. Mor. p. 1034 B; Orig. c. Cels. I 5 p. 59, 4ff. K; vgl. auch Strom. VI
28, 2; 29, 3   9—15 Plato Leg. XII p. 955 E 956 A   15—19 [Plato] Epist. VII p. 341
CD 20—24 aus der Sophonias-Apokalypse; vgl. Harnack, Gesch. d. altchr. Lit. I
S. 854; II 1 S. 572f.; Ascensio Jes. ed. Dillmann Cap. VII   25—27 Theodoret Gr.
aff. c. II 42; IV 38; vgl. Protr. 68, 1; Strom. V 92, 3   25f. Plato Tim. p. 28 C   26f.
[Plato] Epist. VII p. 341 C   28—30 vgl. Exod 19, 12. 20

---

6 ἔργον Vi ἔργων L   οὖν Sy νῦν L   10 ἑτέρως; Ma ἕτερος L Theod. δευτέρως;
Plato καθιεροῦτο L   μὲν γὰρ] δὲ Plato   11 [τε]—⟨τε⟩ nach Plato   12 ἀπὸ λελοι-
πότος Plato Ausgg.   14 καὶ λίθου ὡσαύτως ~ Plato   16 ἀλλ᾽ ἐκ Plato ἀλλὰ L

ἡ γραφὴ »εἰσῆλθεν δὲ Μωυσῆς εἰς τὸν γνόφον οὗ ἦν ὁ θεός«, τοῦτο
δηλοῖ τοῖς συνιέναι δυναμένοις, ὡς ὁ θεὸς ἀόρατός ἐστι καὶ ἄρρητος,
γνόφος δὲ ὡς ἀληθῶς ἡ τῶν πολλῶν ἀπιστία τε καὶ ἄγνοια τῇ
αὐγῇ τῆς ἀληθείας ἐπίπροσθε φέρεται. Ὀρφεύς τε αὖ ὁ θεολόγος 4
5 ἐντεῦθεν ὠφελημένος εἰπών· |

εἷς ἔστ᾽, αὐτοτελής, ἑνὸς ἔκγονα πάντα τέτυκται 693

(ἢ »πέφυκεν«, γράφεται γὰρ καὶ οὕτως), ἐπιφέρει·

οὐδέ τις αὐτὸν
εἰσορᾷ θνητῶν, αὐτὸς δέ γε πάντας ὁρᾶται.

10 σαφέστερον δὲ ἐπιλέγει· 5

αὐτὸν δ᾽ οὐχ ὁρόω· περὶ γὰρ νέφος ἐστήρικται.
πᾶσι⟨ν⟩ γὰρ θνητοῖς θνηταὶ κόραι εἰσὶν ἐν ὄσσοις
μικραί, ἐπεὶ σάρκες τε καὶ ὀστέα [ἐμπεφυῖα] ἐμπεφύασιν.

μαρτυρήσει τοῖς εἰρημένοις ὁ ἀπόστολος, »οἶδα« λέγων »ἄνθρωπον 79, 1
15 ἐν Χριστῷ ἁρπαγέντα ἕως τρίτου οὐρανοῦ«, κἀκεῖθεν »εἰς τὸν παρά-
δεισον, ὃς ἤκουσεν ἄρρητα ῥήματα, ἃ οὐκ ἐξὸν ἀνθρώπῳ λαλῆσαι,«
τὸ ἄρρητον τοῦ θεοῦ οὕτως αἰνισσόμενος, οὐ νόμῳ καὶ φόβῳ πα-
ραγγελίας τινὸς τὸ »οὐκ ἐξὸν« προστιθείς, δυνάμει δὲ ἀνθρωπείᾳ
ἄφθεγκτον εἶναι τὸ θεῖον μηνύων, εἴ γε ὑπὲρ οὐρανὸν τὸν τρίτον
20 ἄρχεται λαλεῖσθαι, ὡς θέμις, τοῖς ἐκεῖ μυσταγωγοῦσιν τὰς ἐξειλεγμένας
ψυχάς. οἶσο γὰρ ἐγὼ καὶ παρὰ Πλάτωνι (τὰ γὰρ ἐκ τῆς βαρβάρου 2
φιλοσοφίας παραδείγματα πολλὰ ὄντα ὑπερτίθεταί μοι νῦν ἡ γραφή,
κατὰ τὰς πρώτας ὑποσχέσεις τὸν καιρὸν ἀναμένουσα) πολλοὺς οὐρα-
νοὺς νοουμένους. ἀπορήσας γοῦν ἐν τῷ Τιμαίῳ, εἰ χρὴ πλείονας 3
25 κόσμους ἢ τοῦτον ἕνα νομίζειν, ἀδιαφορεῖ περὶ τὰ ὀνόματα, συνω-
νύμως κόσμον τε καὶ οὐρανὸν ἀποκαλῶν· τὰ δὲ τῆς λέξεως ὧδε

---

1 Exod 20, 21   1—4 vgl. Strom. II 6, 1; V 71, 5; Philo De post. Caini 14
(II p. 4)   6—13 Orpheus Fr. 5, 9—11. 15—17 Abel; vgl. Elter Gnom. hist. 153—186
6—9 vgl. Protr. 74, 5   8—13 Theodoret Gr. aff. c. II 30   14—16 II Cor 12, 2. 4

4 ἐπιπροσθεῖ [φέρεται] Wi   6 αὐτογενής Protr.   12f. ἐν ὄσοι σμικραὶ L   13 ἐμ-
πεφύασιν Sy ἐμπεφυῖα ἐμ|πεφύασιν L   18 ἀνθρωπείᾳ (= ἀνῖαι) St (ἀνθρωπίνῃ Po)
ἀγίαι L   19 τὸν corr. aus τὸ L¹   20 μυσταγωγοῦσιν Schw μυσταγωγεῖν L   21 καὶ
Heyse τὰ L   22 ὑπερτίθεταί (vgl. Strom. VI 4, 2) St ὑποτίθεταί L   23 ἀναμένοντι Ma
25f. συνωνύμως Sy ἀνωνύμως· L

ἔχει· »πότερον οὖν ὀρθῶς ἕνα οὐρανὸν εἰρήκαμεν ἢ πολλοὺς καὶ 4
ἀπείρους ἦν λέγειν ὀρθότερον; ἕνα, εἴπερ κατὰ τὸ παράδειγμα ἔσται
δεδημιουργημένος.«

Ἀλλὰ κἂν τῇ πρὸς Κορινθίους Ῥωμαίων ἐπιστολῇ »ὠκεανὸς 80, 1
5 ἀπέραντος ἀνθρώποις« γέγραπται »καὶ οἱ μετ᾽ αὐτὸν κόσμοι«. ἀκο- 2
λούθως | τοίνυν πάλιν ἐπιφθέγγεται »ὢ βάθος πλούτου καὶ σοφίας 694 P
καὶ γνώσεως θεοῦ« ὁ γενναῖος ἀπόστολος. καὶ μή τι τοῦτ᾽ ἦν ὃ 3
ἠνίσσετο ὁ προφήτης, »ἐγκρυφίας« κελεύων ποιεῖν »ἀζύμους«, μηνύων
ὅτι τὸν ἱερὸν ὡς ἀληθῶς περὶ τοῦ ἀγενήτου καὶ τῶν δυνάμεων
10 αὐτοῦ μύστην λόγον ἐπικεκρύφθαι δεῖ. βεβαιῶν ταῦτα ἐν τῇ πρὸς 4
Κορινθίους ἐπιστολῇ ὁ ἀπόστολος ἀναφανδὸν εἴρηκεν· »σοφίαν δὲ
λαλοῦμεν ἐν τοῖς τελείοις, σοφίαν δὲ οὐ τοῦ αἰῶνος τούτου οὐδὲ
τῶν ἀρχόντων τοῦ αἰῶνος τούτου τῶν καταργουμένων· ἀλλὰ λαλοῦ-
μεν θεοῦ σοφίαν ἐν μυστηρίῳ, τὴν ἀποκεκρυμμένην.« καὶ πάλιν 5
15 ἀλλαχοῦ λέγει· »εἰς ἐπίγνωσιν τοῦ μυστηρίου τοῦ θεοῦ ἐν Χριστῷ,
ἐν ᾧ εἰσι πάντες οἱ θησαυροὶ τῆς σοφίας καὶ τῆς γνώσεως ἀπόκρυ-
φοι.« ἐπισφραγίζεται ταῦτα ὁ σωτὴρ ἡμῶν αὐτὸς ὧδέ πως λέγων· 6
»ὑμῖν δέδοται γνῶναι τὸ μυστήριον τῆς βασιλείας τῶν οὐρανῶν.«
καὶ πάλιν φησὶ τὸ εὐαγγέλιον, ὡς ὁ σωτὴρ ἡμῶν ἔλεγεν τοῖς ἀπο- 7
20 στόλοις τὸν λόγον ἐν μυστηρίῳ· καὶ γὰρ ἡ προφητεία περὶ αὐτοῦ
φησιν· »ἀνοίξει ἐν παραβολαῖς τὸ στόμα αὐτοῦ καὶ ἐξερεύξεται τὰ
ἀπὸ καταβολῆς κόσμου κεκρυμμένα.« ἤδη δὲ καὶ διὰ τῆς περὶ τὴν 8
ζύμην παραβολῆς τὴν ἐπίκρυψιν ὁ κύριος δηλοῖ· φησὶ γάρ· »ὁμοία
ἐστὶν ἡ βασιλεία τῶν οὐρανῶν ζύμῃ, ἣν λαβοῦσα γυνὴ ἐνέκρυψεν εἰς
25 ἀλεύρου σάτα τρία, ἕως οὗ ἐζυμώθη ὅλον.« ἤτοι γὰρ ἡ τριμερὴς 9
καθ᾽ ὑπακοὴν σῴζεται ψυχὴ διὰ τὴν ἐγκρυβεῖσαν αὐτῇ κατὰ τὴν
πίστιν πνευματικὴν δύναμιν, ἢ ὅτι ἡ ἰσχὺς τοῦ λόγου ἡ δοθεῖσα ἡμῖν,
σύντονος οὖσα καὶ δυνατή, πάντα τὸν καταδεξάμενον καὶ ἐντὸς ἑαυ-
τοῦ κτησάμενον αὐτὴν ἐπικεκρυμμένως τε καὶ ἀφανῶς πρὸς ἑαυτὴν

1—3 Plato Tim. p. 31 A; Theodoret Gr. aff. c. IV 49; vgl. Elter Coroll. Eus. 12
4f. I Clem ad. Cor. 20, 8 6f. Rom 11, 33 8 vgl. Gen 18, 6; Exod 12, 39 8—10 vgl.
Philo De sacr. Ab. et Caini 60 (I p. 226) γέγραπται γὰρ »ἐγκρυφίας ποιεῖν«, ὅτι
κεκρύφθαι δεῖ τὸν ἱερὸν περὶ τοῦ ἀγενήτου καὶ τῶν δυνάμεων αὐτοῦ μύστην λόγον.
11—14 I Cor 2, 6f. 15—17 Col 2, 2f. 18 Mt 13, 11; vgl. Mc 4, 11; Lc 8, 10 21f.
Mt 13, 35 (Ps 77, 2) 23—25 Mt 13, 33 (Lc 13, 20f.) 25—S. 380, 1 ἤτοι γὰρ—συνάγει
Ath fol. 82ᵛ 25f. zu τριμερὴς ψυχή vgl. z. B. Plut. Mor. p. 898 E

2 ὀρθώτερον L 9 ἀγεννήτου L 19 ὡς üb. d. Z. L¹ 26 διὰ Heyse κατὰ L
κατὰ τὴν ἐγκρυβεῖσαν auch Ath 28 σύντονος Sy σύντομος L auch Ath

ἕλκει καὶ τὸ πᾶν αὐτοῦ σύστημα εἰς ἑνότητα συνάγει. σοφώτατα 81, 1
τοίνυν γέγραπται τῷ Σόλωνι ταῦτα περὶ θεοῦ·

γνωμοσύνης δ᾽ ἀφανὲς χαλεπώτατόν ἐστι νοῆσαι
μέτρον, ὃ δὴ πάντων πείρατα μοῦνον ἔχει.

5 τὸ γὰρ τοι θεῖον,   2
ὁ Ἀκραγαντῖνός φησι ποιητής,

οὐκ ἔστι⟨ν⟩ πελάσασθαι ἐν ὀφθαλμοῖσιν ἐφικτὸν
ἡμετέροις ἢ χερσὶ λαβεῖν, ᾗπέρ τε μεγίστη
πειθοῦς ἀνθρώποισιν ἁμαξιτὸς εἰς φρένα πίπτει. |

10 καὶ Ἰωάννης ὁ ἀπόστολος· »θεὸν οὐδεὶς ἑώρακεν πώποτε· ὁ μονο- 695 P
γενὴς θεός, ὁ ὢν εἰς τὸν κόλπον τοῦ πατρός, ἐκεῖνος ἐξηγήσατο‹,
τὸ   ἀόρατον καὶ ἄρρητον κόλπον ὀνομάσας θεοῦ· βυθὸν ⟨δ᾽⟩
αὐτὸν κεκλήκασιν ἐντεῦθεν τινὲς ὡς ἂν περιειληφότα καὶ ἐγκολπι-
σάμενον τὰ πάντα ἀνέφικτόν τε καὶ ἀπέραντον. ναὶ μὴν ὁ δυσμετα- 4
15 χειριστότατος περὶ θεοῦ λόγος οὗτός ἐστιν. ἐπεὶ γὰρ ἀρχὴ παντὸς |
πράγματος δυσεύρετος, πάντως που ἡ πρώτη καὶ πρεσβυτάτη ἀρχὴ 251 S
δύσδεικτος, ἥτις καὶ τοῖς ἄλλοις ἅπασιν αἰτία τοῦ γενέσθαι καὶ γενο-
μένους εἶναι. πῶς γὰρ ἂν εἴη ῥητὸν ὃ μήτε γένος ἐστὶ μήτε δια- 5
φορὰ μήτε εἶδος μήτε ἄτομον μήτε ἀριθμός, ἀλλὰ μηδὲ συμβεβηκός
20 τι μηδὲ ᾧ συμβέβηκέν τι. οὐκ ἂν δὲ ὅλον εἴποι τις αὐτὸν ὀρθῶς·
ἐπὶ μεγέθει γὰρ τάττεται τὸ ὅλον καὶ ἔστι τῶν ὅλων πατήρ. οὐδὲ 6
μὴν μέρη τινὰ αὐτοῦ λεκτέον· ἀδιαίρετον γὰρ τὸ ἕν, διὰ τοῦτο δὲ
καὶ ἄπειρον, οὐ κατὰ τὸ ἀδιεξίτητον νοούμενον, ἀλλὰ κατὰ τὸ ἀδιά-
στατον καὶ μὴ ἔχον πέρας, καὶ τοίνυν ἀσχημάτιστον καὶ ἀνωνόμα- 82, 1
25 στον. κἂν ὀνομάζωμεν αὐτό ποτε, οὐ κυρίως καλοῦντες ἤτοι ἓν ἢ
τἀγαθὸν ἢ νοῦν ἢ αὐτὸ τὸ ὂν ἢ πατέρα ἢ θεὸν ἢ δημιουργὸν ἢ
κύριον, οὐχ ὡς ὄνομα αὐτοῦ προφερόμενοι λέγομεν, ὑπὸ δὲ ἀπορίας
ὀνόμασι καλοῖς προσχρώμεθα, ἵν᾽ ἔχῃ ἡ διάνοια, μὴ περὶ ἄλλα πλα-

*   1–9 Theodoret Gr. aff. c. I 73. 74   3f. Solon Fr. 16 Diehl (Anth. lyr. I³ p. 37)
7–9 Empedokles Fr. 133 Diels   10f. Io 1, 18   12–14 τὸ ἀόρατον—ἀπερινόητον (für
ἀπέραντον) Ath fol. 148ᵛ   13f. vgl. Strom. II 5, 4; Philo De conf. ling. 137 (II
p. 255) ἐγκεκόλπισται τὰ ὅλα.   18–20 zu den aristotel. Begriffsklassen vgl. Zeller,
Phil. d. Gr. II 2³ S. 204ff.; 212⁵; Albinus in C. F. Hermanns Plato VI p. 165, 4–8;
s. Nachträge   20 Philo De post. Caini 3 (II p. 1) ὁ θεὸς ὅλον, οὐ μέρος

1 σύστημα Vi σύστεμα L   7 πελάσασθαι ἐν] πελάσαι δ᾽ oder πελάσασθαι (δ᾽
oder οὐδ᾽) Theodor. 8 ᾗπερ Karsten ἤπερ L Theodor. τε] γε Sturz   12 τὸ ἀορ.
Ath τὸ δ᾽ ἀόρ. L   βυθὸν Segaar zu QDS p. 328 βαθὺν L und Ath   ⟨δ᾽⟩ Ma < L
u. Ath   19 μηδὲ Ma μήτε L   23 ἀδιεξίτητον Sy ἀδιεξήτητον L

νωμένη, ἐπερείδεσθαι τούτοις, οὐ γὰρ τὸ καθ᾽ ἕκαστον μηνυτικὸν 2
τοῦ θεοῦ, ἀλλὰ ἀθρόως ἅπαντα ἐνδεικτικὰ τῆς τοῦ παντοκράτορος
δυνάμεως· τὰ γὰρ λεγόμενα ἢ ἐκ τῶν προσόντων αὐτοῖς ῥητά ἐστιν
ἢ ἐκ τῆς πρὸς ἄλληλα σχέσεως, οὐδὲν δὲ τούτων λαβεῖν οἷόν τε
5 περὶ τοῦ θεοῦ. ἀλλ᾽ οὐδὲ ἐπιστήμη λαμβάνεται τῇ | ἀποδεικτικῇ· 3 696 P
αὕτη γὰρ ἐκ προτέρων καὶ γνωριμωτέρων συνίσταται, τοῦ δὲ ἀγεν-
νήτου οὐδὲν προϋπάρχει. λείπεται δὴ θεία χάριτι καὶ μόνῳ τῷ παρ᾽ 4
αὐτοῦ λόγῳ τὸ ἄγνωστον νοεῖν, καθὸ καὶ ὁ Λουκᾶς ἐν ταῖς Πράξεσι
τῶν ἀποστόλων ἀπομνημονεύει τὸν Παῦλον λέγοντα· ›ἄνδρες Ἀθη-
10 ναῖοι, κατὰ πάντα ὡς δεισιδαιμονεστέρους ὑμᾶς θεωρῶ. περιερχό-
μενος γὰρ καὶ ἀναθεωρῶν τὰ σεβάσματα ὑμῶν εὗρον καὶ βωμὸν ἐν
ᾧ ἐπεγέγραπτο· ›ἀγνώστῳ θεῷ.‹ ὃν οὖν ἀγνοοῦντες εὐσεβεῖτε, τοῦ-
τον ἐγὼ καταγγέλλω ὑμῖν.‹

XIII. Πᾶν τοίνυν, ὃ ὑπὸ ὄνομα πίπτει, γεννητόν ἐστιν, ἐάν τε 83, 1
15 βούλωνται ἐάν τε μή. εἶτ᾽ οὖν ὁ πατὴρ αὐτὸς ἕλκει πρὸς αὐτὸν
πάντα τὸν καθαρῶς βεβιωκότα καὶ εἰς ἔννοιαν τῆς μακαρίας καὶ
ἀφθάρτου φύσεως κεχωρηκότα, εἴτε τὸ ἐν ἡμῖν αὐτεξούσιον εἰς γνῶ-
σιν ἀφικόμενον τἀγαθοῦ σκιρτᾷ τε καὶ πηδᾷ ὑπὲρ τὰ ἐσκαμμένα, ᾗ
φασιν οἱ γυμνασταί, πλὴν οὐ χάριτος ἄνευ τῆς ἐξαιρέτου πτεροῦταί
20 τε καὶ ἀνίσταται καὶ ἄνω τῶν ὑπερκειμένων αἴρεται ἡ ψυχή, πᾶν
τὸ βρῖθον ἀποτιθεμένη καὶ ἀποδιδοῦσα τῷ συγγενεῖ. λέγει δὲ καὶ ὁ 2
Πλάτων ἐν τῷ Μένωνι θεόσδοτον τὴν ἀρετήν, ὡς δηλοῦσιν αἱ λέξεις
αἵδε· ›᾽κ μὲν τοίνυν τούτου τοῦ λογισμοῦ, ὦ Μένων, θείᾳ ἡμῖν
φαίνεται μοῖρα παραγινομένη ἡ ἀρετὴ οἷς παραγίνεται.‹ ἆρ᾽ οὐ 3
25 δοκεῖ σοι τὴν ⟨οὐκ⟩ εἰς πάντας ἥκουσαν γνωστικὴν ἕξιν θείαν μοῖραν
ᾐνίχθαι; σαφέστερον δὲ ἐπιφέρει ·›εἰ δὲ νῦν ἡμεῖς ἐν παντὶ τῷ λόγῳ 4
τούτῳ καλῶς ἐζητήσαμεν, ἀρετὴ ἂν εἴη οὔτε φύσει οὔτε διδακτόν,
ἀλλὰ θείᾳ μοίρᾳ παραγινόμενον, [οὐκ] ἄνευ νοῦ, οἷς ἂν παραγίνηται.‹
θεόσδοτος τοίνυν ἡ σοφία, δύναμις οὖσα τοῦ πατρός, προτρέπει μὲν 5
30 ἡμῶν τὸ αὐτεξούσιον, ἀποδέχεται δὲ τὴν πίστιν καὶ ἀμείβεται τὴν
ἐπίστασιν τῆς ἐκλογῆς | ἄκρᾳ κοινωνίᾳ. καὶ δὴ αὐτόν σοι Πλάτωνα 697 P 84, 1
παραστήσω ἄντικρυς ἤδη θεοῦ παισὶ πιστεύειν ἀξιοῦντα· περὶ γὰρ

---

* 5 f. vgl. Aristot. Anal. post. I 2 p. 71ᵇ 20 ff. ἀνάγκη καὶ τὴν ἀποδεικτικὴν ἐπι-
στήμην ἐξ ἀληθῶν τ᾽ εἶναι καὶ ... γνωριμωτέρων καὶ προτέρων.   9—13 Act 17, 22 f.
15 f. vgl. Io 6, 44   18 vgl. Zenob. VI 23   19. 21 vgl. Plato Phaedr. p. 246 C;
255 CD (πτεροῦται); 247 B (βρῖθον)   23 f. Plato Menon p. 100 B   26—28 Plato
Menon p. 99 E   32 f. vgl. Plato Tim. p. 40 D τὰ περὶ θεῶν ὁρατῶν καὶ γενητῶν
εἰρημένα φύσεως ἐχέτω τέλος.

25 ⟨οὐκ⟩ εἰς πάντας Po· εἰς σπανίους Heyse   28 παραγιγνομένη Plato [οὐκ]
< Plato

θεῶν ὁρατῶν τε καὶ γενητῶν ποιησάμενος τὸν λόγον ἐν τῷ Τιμαίῳ
»περὶ δὲ τῶν ἄλλων δαιμόνων εἰπεῖν καὶ γνῶναι τὴν γένεσιν« φησὶ
»μεῖζον ἢ καϑ' ἡμᾶς, πειστέον δὲ τοῖς εἰρηκόσιν ἔμπροσϑεν, ἐκγόνοι ς
μὲν ϑεῶν οὖσιν, ὡς ἔφασαν, σαφῶς δέ πως τοὺς ἑαυτῶν προγόνους
5 εἰδότων. ἀδύνατον οὖν ϑεῶν παισὶν ἀπιστεῖν, καίπερ ἄνευ εἰκότων
καὶ ἀναγκαίων ἀποδείξεων λέγουσιν.« οὐκ οἶμαι δύνασϑαι σαφέστε- 2
ρον ὑπὸ Ἑλλήνων προσμαρτυρήσεσϑαι τὸν σωτῆρα ἡμῶν καὶ τοὺς
εἰς προφητείαν κεχρισμένους, τοὺς μὲν παῖδας ϑεοῦ ἀνηγορευμένους,
τὸν δὲ κύριον υἱὸν ὄντα γνήσιον, ἀληϑεῖς εἶναι περὶ τῶν ϑείων
10 μάρτυρας· διὸ καὶ δεῖν πιστεύειν αὐτοῖς ἐνϑέοις οὖσι προσέϑηκε.
κἂν τραγικώτερον εἴπῃ τις μὴ πιστεύειν· 8

οὐ γάρ τί μοι Ζεὺς ἦν ὁ κηρύξας τάδε,

ἀλλ' ἴστω αὐτὸν τὸν ϑεὸν διὰ τοῦ υἱοῦ τὰς γραφὰς κηρύξαντα.
πιστὸς δὲ ὁ τὰ οἰκεῖα καταγγέλλων, ἐπεὶ »μηδεὶς« φησὶν ὁ κύριος
15 »τὸν πατέρα ἔγνω, εἰ μὴ ὁ υἱὸς καὶ ᾧ ἂν ὁ υἱὸς ἀποκαλύψῃ«. πιστευ- 85,
τέον ἄρα τούτῳ καὶ κατὰ Πλάτωνα, κἂν »ἄνευ γε εἰκότων καὶ ἀναγ-
καίων ἀποδείξεων« διά τε τῆς παλαιᾶς διά τε τῆς νέας διαϑήκης
κηρύσσηται καὶ λέγηται. »ἐὰν γὰρ μὴ πιστεύσητε,« φησὶν ὁ κύριος,
»ἀποϑανεῖσϑε ἐν ταῖς ἁμαρτίαις ὑμῶν·« ἔμπαλιν δέ· »ὁ πιστεύων
20 ἔχει ζωὴν αἰώνιον.« »μακάριοι ἄρα πάντες οἱ πεποιϑότες ἐπ' αὐτῷ.«
πλεῖόν ἐστι τῆς πίστεως τὸ πεποιϑέναι· ὅταν γὰρ ἐπίστηταί τις ὅτι 2
ὁ υἱός ἐστι τοῦ ϑεοῦ ὁ διδάσκαλος ἡμῶν, πέποιϑεν ἀληϑῆ εἶναι τὴν
διδασκαλίαν αὐτοῦ. ὡς δὲ »ἡ μάϑησις« κατ' Ἐμπεδοκλέα »τὰς φρέ- 3
νας αὔξει«, οὕτως ἡ εἰς τὸν κύριον πεποίϑησις αὔξει τὴν πίστιν.
25 τῶν αὐτῶν γοῦν φαμεν εἶναι φιλοσοφίαν μὲν ψέγειν, πίστεως δὲ 4
καταιρέχειν ἀδικίαν τε ἐπαινεῖν καὶ τὸν κατ' ἐπιϑυμίαν βίον εὐδαι-
μονίζειν.

*   2–6. 16f. Plato Tim. p. 40 DE   12 Soph. Antig. 450; vgl. Strom. IV 48, 2
14 vgl. Plato Tim. p. 40 E (nach dem von Clemens Zitierten) ἀλλ' ὡς οἰκεῖα φάσκουσιν
ἀπαγγέλλειν.   14f. Mt 11, 27 (Lc 10, 22)   18f. Io 8, 24   19f. Io 3, 15. 16. 36; 5, 24
20 Ps 2, 12   23f. vgl. Empedokles Fr. 17, 14 Diels⁶ I 316, 8 (vgl. Simpl. Phys.
p. 158,13 Diels; Stob. Ecl. II 31, 6 p. 201, 9 Wachsm.)

1 ὁρατῶν Plato ἀοράτων L   3 πιστέον L   4 πως] που Plato   4f. ἑαυτῶν—εἰδό-
των (so auch Athenag. Lib. pro Christ. 23 p. 29, 27 Schw.; Theod. Gr. aff. c. I 59;
III 34 HSS aus Eus. Pr. Ev. II 7, 1; XIII 1, 1; 14, 5)] γε αὐτῶν—εἰδόσιν Plato
6 ἀναγκαίων (ἂν corr. aus ἄνευ) L¹   10 ⟨τὸ⟩ δεῖν Mü   16 τούτῳ Schw τοῦτο L
23f. μάϑησις γὰρ φρένας αὔξει Stob. μαϑη (μέϑη HSS) γάρ τοι φρ. ἀ. Simpl.

Ἤδη δὲ ἡ πίστις εἰ καὶ ἑκούσιος τῆς ψυχῆς συγκατάθεσις, ἀλλὰ 86, 1
ἐργάτις ἀγαθῶν καὶ δικαιοπραγίας θεμέλιος. κἂν ὁ Ἀριστοτέλης 2
τεχνολογῇ, τὸ μὲν ποιεῖν καὶ ἐπὶ τῶν ἀλόγων ζῴων τάσσεσθαι καὶ
ἐπὶ ἀψύχων διδάσκων, τὸ δὲ πράττειν | ἀνθρώπων εἶναι μόνων, 698 P
5 εὐθυνέτω τοὺς λέγοντας ποιητὴν τὸν τῶν ὅλων θεόν. τὸ δὲ πρακτὸν
ἢ ὡς ἀγαθὸν ἢ ὡς ἀναγκαῖον φησι. τὸ τοίνυν ἀδικεῖν ἀγαθὸν οὐκ
ἔστιν (οὐδεὶς γὰρ εἰ μὴ | διά τι ἕτερον ἀδικεῖ), τῶν δὲ ἀναγκαίων 252 S
οὐδὲν ἑκούσιον· τὸ τοίνυν ἀδικεῖν ἑκούσιον, ὥστε οὐδὲ ἀναγκαῖον.
τῶν δὲ φαύλων οἱ σπουδαῖοι μάλιστα ταῖς τε αἱρέσεσι καὶ ταῖς 3
10 ἀστείαις ἐπιθυμίαις διαφέρουσιν. πᾶσα γὰρ μοχθηρία ψυχῆς μετὰ
ἀκρασίας ἐστίν, καὶ ὁ διὰ πάθος πράττων δι᾽ ἀκρασίαν πράττει καὶ
μοχθηρίαν. ἔπεισιν οὖν μοι παρ᾽ ἕκαστα θαυμάζειν τὴν θείαν ἐκεί- 4
νην φωνήν· ›ἀμὴν ἀμήν, λέγω ὑμῖν· ὁ μὴ εἰσερχόμενος διὰ τῆς
θύρας εἰς τὴν αὐλὴν τῶν προβάτων, ἀλλὰ ἀναβαίνων ἀλλαχόθεν,
15 ἐκεῖνος κλέπτης ἐστὶ καὶ λῃστής· ὁ δὲ εἰσερχόμενος διὰ τῆς θύρας
ποιμήν ἐστι τῶν προβάτων· τούτῳ ὁ θυρωρὸς ἀνοίγει.‹ εἶτα ἐπεξη-
γούμενος ὁ κύριος λέγει· ›ἐγώ εἰμι ἡ θύρα τῶν προβάτων.‹ δεῖ 87, 1
τοίνυν διὰ Χριστοῦ τὴν ἀλήθειαν μεμαθηκότας σῴζεσθαι, κἂν φιλο-
σοφήσαντες τὴν Ἑλληνικὴν φιλοσοφίαν τύχωσιν· νῦν γὰρ ἐδείχθη
20 ἐναργῶς, ›ὃ ἑτέραις γενεαῖς οὐκ ἐγνωρίσθη τοῖς υἱοῖς τῶν ἀνθρώ-
πων, νῦν ἀπεκαλύφθη·‹ θεοῦ μὲν γὰρ ἔμφασις ἑνὸς ἦν τοῦ παντο- 2
κράτορος παρὰ πᾶσι τοῖς εὖ φρονοῦσι πάντοτε φυσική, καὶ τῆς
ἀιδίου κατὰ τὴν θείαν πρόνοιαν εὐεργεσίας ἀντελαμβάνοντο οἱ πλεῖ-
στοι, οἱ καὶ μὴ τέλεον ἀπηρυθριακότες πρὸς τὴν ἀλήθειαν. καθόλου 3
25 γοῦν τὴν περὶ τοῦ θείου ἔννοιαν Ξενοκράτης ὁ Καλχηδόνιος οὐκ
ἀπελπίζει καὶ ἐν τοῖς ἀλόγοις ζῴοις, Δημόκριτος δέ, κἂν μὴ θέλῃ,
ὁμολογήσει διὰ τὴν ἀκολουθίαν τῶν δογμάτων· τὰ γὰρ αὐτὰ πε-
ποίηκεν εἴδωλα τοῖς ἀνθρώποις προσπίπτοντα καὶ τοῖς ἀλόγοις
ζῴοις ἀπὸ τῆς θείας οὐσίας. πολλοῦ γε δεῖ ἄμοιρον εἶναι θείας 4

* 1 vgl. S. 327, 24 f. 2—4 vgl. Aristot. Eth. Eud. 2, 6 p. 1222ᵇ 20; 2, 8 p. 1224ᵃ 28;
Eth. Nic. 6, 4 p. 1140ᵃ 1 [vgl. auch 6, 2 p. 1139ᵃ 20 (Fr)] 5 vgl. Plato Tim. p. 28 C
ποιητὴν καὶ πατέρα τοῦδε τοῦ παντός. 5 f. vgl. Aristot. De rep. VII 14 p. 1333ᵃ 32
τῶν πρακτῶν τὰ μὲν [εἰς τὰ] ἀναγκαῖα καὶ χρήσιμα, τὰ δὲ [εἰς τὰ] καλά.. 9 f. vgl.
Aristot. Eth. Nic. 10, 5 p. 1175ᵇ 26 καθ᾽ ἑκάστην ἐνέργειαν οἰκεία ἡδονή ἐστιν· ἡ
μὲν οὖν τῇ σπουδαίᾳ οἰκεία ἐπιεικής, ἡ δὲ τῇ φαύλῃ μοχθηρά. 13—17 Io 10, 1—3. 7
20 f. Eph 3, 5 24—26 Xenokrates Fr. 21 Heinze 26—29 Demokrit Test. 79 Diels⁶
II S. 104, 13—17

5 τὸν τῶν ὅλων L τῶν ὅλων τὸν St 21 ὡς νῦν Eph 24 οἱ καί] οἵ γε Mü οἱ
κἂν Klst 25 Καλχηδόνιος (vgl. Protr. 66, 2)] καρχηδόνιος L 27 ὁμολογήσει Sy
ὁμολογήσῃ L

ἐννοίας τὸν ἄνθρωπον, ὅς γε καὶ τοῦ ἐμφυσήματος ἐν τῇ γενέσει
μεταλαβεῖν ἀναγέγραπται, καθαρωτέρας οὐσίας παρὰ τὰ ἄλλα ζῷα
μετασχών. ἐντεῦθεν οἱ ἀμφὶ τὸν Πυθαγόραν θείᾳ μοίρᾳ τὸν νοῦν 88, 1
εἰς ἀνθρώπους ἥκειν φασί, καθάπερ Πλάτων καὶ Ἀριστοτέλης ὁμο-
5 λογοῦσιν. ἀλλ' ἡμεῖς μὲν τῷ πεπιστευκότι προσεπιπνεῖσθαι τὸ ἅγιον 2
πνεῦμά φαμεν, οἱ δὲ ἀμφὶ τὸν Πλάτωνα νοῦν μὲν ἐν ψυχῇ θείας
μοίρας ἀπόρροιαν ὑπάρχοντα, ψυχὴν δὲ ἐν σώματι κατοικίζουσιν·
ἀναφανδὸν γὰρ διὰ Ἰωὴλ ἑνὸς τῶν δώδεκα προφητῶν εἴρηται· ›καὶ 3
ἔσται μετὰ ταῦτα, ἐκχεῶ ἀπὸ τοῦ πνεύματός μου ἐπὶ | πᾶσαν σάρκα, 699
10 καὶ οἱ υἱοὶ ὑμῶν καὶ αἱ θυγατέρες ὑμῶν προφητεύσουσιν.‹ ἀλλ' οὐχ
ὡς μέρος θεοῦ ἐν ἑκάστῳ ἡμῶν τὸ πνεῦμα. ὅπως δὲ ἡ διανομὴ 4
αὕτη καὶ ὅ τί ποτέ ἐστι τὸ ἅγιον πνεῦμα, ἐν τοῖς Περὶ προφητείας
κἀν τοῖς Περὶ ψυχῆς ἐπιδειχθήσεται ἡμῖν. ἀλλὰ τὰ μὲν τῆς γνώ- 5
σεως βάθη ›κρύπτειν ἀπιστίη ἀγαθή‹ καθ' Ἡράκλειτον, ›ἀπιστίη
15 γὰρ διαφυγγάνει μὴ γιγνώσκεσθαι.‹ XIV. τὰ δ' ἑξῆς ⟨προσ⟩αποδοτέον 89, 1
καὶ τὴν ἐκ τῆς βαρβάρου φιλοσοφίας Ἑλληνικὴν κλοπὴν σαφέστερον
ἤδη παραστατέον.

Φασὶ γὰρ σῶμα εἶναι τὸν θεὸν οἱ Στωϊκοὶ καὶ πνεῦμα κατ' 2
οὐσίαν, ὥσπερ ἀμέλει καὶ τὴν ψυχήν. πάντα ταῦτα ἄντικρυς εὑρή-
20 σεις ἐν ταῖς γραφαῖς. μὴ γάρ μοι τὰς ἀλληγορίας αὐτῶν ἐννοήσῃς
τὰ νῦν ὡς ἡ γνωστικὴ παραδίδωσιν ἀλήθεια, εἰ ἄλλο τι δεικνύουσαι,
καθάπερ οἱ σοφοὶ παλαισταί, ἄλλο μηνύουσιν. ἀλλ' οἱ μὲν διήκειν 3

1f. vgl. Gen 2, 7　3—5 Theodoret Gr. aff. c. V 28　3f. vgl. Zeller, Phil. d. Gr. I⁵
S. 416　vgl. vielleicht S. 381, 28　4f. vgl. vielleicht Aristot. Eth. Nic. 10, 10 p. 1179ᵇ
20 γίνεσθαι δ' ἀγαθοὺς οἴονται οἱ μὲν φύσει, οἱ δὲ ἔθει, οἱ δὲ διδαχῇ. τὸ μὲν οὖν τῆς
φύσεως δῆλον ὡς οὐκ ἐφ' ἡμῖν ὑπάρχει, ἀλλὰ διά τινας θείας αἰτίας τοῖς ὡς ἀληθῶς
εὐτυχέσιν ὑπάρχει.　6f. vgl. Plato Tim. p. 30 B　8—10 Ioel 2, 28　12f. vgl Strom.
I 158, 1 mit Anm.　13 vgl. Strom. II 113, 2 mit Anm.　13—15 vgl. auch Gomperz,
Wien. Sitzungsber. 113 (1886) S. 1000 u. 1029f. Anm.　14f. Heraklit Fr. 86
Diels⁶ I S. 170, 6; vgl. Plut. Vit. Coriol. 38 ἀλλὰ τῶν μὲν θείων τὰ πολλὰ καθ'
Ἡράκλειτον ἀπιστίη διαφυγγάνει μὴ γινώσκεσθαι.　15—S. 389, 14 τὰ δ' ἑξῆς—χρόνον
Euseb. Praep. Ev. XIII 13, 1—17　18f. 22f. Chrysipp Fr. phys. 1035 Arnim; vgl.
Protr. 66, 3 mit Anm.; Strom. I 51, 1　21f. vgl. Strom. IV 4, 1 (S. 249, 22f.) (Fr)

---

1 τοῦ ⟨θείου⟩ Sy　13f. »Lautete der Spruch etwa: τοῦ λόγου τὰ πολλὰ κρύπτειν
κρύψις ἀγαθή?« Diels　14 ἀπιστίῃ ἀγαθῇ (die Punkte über den beiden ι von L³)
L ὅτι γνώσεως βάθη κρύπτειν ἀπιστίη ἀγαθή καθ' ἡράκλειτον am Rand L³ ἀπιστίη
(Subj. bei Clem. ist τὰ τῆς γνώσεως βάθη) aus Plut. ἀπιστίη L　16 τὰ—προσ-
αποδοτέον Eus. τὸ—αποδοτέον L　18 γάρ] γοῦν Mü

διὰ πάσης τῆς οὐσίας τὸν θεόν φασιν, ἡμεῖς δὲ ποιητὴν μόνον αὐτὸν
καλοῦμεν καὶ λόγῳ ποιητήν. παρήγαγεν δὲ αὐτοὺς τὸ ἐν τῇ Σοφίᾳ 4
εἰρημένον ›διήκει δὲ καὶ χωρεῖ διὰ πάντων διὰ τὴν καθαριότητα‹,
ἐπεὶ μὴ συνῆκαν λέγεσθαι ταῦτα ἐπὶ τῆς σοφίας τῆς πρωτοκτίστου
5 τῷ θεῷ. ναί, φασίν, ἀλλὰ ὕλην ὑποτίθενται οἱ φιλόσοφοι ἐν ταῖς 5
ἀρχαῖς, οἵ τε Στωϊκοὶ καὶ Πλάτων καὶ Πυθαγόρας, ἀλλὰ καὶ Ἀριστο-
τέλης ὁ Περιπατητικός, οὐχὶ δὲ μίαν ἀρχήν. ἴστωσαν οὖν τὴν καλου-
μένην ὕλην ἄποιον καὶ ἀσχημάτιστον λεγομένην πρὸς αὐτῶν, καὶ
τολμηρότερον ἤδη μὴ ὂν πρὸς τοῦ Πλάτωνος εἰρῆσθαι. καὶ μή τι 7
10 μυστικώτατα | μίαν τὴν ὄντως οὖσαν ἀρχὴν εἰδὼς ἐν τῷ Τιμαίῳ 700 P
αὐταῖς φησι λέξεσιν· ›νῦν δ᾽ οὖν τὸ παρ᾽ ἡμῶν ὧδε ἐχέτω· τὴν μὲν
περὶ πάντων εἴτε ἀρχὴν εἴτε ἀρχὰς εἴτε ὅπη δοκεῖ τούτων πέρι, τὸ
νῦν οὐ ῥητέον, ·δι᾽ ἄλλο μὲν οὐδέν, διὰ δὲ τὸ χαλεπὸν εἶναι κατὰ
τὸν παρόντα τρόπον τῆς διεξόδου δηλῶσαι τὰ δοκοῦντα.‹ ἄλλως 90, 1
15 τε ἡ λέξις ἡ προφητικὴ ἐκείνη ›ἡ δὲ γῆ ἦν ἀόρατος καὶ ἀκατα-
σκεύαστος‹ ἀφορμὰς αὐτοῖς ὑλικῆς οὐσίας παρέσχηται.

Ναὶ μὴν Ἐπικούρῳ μὲν ἡ τοῦ αὐτομάτου παρείσδυσις οὐ παρα- 2
κολουθήσαντι τῷ ῥητῷ γέγονεν ἐντεῦθεν ›ματαιότης ματαιοτήτων,
τὰ πάντα ματαιότης‹. Ἀριστοτέλει δὲ μέχρι σελήνης ἐπῆλθε κατα- 3
20 γαγεῖν τὴν πρόνοιαν ἐκ τοῦδε τοῦ ψαλμοῦ· ›κύριε, ἐν τῷ οὐρανῷ
τὸ ἔλεός σου καὶ ἡ ἀλήθειά σου ἕως τῶν νεφελῶν.‹ οὐδέπω γὰρ
ἀποκεκάλυπτο ἡ τῶν προφητικῶν δήλωσις μυστηρίων πρὸ τῆς τοῦ
κυρίου παρουσίας.

Τάς τε αὖ μετὰ θάνατον κολάσεις καὶ τὴν διὰ πυρὸς τιμωρίαν 4
25 ἀπὸ τῆς βαρβάρου φιλοσοφίας ἥ τε ποιητικὴ πᾶσα μοῦσα, ἀλλὰ καὶ
ἡ Ἑλληνικὴ φιλοσοφία ὑφείλετο. Πλάτων γοῦν ἐν τῷ τελευταίῳ 5
τῆς Πολιτείας αὐταῖς φησι ταῖς λέξεσιν· ›ἐνταῦθα δὴ ἄνδρες ἄγριοι,

3 Sap 7, 24   4f. vgl. Sir 1, 4 προτέρα πάντων ἔκτισται σοφία.   5—7 vgl. Chry-
sipp Fr. phys. 300ff. Arnim; Plato Tim. p. 48ff.; Zeller, Phil. d. Gr. I⁵ S. 411   5f.
vgl. Theodoret Gr. aff. c. IV 46   8 vgl. Aristot. Phys. ausc. 1, 7 p. 191ᵃ 10 ἡ ὕλη
τὸ ἄμορφον ἔχει πρὶν λαβεῖν τὴν μορφήν; Albinus in C. F. Hermanns Plato VI p. 162,
30f. (Fr in PhW 57, 1937, 592); bei Plato findet sich ὕλη noch nicht im Sinne
von Materie; das μὴ ὄν (Z. 9) ist aus Plato Staat V 20 p. 477 A herausgelesen (Fr)
9 vgl. Aristot. Phys. ausc. 1, 9 p. 191ᵇ 36; 192ᵃ 6; 3, 2 p. 201ᵇ 20; Zeller, Phil. d.
Gr. II 1⁴ S. 726³   11—14 Plato Tim. p. 48 C; Theodoret Gr. aff. c. II 80   15f. Gen
1, 2 17—19 vgl. Epikur Fr. 383 Usener p. 257, 20   18f. Eccl 1, 2   19f. vgl. Protr.
66, 4 mit Anm.; Theodoret Gr. aff. c. V 47; VI 7; Euseb. Praep. Ev. XV 5, 1   20f.
Ps 35, 6   27—S. 386, 4 Plato Rep. X p. 615 E 616 A; Theodoret Gr. aff. c. XI 18

3 καθαρότητα Eus.   11 φησι ⟨ταῖς⟩ Di vgl. Z. 27   δ᾽] δὴ Eus. Theod.   τό] +
γε Eus.   12 ἀπάντων Plato Eus.   ὅπη Plato Eus. Theod. πηι L   19f. καταγαγεῖν
Eus. κατάγειν L   22 ἀπεκαλύπτετο Eus.

διάπυροι ἰδεῖν, παρεστῶτες, καταμανθάνοντες τὸ φθέγμα, τοὺς μὲν
ἰδίᾳ παραλαβόντες ἦγον, τὸν δὲ Ἀριδαῖον καὶ τοὺς ἄλλους συμ-
ποδίσαντες χεῖράς τε καὶ πόδας καὶ κεφαλήν, καταβαλόντες καὶ ἐκ-
δείραντες, εἷλκον παρὰ τὴν ὁδὸν ἐκτὸς ἐπ᾽ ἀσπαλάθων κνάπτοντες.«
5 οἱ μὲν γὰρ ἄνδρες οἱ διάπυροι ἀγγέλους αὐτῷ βούλονται δηλοῦν, οἳ 6
παραλαβόντες τοὺς ἀδίκους κολάζουσιν· »ὁ ποιῶν«, φησί, »τοὺς ἀγγέ-
λους αὐτοῦ πνεύματα καὶ τοὺς λειτουργοὺς αὐτοῦ πῦρ φλέγον.« | ἕπε- 701 P
ται δὲ | τούτοις τὴν ψυχὴν εἶναι ἀθάνατον. τὸ γὰρ κολαζόμενον 253 S
ἢ παιδευόμενον ἐν αἰσθήσει ὂν ζῇ, κἂν πάσχειν λέγηται. τί δ᾽; οὐκ 2
10 οἶδεν ὁ Πλάτων καὶ πυρὸς ποταμοὺς καὶ τῆς γῆς τὸ βάθος, τὴν
πρὸς τῶν βαρβάρων Γέενναν καλουμένην Τάρταρον ποιητικῶς ὀνο-
μάζων, Κωκυτόν τε καὶ Ἀχέροντα καὶ Πυριφλεγέθοντα καὶ τοιαῦτά
τινα εἰς τὴν παίδευσιν σωφρονίζοντα παρεισάγων κολαστήρια; τῶν 3
μικρῶν δὲ κατὰ τὴν γραφὴν καὶ ἐλαχίστων τοὺς ἀγγέλους τοὺς
15 ὁρῶντας τὸν θεόν, πρὸς δὲ καὶ τὴν εἰς ἡμᾶς δι᾽ ἀγγέλων τῶν ἐφε-
στώτων ἤκουσαν ἐπισκοπὴν ἐμφαίνων οὐκ ὀκνεῖ γράφειν· »ἐπειδὴ 4
πάσας τὰς ψυχὰς τοὺς βίους ᾑρῆσθαι, ὥσπερ ἔλαχον, ἐν τάξει προσ-
ιέναι πρὸς τὴν Λάχεσιν, κείνην δὲ ἑκάστῳ, ὃν εἵλετο δαίμονα, τοῦ-
τον φύλακα συμπέμπειν τοῦ βίου καὶ ἀποπληρωτὴν τῶν αἱρεθέντων.«
20 τάχα δὲ καὶ τῷ Σωκράτει τὸ δαιμόνιον τοιουτό τι ἠνίσσετο. 5

Ναὶ μὴν γενητὸν εἶναι τὸν κόσμον ἐκ Μωσέως παραλαβόντες 92, 1
ἐδογμάτισαν οἱ φιλόσοφοι. καὶ ὅ γε Πλάτων ἄντικρυς εἴρηκεν· »πό- 2
τερον ἦν, ἀρχὴν ἔχων γενέσεως οὐδεμίαν, ἢ γέγονεν, ἀπ᾽ ἀρχῆς τινος
ἀρξάμενος; γέγονεν· ὁρατός τε γὰρ ὢν ἁπτός ἐστιν ἁπτός τε ὢν
25 καὶ σῶμα ἔχει.« αὖθίς τε ὁπόταν εἴπῃ »τὸν μὲν οὖν ποιητὴν καὶ 3
πατέρα τοῦδε τοῦ παντὸς εὑρεῖν τε ἔργον«, οὐ μόνον γενητὸν [τε]

6f. Ps 103, 4   8f. vgl. Exc. ex Theod. 14, 2—4   9—12 vgl. Plato Phaed.
p. 111—113   11 vgl. z. B. Lc 12, 5   13—15 vgl. Mt 18, 10   15f. vgl. Hebr 1, 14   16—.
19 Plato Rep. X p. 620 DE   20 vgl. z. B. Plato Apol. p. 31 D   22—25 Plato Tim.
p. 28 B   25f. Plato Tim. p. 28 C; vgl. Protr. 68, 1; Strom. V 78, 1

1 παρεστῶτες] + καὶ Plato Theod.   2 ἰδίᾳ παραλαβόντες] διαλαβόντες Plato ἰδίᾳ
παραλαμβάνοντες Theod.   Ἀριδαῖον Eus. Theod. ἀρίδαιον L Ἀρδαῖον Plato τοὺς
< Plato Theod.   4 κνάπτοντες Plato Theod. κνάμπτοντες L Eus. IO   9 πάσχειν]
ἀποθνήσκειν Ma   δὲ Eus.   10 πυρὸς Eus. πυροὺς L   11 ποιητικῶς Eus. προφητικῶς
L   12 ἀχέροντα corr. aus ἀχερόεντα L³   17f. προσιέναι Plato προεῖναι L προϊέναι
Eus.   18 ἐκείνην Plato   19 τοῦ βίου συμπέμπειν ~ Eus.   21 Μωσέως Eus.   23 ἦν]
+ ἀεί Plato   ἔχων Plato ἔχον L   24f. ὁρατός γὰρ ἁπτός τέ ἐστι καὶ σῶμα ἔχων
Plato ὁρατός τε γὰρ ἁπτός τε καὶ σῶμα ἔχει Eus.   24 [τε] St   26 [τε] < Eus.

ἔδειξεν τὸν κόσμον, ἀλλὰ καὶ ἐξ αὐτοῦ γεγονέναι σημαίνει καθάπερ
υἱόν, πατέρα δὲ αὐτοῦ κεκλῆσθαι, ὡς ἂν ἐκ μόνου γενομένου καὶ
ἐκ μὴ ὄντος ὑποστάντος. γενητὸν δὲ καὶ οἱ Στωϊκοὶ τίθενται τὸν 4
κόσμον.

5   Τόν τε ὑπὸ τῆς βαρβάρου φιλοσοφίας θρυλούμενον διάβολον, 5
τὸν τῶν δαιμόνων ἄρχοντα, κακοεργὸν εἶναι ψυχὴν ἐν τῷ δεκάτῳ
τῶν Νόμων ὁ Πλάτων λέγει ταῖσδε ταῖς λέξεσιν· »ψυχὴν διοικοῦσαν 6
⟨καὶ ἐνοικοῦσαν⟩ τοῖς πάντη κινουμένοις μῶν οὐ καὶ τὸν | οὐρανὸν 702 P
ἀνάγκη διοικεῖν φάναι; τί μήν; μίαν ἢ πλείους; ⟨πλείους⟩, ἐγὼ ὑπὲρ
10 σφῶν ἀποκρινοῦμαι. δυοῖν ⟨μέν⟩ που ἔλαττον μηδὲν τιθῶμεν, τῆς
τε εὐεργέτιδος καὶ τῆς τἀναντία δυναμένης ἐξεργάσασθαι.‹ ὁμοίως 98, 1
δὲ κἀν τῷ Φαίδρῳ ταῦτα γράφει· »ἔστι μὲν δὴ καὶ ἄλλα κακά, ἀλλά
τις δαίμων ἔμιξε τοῖς πλείστοις ἐν τῷ παραυτίκα ἡδονήν.‹ ἀλλὰ 2
κἀν τῷ δεκάτῳ. τῶν Νόμων ἄντικρυς τὸ ἀποστολικὸν δείκνυσιν
15 ἐκεῖνο· »οὐκ ἔστιν ἡμῖν ἡ πάλη πρὸς αἷμα καὶ σάρκα, ἀλλὰ πρὸς τὰς
ἀρχάς, πρὸς τὰς ἐξουσίας, πρὸς τὰ πνευματικὰ τῶν ἐν οὐρανοῖς‹,
ὧδέ πως γράφων· »ἐπειδὴ γὰρ συνεχωρήσαμεν ἡμῖν αὐτοῖς εἶναι μὲν 3
τὸν οὐρανὸν πολλῶν μεστὸν ἀγαθῶν, εἶναι δὲ καὶ τῶν ἐναντίων,
πλειόνων δὲ τῶν μή, μάχη, φαμέν, ἀθάνατός ἐσθ᾽ ἡ τοιαύτη καὶ
20 φυλακῆς θαυμαστῆς δεομένη.‹

      Κόσμον τε αὖθις τὸν μὲν νοητὸν οἶδεν ἡ βάρβαρος φιλοσοφία, 4
τὸν δὲ αἰσθητόν, τὸν μὲν ἀρχέτυπον, τὸν δὲ εἰκόνα τοῦ καλουμένου
παραδείγματος· καὶ τὸν μὲν ἀνατίθησι μονάδι, ὡς ἂν νοητόν, τὸν
δὲ αἰσθητὸν ἑξάδι· γάμος γὰρ παρὰ τοῖς Πυθαγορείοις, ὡς ἂν γόνι-

3f. Chrysipp Fr. pnys. 574 Arnim   7—11 Plato Leg. X p. 896 DE; Theodoret
Gr. aff. c. III 103   12f. Plato Phaedr. p. 240 AB; Theodoret Gr. aff. c. III 106
15f. Eph 6, 12   17—20 Plato Leg. X p. 906 A   21—S. 388, 16 Κόσμον—νοῦς Euseb.
Praep. Ev. XI 25   21—24 vgl. Philo De opif. m. 13—16 (I p. 4)   22f. vgl. Strom.
IV 172, 3; Plato Rep. IX p. 592 B; Tim. p. 29 B   24f. vgl. Plut. Mor. p. 1018 C
καὶ ἔστιν ὁ μὲν ζ τέλειος, ἴσος ὢν τοῖς ἑαυτοῦ μέρεσι, καὶ γάμος καλεῖται διὰ τὴν
τοῦ πρώτου ἀρτίου καὶ περιττοῦ σύμμιξιν.   Jambl. Comm. in Nicom. Arithm. p. 34,
19f. Pistelli; Zeller, Phil. d. Gr. I⁵ S. 399⁴; Strom. VI 139, 2f.   zu γόνιμος vgl.
Philo a. a. O. 13 γεννητικώτατος ὁ ἕξ.

1 αὐτοῦ ⟨τοῦ θεοῦ⟩ Ma   1f. καθάπερ—κεκλῆσθαι < Eus.   2 κεκλῆσθαι ⟨θεόν⟩
Ma   8 ⟨καὶ ἐνοικοῦσαν⟩ aus Plato Eus. Theod.   ἐνοικοῦσαν] + ἐν ἅπασι Plato   οὗ L
9 ⟨πλείους⟩ aus Plato < L Eus. BIO Theod.   10 ⟨μέν⟩ aus Plato Eus. Theod.   μέν]
+ γε Plato + οὖν γε Theod.   ἐλάττω μὴ τιθῶμεν Theod.   11 ἐξεργάσασθαι L
Theod. ἐξεργάζεσθαι Plato Eus.   12 ταῦτα] τάδε Eus.   δὴ] οὖν Theod.   18 ἀνέμιξε
Theod.   15f. τὰς ἀρχάς—πρός² < Eus.   17 συγκεχωρήκαμεν Plato   αὐτοῖς ἡμῖν L¹
19 μάχη] + δή Plato   22 καλουμένου (über v¹ Circumflex getilgt) L¹ καλοῦ Eus.
XI. XIII   24 πυθαγορίοις L

μος ἀριθμός, ἡ ἑξᾶς καλεῖται. καὶ ἐν μὲν τῇ μονάδι συνίστησιν 5
οὐρανὸν ἀόρατον καὶ γῆν ἀειδῆ καὶ φῶς νοητόν· »ἐν ἀρχῇ« γάρ
φησιν »ἐποίησεν ὁ θεὸς τὸν οὐρανὸν καὶ τὴν γῆν· ἡ δὲ γῆ ἦν ἀόρα-
τος.« εἶτ᾽ ἐπιφέρει· »καὶ εἶπεν ὁ θεός· γενηθήτω φῶς· καὶ ἐγένετο 94,
5 φῶς.« ἐν δὲ τῇ κοσμογονίᾳ τῇ αἰσθητῇ στερεὸν οὐρανὸν δημιουργεῖ
(τὸ δὲ στερεὸν αἰσθητόν) γῆν τε | ὁρατὴν καὶ φῶς βλεπόμενον. ἆρ᾽ 703
οὐ δοκεῖ σοι ἐντεῦθεν ὁ Πλάτων ζῷων ἰδέας ἐν τῷ νοητῷ ἀπολεί-
πειν ·κόσμῳ καὶ τὰ εἴδη τὰ αἰσθητὰ κατὰ τὰ γένη δημιουργεῖν τὰ
νοητά; εἰκότως ἄρα ἐκ γῆς μὲν τὸ σῶμα διαπλάττεσθαι λέγει ὁ 3
10 Μωυσῆς, ὃ γήινόν φησιν ὁ Πλάτων σκῆνος, ψυχὴν δὲ τὴν λογικὴν
ἄνωθεν ἐμπνευσθῆναι ὑπὸ τοῦ θεοῦ εἰς πρόσωπον. ἐνταῦθα γὰρ 4
τὸ ἡγεμονικὸν ἱδρῦσθαι λέγουσι, τὴν διὰ τῶν αἰσθητηρίων ἐπείσοδον
τῆς ψυχῆς ἐπὶ τοῦ πρωτοπλάστου [εἴσοδον] ἑρμηνεύοντες, διὸ καὶ
»κατ᾽ εἰκόνα καὶ ὁμοίωσιν τὸν ἄνθρωπον« γεγονέναι. εἰκὼν μὲν 5
15 γὰρ θεοῦ λόγος θεῖος καὶ βασιλικός, ἄνθρωπος ἀπαθής, εἰκὼν δ᾽
εἰκόνος ἀνθρώπινος νοῦς. ἑτέρῳ δ᾽ εἰ βούλει παραλαβεῖν ὀνόματι 6
τὴν ἐξομοίωσιν, εὕροις ἂν παρὰ τῷ Μωυσεῖ [τὴν] ἀκολουθίαν ὀνο-
μαζομένην θείαν· φησὶ γάρ· »ὀπίσω κυρίου τοῦ θεοῦ ὑμῶν πορεύεσθε
καὶ τὰς ἐντολὰς αὐτοῦ φυλάξατε.« ἀκόλουθοι δ᾽, οἶμαι, καὶ θερα-
20 πευταὶ θεοῦ πάντες οἱ ἐνάρετοι. ἐντεῦθεν οἱ μὲν Στωϊκοὶ τὸ τέλος 95,
τῆς φιλοσοφίας τὸ ἀκολούθως τῇ φύσει ζῆν εἰρήκασι, Πλάτων δὲ
ὁμοίωσιν θεῷ (ὡς ἐν τῷ δευτέρῳ παρεστήσαμεν Στρωματεῖ)· Ζήνων 2
δὲ ὁ Στωϊκὸς παρὰ Πλάτωνος λαβών, ὃ δὲ ἀπὸ τῆς βαρβάρου φιλο-
σοφίας, τοὺς ἀγαθοὺς πάντας ἀλλήλων εἶναι φίλους λέγει. φησὶ γὰρ 3

1f. vgl. Philo a. a. O. 29f. (I p. 9)   2—5 Gen 1, 1—3   5f. vgl. Philo a. a. O. 36.
38. 55 (I p. 9. 11)   6—9 vgl. Plato Tim. p. 30 CD   9—11 Gen 2, 7   10 vgl. [Plato]
Axioch. p. 365 E 366 A (σκῆνος γεῶδες)   10—13 vgl. Philo Leg. all. I 31 ff. (I p. 68 ff.)
11—13 vgl. Philo a. a. O. 39 (p. 70) ὥσπερ σώματος ἡγεμονικόν ἐστι τὸ πρόσωπον,
οὕτως ψυχῆς ἡγεμονικόν ἐστιν ὁ νοῦς· τούτῳ μόνῳ ἐμπνεῖ ὁ θεός.   12—14 vgl.
Philo De opif. m. 139 (I p. 48)   14 vgl. Gen 1, 26   14—16 vgl. Philo Quis rer.
div. her. 231 (III p. 52)   16—21 vgl. Strom. II 100, 4; 101, 1; Philo De migr. Abr.
127f. 131 (II p. 293)   18f. Deut 13, 4   20f. Chrysipp Fr. mor. 6 Arnim   21f. vgl.
Strom. II 100, 3; ·Plato Theaet. p. 176 AB   22—24 Zenon Fr. 223 Arnim

2 ἀειδῆ St ἁγίαν L Eus.   4 γενέσθω Eus. XI 10. XIII   5 κοσμογονίᾳ Eus.
κοσμογενείᾳ L ἐδημιούργει Eus. XIII   7f. ἀπολιπεῖν Eus. XI O   8 κατὰ Eus. καὶ L
9f. ὁ Μωυσῆς] Μωσῆς Eus.   10 ψυχὴν Eus. ψυχικὴν L   11 τοῦ < Eus.   12 ἐπείσ-
οδον Heyse ἐπεισόδιον L Eus.   13 [εἴσοδον] Heyse   14 καὶ] + καθ᾽ Eus.   15 θεῖος]
ὁ θεῖος Eus.   17 Μωσεῖ Eus.   [τὴν] < Eus. ταύτην Fr   20 ἐντεῦθεν] + δ᾽ Eus.
21 ὁ Πλάτων Eus.   23 δὲ¹] τε Eus.

ἐν τῷ Φαίδρῳ Σωκράτης ὡς »οὐχ εἵμαρται κακὸν κακῷ φίλον εἶναι
οὐδ᾽ ἀγαθὸν ἀγαθῷ μὴ φίλον«, ὅπερ κἄν τῷ Λύσιδι | ἀπέδειξεν ἱκα- 704 P
νῶς, ὡς ἐν ἀδικίᾳ καὶ πονηρίᾳ οὐκ ἄν ποτε σωθείη φιλία. καὶ ὁ 4
Ἀθηναῖος ξένος ὁμοίως φησὶ »πρᾶξιν εἶναι φίλην καὶ ἀκόλουθον θεῷ
5 καὶ ἕνα λόγον ἔχουσαν ἀρχαῖον, ὅταν τὸ μὲν ὅμοιον τῷ ὁμοίῳ με-
τρίῳ ὄντι φίλον ᾖ, τὰ δὲ ἄμετρα οὔτε τοῖς ἀμέτροις οὔτε τοῖς ἐμ-
μέτροις. ὁ δὲ θεὸς ἡμῖν πάντων χρημάτων μέτρον ἂν εἴη.« εἶτα 96, 1
ὑποβὰς ἐπάγει πάλιν· »πᾶς γὰρ δὴ ἀγαθὸς ἀγαθῷ ὅμοιος, κατὰ
τοῦτο δὲ καὶ θεῷ ἐοικὼς ἀγαθῷ τε παντὶ φίλος ὑπάρχει καὶ θεῷ.«
10 ἐνταῦθα γενόμενος κἀκείνου ἀνεμνήσθην· ἐπὶ τέλει γὰρ τοῦ Τιμαίου 2
λέγει »τῷ κατανοουμένῳ τὸ κατανοοῦν ἐξομοιῶσαι δεῖν κατὰ τὴν |
ἀρχαίαν φύσιν, ὁμοιώσαντα δὲ τέλος ἔχειν τοῦ προτεθέντος ἀνθρώπῳ 254 S
ὑπὸ θεῶν ἀρίστου βίου πρός τε τὸν παρόντα καὶ τὸν ἔπειτα χρό-
νον.« ἴσον γὰρ τούτοις ἐκεῖνα δύναται· »οὐ παύσεται ὁ ζητῶν, ἕως 3
15 ἂν εὕρῃ· εὑρὼν δὲ θαμβηθήσεται, θαμβηθεὶς δὲ βασιλεύσει, βασιλεύσας
δὲ ἐπαναπαήσεται.«

　　Τί δ᾽; οὐχὶ κἀκεῖνα τοῦ Θάλητος ἐκ τῶνδε ἤρτηται; τὸ εἰς τοὺς 4
αἰῶνας τῶν αἰώνων δοξάζεσθαι τὸν θεὸν καὶ τὸ »καρδιογνώστην«
λέγεσθαι πρὸς ἡμῶν ἄντικρυς ἑρμηνεύει. ἐρωτηθεὶς γέ τοι ὁ Θάλης,
20 τί ἐστι τὸ θεῖον, »τὸ μήτε ἀρχήν«, ἔφη, »μήτε τέλος ἔχον.« πυθο-
μένου δὲ ἑτέρου, εἰ λανθάνει τὸ θεῖον πράσσων τι ἄνθρωπος, »καὶ
πῶς,« εἶπεν, »ὅς γε οὐδὲ διανοούμενος;«

　　Ναὶ μὴν μόνον τὸ καλὸν ἀγαθὸν οἶδεν ἡ βάρβαρος φιλοσοφία 5
καὶ τὴν ἀρετὴν αὐτάρκη πρὸς εὐδαιμονίαν, ὁπηνίκα ἂν εἴπῃ· »ἰδού,
25 δέδωκα πρὸ ὀφθαλμῶν σου τὸ ἀγαθὸν καὶ τὸ κακόν, τὴν ζωὴν καὶ
τὸν θάνατον· ἔκλεξαι τὴν ζωήν.« τὸ μὲν γὰρ ἀγαθὸν ζωὴν καλεῖ 6
καὶ καλὸν τὴν τούτου | ἐκλογήν, κακὸν δὲ τὴν τοῦ ἐναντίου αἵρεσιν. 705 P
ἀγαθοῦ δὲ καὶ ζωῆς ἓν τέλος τὸ φιλόθεον γενέσθαι· »αὕτη γὰρ ἡ
ζωή σου καὶ τὸ πολυήμερον«, ἀγαπᾶν τὸ πρὸς ἀλήθειαν.

1f. Plato Phaedr. p. 255 B　2f. vgl. Plato Lys. p. 214 A–D　4–7 vgl. Plato
Leg. IV p. 716 C; Strom. II 132, 4　8f. wohl nicht wörtlich bei Plato; vgl. Lys.
p. 214 C　11–14 Plato Tim. p. 90 D　14–16 Hebr.-Ev. Fr. 16 Handmann TU V 3
S. 94ff.; vgl. Strom. II 45, 5 mit Anm.; Zahn, Gesch. d. ntl. Kan. II S. 657²　17f.
vgl. z. B. Gal 1, 5　18 vgl. Act 1, 24; 15, 8　19f. vgl. Sternbach, Gnomol. Vatic. 321
19–22 Diels⁶ I 71, 20　21f. vgl. Sternb. 316　23f. S. 390, 3f. 11f. vgl. Chrysipp Fr.
mor. 29ff. 49ff. Arnim　24 vgl. Zenon fr. 187 Arnim (= Diog. Laert. VII 127) (Fr)
24–26 Deut 30, 15. 19　28f. Deut 30, 20

　　1 εἵμαρται Plato Eus. ἥμαρτεν L　κακῷ κακὸν Eus. O　2 Λύσιδι Eus. λυσίαι
L　7 δὲ] δὴ Plato　8 πάλιν] Πλάτων Eus. I　11 κατανοοῦν Plato Eus. κατὰ νοῦν L
12 ἀνθρώποις Plato Eus.　17 ἤρτηται (vgl. z. B. S. 390, 18) L* ἦρται L¹　18 τὸ Sy
τὸν L　28 ἀγαθοῦ corr. aus ἀγαθὸν L¹

Σαφέστερον δὲ ἐκεῖνα ἔχει. ὁ γὰρ σωτήρ, ἀγαπᾶν παραγγείλας 97,
τὸν θεὸν καὶ τὸν πλησίον, ἐν ταύταις φησὶ ταῖς δυσὶν ἐντολαῖς
ὅλον τὸν νόμον καὶ τοὺς προφήτας κρέμασθαι. ταῦτα θρυλοῦσιν οἱ 2
Στωϊκοὶ τὰ δόγματα καὶ πρὸ τούτων ὁ Σωκράτης ἐν Φαίδρῳ εὐχό-
5 μενος· »ὦ Πάν τε καὶ ἄλλοι θεοί, δοίητέ μοι τἄνδον εἶναι καλῷ.«
ἐν δὲ τῷ Θεαιτήτῳ διαρρήδην φησίν· »ὁ γὰρ καλῶς λέγων καλός 3
τε κἀγαθός.« κἂν τῷ Πρωταγόρᾳ καλλίονι Ἀλκιβιάδου ἐντυχεῖν 4
ὁμολογεῖ τοῖς ἑταίροις [Πρωταγόρου], εἴ γε τὸ σοφώτατον κάλλιστόν
ἐστιν· τὴν γὰρ ἀρετὴν τὸ κάλλος τῆς ψυχῆς ἔφη εἶναι, κατὰ δὲ τὸ 5
10 ἐναντίον τὴν κακίαν αἶσχος ψυχῆς. Ἀντίπατρος μὲν οὖν ὁ Στωϊκός, 6
τρία συγγραψάμενος βιβλία περὶ τοῦ »ὅτι κατὰ Πλάτωνα μόνον τὸ
καλὸν ἀγαθόν«, ἀποδείκνυσιν ὅτι καὶ κατ᾽ αὐτὸν αὐτάρκης ἡ ἀρετὴ
πρὸς εὐδαιμονίαν, καὶ ἄλλα πλείω παρατίθεται δόγματα σύμφωνα
τοῖς Στωϊκοῖς. Ἀριστοβούλῳ δὲ τῷ κατὰ Πτολεμαῖον γεγονότι τὸν 7
15 Φιλομήτορα, οὗ μέμνηται ὁ συνταξάμενος τὴν τῶν Μακκαβαϊκῶν
ἐπιτομήν, βιβλία γέγονεν ἱκανά, δι᾽ ὧν ἀποδείκνυσι τὴν Περι-
πατητικὴν φιλοσοφίαν ἔκ τε τοῦ κατὰ Μωυσέα νόμου καὶ τῶν
ἄλλων ἠρτῆσθαι προφητῶν.

Καὶ τὰ μὲν τῇδε ἐχέτω· ἀδελφοὺς δὲ εἶναι | ἡμᾶς, ὡς ἂν τοῦ 98,
20 ἑνὸς θεοῦ ⟨ὄντας⟩ καὶ ἑνὸς διδασκάλου, φαίνεταί που καὶ Πλάτων
καλῶν ὧδέ πως· »ἐστὲ μὲν γὰρ πάντες οἱ ἐν τῇ πόλει ἀδελφοί, ὥς 2
φήσομεν πρὸς αὐτοὺς μυθολογοῦντες, ἀλλ᾽ ὁ θεὸς πλάττων, ὅσοι
μὲν ὑμῶν ἱκανοὶ ἄρχειν, χρυσὸν ἐν τῇ γενέσει συνέμιξεν αὐτοῖς, διὸ
τιμιώτατοί εἰσιν· ὅσοι δὲ ἐπίκουροι, ἄργυρον· σίδηρον δὲ καὶ χαλκὸν
25 τοῖς γεωργοῖς καὶ τοῖς ἄλλοις δημιουργοῖς.« ὅθεν »ἀνάγκη« φησὶ 3
»[γεγονέναι] ἀσπάζεσθαί τε καὶ φιλεῖν τούτους μὲν ταῦτα ἐφ᾽ οἷς

1—3 vgl. Mt 22, 37. 39f.   5 Plato Phaedr. p. 279 B; vgl. Strom. II 22, 1   6f.
Plato Theaet. p. 185 E   7—9 vgl. Plato Protag. p. 309 CD   9f. vgl. Plato Rep. IV
p. 444 DE ἀρετὴ μὲν ... κάλλος ... ψυχῆς, κακία δὲ ... αἶσχος.   10—14 Antipatros
von Tarsos Fr. 56 Arnim   12f. vgl. Sternbach, Gnomol. Vatic. 302   14—18 vgl.
Valckenaer, Diatr. de Arist. Iud. p. 30f.   14—16 vgl. II Mac 1, 10   15f. vgl. II Mac
2, 23; Müller Scr. Al. M. p. 161   19—S. 417, 14 ἀδελφοὺς—περίφρασιν ἀληθῆ Euseb.
Praep. Ev. XIII 13, 18—65   19f. vgl. Mt 23, 8 u. ä. St   21f. vgl. Eus. Theoph.
p. 56, 4—9 Greßmann (aus Praep. Ev. XIII 13, 18)   21—25 Plato Rep. III p. 415 A
25—S. 391, 1 Plato Rep. V p. 479 E

8 [Πρωταγόρου] St   14—16 [τῷ—ἐπιτομήν] Valckenaer   15 Φιλομήτορα aus
Strom. I 150, 1 φιλάδελφον L   16 γέγονεν (vgl. Strom. VI 37, 3) Sy γεγονέναι L
πεπόνηται Valck.   19 [εἶναι] Heyse; doch vgl. zu Strom. V 57, 1   20 ⟨ὄντας⟩ aus
Eus.   21 καλῶς Eus. HSS   γὰρ] + δὴ Plato   πάντες Plato Eus. πάντως L   24
χαλκὸν Plato Eus. χαλκοῦν L   25 τοῖς¹] + τε Plato   ἀνάγκην Eus. O   26 [γεγο-
νέναι] oder γέγονεν St

γνῶσις, ἐκείνους δὲ ἐφ᾽ οἷς δόξα. ἴσως ⟨γὰρ⟩ τὴν ἐκλεκτὴν ταύτην 4
φύσιν γνώσεως ἐφιεμένην μαντεύεται, εἰ μή τι τρεῖς τινας ὑποτιθέ-
μενος φύσεις, τρεῖς πολιτείας, ὡς ὑπέλαβόν τινες, διαγράφει, καὶ
Ἰουδαίων μὲν ἀργυρᾶν, Ἑλλήνων δὲ τὴν τρίτην, Χριστιανῶν δέ,
5 ἢ ⟨ὁ⟩ χρυσὸς ὁ βασιλικὸς ἐγκαταμέμικται, τὸ ἅγιον πνεῦμα· τόν 5
τε Χριστιανῶν βίον ἐμφαίνων κατὰ λέξιν γράφει ἐν τῷ Θεαι-
τήτῳ· ›λέγωμεν δὴ περὶ τῶν κορυφαίων. τί γὰρ ἄν τις τούς
γε φαύλως διατρίβοντας ἐν φιλοσοφίᾳ λέγοι; οὗτοι δέ που οὔτε εἰς 6
ἀγορὰν ἴσασι τὴν ὁδὸν οὔτε ὅπου δικαστήριον ἢ βουλευτήριον ἤ τι
10 κοινὸν ἄλλο τῆς πόλεως συνέδριον, νόμους δὲ καὶ ψηφίσματα γεγραμ-
μένα οὔτε ὁρῶσιν οὔτε ἀκούουσιν. σπουδαὶ δὲ ἑταιριῶν καὶ σύνοδοι 7
καὶ οἱ σὺν αὐλητρίσι κῶμοι οὐδὲ ὄναρ πράττειν προσίσταται αὐτοῖς.
εὖ δὲ ἢ κακῶς τις γέγονεν ἐν πόλει ἤ τί τῳ κακόν ἐστι | γεγονὸς 707 P
ἐκ προγόνων, μᾶλλον αὐτοὺς λέληθεν ἢ οἱ τῆς θαλάσσης λεγόμενοι
15 χόες. καὶ ταῦτ᾽ οὐδ᾽ ὅτι οὐκ οἶδεν, οἶδεν, ἀλλὰ τῷ ὄντι τὸ σῶμα 8
κεῖται αὐτοῦ καὶ ἐπιδημεῖ, αὐτὸς δὲ πέταται, κατὰ Πίνδαρον, τᾶς τε
γᾶς ὑπένερθεν οὐρανοῦ τε ὕπερ ἀστρονομῶν καὶ πᾶσαν πάντῃ φύσιν
ἐρευνώμενος.‹

Πάλιν αὖ τῷ τοῦ κυρίου ῥητῷ ›ἔστω ὑμῶν τὸ ναὶ ναὶ καὶ τὸ 99, 1
20 οὐ οὔ‹, ἐκεῖνο ἀπεικαστέον· ›ἀλλά μοι ψεῦδός τε συγχωρῆσαι καὶ
ἀληθὲς ἀφανίσαι οὐδαμῶς θέμις·‹ τῇ τε περὶ τοῦ ὀμόσαι ἀπαγορεύσει 2

2f. vgl. Zeller, Phil. d. Gr. II 1⁴ S. 880f.　7—18 Plato Theaet. p. 173 C—174 A;
das gleiche Zitat direkt aus Plato auch Euseb. Praep. Ev. XII 29, 2f. (= Theodoret
Gr. aff. c. XII 24. 25)　16f. Pindar Fr. 292 Schroeder　19f. vgl. Iac 5, 12; Mt 5, 37
20f. Plato Theaet. p. 151 D　21 vgl. Mt 5, 34. 36

1 ⟨γὰρ⟩ aus Eus.　4 Χριστιανὴν Eus. BO Χριστιανοὶ Eus. I　4f. Χριστιανοῖς
δὲ [οἷς] χρυσὸς Wi　4 ἢ Schw οἷς L　5 ⟨ὁ⟩ aus Eus.　6 Χριστιανῶν Eus. χριστιανὸν
L　8 που < Eus. O οὔτε Eus. οὐδὲ L　8f. οὔτε—ἴσασι] ἐκ νέων πρῶτον μὲν εἰς
ἀγορὰν οὐκ ἴσασι Plato　9 οὐδὲ Plato　10 ψηφίσματα] + λεγόμενα ἢ Plato Eus. B
11 ἑταιρειῶν Eus. ἑταιρ.] + ἐπ᾽ ἀρχὰς Plato　12 οἱ < Plato Eus. προσίσταται L
Plato προΐσταται Eus. (ἐπίστανται B)　13 τις] + τι Plato BT Eus. XII 13f. γε-
γονὸς ἐκ προγόνων] ἐκ προγόνων γεγονὸς ἢ πρὸς ἀνδρῶν ἢ γυναικῶν Plato　14 αὐτοὺς]
αὐτὸν Plato　15 ταῦτ᾽ οὐθ᾽ L ταῦτα πάντα οὐδ᾽ Plato ταῦτα οὔθ᾽ Eus. οἶδεν² L³
οὐδὲν L* σῶμα] + μόνον ἐν τῇ πόλει Plato　16 αὐτὸς δὲ] ἡ δὲ διάνοια Plato πέταται
(so Eus. XII. XIII) corr. aus πέτταται L³ φέρεται Plato　16f. τάς τε γᾶς (γᾶς corr.
L³) L τά τε γᾶς Plato τὰ γᾶς (γῆς O) Eus.　17 ὑπενέρθε(ι)] + καὶ τὰ ἐπίπεδα γεω-
μετροῦσα Plato　18 ἐρευνώμενος nach Plato Eus. ἐρευνάμενος L　19 ῥητῷ] + τῷ
Eus. ὑμῖν Eus. O　21 ἀληθὲς (so auch Plato)] ἀλήθειαν Eus. τε < Eus. O ἀπα-
γορεύσει Eus. ἀπαγορεύει L

συνάδει ἥδε ἡ ἐν τῷ δεκάτῳ τῶν Νόμων λέξις· »ἔπαινος δὲ ὅρκος
τε περὶ παντὸς ἀπέστω.« »καὶ τὸ σύνολον Πυθαγόρας καὶ Σωκράτης 3
καὶ Πλάτων, λέγοντες ἀκούειν φωνῆς θεοῦ, τὴν κατασκευὴν τῶν
ὅλων θεωροῦντες ἀκριβῶς ὑπὸ θεοῦ γεγονυῖαν καὶ συνεχομένην
5 ἀδιαλείπτως, ἀκηκόασι [γὰρ] τοῦ Μωυσέως λέγοντος »εἶπεν, καὶ ἐγέ-
νετο«, τὸν λόγον τοῦ θεοῦ ἔργον εἶναι διαγράφοντος.«

　　　Ἐπί τε τῆς τοῦ ἀνθρώπου ἐκ χοὸς διαπλάσεως ἱστάμενοι γήινον 4
μὲν οἱ φιλόσοφοι παρ' ἕκαστα· τὸ σῶμα ἀναγορεύουσιν· Ὅμηρος δὲ 5
οὐκ ὀκνεῖ ἐν κατάρας μέρει θέσθαι τό·

10　　　　ἀλλ' ὑμεῖς μὲν πάντες ὕδωρ καὶ γαῖα γένοισθε,

καθάπερ Ἡσαΐας, »καὶ καταπατήσατε αὐτοὺς« λέγων »ὡς πηλόν«. 6
Καλλίμαχος δὲ διαρρήδην γράφει·　　　　　　　　　　　　　　100, 1

　　　　　ἦν κεῖνος οὐνιαυτός, ᾧ τό τε πτηνὸν |
　　　　　καὶ τοὐν θαλάσσῃ καὶ τὸ τετράπουν οὕτως　　　　　　708 P
15　　　　ἐφθέγγετο ὡς ὁ πηλὸς ὁ Προμήθειος.

πάλιν τε αὖ ὁ αὐτός τε　　　　　　　　　　　　　　　　　　　2

　　　　　　　εἰ σε (ἔφη) [ὁ] Προμηθεὺς
　　　　　　ἔπλασε καὶ πηλοῦ μὴ ἐξ ἑτέρου γέγονας, |

Ἡσίοδός τε ἐπὶ τῆς Πανδώρας λέγει　　　　　　　　　　　　8 255

20　　　　Ἥφαιστον δ' ἐκέλευσε περικλυτὸν ὅτ⟨τ⟩ι τάχιστα
　　　　　γαῖαν ὕδει φύρειν, ἐν δ' ἀνθρώπου θέμεν αὐδὴν
　　　　　καὶ νόον.

1f. Plato Leg. XI p. 917 ⸜　2—6 Worte Aristobuls (Valckenaer Diatr. p. 66);
vgl. Euseb. Praep. Ev. XIII 12, 3f.　2f. vgl. z. B. Plato Apol. p. 31 D; Xenoph.
Mem. I 4　3—5 vgl. Xenoph. Mem. IV 3, 13　5f. Gen 1, 3 u. ö.　7 vgl. Gen 2, 7
7f. vgl. S. 388, 10; [Plato] Axioch. p. 365 E 366 A　10 H 99　11 vgl. Is 41, 25;
10, 6　13—15 Kallimachos Fr. 192, 1 -3 Pfeiffer (1949) S. 172　17f. Kallimachos
Fr. 493 Pf. S. 366　20—22 Hesiod Op. 60—62

1 δὲ L Plato τε Euseb.　2 Πυθαγόρας] + τε Eus. B　Σωκράτης] + τε Eus. O
5 [γὰρ] < Eus. Arist.　Μωσέως Eus.　9 τίθεσθαι Eus.　10 γαῖα L³ γέα L* 13, τό
τε Bentley ποτέ L Eus.　14 τὸ < Eus. IO οὕτως Eus. αὐτῷ L　15 vor ὡς
1 Buchst. ausrad. L　Προμήθειος Blomfield προμηθέως L Eus.　16 αὖ < Eus.　τε²
< Eus.　17 σ' ὁ Schneider　[ὁ] < Eus.　20 δὲ κέλευσε L　τάχιστα (ι corr. aus η) L¹
22 νόον] σθένος Hes.

Πῦρ μὲν οὖν τεχνικὸν ὁδῷ βαδίζον εἰς γένεσιν τὴν φύσιν ὁρί- 4
ζονται οἱ Στωϊκοί· πῦρ δὲ καὶ φῶς ἀλληγορεῖται ὁ θεὸς καὶ ὁ λόγος
αὐτοῦ πρὸς τῆς γραφῆς.

Τί δ'; οὐχὶ καὶ Ὅμηρος, παραφράζων τὸν χωρισμὸν τοῦ ὕδατος 5
5 ἀπὸ τῆς γῆς καὶ τὴν ἀποκάλυψιν τὴν ἐμφανῆ τῆς ξηρᾶς, ἐπί τε τῆς
Τηθύος καὶ τοῦ Ὠκεανοῦ λέγει·

　　ἤδη γὰρ δηρὸν χρόνον ἀλλήλων ἀπέχονται
　　εὐνῆς καὶ φιλότητος

Πάλιν τὸ δυνατὸν ἐν πᾶσι προσάπτουσι καὶ οἱ παρ' Ἕλλησι 6
10 λογιώτατοι τῷ θεῷ, ὁ μὲν Ἐπίχαρμος (Πυθαγόρειος δὲ ἦν) λέγων·

　　οὐδὲν ἐκφεύγει τὸ θεῖον· τοῦτο γιγνώσκειν σε δεῖ,
　　αὐτός ἐσθ' ἁμῶν ἐπόπτης, ἀδυνατεῖ δὲ οὐδὲν θεός,

ὁ μελοποιὸς δέ·　　　　　　　　　　　　　　　　　　　　101, 1

　　θεῷ δὲ δυνατὸν ἐκ μελαίνας
15　　νυκτὸς ἀμίαντον ὄρσαι φάος,
　　κελαινεφέι δὲ σκότει καλύψαι καθαρὸν
　　ἀμέρας σέλας

(ὁ μόνος ἡμέρας ἐνεστώσης νύκτα ποιῆσαι δυνάμενος [ποιῆσαι], φησίν,
θεὸς οὗτός ἐστιν), ἔν τε τοῖς Φαινομένοις ἐπιγραφομένοις Ἄρατος, │ 2

20　　ἐκ Διὸς ἀρχώμεσθα　　　　　　　　　　　　　　709 P
εἰπών,
　　　　　τὸν οὐδέποτ', ἄνδρες, ἐῶμεν
　　ἄρρητον· μεσταὶ δὲ Διὸς πᾶσαι μὲν ἀγυιαί,

1f. Chrysipp Fr. phys. 1134 Arnim　2f. vgl. Exod 3, 2; Io 1, 4　vgl. auch Deut
4, 24; I Io 1, 5 und Orig. in Joh. XIII 124 (IV S. 244, 25ff.)　4f. vgl. Gen 1, 7. 9;
zu Τηθύς = Erde vgl. Schol. Hom. Ξ 201; RE V A Sp. 1069, 5; O. Gruppe, Griech.
Myth. S. 425 A 3　7f. Ξ 206f.　9 vgl. z. B. Mt 19, 26　10 Epich. als Pythag. vgl.
Schmid I 1 S. 644 A 6　(Fr)　11f. Epich. Fr. 23 Diels⁶ I 202, 8; Theodoret Gr.
aff. c. VI 22　14—17 Pindar Fr. 142 Schr.; Theod. Gr. aff. c. VI 25　20—S. 394,
13 Ar. Ph. 1—15

1 βαδίζον (o aus ω corr.) L¹　4 χωρισμὸν aus λογισμὸν corr. L¹　5 τε < Eus.
10 πυθαγόριος L　11 διαφεύγει Theod.　γινώσκειν Eus. Theod.　12 ἐπόπτας Grotius
θεῷ Theod.　14 δὲ < Eus. γὰρ Theod.　ἐκ ~ vor νυκτὸς Blass, Rhein. Mus. 55
(1900) S. 92　μελαίνας aus μελάνας corr. L¹　15 ὄρσαι Eus. Theod. ὦρσε L　16 κε-
λαινεφέι Boeckh κελαινεφὲς L κελαινεφεῖ Eus. Theod. L κελαινεφέει Theod. MSC
17 σέλας καθαρὸν | ἀμέρας ~ Blass　18 [ποιῆσαι] < Eus.　19 οὗτος θεός ἐστιν L¹
ὁ Ἄρατος Eus.　20 ἀρχώμεσθα Arat. ἀρξώμεθα L ἀρχώμεθα Eus. IO

πᾶσαι δ' ἀνθρώπων ἀγοραί, μεστὴ δὲ θάλασσα
καὶ λιμένες· πάντη δὲ Διὸς κεχρήμεθα πάντες·

ἐπιφέρει·   8

τοῦ γὰρ καὶ γένος ἐσμέν,

5   οἷον δημιουργία,

ὁ δ' ἤπιος ἀνθρώποισιν
δεξιὰ σημαίνει, λαοὺς δ' ἐπὶ ἔργα ἐγείρει·
αὐτὸς γὰρ τάδε σήματ' ἐν οὐρανῷ ἐστήριξεν,
ἄστρα διακρίνας· ἐσκέψατο δ' εἰς ἐνιαυτὸν
10   ἀστέρας, οἵ κε μάλιστα τετυγμένα σημαίνοιεν
ἀνδράσιν Ὡράων, ὄφρ' ἔμπεδα πάντα φύηται·
καί μιν ἀεὶ πρῶτόν τε καὶ ὕστατον ἱλάσκονται·
χαῖρε, πάτερ, μέγα θαῦμα, μέγ' ἀνθρώποισιν ὄνειαρ.

καὶ πρὸ τούτου δὲ Ὅμηρος ἐπὶ τῆς ἡφαιστοτεύκτου ἀσπίδος κοσμο-   4
15   ποιῶν κατὰ Μωσέα

ἐν μὲν γαῖαν ἔτευξ', ἐν δ' οὐρανόν, ἐν δὲ θάλασσαν

φησίν,

ἐν δὲ τὰ τείρεα πάντα, τά τ' οὐρανὸς ἐστεφάνωται.

ὁ γὰρ διὰ τῶν ποιημάτων καὶ καταλογάδην συγγραμμάτων ἀδόμενος
20   Ζεὺς τὴν ἔννοιαν ἐπὶ τὸν θεὸν ἀναφέρει.

Ἤδη δὲ ὡς εἰπεῖν·ὑπ' αὐγὰς·ὁ Δημόκριτος εἶναί τινας ›ὀλίγους‹ 102,
γράφει ›τῶν ἀνθρώπων‹, οἳ δὴ ›ἀνατείναντες τὰς χεῖρας ἐνταῦθα
ὃν νῦν ἠέρα καλέομεν οἱ Ἕλληνες,‹φασὶ›πάντα Ζεὺς μυθέεται καὶ πάνθ'
οὗτος οἶδε καὶ διδοῖ   καὶ ἀφαιρέεται, καὶ βασιλεὺς οὗτος τῶν
25   πάντων.‹ μυστικώτερον δὲ ὁ μὲν Βοιώτιος Πίνδαρος, ἅτε Πυθα-   2

16. 18 Σ 483. 485   21—25 Demokrit Fr. 30 Diels⁶ II S. 151, 11—14; vgl.
Protr. 68, 5

7 λαοὺς—ἐγείρει < Eus. ἔργον Arat. ἐγείρει Arat. ἀγείρει L ; 8 τάδε] τά γε
Eus. 9 ἐσκέψατο L³ Eus. Arat. ἐστέψατο (vgl. Σ 485) L* (vgl. Maass, Aratea S. 257)
10 ἀστέρες Maass mit einigen Zeugen οἵ κε Arat. οἳ καὶ L Eus. IO Stob. P τε-
ταγμένα Eus. O 11 ἔμπαιδα L φύονται Arat. 12 καί] τῷ Arat. 15 Μωσέα Eus.
16 ἔτευξ' aus ἔντευξ' corr. L¹ 18 δὲ τὰ τείρεα L³ δέ τ' ἀτείρεα L* 21 ὑπ' αὐγὰς
stammt aus Plat. Phaedr. 52 p. 268 A; Mü 'Ηλίου für ἤδη δὲ scheitert schon daran,
daß dieses als Verbindung (vgl. S. 4, 9; 53, 26; 404, 15 usw.) nicht beseitigt werden
darf (Fr) 22 ἀνατείναντες Protr. Eus. ἀνατείνοντες L 23 ὄν] οὐ Eus. IO ⟨φασί⟩·
Diels 23 μυθέεται (ε¹ iñ Ras.) L¹ μυθεῖται Eus. πάνθ'] πάντα Protr. Eus. 24
ἀφαιρεῖται L³ Eus. ἀφαίρεται L* 25f. πυθαγόριος L

γόρειος ὢν, ›ἓν ἀνδρῶν, ἓν θεῶν γένος, | ἐκ μιᾶς δὲ ματρὸς πνέομεν 710 P
ἄμφω‹, τῆς ὕλης, παραδίδωσι καὶ ἕνα τὸν τούτων δημιουργόν, ὃν
›ἀριστοτέχναν πατέρα‹ λέγει, τὸν καὶ τὰς προκοπὰς κατ᾽ ἀξίαν εἰς
θειότητα παρεσχημένον. σιωπῶ γὰρ Πλάτωνα. ἄντικρυς οὗτος ἐν 8
5 τῇ πρὸς Ἔραστον καὶ Κορίσκον ἐπιστολῇ φαίνεται πατέρα καὶ υἱὸν
οὐκ οἶδ᾽ ὅπως ἐκ τῶν Ἑβραϊκῶν γραφῶν ἐμφαίνων, παρακελευό-
μενος κατὰ λέξιν· ›ἐπομνύντας σπουδῇ τε ἅμα μὴ ἀμούσῳ καὶ ⟨τῇ⟩ 4
τῆς σπουδῆς ἀδελφῇ παιδιᾷ τὸν πάντων θεὸν αἴτιον καὶ τοῦ ἡγε-
μόνος καὶ αἰτίου πατέρα κύριον ἐπομνύντας, ὅν, ἐὰν ὀρθῶς φιλοσο-
10 φήσητε, εἴσεσθε.‹ ἥ τε ἐν Τιμαίῳ δημηγορία πατέρα καλεῖ τὸν 5
δημιουργὸν λέγουσα ὧδέ πως· ›θεοὶ θεῶν, ὧν ἐγὼ πατὴρ δημιουργός
τε ἔργων.‹ ὥστε καὶ ἐπὰν εἴπῃ ›περὶ τὸν πάντων βασιλέα πάντα 103, 1
ἐστὶ κἀκείνου ἕνεκεν τὰ πάντα κἀκεῖνο αἴτιον ἁπάντων ⟨τῶν⟩ καλῶν,
δεύτερον δὲ περὶ τὰ δεύτερα καὶ τρίτον περὶ τὰ τρίτα‹, οὐκ ἄλλως
15 ἔγωγε ἐξακούω ἢ τὴν ἁγίαν τριάδα μηνύεσθαι· τρίτον μὲν γὰρ εἶναι
τὸ ἅγιον πνεῦμα, τὸν υἱὸν δὲ δεύτερον, δι᾽ οὗ ›πάντα ἐγένετο‹ κατὰ
βούλησιν τοῦ πατρός. ὁ δ᾽ αὐτὸς ἐν τῷ δεκάτῳ τῆς Πολιτείας 2
Ἠρὸς | τοῦ Ἀρμενίου, τὸ γένος Παμφύλου, μέμνηται, ὅς ἐστι Ζωροά- 711 P
στρης· αὐτὸς γοῦν ὁ Ζωροάστρης γράφει· ›τάδε συνέγραψα Ζω- 8
20 ροάστρης ὁ Ἀρμενίου, τὸ γένος Πάμφυλος, ἐν πολέμῳ τελευτήσας,
⟨ὅσα⟩ ἐν Ἅιδῃ γενόμενος ἐδάην παρὰ θεῶν.‹ τὸν δὴ Ζωροάστρην 4
τοῦτον ὁ Πλάτων δωδεκαταῖον ἐπὶ τῇ πυρᾷ κείμενον ἀναβιῶναι
λέγει· τάχα μὲν οὖν τὴν ἀνάστασιν, τάχα δὲ ἐκεῖνα αἰνίσσεται, ὡς
διὰ τῶν δώδεκα ζῳδίων ἡ ὁδός· ταῖς ψυχαῖς γίνεται εἰς τὴν ἀνά-

1f. Pindar Nem. 6, 1f.; vgl. Elter Gnom. hist. ram. 15　3 Pindar Fr. 57 Schroe-
der; vgl. Protr. 98, 3　7—10 [Plato] Epist. VI p. 323 D; vgl. Boeckh, De trag. graec.
p. 162f.　11f. Plato Tim. 41 A; vgl. Elter Gnom. hist. 255　12—14 [Plato] Epist. II
p. 312 E　16 vgl. Io 1, 3　17f. vgl. Plato Rep. X p. 614 B　19 Herakleides P. hatte
einen Dialog Zoroastres geschrieben, vgl. F. Wehrli Herakl. P. (7, S. 26 u. 82)
21—23 vgl. Plato Rep. X p. 614 B

* 1 ἐνθέων L　1f. πνέομεν ματρὸς ἀμφότεροι Pind.　2 τὸν Eus. τῶν L ὃν] τὸν
Eus.　4 ἃ ἄντικρυς Eus.　5 Ἔραστὸν Eus. HSS　7 ⟨τῇ⟩ aus Plato Eus.　8 παιδιᾷ
Plato παιδείᾳ L　τὸν πάντων] καὶ τὸν τῶν πάντων Plato αἴτιον καὶ τοῦ]
ἡγεμόνα τῶν τε ὄντων καὶ τῶν μελλόντων τοῦ τε Plato　9 ἂν Plato ὀρθῶς] ὄντως
Plato　9f. φιλοσοφῆτε Eus. φιλοσοφῶμεν Plato　10 εἰσόμεθα Plato καλεῖ] λέγει
Eus.　11 δημιουργὸς πατήρ Plato　12 τὸν Plato Eus. τῶν L　12f. πάντ᾽ ἐστὶ καὶ
ἐκείνου ἕνεκα πάντα, καὶ ἐκεῖνο Plato　13 ἕνεκα od. ἕνεκε Eus.　ἁπάντων < Eus.
⟨τῶν⟩ aus Plato Eus.　16 τὸ corr. aus τὸν L¹　18f. 19. 19f. 21 ζοροάστης—ζορο-
άστην L ζωρόαστρις—ζωροαστριν Eus.　19 συνέγραψα Cobet S. 523 συνέγραψεν L
Eus.　21 ⟨ὅσα⟩ aus Eus.　22 δωδεκατέον L　23 οὖν—τάχα δὲ] οὐ—ἀλλ᾽ Eus.

ληψιν, αὐτὸς δὲ καὶ εἰς τὴν γένεσίν φησι τὴν αὐτὴν γίγνεσθαι κάθο-
δον. ταύτῃ ὑποληπτέον καὶ τὰ τοῦ Ἡρακλέους ἆθλα γενέσθαι δώ- 5
δεκα, μεθ᾽ ἃ τῆς ἀπαλλαγῆς παντὸς τοῦ κόσμου τοῦδε τυγχάνει ἡ
ψυχή. οὐ παραπέμπομαι καὶ τὸν Ἐμπεδοκλέα, ὃς φυσικῶς οὕτως τῆς 6
5 τῶν πάντων ἀναλήψεως μέμνηται, ὡς ἐσομένης ποτὲ εἰς τὴν τοῦ
πυρὸς οὐσίαν μεταβολῆς. σαφέστατα ⟨δ᾽⟩ Ἡράκλειτος ὁ Ἐφέσιος ταύτης 104, 1
ἐστὶ τῆς δόξης, τὸν μέν τινα κόσμον ἀίδιον εἶναι δοκιμάσας, τὸν δέ
τινα φθειρόμενον, τὸν κατὰ τὴν διακόσμησιν εἰδὼς οὐχ ἕτερον ὄντα
ἐκείνου πως ἔχοντος. ἀλλ᾽ ὅτι μὲν ἀίδιον τὸν ἐξ ἁπάσης τῆς οὐσίας 2
10 ἰδίως ποιὸν κόσμον ᾔδει, φανερὸν ποιεῖ λέγων οὕτως· »κόσμον τὸν
αὐτὸν ἁπάντων οὔτε τις θεῶν οὔτε ἀνθρώπων ἐποίησεν, ἀλλ᾽ ἦν
ἀεὶ καὶ ἔστιν καὶ ἔσται πῦρ ἀείζωον ἁπτόμενον μέτρα καὶ ἀποσβεν-
νύμενον μέτρα.« | ὅτι δὲ καὶ γενητὸν καὶ φθαρτὸν αὐτὸν εἶναι 3 712 P
ἐδογμάτιζεν, μηνύει τὰ ἐπιφερόμενα· »πυρὸς τροπαὶ πρῶτον θάλασσα,
15 θαλάσσης δὲ τὸ μὲν ἥμισυ γῆ, τὸ δὲ ἥμισυ πρηστήρ.« δυνάμει | γὰρ 4 256 S
λέγει, ὅτι πῦρ ὑπὸ τοῦ διοικοῦντος λόγου καὶ θεοῦ τὰ σύμπαντα δι᾽
ἀέρος τρέπεται εἰς ὑγρὸν τὸ ὡς σπέρμα τῆς διακοσμήσεως, ὃ καλεῖ
θάλασσαν· ἐκ δὲ τούτου αὖθις γίνεται γῆ καὶ οὐρανὸς καὶ τὰ ἐμ-
περιεχόμενα. ὅπως δὲ πάλιν ἀναλαμβάνεται καὶ ἐκπυροῦται, σαφῶς 5
20 διὰ τούτων δηλοῖ· »θάλασσα διαχέεται καὶ μετρέεται εἰς τὸν αὐτὸν
λόγον ὁκοῖος πρόσθεν ἦν ἢ γενέσθαι γῆ.« ὁμοίως καὶ περὶ τῶν
ἄλλων στοιχείων τὰ αὐτά. παραπλήσια τούτῳ καὶ οἱ ἐλλογιμώτατοι 105, 1
τῶν Στωϊκῶν δογματίζουσι περί τε ἐκπυρώσεως διαλαμβάνοντες καὶ
κόσμου διοικήσεως καὶ τοῦ ἰδίως ποιοῦ κόσμου τε καὶ ἀνθρώπου
25 καὶ τῆς τῶν ἡμετέρων ψυχῶν ἐπιδιαμονῆς. πάλιν τε αὖ ὁ Πλάτων 2
ἐν μὲν τῷ ἑβδόμῳ τῆς Πολιτείας τὴν ἐνταῦθα ἡμέραν νυκτερινὴν
κέκληκεν (διὰ »τοὺς κοσμοκράτορας«, οἶμαι, »τοῦ σκότους τούτου«),

1f. vgl. vielleicht Plato Rep. X p. 621 B   4—6 vgl. Diels, Poet. philos. fragm.
p. 91 sqq.   6—25 Chrysipp Fr. phys. 590 Arnim   10—15 Heraklit Fr. 30 Diels⁶
I 157, 10—158, 7   20f. Heraklit Fr. 31ᵇ Diels⁶ I 158, 12—14   22—25 vgl. Strom.
V 9, 4   25—27 vgl. Plato Rep. VII p. 521 C   27 vgl. Eph 6, 12

1 γίνεσθαι Eus.   1f. κάθοδον γίνεσθαι Eus. O   2 ταῦτα—Ἡρακλέος—λέγεσθαι
Eus.   4 οὐ < Eus. IO   ὃς φυσικῶς οὕτως] ὁ φυσικὸς οὗτος Eus.   6 ⟨δ᾽⟩ aus Eus.
7 δοκιμάσας] δογματίσας (vgl. Z. 14) Ma   9 πῶς L   10 ἰδίως (vgl. auch S. 332, 2;
unten Z. 24) Bernays, Heracl. I p. 13 (= Ges. Abh. I p. 12¹) ἀιδίως L Eus.   ᾔδει
L ᾔδη Eus.   ⟨τόνδε⟩ τὸν Bywater   11 πάντων Eus.   14 τροπὰς Eus. IO   16 πῦρ]
τὸ πῦρ Eus.   18 οὐρανὸς καὶ γῆ Eus.   20 διαχεῖται Eus. IO   21 πρόσθεν Eus.
πρῶτον L   γῆ < Eus. γῆν Schuster   26 νυκτερινὴν] + ἡμέραν Eus.

ὕπνον δὲ καὶ θάνατον τὴν εἰς σῶμα κάθοδον τῆς ψυχῆς κατὰ ταὐτὰ
Ἡρακλείτῳ. καὶ μή τι τοῦτο ἐπὶ τοῦ σωτῆρος προεθέσπισεν τὸ 3
πνεῦμα διὰ τοῦ Δαβὶδ λέγον· ›ἐγὼ ἐκοιμήθην καὶ ὕπνωσα· ἐξηγέρ-
θην, ὅτι κύριος ἀντιλήψεταί μου.‹ οὐ γὰρ τὴν ἀνάστασιν μόνην τοῦ 4
5 Χριστοῦ ἐξ ὕπνου ἔγερσιν, ἀλλὰ καὶ τὴν εἰς σάρκα κάθοδον τοῦ
κυρίου ὕπνον ἀλληγορεῖ. αὐτίκα ὁ αὐτὸς σωτὴρ παρεγγυᾷ· ›γρηγο- 106, 1
ρεῖτε‹, οἷον μελετᾶτε ζῆν καὶ χωρίζειν τὴν ψυχὴν τοῦ σώματος
πειρᾶσθε. τήν τε κυριακὴν ἡμέραν ἐν τῷ δεκάτῳ τῆς Πολιτείας ὁ 2
Πλάτων διὰ τούτων καταμαντεύεται· ›ἐπειδὴ δὲ τοῖς ἐν τῷ λειμῶνι |
10 ἑκάστοις ἑπτὰ ἡμέραι γένοιντο, ἀναστάντας ἐντεῦθεν δεῖ τῇ ὀγδόῃ 713 P
πορεύεσθαι καὶ ἀφικνεῖσθαι τεταρταίους.‹ λειμῶνα μὲν οὖν ἀκου- 3
στέον τὴν ἀπλανῆ σφαῖραν, ὡς ἥμερον χωρίον καὶ προσηνὲς καὶ τῶν
ὁσίων χῶρον, ἑπτὰ δὲ ἡμέρας ἑκάστην κίνησιν τῶν ἑπτὰ καὶ πᾶσαν
τὴν ἐργαστικὴν τέχνην εἰς τέλος ἀναπαύσεως σπεύδουσαν. ἡ δὲ μετὰ 4
15 τοὺς πλανωμένους πορεία ἐπὶ τὸν οὐρανὸν ἄγει, τουτέστι τὴν ὀγ-
δόην κίνησίν τε καὶ ἡμέραν. τεταρταίους δὲ τὰς ψυχὰς ἀπιέναι
λέγει, δηλῶν τὴν διὰ τῶν τεσσάρων στοιχείων πορείαν.

　　Ἀλλὰ καὶ τὴν ἑβδόμην ἱερὰν οὐ μόνον οἱ Ἑβραῖοι, ἀλλὰ καὶ οἱ 107, 1
Ἕλληνες ἴσασι, καθ᾽ ἣν ὁ πᾶς κόσμος κυκλεῖται τῶν ζῳογονου-
20 μένων καὶ φυομένων ἁπάντων. Ἡσίοδος μὲν ⟨οὖν⟩ οὕτως περὶ 2
αὐτῆς λέγει·

　　　　πρῶτον ἔνη τετράς τε καὶ ἑβδόμη ἱερὸν ἦμαρ.
καὶ πάλιν·
　　　　ἑβδομάτῃ δ᾽ αὖθις λαμπρὸν φάος ἠελίοιο.
25 Ὅμηρος δέ·　　　　　　　　　　　　　　　　　　3

---

1 vgl. Philo De Jos. 126 (IV p. 87); Plato Phaed. p. 95 CD ἀλλὰ γὰρ οὐδέν τι
μᾶλλον ἦν ἀθάνατον, ἀλλὰ καὶ αὐτὸ τὸ εἰς ἀνθρώπου σῶμα ἐλθεῖν ἀρχὴ ἦν αὐτῇ
ὀλέθρου. zu κάθοδος τῆς ψυχῆς vgl. Wyttenbach zu Eunap. II p. 128　1f. vgl.
Heraklit Fr. 21 Diels; Strom. III 21, 1　3f. Ps 3, 6　6f. vgl. Mt 24, 42 u. ö.
7 vgl. Strom. V 67, 1; Plato Phaed. p. 67 D. 80 E. 81 A　9—11 Plato Rep. X
p. 616 B　13f. vgl. z. B. Philo Quod deus sit imm. 12 (II p. 59)　18—S. 398, 16
vgl. Valckenaer, Diatr. de Arist. p. 9. 117ff.　19f. πᾶς—ἁπάντων (auch Strom. VI
142, 4) u. 20—S. 398, 16 Ἡσίοδος—ἐνιαυτοῖς aus Aristobul; vgl. Euseb. Praep. Ev.
XIII 12, 13—16　22 Hesiod Op. 770　24 Hesiod Zweifelh. Fr. 273 Rzach²

　　1 κάθοδον ὁδὸν Eus.　ταυτὰ L³ ταῦτα L*　2 τῷ Ἡρακλ. Eus.　προεθέσπιζε
Eus.　4 μόνον Eus.　6 παρεγγυιᾶι L* corr. L¹　10 ἀναστάντες Eus. Ο δεῖ Eus. I
δὴ L δεῖν Plato < Eus. BO　11. 16 τεταρτέους L　14 ἐργατικὴν Eus. ΙΟ　18—
S. 398, 17 [Ἀλλὰ—ἐκθειάζουσιν] als Interpolation Valckenaer p. 107　20 ⟨οὖν⟩ aus
Eus. οὕτω Eus.　22 ἔνη Hes. Eus.　μὲν οὖν L ἑβδόμη Hes. Eus. ἔβδομοι L　24
αὖτις Arist.　25 δέ] + οὕτω λέγει Arist.

ἑβδομάτῃ δῆπειτα κατήλυθεν ἱερὸν ἦμαρ.

καί

ἑβδόμη ἦν ἱερή.

καὶ πάλιν·

5   ἕβδομον ἦμαρ ἔην, καὶ τῷ τετέλεστο ἅπαντα.

καὶ αὖθις·

ἑβδομάτῃ δ' ἠοῖ λίπομεν ῥόον ἐξ Ἀχέροντος.

ναὶ μὴν καὶ Καλλίμαχος ὁ ποιητὴς γράφει·   4

ἑβδομάτῃ δ' ἠοῖ καί οἱ τετύχοντο ἅπαντα.

10 καὶ πάλιν·

ἑβδόμη εἰν ἀγαθοῖσ⟨ι⟩ καὶ ἑβδόμη ἐστὶ γενέθλη.

καί·

ἑβδόμη ἐν πρώτοισι[ν] καὶ ἑβδόμη ἐστὶ τελείη.

καί·

15   ἑπτὰ δὲ πάντα τέτυκτο ἐν οὐρανῷ ἀστερόεντι
           ἐν κύκλοισι φανέντα ἐπιτελλομένοις ἐνιαυτοῖς.

ἀλλὰ καὶ αἱ Σόλωνος ἐλεγεῖαι σφόδρα τὴν ἑβδομάδα ἐκθειάζουσιν. 108, 1
   Τί δ'; οὐχὶ παραπλήσια | τῇ λεγούσῃ γραφῇ »ἄρωμεν ἀφ' ἡμῶν 2 714 F
τὸν δίκαιον, ὅτι δύσχρηστος ἡμῖν ἐστιν· ὁ Πλάτων μονονουχὶ προ-
20 φητεύων τὴν σωτήριον οἰκονομίαν ἐν τῷ δευτέρῳ τῆς Πολιτείας
ὧδέ φησιν· ›οὕτω δὲ διακείμενος ὁ δίκαιος μαστιγωθήσεται, στρε- 3
βλώσεται, δεθήσεται, ἐκκοπήσεται τὼ ὀφθαλμώ, τελευτῶν πάντα
κακὰ παθὼν ἀνασκινδυλευθήσεται.‹ ὅ τε Σωκρατικὸς Ἀντισθένης, 4

1. 3. 5. 7 Homer Falsche Fr. vgl. Kinkel EGF I p. 75   5 vgl. ε 262   9. 11.
13. 15f. Kallimachos Unechtes Fr. 145 Schneider von Pfeiffer nicht aufgenommen;
vgl. Arsen. Viol. p. 237, 10 Walz (direkt aus Aristobul-Euseb.)   17 vgl. Solon
Fr. 19 Diehl Anth. l. I³ p. 39 = Strom. VI 144, 3—6   18f. Sap 2, 12 = Is 3,10
21—23 Plato Rep. II p. 361 E. 362 A; Theodoret Gr. aff. c. VIII 50; vgl. Strom. IV
52, 1   23—S. 399, 5 Theodoret I 75—77

2f. καὶ—ἱερή < Arist.   7 λίπομεν Eus. λείπομεν L   8 ναὶ—γράφει] Λίνος δέ
φησιν οὕτως Arist. Arsen.   9 ἠοῖ] ἦν Eus. IO καί οἱ τετύχοντο (ἐτέτυκτο Eus.)
ἅπαντα] τετελεσμένα πάντα τέτυκται (coni. τέτυκτο Valck.) Arist. Arsen.   13 πρώ-
τοισι Arist. Eus. τελείη L Arist. τελεία Eus.   15 τέτυκται Arist.   16 ἐπὶ τελλο-
μένοις Schneider περιπλομένων ἐνιαυτῶν Bentley   18 τί δ'] τὰ δέ Eus.   19 τὸν
corr. aus τὸ L¹   21 ὧδέ φησιν] οὕτω (< O) φησίν Eus. δὲ < Plato μαστιγώσεται
Plato Eus. αἰκισθήσεται Theod.   21f. στρεβλώσεται < Eus. στρεβλωθήσεται Theod.
22 δεθήσεται L Theod. δεδήσεται Plato Eus. ἐκκοπήσεται] ἐκκανθήσεται Plato τὼ
ὀφθαλμὼ L³ τῶι ὀφθαλμῶι.L*   23 ἀνασκινδυλευθήσεται Plato ἀνασκινδαλευθήσεται
Theod. (geringere HSS)

παραφράζων τὴν προφητικὴν ἐκείνην φωνὴν »τίνι με ὠμοιώσατε;
λέγει κύριος«, »⟨θεὸν⟩ οὐδενὶ ἐοικέναι« φησί· »διόπερ αὐτὸν οὐδεὶς
ἐκμαθεῖν ἐξ εἰκόνος δύναται.« τὰ δ᾿ ὅμοια καὶ Ξενοφῶν ὁ Ἀθηναῖος 5
κατὰ λέξιν λέγει· »ὁ γοῦν πάντα σείων καὶ ἀτρεμίζων ὡς μὲν μέγας
5 τις καὶ δυνατός, φανερός· ὁποῖος δ᾿ ἐστὶν μορφήν, ἀφανής· οὐδὲ
μὴν ὁ παμφαὴς δοκῶν εἶναι ἥλιος οὐδ᾿ οὗτος ἔοικεν ὁρᾶν αὐτὸν
ἐπιτρέπειν, ἀλλ᾿ ἤν τις ἀναιδῶς αὐτὸν θεάσηται, τὴν ὄψιν ἀφαι-
ρεῖται.«

      τίς γὰρ σὰρξ δύναται τὸν ἐπουράνιον καὶ ἀληθῆ   **6**
10   ὀφθαλμοῖσ⟨ιν⟩ ἰδεῖν θεὸν ἄμβροτον, ὃς πόλον οἰκεῖ;
      ἀλλ᾿ οὐδ᾿ ἀκτίνων κατεναντίον ἠελίοιο
      ἄνθρωποι στῆναι δυνατοί, θνητοὶ γεγαῶτες,

προεῖπεν ἡ Σίβυλλα.

    Εὖ γοῦν καὶ Ξενοφάνης ὁ Κολοφώνιος, διδάσκων ὅτι εἷς καὶ **109,1**
15 ἀσώματος ὁ θεός, ἐπιφέρει·

      εἷς θεός, ἔν τε θεοῖσι καὶ ἀνθρώποισι μέγιστος,
      οὔ τι δέμας θνητοῖσιν ὁμοίιος οὐδὲ νόημα.

καὶ πάλιν·   **2**

      ἀλλ᾿ οἱ βροτοὶ δοκοῦσι γεννᾶσθαι θεούς, |
20   τὴν σφετέρην δὲ ἐσθῆτα ἔχειν φωνήν τε δέμας τε.   715 P

καὶ πάλιν·   **3**

1f. vgl. Is 40, 18. 25; 46, 5; Strom. V 117, 3   2f. Antisthenes Fr. 24 Mullach
FPG II p. 277; vgl. Protr. 71, 2 4—8 vgl. Xenoph. Mem. IV 3, 13f.; Protr. 71, 3
mit Anm.; Cyr. v. Alex. c. Jul. I (PG 76, 554 A) von Fr nachgewiesen ZntW 36,
1937, S. 89; vgl. auch Schmid I 3 (1940) S. 262 A 9 (Fr)   9—12 Orac. Sibyll.
Fr. 1, 10—13; Protr. 71, 4   16f. Xenophanes Fr. 23 Diels⁶ I 135, 4f.   19—S. 400, 5
Theodoret Gr. aff. c. III 72   19f. Xenophanes Fr. 14 (Diels⁶ I 132, 16f.); vgl.
Wilamowitz, Comm. gramm. II (1880) p. 7; Bergk, Opuscula II 56

1 φωνήν] γραφὴν Eus.   2 ⟨θεὸν⟩ aus Protr. 71, 2; Eus.   3—8 τὰ δ᾿ ὅμοια—
ἀφαιρεῖται hält Cobet S. 249 für interpoliert aus Protr. 71, 3   4 πάντα] τὰ πάντα
Protr.   5 δ᾿ ἐστὶν (ἐστὶ Eus.)] δὲ τὴν Stob. Ecl. II 1, 33 δέ τις Protr. P   6 οὗτος]
αὐτός Protr.   6f. αὐτὸν ὡς ἔοικεν ὁρᾶν ἐπιτρέπει Stob.   6 αὐτὸν L   10 ὀφθαλμοῖσιν
Sib. ὀφθαλμοῖς L Protr.   12 γεγαότες L   17 οὔ τι—οὐδὲ L οὔτε—οὔτε Diels   19
ἀλλὰ βροτοὶ δοκέουσι θεοὺς γεννᾶσθαι ⟨ὁμοίως⟩ Bergk, ebenso Ma, nur ⟨ὁμοίους⟩
20 τὴν σφετέρην δὲ ἐσθῆτα L Eus. καὶ ἴσην τ᾿ αἴσθησιν Theod. τὴν σφετέρην τ᾿
αἴσθησιν Mullach FPG I p. 101

ἀλλ' εἴ τοι χεῖρας ⟨γ'⟩ εἶχον βόες ἠὲ λέοντες,
ὡς γράψαι χείρεσσι καὶ ἔργα τελεῖν ἅπερ ἄνδρες,
ἵπποι μέν θ' ἵπποισι, βόες δέ τε βουσὶν ὁμοίας
καὶ ⟨κε⟩ θεῶν ἰδέας ἔγραφον καὶ σώματ' ἐποίουν
5   τοιαῦθ' οἶόν περ καὶ αὐτοὶ δέμας εἶχον ὁμοῖον.

Ἀκούσωμεν οὖν πάλιν Βακχυλίδου τοῦ μελοποιοῦ περὶ τοῦ 110
θείου λέγοντος·

    οἳ μὲν ἀδμῆτες ἀεικελιᾶν
    νούσων εἰσὶ⟨ν⟩ καὶ ἄνατοι,
10   οὐδὲν ἀνθρώποις ἴκελοι·

Κλεάνθους τε τοῦ Στωϊκοῦ ἔν τινι ποιήματι περὶ τοῦ θεοῦ ταῦτα 2
γεγραφότος· |

    τἀγαθὸν ἐρωτᾶς με οἶόν ἐστ'; ἄκουε δή·   257
    τεταγμένον, δίκαιον, ὅσιον, εὐσεβές,
15   κρατοῦν ἑαυτοῦ, χρήσιμον, καλόν, δέον,
    αὐστηρόν, αὐθέκαστον, ἀεὶ συμφέρον,
    ἄφοβον, ἄλυπον, λυσιτελές, ἀνώδυνον,
    ὠφέλιμον, εὐάρεστον, ⟨ἀσφαλές, φίλον,
    ἔντιμον,⟩ ὁμολογούμενον, * * *
20   εὐκλεές, ἄτυφον, ἐπιμελές, πρᾶον, σφοδρόν,
    χρονιζόμενον, ἄμεμπτον, ἀεὶ διαμένον.

1—5 Xenophanes Fr. 15 Diels⁶ I 132, 19—133, 5   8—10 Bakchylides Fr. 23 Snell
13—21 Kleanthes Fr. 557 Arnim Stoic. vet. fr. I p. 126f. (75 Pearson) fr. 3 Powell
p. 229ff.; vgl. Wachsmuth, Comm. II de Zenone Cit. et Cleanthe Assio p. 8f. Das
Zitat auch Protr. 72, 2 [benützt in Ecl. proph. 37, 1 (Fr)]

1 τοι < Eus. ⟨γ'⟩ Stephanus ἔχον Eus. ἀλλ' εἰ χεῖρας ἔχον βόες ⟨ἵπποι τ'⟩
ἠὲ λέοντες Diels ἠὲ λέοντες] ἢ ἐλέφαντες Theod. MSCV ἠὲ κέλητες Schultess ἢ
κελέοντες Diels, Berl. Sitz.-B. 1891 S. 578   2 ὡς Heyse ἢ L Eus. Theod. καὶ Diels
2 χείρεσσι] viell.· χροιῆσι Diels 3 ὁμοίας Theod. ὁμοῖοι L ὅμοιοι Eus. ἵπποι—
ὁμοῖον ∼ Karsten an den Schluß 4 ⟨κε⟩ Sy < L Eus. Theod. 5 ὁμοῖον (ὅμοιον
Eus.)] ἔκαστοι richtig Hiller, Diels ἔκαστος Bernays 6 τοῦ] μὲν τοῦ Eus.   8 ἀει-
κελιᾶν Neue ἀεὶ καὶ λίαν L ἀεικελίων Eus. 9 εἰσὶ νόσων Bergk ἄνατοι Schäfer
ἀνάίτιοι L Eus. 10 εἴκελοι Eus. I 12 γεγραφότος Eus. γε γράφοντος L γεγρ.] +
ἄκουε Eus. 16 ἀεισύμφερον Eus. I 18f. ⟨ἀσφαλές, φίλον, ἔντιμον⟩ aus Eus. u.
Protr. 19 ⟨εὐχάριστον,⟩ ὁμολογούμενον Arnim ⟨εὐάρεστον,⟩ ὁμολ. Eus. IO 21
ἄμεμπτον Eus. Protr. ἀμίμητον L

ὁ δὲ αὐτὸς κατὰ τὸ σιωπώμενον τὴν τῶν πολλῶν διαβάλλων εἰδω- 111, 1
λολατρείαν ἐπιφέρει·

    ἀνελεύθερος πᾶς ὅστις εἰς δόξαν βλέπει,
    ὡς δὴ παρ' ἐκείνης τευξόμενος καλοῦ τινος.

5 οὔκουν ἔτι κατὰ τὴν τῶν πολλῶν δόξαν περὶ τοῦ θείου ὑπο- 2
ληπτέον. |

          οὐδὲ γὰρ λάθρα δοκῶ   716 P 8
    φωτὸς κακούργου σχήματ' ἐκμιμούμενον
    σοὶ Ζῆν' ἐς εὐνὴν ὥσπερ ἄνθρωπον ιολεῖν,

10 Ἀμφίων λέγει τῇ Ἀντιόπῃ. ὁ Σοφοκλῆς δὲ εὐθυρημόνως γράφει· 4

    τὴν τοῦδε γάρ τοι Ζεὺς ἔγημε μητέρα,
    οὐ χρυσόμορφος οὐδ' ἐπημφιεσμένος
    πτίλον κύκνειον, ὡς κόρην Πλευρωνίαν
    ὑπημβρύωσεν, ἀλλ' ὁλοσχερὴς ἀνήρ.

15 εἶτα ὑπελθὼν καὶ δὴ ἐπήγαγεν·   5

    ταχὺς δὲ βαθμοῖς νυμφικοῖς ἐπεστάθη
    ὁ μοιχός.

ἐφ' οἷς ἔτι φανερώτερον τὴν ἀκρασίαν τοῦ μυθοποιουμένου· Διὸς 6
ὧδέ πως ἐκδιηγεῖται·

20   ὃ δ' οὔτε δαιτὸς οὔτε χέρνιβος θιγὼν
    πρὸς λέκτρον ᾔει καρδίαν ὠδαγμένος·
    ὅλην δ' ἐκείνην εὐφρόνην ἐθόρνυτο.

ταυτὶ μὲν οὖν παρείσθω ταῖς τῶν θεάτρων ἀνοίαις· ἄντικρυς δὲ ὁ 7
μὲν Ἡράκλειτος ›τοῦ λόγου τοῦδ' ἐόντος αἰεὶ‹ φησὶν ›ἀξύνετοι

3f. Kleanthes Fr. 560 Arnim a. a. O. p. 128 (101 Pearson) fr. 5 Powell p. 230;
vgl. Protr. 72, 2 7—9 Euripides Antiope Fr. 210 11—22 Sophokles Fr. dub. 1026
24—S. 402, 2 Heraklit Fr. 1 Diels⁶ I 150, 3—6; vgl. Sext. Emp. Adv. Math.
VIII 132

1 σιωπόμενον L 4 τινος καλοῦ Eus. 5 θείου (vgl. S. 400, 7) Eus. θεοῦ L
8 φωτός] θηρός F. W. Schmidt, Krit. Stud. II p. 452 9 Ζῆν' Valckenaer, Diatr.
in Eur. rel. p. 63ᵇ τήνδε L τήνδ' Eus. 13 πτίλον κύκνιον L 14 am Rand ὑπημ-
βρύωσεν, ἔγκυον ἐποίησεν L³ 15 εἶτα ὑπελθὼν Eus. εἶτ' αὖ ἐπελθὼν L 16 νυμφικοῖς]
μοιχικοῖς Eus. IO ἐπεστάθη oder ἐπεστάτει Eus. ἐπεσχάλη L 18 ἔτι Eus. ἔστι L
20 οὔτε² Eus. οὐδὲ L θιγὼν Eus. θίβων L 21 ᾔει (sic) L 22 ἐθόρνυτο Eus. (vgl.
Hesychius s. v.) ἐθρύπτετο L 23 ταυτὶ Eus. ταύτῃ L παρείσθω L³ Eus. παρίσθω
L* 24 τοῦδ' ἐόντος] τοῦ δέοντος L ἀεὶ Eus.

Clemens II.   26

γίγνονται ἄνθρωποι καὶ πρόσθεν ἢ ἀκοῦσαι καὶ ἀκούσαντες τὸ πρῶτον.‹

Ὁ μελοποιὸς δὲ Μελανιππίδης ᾄδων φησίν·   112, 1

    κλῦθί μοί, ὦ πάτερ, θαῦμα βροτῶν,
5   τᾶς ἀειζώου ψυχᾶς μεδέων.

Παρμενίδης δὲ ὁ μέγας, ὥς φησιν ἐν Σοφιστῇ Πλάτων, ὧδέ πως 2 περὶ τοῦ θείου γράφει·

    πολλὰ μάλ’, ὡς ἀγένητον ἐὸν καὶ ἀνώλεθρόν ἐστιν,
    οὖλον μουνογενές τε καὶ ἀτρεμὲς ἠδ’ ἀγένητον.

10 ἀλλὰ καὶ ὁ Ἡσίοδος   8

    αὐτὸς γὰρ πάντων
φησὶ
        βασιλεὺς καὶ κοίρανός ἐστιν
    ἀθανάτων· σέο δ’ οὔτις ἐρήρισται κράτος ἄλλος. |

15 Ναὶ μὴν καὶ ἡ τραγῳδία ἀπὸ τῶν εἰδώλων ἀποσπῶσα εἰς τὸν 4 717 οὐρανὸν ἀναβλέπειν διδάσκει.

Ὁ μὲν Σοφοκλῆς, ὥς φησιν Ἑκαταῖος ὁ τὰς ἱστορίας συνταξά- 113, 1 μενος ἐν τῷ Κατ’ Ἄβραμον καὶ τοὺς Αἰγυπτίους, ἄντικρυς ἐπὶ τῆς σκηνῆς ἐκβοᾷ·

20   εἰς ταῖς ἀληθείαισιν, εἰς ἐστι⟨ν⟩ θεός,   2
        ὃς οὐρανόν τε ἔτευξε καὶ γαῖαν μακρὴν

4f. Melanippides Fr. 6 Diehl (Anth. lyr. II² p. 154); vgl. Wilamowitz Hellen. Dichtung II S. 264 A 1   **6** Plato Sophist. p. 237 A   **8f.** Parmenides Fr. 8, 3f. Diels⁶ I 235, 3f.; vgl. Simpl. phys. 30, 1f.; 78, 12f.; 120, 23: 145, 3f. Diels; Plut. Mor. 1114 C u. a.   **9** Theodoret Gr. aff. c. IV 7; II 108 (hier aus Euseb. Pr. Ev. I 8, 5)   **11—14** Hesiod Fr. 195 Rzach²; vgl. Protr. 73, 3   **17—S. 403,** 7 Hekataios von Abdera, Gefälschtes Fr. 18 FHG II p. 396; vgl. Diels⁶ II 245, 21—23 Elter, Gnom. hist. 151; 254   **20—S. 403,** 7 [Soph.] Fr. 1025; Theodoret Gr. aff. c. VII 46; vgl. Boeckh, De trag. graec. p. 148f.; Elter, Gnom. hist. p. 151 u. Protr. 74, 2 mit den dort angeführten Schriftstellern u. Varianten

ὁ ψυχᾶς (corr. aus ψυχῆς L¹) μεδέων] μεδέων ψυχᾶς Bergk **6** δὲ] τε Eus. **7** θείου (vgl. S. 400, 7) Eus. θεοῦ L **8** ἀγένητον Vi ἀγέννητον L Eus. O **9** οὖλον] μοῦνον Eus. I (Theod.) u. XIII 1 οὖλον μουνογενές] ἔστι γὰρ οὐλομελές Plut. τε] δὲ Eus. ἠδ’] ἢ δ’ L ἀγένητον] ἀτέλεστον Simpl. phys. 30. 78. 145 **14** σέο δ’ L Eus. τε ὅδ’ (= τέο δ’) Protr. σοί δ’ Sy τῷ δ’ Göttling τέ οἱ Buttmann ἐρήρισται L* Eus. ἐρίρισται L¹ **17** μὲν] + γὰρ Eus.

πόντου τε χαροπὸν οἶδμα καὶ ἀνέμων βίαν.
θνητοὶ δὲ πολλοὶ καρδίαν πλανώμενοι,
ἱδρυσάμεσθα πημάτων παραψυχὴν
θεῶν ἀγάλματα ἐκ λίθων, ἢ χαλκέων
5 ἢ χρυσοτεύκτων ἢ ἐλεφαντίνων τύπους·
θυσίας τε τούτοις καὶ κακὰς πανηγύρεις
στέφοντες, οὕτως εὐσεβεῖν νομίζομεν.

Εὐριπίδης δὲ ἐπὶ τῆς αὐτῆς σκηνῆς τραγῳδῶν   114, 1

      ὁρᾷς

10 φησὶ

            τὸν ὑψοῦ τόνδ' ἄπειρον αἰθέρα
      καὶ γῆν πέριξ ἔχοντα ὑγραῖς ⟨ἐν⟩ ἀγκάλαις;
      τοῦτον νόμιζε Ζῆνα, τόνδ' ἡγοῦ θεόν.

ἐν δὲ τῷ Πειρίθῳ δράματι ὁ αὐτὸς καὶ τάδε τραγῳδεῖ·   2

15   σὲ τὸν αὐτοφυῆ, τὸν ἐν αἰθερίῳ
      ῥόμβῳ πάντων φύσιν ἐμπλέξαντα,
      ὃν πέρι μὲν φῶς, πέρι δ' ὀρφναία
      νὺξ αἰολόχρως ἄκριτός τ' ἄστρων
      ὄχλος ἐνδελεχῶς ἀμφιχορεύει.

20 ἐνταῦθα γὰρ »τὸν« μὲν »αὐτοφυῆ« τὸν δημιουργὸν νοῦν εἴρηκεν, τὰ 3
δ' ἑξῆς ἐπὶ τοῦ κόσμου τάσσεται, ἐν ᾧ καὶ ⟨αἱ⟩ ἐναντιότητες φωτός
τε καὶ σκότους. ὅ τε Εὐφορίωνος Αἰ|σχύλος ἐπὶ τοῦ θεοῦ σεμνῶς 4 718 P
σφόδρα φησίν·

            Ζεύς ἐστιν αἰθήρ, Ζεὺς δὲ γῆ, Ζεὺς δ' οὐρανός·
25   Ζεύς τοι τὰ πάντα χὤτι τῶνδε [τοι] ὑπέρτερον.

9—13 Eurip. Fr. 941; vgl. Protr. 25, 3; Elter, Gnom. hist. p. 122f.   13 τόνδ
ἡγοῦ θεόν auch Protr. 74, 1   15—19 [Eurip.] Peirithoos Fr. 593 = Kritias Fr. 19
Diels⁶ II 384, 21—385, 5; Pap. Oxyrh. 1176 fr. 37 col. II 19—28   21f. Gegensatz zu
Ps 138, 12   24f. Aeschylus Heliades Fr. 70; vgl. Philodemus De pietate p. 22
Gomperz; [Wilamowitz, Glaube d. Hell. II S. 133 A 1 (Fr)]

1 χαροπὸν Protr. Eus. χαροποιὸν L   βίας Protr. Eus.   3 παρὰ ψυχὴν L   6 κακὰς
L* Eus. IO καλὰς L²   12 ὑγραῖς ἐν] ἐν ὑγραῖς Eus. O   ⟨ἐν⟩ aus Protr. Eus.   13 τὸν
δ' L   14 ἔν τε Eus.   16 ῥόμβῳ Eus. ὄμβρῳ L ῥύμβῳ Hesych. s. v. αἰθέρος u. a.
17 πέρι—πέρι Eus. περὶ—περὶ L   21 ⟨αἱ⟩ aus Eus.   22 Εὐφορίωνος Eus. εὐφορίων
ὅ τε L   25 χὤτι] χ' ὅτι L χωρεῖ Eus. IO   τῶν δέ τοι L τῷδε Eus IO

26*

οἶδα ἐγὼ καὶ Πλάτωνα προσμαρτυροῦντα Ἡρακλείτῳ γράφοντι· »ἓν 115, 1
τὸ σοφὸν μοῦνον λέγεσθαι οὐκ ἐθέλει καὶ ἐθέλει Ζηνὸς ὄνομα.«
καὶ πάλιν· »νόμος καὶ βουλῇ πείθεσθαι ἑνός.« κἂν τὸ ῥητὸν ἐκεῖνο 2. 3
ἀναγαγεῖν ἐθέλῃς »ὁ ἔχων ὦτα ἀκούειν ἀκουέτω«, εὕροις ἂν ὧδέ
5 πως ἐμφαινόμενον πρὸς τοῦ Ἐφεσίου· »ἀξύνετοι ἀκούσαντες κωφοῖς
ἐοίκασι· φάτις αὐτοῖσιν μαρτυρεῖ παρεόντας ἀπεῖναι.«

Ἀλλ' ἄντικρυς [καὶ] μίαν ἀρχὴν καὶ παρ' Ἑλλήνων ἀκοῦσαι πο- 4
θεῖς; Τίμαιος ὁ Λοκρὸς ἐν τῷ φυσικῷ συγγράμματι κατὰ λέξιν ὧδέ
μοι μαρτυρήσει· »μία ἀρχὰ πάντων ἐστὶν ἀγένητος· εἰ γὰρ ἐγένετο,
10 οὐκ ἂν ἦν ἔτι ἀρχά, ἀλλ' ἐκεῖνα, ἐξ ἃς ἁ ἀρχὰ ἐγένετο.« ἐρρύη γὰρ 5
ἐκεῖθεν δόξα ἡ ἀληθής· »ἄκουε,« φησίν, »Ἰσραήλ, κύριος ὁ θεός σου
εἷς ἐστιν, καὶ αὐτῷ μόνῳ λατρεύσεις.«

 οὗτος ἰδοὺ πάντεσσι σαφὴς ἀπλάνητος ὑπάρχει,　　　　　6

ὥς φησιν ἡ Σίβυλλα.

15 Ἤδη δὲ καὶ Ὅμηρος φαίνεται πατέρα καὶ υἱὸν διὰ τούτων, ὡς 116, 1
ἔτυχεν μαντείας εὐστόχου, λέγων·

　　　»εἰ μὲν δὴ οὗτίς σε βιάζεται οἶον ἐόντα,
　　　νοῦσον δ' οὔπως ἔστι Διὸς μεγάλου ἀλέασθαι.
　　　οὐ γὰρ Κύκλωπες Διὸς αἰγιόχου ἀλέγουσιν.

20 καὶ πρὸ τούτου Ὀρφεὺς κατὰ τοῦ προκειμένου φερόμενος εἴρηκεν· 2

　　　υἱὲ Διὸς μεγάλοιο, πάτερ Διὸς αἰγιόχοι⟨ο⟩.

---

1 »Denkt Clemens vielleicht an Plato Kratyl. p. 396 B?« Jackson[1]　1—6 Heraklit
Fr. 32—34 Diels[6] I 159, 1—5　4 Lc 14, 35 u. ö.　5f. Theodoret Gr. aff. c. I 70
8—10 Theodoret Gr. aff. c. II 108　9f. woher? vgl. Plato Phaedr. p. 245 CD u. Ast
(Annot. I p. 382 ff.) zu dieser Stelle　11f. Deut 6, 4. 13　13 Orac. Sib. Fr. 1, 28;
vgl. Protr. 77, 2　17—19 ι 410f. 275　21 Orpheus Fr. 237 Abel

2 nach ἐθέλει[1] setzt Interpunktion Cron, Philol. N. F. 1 (1889) S. 208ff.　3 βουλῇ
L Eus. O　5 πω⟨ς⟩ < Eus.　κωφοῖσιν Eus.　6 αὐτοῖσι Eus. Theod.　ἀπεῖναι Eus.
Theod. ἀπιέναι L　7 [καὶ] < Eus.　μίαν ἀρχὴν ~ nach Ἑλλήνων Eus. O　9 ἀγέ-
νητος Eus. ἀγέννητος L Theod.　10 ἐκεῖνα L Eus. O　ἃς L ἅ < Theod.　11 ἀλη-
θινή Eus.　13 πάντ' ἐστι Protr.　15—21 ἤδη—αἰγιόχοιο < Eus.　16 εὐστόχου Sy
εὐστόλου L　17 μή τις Hom.　21 αἰγιόχοι L

Ξενοκράτης δὲ ὁ Καλχηδόνιος, τὸν μὲν ὕπατον Δία, τὸν δὲ νέατον 3
καλῶν, ἔμφασιν πατρὸς ἀπολείπει καὶ υἱοῦ. καὶ τὸ παραδοξότατον, | 4
Ὅμηρος γιγνώσκειν φαίνεται τὸ θεῖον ὁ ἀνθρωποπαθεῖς εἰσάγων 719 P
τοὺς θεούς· ὃν οὐδ᾽ οὕτως αἰδεῖται Ἐπίκουρος. φησὶ γοῦν· | 117, 1

5   τίπτε με, Πηλέος υἱέ, ποσὶν ταχέεσσι διώκεις,   258 S
               αὐτὸς θνητὸς ἐών, θεὸν ἄμβροτον; οὐδέ νυ πώ με
               ἔγνως ὡς θεός εἰμι.

οὐχ ἁλωτὸν γὰρ εἶναι θνητῷ οὐδὲ καταληπτὸν τι θεῖον οὔτε ποσὶν 2
οὔτε χερσὶν οὔτε ὀφθαλμοῖς οὐδ᾽ ὅλως τῷ σώματι δεδήλωκεν. ›τίνι 3
10 ὡμοιώσατε κύριον; ἢ τίνι ὁμοιώματι ὡμοιώσατε αὐτόν;‹ φησὶν ἡ
γραφή. ›μὴ εἰκόνα ἐποίησε τέκτων, ἢ χρυσοχόος χωνεύσας χρυσίον 4
περιεχρύσωσεν αὐτόν;‹ καὶ τὰ ἐπὶ τούτοις.

     Ὅ τε κωμικὸς Ἐπίχαρμος σαφῶς περὶ τοῦ λόγου ἐν τῇ Πολιτείᾳ 118, 1
λέγει ὧδέ πως·

15   ὁ βίος ἀνθρώποις λογισμοῦ καὶ ἀριθμοῦ δεῖται πάνυ·
               ζῶμεν [δὲ] ἀριθμῷ καὶ λογισμῷ· ταῦτα γὰρ σῴζει βροτούς·

       εἶτα διαρρήδην ἐπιφέρει·   2

               ὁ λόγος ἀνθρώπους κυβερνᾷ, κατὰ τρόπον σῴζει·

       εἶτα, εἰ   3

20   ἔστιν ἀνθρώπῳ λογισμός, ἔστι καὶ θεῖος λόγος·
               ⟨ὃ μὲν ἐν⟩ ἀνθρώπῳ πέφυκεν περὶ βίου καταστροφάς·
               ὃ δέ γε τᾶς τέχνας ἅπασι συνέπεται θεῖος λόγος, |
               ἐκδιδάσκων [ἀεὶ] αὐτὸς αὐτούς, ὅ τι ποιεῖν δεῖ συμφέρον·   720 P

1f. Xenokrates Fr. 18 Heinze; vgl. Plut. Mor. p. 1007 F   4 vgl. Epikur Fr. 228
Usener p. 172, 3   5—7 X 8—10   9—12 Is 40, 18f.   15—S. 406, 2 Epicharm Fr. 56. 57
Diels⁶ I 208, 3—14 [vgl. Schmid I 1 (1929) S. 650 A 1 (Fr)]

1 δὲ] τε Eus.   καρχηδόνιος (λχ übergeschr. L³) L καρχηδόνιος Eus. (vgl. zu
Protr. 66, 2; Strom. V 87, 3)   3 Ὅμηρος < Eus.   4 γοῦν] γὰρ Eus. I   5 πηλέως
L ταχέεσσι L   7 ἔγνως Hom. Eus. ἔγνωκας L   16 [δὲ] Grotius δ᾽ ἐν Eus.   18 κατ᾽
ἀτραπὸν σῴζων ⟨βίου⟩ Heyse   σῴζει ⟨μόνος⟩ Grotius σῴζει ⟨τ᾽ ἀεὶ | καὶ τὰ πρῶτα
γενομένους καὶ⟩ περὶ βίου καταστροφάς Kaibel   19 εἶτα < Eus.   [εἰ] Grotius   21 ⟨ὃ
μὲν ἐν⟩ Schw   καταστροφάς Eus. καὶ τὰς τροφάς L   22 ὃ δ᾽ ἐπὶ τὰς τέχνας ἅπασι
Heyse ὃ δέ γε ταῖς τέχναις ἅπασαις Ma [ὃ δέ γε] τὰς τέχνας ⟨δ᾽ εὑρὼν⟩ ἅπασι
Kaibel   τᾶς Scaliger τὰς L   23 ἐκδιδάσκων] διδάσκων Eus. [ἀεὶ] < Eus.

οὐ γὰρ ἄνθρωπος τέχναν εὗρ[εν]· ὁ δὲ θεὸς ταύταν φέρει.
ὁ δέ γε τἀνθρώπου [λόγος] πέφυκεν ἀπό γε τοῦ θείου λόγου.

Ναὶ μὴν διὰ τοῦ Ἡσαΐου τοῦ πνεύματος κεκραγότος »τί μοι 119, 1
πλῆθος τῶν θυσιῶν; λέγει κύριος· πλήρης εἰμὶ ὁλοκαυτωμάτων
5 κριῶν καὶ στέαρ ἀρνῶν καὶ αἷμα ταύρων οὐ βούλομαι« καὶ μετ᾿
ὀλίγα ἐπάγοντος »λούσασθε, καθαροὶ γένεσθε, ἀφέλετε τὰς πονηρίας
ἀπὸ τῶν ψυχῶν ὑμῶν« καὶ τὰ ἐπὶ τούτοις, Μένανδρος ὁ κωμικὸς 2
αὐταῖς γράφει ταῖς λέξεσιν·

εἴ τις δὲ θυσίαν προσφέρων, ὦ Πάμφιλε,
10 ταύρων τι πλῆθος ἢ ἐρίφων, ἢ νὴ Δία
ἑτέρων τοιούτων, ἢ κατασκευάσματα,
χρυσᾶς ποιήσας χλαμύδας ἤτοι πορφυρᾶς,
ἢ δι᾿ ἐλέφαντος ἢ σμαράγδου ζῴδια,
εὔνουν νομίζει τὸν θεὸν καθιστάναι,
15 πεπλάνηται ἐκεῖνος καὶ φρένας κούφας ἔχει.
δεῖ γὰρ τὸν ἄνδρα χρήσιμον πεφυκέναι,
μὴ παρθένους φθείροντα καὶ μοιχώμενον,
κλέπτοντα καὶ σφάττοντα χρημάτων χάριν·
μηδὲ βελόνης ἔναμμα ἐπιθυμήσῃς, [Πάμ]φίλε·
20 ὁ γὰρ θεὸς βλέπει σε πλησίον παρών.

»θεὸς ἐγγίζων ἐγώ εἰμι καὶ οὐχὶ θεὸς πόρρωθεν· ἢ ποιήσει τι ἄν- 8
θρωπος ἐν κρυφαίοις καὶ οὐχὶ ὄψομαι αὐτόν;« διὰ Ἱερεμίου φησίν.
Καὶ πάλιν ὁ Μένανδρος παραφράζων τὴν γραφὴν ἐκείνην 120, 1
»θύσατε θυσίαν δικαιοσύνης καὶ ἐλπίσατε ἐπὶ κύριον« ὦδέ πως
25 γράφει·

3—7 Is 1, 11. 16   9—20 vgl. [Just.] De mon. 4 p. 136 Otto, wo nach χάριν (18)
noch vier andere Verse stehen und alles dem Philemon zugeschrieben ist. Vgl.
Brunck, Gnom. poet. graec. (1784) p. 336; Menandri et Phil. rell. ed. A. Meineke
p. 306 ff.; Kock CAF III p. 272 (Menander Pseudepigr. Fr. 1130); Boeckh, De trag.
graec. p. 157 f.; Elter, Gnom. hist. 190—192   21 f. Ier 23, 23 f.   24 Ps 4, 6

1 τέχναν] + τιν᾿ Eus.   ταύταν φέρει Interpolation für μόνος Kaibel   2 ὁ δέ
γε—λόγου ~ nach καταστροφάς Wi   κἀνθρώπου Heyse τοῦ ἀνθρώπου Eus. IO   [λό-
γος] Gaisford   γε² Eus. τε L   3 τοῦ² < Eus.   τί] εἰμι τί Eus. O   4 θυσιῶν] + ὑμῶν
LXX Eus.   πλήρεις L   5 κριῶν < Eus.   6 ἐπαγαγόντος Eus.   10 τι] τε Grotius γε
Brunck   14 καθιστάναι Grotius καθεστάναι L Eus. [Just.]   15 πλανᾶτ᾿ [Just.]
16 πεφυκέναι] καθεστάναι [Just.]   18 σφάζοντα [Just.]   19 ἐν ἄμμα Eus. IO
[Just.]   ἐπιθυμήσῃς, [Πάμ]φίλε Elter, Gnom. hist. 191 ἐπιθυμῆς Πάμφιλε Sy ἐπι-
θυμήσῃς ποτέ Di   20 παρὼν πλησίον Eus. O   21 εἰμι Eus. φησι L   ἢ < Eus.
22 οὐκ Eus.

μηδὲ βελόνης, ὦ φίλτατε, |					**2**
ἐπιθυμήσῃς ποτὲ ἀλλοτρίας· ὁ γὰρ θεὸς			721 P
δικαίοις ἔργοις ἥδεται καὶ οὐκ ἀδίκοις,
πονοῦντα δὲ ἐᾷ τὸν ἴδιον ὑψῶσαι βίον,
5 τὴν γῆν ἀροῦντα νύκτα καὶ τὴν ἡμέραν.
θεῷ δὲ θῦε διὰ τέλους δίκαιος ὤν,
μὴ λαμπρὸς ὢν ταῖς χλαμύσιν ὡς τῇ καρδίᾳ.
† βροντῆς ἐὰν † ἀκούσῃς, μὴ φύγῃς,
μή⟨δὲν⟩ συνειδὼς αὐτὸς αὑτῷ, δέσποτα·
10 ὁ γὰρ θεὸς βλέπει σε πλησίον παρών.

›ἔτι σοῦ λαλοῦντος‹, φησὶν ἡ γραφή, ›ἐρῶ· ἰδοὺ πάρειμι.‹		**3**
Δίφιλος πάλιν ὁ κωμικὸς τοιαῦτά τινα περὶ τῆς κρίσεως δια-		121, 1
λέγεται·

οἴει σὺ τοὺς θανόντας, ὦ Νικήρατε,
15 τρυφῆς ἁπάσης μεταλαβόντας ἐν βίῳ,
πεφευγέναι τὸ θεῖον ὡς λεληθότας;
ἔστιν Δίκης ὀφθαλμός, ὃς τὰ πάντα ὁρᾷ.
καὶ γὰρ καθ᾽ Ἅιδην δύο τρίβους νομίζομεν·
μίαν δικαίων, ἑτέραν δὲ ἀσεβῶν εἶναι ὁδόν.
20 καί·

εἰ τοὺς δύω καλύψει ἡ γῆ (φησὶ) τῷ παντὶ χρόνῳ,
ἅρπαζε ἀπελθών, κλέπτε, ἀποστέρει, κύκα·

1—10 ebenso wie S. 406, 9ff. jüdische Fälschung; vgl. oben. Emendationsver-
suche bei Grotius, Seidler (De vers. dochm. II [1812] p. 398f.); Boeckh a. a. O. p. 158
11 Is 58, 9   12—19. S. 408, 1f. Theodoret Gr. aff. c. VI 23   14—S. 409, 3 vgl. [Just]
De mon. 3 p. 132 Otto (hier 14—S. 408, 5 dem Philemon zugeschr.); Elter, Gnom.
hist. 187—190   14—S. 408, 5 Philemon Pseudepigr. Fr. 246 Kock CAF II p. 539.
Vgl. Boeckh a. a. O. p. 160—162; Meineke, Menandri et Philem. rell. (Berlin 1832)
p. 433f.; Bentley, Emend. in Men. et Phil. p. 130   17 TGF Adesp. 421

2 ἐπιθυμήσας L   ἀ⸐..οτρίας ποτέ Eus.   5 καὶ καθ᾽ ἡμέραν Meineke   7 μὴ L
καὶ Eus. (μὴ O²)   8 βροντῆς ἀκούσας μηδαμῶς πόρρω φύγῃς [Just.] interp. HSS   ἐὰν
⟨πάταγον⟩ Heyse   9 μηδὲν Eus. [Just.] μὴ L   ἑαυτῷ L   10 παρὼν πλησίον Eus. O
(wie S. 406, 20)   12 δίφιλος Eus. IO   14 Νικόστρατε [Just.]   15 βίῳ] + καὶ γῆν
καλύψειν, ὡς ἀπὸ τοῦ πάντ᾽ εἰς χρόνον [Just.]   18f. καὶ—ὁδόν < [Just.]   18 γὰρ]
δὴ oder δὴ καὶ Theod.   19 μίαν] + μὲν Theod.   χατέραν Grotius   [εἶναι] ὁδόν
Grotius εἶναι ὅρον L Eus. < Theod.   20f. καὶ—χρόνῳ (vgl. oben 15)] dafür: εἰ γὰρ
δίκαιος κἀσεβῆς ἕξουσιν ἕν [Just.] ἡ γῆ δὲ καλύψει τοὺς δύο τῷ παντὶ χρόνῳ Bentley
(mit Einschiebung des Verses aus [Just.]   21 δύο L Eus.   φησὶ St φύσει L φασὶ
Eus.   22 ἅρπαζε < Eus.

μηδὲν πλαγηϑῇς· ἔστι καὶ ἐν ῞Αιδου κρίσις·
ἥνπερ ποιήσει [ὁ] ϑεὸς ὁ πάντων δεσπότης,
οὗ τὸ ὄνομα φοβερὸν [ἐστιν] οὐδ᾽ ἂν ὀνομάσαιμι ἐγώ·
ὃς τοῖς ἁμαρτάνουσι πρὸς μῆχος βίον
5   δίδωσιν. |

Εἴ τις δὲ ϑνητῶν οἴεται τὸ ὑφ᾽ ἡμέραν   722 P
κακόν τι πράσσων τοὺς ϑεοὺς λεληϑέναι,
ὃοκεῖ πονηρὰ καὶ δοκῶν ἁλίσκεται,
ὅταν σχολὴν ἄγουσα τυγχάνῃ Δίκη.

10   Ὁρᾶτε ὅσοι δοκεῖτε οὐκ εἶναι ϑεόν.   3
ἔστι⟨ν⟩ γάρ, ἔστιν· εἰ δέ τις πράττει καλῶς,
κακὸς πεφυκώς, τὸν χρόνον κερδαινέτω·
χρόνῳ γὰρ οὗτος ὕστερον δώσει δίκην.

συνᾴδει δὲ τούτοις ἡ τραγῳδία διὰ τῶνδε·   4

15   ἔσται γάρ, ἔσται κεῖνος αἰῶνος χρόνος,
ὅταν πυρὸς γέμοντα ϑησαυρὸν σχάσῃ
χρυσωπὸς αἰϑήρ, ἡ δὲ βοσκηϑεῖσα φλὸξ
ἅπαντα τἀπίγεια καὶ μετάρσια
φλέξει μανεῖσα.

20 καὶ μετ᾽ ὀλίγα αὖϑις ἐπιφέρει·   122, 1

ἐπὰν δὲ ἐκλίπῃ τὸ πᾶν,
φροῦδος μὲν ἔσται κυμάτων ἅπας βυϑός,

6—13 vgl. Valckenaer, Diatr. de Arist. p. 1 ff.   6—9 Euripides Phrixos Fr. 835
10—13 Euripides Fr. dub. 1131; vgl. Boeckh a. a. O. p. 158—160   15—S. 409, 3 So-
phokles Fr. dub. 1027; vgl. Boeckh a. a. O. p. 149 f.

1 ἔσται Eus. I   ἔστιν ἐν Theod.   2 ἥνπερ ποιήσει] ἣν περιποιήσει Eus. IO   [ὁ]
< Eus.   3 φοβερὸν [Just.] Eus. φοβερώτερόν L   [ἐστιν] < [Just.]   4f. καὶ Εὐριπίδης·
ἄφθονον βίου μῆκος δίδωσι πρὸς κρίσιν [Just.]   4 μῆκος βίον Eus. I βίον μῆκος L
μῆκος βίου Eus. O   6 εἴ τις] ὅστις Sext. Emp. Adv. Math. I 274. 287 Stob. Ecl. I
3, 15ᵃᵇ p. 54, 26 Wachsm.   7 τὸν θεόν [Just.]   8 πονηρὸς [Just.]   9 Δίκη] + τιμω-
ρίαν ⟨τ᾽⟩ ἔτισεν ὧν ἦρξεν κακῶν Stob.   10 δοκεῖτε L Eus. νομίζετ᾽ [Just.]   θεόν] +
δὶς ἐξαμαρτάνοντες οὐκ εὐγνωμόνως [Just.]   11 ἔστι γάρ ἐστιν L   πράσσει [Just.]
καλῶς Barnes (vgl. Valckenaer a. a. O. p. 2) Cobet S. 454 κακῶς L Eus.   12 κερ-
δαινέτω [Just.] Eus. κερνάτω L (mit νάτω beginnt fol. 232ᵛ)   14 τούτοις] + καὶ
Eus.   15 κεῖνος [Just.] Eus. καινὸς L   αἰώνων [Just.]   16 γέμοντα] τεμόντα Eus.
IO   21 ἐπὰν] ὅταν [Just.]   ἐκλίπῃ Eus. ἐκλείπῃ L   πᾶν] πῦρ Heyse

γῆ δὲ ἑδράνων ἔρημος, οὐδ᾽ ἀὴρ ἔτι
πτερωτὰ φῦλα βαστάσει πυρουμένη,
κἄπειτα σώσει πάντα ἃ πρόσθ[εν] ἀπώλεσεν.

τὰ ὅμοια τούτοις κἂν τοῖς Ὀρφικοῖς εὑρήσομεν ὧδέ πως γεγραμ- 2
5 μένα·

πάντας γὰρ κρύψας [καὶ] αὖθις φάος ἐς πολυγηθὲς
ἐξ ἱερῆς κραδίης ἀνενέγκατο, μέρμερα ῥέζων.

ἢν δὲ ὁσίως καὶ δικαίως διαβιώσωμεν, μακάριοι μὲν ἐνταῦθα, μακα- 3
ριότεροι δὲ μετὰ τὴν ἐνθένδε ἀπαλλαγήν, οὐ χρόνῳ τινὶ τὴν εὐδαι-
10 μονίαν ἔχοντες, ἀλλὰ ἐν αἰῶνι ἀναπαύεσθαι δυνάμενοι,

ἀθανάτοις ἄλλοισιν ὁμέστιοι, ἔν τε τραπέζαις |
ἐόντες ἀνδρείων ἀχέων ἀπόκληροι, ἀτειρεῖς, |			259 S

ἡ φιλόσοφος Ἐμπεδοκλέους λέγει ποιητική. οὐχ οὕτω τις μέγας 723 P 4
ἔσται καὶ καθ᾽ Ἕλληνας ὡς ὑπερέχειν τὴν δίκην, οὐδὲ σμικρὸς ὡς
15 λαθεῖν. ὁ δὲ αὐτὸς Ὀρφεὺς καὶ ταῦτα λέγει·			123, 1

εἰς δὲ λόγον θεῖον βλέψας τούτῳ προσέδρευε,
ἰθύνων κραδίης νοερὸν κύτος· εὖ δ᾽ ἐπίβαινε
ἀτραπιτοῦ, μοῦνον δ᾽ ἐσόρα κόσμοιο ἄνακτα
ἀθάνατον.

20 αὖθίς τε περὶ τοῦ θεοῦ, ἀόρατον αὐτὸν λέγων, μόνῳ γνωσθῆναι ἑνὶ 2
τινί φησι τὸ γένος Χαλδαίῳ, εἴτε τὸν Ἀβραὰμ λέγων τοῦτον εἴτε
καὶ τὸν υἱὸν τὸν αὐτοῦ, διὰ τούτων·

6f. Orpheus Fr. 46, 8f. Abel; vgl. Fr. 123, 33f. 11f. Empedokles Fr. 147 Diels⁶
I 370, 4—10 16—19 Orpheus Fr. 5, 5—8 Abel; vgl. Protr. 74, 4; Elter, Gnom. hist.
153—186

1 ἑδράνων [Just.] ἑδραν ὤν (sic) L ἐράνων Eus. δενδρέων Grotius οὐδ᾽ ἀὴρ ἔτι
Grotius οὐ γὰρ ἐπὶ L οὐδὲ ἄρ᾽ ἔτι [Just.] Eus. 2 φῦλα [Just.] Eus. φύλλα L βασ-
τάσει [Just.] βλαστάσει L βλαστήσει Eus. πυρούμενος Grotius 3 σώσει πάντα
< Eus. IO ἃ] τὰ Eus. IO 6 [καὶ] < Eus. 7 ἱερῆς aus [Arist.] De mundo 7
p. 401ᵇ 7 ἱερᾶς L κραδίης Eus. I καρδίας Eus. O 10 ἀναπαύσεσθαι Eus. IO 11 ἔν
τε τραπέζαις] αὐτοτράπεζον Eus. I (O unleserlich) ἔν τε τράπεζοι Rohde 12 ἐόντες
L Eus. IO εὔνιες Scaliger ἀχέων Sy ἀχαιῶν L Eus. IO ἀπόκληροι Scaliger ἀτει-
ρεῖς Eus. O ἀτηρεῖς L Eus. I ἀνδρομέων ἀχέων ἀπόκληροι ἐόντες, ἀτηρεῖς (oder
ἀτειρεῖς) Sy 13 οὕτως L 17 ἰθύνων [Just.] Eus. εὐθύνων L 19 ἀθάνατον < [Just.]
20 μόνον Eus. I

εἰ μὴ μουνογενής τις ἀπορρὼξ φύλου ἄνωθεν
Χαλδαίων· ἴδρις γὰρ ἔην ἄστροιο πορείης,
καὶ σφαίρης κίνημ᾽ ἀμφὶ χθόνα [θ᾽] ὡς περιτέλλει
κυκλοτερὲς ἐν ἴσῳ τε κατὰ σφέτερον κνώδακα,
5	πνεύματα δ᾽ ἡνιοχεῖ περί τ᾽ ἠέρα καὶ περὶ χεῦμα.

εἶτα οἷον ⟨παραφράζων⟩ τὸ »ὁ οὐρανός μοι θρόνος, ἡ δὲ γῆ ὑπο-	124, 1
πόδιον τῶν ποδῶν μου« ἐπιφέρει·

αὐτὸς δ᾽ αὖ μέγαν αὖτις ἐπ᾽ οὐρανὸν ἐστήρικται
χρυσέῳ εἰνὶ θρόνῳ, γαίη δ᾽ ὑπὸ ποσσὶ βέβηκεν.
10	χεῖρα ⟨δὲ⟩ δεξιτερὴν περὶ τέρμασιν ὠκεανοῖο
ἐκτέταχεν, ὀρέων δὲ τρέμει βάσις ἔνδοθι θυμῷ
οὐδὲ φέρειν δύναται κρατερὸν μένος. ἔστι δὲ πάντη
αὐτὸς ἐπουράνιος καὶ ἐπὶ χθονὶ πάντα τελευτᾷ,
ἀρχὴν αὐτὸς ἔχων καὶ μέσσην ἠδὲ τελευτήν. |
15	ἄλλως οὐ θεμιτόν σε λέγειν· τρομέω δέ τε γυῖα	724 P
ἐν νόῳ. ἐξ ὑπάτου κραίνει,

καὶ τὰ ἐπὶ τούτοις. διὰ γὰρ τούτων δεδήλωκεν πάντα ἐκεῖνα τὰ	2
προφητικά· »ἐὰν ἀνοίξῃς τὸν οὐρανόν, τρόμος λήψεται ἀπὸ σοῦ ὄρη
καὶ τακήσεται, ὡς ἀπὸ προσώπου πυρὸς τήκεται κηρός« καὶ ⟨τὰ⟩	125, 1
20	διὰ Ἡσαΐου »τίς ἐμέτρησεν τὸν οὐρανὸν σπιθαμῇ καὶ πᾶσαν τὴν γῆν
δρακί;« πάλιν ὅταν εἴπῃ·

αἰθέρος ἠδ᾽ Ἀΐδου, πόντου γαίης τε τύραννε,
ὃς βρονταῖς σείεις βριαρὸν δόμον Οὐλύμποιο·

1—16 Orpheus Fr. 5, 19—32 Abel; vgl. Aristobul bei Eus. Praep Ev. XIII 12, 5;
Elter a. a. O.   6f.   Is 66, 1   8—14 Theodoret Gr. aff. c. II 31   9—11 vgl. Strom. V
127, 2   18f. Is 64, 1f.   20f. Is 40, 12   22—S. 411, 15 Orpheus Fr. 238. 239 Abel

2 ἴδρις Eus. ἴδρης L   3 κίνημα Arist. Eus. IO κινήματ᾽ L   [θ᾽] < Arist. Eus.
4 κυκλοτερής Arist. O Eus. IO   5 πνεύματα Arist. πνεύματι L Eus. I πνεῦμά τ.
Eus. O   6 ⟨παραφράζων⟩ aus Eus.   8 δ᾽ αὖ] δὴ Arist.   9 εἰνὶ Arist. ἐνὶ L Eus'
Theod.   γαίης δ᾽ ἐπὶ [Just.] γαίη δ᾽ επὶ Strom. V 127   δ᾽ Eus. u. a.   τε L   ποσὶ L
10 ⟨δὲ⟩ aus Eus. Theod. Strom. V 127 τε [Just.] Arist.   ἐπὶ τέρματος [Just.] Strom.
V 127 ἐπὶ τέρματα Cyr. c. Jul. I p. 26 ἐπὶ τέρμασιν Arist.   11 θυμῷ Arist. Eus.
Theod. θυμοῦ L   12 οὔτε Eus.   πάντων Arist. HSS   13 χθόνα Eus. O   14 μές(σ)ην
od. μέσον Theod. μέσων L μές(σ)ων Eus. μές(σ)ον Arist.   τελευτήν Theod. τελείων
L Eus. IO τελευτᾷ Arist.   15 ἄλλως] ἀλλ᾽ Eus.   σε] δὲ Arist.   τε] γε Arist. ἐ Eus.
O   18 ἐὰν ἀνοίξῃς] ὃς ἐὰν ἀνοίξῃ Eus.   18f. ἀπὸ σοῦ ὄρη καὶ] καὶ ἀπὸ σοῦ ὄρη
Eus.   19 ⟨τὰ⟩ aus Eus.   22 τε < Eus. O   22f. τύραννε, ὃς βρονταῖς (βρονταῖσι HSS)
Eus. τύραννος, βρονταῖς δὲ I.

δαίμονες ὃν φρίσσουσι[ν], θεῶν δὲ δέδοικεν ὅμιλος·
ᾧ Μοῖραι πείθονται, ἀμείλιχτοί περ ἐοῦσαι·
ἄφθιτε, μητροπάτωρ, οὗ θυμῷ πάντα δονεῖται·   2
ὃς κινεῖς ἀνέμους, νεφέλησι δὲ πάντα καλύπτεις,
5 πρηστῆρσι σχίζων πλατὺν αἰθέρα· σὴ μὲν ἐν ἄστροις
τάξις, ἀναλλάκτοισιν ἐφημοσύναις⟨ι⟩ τρέχουσα·
σῷ δὲ θρόνῳ πυρόεντι παρεστᾶσι⟨ν⟩ πολύμοχθοι   3
ἄγγελοι, οἷσι μέμηλε βροτοῖς ὡς πάντα τελεῖται·
σὸν μὲν ἔαρ λάμπει νέον ἄνθεσι πορφυρέοισιν·
10 σὸς χειμὼν ψυχραῖσιν ἐπερχόμενος νεφέλαισιν·
σὰς ποτε βαχχευτὰς Βρόμιος διένειμεν ὀπώρας.

εἶτα ἐπιφέρει, ῥητῶς παντοκράτορα ὀνομάζων τὸν θεόν·   126, 1

ἄφθιτον, ἀθάνατον, ῥητὸν μόνον ἀθανάτοισιν.
ἐλθέ, μέγιστε θεῶν πάντων, κρατερῇ σὺν ἀνάγκῃ,
15 φρικτός, ἀήττητος, μέγας, ἄφθιτος, ὃν στέφει αἰθήρ.

διὰ μὲν τοῦ ›μητροπάτωρ‹ οὐ μόνον τὴν ἐκ μὴ ὄντων γένεσιν ἐμή-   2
νυσεν, δέδωκεν δὲ ἀφορμὰς τοῖς τὰς προβολὰς εἰσάγουσι τάχα καὶ
σύζυγον νοῆσαι | τοῦ θεοῦ· παραφράζει δὲ ἐκείνας τὰς προφητικὰς 725 P 3
γραφάς, τήν τε διὰ Ὡσηὲ ›ἐγὼ στερεῶν βροντὴν καὶ κτίζων πνεῦ-
20 μα‹, οὗ αἱ χεῖρες τὴν στρατιὰν τοῦ οὐρανοῦ ἐθεμελίωσαν, καὶ τὴν
διὰ Μωυσέως· ›ἴδετε ἴδετε, ὅτι ἐγώ εἰμι, καὶ οὐκ ἔστι θεὸς ἕτερος   4
πλὴν ἐμοῦ· ἐγὼ ἀποκτενῶ καὶ ζῆν ποιήσω· πατάξω κἀγὼ ἰάσομαι·
καὶ οὐκ ἔστιν ὃς ἐξελεῖται ἐκ τῶν χειρῶν μου.‹

αὐτὸς δὲ ἐξ ἀγαθοῖο κακὸν θνητοῖσι φυτεύει   5

---

* 4ff. vgl. Orac. Sibyll. 8, 430—436 16 vgl. oben Z. 3 17f. vgl. Strom. III 1, 1
19f. Am 4, 13 20 vgl. Os 13, 4; Is 48, 13; Ps 8, 4 u. Protr. 79, 2 21—23 Deut 32, 39
24f. Orpheus Fr. 5, 12f. Abel; [Just.] Coh. 15; De mon. 2; Aristobul bei Eus. Pr.
Ev. XIII 12, 5; vgl. Elter a. a. O.

2 ἀμείλιχτοι Eus. ἀμίλιχτοι L 3 μητροπάτωρ Eus. IO 4 δὲ < Eus. B¹O
6 ἐφημοσύναισι Eus. ἐφημοσύναις L ἐφημοσύνῃσι Abel 6 τρεχούσαις Euⁱ. BIO
τρέχουσιν Heyse 7 σῷ] ᾧ Eus. πυρόεντι παρεστᾶσιν Eus. πυρόοντι παρεστᾶσι L
10 ψυχρῇσιν Abel νεφέλαισιν Eus. νεφέλεσιν L νεφέλῃσιν Abel 11 σάς Fronto bei
Vigerus ἅς L Eus. σός Lobeck, Aglaoph. p. 456 βαχχευτὰς L Eus. βαχχευτής
Jos. Scaliger βρόμιος Eus. βρομίοις L 12 εἶτα ἐπιφ.] ἐπιφ. δὲ μετὰ ταῦτα Eus. O
16 μὲν] + οὖν Eus. μητροπάτωρ Eus. O 17 ἐνδέδωκε Eus. 19 Ὡσηὲ aus Eus.
u. Protr. ἠσαῖον L ἐγώ] ἰδοὺ ἐγώ Eus. 20 τοῦ οὐρανοῦ ἐθεμελίωσαν] τῶν ἀγγέλων
ἐποίησαν Eus. O 21 εἰμι] + θεός Eus. O θεὸς ἕτερος] ἄλλος Eus. O 24 αὐτὸς]
οὗτος [Just.] φυτεύει] δίδωσι [Just.]

καὶ πόλεμον κρυόεντα καὶ ἄλγεα δακρυόεντα

κατὰ τὸν Ὀρφέα.

Τοιαῦτα καὶ ὁ Πάριος Ἀρχίλοχος λέγει·   127, 1

ὦ Ζεῦ, ⟨πάτερ Ζεῦ,⟩ σὸν μὲν οὐρανοῦ κράτος,
5   σὺ δ᾽ ἔργα ἐπ᾽ ἀνθρώπων ὁρᾷς
λεωργὰ κἀθέμιστα.

πάλιν ἡμῖν ᾀσάτω ὁ Θρᾴκιος Ὀρφεύς·   2

χεῖρα δὲ δεξιτερὴν ἐπὶ τέρματος ὠκεανοῖο
πάντοθεν ἐκτέτακεν, γαίη δ᾽ ὑπὸ ποσσὶ βέβηκεν.

10   ταῦτα ἐμφανῶς ἐκεῖθεν εἴληπται· ›ὁ κύριος σώσει πόλεις κατοικου- 3
μένας, καὶ τὴν οἰκουμένην ὅλην καταλήψεται τῇ χειρὶ ὡς νεοσσιάν·‹
›κύριος ὁ ποιήσας τὴν γῆν ἐν ἰσχύι τῇ αὐτοῦ‹, ὥς φησιν Ἱερεμίας,
›καὶ ἀνορθώσας τὴν οἰκουμένην ἐν τῇ σοφίᾳ αὐτοῦ.‹ ἔτι πρὸς τοῖσδε 4
Φωκυλίδης τοὺς ἀγγέλους δαίμονας καλῶν, τοὺς μὲν εἶναι ἀγαθοὺς
15   αὐτῶν, τοὺς δὲ φαύλους διὰ τούτων παρίστησιν, ἐπεὶ καὶ ἡμεῖς ἀπο-
στάτας τινὰς παρειλήφαμεν· |

ἀλλ᾽ ἄρα δαιμονές εἰσιν ἐπ᾽ ἀνδράσιν ἄλλοτε ἄλλοι·   726 P
οἳ μὲν ἐπερχομένου κακοῦ ἀνέρας ἐκλύσασθαι.

καλῶς οὖν καὶ Φιλήμων ὁ κωμικὸς τὴν εἰδωλολατρείαν ἐκκόπτει διὰ 128,
20   τούτων·

οὐκ ἔστιν ἡμῖν οὐδεμία Τύχη θεός,

4—6 Archilochos Fr. 94 Diehl (Anth. lyr. III³ p. 41); vgl. Stob. Ecl. I 3, 34
p. 58, 12 Wachsm.   8f. Orpheus Fr. 5, 26. 27. 25 Abel; vgl. Strom. V 124, 1; vgl.
Elter a. a. O.   10f. Is 10, 14   12f. Ier 10, 12   15f. vgl. z. B. Iud 6   17f. Phoky-
lides Fr. 16 Diehl p. 60   21—S. 413, 2 Philemon Fr. 137 CAF II p. 520; Theodoret
Gr. aff. c. VI 16

1 καὶ ἄλγεα δακρυόεντα < Eus.   3 πάρειος L   4 Ζεῦ] Ζεύς Eus. O   ὦ Ζεῦ,
πάτερ Ζεύς, μὲν Stob. HSS ὦ Ζεῦ, σὸν μὲν L Eus.   5 ἐπ᾽ ἀνθρώπων Stob. ἐπ᾽
ἀνθρώπους L Eus. ἐπ᾽ οὐρανοὺς Vi (Druckfehler)   6 κἀθέμιστα] καὶ ἃ θέμις L τε
καὶ ἀθέμιστα Eus. καθέμιστας (oder καθέμιτας) οἳ (= κἀθέμιστα, σοί) Stob. καὶ
θεμιστά Liebel   κἀθέμιστα, σοὶ δὲ θηρίων ὕβρις τε καὶ δίκη μέλει Stob.   8 δὲ] τε
[Just.] Mon. Coh. Cyr. < Eus. O   περὶ τέρμασιν Strom. V 124   9 ὑπὸ aus Strom.
V 124 ἐπὶ L Eus. I   ποσὶ L Eus. I   10 ὁ < Eus. σώσει (so auch Euseb.) wohl
nur Schreibfehler für σείσει wie LXX und Protr. 79, 4 haben   11 νεοσσιάν Is Eus.
νεοττιάν L   12 κύριος ὁ Eus. ὁ κύριος L   ἰσχύι τῇ] τῇ ἰσχύι Eus.   14 Φωκυλλίδης
L (ω für ο L³)   Φωκ.] + μὲν Eus.   18 κακοῦ ἀνέρας Bergk mit Schneidewin κακὸν
ἀνέρος L Eus.   21 οὐδεμία Eus. Theod. οὐδὲ μία L   ὁ θεός Eus. I

οὐκ ἔστιν, ἀλλὰ ταὐτόματον ὃ γίγνεται
ὡς ἔτυχ[εν] ἑκάστῳ, προσαγορεύεται τύχη.

Σοφοκλῆς δὲ ὁ τραγῳδοποιὸς   2

     οὐδὲ θεοῖς,
5 λέγει,

     αὐθαίρετα πάντα πέλονται,
νόσφι Διός· κεῖνος γὰρ ἔχει τέλος ἠδὲ καὶ ἀρχήν.

ὅ τε Ὀρφεύς·   8

     ἓν κράτος, εἷς δαίμων γένετο, μέγας οὐρανὸν αἴθων,
10   ἓν δὲ τὰ πάντα τέτυκται, ἐν ᾧ τάδε πάντα κυκλεῖται,
     πῦρ καὶ ὕδωρ καὶ γαῖα,

καὶ τὰ ἐπὶ τούτοις. Πίνδαρός τε ὁ μελοποιὸς οἷον ἐκβακχεύεται, 129, 1
ἄντικρυς εἰπών·

     τί θεός; ὃ τι τὸ πᾶν.

15 καὶ πάλιν·   2

     θεὸς ὁ πάντα τεύχων βροτοῖς.

ἐπὰν δὲ εἴπῃ·   8

     τί ἔλπεαι σοφίαν; ὀλίγον τοι ἀνὴρ ὑπὲρ ἀνδρὸς ἔχει.
     τὰ θεῶν βουλεύματα ἐρευνᾶσαι βροτέᾳ φρενὶ δύσκολον·
20   θνατᾶς δ' ἀπὸ ματρὸς ἔφυ, |

ἐκεῖθεν ἔσπακε τὴν διάνοιαν· ›τίς ἔγνω νοῦν κυρίου; ἢ τίς σύμβου- 4 727 P

4—7 Sophokles Fr. dub. 1028; vgl. auch PLG⁴ II p. 247   9—11 Orpheus Fr. 43
Abel; vgl. Eus. Praep. Ev. III 9, 2   14 Pindar Fr. 140 Schroeder   [vgl. Phil. Leg.
all. I 44 (θεὸς) ἅτε εἷς καὶ τὸ πᾶν αὐτὸς ὤν — Wilamowitz, Glaube d. Hell. II S. 180
A 2 hält die Stelle für unecht;   Schmid I 1 (1929) S. 584 A 1 vermutet Wortspiel
mit dem Namen Pan (Fr)]   16 Pindar Fr. 141 Schroeder   18—20 Pindar Fr. 61
Schroeder; vgl. Stob. Ecl. II 1, 8 p. 4, 20 Wachsm.   21f. Is 40, 13

1 γίνεται L   4 θεοῖσι L Eus. IO   9 ἐγένετο Eus. I   οὐρανὸς Eus.   οὐρανὸν
αἴθων] ἀρχὸς ἁπάντων Eus. III   10 ἓν Eus. ἐν L φ Heyse   τὰ πάντα τέτυκται] δέμας
βασίλειον Eus. III   12 τε] δὲ Eus.   13 εἰπών Sy εἶπεν L εἰπεῖν Eus. IO   14 τί] +
ἐστι Eus. O   16 ⟨τὰ τερπνὰ⟩ πάντα Christ   πάντα—βροτοῖς Eus.   πάντας—βροτούς L
17 ἐπὰν] ἐπειδὰν Eus. O   18 τί Eus. ὅτι L   τί ⟨δ'⟩ Boeckh   ἔλπεαι Eus. ἔλπεται
L   σοφίαν] + ἔμμεναι ᾇ Stob.   ὀλίγον Eus. ὀλίγαν L   τοι] τι Eus. I   ἔχει Wi ἔχειν
L ἰσχύει Stob.   19 οὐ γὰρ ἔσθ' ὅπως τὰ Stob.   τὰ θεῶν Eus. Stob. ζαθέων L   ἐρευ-
νᾶσαι Stob. F Eus. ἐοευνᾶσε L ἐρευνάσει Boeckh   δύσκολον < Stob.   20 θνατὰς L

λος αὐτοῦ ἐγένετο;‹ ἀλλὰ καὶ Ἡσίοδος δι᾽ ὧν γράφει συνᾴδει τοῖς 5
προειρημένοις· |

μάντις δ᾽ οὐδείς ἐστιν ἐπιχϑονίων ἀνϑρώπων,   260 S
ὅστις ἂν εἰδείη Ζηνὸς νόον αἰγιόχοιο.

5 εἰκότως ἄρα Σόλων ὁ Ἀθηναῖος ἐν ταῖς ἐλεγείαις, καὶ αὐτὸς κατα- 6
κολουϑήσας Ἡσιόδῳ,

πάντῃ δ᾽ ἀϑανάτων ἀφανὴς νόος ἀνϑρώποισι
γράφει.

    Πάλιν, τοῦ Μωυσέως εἰς μόχϑους καὶ πόνους διὰ τὴν παρά- 130,
10 βασιν τέξεσϑαι τὴν γυναῖκα προφητεύσαντος, ποιητής τις οὐκ ἄσημος
γράφει·

                   οὐδέ ποτ᾽ ἦμαρ
παύσονται καμάτου καὶ ὀιζύος, οὐδέ τι νύκτωρ
στεινόμενοι· χαλεπὰς δὲ ϑεοὶ δώσουσι μερίμνας.

15 ἔτι Ὅμηρος μέν, εἰπὼν   2

αὐτὸς δὲ χρύσεια πατὴρ ἐτίταινε τάλαντα,

δίκαιον τὸν ϑεὸν μηνύει· Μένανδρος δὲ ὁ κωμικός, ἀγαϑὸν ἑρμηνεύων 3
τὸν ϑεόν, φησίν·

    ἅπαντι δαίμων ἀνδρὶ συμπαρίσταται
20   εὐϑὺς γενομένῳ μυσταγωγὸς τοῦ βίου
    ἀγαϑός· κακὸν γὰρ δαίμονα οὐ νομιστέον
    εἶναι, βίον βλάπτοντα χρηστόν.

εἶτα ἐπιφέρει·   4

ἅπαντα δ᾽ ἀγαϑὸν εἶναι τὸν ϑεόν,

25 ἤτοι πάντα ϑεὸν ἀγαϑὸν λέγων ἤ, ὅπερ καὶ μᾶλλον, ἐν πᾶσι τὸν
ϑεὸν ἀγαϑόν.

3f. Hesiod Melampodie Fr. 169 Rzach² 7 Solon Fr. 17 Diehl (Anth. lyr. I³
p. 37) 9f. vgl. Gen 3, 16f. 12—14 Hesiod Op. 176—178 16 Θ 69; X 209 19—24
Menander Fr. 714 Koerte; vgl. Stob. Ecl. I 5, 4 p. 75, 4 Wachsm.; Plut. Mor.
p. 474 B 25f. vgl. Lobeck zu Soph. Aias 1415 p. 482 (Fr)

1 ἐγένετο < Eus. IO 3 οὐδείς] οὔ νύ τις Rzach, Wien. Stud. V (1883) S. 202
7 πάντῃ L πάμπαν Eus. 9 Μωσέως Eus. πόνους] μόχϑους Eus. I 14 στεινόμενοι
Eus. γινόμενοι L φϑειρόμενοι Hes. 16 αὐτὸς δὲ] καὶ τότε δὴ Hom. χρύσεια Eus.
Hom. χρύσια L 19 συμπαρίσταται] συμπαραστατεῖ Plut. 26 ἀγαϑὸν εἶναι Eus.;
aber vgl. Tengblad S. 3

Πάλιν αὖ Αἰσχύλος μὲν ὁ τραγῳδοποιός, τὴν δύναμιν τοῦ θεοῦ 131, 1
παρατιθέμενος, οὐκ ὀκνεῖ καὶ ὕψιστον αὐτὸν προσαγορεύειν διὰ
τούτων·

χώριζε θνητῶν τὸν θεὸν καὶ μὴ δόκει   2
5   ὅμοιον σαυτῷ σάρκινον καθεστάναι. |
     οὐκ οἶσθα δ᾽ αὐτόν· ποτὲ μὲν ὡς πῦρ φαίνεται   728 P
     ἄπλατος ὁρμή, ποτὲ δὲ ὕδωρ, ποτὲ [δὲ] γνόφος·
     καὶ θηρσὶν αὐτὸς γίνεται παρεμφερής,
     ἀνέμῳ νεφέλῃ τε καὶ ἀστραπῇ, βροντῇ, βροχῇ.
10   ὑπηρετεῖ δὲ αὐτῷ θάλασσα καὶ πέτραι,   3
     καὶ πᾶσα πηγὴ καὶ ὕδατος συστήματα.
     τρέμει δ᾽ ὄρη καὶ γαῖα καὶ πελώριος
     βυθὸς θαλάσσης καὶ ὀρέων ὕψος μέγα,
     ἐπὰν ἐπιβλέψῃ γοργὸν ὄμμα δεσπότου.
15   πάντα δυνατὴ γὰρ δόξα ὑψίστου ⟨θεοῦ⟩.

ἆρ᾽ οὐ δοκεῖ σοι ἐκεῖνο παραφράζειν τὸ ›ἀπὸ προσώπου κυρίου 4
τρέμει ἡ γῆ‹;

Ἐπὶ τούτοις ὁ μαντικώτατος Ἀπόλλων, μαρτυρῶν τῇ δόξῃ τοῦ 132, 1
θεοῦ, λέγειν ἀναγκάζεται περὶ τῆς Ἀθηνᾶς, ἡνίκα ἐπὶ τὴν Ἑλλάδα
20 ἐστράτευον ⟨οἱ⟩ Μῆδοι, ὡς ἐδεῖτό τε καὶ ἱκέτευε τὸν Δία περὶ τῆς
Ἀττικῆς. ἔχει δὲ ὧδε ὁ χρησμός·   2

     οὐ δύναται Παλλὰς Δί᾽ Ὀλύμπιον ἐξιλάσασθαι,
     λισσομένη πολλοῖσι λόγοις καὶ μήτιδι πυκνῇ·
     πολλοὺς δ᾽ ἀθανάτων νηοὺς μαλερῷ πυρὶ δώσει,
25   οἵ που νῦν ἱδρῶτι ῥεεύμενοι ἑστήκασιν
     δείματι παλλόμενοι,

καὶ τὰ ἐπὶ τούτοις.

* 4—15 [Aeschylus] Fr. 464; vgl. [Just.] De mon. 2; Boeckh, De trag. graec.
p. 150—156; Elter, Gnom. hist. 150   11 vgl. Ezechiel Ἐξαγωγή V. 134 Wieneke (s.
zu S. 96, 19) aus Eus. Praep. ev. IX 29, 12 16f. vgl. Ps 113, 7 22f. vgl. Herodot
7, 141; Orac. Fr. 112, 1f. Hendess   24—26 vgl. Herodot 7, 140; Orac. Fr. 111, 8—10
Hendess

1 τραγῳδὸς Eus. I 2 προσαγορεύειν] γράφειν Eus. O 5 σαυτῷ Eus. IO*
ἑαυτῷ L ἑαυτῷ od. σαυτῷ [Just.] αὑτῷ Eus. O² σάρκινον L 6 οἶσθα δ᾽ oder
οἶσθας [Just.] οἶσθα γ᾽ Eus. I οἶσθας Eus. O 7 ὁρμή L [Just.] ὁρμή Eus. [δὲ]
< [Just.] Eus. 8 καὶ θηρσὶν] πρηστῆρσιν (vgl. S. 411, 5) Ma 10 πέτρα Eus. O
13 βυθὸς] καὶ βυθὸς Eus. O μέγα] ἐπὶ μέγα Eus. 14 ἐπὰν] ὅταν [Just.] 15 δύνα-
ται [Just.] δόξα] + δὲ [Just.] ⟨θεοῦ⟩ aus [Just.] Eus. 17 τρέμει] ἐσαλεύθη LXX
20 ⟨οἱ⟩ aus Eus. 25 που Eus. ποι L

Θεαρίδας δὲ ἐν τῷ Περὶ φύσεως γράφει· ›ἁ ἀρχὰ τῶν ὄντων, 133, ›
ἀρχὰ μὲν ὄντως ἀληθινά, μία· κείλα γὰρ ἐν ἀρχᾷ τέ ἐστιν ἓν καὶ
μόνον,‹

     οὐδέ τις ἔσθ᾽ ἕτερος χωρὶς μεγάλου βασιλῆος,   2

5 Ὀρφεὺς λέγει· ᾧ πειθόμενος ὁ κωμικὸς Δίφιλος γνωμικώτατα ›τὸν 3
ὄντα πάντων‹, φησί,

     πατέρα | τοῦτον διὰ τέλους τίμα μόνον,   729 P
   ἀγαθῶν τοσούτων εὑρετὴν καὶ κτίστορα.

εἰκότως τοίνυν καὶ Πλάτων ἐθίζει ›τὰς βελτίστας φύσεις ἀφικνεῖ- 4
10 σθαι πρὸς τὸ μάθημα, ὃ ἐν τῷ πρόσθεν ἔφαμεν εἶναι μέγιστον, ἰδεῖν
τε τἀγαθὸν καὶ ἀναβῆναι ἐκείνην τὴν ἀνάβασιν‹. ›τοῦτο δέ, ὡς 5
ἔοικεν, οὐκ ὀστράκου ἂν εἴη περιστροφή, ἀλλὰ ψυχῆς περιαγωγή, ἐκ
νυκτερινῆς τινος ἡμέρας εἰς ἀληθινὴν τοῦ ὄντος οὖσαν ἐπάνοδον, ἣν
δὴ φιλοσοφίαν ἀληθῆ φήσομεν εἶναι.‹ καὶ τοὺς ταύτης μετασχόντας 6
15 τοῦ χρυσοῦ γένους κρίνει, ›ἐστὲ μὲν δὴ πάντες ἀδελφοί‹ λέγων, οἱ
δὲ τοῦ χρυσοῦ γένους [κρίνειν] ἀκριβέστατα καὶ πάντη.

   Τοῦ πατρὸς ἄρα καὶ ποιητοῦ τῶν συμπάντων ἐμφύτως καὶ ἀδι- 7
δάκτως ἀντιλαμβάνεται πάντα πρὸς πάντων, τὰ μὲν ἄψυχα συμπα-
θοῦντα τῷ ζῴῳ, τῶν δὲ ἐμψύχων τὰ μὲν ἤδη ἀθάνατα καθ᾽ ἡμέραν
20 ἐργαζόμενα, τῶν δὲ ἔτι θνητῶν τὰ μὲν ἐν φόβῳ, καὶ διὰ τῆς μητρὸς

1–3 vgl. Zeller, Phil. d. Gr. III 2³ S. 102 Anm.   4 Orpheus Fr. 5, 14 Abel
5–8 [Diphilos] Fr. 138 CAF II p. 580; vgl. [Just.] De mon. 5   9–11 Plato Rep. VII
p. 519 CD   11–14 ebenda p. 521 C   14–16 vgl. Plato Rep. III p. 415 AB; Strom.
V 98, 2   17 vgl. Plato Tim. p. 28 C   17f. vgl. z. B. [Plato] Eryx. p. 398 C διδακτὸν
ἡ ἀρετὴ ἢ ἔμφυτον;   18f. vgl. Rom 8, 22   19f. vgl. Io 9, 4

---

  1 Θεαρίδας Eus. θεατρίδας L Θεωρίδης Jambl. Vit. Pyth. 36 p. 143, 9   ἁ ἀρχὰ
Eus. μία δ᾽ ἄρα L   ᴽ [μὲν] St [μία] Heyse   nach μία ist μία δ᾽ ἄρα τῶν ὄντων
wiederholt, aber getilgt. L¹   κείνα Eus. Ο κείνη in Ras. L¹ Eus. I   5 Ὀρφεὺς] +
δὲ Eus. IO²   Δίφιλος Eus. Ο   γνωμικώτατον Eus. IO   τὸν < Eus. IO   6 die bei-
den ersten Verse lauten bei [Just.] διότι τὸν ὄντα κύριον πάντων ἀεὶ καὶ πατέρα
τοῦτον διὰ τέλους τίμα μόνον   9 καὶ] ὁ Eus. I   βελτίστας Plato Eus. βελτίστους L
9f. ἀφικέσθαι Plato   11 τε < Eus. I   δέ] δή Plato Eus.   13 ὄντος Plato Eus.
ὄντως L   οὖσα ἐπάνοδος Hermann   15 κρίνει, ἐστὲ Eus. κρίνειν, ἔσται L   16 [κρίνειν]
< Eus.   πάντη] + εἰσ Eus. + εἰσ⟨ὶν ἱκανοί⟩ Sy   17 τῶν < Eus.   ξυμπάντων Eus. I
18 πρὸ Schw   19 τῶι ζῴωι L¹ Eus. Ο τῶν ζῴων L* Eus. I   20 ἐργαζόμενα]
ἑορταζόμενα Wi   δὲ ἔτι] δέ τι Eus. IO

αὐτῶν ἔτι κατὰ γαστρὸς ὀχούμενα, τὰ δὲ αὐτεξουσίῳ λογισμῷ, καὶ 8
τῶν ἀνθρώπων πάντες Ἕλληνές τε καὶ βάρβαροι. γένος δ᾽ οὐδὲν
οὐδαμοῦ τῶν γεωργούντων οὐδὲ νομάδων, ἀλλ᾽ οὐδὲ τῶν πολιτικῶν
δύναται ζῆν, μὴ προκατειλημμένον τῇ τοῦ κρείττονος πίστει. διὸ 9
5 πᾶν μὲν ἔθνος ἑῷον, πᾶν δὲ᾽ ἑσπερίων ἁπτόμενον ἢ⟨ὄνων⟩ βόρειόν
τὲ καὶ τὰ πρὸς τῷ νότῳ πάντα μίαν ἔχει καὶ τὴν αὐτὴν πρό-
ληψιν περὶ τοῦ καταστησαμένου τὴν ἡγεμονίαν, εἴ γε καὶ τὰ καθο- 730 P
λικώτατα τῶν ἐνεργημάτων αὐτοῦ διαπεφοίτηκεν ἐπ᾽ ἴσης πάντα·
πολὺ δὲ πλέον οἱ παρ᾽ Ἕλλησι πολυπράγμονες, οἱ φιλόσοφοι, 134, 1
10 ἐκ τῆς βαρβάρου ὁρμώμενοι φιλοσοφίας ⟨τῷ⟩ ἀοράτῳ καὶ μόνῳ καὶ
δυνατωτάτῳ καὶ τεχνικωτάτῳ καὶ τῶν καλλίστων αἰτιωτάτῳ τὴν
προνομίαν ἔδοσαν, τὰ ἀκόλουθα τούτοις, εἰ μὴ κατηχηθεῖεν πρὸς
ἡμῶν, οὐκ ἐπιστάμενοι, ἀλλ᾽ οὐδ᾽ αὐτὸν ὅπως νοεῖσθαι πέφυκεν τὸν
θεόν, μόνον δ᾽, ὡς ἤδη πολλάκις εἰρήκαμεν, κατὰ περίφρασιν ἀληθῆ.
15 εἰκότως οὖν ὁ ἀπόστολος »ἢ Ἰουδαίων μόνων« φησὶν »ὁ θεός; οὐχὶ 2
καὶ Ἑλλήνων;« οὐ μόνον προφητικῶς λέγων καὶ τοὺς ἐξ Ἑλλήνων
πιστεύοντας Ἕλληνας εἴσεσθαι τὸν θεόν, ἀλλὰ κἀκεῖνο μηνύων, ὡς
δυνάμει μὲν ὁ κύριος καὶ θεὸς πάντων ἂν εἴη καὶ τῷ ὄντι παντο-
κράτωρ, κατὰ δὲ τὴν γνῶσιν οὐ πάντων θεός· οὔτε γὰρ ὅ ἐστιν 3
20 οὔθ᾽ ὅπως κύριος καὶ πατὴρ καὶ ποιητής, οὐδὲ τὴν ἄλλην ἴσασιν
οἰκονομίαν τῆς ἀληθείας, μὴ οὐ πρὸς αὐτῆς διδαχθέντες.

Ὡσαύτως καὶ τὰ προφητικὰ τὴν αὐτὴν ἔχει τῷ ἀποστολικῷ 135, 1
λόγῳ δύναμιν. Ἡσαΐας μὲν γάρ φησιν | »εἰ δὲ λέγετε· ἐπὶ κύριον 261 S
τὸν θεὸν ἡμῶν πεποίθαμεν· νῦν μίχθητε τῷ κυρίῳ μου βασιλεῖ τῶν
25 Ἀσσυρίων.« καὶ ἐπιφέρει· »καὶ νῦν μὴ ἄνευ κυρίου ἀνέβημεν ἐπὶ τὴν
χώραν ταύτην τοῦ πολεμῆσαι αὐτήν;« Ἰωνᾶς δὲ ὁ καὶ αὐτὸς προ- 2
φήτης τὸ αὐτὸ αἰνίσσεται δι᾽ ὧν φησιν· »καὶ εἰσῆλθεν πρὸς αὐτὸν
ὁ πρῳρεὺς καὶ εἶπεν αὐτῷ· τί σὺ ῥέγχεις; ἀνάστηθι, ἐπικαλοῦ τὸν
θεόν σου, ὅπως διασώσῃ ἡμᾶς καὶ μὴ ἀπολώμεθα.« τὸ μὲν γὰρ »ὁ 3
30 θεός σου« τῷ κατ᾽ ἐπίγνωσιν εἰδότι εἶπεν, τῷ δὲ »ὅπως διασώσῃ
ἡμᾶς ὁ θεὸς« τὴν συναίσθησιν | τῶν εἰς τὸν παντοκράτορα ἐπιβα- 731 P
λόντων τὸν νοῦν ἐθνῶν ἐδήλωσεν τῶν μηδέπω πεπιστευκότων. καὶ 4

4—6 aus einem Dichter? **15f.** Rom 3, 29   23—26 Is 36, 7. 10   27—29 Ion 1, 6

1 ὀχούμενα Eus. οἰχούμενα L   3 οὐδὲ¹ Di οὔτε L   οὐδὲ² Eus. οὔτε L   5 ἑῷον
Eus.   ἁπτόμενον Eus.   ἀντόμενον L   ἠόνων Eus. ἢ L   βόρειόν Eus. βόριον L   7 ἡγε-
μονίαν Eus.   ἡγεμονείαν L   9 [οἱ φιλόσοφρι] Wi φιλόσοφοι Eus.   10 ⟨τῷ⟩ aus Eus.
10f. καὶ δυνατωτάτῳ] δυνατῷ Eus. O   11 τῶν] τῶν ἄλλων Eus.   12 προνομίαν Eus.
πρόνοιαν L   ἔδωκαν Eus.   14 περίφρασιν Eus. περίφασιν (vgl. Strom. I 91, 5; VI
39, 1) L   19 τὴν γνῶσιν] ἐπίγνωσιν Mü   30 εἶπεν, τῷ St εἰπών, τὸ L

πάλιν ὁ αὐτός· *καὶ εἶπεν πρὸς αὐτούς· δοῦλος κυρίου ἐγώ εἰμι καὶ κύριον τὸν θεὸν τοῦ οὐρανοῦ ἐγὼ φοβοῦμαι.* αὖθίς τε ὁ αὐτός· 136, 1 *καὶ εἶπαν· μηδαμῶς, κύριε· μὴ ἀπολώμεθα ἕνεκεν τῆς ψυχῆς τοῦ ἀνθρώπου τούτου.* Μαλαχίας δὲ ὁ προφήτης ἄντικρυς ἐμφαίνει τὸν 2
5 θεὸν λέγοντα· *θυσίαν οὐ προσδέξομαι ἐκ τῶν χειρῶν ὑμῶν, διότι ἀπ᾿ ἀνατολῆς ἡλίου ἕως δυσμῶν τὸ ὄνομά μου δεδόξασται ἐν τοῖς ἔθνεσι, καὶ ἐν παντὶ τόπῳ θυσία μοι προσφέρεται.* καὶ πάλιν· 3
διότι βασιλεὺς μέγας ἐγώ εἰμι, λέγει κύριος παντοκράτωρ, καὶ τὸ ὄνομά μου ἐπιφανὲς ἐν τοῖς ἔθνεσιν. ποῖον ὄνομα; ἐν μὲν τοῖς
10 πεπιστευκόσιν ὁ ᾿υἱὸς πατέρα μηνύων, ἐν δὲ τοῖς Ἕλλησι τὸ *θεὸς ποιητής*. τό τε αὐτεξούσιον ὁ Πλάτων ἐνδείκνυται διὰ τῶνδε· 4
ἀρετὴ δὲ ἀδέσποτον, ἣν τιμῶν καὶ ἀτιμάζων πλέον καὶ ἔλαττον ἕκαστος αὐτῆς μεθέξει. αἰτία ἑλομένου· θεὸς ἀναίτιος. κακῶν γὰρ ὁ θεὸς οὔποτε αἴτιος.

15   Ὦ Τρῶες ἀρηίφιλοι,   5

ὁ λυρικός φησι,

            Ζεὺς ὑψιμέδων, ὃς ἅπαντα δέρκεται,
    οὐκ αἴτιος θνατοῖς μεγάλων ἀχέων·
    ἀλλ᾿ ἐν μέσῳ κεῖται κιχεῖν
20   πᾶσιν ἀνθρώποισι Δίκαν ὁσίαν,
    ἁγνᾶς Εὐνομίας ἀκόλουθον καὶ πινυτᾶς Θέμιδος·
    ὀλβίων παῖδες οἵ νιν εὑρόντες σύνοικον.

    Πίνδαρος δὲ ἄντικρυς καὶ σωτῆρα Δία συνοικοῦντα Θέμιδι εἰσά- 137, 1
γει, βασιλέα, σωτῆρα | δίκαιον, ἑρμηνεύων ὧδέ πως·   732 P

25   πρῶτα μὲν εὔβουλον Θέμιν οὐρανίαν
    χρυσέαισιν ἵπποισιν Ὠκεανοῦ παρὰ παγᾶν

1f. Ion 1, 9   3f. Ion 1, 14   5—9 Mal 1, 10f. 14 (beeinflußt von Apostellehre 14, 3; vgl. Just. Dial. 28 p. 246 B; 41 p. 260 B)   10f. vgl. Plato Tim. p. 28 C 12—14 ἀρετή—αἴτιος Theodoret Gr. aff. c. VI 57   12f. ἀρετή—ἀναίτιος Plato Rep. X p. 617 E; vgl. Sternbach, Gnom. Vatic. 423   13f. κακῶν—αἴτιος vgl. Plato Rep. II p. 379 BC. 380 B   15—22 Bakchylides XV 51 Snell   25—S. 419, 4 Pindar Fr. 30 Schroeder

7 θυσία μοί] θυμίαμα LXX   13 ἕξει Plato Theod.   20 ὁσίαν] ἰθεῖαν Pap. 21 ἁγνᾶς Bergk Pap. ἁγνὰν L [ἁγνὰν] Neue   Θέμιτος Pap.   22 παῖδες οἵ νιν Brunck παῖδεσῶνιν (sic) L παῖδές νιν Neue π . . . . . νιν Pap. εὑρόντες] αἱρεῦνται Pap. 25 πρῶτον Hephaestio p. 51, 22 W.   26 χρυσέαισιν He χρυσίαισιν L ἵπποις Hermann παγᾶν Boeckh πάγον L

Μοῖραι ποτὶ κλίμακα σεμνὰν
ἆγον Ὀλύμπου λιπαρὰν καθ᾽ ὁδόν,
σωτῆρος ἀρχαίαν ἄλοχον Διὸς ἔμμεν·
ἃ δὲ τὰς χρυσάμπυκας ἀγλαοκάρπους τίκτεν ἀλαθέας Ὥρας.

5 ὁ τοίνυν μὴ πειθόμενος τῇ ἀληθείᾳ, διδασκαλίᾳ δὲ ἀνθρωπίνῃ τετυ- 2
φωμένος, δυσδαίμων, ἄθλιός τε καὶ κατὰ τὸν Εὐριπίδην,

ὃς τάδε λεύσσων θεὸν οὐχὶ νοεῖ,
μετεωρολόγων δ᾽ ἑκὰς ἔρριψεν
σκολιὰς ἀπάτας, ὧν ἀτηρὰ
10 γλῶσσα εἰκοβολεῖ περὶ τῶν ἀφανῶν,
οὐδὲν γνώμης μετέχουσα.

Ἀφικόμενος οὖν ἐπὶ τὴν ἀληθῆ μάθησιν ὁ βουλόμενος ἀκουέτω 138, 1
μὲν Παρμενίδου τοῦ Ἐλεάτου ὑπισχνουμένου·

εἴσῃ δ᾽ αἰθερίαν τε φύσιν τά τ᾽ ἐν αἰθέρι πάντα
15 σήματα καὶ καθαρᾶς εὐαγέος ἠελίοιο
λαμπάδος ἔργ᾽ ἀΐδηλα καὶ ὁππόθεν ἐξεγένοντο,
ἔργα τε κύκλωπος πεύσῃ περίφοιτα σελήνης
καὶ φύσιν, εἰδήσεις δὲ καὶ οὐρανὸν ἀμφὶς ἔχοντα,
ἔνθεν [μὲν γὰρ] ἔφυ τε καὶ ὥς μιν ἄγουσα ἐπέδησεν Ἀνάγκη
20 πείρατ᾽ ἔχειν ἄστρων,

Μητροδώρου τε, καίτοι Ἐπικουρείου γενομένου, ἐνθέως ταῦτά γε 2
εἰρηχότος· »μέμνησο, Μενέστρατε, διότι, θνητὸς φὺς καὶ λαβὼν βίον
ὡρισμένον, ἀναβὰς τῇ ψυχῇ ἕως ἐπὶ τὸν αἰῶνα καὶ τὴν ἀπειρίαν
τῶν πραγμάτων κατεῖδες καὶ ›τὰ ἐσσόμενα πρό τ᾽ ἐόντα‹« ›ὅτε 3

---

* 5f. vgl I Tim 6, 3f. 7—11 Euripides Fr. inc. 913　14—20 Parmenides Fr. 10
Diels⁶ I S. 241, 12—18　21—24 Metrodoros Fr. 37 Koerte p. 557; Epikur, Spruch-
samml. Wiener Stud. 10, 1888, S. 192, 10 (dort ἀνέβης ... καὶ κατεῖδες)　24 vgl.
A 70　24—S. 420, 8 Plato Phaedr. p. 250 BC

2 ἆγον L　Οὐλύμπου Hermann　2f. καθ᾽ ὁδὸν—ἔμμεν Heyne κάθοδον—ἔμμεναι
L　4 αδετὰς (sic) L　ἀλαθέας Ὥρας Boeckh aus Hesych. (s. v. ἀλαθέας Ὥρας)
ἀγαθὰ σωτῆρας L ἀγαθὰ σωτῆρας ⟨Ὥρας⟩ Hermann　6 [καὶ] Wi　7 ὃς] πῶς
Schw　λεύσσων Sy λεύσων L　νοεῖ Kl νοέει L　8 δ᾽] ϑ᾽ Wagner [δ᾽] Jortin, Remarks
upon Eccl. Hist.² I p. 284　9 ὧν] ὅνπερ Jortin　ἀτηρὰ Po ἀτειρὰ L ἀτειρὴς Jortin
16 ἀΐδηλα] ἀρίδηλα Bergk, Opusc. II 59. 71; doch ἔργ᾽ ἀΐδηλα auch Δ 757. 872 vor
Aristarch　ὁππόθεν Sy ὁπόθεν L　17 κύκλωπος L (ν übergeschr. L²)　περίφοιτα
Scaliger περὶ φοιτὰ L　19 [μὲν γὰρ] Sy　ἔφυ τε Sy ἔφυγε L　21 ἐπικουρίου L　γε
Sy τε L　23 ἀναβὰς] viell. ἀνέβης aus Epik. Sprachsammlung 10 zu korrigieren
24 ἐσσόμενα aus Hom. ἐσόμενα L

27*

σὺν εὐδαίμονι χορῷ« κατὰ τὸν Πλάτωνα »μακαρίαν ὄψιν τε καὶ
θέαν« ἐποπτεύσομεν, »ἑπόμενοι μετὰ μὲν Διὸς ἡμεῖς, ἄλλοι δὲ μετ'
ἄλλων θεῶν, τελετῶν, ᾗ θέμις λέγειν, μακαριωτάτην τελούμενοι, ἣν
ὀργιάζομεν, ὁλόκληροι μὲν αὐτοὶ καὶ ἀπαθεῖς κακῶν, ὅσα ἡμᾶς ἐν
5 ὑστέρῳ χρόνῳ ὑπέμεινεν, ὁλόκληρα δὲ καὶ ἀτρεμῆ φάσματα μυού-
μενοί τε καὶ ἐποπτεύοντες ἐν αὐγῇ καθαρᾷ, καθαροὶ καὶ ἀσήμαντοι
τούτου, ὃ νῦν σῶμα περιφέροντες ὀνομάζομεν, ὀστρέου τρόπον
δεδεσμευμένοι.«

Οἱ δὲ Πυθαγόρειοι τὸν οὐρανὸν τὸν ἀντίχθονα καλοῦσιν, ἐφ' 139, 1
10 ἧς γῆς δι' Ἱερεμίου· »τάξω σε εἰς τέκνα, καὶ δώσω | σοι γῆν ἐκλε- 733 P
κτὴν κληρονομίαν θεοῦ παντοκράτορος«, ἣν οἱ κληρονομήσαντες βασι-
λεύσουσι γῆς.

Καὶ μυρία [ἐπὶ μυρία] ἐπὶ μυρίοις ἐπιρρεῖ μοι παρατίθεσθαι, 2
συμμετρίας δ' οὖν ἕνεκα καταπαυστέον ἤδη τὸν λόγον, ὅπως μὴ τὸ
15 τοῦ τραγῳδοποιοῦ Ἀγάθωνος πάθωμεν καὶ αὐτοί·

     τὸ μὲν πάρεργον ἔργον ὣς ἡγούμενοι,
     τὸ δ' ἔργον ὣς πάρεργον ἐκπονούμενοι.

Δεδειγμένου τοίνυν σαφῶς, ὡς οἶμαι, ὅπως κλέπτας εἰρῆσθαι 140, 1
πρὸς τοῦ κυρίου τοὺς Ἕλληνας ἐξακουστέον, ἑκὼν παραλείπω τὰ
20 τῶν φιλοσόφων δόγματα. εἰ γὰρ καὶ τὰς λέξεις ἐπίοιμεν αὐτῶν, 2
οὐκ ἂν φθάνοιμεν, πλῆθος ὅσον ὑπομνημάτων συνερανίζοντες, ἐκ
τῆς βαρβάρου φιλοσοφίας πᾶσαν φερομένην τὴν παρ' Ἕλλησιν ἐν-
δεικνύμενοι σοφίαν. ἧς θεωρίας οὐδὲν ἧττον αὖθις ἐφαψόμεθα κατὰ 3
τὸ ἀναγκαῖον, ὁπηνίκα ἂν τὰς περὶ ἀρχῶν δόξας τὰς παρ' Ἕλλησι
25 φερομένας ἀναλεγώμεθα. πλὴν καὶ τοῦτο ἡμῖν ἐκ τῶν εἰρημένων 4
ἡμῖν ἡσυχῇ παρίσταται σκοπεῖν, ὃν τρόπον ταῖς Ἑλληνικαῖς τῷ ὄλῳ
τε ὄντι διανήχεσθαι τὰ ἐν αὐτοῖς κύματα ἐντευκτέον βίβλοις.

     ὄλβιος,   5

ὡς ἔοικεν, ἄρα ἐστὶν κατὰ τὸν Ἐμπεδοκλέα,

*   9 vgl. Zeller, Phil. d. Griech. I⁵ S. 421¹   10f. Ier 3, 19   11f. vgl. viell. Ps 36, 11
16f. Agathon Fr. inc. 11; vgl. Athenaeus V p. 185 A   18f. vgl. Io 10, 8 (Strom.
I 81, 1)   24 vgl. Strom. III 13, 1 mit Anm.; 21, 2; IV 2, 1; VI 4, 2; QDS 26 Ende
27 διανήχεσθαι—κύματα platonische Metaphern vgl. z. B. Rep. IV p. 441 C; V
p. 457 B   28—S. 421, 2 Empedokles Fr. 132 Diels⁶ I 365, 5f.

    2—4 ἐποπτεύσαμεν—ὠργιάζομεν Ma   3 ἄλλων] ἄλλου Plato   τελετῶν Plato τε
λέγων L τελετὴν Sy   ἣν Sy ἣν L   5 ὑπέμεινεν Plato   9 πυθαγόριοι L   10 τάξω
corr. aus τάξου L¹   13 [ἐπὶ μυρία] Sy   16 ὣς L³ für ὡς   ἡγούμενοι] ποιούμεθα
Athen.   17 ἐκπονούμενοι] ἐκπονούμεθα Athen.   27 αὐταῖς St

ὃς θείων πραπίδων ἐκτήσατο πλοῦτον,
δειλὸς δ' ᾧ σκοτόεσσα θεῶν πέρι δόξα μέμηλεν.

γνῶσιν καὶ ἀγνωσίαν ὅρους εὐδαιμονίας κακοδαιμονίας τε θείως ἐδή-
λωσεν. »χρὴ γὰρ εὖ μάλα πολλῶν ἵστορας φιλοσόφους ἄνδρας εἶναι« 6
5 καθ' Ἡράκλειτον, καὶ τῷ ὄντι ἀνάγκη 262 S

πολλὰ πλανηθῆναι διζήμενον ἔμμεναι ἐσθλόν.

ἤδη μὲν οὖν δῆλον ἡμῖν ἐκ τῶν προειρημένων ὡς ἀίδιος ἡ τοῦ θεοῦ 141, 1
εὐποιία τυγχάνει καὶ εἰς πάντας ἐξ ἀρχῆς ἀνάρχου ἴση ἀτεχνῶς ἡ
φυσικὴ δικαιοσύνη, κατ' ἀξίαν ἑκάστου γένους γενομένη, οὐκ ἀρξα-
10 μένη ποτέ· οὐ γὰρ ἀρχὴν τοῦ κύριος καὶ ἀγαθὸς εἶναι εἴληφεν ὁ 2
θεὸς ὢν ἀεὶ ὅ ἐστιν, οὐδὲ μὴν παύσεταί ποτε ἀγα|θοποιῶν, κἂν εἰς 734 P
τέλος ἀγάγῃ ἕκαστα. μεταλαμβάνει δὲ τῆς εὐποιίας ἕκαστος ἡμῶν 3
πρὸς ὃ βούλεται, ἐπεὶ τὴν διαφορὰν τῆς ἐκλογῆς ἀξία γενομένη
ψυχῆς αἵρεσίς τε καὶ συνάσκησις πεποίηκεν.

15 Ὧδε μὲν οὖν καὶ ὁ πέμπτος ἡμῖν τῶν κατὰ τὴν ἀληθῆ φιλο- 4
σοφίαν γνωστικῶν ὑπομνημάτων Στρωματεὺς περαιούσθω. |

4 Heraklit Fr. 35 Diels⁶ I 159, 6   6 Phokylides Fr. 13 Diehl (Anth. lyr. I³
p. 59); vgl. Plut. Mor. p. 47 E; Cramer, An. Par. I 166, 17f. (= A. Bohler,
Sophistae anon. protr. fragm. inst. [Straßb. Diss.] Lipsiae 1903 p. 37, 15f.);
Wilamowitz, Gött. Nachr. 1898 S. 219

2 δ' ὦ σκοτ. L³ δ' ώσκοτ. L*   4 nur εὖ—ἵστορας gehört dem Heraklit nach
Wilamowitz, Philol. Unters. I p. 215   6 πολλὰ πλανηθῆναι] πολλ' ἀπατηθῆναι Plut.
πολλ' ἀέκοντα ⟨παθεῖν⟩ anscheinend Cram.

ΣΤΡΩΜΑΤΕΩΝ ΕΚΤΟΣ

1. Ὁ δὲ δὴ ἕκτος καὶ ὁμοῦ ὁ ἕβδομος ἡμῖν τῶν κατὰ τὴν ἀληθῆ 1,1
φιλοσοφίαν γνωστικῶν ὑπομνημάτων Στρωματεύς, διαγράψας ὡς ἔνι
5 μάλιστα τὸν ἠθικὸν λόγον ἐν τούτοις περαιούμενον καὶ παραστήσας,
ὅστις ἂν εἴη κατὰ τὸν βίον ὁ γνωστικός, πρόειδι δείξων τοῖς φιλο-
σόφοις οὐδαμῶς [ὡς] ἄθεον τοῦτον, ὡς ὑπειλήφασιν, μόνον δὲ τῷ
ὄντι θεοσεβῆ, τὸν τρόπον τῆς θρησκείας τοῦ γνωστικοῦ κεφαλαιω-
δῶς ἐκτιθέμενος, | ὅσα γε εἰς γραφὴν ὑπομνηστικὴν ἀκίνδυνον ἐγχα- 736 P
10 ράξαι· ἐργάζεσθαι γὰρ ›τὴν βρῶσιν τὴν εἰς αἰῶνα παραμένουσαν‹ ὁ 2
κύριος ἐνετείλατο, καί που ὁ προφήτης λέγει· ›μακάριος ὁ σπείρων
ἐπὶ πᾶν ὕδωρ, οὗ μόσχος καὶ ὄνος πατεῖ‹, ὁ ἐκ νόμου καὶ ἐξ ἐθνῶν
εἰς τὴν μίαν πίστιν συναγόμενος λαός. ›ὁ δὲ ἀσθενῶν λάχανα ἐσθίει‹
κατὰ τὸν γενναῖον ἀπόστολον. φθάσας δὲ ὁ Παιδαγωγὸς ἡμῖν ἐν 3
15 τρισὶ διαιρούμενος βίβλοις τὴν ἐκ παίδων ἀγωγήν τε καὶ τροφὴν
παρέστησεν, τουτέστιν ἐκ κατηχήσεως συναύξουσαν τῇ πίστει πολι-
τείαν καὶ προπαρασκευάζουσαν τοῖς εἰς ἄνδρας ἐγγραφομένοις ἐνά-
ρετον τὴν ψυχὴν εἰς ἐπιστήμης γνωστικῆς παραδοχήν. ἐναργῶς οὖν 4
τῶν Ἑλλήνων μαθόντων ἐκ τῶν λεχθησομένων διὰ τῶνδε ἡμῖν, ὡς
20 ἀνοσίως τὸν θεοφιλῆ διώκοντες ἀσεβοῦσιν αὐτοί, τότε ἤδη, προϊόν-
των τῶν ὑπομνημάτων κατὰ τὸν τῶν Στρωματέων χαρακτῆρα,
ἐπιλυτέον τά τε ὑπὸ Ἑλλήνων τά τε ὑπὸ βαρβάρων προσαπορούμενα
ἡμῖν περὶ τῆς τοῦ κυρίου παρουσίας.

Ἐν μὲν οὖν τῷ λειμῶνι τὰ ἄνθη ποικίλως ἀνθοῦντα κἂν τῷ 2,1
25 παραδείσῳ ἡ τῶν ἀκροδρύων φυτεία οὐ κατὰ εἶδος ἕκαστον κεχώ-

---

10 vgl. Io 6, 27   11f. Is 32, 20   12f. vgl. Strom. VII 109   13 Rom 14, 2

1 Κλήμεντος < L   2 στρωματεὺς ἕκτος ὁ καὶ ζῆτα L   3 καὶ ὁμοῦ ὁ St ὁμοῦ·ὁ
καὶ L ὁμοῦ καὶ ὁ Sy   6f. φιλοψόγοις Münzel   7 [ὡς] St   8 θεοσεβῆ Vi θεοσεβεῖ L
9 γε St τε L   ἀκίνδυνον St ἀκινδύνως L   22 προαπορούμενα Di   24 ἀνθοῦντα]
ἀναφύονται Wi Comment. gramm. III (1889) p. 29

ρισται τῶν ἀλλογενῶν (ᾗ καὶ Λειμῶνάς τινες καὶ Ἑλικῶνας καὶ
Κηρία καὶ Πέπλους συναγωγὰς φιλομαθεῖς ποικίλως ἐξανθισάμενοι
ϭυνεγράψαντο)· τοῖς δ᾽ ὡς ἔτυχεν ἐπὶ μνήμην ἐλθοῦσι καὶ μήτε τῇ
τάξει μήτε τῇ φράσει διακεκαθαρμένοις, διεσπαρμένοις δὲ ἐπίτηδες
5 ἀναμίξ, ἡ τῶν Στρωματέων ἡμῖν ὑποτύπωσις λειμῶνος δίκην πε-
ποίκιλται. καὶ δὴ ὧδε ἔχοντες ἐμοί τε ὑπομνήματα εἶεν ἂν ζώπυρα, 2
τῷ τε εἰς γνῶσιν ἐπιτηδείῳ, εἴ πως περιτύχοι τοῖσδε, πρὸς τὸ συμ-
φέρον καὶ ὠφέλιμον μετὰ ἱδρῶτος ἡ ζήτησις γενήσεται· οὐ γὰρ μό- 3
νον τῶν σιτίων τὸν πόνον, πολὺ δὲ πλέον καὶ τῆς γνώσεως ἡγεῖ-
10 σθαι δίκαιον, τοῖς διὰ στενῆς καὶ τεθλιμμένης τῆς κυριακῆς ὄντως
ὁδοῦ εἰς τὴν ἀίδιον καὶ μακαρίαν παραπεμπομένοις σωτηρίαν· ἡ 4
γνῶσις δὲ ἡμῶν καὶ ὁ παράδεισος ὁ πνευματικὸς αὐτὸς ἡμῶν ὁ σω-
τὴρ ὑπάρχει, εἰς ὃν καταφυτευόμεθα, μετατεθέντες καὶ μεταμοσχευ-
θέντες εἰς τὴν γῆν τὴν ἀγαθὴν ἐκ βίου τοῦ παλαιοῦ· ἡ μεταβολὴ δὲ
15 τῆς φυτείας εἰς εὐκαρπίαν συμβάλλεται. φῶς οὖν ὁ κύριος καὶ
γνῶσις ἡ ἀληθής, εἰς ὃν μετετέθημεν. |

Λέγεται δὲ καὶ ἄλλως διττὴ ἡ γνῶσις, ἡ μὲν κοινῶς, ἡ ἐν πᾶσιν 737 P 3, 1
ἀνθρώποις ὁμοίως σύνεσίς τε καὶ ἀντίληψις κατὰ τὸ γνωρίζειν ἕκα-
στον τῶν ὑποκειμένων πανδήμως ἐμφαινομένη, ἧς οὐ μόνον αἱ
20 λογικαὶ ⟨δυνάμεις⟩, ἀλλ᾽ ἴσως καὶ αἱ ἄλογοι μεθέξουσιν, ἣν οὐκ ἂν
ποτε ἔγωγε γνῶσίν γε ὀνομάσαιμι, τὴν καὶ δι᾽ αἰσθητηρίων ἀντιλαμ-
βάνεσθαι πεφυκυῖαν· ἡ δὲ ἐξαιρέτως ὀνομαζομένη γνῶσις ἀπὸ τῆς 2
γνώμης καὶ τοῦ λόγου χαρακτηρίζεται, καθ᾽ ἣν μόναι αἱ λογικαὶ
δυνάμεις γνώσεις γενήσονται, αἱ τοῖς νοητοῖς κατὰ ψιλὴν τὴν τῆς
25 ψυχῆς ἐνέργειαν εἰλικρινῶς ἐπιβάλλουσαι· ›χρηστὸς ἀνήρ‹, φησὶν ὁ 3
Δαβίδ, ›ὁ οἰκτίρμων‹ τῶν παραπολλυμένων τῇ πλάνῃ ›καὶ κιχρῶν‹
ἐκ μεταδόσεως τοῦ λόγου τῆς ἀληθείας, οὐχ ὡς ἔτυχεν, ἀλλὰ γὰρ
›οἰκονομήσει τοὺς λόγους αὐτοῦ ἐν κρίσει‹, ἐπιλογισμῷ βαθεῖ· οὗτος
›ἐσκόρπισεν, ἔδωκεν τοῖς πένησιν‹.

30 II. Πρὸ δὲ τῆς εἰς τὸ προκείμενον ἐγχειρήσεως ἐν προοιμίου 4, 1
εἴδει προσαποδοτέον τῷ πέρατι τοῦ πέμπτου Στρωματέως τὰ ἐν-
δέοντα.

Ἐπεὶ γὰρ παρεστήσαμεν τὸ συμβολικὸν εἶδος ἀρχαῖον εἶναι, 2

---

* 1 zu solchen Titeln Plin. n. h. praef. 24; Gellius, Noct. Att. praef. IVff. **10f.**
vgl. Mt 7, 14 **13f.** vgl. Rom 11, 17 **15** vgl. Io 8, 12 **25—29** Ps 111, 5. 9 **33ff.** vgl.
Strom. V 19—59

1 ᾗ Wi εἰ L τινες corr. aus τινας L¹ ἑλικῶνας (ας in Ras.) L¹ **3** ἐπεγρά-
ψαντο Wi **20** ⟨δυνάμεις⟩ Hervet **21** γε Ma τε L [τε] St τὴν καὶ Ma καὶ (von
L³ getilgt) τὴν L **24** γνώσεις γεννήσουσιν oder [γνώσεις] γνώσονται Reinkens
p. 296² **31** πέμπτου] ε̄ L

κεχρῆσθαι δὲ αὐτῷ οὐ μόνον τοὺς προφήτας τοὺς παρ᾽ ἡμῖν, ἀλλὰ
καὶ τῶν Ἑλλήνων τῶν παλαιῶν τοὺς πλείονας καὶ τῶν ἄλλων τῶν
κατὰ | τὰ ἔθνη βαρβάρων οὐκ ὀλίγους, ἐχρῆν δὲ καὶ τὰ μυστήρια 263 S
ἐπελθεῖν τῶν τελουμένων· ταῦτα μὲν ὑπερτίθεμαι διασαφήσων, ὁπη-
5 νίκα ἂν τὰ περὶ ἀρχῶν τοῖς Ἕλλησιν εἰρημένα ἐπιόντες διελέγχωμεν·
τῆσδε γὰρ ἔχεσθαι τῆς θεωρίας ἐπιδείξομεν καὶ τὰ μυστήρια· παρα- 3
στήσαντες δὲ τὴν ἔμφασιν τῆς Ἑλληνικῆς διανοίας ἐκ τῆς διὰ τῶν
γραφῶν εἰς ἡμᾶς δεδομένης ἀληθείας περιαυγασθεῖσαν, καθ᾽ ὃ σημαι-
νόμενον διήκειν εἰς αὐτοὺς τὴν κλοπὴν τῆς ἀληθείας ἐκδεχόμενοι, εἰ
10 μὴ ἐπαχθὲς εἰπεῖν, ἀπεδείξαμεν, φέρε μάρτυρας τῆς κλοπῆς αὐτοὺς
καθ᾽ ἑαυτῶν παραστήσωμεν τοὺς Ἕλληνας· οἱ γὰρ τὰ οἰκεῖα οὕτως 4
ἄντικρυς παρ᾽ ἀλλήλων ὑφαιρούμενοι βεβαιοῦσι μὲν τὸ κλέπται εἶναι,
σφετερίζεσθαι δ᾽ ὅμως καὶ ἄκοντες τὴν παρ᾽ ἡμῶν ἀλήθειαν εἰς τοὺς
ὁμοφύλους λάθρα διαδεί|κνυνται. οἱ γὰρ μηδὲ ἑαυτῶν, σχολῇ γ᾽ ἂν 738 P
15 τῶν ἡμετέρων ἀφέξονται. καὶ τὰ μὲν κατὰ φιλοσοφίαν σιωπήσομαι 5, 1
δόγματα, αὐτῶν ὁμολογούντων ἐγγράφως τῶν τὰς αἱρέσεις διανε-
μομένων, ὡς μὴ ἀχάριστοι ἐλεγχθεῖεν, παρὰ Σωκράτους εἰληφέναι
τὰ κυριώτατα τῶν δογμάτων. ὀλίγοις δὲ τῶν καθωμιλημένων καὶ 2
παρὰ τοῖς Ἕλλησιν εὐδοκίμων ἀνδρῶν χρησάμενος μαρτυρίοις, τὸ
20 κλεπτικὸν διελέγξας εἶδος αὐτῶν, ἀδιαφόρως τοῖς χρόνοις καταχρώ-
μενος, ἐπὶ τὰ ἑξῆς τρέψομαι.

Ὀρφέως τοίνυν ποιήσαντος·   8

ὣς οὐ κύντερον ἦν καὶ ῥίγιον ἄλλο γυναικός,

Ὅμηρος ἄντικρυς λέγει·   4

25   ὣς οὐκ αἰνότερον καὶ κύντερον ἄλλο γυναικός.

Γράψαντός τε Μουσαίου·   5

ὡς αἰεὶ τέχνη μέγ᾽ ἀμείνων ἰσχύος ἐστίν,

5 vgl. zu S. 420, 24   6—21 παραστήσαντες—τρέψομαι Euseb. Praep. Ev. X 2,
1—3   6—10 vgl. Strom. V 89—139   10 Entschuldigung des Wortes ἀποδεικνύναι
ebenso bei Plat. Phaed. 37 p. 87 A χαριέντως καὶ εἰ μὴ ἐπαχθές ἐστιν εἰπεῖν πάνυ
ἱκανῶς ἀποδεδεῖχθαι   10—S. 441, 22 vgl. Elter, Gnom. hist. ram. 17—36   23 Orpheus
Fr. 264 Abel   25 λ 427   27 Musaios Fr. 4 Diels⁶ I 22, 21

1 αὐ-ῷ Vi αὐτὸ (ὁ in Ras.) L¹   4 διασαφήσων Münzel διασαφήσειν L   6 ἔχεσθαι
Heyse ἔσεσθαι L   7 διανοίας] ἐπινοίας Eus. I παιδείας Eus. O   11 αὐτῶν Eus.
14 γ᾽ ἂν L Eus. γε Di   16f. διανενεμημένον Eus.   17 ἐλεγχθεῖεν L Eus. O εὑρεθεῖεν
Eus. I   20 εἶδος αὐτῶν L Eus. O αὐτῶν εἶδος Eus. BI ἀδιαφόρως St ἐν διαφόροις L
διαφόροις Eus. BI ἀδιαφόροις Eus. O   23. 25 ὡς L

Ὅμηρος λέγει   6

    μήτι τοι δρυτόμος περιγίνεται ἠὲ βίηφι.

Πάλιν τοῦ Μουσαίου ποιήσαντος·   7

    ὡς δ' αὔτως καὶ φύλλα φύει ζείδωρος ἄρουρα·
    ἄλλα μὲν ἐν μελίῃσιν ἀποφθίνει, ἄλλα δὲ φύει·
    ὣς δὲ καὶ ἀνθρώπων γενεὴν καὶ φῦλον ἑλίσσει,

Ὅμηρος μεταγράφει·   8

    φύλλα τὰ μέν τ' ἄνεμος χαμάδις χέει, ἄλλα δέ θ' ὕλη
    τηλεθόωσα φύει, ἔαρος δ' ἐπιγίνεται ὥρη·
    ὣς ἀνδρῶν γενεὴ ἢ μὲν φύει, ἢ δ' ἀπολήγει.

Πάλιν δ' αὖ Ὁμήρου εἰπόντος·   9

    οὐχ ὁσίη κταμένοισιν ἐπ' ἀνδράσιν εὐχετάασθαι,

Ἀρχίλοχός τε καὶ Κρατῖνος γράφουσιν, ὃ μέν·   10

    οὐ γὰρ ἐσθλὰ κατθανοῦσι κερτομεῖν ἐπ' ἀνδράσιν,

Κρατῖνος δὲ ἐν τοῖς Λάκωσι·   11

    φοβερὸν ἀνθρώποις τόδ' αὖ,
    κταμένοις ἐπ' αἰζηοῖσι[ν] καυχᾶσθαι μέγα.

Αὖθίς τε ὁ Ἀρχίλοχος τὸ Ὁμηρικὸν ἐκεῖνο μεταφέρων·   6, 1

    ἀασάμην, οὐδ' αὐτὸς ἀναίνομαι· ἀντί νυ πολλῶν, |

ὧδέ πως γράφει·   739 P 2

    ἤμβλακον, καί πού τινα ἄλλον ἦδ' ἄτη κιχήσατο·

καθάπερ ἀμέλει κἀκεῖνο τὸ ἔπος·   3

    ξυνὸς ἐννάλιος, καί τε κτανέοντα κατέκτα,

---

2 Ψ 315   4—ο Musaios Fr. 25 Kern 5 Diels⁶ I 23, 1–3   8—10 Z 147—149   12
χ 412   14 Archilochos Fr. 65 Diehl (Anth. lyr. I³ p. 28)   16f. Kratinos Λάκωνες
Fr. 95 CAF I p. 41 sq.   19 I 116   21 Archilochos Fr. 73 a. a. O. 31   23 Σ 309

2 περιγίνεται (aus Ψ 318)] μεγ' ἀμείνων Ψ 315   3 μουσαίου L³ μωσέου L*
4 ζείδωρος Di ζήδωρος L   6 ὡς—ἑλίσσει L   ἀνθρώπων γενεὴν καὶ φῦλον Heyne zu
Z 147 (Variae lect. et observ. in Iliad. vol. V p. 213) ἀνθρώπου γενεὴ καὶ φύλλον L
9 ὥρηι L   16 φοβερὸν] φθονερὸν Jacobs   τόδ' αὖ] τὸ δ' αὖ L τόδε Grotius, Ex-
cerpta p. 461   21 ἄτη] ἄλη Hermann

μεταποιῶν αὐτὸς ὧδέ πως ἐξήνεγκεν·   4

    † ἔρξω· ἐτήτυμον γὰρ ξυνὸς ἀνθρώποισ[ιν] Ἄρης.

ἔτι κἀκεῖνο μεταφράζων·   5

    νίκης ἀνθρώποισι[ν] θεῶν ἐν † πείρᾳ κεῖται,

5 διὰ τοῦδε τοῦ ἰάμβου δῆλός ἐστι·   6

    καὶ νέους θάρρυνε, νίκης δὲ ἐν θεοῖσι πείρατα.

Πάλιν Ὁμήρου εἰπόντος·   7, 1

    ἀνιπτόποδες, χαμαιεῦναι,

Εὐριπίδης ἐν Ἐρεχθεῖ γράφει·   2

10   ἐν ἀστρώτῳ πέδῳ

    εὕδουσι[ν], πηγαῖς δ' οὐχ ὑγραίνουσι⟨ν⟩ πόδας.

Ἀρχιλόχου τε ὁμοίως εἰρηκότος·   3

    ἀλλ' ἄλλος ἄλλῳ κραδίην ἰαίνεται,

παρὰ τὸ Ὁμηρικόν·   4

15   ἄλλος γὰρ ⟨τ'⟩ ἄλλοισιν ἀνὴρ ἐπιτέρπεται ἔργοις,

Εὐριπίδης ἐν τῷ Οἰνεῖ φησιν·   5

    ἀλλὰ ἄλλος ἄλλοις μᾶλλον ἥδεται τρόποις.

Ἀκήκοα δὲ Αἰσχύλου μὲν λέγοντος·   6

    οἴκοι μένειν χρὴ τὸν καλῶς εὐδαίμονα —

20   καὶ τὸν κακῶς πράσσοντα καὶ τοῦτον μένειν,

2 Archilochos Fr. 38 Diehl (Anth. lyr. I³ p. 14)   4 vgl. H 102; P 514   5 zu ἰάμβου vgl. Arist. Rhet. III 17 p. 1418ᵇ 29; Athen. XI p. 461 E   6 Archilochos Fr. 57 Diehl (a. a. O. 26); vgl. Elter, Gnom. hist. 76   15 ξ 228   17 Euripides Oineus Fr. 560   19f. Aeschylus Fr. inc. 317; vgl. Stob. Flor. 39, 14, wo der erste Vers erhalten und dem Sophokles zugeschrieben ist. Beide Verse glaubt einem Komiker entnommen Kock CAF III p. 609 sq. Adesp. 1217

2 ἔρξω] Ἐρξίων Bergk ἔρρ' ἰών Meineke ἄρχ' ἰών Hartung   4 θεῶν ἐν ⟨γούνασι⟩ κεῖται πείρατα St θεῶν ἐκ oder θεῷ ἔνι πείρατα κεῖται Sy   6 θαρρῦναι L θάρσυνε Elmsley   10f. ἐν ἀστρώτῳ πέδῳ εὕδουσι Musgrave εὕδουσιν ἐν ἀστρώτῳ πέδῳ L   13 ἀλλ' < Sext. Emp. Adv. Math. XI 44   κραδίην L Sext. Emp. (HSS CR) καρδίην Bergk   15 ⟨τ'⟩ aus Hom.   19 χρή] δεῖ Stob.   20 κακῶς Sy καλῶς L καὶ τὸν κακῶς πράσσοντα; καὶ τοῦτον μένειν (als Vers eines Komikers) Nauck

Εὐριπίδου δὲ τὰ ὅμοια ἐπὶ τῆς σκηνῆς βοῶντος·   7

    μακάριος ὅστις εὐτυχῶν οἴκοι μένει,

ἀλλὰ καὶ Μενάνδρου ὧδέ πως κωμῳδοῦντος·   8

    οἴκοι μένειν χρὴ καὶ μένειν ἐλεύθερον,

5   ἢ μηκέτ᾿ εἶναι τὸν καλῶς εὐδαίμονα. |

Πάλιν Θεόγνιδος μὲν λέγοντος·   740 P 8, 1

    οὐκ ἔστι⟨ν⟩ φεύγοντι φίλος καὶ πιστὸς ἑταῖρος,

Εὐριπίδης πεποίηκεν·   2

    πένητα [φεύγοντα] φεύγει πᾶς τις ἐκποδὼν φίλος.

10 Ἐπιχάρμου τε εἰπόντος·   8

    ὦ θύγατερ, αἰαῖ τύχας· συνοικεῖς ὢν νέῳ γ᾿ ἔσσα παλαιτέρα,

καὶ ἐπάγοντος·

    ὃ μὲν γὰρ ἄλλην [δῆτα] λαμβάνει νεάνιδα,

    ⟨ἃ δ᾿⟩ ἄλλον [δ᾿] ἄλλῃ ⟨δῆτα⟩ μαστεύει τινά,

15 Εὐριπίδης γράφει·   4

    κακὸν γυναῖκα πρὸς νέον ζεῦξαι νέαν· †

    ὃ μὲν γὰρ ἄλλης λέκτρον ἱμείρει λαβεῖν,

    ἣ δ᾿ ἐνδεὴς τοῦδ᾿ οὖσα βουλεύει κακά.

Ἔτι Εὐριπίδου μὲν ἐν τῇ Μηδείᾳ εἰπόντος·   5

20   κακοῦ γὰρ ἀνδρὸς δῶρα ὄνησιν οὐκ ἔχει,

Σοφοκλῆς ἐν τῷ Αἴαντι τῷ μαστιγοφόρῳ ἐκεῖνό φησι τὸ ἰαμβεῖον· 6

    ἐχθρῶν δ᾿ ἄδωρα δῶρα καὶ οὐκ ὀνήσιμα.

---

2 Euripides Philoktet Fr. 793   4f. Menander Ἑαυτὸν τιμωρ. Fr. 132 Koerte p. 57   7 Theognis 209   9 Euripides Med. 561   11—18 vgl. Kaibel, Hermes 28 (1893) S. 62—64   11—14 Epicharm Fr. 298 Kaibel   16—18 Euripides Fr. inc. 914; vgl. Fr. 24, 1   20 Euripides Med. 618   22 Sophokles Ai. 665

7 οὐκ ἔστι L Theogn. A οὐδείς τοι Theogn. übr. HSS   9 [φεύγοντα] Vi ἐκ ποδῶν L   11 αἰ αἰ L   συνοικεῖς ὢν νέῳ γ᾿ ἔσσα παλαιτέρα Kaibel συνοικίζων με ωσεσσαπολα περα L   13f. [δῆτα] ⟨ἃ δ᾿⟩ [δ᾿] ⟨δῆτα⟩ Kaibel ἄλλη L   16 Entweder ist dieser Vers korrupt oder es ist zwischen ihm und dem nächsten etwas ausgefallen; Elter verbindet Fr. 914 mit Fr. 24   γραῖαν γυναῖκα πρὸς νέον ζεῦξαι κακόν Scaliger   21 ἰάμβιον L

Σόλωνος δὲ ποιήσαντος·   7

   τίκτει γὰρ κόρος ὕβριν, ὅταν πολὺς ὄλβος ἕπηται,

ἄντικρυς ὁ Θέογνις γράφει·   8

   τίκτει τοι κόρος ὕβριν, ὅταν κακῷ ὄλβος ἕπηται.

5 ὅθεν καὶ ὁ Θουκυδίδης ἐν ταῖς ἱστορίαις »εἰώθασιν δὲ οἱ πολλοὶ τῶν 9
ἀνθρώπων« φησίν, »οἷς ἂν μάλιστα καὶ δι᾽ ἐλαχίστου ἀπροσδόκητος
εὐπραγία ἔλθῃ, εἰς ὕβριν τρέπεσθαι.« καὶ Φίλιστος ὁμοίως τὰ αὐτὰ 10
μιμεῖται ὧδε λέγων· »[τὰ δὲ πολλὰ κατὰ λόγον τοῖς ἀνθρώποις
εὐτυχοῦντα ἀσφαλέστερα ⟨ἢ⟩ παρὰ δόξαν· καὶ | κακοπραγίαν * *]· 741 P
10 εἰώθασι γὰρ μάλιστα οἱ παρὰ δόξαν ἀπροσδοκήτως εὖ πράσσοντες
εἰς ὕβριν τρέπεσθαι.«

   Πάλιν Εὐριπίδου ποιήσαντος·   9, 1

   ἐκ γὰρ πατρὸς καὶ μητρὸς ἐκπονουμένων
   σκληρὰς διαίτας οἱ γόνοι βελτίονες,

15 Κριτίας γράφει· »ἄρχομαι | δέ τοι ἀπὸ γενετῆς ἀνθρώπου· πῶς ἂν 2 264
βέλτιστος τὸ σῶμα γένοιτο καὶ ἰσχυρότατος; εἰ ὁ φυτεύων γυμνάζοιτο
καὶ ἐσθίοι ἐρρωμένως. καὶ ταλαιπωροίη τὸ σῶμα καὶ ἡ μήτηρ τοῦ
παιδίου τοῦ μέλλοντος ἔσεσθαι ἰσχύοι τὸ σῶμα καὶ γυμνάζοιτο.«

   Αὖθίς τε Ὁμήρου ἐπὶ τῆς ἡφαιστοτεύκτου ἀσπίδος εἰπόντος·   3

20   ἐν μὲν γαῖαν ἔτευξ᾽, ἐν δ᾽ οὐρανόν, ἐν δὲ θάλασσαν·
       ἐν δ᾽ ἐτίθει ποταμοῖο μέγα σθένος Ὠκεανοῖο,

---

2 Solon Fr. 5, 9 Diehl (Anth. lyr. I³ p. 32); vgl. Diogen. VIII 22 τίκτει τοι
κόρος ὕβριν, ὅταν κακῷ ἀνδρὶ παρείη. 4 Theognis 153 5—9 Thukyd. III 39, 4
εἴωθε δὲ τῶν πόλεων αἷς ἂν μάλιστα καὶ δι᾽ ἐλαχίστου ἀπροσδόκητος εὐπραξία ἔλθῃ,
ἐς ὕβριν τρέπειν· τὰ δὲ πολλὰ κατὰ λόγον τοῖς ἀνθρώποις εὐτυχοῦντα ἀσφαλέστερα ἢ
παρὰ δόξαν· καὶ κακοπραγίαν ὡς εἰπεῖν ῥᾷον ἀπωθοῦνται ἢ εὐδαιμονίαν διασῴζονται.
10f. Philistos Fr. 51 FHG I p. 190 13f. Euripides Meleager Fr. 525, 4f. 15—18
Kritias Fr. 1 FHG II p. 68; Fr. 32 Diels⁶ II 391, 3—7 (aus dem Beginn des Buchs
über den Staat der Lakedämonier; vgl. Wyttenbach, Animadv. in Plut. Mor. I
p. 68) 20f. Σ 483. 607

8f. [τὰ δὲ—κακοπραγίαν] Göller. Die Worte (aus Thuk. III 39, 4) sind als
Randglosse oder durch ein Versehen des Clemens selbst in das Philistoszitat ge-
raten. 9 ⟨ἢ⟩ aus Thuk. * * St 13 ἐκπονουμένων] ὅστις ἐκπονεῖ Stob. Flor. 70, 6;
Ecl. II 31, 21 p. 205, 11 Wachsm. 14 γόνοι Stob. Flor. πόνοι L Stob. Ecl. 15 γε-
νέτης L

Φερεκύδης ὁ Σύριος λέγει· »Ζᾶς ποιεῖ φᾶρος μέγα τε καὶ καλὸν καὶ 4
ἐν αὐτῷ ποικίλλει γῆν καὶ Ὠγηνὸν καὶ τὰ Ὠγηνοῦ δώματα.«
Ὁμήρου τε εἰπόντος·   5

αἰδώς, ἥτ' ἄνδρας μέγα σίνεται ἠδ' ὀνίνησιν,

5 Εὐριπίδης ἐν Ἐρεχθεῖ γράφει·   6

αἰδοῦς δὲ ⟨κ⟩αὐτὸς δυσκρίτως ἔχω πέρι·
καὶ δεῖ γὰρ αὐτῆς κἄστιν αὖ κακὸν μέγα.

Λάβοις δ' ἂν ἐκ παραλλήλου τῆς κλοπῆς τὰ χωρία κἀκ τῶν 10, 1
συνακμασάντων καὶ ἀνταγωνισαμένων σφίσι τὰ τοιαῦτα, Εὐριπίδου 2
10 μὲν ἐκ τοῦ Ὀρέστου·

ὦ φίλον ὕπνου θέλγητρον, ἐπίκουρον νόσου,

Σοφοκλέους ⟨δ'⟩ ἐκ τῆς Ἐριφύλης·   3

ἄπελθε· κινεῖς ὕπνον ἰητρὸν νόσου,

καὶ Εὐριπίδου μὲν ἐξ Ἀντιγόνης·   4

15   ὀνόματι μεμπτὸν τὸ νόθον, ἡ φύσις δ' ἴση,

Σοφοκλέους δὲ ἐξ Ἀλεαδῶν·   5

ἅπαν τὸ χρηστὸν τὴν ἴσην ἔχει φύσιν,

πάλιν Εὐριπίδου μὲν ἐκ Τημένου·   6

τῷ γὰρ πονοῦντι καὶ θεὸς συλλαμβάνει,

1f. Pherekydes Fr. 4 Kern 2 Diels⁶ I 47, 12—16; 48, 5—7; vgl. Grenfell and Hunt,
Greek Papyr. Ser. II Nr. 11; H. Weil, Revue des études grecques 10 (1897) S. 1—9;
Diels, Sitzungsber. d. Berl. Ak. 1897 S. 144 ff.; C. Fries, Woch. f. klass. Phil. 1903
Sp. 46 ff. [zur Deutung Schmid I 1, 1929, S. 726 A 11 (Fr)] 4 Hesiod Op. 318; vgl.
Ω 45 (als Homervers auch Plut. Mor. p. 529 D zitiert) 6f. Euripides Erechtheus
Fr. 365 11 Euripides Or. 211 13 Sophokles Eriphyle Fr. 198 15 Euripides Anti-
gone Fr. 168 17 Sophokles Aleadai Fr. 84, 2 19 Euripides Hippol. pr. Fr. 432, 2;
vgl. Theodoret Gr. aff. c. I 87; Strom. V 16, 8; Stob. Flor. 29, 34

1 ζὰς L 2 ὠγῆνον—ὠγήνου L δώματα] δάσματα Weil a. a. O. p. 3 4 σίνεται
corr. aus σείνεται L¹ 6 ⟨κ⟩αὐτὸς H. Stephanus 7 αὖ Badham (Nauck) οὐ L οὖ
H. Stephanus 11 θέλγητρον Eur. θέλγιστρον L 12 ⟨δ'⟩ St 13 ἄπελθε· κινεῖς
Nauck ἄπελθ'· ἐκείνης L ὕπνος ἰατρὸς Valckenaer zu Eurip. Hipp. 1372 p. 313, 1 E
15 δ' ἴση Stob. Flor. 77, 10 δοίη L 16 Ἀλεαδῶν aus Stob. Flor. 77, 9 ἀλευάδων L
17 τὴν ἴσην] γνησίαν Stob. 18 ἐκ Τημένου Elter ἐν κτιμένωι L ἐν Τημένῳ Gataker
19 γὰρ] δ' αὖ Strom. V 16

Σοφοκλέους δὲ ἐν Μίνῳ· | 7

    οὐκ ἔστι τοῖς μὴ δρῶσι σύμμαχος τύχη,   742 P

ναὶ μὴν Εὐριπίδου μὲν ἐξ Ἀλεξάνδρου·   8

    χρόνος δὲ δείξει ⟨σ'⟩· ᾧ τεκμηρίῳ μαθὼν
5   ἢ χρηστὸν ὄντα γνώσομαί σε ἢ⟨τοι⟩ κακόν,

Σοφοκλέους δὲ ἐξ Ἱππόνου·   9

    πρὸς ταῦτα κρύπτε μηδέν, ὡς ὁ πάνθ' ὁρῶν
    καὶ πάντ' ἀκούων πάντ' ἀναπτύσσει χρόνος.

Ἀλλὰ κἀκεῖνα ὁμοίως ἐπιδράμωμεν. Εὐμήλου γὰρ ποιήσαντος·   11, 1

10   Μνημοσύνης καὶ Ζηνὸς Ὀλυμπίου ἐννέα κοῦραι,

Σόλων τῆς ἐλεγείας ὧδε ἄρχεται·   2

    Μνημοσύνης καὶ Ζηνὸς Ὀλυμπίου ἀγλαὰ τέκνα.

Πάλιν αὖ τὸ Ὁμηρικὸν παραφράζων Εὐριπίδης·   8

    τίς πόθεν εἰς ἀνδρῶν; πόθι τοι πτόλις ἠδὲ τοκῆες;

15 τοῖσδε χρῆται τοῖς ἰαμβείοις ἐν τῷ Αἰγεῖ·   4

    ποίαν σε φῶμεν γαῖαν ἐκλελοιπότα
    πόλει ξενοῦσθαι τῇδε; τίς πάτρας [ϑ'] ὅρος;
    τίς ἔσθ' ὁ φύσας; τοῦ κεκήρυξαι πατρός;

Τί δ'; οὐ Θεόγνιδος εἰπόντος·   5

20   οἶνος πινόμενος πουλὺς κακός· ἢν δέ τις αὐτῷ
    χρῆται ἐπισταμένως, οὐ κακὸν ἀλλ' ἀγαθόν,

---

2 Sophokles Minos Fr. 374   4f. Euripides Alex. Fr. 60   7f. Sophokles Hipponoos
Fr. 280   10 Eumelos Fr. 16 Kinkel   12 Solon Fr. 1, 1 Diehl (Anth. lyr. I³ p. 20)
14 α 170; ξ 187   16—18 Euripides Aigeus Fr. 1   20—S. 431, 3 vgl. Elter. Gnom.
hist. ram. 39   29f. Theognis 509f.; vgl. 211f.

4 ⟨σ'⟩ Grotius   5 γνωσόμεσθά σ' ἢ κακόν Schneidewin, Philol. 4 (1849) p. 47
σ' ἢ⟨τοι⟩ Nauck σέ ⟨γ'⟩ ἢ Grotius σ' ἢ ⟨καί⟩ Vitelli   7 πάντ' L   8 χρόνος Vi
χρόνους L   14 εἰς Hom. ἧις L   15 ἰαμβίοις L   17 πόλει ξενοῦσθαι Musgrave πολυ-
ξενοῦσθαι L   τῇδε; τίς πάτρας [ϑ'] W. T(euffel) in Zimmermanns Zeitschr. f.
Alterthumswiss. 2 (1835) S. 89 und Bergk γῇ δὲ τίς πάτρας ϑ' L   18 κεκήρυξαι
L³ für κεκηρύξαι   20 πουλὺς Theogn. πολὺς L Stob. Flor. 18, 12   κακός L Stob.
u. a. κακὸν Theogn.   20f. αὐτῷ χρῆται] αὐτὸν πίνῃ Theogn. Stob.   21 ἐπισταμένως
Theogn. Stob. ἐπιστημόνως L   κακὸν ἀλλ' ἀγαθόν L Theogn. 510 κακός ἀλλ'
ἀγαθός Stob. Theogn. 212

Πανύασ⟨σ⟩ις γράφει·   6

    ὡς οἶνος θνητοῖσι θεῶν πάρα δῶρον ἄριστον,
    πινόμενος κατὰ μέτρον, ὑπέρμετρος δὲ χερείων.

Ἀλλὰ καὶ Ἡσιόδου λέγοντος·   12, 1

5   σοὶ δ' ἐγὼ ἀντὶ πυρὸς δώσω κακόν, ᾧ κεν ἅπαντες
    τέρπωνται,

Εὐριπίδης ποιεῖ·   2

    ἀντὶ πυρὸς [δὲ] γὰρ ἄλλο πῦρ |
    μεῖζον καὶ δυσμαχώτερον βλάστον γυναῖκες.   743 P

10 Πρὸς τούτοις Ὁμήρου λέγοντος·   3

    γαστέρα δ' οὔ πως ἔστιν ἀποπλῆσαι μεμαυῖαν,
    οὐλομένην, ἣ πολλὰ κάκ' ἀνθρώποισι δίδωσιν,

Εὐριπίδης ποιεῖ·   4

    νικᾷ δὲ χρεία μ' ἡ κακῶς τε ὀλουμένη
15   γαστήρ, ἀφ' ἧς δὴ πάντα γίνεται κακά.

Ἔτι Καλλίᾳ τῷ κωμικῷ γράφοντι   5

    μετὰ μαινομένων φασὶ⟨ν⟩ χρῆναι μαίνεσθαι πάντας ὁμοίως,

Μένανδρος ἐν Πωλουμένοις παρισάζεται λέγων·   6

    οὐ πανταχοῦ τὸ φρόνιμον ἁρμόττει παρόν·
20   καὶ συμμανῆναι δ' ἔνια δεῖ.

2f. Panyassis Herakleia Fr. 14, 1. 5 Kinkel   5f. Hesiod Op. 57f.   8f. Euripides Hippol. pr. Fr. 429   11f. ϱ 286f.   14f. Euripides Fr. inc. 915   17 Kallias Fr. 20 CAF I p. 697   19f. Menander Πωλούμενοι Fr. 354 Koerte (II p. 130)

1 Πανύασσις Protr. 35, 3; 36, 2   2 ὡς οἶνος] οἶνος ⟨δὲ⟩ Athen. II p. 37 A   3 ὑπέρμετρος] ὑπὲρ μέτρον Athen.   5 σοὶ wohl aus Hes. Op. 56 τοῖς Op. 57   8 [δὲ] Grotius < Stob. Flor. 73, 23   9 καὶ δυσμαχώτερον βλάστον γυναῖκες] ἐκβλαστοῦμεν (ἐκβλαστῶμεν HS ἔβλαστον αἱ Grotius ἐβλάστομεν Dobree) γυναῖκες πολὺ δυσμαχώτερον Stob.   11 ἀποκρύψαι Hom.   14 μ' ἡ—ὀλομένη Casaubonus, Animadv. ad Athen. X 5 p. 716 μὲν—οὐλομένη L   15 γίγνεται Sy   16 Καλλίᾳ V καλίαι L   17 φασὶ L¹ φησὶ L*   18 πολουμένοις L   19 τὸ φρόνιμον—παρόν] δ' ὁ φρόνιμος ἁρμόττειν δοκεῖ Men. Monost. 691   20 συμμανῆναι Anon. bei Po und Bentley, Emend. in Men. et Phil. p. 56 συμβῆναι L

'Αντιμάχου τε τοῦ Τηίου εἰπόντος·   7

  ἐκ γὰρ δώρων πολλὰ κάκ' ἀνθρώποισι πέλονται,

'Αγίας ἐποίησεν·   8

  δῶρα γὰρ ἀνθρώπων νοῦν ἤπαφεν ἠδὲ καὶ ἔργα. |

5 Ἡσιόδου δὲ εἰπόντος·   13,1

  οὐ μὲν γάρ τι γυναικὸς ἀνὴρ ληίζετ' ἄμεινον
  τῆς ἀγαθῆς· τῆς δ' αὖτε κακῆς οὐ ῥίγιον ἄλλο,

Σιμωνίδης εἶπεν·   2

  γυναικὸς [δ'] οὐδὲν χρῆμα ἀνὴρ ληίζεται
10 ἐσθλῆς ἄμεινον οὐδὲ ῥίγιον κακῆς.

Πάλιν Ἐπιχάρμου εἰπόντος·   3

  ὡς πολὺν ζήσων χρόνον χὠς ὀλίγον οὕτως διανοοῦ,

Εὐριπίδης γράφει·   4

  τί δήποτε ὄλβῳ [μὲν] μὴ σαφεῖ βεβηκότες
15 οὐ ζῶμεν ὡς ἥδιστα μὴ λυπούμενοι;

Ὁμοίως τοῦ κωμικοῦ Διφίλου εἰπόντος·   5

  εὐμετάβολός ἐστιν ἀνθρώπων βίος,

Ποσείδιππος·   6

  οὐδεὶς ἄλυπος τὸν βίον διήγαγεν
20 ἄνθρωπος ὢν οὐδὲ μέχρι τοῦ τέλους πάλιν
  ἔμεινεν ἀτυχῶν.

---

2 Antimachos aus Teos Fr. 1 Kinkel 4 Nostoi Zweifelh. Fr. 8 Kinkel; vgl.
Meineke Fr. Com. I p. 416   5—10 vgl. Porphyrios bei Eus. Praep. Ev. X 3,18
6f. Hesiod Op. 702f. 9f. Semonides von Amorgos Fr. 6 Diehl (Anth. lyr. II³
p. 52, 1f.) [das Fragm. steht auch bei Greg. Naz. or. 18, 7 (PG 35, 993 A) (Fr)]
12 Epicharm Fr. 24 Diels⁶ I 202, 11 14f. Euripides Antiope Fr. 196, 4f. 17 Diphilos
Fr. 118 CAF II p. 576 19—21 Poseidippos Fr. 30 CAF III p. 346 ·

3 'Αγίας Thiersch, Act. Philol. Monac. 2 (1815) p. 585 αὐγίας corr. aus αὐγείας
L¹ 4 νόον Sy 8 σιμωνίδης L 9 [δ'] < Eus. 10 ἄμεινον ἐσθλῆς Eus. u. Apostol.
V 77c 14f. δήποτε] δῆτ' ἐν Stob. Flor. 105, 11 [μὲν] < Stob. 17 ⟨ὡς⟩ εὐμετ.
Meineke εὐμ. ⟨μάλ'⟩ Grotius εὐμ. ⟨γὰρ⟩ Di 18 ποσίδιππος L 19—21 ἄνθρωπος
ὢν | οὐδεὶς ἄλυπος τὸν βίον διήγαγεν, | ᾿οὐδὲ μέχρι τέλους ἔμεινεν εὐτυχῶν Stob. Flor.
99, 14 19 ἄλυπος Stob. Max. Cont. Loc. comm. 28 (PG 91, 880) ἀλύπως L 20 μέχρι
Stob. ἄχρι L Max. τοῦ ὐ. πάλιν < Stob. Max. 21 ⟨δι⟩έμεινεν Cobet S. 452 ἀτυχῶν
Ρο εὐτυχών L (sic) -ῶν Max.

καὶ κατάλληλά σοί φησιν ὁ Πλάτων γράφων περὶ ἀνθρώπου <ὡς> 7
εὐμεταβόλου ζῴου.

　　Αὖθις Εὐριπίδου εἰπόντος·　　　　　　　　　　　　　　　8

　　ὦ πολύμοχθος βιοτὴ ·θνητοῖς,
5 ·　　ὡς ἐπὶ παντὶ σφαλερὰ κεῖσαι,
　　καὶ τὰ μὲν αὔξεις, τὰ δὲ ἀποφθινύθεις,
　　καὶ οὐκ ἔστιν ὅρος κείμενος οὐδεὶς
　　εἰς ὅντινα χρὴ τελέσαι θνητοῖς,
　　πλὴν ὅταν ἔλθῃ κρυερὰ Διόθεν
10 ·　θανάτου πεμφθεῖσα τελευτή,

Δίφιλος γράφει·　　　　　　　　　　　　　　　　　　　9

　　οὐκ ἔστι βίος ὃς οὐ⟨χὶ⟩ κέκτηται κακά,
　　λύπας, μερίμνας, ἁρπαγάς, στρέβλας, νόσους.
　　τούτων ὁ θάνατος καθάπερ ἰατρὸς φανεὶς
15 ·　ἀνέπαυσε[ν] τοὺς ἔχοντας ἀναπαύσας ὕπνῳ.

　　Ἔτι τοῦ Εὐριπίδου εἰπόντος·　　　　　　　　　　14, 1

　　πολλαὶ μορφαὶ τῶν δαιμονίων,
　　πολλὰ δ᾽ ἀέλπτως κραίνουσι θεοί, |

ὁ τραγικὸς ὁμοίως Θεοδέκτης γράφει·　　　　　　　745 P 2

20 ·　τὸ μὴ βεβαίους τὰς βροτῶν εἶναι τύχας.

　　Βακχυλίδου τε εἰρηκότος·　　　　　　　　　　　　8

　　παύροισι δὲ θνητῶν τὸν ἅπαντα χρόνον δαίμων ἔδωκεν
　　πράσσοντα⟨ς⟩ ἐν καιρῷ πολιοκρόταφον
　　γῆρας ἱκνεῖσθαι, πρὶν ἐγκῦρσαι δύᾳ,

1f. Plato Epist. XIII p. 360 D　4—10 Euripides Fr. inc. 916　12—15 Diphilos
Fr. 88 CAF II p. 570　17f. Euripides Alc. 1159f.; Andr. 1284f.; Bacch. 1388f.;
Hel. 1688f. (18 auch Med. 1416)　20 Theodektes Fr. inc. 16, 3 TGF² p. 806; vgl.
Stob. Flor. 105, 25　22—24 Bakchylides Fr. 25 Snell　24 vgl. Hesychius πρὶν
ἐγκῦρσαι ⟨δύᾳ⟩: πρὶν πλησιάσαι τῆς κακοπαθείας.

1 κατάλληλά σοι St κατ᾽ ἄλλα σοι L κατάλληλα (< σοι) Sy　1f. ⟨ὡς⟩ εὐμετ. St
4 βιοτὴ Nauck βίωτα L　5 ἐπίπαν　L　7 οὐδεὶς Grotius οὐδὲ εἶς L　12 οὐ⟨χὶ⟩ Sy
15 ἀνέπαυσεν] ἀπέλυσε Valckenaer zu Eurip. Hipp. 1372 p. 313, 1 D　19 Θεοδέκτης
Vi θεόδεκτος L　22 παύροισι Stephanus παρ᾽ οἶσι L　θνατῶν Neue　δαίμων ἔδωκεν
Neue (vgl. Blass) τῷ δαίμονι δῶκε L ὁ δαίμων ἔδωκεν Ursinus τῷδ᾽ ἀεὶ δαίμονι δῶκε
Wi, Comm. gramm. II (1880) S. 10　23 πράσσοντας Sy πράσσοντα L περάσαντας
Wi　24 ἐγκῦρσαι] γ aus ν corr. L¹　δύᾳ] δυαὶ L

Clemens II.

28

Μοσχίων ὁ κωμικὸς γράφει·   4

    κεῖνος δ' ἀπάντων ἐστὶ μακαριώτατος,
    ὃς διὰ τέλους ζῶν ὁμαλὸν ἤσκησε⟨ν⟩ βίον.

Εὕροις δ' ἂν καὶ Θεόγνιδος εἰπόντος·   5

5   οὔτοι χρήσιμόν ἐστι νέα γυνὴ ἀνδρὶ γέροντι·
    οὐ γὰρ πηδαλίῳ πείθεται ὡς ἄκατος,

Ἀριστοφάνη τὸν κωμικὸν γράφοντα·   6

    αἰσχρὸν νέᾳ γυναικὶ πρεσβύτης ἀνήρ.

Ἀνακρέοντος γὰρ ποιήσαντος·   7

10   Ἔρωτα γὰρ τὸν ἀβρὸν
    μέλ[π]ομαι βρύοντα | μίτραις   265 S
    πολυανθέμοις ἀείδειν·
    ὅδε καὶ θεῶν δυνάστης,
    ὅδε καὶ βροτοὺς δαμάζει,

15 Εὐριπίδης γράφει·   8

    Ἔρως γὰρ ἄνδρας οὐ μόνους ἐπέρχεται
    οὐδ' αὖ γυναῖκας, ἀλλὰ καὶ θεῶν ἄνω
    ψυχὰς ταράσσει κἀπὶ πόντον ἔρχεται.

Ἀλλ' ἵνα μὴ ἐπὶ πλέον προΐῃ ὁ λόγος φιλοτιμουμένων ἡμῶν τὸ 15, 1
20 εὐεπίφορον εἰς κλοπὴν τῶν Ἑλλήνων κατὰ τοὺς λόγους τε καὶ τὰ
δόγματα ἐπιδεικνύαι, φέρε ἄντικρυς μαρτυροῦντα ἡμῖν Ἱππίαν τὸν
σοφιστὴν τὸν Ἠλεῖον, ὃς ⟨εἰς⟩ τὸν αὐτὸν περὶ τοῦ προκειμένου μοι
σκέμματος ἥκει λόγον, παραστησώμεθα ὧδέ πως λέγοντα· »τούτων 2

2f. Moschion Fr. inc. 10 TGF² p. 816   5f. Theognis 457f.   8 Aristophanes
Fr. 600 CAF I p. 544 = Euripides Phoinix Fr. 807   10—14 Anakreon Fr. 28 Diehl;
(Anth. lyr. I² p. 455); vgl. Arsenius Viol. p. 110   16—18 Euripides Hippol. pr. Fr. 431;
vgl. Stob. Flor. 63, 25, wo die Verse der Phaedra des Sophokles zugeschr. sind
21—S. 435, 5 Hippias von Elis Fr 6 FHG II p. 61; Fr. 6 Diels⁶ II 331, 12—19; vgl.
auch Orpheus test. 13 in Bd. I S. 5, 21—23

5 χρήσιμόν] σύμφορόν Theogn.   γυνὴ νέα Theogn.   8 αἰσχρὸν] πικρὸν Stob. Flor.
71, 8 ἐχθρὸν W. T(euffel) in Zimmermanns Zeitschr. f. d. Alterthumswiss. 2 (1835)
S. 89   10 ⟨τὸν⟩ Ἔρωτα Baxter   11 μέλομαι Hermann μέλπομαι L μέλπομεν Arsen.
11f. μέλπω—ἀείδων Sy   11 μίτραις Sy μήτραις L   12 ἀείδει Arsen.   13f. ὁ δὲ—ὁ
δὲ L   13 καὶ] γὰρ Bergk   16 μόνους Stob. μόνον L   18 χαράσσει Stob.   22 ἠλεῖον
L³ ἤλιον L⁴   22f. ὃς ⟨εἰς⟩—ἥκει St ὃς—ἥκειν L ὃς—ἥκεν Diels ὡς (=ὥστε)—ἥκειν Geel,
Rh. Mus. 3 (1845) S. 129 ὡς τὸν αὐτοῦ—προσήκειν Mähly, Rh. Mus. 15 (1860) S. 532

ἴσως εἴρηταὶ τὰ μὲν Ὀρφεῖ, τὰ δὲ Μουσαίῳ, κατὰ βραχὺ ἄλλῳ ἀλλα-
χοῦ, τὰ δὲ Ἡσιόδῳ, τὰ δὲ Ὁμήρῳ, τὰ δὲ τοῖς ἄλλοις τῶν ποιητῶν,
τὰ δὲ ἐν συγγραφαῖς τὰ μὲν Ἕλλησι, τὰ δὲ βαρβάροις· ἐγὼ δὲ ἐκ
πάντων τούτων τὰ μέγιστα καὶ ὁμόφυλα συνθεὶς τοῦτον καινὸν
5 καὶ πολυειδῆ τὸν λόγον ποιήσομαι.‹

Ὡς δὲ μὴ ἄμοιρον τήν τε φιλοσοφίαν τήν τε ἱστορίαν, ἀλλὰ 16, 1
μηδὲ τὴν ῥητορικὴν τοῦ ὁμοίου ἐλέγχου περιίδωμεν, καὶ τούτων
ὀλίγα παραθέσθαι εὔλογον.   746 P

Ἀλκμαίωνος γὰρ τοῦ Κροτωνιάτου λέγοντος ›ἐχθρὸν ἄνδρα 2
10 ῥᾷον φυλάξασθαι ἢ φίλον‹ ὁ μὲν Σοφοκλῆς ἐποίησεν ἐν τῇ Ἀν- 8
τιγόνῃ·

τί γὰρ
γένοιτ' ⟨ἂν⟩ ἕλκος μεῖζον ἢ φίλος κακός;

Ξενοφῶν δὲ εἴρηκεν· ›οὐκ ἂν ἐχθροὺς ἄλλως πως βλάψειεν ἄν τις 4
15 ἢ φίλος δοκῶν εἶναι.‹

Καὶ μὴν ἐν Τηλέφῳ εἰπόντος Εὐριπίδου·   5

Ἕλληνες ὄντες βαρβάροις δουλεύσομεν;

Θρασύμαχος ἐν τῷ ὑπὲρ Λαρισαίων λέγει· ›Ἀρχελάῳ δουλεύσομεν 6
Ἕλληνες ὄντες βαρβάρῳ;‹
20 Ὀρφέως δὲ ποιήσαντος·   17, 1

ἔστιν ὕδωρ ψυχῇ, θάνατος δ' ὑδάτεσ⟨σ⟩ιν ἀμοιβή,
ἐκ δὲ ὕδατος ⟨μὲν⟩ γαῖα, τὸ δ' ἐκ γαίας πάλιν ὕδωρ·
ἐκ τοῦ δὴ ψυχὴ ὅλον αἰθέρα ἀλλάσσουσα·

Ἡράκλειτος ἐκ τούτων συνιστάμενος τοὺς λόγους ὧδέ πως γράφει· 2
25 ›ψυχῇσιν θάνατος ὕδωρ γενέσθαι, ὕδατι δὲ θάνατος γῆν γενέσθαι,
ἐκ γῆς δὲ ὕδωρ γίνεται, ἐξ ὕδατος δὲ ψυχή.‹

6—8 ὡς—εὔλογον Eus. Praep. Ev. X 2, 5   9f. Alkmaion Fr. 23 p. 82 Wachtler;
Fr. 5 Diels⁶ I 216, 6—9   12f. Sophokles Ant. 651f.   14f. Xenophon Kyrop. V 3, 9
17 Euripides Telephos Fr. 719   18f. Thrasymachos Fr. 2 Diels⁶ II 324, 10—13 (vgl.
R. Volkmann, Rhetorik der Griechen u. Römer S. 238) (Fr. 1 Sauppe Or. Att. II p. 162)
21—28 Orpheus Fr. 230 Abel   25f. Heraklit Fr. 36 Diels⁶ I 159, 8—10; vgl. Diels,
Arch. f. Gesch. d. Phil. 2 (1889) S. 92

1 ἄλλως Geel. 4 μέγιστα καὶ L μάλιστα [καὶ] Nauck, Bull. de l'Acad. de St.
Pétersb. 12 (1868) S. 528 βέλτιστα καὶ Cobet S. 232 6 δὲ μὴ L Eus. Ο μηδὲ Eus. I
9 κροτωνιάτου (ο¹ aus ω corr.) L¹ 18 γένοιτ' ἂν ἕλκος Soph. γένοιτο ἔρκος L 21 ψυχῇ
Sy ψυχή L θάνατος] ψυχή Hermann Opusc. II p. 244 ψυχῇ θάνατος, ⟨ψυχὴ⟩ δ'
ὑδάτεσσιν [ἀμοιβή] Bywater ὑδάτεσιν L 22 ⟨μὲν⟩ Hermann γαίης Hermann 28
δὲ He ὁδὸν αἰθέρος Hermann ὅλον αἰθέρ' ἀναίσσουσα Bywater 25 ψυχῇσιν—ὕδατι]
ψυχῆς—ὕδατος (oder -τι) Philo Hss. De incorr. mundi 111 (VI p. 106)

28*

Ναὶ μὴν Ἀθάμαντος τοῦ Πυθαγορείου εἰπόντος ›ὦδε ἀγέννατος 8
παντὸς ἀρχὰ καὶ ῥιζώματα τέσσαρα τυγχάνοντι, πῦρ, ὕδωρ, ἀήρ,
γῆ· ἐκ τούτων γὰρ αἱ γενέσεις τῶν γινομένων‹ ὁ Ἀκραγαντῖνος
ἐποίησεν Ἐμπεδοκλῆς·   4

5   τέσσαρα τῶν πάντων ῥιζώματα πρῶτον ἄκουε·
           πῦρ καὶ ὕδωρ καὶ γαῖαν ἰδ᾽ αἰθέρος ἄπλετον ὕψος·
           ἐκ γὰρ τῶν ὅσα τ᾽ ἦν ὅσα τ᾽ ἔσσεται ὅσσα τ᾽ ἔασιν.

   Καὶ Πλάτωνος μὲν λέγοντος ›διὰ τοῦτο καὶ ⟨οἱ⟩ θεοὶ τῶν ἀν- 5
θρωπείων ἐπιστήμονες, οὓς ἂν διὰ πλεῖστον ποιῶνται, θᾶττον ἀπαλ-
10 λάττουσι τοῦ ζῆν‹ Μένανδρος πεποίηκεν·   6

           ὃν οἱ θεοὶ φιλοῦσιν, ἀποθνήσκει νέος. |

   Εὐριπίδου δὲ ἐν μὲν τῷ Οἰνομάῳ γράφοντος·   747 P

           τεκμαιρόμεσθα τοῖς παροῦσι τὰ ἀφανῆ,

ἐν δὲ τῷ Φοίνικι·   2

15   τὰ ἀφανῆ τεκμηρίοισιν εἰκότως ἁλίσκεται,

Ὑπερείδης λέγει· ›ἃ δ᾽ ἐστὶν ἀφανῆ, ἀνάγκη τοὺς διδάσκοντας τε- 8
κμηρίοις καὶ τοῖς εἰκόσι ζητεῖν.‹
  ˙ Ἰσοκράτους τε αὖ εἰπόντος ›δεῖ δὲ τὰ μέλλοντα τοῖς προγεγενη- 4

1–3 vgl. Zeller, Phil. d. Gr. I⁵ S. 408¹; III 2³ S. 100 Anm.   5–7 Empedokles
Fr. 6, 1; 17, 18; 21, 9 Diels⁶ I 311, 15; 316, 12; 320, 4   8–10 [Plato] Axioch. p. 367
BC   11 Menander Δὶς ἐξαπατῶν Fr. 111 Koerte II p. 491   12–S. 437, 2 Theodoret
Gr. aff. c. VI 90. 91   13 Euripides Oinomaos Fr. 574   15 Euripides Phoinix Fr. 81¹
16f. Hypereides Fr. 195 Blass—Jensen (p. 147); vgl. Antiphon Fr. 72 Blass   18f. Iso-
krates IV 141

1 πυθαγορίου L   ἀγέννατος Valckenaer De Arist. p. 79 γεννᾶτο L   2 τέτταρα L
5 τέσσερα L   τῶν] γὰρ Sext. Emp. Adv. Math. IX 362; X 315 u. a.   ἄκουε] ἔασιν
andere Texte   6 γαῖαν ἰδ᾽ Sturz γαῖαν ἢ δ᾽ L γαῖα καὶ Plut. Mor. p. 63 D; Sext.
Emp. Adv. Math. IX 10 u. a.   αἰθέρος L Plut. ἠέρος Sext. Athenag. 22 Simpl. phys.
158, 17 Diels   ἄπλετον L Simpl. ἤπιον Plut. Athenag. Sext.   7 ἐξ ὧν πάνθ᾽ ὅσα
τ᾽ ἦν ὅσα τ᾽ ἔσθ᾽ ὅσα τ᾽ ἔσται ὀπίσσω Aristot. Metaph. II 4 p. 1000ᵃ 29 ἐκ τούτων
γὰρ πάνθ᾽ ὅσα τ᾽ ἦν ὅσα τ᾽ ἔστι καὶ ἔσται Simpl. phys. 33, 14; 159, 21 Diels   ὅσα¹
L¹ für ὅσσα   τ᾽ ἦν Aristot. γῆν L   ὅσσα Sturz ὅσα L   8f. οἱ θεοὶ τῶν ἀνθρωπείων
Plato Stob. Flor. 98, 75 θεοὶ τῶν ἀνθρώπων L   9 διὰ L Stob. περὶ Plato   13 τεκ-
μαιρόμεσθα Theodor. BK τεκμαιρόμεθα L   τἀφαν᾽ς Theodor.   15 τἀφανὲς Theodor.
ἐοικότως Theodor. (ἐοικόσιν BL)   16 ὑπερίδης L   18f. γεγενημένοις Is.

μένοις τεκμαίρεσθαι« Ἀνδοκίδης οὐκ ὀκνεῖ λέγειν· »χρὴ γὰρ τεκμηρίοις 5
χρῆσθαι τοῖς πρότερον γενομένοις περὶ τῶν μελλόντων ἔσεσθαι.«
Ἔτι Θεόγνιδος ποιήσαντος·   6

χρυσοῦ κιβδήλοιο·καὶ ἀργύρου ἄ⟨ν⟩σχετος ἄτη,
Κύρνε, καὶ ἐξευρεῖν ῥάδιον ἀνδρὶ σοφῷ·
εἰ δὲ φίλου νόος ἀνδρὸς ἐνὶ στήθεσ⟨σ⟩ι λέληθεν
ψυδρὸς ἐών, δόλιον δ' ἐν φρεσὶν ἦτορ ἔχει,
τοῦτο θεὸς κιβδηλότατον ποίησε βροτοῖσι,
καὶ γνῶναι πάντων τοῦτ' ἀνιαρότερον,

10 Εὐριπίδης μὲν [γὰρ] γράφει·   7

ὦ Ζεῦ, τί δὴ χρυσοῦ μὲν ὃς κίβδηλος ἦν,
τεκμήρια ἀνθρώποισιν ὤπασας σαφῆ,
ἀνδρῶν δὲ ὅτῳ χρὴ τὸν κακὸν διειδέναι,
οὐδεὶς χαρακτὴρ ἐμπέφυκε σώματι;

15 Ὑπερείδης δὲ καὶ αὐτὸς λέγει· »χαρακτὴρ οὐδεὶς ἔπεστιν ἐπὶ τοῦ 8
προσώπου τῆς διανοίας τοῖς ἀνθρώποις.«
Πάλιν Στασίνου ποιήσαντος·   19, 1

νήπιος ὃς πατέρα κτείνων παῖδας καταλείπει,

Ξενοφῶν λέγει· »ὁμοίως γάρ μοι νῦν φαίνομαι πεποιηκέναι, ὡς εἰ 2
20 τις πατέρα ἀποκτείνας τῶν παίδων αὐτοῦ φείσαιτο.«
Σοφοκλέους τε ἐν Ἀντιγόνῃ ποιήσαντος·   3

μητρός τε ἐν Ἅιδου καὶ πατρὸς τετευχότων,
οὐκ ἔστ' ἀδελφὸς' ὅστις ἂν βλάστοι ποτέ,

1f. Andokides III 2   4—9 Theognis 119—124; vgl. O. Crueger, De loc. Theogn.
.... pretio Diss. Regim. 1882 p. 71   11—14 Euripides Medea 516—519 15f. Hype-
reides Fr. 196 Blass-Jensen (p. 147)   18 Kypria Fr. 22 Kinkel; vgl. Wunderer,
Polybios-Forschungen II S. 43 19f. Herodot 1, 155   22f. Sophokles Ant. 911f.

---

2 κεχρῆσθαι Theodor. πρότερον γενομένοις] προγεγενημένοις Theodor. ἔσεσθαι
< Theodor. 4 ἄνσχετος Theogn. Ι ἄσχετος L Theogn. HSS 5 Κύρνε Theogn. κύρσαι
L 6 νόος Theogn. νόον L λελήθη Theogn. Α 7 ψυδρὸς Theogn. Α ψυχρὸς L ψεδνὸς
(so auch Vi) oder ψυδνὸς die geringeren HSS d. Theogn. ἐν] ἐνὶ L ἔχη Theogn. Α
8 τοῦτο θεὸς Theogn. τοῦτον θεοὶ L ποίησε Theogn. ποιῆσαι L 9 ἀνιαρώτερον L
ἀνιηρότατον Theogn. 10 [γὰρ] Di 11 δὴ Eur. Stob. Flor. 2, 16 δῆτα L ἦν L Stob.
ἢ Eur. 12 ὤπασας L¹ für ὤπαπας 17 Στασίνου] vielmehr Arktinos nach Welcker
u. K. O. Müller 18 κτείνας Aristot. p. 1376ᵃ 6; 1395ᵃ 16; Polyb. 23, 10, 10; Suid.
s. v. νήπιος u. Φίλιππος ὁ Μακεδών; Arsen. Viol. p. 366 Walz υἱούς Polyb. Suid.
22 τε L δὲ Soph. τετευχότων] κεκευθότοιν Soph. 23 ἂν βλάστοι Soph. ἀναβλαστοῖ L

Ἡρόδοτος λέγει· »μητρὸς καὶ πατρὸς οὐκ | ἔτ᾿ ὄντων, ἀδελφὸν ἄλλον 4 748
οὐχ ἕξω.«

Πρὸς τούτοις Θεοπόμπου ποιήσαντος·   5

δὶς παῖδες οἱ γέροντες ὀρθῷ τῷ λόγῳ,

5 καὶ πρό γε τούτου Σοφοκλέους ἐν τῷ Πηλεῖ·   6

Πηλέα τὸν Αἰάκειον οἰκουρὸς μόνη
γεροντ αγωγῶ καὶ ἀναπαιδεύω ⟨πάλιν⟩·
πάλιν γὰρ αὖθις παῖς ὁ γηράσκων ἀνήρ,

Ἀντιφῶν ὁ ῥήτωρ λέγει· »γηροτροφία γὰρ προσέοικεν παιδοτροφίᾳ«, 7
10 ἀλλὰ καὶ ὁ φιλόσοφος Πλάτων· »ἆρ᾿, ὡς ἔοικεν, ὁ γέρων δὶς παῖς 8
γένοιτ᾿ ἄν.«

Ναὶ μὴν Θουκυδίδου λέγοντος »Μαραθῶνί τε μόνοι προκινδυνεῦ- 20, 1
σαι« Δημοσθένης εἶπεν· »μὰ τοὺς ἐν Μαραθῶνι προκινδυνεύσαντας.« 2
Οὐδὲ ἐκεῖνα παραπέμψομαι· Κρατίνου ἐν Πυτίνῃ εἰπόντος·   8

15   τὴν μὲν παρασκευὴν ἴσως γινώσκετε,

Ἀνδοκίδης ὁ ῥήτωρ λέγει· »τὴν μὲν παρασκευήν, ὦ ἄνδρες δικασταί, 4
καὶ τὴν προθυμίαν τῶν ἐχθρῶν τῶν ἐμῶν σχεδόν τι πάντες εἴσεσθε.«
ὁμοίως καὶ Νικίας ἐν τῷ πρὸς Λυσίαν ὑπὲρ ⟨παρα⟩καταθήκης »τὴν 5
μὲν παρασκευὴν καὶ τὴν προθυμίαν τῶν ἀντιδίκων ὁρᾶτε, ὦ ἄνδρες
20 δικασταί,« φησίν, καὶ μετὰ τοῦτον Αἰσχίνης λέγει· »τὴν μὲν παρα- 6
σκευὴν ὁρᾶτε, ὦ ἄνδρες Ἀθηναῖοι, καὶ τὴν παράταξιν.« |

Πάλιν Δημοσθένους εἰπόντος »ὅση μέν, ὦ ἄνδρες Ἀθηναῖοι, 7 266
σπουδὴ περὶ τουτονὶ τὸν ἀγῶνα καὶ παραγγελία γέγονεν, σχεδὸν οἶ-
μαι πάντας ὑμᾶς ᾐσθῆσθαι« Φιλῖνος [τε] ὁμοίως· »ὅση μέν, ὦ ἄνδρες 8

11. vgl. Herodot 3, 119   4 Theopompos Fr. 69 CAF I p. 751; vgl. Diogen. IV 18;
Arsen. Viol. p. 183, 14 Walz   6—8 Sophokles Peleus Fr. 447   9 Antiphon (Sophist)
Fr. 136 Blass, 66 Diels⁶ II 366, 10   10f. Plato Leg. I p. 646 A   12f. Thukydides
I 73, 4 vgl. Auct. περὶ ὕψους 16, 2 S. 40, 9 Vahlen (Fr)   13 Demosthenes De cor.
208   15 Kratinos Πυτίνη Fr. 185 CAF I p. 69 vgl. Diels-Kranz² II S. 320, 2 App.
16f. Andokides I 1   18—20 Lysias Fr. 70 Scheibe   20f. Aeschines III 1   22—24
Demosthenes De fals. leg. 1   24—S. 439, 2 Philinos Fr. 4 Sauppe, Fr. Orat. Att. II
p. 319

6 Αἰάκειον Sy αἰάκιον L   οἰκουρὸς Vi οἰκοῦρος; L   7 ⟨πάλιν⟩ aus Tryphon
(Walz, Rhet. gr. VIII p. 741)   9 γηρωτροφία L   10 ἆρ᾿] οὐ μόνον ἆρ᾿ Plato οὐ
μόνον Stob. Flor. 18, 30   11 γίγνοιτ᾿ Plut.   12 Μαραθῶνί τε Thuk. μαραθωνῖται L
13 ἐν < Demosth.   14 Πυτίνη Sy ποιτίνηι L   15 γιγνώσκετε Di   16 Ἀνδοκίδης
Vi ἀνδροκύδης L   δικασταί < And.   17 εἴσεσθε] ἐπίστασθε And. ἴστε Sauppe, Orat.
Att. II p. 199 ᾔσθησθε Ma   18 Νικίας—Λυσίαν] Λυσίας—Νικίαν Ruhnken, Hist. crit.
orat. Graec. (vor der Ausg. des Rutilius Lupus) p. XL   ὑπὲρ] περὶ Sauppe   ⟨παρα⟩-
καταθήκης Sy   24 [τε] Ma

δικασταί, σπουδὴ καὶ παράταξις γεγένηται περὶ τὸν ἀγῶνα τουτονί,
οὐδ᾽ ἕνα ὑμῶν ἀγνοεῖν ἡγοῦμαι.«

Ἰσοκράτους πάλιν εἰρηκότος »ὥσπερ τῶν χρημάτων, ἀλλ᾽ οὐκ 21, 1
ἐκείνου συγγενὴς οὖσα« Λυσίας ἐν τοῖς Ὀρφανικοῖς λέγει· »καὶ φανερὸς 2
5 γέγονεν οὐ τῶν σωμάτων συγγενὴς ὤν, ἀλλὰ τῶν χρημάτων.«

Ἐπεὶ καὶ Ὁμήρου ποιήσαντος· 8

ὦ πέπον, εἰ μὲν γὰρ πόλεμον περὶ τόνδε φυγόντες
αἰεὶ δὴ μέλλοιμεν ἀγήρω τ᾽ ἀθανάτω τε |
ἔσσεσθ᾽, οὔτε κεν αὐτὸς ἐνὶ πρώτοισι μαχοίμην   749 P
10 οὔτε κε σὲ στέλλοιμι μάχην ἐς κυδιάνειραν·
νῦν δ᾽, ἔμπης γὰρ κῆρες ἐφεστᾶσι⟨ν⟩ θανάτοιο
μυρίαι, ἃς οὐκ ἔστι φυγεῖν βροτὸν οὐδ᾽ ὑπαλύξαι,
ἴομεν, εἴ κέ τῳ εὖχος ὀρέξομεν, ἠέ τις ἡμῖν,

Θεόπομπος γράφει· »εἰ μὲν γὰρ ἦν τὸν κίνδυνον τὸν παρόντα δια- 4
15 φυγόντας ἀδεῶς διάγειν τὸν ἐπίλοιπον χρόνον, οὐκ ἂν ἦν θαυμαστὸν
φιλοψυχεῖν, νῦν δὲ τοσαῦται κῆρες τῷ βίῳ παραπεφύκασιν ὥστε τὸν
ἐν ταῖς μάχαις θάνατον αἱρετώτερον εἶναι δοκεῖν.«

Τί δ᾽; οὐχὶ καὶ Χίλωνος τοῦ σοφιστοῦ ἀποφθεγξαμένου »ἐγγύα, 5
πάρα δ᾽ ἄτα« Ἐπίχαρμος τὴν αὐτὴν γνώμην ἑτέρῳ ὀνόματι προη- 6
20 νέγκατο εἰπών·

ἐγγύας ἄτα ⟨᾽στι⟩ θυγάτηρ, ἐγγύα δὲ ζαμίας.

Ἀλλὰ καὶ τοῦ ἰατροῦ Ἱπποκράτους »ἐπιβλέπειν οὖν δεῖ καὶ ὥρην 22, 1
καὶ χώρην καὶ ἡλικίην καὶ νόσους« γράφοντος Εὐριπίδης ἐν ἑξα- 2
μέτρῳ τινὶ ῥήσει φησίν·
25   ὃς οἶδ᾽ ἰατρεύειν καλῶς,
πρὸς τὰς διαίτας τῶν ἐνοικούντων πόλιν
τὴν γῆν ⟨τ᾽⟩ ἰδόντα τὰς νόσους σκοπεῖν χρεών.

3f. Isokrates XIX 31   4f. Lysias Fr. 84 Scheibe   7—13 M 322—328   7—17 vgl.
Schmid I 3 (1940) S. 199 A 3 (Fr)   14—17 Theopompos FGrHist. 115 F 287; vgl.
E. Rohde, Der griech. Roman² S. 220 A 4   18f. vgl. Strom. I 61, 2   21 Epicharm
Fr. 25 Diels⁶ I 202, 13   22f. Hippokrates Aphor. 1, 2 (IV p. 458 Littré)   25—27
Euripides Fr. 917

*   2 οὔθ᾽ L   4 Ὀρφανικοῖς Taylor zu Lysias II p. 35 Reiske ὀρφικοῖς L   7 φυ-
γόντε Hom.   9 ἔσεσθ᾽ L   10 οὔτε κε σὲ στέλλοιμι Hom. οὔτε κέν σε στελοίμην L
13 ἴωμεν η (corr. aus εἰ L¹) καί τωι L   18f. ἐγγύαι (ι¹ gestrichen) παραδάτα L
19f. προηνέγκατο Sy προσηνέγκατο L   21 ἐγγύας ἄτα ⟨᾽στι⟩ W. T(euffel) in Zimmer-
manns Zeitschr. f. d. Alterthumswiss. 2 (1835) S. 90 ἐγγύα ἄτας L   23 νούσους Sy
24 τινὶ ῥήσει Bywater, Journ. of Phil. 4 (1872) p. 215 τηρήσει L χρήσει Hemsterhuis
25 ὅσοι δ᾽ ἰατρεύειν L ὃς οἶδ᾽ ἰατρεύειν Wi ὅσοι νόσους θέλουσιν ἰᾶσθαι F. W. Schmidt
27 τὴν] καὶ Grotius ⟨τ᾽⟩ Valckenaer ἰδόντας L ἰδόντα Wi

Ὁμήρου πάλιν ποιήσαντος·　　　　　　　　　　　　　　3

　　μοῖραν δ' οὔ τινά φημι πεφυγμένον ἔμμεναι ἀνδρῶν.

ὅ τε Ἀρχῖνος λέγει· »πᾶσι μὲν ἀνθρώποις ὀφείλεται ἀποθανεῖν ἢ　4
πρότερον ἢ εἰς ὕστερον«, ὅ τε Δημοσθένης· »πᾶσι μὲν γὰρ ἀνθρώ-　5
5 ποις τέλος τοῦ βίου θάνατος, κἂν ἐν οἰκίσκῳ τις αὐτὸν καθείρξας
τηρῇ.«

　　Ἡροδότου τε αὖ ἐν τῷ περὶ Γλαύκου τοῦ Σπαρτιάτου λόγῳ 23, 1
φήσαντος τὴν Πυθίαν εἰπεῖν τὸ πειρηθῆναι τοῦ θεοῦ καὶ τὸ ποιῆσαι
ἴσον γενέσθαι, Ἀριστοφάνης ἔφη·　　　　　　　　　　　　2

10　　　　δύναται γὰρ ἴσον τῷ δρᾶν τὸ νοεῖν,

καὶ πρὸ τούτου ὁ Ἐλεάτης Παρμενίδης·　　　　　　　　　3

　　τὸ γὰρ αὐτὸ νοεῖν | ἐστί⟨ν⟩ τε καὶ εἶναι.　　　　　　750 P

　　Ἦ οὐχὶ καὶ Πλάτωνος εἰπόντος »ἡμεῖς δὲ τοῦτο λέξοιμεν ἂν ἴσως 4
οὐκ ἀτόπως, ὅτι ἀρχὴ μὲν ἔρωτος ὅρασις, μειοῖ δὲ τὸ πάθος ἐλπίς,
15 τρέφει δὲ μνήμη, τηρεῖ δὲ συνήθεια«, Φιλήμων ὁ κωμικὸς γράφει·　5

　　　　ὁρῶσι πάντες πρῶτον, εἶτ' ἐθαύμασαν,
　　　　ἔπειτ' ἐπεθεώρησαν, εἶτ' ἐς ἐλπίδα.
　　　　ἐνέπεσοι· οὕτω γίνεται ἐκ τούτων ἔρως.

　　Ἀλλὰ καὶ Δημοσθένους εἰπόντος »πᾶσι γὰρ ἡμῖν ὁ θάνατος ὀφεί- 6
20 λεται« καὶ τὰ ἑξῆς, ὁ Φανοκλῆς ἐν Ἔρωσιν ἢ Καλοῖς γράφει·　7

　　　　ἀλλὰ τὸ Μοιρῶν νῆμ' ἄλλυτον. οὐδέ ποτ' ἔστιν
　　　　ἐκφυγέειν, ὁπόσοι γῆν ἐπιφερβόμεθα.

2 Z 488 (vgl. Elter, Gnom. hist. 26. 117)　3f. vgl. Orat. Att. II p. 167　4—6 De-
mosthenes De cor. 97　7—9 Herodot 6, 86　10 Aristophanes Fr. 691 CAF I p. 561
12 Parmenides Fr. 3 Diels⁶ I 231, 22　13—15 Plato?　13—15. S. 441, 1—3 Theodoret
Gr. aff. c. XII 56　16—18 Philemon Fr. 138 CAF II p. 520sq.　19f. vgl. oben Z. 4—6;
dazu Eurip. Alc. 782; Musonii rell. p. 92, 3f. Hense (παντὶ θνητῷ θάνατος ὀφείλεται)
21f. Phanokles Fr. 2 Powell p. 108; fr. 3 Diehl (Anth. lyr. II² p. 227)

5 τέλος] πέρας Dem.　αὐτὸν L　8 τὸ πειρηθῆναι Herod. τό τε ῥηθῆναι L* τό
τε ῥησθῆναι L³　9 γενέσθαι] δύνασθαι Herod. Stob. Flor. 27, 14　10 τῷ Vi το L
13 λέξοιμεν Theodor. δείξομεν L δείξομεν [ἂν] Kl　14 ἄρχει Theodor. μειοῖ] αὔξει
Theodor. τελειοῖ Bywater, The Class. Rev. 9 (1895) p. 298 μαιεύει Bernays　17 ἔπειτ'
Bentley εἶτ' L εἰς Bentley　18 ἐνέπεσον Sy ἐνέπεσαν L γίγνετ' Sy　21 ἀλλὰ τὸ
Μοιρῶν νῆμ' Leopardus, Emend. IV 4 ἀλλά τοι μυρᾶων (μοιράων L³) ἥμ' L ἄλλυτον
Scaliger bei Villoison, Epist. Vinar. 94 ἄλυτον L ποτ' Leop. πως L πη Scaliger
τιν' Sy　22 ἐκφυγέειν Leopardus ἐκφυγεῖν L

Εὕροις δ' ἂν καὶ Πλάτωνος εἰπόντος »παντὸς γὰρ φυτοῦ ἡ πρώτη 24, 1
βλάστη, καλῶς ὁρμηθεῖσα πρὸς ἀρετήν, τῆς ἑαυτοῦ φύσεως κυριω-
τάτη τέλος ἐπιθεῖναι τὸ πρόσφορον« ⟨Ἔφορον⟩ τὸν ἱστορικὸν γρά- 2
φοντα· »ἀλλὰ καὶ τῶν ἀγρίων φυτῶν οὐθὲν ἡμεροῦσθαι πέφυκεν,
5 ὅταν παραλλάξωσιν τὴν νεωτέραν ἡλικίαν.«
Κἀκεῖνο τὸ Ἐμπεδοκλέους· 3

ἤδη γάρ ποτ' ἐγὼ γενόμην κοῦρός τε κόρη τε
θάμνος τ' οἰωνός τε καὶ εἰν ἁλὶ ἔλλοπος ἰχθύς,

Εὐριπίδης ἐν Χρυσίππῳ μεταγράφει· 4

10 θνῄσκει δὲ οὐδὲν τῶν γινομένων,
διακρινόμενον δ' ἄλλο πρὸς ἄλλο
μορφὴν ἑτέραν ἐπέδειξεν.

Πλά|τωνός τε ἐν Πολιτείᾳ εἰπόντος κοινὰς εἶναι τὰς γυναῖκας 5. 6 751 P
Εὐριπίδης ἐν Πρωτεσιλάῳ γράφει·

15 κοινὸν γὰρ εἶναι χρῆν γυναικεῖον λέχος.

Ἀλλ' Εὐριπίδου γράφοντος· 7
ἐπεὶ τά γ' ἀρκοῦντα ἱκανὰ τοῖς γε σώφροσιν,

Ἐπίκουρος ἄντικρύς φησι· »πλουσιώτατον αὐτάρκεια πάντων.« 8
Αὖθίς τε Ἀριστοφάνους γράφοντος· 9

20 βέβαιον ἕξεις τὸν βίον δίκαιος ὤν,
χωρίς τε θορύβου καὶ φόβου ζήσεις καλῶς,

ὁ Ἐπίκουρος λέγει· »δικαιοσύνης καρπὸς μέγιστος ἀταραξία.« 10
Αἱ μὲν οὖν ἰδέαι τῆς κατὰ διάνοιαν Ἑλληνικῆς κλοπῆς εἰς ὑπό- 25, 1
δειγμα ἐναργὲς τῷ διορᾶν δυναμένῳ τοιαίδε οὖσαι ἅλις ἔστωσαν.

1—3 Plato Leg. VI p. 765 E; vgl. Stob. Ecl. II 31, 122 p. 233, 19—234, 1 Wachsm.
7f. Empedokles Fr. 117 Diels[6] I 359, 1f. 10—12 Euripides Chrysippos Fr. 839, 12—14
13 Plato Rep. V p. 457 C 15 Euripides Protesilaos Fr. 653 17 Euripides Phoin. 554
18 Epikur Fr. 476 Usener p. 303, 12 20f. Aristophanes Fr. 899 CAF I p. 590 (von
Meineke I p. 321 dem Antiphanes [Fr. 330 CAF II p. 134] zugeschrieben) 22 Epikur
Fr. 519 Usener p. 317, 19 23—S. 442, 5 αἱ μὲν οὖν—ὁλόκληρον Eus. Praep. Ev. X 2, 7

3 ⟨Ἔφορον⟩ Cobet S. 231; Wi, Comm. gramm. II (1880) S. 10 4 οὐθ ἐν L
οὐδὲν Di 8 εἰν. ἁλὶ] ἔξαλος Athen. VIII p. 365 E; Diog. VIII 77 ἔλλοπος (L¹ für
ἔλοπος)] ἔμπορος Athen. ἔμπυρος Diog. φαίδιμος, ἔμπνοος, νήχυτος, ἄμφορος andere;
vgl. Diels 10 γιγνομένων Nauck 11 πρὸς ἄλλο Philo Hss. De aet. m. 5. 130. 144
(VI p. 74. 83. 117); πρὸς ἄλλον Nauck 12 ἀπέδειξε(ν) Philo 15 χρῆν Nauck ἄρα L
(nach diesem Wort ist κοιν von L¹ getilgt) ἄρα καὶ Vi [ἄρα] καὶ Sy

ἤδη δὲ οὐ τὰς διανοίας μόνον καὶ λέξεις ὑφελόμενοι καὶ παραφρά-
σαντες ἐφωράθησαν, ὡς ἐδείχθη, ἀλλὰ γὰρ καὶ τὰ φώρια ἄντι-
κρυς ὁλόκληρα ἔχοντες διελεγχθήσονται· αὐτοτελῶς γὰρ τὰ ἑτέρων 2
ὑφελόμενοι ὡς ἴδια ἐξήνεγκαν, καθάπερ Εὐγάμμων ὁ Κυρηναῖος ἐκ
5 Μουσαίου τὸ περὶ Θεσπρωτῶν βιβλίον ὁλόκληρον καὶ Πείσανδρος ⟨ὁ⟩
Καμιρεὺς Πεισίνου τοῦ Λινδίου τὴν Ἡράκλειαν, Πανύασ⟨σ⟩ις τε ὁ
Ἁλικαρνασσεὺς παρὰ Κρεωφύλου τοῦ Σαμίου τὴν Οἰχαλίας ἅλωσιν.

Εὕροις δ' ἂν καὶ Ὅμηρον τὸν μέγαν ποιητὴν ἐκεῖνα τὰ ἔπη·   26,1

οἷον δὲ τρέφει ἔρνος ἀνὴρ ἐριθηλὲς ἐλαίης

10 καὶ τὰ ἐξῆς κατὰ λέξιν μετενηνοχότα παρ' Ὀρφέως ἐκ τοῦ Διονύ-
σου ἀφανισμοῦ.

Ἔν τε τῇ Θεογονίᾳ ἐπὶ τοῦ Κρόνου Ὀρφεῖ πεποίηται·   2

κεῖτ' ἀποδοχμώσας παχὺν αὐχένα, κὰδ δέ μιν ὕπνος
ᾕρει πανδαμάτωρ,

15 ταῦτα δὲ Ὅμηρος ἐπὶ τοῦ Κύκλωπος μετέθηκεν.
Ἡσίοδός τε ἐπὶ τοῦ Μελάμποδος ποιεῖ· | 8

ἡδὺ δὲ καὶ τὸ πυθέσθαι, ὅσα θνητοῖσιν ἔδειμαν   267 8
ἀθάνατοι, δειλῶν τε καὶ ἐσθλῶν τέκμαρ ἐναργές,

καὶ τὰ ἐξῆς παρὰ Μουσαίου λαβὼν τοῦ ποιητοῦ κατὰ λέξιν.
20   Ἀριστοφάνης δὲ ὁ κωμικὸς ἐν ταῖς πρώταις Θεσμοφοριαζούσαις 4
τὰ ἐκ τῶν | Κρατίνου Ἐμπιπραμένων μετήνεγκεν ἔπη. Πλάτων δὲ ὁ 752 P
κωμικὸς καὶ Ἀριστοφάνης ἐν τῷ Δαιδάλῳ τὰ ἀλλήλων ὑφαιροῦνται.

---

*   4—7 vgl. Kinkel EGF I p. 58. 220. 249. 214. 254. 60   3—5 Musaios Fr. 6 Diels⁶
I 23, 5—7; vgl. Kern, De Orphei cett. theog. p. 14   9 P 53   10f. Orpheus Fr. 188
Abel 13f. Orpheus Fr. 45 Abel; ι 372f.   17f. Hesiod Melamp. Fr. 164 Rzach²   19
Musaios Fr. 7 Diels⁶ I 23, 8—13; vgl. Diels, Parmenides S. 13   20f. vgl. Kock CAF
I p. 32   21f. vgl. Kock CAF I p. 435. 605

1 τὰς λέξεις Eus.   2 ἐδείχθη St δειχθήσεται L δειχθήσονται Eus.   2f. ἀλλὰ—
διελεγχθήσονται < Eus.   2 φωρεῖα L* über ει geschr. ί L³   3 γὰρ] δὲ Eus.   4 Εὐ-
γάμμων Di εὐγάμων L εὐγράμμων Eus. HSS   5 θεσπροτῶν L   πίσανδρος L   ⟨ὁ⟩
Di   6 πισίνου L   7 Κρεωφύλου] κλεοφύλου L   14 ᾕρει L   17 τὸ] τὰ Ο. Schneider,
Zeitschr. f. d. Alterthumswiss. 7 (1840) Sp. 585   πυθέσθαι Sy πείθεσθαι L   ἔδειμαν]
ἔνειμαν Marckscheffel ἔδειξαν Göttling   18 δειλῶν] δεινῶν Köchly, Conj. ep. I p. 13
20 θεσμοφοριζούσαις L   21. μετήνεγκεν Di μετενήνεγκεν L

τὸν μέντοι Κώκαλον τὸν ποιηθέντα Ἀραρότι τῷ Ἀριστοφάνους υἱεῖ 6
Φιλήμων ὁ κωμικὸς ὑπαλλάξας ἐν Ὑποβολιμαίῳ ἐκωμῴδησεν. τὰ δὲ 7
Ἡσιόδου μετήλλαξαν εἰς πεζὸν λόγον καὶ ὡς ἴδια ἐξήνεγκαν Εὔμηλός
τε καὶ Ἀκουσίλαος οἱ ἱστοριογράφοι. Μελησαγόρου γὰρ ἔκλεψεν 8
5 Γοργίας ὁ Λεοντῖνος καὶ Εὔδημος ὁ Νάξιος οἱ ἱστορικοὶ καὶ ἐπὶ
τούτοις ὁ Προκοννήσιος Βίων, ὃς καὶ τὰ Κάδμου τοῦ παλαιοῦ μετέ-
γραψεν κεφαλαιούμενος, Ἀμφίλοχός τε καὶ Ἀριστοκλῆς καὶ Λεάνδριος
καὶ Ἀναξιμένης καὶ Ἑλλάνικος καὶ Ἑκαταῖος καὶ Ἀνδροτίων καὶ
Φιλόχορος Διευχίδας τε ὁ Μεγαρικὸς τὴν ἀρχὴν τοῦ λόγου ἐκ τῆς
10 Ἑλλανίκου Δευκαλιωνείας μετέβαλεν. σιωπῶ δὲ Ἡράκλειτον τὸν 27, 1
Ἐφέσιον, ὃς παρ' Ὀρφέως τὰ πλεῖστα εἴληφεν. παρὰ Πυθαγόρου δὲ 2
καὶ τὴν ψυχὴν ἀθάνατον εἶναι Πλάτων ἔσπακεν, ὃ δὲ παρ' Αἰγυ-
πτίων. πολλοί τε τῶν ἀπὸ Πλάτωνος συγγραφὰς πεποίηνται, καθ' 3
ἃς ἀποδεικνύουσι τούς τε Στωικούς, ὡς ἐν ἀρχῇ εἰρήκαμεν, τόν τε
15 Ἀριστοτέλη τὰ πλεῖστα καὶ κυριώτατα τῶν δογμάτων παρὰ Πλά-
τωνος εἰληφέναι. ἀλλὰ καὶ Ἐπίκουρος παρὰ Δημοκρίτου τὰ προη- 4
γούμενα ἐσκευώρηται δόγματα.

Ταυτὶ μὲν οὖν ταύτῃ· ἐπιλείψει γάρ με ὁ βίος, εἰ καθ' ἕκαστον 5
ἐπεξιέναι αἱροίμην τὴν Ἑλληνικὴν διελέγχων φίλαυτον κλοπήν, καὶ
20 ὡς σφετερίζονται τὴν εὕρεσιν τῶν παρ' αὐτοῖς καλλίστων δογμάτων,
ἣν παρ' ἡμῶν εἰλήφασιν.

1f. vgl. Kock CAF I p. 482; II p. 502 2—4 vgl. Kinkel EGF I p. 186; Müller
FHG II p. 20 (Eumelos); (Akusilaos vgl. Diels⁶ I 53, 1f. FGrHist. 2 T 5) 3—7 vgl.
Zeller, Phil. d. Gr. I⁵ S. 258 Anm. 2 (»Es fragt sich, ob nicht statt Μελησαγόρου
⟨Εὐμήλου⟩, oder umgekehrt statt Εὔμηλος ⟨Μελησαγόρας⟩ zu lesen ist«) vgl. M. Well-
mann, Hermes 45, 1910, S. 557f. 4—6 Gorgias Test. 34 Diels⁶ II S. 279, 1—3 4—10
vgl. Müller FHG II p. 21 (Melesagoras); p. 20 (Eudemos); p. 19 (Bion Prok. FGrHist.
72 T 2); p. 2 (Kadmos); IV p. 300 (Amphilochos); p. 329 (Aristokles); II p. 334
(Leandrios); Script. Alex. Magn. p. 33 (Anaximenes FGrHist. 72 T 29); FHG I p. XXX
(Hellanikos); p. XII (Hekataios); p. LXXXVIII (Androtion u. Philochoros); IV
p. 388 (Dieuchidas); I p. 48 (Hellanikos FGrHist. 4 F 18, Deuk.; dazu auch Kullmer,
Die Historiai des Hell. v. Lesb. p. 526ff.) 18—S. 444, 27 ἐπιλείψει με—θεός; Eus.
Praep. Ev. X 2, 8—15

1 Ἀραρότι τῷ Ἀριστοφάνους υἱεῖ Casaubonus, Animadv. ad Athen. III 9
p. 168, 41 ἀραρότως τῷ ἀριστοφάνει ποιεῖ L 4 Μελησαγόρου] bei andern Ἀμελησα-
γόρας genannt 5 Εὔδημος ὁ Νάξιος] wohl identisch mit Εὔδημος ὁ Πάριος bei Dion.
Hal. De Thuc. iud. 5 ἱστορικοὶ L ὁ ἱστορικός Wellmann S. 559f. 7 Λέανδρος Di;
vgl. aber Protr. 45, 2 8 Ἀναξιμένης Vi ἀναξαμένης L 8—10 ἑλλανικὸς—ἑλλανικοῦ L
9 φιλόχωρος L 10 δευκαλιωνίας L 12 καί] τὸ Mü ὃ δὲ Heyse οἱ δὲ L 19 αἱροίμην
L³ ἐροίμην L* πειρῴμην Eus.

III. Ἤδη δὲ οὐ μόνον ὑφαιρούμενοι τὰ δόγματα παρὰ τῶν βαρ- 28, 1
βάρων διελέγχονται, ἀλλὰ καὶ προσέτι ἀπομιμούμενοι τὰ παρ᾽ ἡμῖν
ἄνωθεν ἐκ τῆς θείας δυνάμεως διὰ τῶν ἁγίως βεβιωκότων εἰς τὴν
ἡμετέραν ἐπιστροφὴν παραδόξως ἐνεργούμενα, Ἑλληνικῇ μυθολογίᾳ
5 τερατευόμενοι. καὶ δὴ πευσόμεθα παρ᾽ αὐτῶν ἤτοι ἀληθῆ ταῦτα 2
εἶναι ἃ ἱστοροῦσιν ἢ ψευδῆ. ἀλλὰ ψευδῆ μὲν οὐκ ἂν φήσαιεν (οὐ
γὰρ ἂν καταψηφίσαιντο ἑαυτῶν, οὔκουν | ἑκόντες, τὴν μεγίστην 753 P
εὐήθειαν, τὸ ψευδῆ ᾿συγγράφειν)· ἀληθῆ δ᾽ εἶναι ἐξ ἀνάγκης ὁμολο-
γήσαιεν. καὶ πῶς ἔτι ἄπιστα αὐτοῖς καταφαίνεται τὰ διὰ Μωσέως 3
10 καὶ τῶν ἄλλων προφητῶν τεραστίως ἐπιδεδειγμένα; πάντων γὰρ
ἀνθρώπων ὁ παντοκράτωρ κηδόμενος θεὸς τοὺς μὲν ἐντολαῖς. τοὺς
δὲ ἀπειλαῖς, ἔστιν δ᾽ οὓς σημείοις τεραστίοις, ἐνίους δὲ ἠπίοις ἐπαγ-
γελίαις ἐπιστρέφει πρὸς σωτηρίαν. πλὴν ἀλλ᾽ οἱ Ἕλληνες, αὐχμοῦ 4
ποτε τὴν Ἑλλάδα πολυχρονίως φθείροντος καὶ ἐπεχούσης ἀγονίας
15 καρπῶν, οἱ καταλειφθέντες, φασί, διὰ λιμὸν ἱκέται παραγενόμενοι
εἰς Δελφοὺς ἤροντο τὴν Πυθίαν πῶς ἂν ἀπαλλαγεῖεν τοῦ δεινοῦ.
μίαν δ᾽ αὐτοῖς ἔχρησεν ἀρωγὴν τῆς συμφορᾶς, εἰ χρήσαιντο τῇ Αἰα- 5
κοῦ εὐχῇ. πεισθεὶς οὖν αὐτοῖς Αἰακὸς ἀνελθὼν ἐπὶ τὸ Ἑλληνικὸν
ὄρος, τὰς καθαρὰς χεῖρας ἐκτείνας εἰς οὐρανόν, κοινὸν ἀποκαλέσας
20 ⟨πατέρα⟩ τὸν θεόν, ηὔξατο οἰκτεῖραι αὐτὸν τετρυμένην τὴν Ἑλλάδα.
ἅμα δὲ εὐχομένου βροντὴ ἐξαίσιος ἐπεκτύπει καὶ πᾶς ὁ πέριξ ἀὴρ 6
ἐνεφοῦτο, λάβροι δὲ καὶ συνεχεῖς ὄμβροι καταρραγέντες ὅλην ἐπλή-
ρωσαν τὴν χώραν· ἐντεῦθεν ἄφθονος καὶ πλουσία τελεσφορεῖται
εὐκαρπία, ταῖς Αἰακοῦ γεωργηθεῖσα εὐχαῖς. ›καὶ ἐπεκαλέσατο‹, 29, 1
25 φησί, ›Σαμουὴλ τὸν κύριον καὶ ἔδωκεν κύριος φωνὰς καὶ ὑετὸν ἐν
ἡμέρα θερισμοῦ.‹ ὁρᾷς ὅτι ›ὁ βρέχων ἐπὶ δικαίους καὶ ἀδίκους‹ διὰ 2
τῶν ὑποτεταγμένων δυνάμεων εἷς ἐστι θεός; πλήρης δὲ ἡ γραφὴ 3
πᾶσα ἡ καθ᾽ ἡμᾶς κατὰ τὰς τῶν δικαίων εὐχὰς ἐπακούοντός τε καὶ
ἐπιτελοῦντος τοῦ θεοῦ ἕκαστον τῶν αἰτημάτων.
30 Πάλιν ἱστοροῦσιν Ἕλληνες ἐκλειπόντων ποτὲ τῶν ἐτησίων 4

13—24 vgl. z. B. Apollodor Bibl. III 12, 6, 9f.; Paus. I 44, 9; II 29, 8   18—23
Parodie dazu Petron. 44, 18 (Fr)   24—26 vgl. I Reg 12, 18. 17   26 vgl. Mt 5, 45
28 vgl. Prov 15, 29 (Fr)   30—S. 445, 4 vgl. Hyginus Poet. astr. II 4

4 Ἑλληνικῇ μυθολογίᾳ Eus. ἑλληνικὴν μυθολογίαν L   6 ἀλλὰ < Eus.   7 οὔκουν
< Eus.   9 αὐτοῖς ἄπιστα Eus. O   12 ἠπίαις Eus. I   17 ἔχρησεν Eus. ἔχρισεν
L   ἀρωγὴν] ἀπαλλαγὴν Eus. (ἀπολογίαν I)   18 αὐτοῖς Eus. ἑαυτοῖς L   18f. Ἑλλ.
ὄρος] ὄρος τὸ Ἑλλ. Eus. I   ἐπ᾽ ὄρος, — τὸν τοῦ Ἑλληνικοῦ κοινὸν ἐπικαλέσας θεὸν
Valckenaer zu Herodot 9, 7   19 ἐπικαλέσας Eus. BO   20 ⟨πατέρα⟩ aus Eus.   αὐ-
τῶν Eus. BI   τετρυμένην Sy τετρυμμένην L τετρυχωμένην Eus.   21 ἐπεκτύπει Eus.
ἐκετύπει L

ἀνέμων Ἀρισταῖον ἐν Κέῳ θῦσαι Ἰκμαίῳ Διί· πολλὴ γὰρ ἦν φθορά,
φλογμῷ διαπιμπραμένων πάντων καὶ δὴ καὶ τῶν ἀναψύχειν τοὺς
καρποὺς εἰωθότων ἀνέμων μὴ πνεόντων· ⟨ὃ δὲ⟩ ῥᾳδίως αὐτοὺς
ἀνεκαλέσατο.

5   Δελφοὶ δὲ Ξέρξου ἐπὶ τὴν Ἑλλάδα στρατεύσαντος, ἀνειπούσης 5
τῆς Πυθίας·

ὦ Δελφοί, λίσσεσθ᾽ ἀνέμους καὶ λῷον ἔσται,

βωμὸν καὶ θυσίαν ποιήσαντες τοῖς ἀνέμοις, ἀρωγοὺς αὐτοὺς ἔσχον·
πνεύσαντες γὰρ ἐρρωμένως περὶ τὴν Σηπιάδα ἄκραν συνέτριψαν
10 πᾶσαν τὴν παρασκευὴν τοῦ Περσικοῦ στόλου.

Ἐμπεδοκλῆς τε ὁ Ἀκραγαντῖνος | Κωλυσανέμας ἐπεκλήθη. λέγε- 30,1 754 P
ται οὖν ἀπὸ τοῦ Ἀκράγαντος ὄρους πνέοντός ποτε ἀνέμου βαρὺ
καὶ νοσῶδες τοῖς ἐγχωρίοις, ἀλλὰ καὶ ταῖς γυναιξὶν αὐτῶν ἀγονίας
αἰτίου γινομένου, παῦσαι τὸν ἄνεμον· διὸ καὶ αὐτὸς ἐν τοῖς ἔπεσι 2
15 γράφει·

παύσεις δ᾽ ἀκαμάτων ἀνέμων μένος οἵ τ᾽ ἐπὶ γαῖαν
ὀρνύμενοι θνητοῖσι καταφθινύθουσιν ἀρούρας·
καὶ πάλιν, εὖτ᾽ ἐθέλησθα, παλίντιτα πνεύματα θήσεις.

παρακολουθεῖν τε αὐτῷ ἔλεγεν ⟩τοὺς μὲν μαντοσυνῶν κεχρημένους, 3
20 τοὺς δ᾽ ἐπὶ νούσοισι δηρὸν δὴ χαλεπῇσι πεπαρμένους⟨. ἄντικρυς 4
γοῦν ἰάσεις τε καὶ σημεῖα καὶ τέρατα ἐπιτελεῖν τοὺς δικαίους ἐκ τῶν
ἡμετέρων πεπιστεύκασι γραφῶν· εἰ γὰρ καὶ δυνάμεις τινὲς τούς τε
ἀνέμους κινοῦσι καὶ τοὺς ὄμβρους διανέμουσιν, ἀλλ᾽ ἀκουσάτωσαν
τοῦ ψαλμῳδοῦ· ⟩ὡς ἀγαπητὰ τὰ σκηνώματά σου, κύριε τῶν δυνά-

---

1 zu Aristaios vgl. Kallimach. fr. 75, 33 (Pfeiffer 1949); dort V 34 Ἴκμιον ὄρος,
es würde also genügen statt Ἰσθμίῳ Διί zu schreiben Ἰκμίῳ Διί (Fr) 5—10 vgl.
Herodot 7, 178. 188   7 Orac. fr. 113 Hendess   11—15 vgl. Diels⁶ I 284, 18—22;
Diog. Laert. VIII 60 zu κωλυσανέμας Diels⁶ I 278, 35 (= Timaios Fr. 94 FHG I
p. 215); andere Parallelen bei Diels PPF p. 84 Nr. 14   16—18 Empedokles
Fr. 111, 3—5 Diels⁶ I 353, 11—13; vgl. Diog. Laert. VIII 59   19f. vgl. Empedokles
Fr. 112, 10. 12 Diels⁶ I 355, 5, 7; Diog. Laert. VIII 62   24f. Ps 83, 2

1 Ἀρισταῖον Vi ἀριστέων (ε corr. aus ι) L¹   Ἰκμαίῳ Valckenaer zu Herod.
5, 62 u. Notae ad Eurip. Suppl. 1212 (Oxoniae 1811); vgl. Apoll. Rhod. II 522 u.
Schol. zu Apoll. Rhod. II 500 ἰσθμίωι L   3 ⟨ὃ δὲ⟩ Wi   17 θνητοῖσι] πνοιαῖσι
Diog. ἄρουραν Diog.   18 εὖτ᾽] ἦν κ᾽ Diog. πάλιν τί τὰ L παλίντονα Suid. s. v.
ἄπνους   θήσεις] ἐπάξεις Diog., bei dem der folgende Vers. mit θήσεις beginnt
19 αὐτῷ L   ἔλεγεν Hervet ἔλεγον L   20 δ᾽ ἐπί] δέ τι Diog. δέ τε Bergk   νούσοισι
Sy νοῦσον L νούσων Diog. (der fortfährt: παντοίων ἐπύθοντο κλύειν εὐηκέα βάξιν)   δη-
ρὸν Sy σιδηρὸν corr. L¹ aus σιδηρὰν   χαλεποῖσι L   χαλεποῖσι πεπαρμ. ⟨ἀμφὶ μό-
γοισιν⟩ Diels χαλεπῇσι πεπαρμ. ἀμφ᾽ ὀδύνῃσι Bergk

μεων.‹ οὗτός ἐστιν ὁ τῶν δυνάμεων καὶ τῶν ἀρχῶν καὶ τῶν ἐξου|- 5
σιῶν κύριος, περὶ οὗ ὁ Μωυσῆς λέγει, ἵνα αὐτῷ συνῶμεν· ›καὶ περι- 268 S
τεμεῖσθε τὴν σκληροκαρδίαν ὑμῶν καὶ τὸν τράχηλον ὑμῶν οὐ
σκληρυνεῖτε ἔτι· ὁ γὰρ κύριος ⟨ὁ θεὸς ὑμῶν οὗτος κύριος⟩ τῶν
5 κυρίων καὶ θεὸς τῶν θεῶν ὁ θεὸς ὁ μέγας καὶ ἰσχυρός‹ καὶ τὰ ἐπὶ
τούτοις. ὅ τε Ἠσαΐας ›ἄρατε εἰς ὕψος τοὺς ὀφθαλμοὺς ὑμῶν‹ λέγει 6
›καὶ ἴδετε· τίς κατέδειξεν ταῦτα πάντα;‹

Λέγουσι δ' οὖν τινες λοιμούς τε καὶ χαλάζας καὶ θυέλλας καὶ 31, 1
τὰ παραπλήσια οὐκ ἀπὸ τῆς ἀταξίας τῆς ὑλικῆς μόνης, ἀλλὰ καὶ
10 κατά τινα δαιμόνων ἢ καὶ ἀγγέλων οὐκ ἀγαθῶν ὀργὴν φιλεῖν γίνε-
σθαι. αὐτίκα φασὶ τοὺς ἐν Κλεωναῖς μάγους φυλάττοντας τὰ με- 2
τέωρα τῶν χαλαζοβολήσειν μελλόντων νεφῶν παράγειν ᾠδαῖς τε καὶ
θύμασι τῆς ὀργῆς τὴ· ἀπειλήν. ἀμέλει καὶ εἴ ποτε ἀπορία ζῴου 3
καταλάβοι, τὸν σφέτερον αἱμάξαντες δάκτυλον ἀρκοῦνται τῷ θύ-
15 ματι. ἥ τε Μαντικὴ Διοτίμα θυσαμένοις Ἀθηναίοις πρὸ τοῦ 4 755
λοιμοῦ δεκαετῆ ἀναβολὴν ἐποιήσατο τῆς νόσου, καθάπερ καὶ τοῦ
Κρητὸς Ἐπιμενίδου αἱ θυσίαι αὐτοῖς [Ἀθηναίοις] τὸν Περσικὸν πό-
λεμον εἰς τὸν ἴσον ὑπερέθεντο χρόνον. διαφέρειν δ' οὐδὲν νομί-
ζουσιν, εἴτ' οὖν θεοὺς εἴτε καὶ ἀγγέλους τὰς ψυχὰς ταύτας λέγοιμεν.
20 αὐτίκα οἱ ἔμπειροι τοῦ λόγου κατὰ τὰς ἱδρύσεις ἐν πολλοῖς τῶν 5
ἱερῶν καὶ σχεδὸν πᾶσι τὰς θήκας τῶν κατοιχομένων ἐνιδρύσαντο,
δαίμονας μὲν τὰς τούτων ψυχὰς καλοῦντες, θρησκεύεσθαι δὲ πρὸς
ἀνθρώπων διδάσκοντες ὡς ἂν ἐξουσίαν λαβούσας διὰ καθαρότητα
τοῦ βίου τῇ θείᾳ προνοίᾳ εἰς τὴν ἀνθρώπων λειτουργίαν τὸν περί-
25 γειον περιπολεῖν τόπον· ἠπίσταντο γὰρ ψυχάς τινας κρατουμένας
φύσει τῷ σώματι. ἀλλὰ περὶ μὲν τούτων ἐν τῷ περὶ ἀγγέλων λόγῳ 32, 1
προϊούσης τῆς γραφῆς κατὰ καιρὸν διαλεξόμεθα.

Δημόκριτος δὲ ἐκ τῆς τῶν μεταρσίων παρατηρήσεως πολλὰ 2
προλέγων Σοφία ἐπωνομάσθη. ὑποδεξαμένου γοῦν αὐτὸν φιλοφρό-

---

*   1f. vgl. I Petr 3, 22; Eph 3, 10   2—5 Deut 10, 16f.   6f. Is 40, 26   15f. vgl.
Plato Symp. p. 201 D   16—18 vgl. Plato Leg. I p. 642 D   28—S. 447, 5 Demokrit
test. 18 Diels⁶ II S. 87, 25—30

4 ⟨ὁ—κύριος⟩ Ma aus Deut   9 καὶ üb. d. Z. L¹   11 φασὶ Sy φησὶ L   12 ᾠδαῖς
τε ~ Ma τε ᾠδαῖς L   16 δεκαετῆ] ἱ ετη (sic) L   17 αὐτοῖς [Ἀθηναίοις] Bywater
⟨τοῖς⟩ αὐτοῖς Ἀθ. Heyse Ma [αὐ]τοῖς Ἀθ. Di   18f. διαφέρειν—λέγοιεν ~ nach σώματι
Z. 26 St   19 εἴτ' Di ἐὰν γ' L   ψυχὰς] δυνάμεις Ma   21 πᾶσι τὰς St (vgl. auch
Schlatter, Der Glossator d. griech. Sirach S. 187) πάσας τὰς L ⟨τοῖς⟩ πλείστοις Wi
25 τινας ἄλλας Mayor

νως Δαμάσου τοῦ ἀδελφοῦ τεκμηράμενος ἔκ τινων ἀστέρων πολὺν
ἐσόμενον προεῖπεν ὄμβρον. οἱ μὲν οὖν πεισθέντες αὐτῷ συνεῖλον
τοὺς καρπούς (καὶ γὰρ ὥρᾳ θέρους ἐν ταῖς ἅλωσιν ἔτι ἦσαν), οἱ
δὲ ἄλλοι πάντα ἀπώλεσαν ἀδοκήτου καὶ πολλοῦ καταρρήξαντος
5 ὄμβρου.

Πῶς δὲ ἔτι ἀπιστήσουσιν Ἕλληνες τῇ θείᾳ ἐπιφανείᾳ περὶ τὸ **8**
ὄρος τὸ Σινᾶ, ὁπηνίκα πῦρ μὲν ἐφλέγετο, μηδὲν καταναλίσκον τῶν
φυομένων κατὰ τὸ ὄρος, σαλπίγγων τε ἦχος ἐφέρετο ἄνευ ὀργάνων
ἐμπνεόμενος; ἐκείνη γὰρ ἡ λεγομένη κατάβασις ἐπὶ τὸ ὄρος θεοῦ **4**
10 ἐπίφασίς ἐστι θείας δυνάμεως ἐπὶ πάντα τὸν κόσμον διηκούσης καὶ
κηρυττούσης τὸ φῶς τὸ ἀπρόσιτον. τοιαύτη γὰρ ἡ κατὰ τὴν γραφὴν
ἀλληγορία. πλὴν »ἐωράθη τὸ πῦρ‹, ὥ φησιν Ἀριστόβουλος, »παν- **5**
τὸς τοῦ πλήθους μυριάδων οὐκ | ἔλασσον ἑκατόν, χωρὶς τῶν ἀφηλί- 756 P
κων, ἐκκλησιαζόντων κύκλῳ τοῦ ὄρους, οὐχ ἧττον ἡμερῶν πέντε
15 τῆς περιόδου τυγχανούσης περὶ τὸ ὄρος. κατὰ πάντα τοίνυν τόπον **33, 1**
τῆς ὁράσεως πᾶσιν αὐτοῖς κυκλόθεν, ὡς ἂν παρεμβεβληκόσι, τὸ πῦρ
φλεγόμενον ἐθεωρεῖτο, ὥστε τὴν κατάβασιν μὴ τοπικὴν γεγονέναι·
πάντῃ γὰρ ὁ θεός ἐστιν.‹

Λέγουσι δὲ καὶ οἱ τὰς ἱστορίας συνταξάμενοι ἀμφὶ τὴν Βρετ- **2**
20 τανικὴν νῆσον ἄντρον τι ὑποκείμενον ὄρει, ἐπὶ δὲ τῆς κορυφῆς
χάσμα· ἐμπίπτοντος οὖν τοῦ ἀνέμου εἰς τὸ ἄντρον καὶ προσρηγνυ-
μένου τοῖς κόλποις τοῦ ὀρύγματος κυμβάλων εὐρύθμως κρονομένων
ἦχον ἐξακούεσθαι. πολλάκις δὲ καὶ ἀνὰ τὰς ὕλας κινουμένων τῶν **3**
φύλλων ἀθρόᾳ πνεύματος προσβολῇ ὀρνίθων ᾠδῇ παραπλήσιος προσ-
25 πίπτει ἠχή. ἀλλὰ οἱ τὰ Περσικὰ συνταξάμενοι ἐν τοῖς ὑπερκει- **4**
μένοις τόποις κατὰ τὴν τῶν Μάγων χώραν τρία κεῖσθαι ὄρη ἐφεξῆς
ἱστοροῦσιν ἐν πεδίῳ μακρῷ· τοὺς δὴ διοδεύοντας τὸν τόπον κατὰ
μὲν τὸ πρῶτον γενομένους ὄρος φωνῆς ἐξακούειν σύγκλυδος, οἷον

---

* 6–18 vgl. Aristobul bei Eus. Praep. Ev. VIII 10, 12–17　7–9 vgl. Exod 3, 2;
19, 18f.; 20, 18　11 vgl. I Tim 6, 16　12–18 vgl. Aristobul a. a. O. 14f. τοῦ γὰρ
παντὸς πλήθους μυριάδων οὐκ ἔλαττον ἑκατόν, χωρὶς τῶν ἀφηλίκων, ἐκκλησιαζομένων
κυκλόθεν τοῦ ὄρους, οὐκ ἔλασ·ον ἡμερῶν πέντε οὔσης τῆς περιόδου περὶ αὐτό, κατὰ
πάντα τόπον τῆς ὁράσεως πᾶσιν αὐτοῖς κυκλόθεν, ὡς ἦσαν παρεμβεβληκότες, τὸ πῦρ
φλεγόμενον ἐθεωρεῖτο. ὥστε τὴν κατάβασιν μὴ τοπικὴν εἶναι· πανταχοῦ (πάντῃ I) γὰρ
ὁ θεός ἐστιν.　19–23 vgl. auch Plut. Mor. p. 419 E　19–S. 448, 6 vgl. Philo De
decal. 33–35 (IV p. 276)

3 ἔτι Vi ἔτη L　10 ἐπίφασίς Valckenaer, De Aristob. p. 71 ἐπίφασίς L 12f.
⟨ὑπὸ⟩ παντὸς Ma, aber vgl. Arist.　14 πέντε] ε̄ L　18 πάντῃ Sy παντί L　25 ἀλλὰ
⟨καὶ⟩ Sy　27 δὴ] δὲ St　28 σύγκλυδος Po, Bast zu Greg. Cor. 918 συγκλύδου L

βοώντων οὐκ ὀλίγων τινῶν μυριάδων, καθάπερ ἐν παρατάξει· κατὰ
μέσον δὲ ἥκοντας ἤδη πλείονος ὁμοῦ καὶ ἐναργεστέρου ἀντιλαμβάνε-
σθαι θορύβου· ἐπὶ τέλει δὲ παιωνιζόντων ἀκούειν ὡς νενικηκότων.
αἰτία δ᾽, οἶμαι, πάσης ἠχοῦς ἥ τε λειότης τῶν τόπων καὶ τὸ ἀν-   5
5 τρῶδες. ἀποβαλλόμενον γοῦν τὸ εἰσφοιτῆσαν πνεῦμα πάλιν εἰς τὸ
αὐτὸ χωροῦν βιαιότερον ἠχεῖ.

      Καὶ ταῦτα μὲν ταύτῃ· θεῷ δὲ τῷ παντοκράτορι καὶ μηδενὸς 84, 1
ὄντος ὑποκειμένου φωνὴν καὶ φαντασίαν ἐγγεννῆσαι ἀκοῇ δυνατόν,
ἐνδεικνυμένῳ τὴν ἑαυτοῦ μεγαλειότητα παρὰ τὰ εἰωθότα φυσικὴν
10 ἔχειν τὴν ἀκολουθίαν, εἰς ἐπιστροφὴν τῆς μηδέπω πιστευούσης ψυχῆς
καὶ παραδοχὴν τῆς διδομένης ἐντολῆς. νεφέλης δ᾽ οὔσης καὶ ὄρους 2
ὑψηλοῦ πῶς οὐ δυνατὸν διάφορον ἦχον ἐξακούεσθαι, πνεύματος
κινουμένου διὰ τῆς ἐνεργούσης αἰτίας; διὸ καὶ φησιν ὁ προφήτης·
»φωνὴν ῥημάτων ὑμεῖς ἠκούετε, καὶ ὁμοίωμα οὐκ εἴδετε.« ὁρᾷς, 3
15 ὅπως ἡ κυριακὴ φωνὴ λόγος ἀσχημάτιστος· ἡ ⟨γὰρ⟩ τοῦ λόγου δύ-
ναμις, ῥῆμα κυρίου φωτεινόν, ἀλήθεια οὐρανόθεν ἄνωθεν ἐπὶ τὴν
συναγωγὴν τῆς ἐκκλησίας ἀφιγμένη, διὰ φωτεινῆς τῆς προσεχοῦς δια-
κονίας ἐνήργει.

      IV. Εὕροιμεν δ᾽ ἂν καὶ ἄλλο μαρτύριον εἰς βεβαίωσιν τοῦ τὰ 35, 1
20 κάλλιστα τῶν δογμάτων τοὺς ἀρίστους | τῶν φιλοσόφων παρ᾽ ἡμῶν 757 P
σφετερισαμένους ὡς ἴδια αὐχεῖν τὸ καὶ παρὰ τῶν ἄλλων βαρβάρων
ἀπηνθίσθαι τῶν εἰς ἑκάστην αἵρεσιν συντεινόντων τινά, μάλιστα δὲ
Αἰγυπτίων τά τε ἄλλα καὶ τὸ περὶ τὴν μετενσωμάτωσιν τῆς ψυχῆς
δόγμα. μέτιασι γὰρ οἰκείαν τινὰ φιλοσοφίαν Αἰγύπτιοι· αὐτίκα τοῦτο 2
25 ἐμφαίνει μάλιστα ἡ ἱεροπρεπὴς αὐτῶν θρησκεία.

                                                           269 St
      Πρῶτος μὲν γὰρ προέρχεται ὁ ᾠδός, ἕν τι τῶν τῆς μουσικῆς 3
ἐπιφερόμενος ουμβόλων. τοῦτόν φασι δύο βίβλους ἀνειληφέναι δεῖν
ἐκ τῶν Ἑρμοῦ, ὧν θάτερον μὲν ὕμνους περιέχει θεῶν, ἐκλογισμὸν
δὲ βασιλικοῦ βίου τὸ δεύτερον.

30   Μετὰ δὲ τὸν ᾠδὸν ὁ ὡροσκόπος, ὡρολόγιόν τε μετὰ χεῖρα καὶ 4
φοίνικα ἀστρολογίας ἔχων σύμβολα, πρόεισιν. τοῦτον τὰ ἀστρολο-

---

* 7f. 13—16 vgl. Philo De migr. Abr. 47f. (II p. 277)   14 Deut 4, 12   14 vgl.
S. 454, 7; Theod. Gr. aff. c. II 53; Act 9, 7; Eurip. Hipp. 86 (Fr)   19—S. 450, 4 Vet.
script. de reb. Aegypt. . . . fragm. coll. Bunsen p. 91 sq. (Ägyptens Stelle in der Welt-
geschichte II); vgl. O. Gruppe, Culte und Mythen I S. 410—430; Deiber a. a. O.
p. 65—77; 109—119   31—S. 449, 6 vgl. Fr. Boll, Sphaera S. 370

4 ἡ τελειότης L   5f. τὸ αὐτὸ St αὑτὸ τὸ L   6 ἤχει L   8 ἐγγενῆσαι L   9 ἐν-
δεικνυμένῳ Sy ἐνδεικνυμένου L   12 διάτορον Ma   15 ⟨γὰρ⟩ St   17 τῆς L καὶ St
21 τὸ St τῷ corr. aus τὰ L¹   30 χεῖρας Ma   31 πρόεισιν Sy πρόσεισιν L

γούμενα τῶν Ἑρμοῦ βιβλίων τέσσαρα ὄντα τὸν ἀριθμὸν ἀεὶ διὰ στό-
ματος ἔχειν χρή, ὧν τὸ μέν ἐστι περὶ τοῦ διακόσμου τῶν ἀπλανῶν
φαινομένων ἄστρων, ⟨τὸ δὲ περὶ τῆς τάξεως τοῦ ἡλίου καὶ τῆς
σελήνης καὶ περὶ τῶν πέντε πλανωμένων,⟩ τὸ δὲ περὶ τῶν συν-
5 όδων καὶ φωτισμῶν ἡλίου καὶ σελήνης, τὸ δὲ λοιπὸν περὶ τῶν
ἀνατολῶν.

Ἑξῆς δὲ ὁ ἱερογραμματεὺς προέρχεται, ἔχων πτερὰ ἐπὶ τῆς 36, 1
κεφαλῆς βιβλίον τε ἐν χερσὶ καὶ κανοῦν, ἐν ᾧ τό τε γραφικὸν μέλαν
καὶ σχοῖνος ᾗ γράφουσι. τοῦτον τὰ [τε] ἱερογλυφικὰ καλούμενα περὶ
10 τε τῆς κοσμογραφίας καὶ γεωγραφίας [τῆς τάξεως τοῦ ἡλίου καὶ τῆς
σελήνης καὶ περὶ τῶν πέντε πλανωμένων,] χωρογραφίας τε τῆς
Αἰγύπτου καὶ τῆς τοῦ Νείλου διαγραφῆς περί τε τῆς [καταγραφῆς]
⟨κατα⟩σκευῆς τῶν ἱερῶν καὶ τῶν ἀφιερωμένων αὐτοῖς χωρίων περί
τε μέτρων καὶ τῶν ἐν τοῖς ἱεροῖς χρησίμων | εἰδέναι χρή.   758 P

15   Ἔπειτα ὁ στολιστὴς τοῖς προειρημένοις ἔπεται, ἔχων τόν τε 2
τῆς δικαιοσύνης πῆχυν καὶ τὸ σπονδεῖον. οὗτος ⟨οἶδε⟩ τὰ παιδευτικὰ
πάντα καὶ ⟨τὰ⟩ μοσχοσφραγιστικὰ καλούμενα· δέκα δέ ἐστι τὰ εἰς τὴν
τιμὴν ἀνήκοντα τῶν παρ᾽ αὐτοῖς θεῶν καὶ τὴν Αἰγυπτίαν εὐσέβειαν
περιέχοντα, οἷον περὶ θυμάτων, ἀπαρχῶν, ὕμνων, εὐχῶν, πομπῶν
20 ἑορτῶν καὶ τῶν τούτοις ὁμοίων.

Ἐπὶ πᾶσι δὲ ὁ προφήτης ἔξεισι, προφανὲς τὸ ὑδρεῖον ἐγκεκολ- 37, 1
πισμένος, ᾧ ἕπονται οἱ τὴν ἔκπεμψιν τῶν ἄρτων βαστάζοντες.
οὗτος, ὡς ἂν προστάτης τοῦ ἱεροῦ, τὰ ἱερατικὰ καλούμενα δέκα 2
βιβλία ἐκμανθάνει (περιέχει δὲ περί τε νόμων καὶ θεῶν καὶ τῆς ὅλης
25 παιδείας τῶν ἱερέων)· ὁ γάρ τοι προφήτης παρὰ τοῖς Αἰγυπτίοις
καὶ τῆς διανομῆς τῶν προσόδων ἐπιστάτης ἐστίν.

Δύο μὲν οὖν καὶ τεσσαράκοντα αἱ πάνυ ἀναγκαῖαι τῷ Ἑρμῇ 3
γεγόνασι βίβλοι· ὧν τὰς μὲν τριάκοντα ἓξ τὴν πᾶσαν Αἰγυπτίων
περιεχούσας φιλοσοφίαν οἱ προειρημένοι ἐκμανθάνουσι, τὰς δὲ λοιπὰς

---

*   7f. vgl. Letronne, Recueil des Inscriptions I p. 267   15f. vgl. Letronne a. a. O.
II p. 469

2 ἔχειν corr. aus ἄγειν L¹   3f. ⟨τὸ δὲ περὶ—πλανωμένων⟩ (vgl. Z. 10f.) Gruppe
a. a. O. S. 417 ⟨τὸ δὲ περὶ τῶν πλανωμένων⟩ Heyse   8 κανοῦν Heyse κανόνα L
9 [τε] Gruppe   10f. [τῆς—πλανωμένων] (vgl. Z. 3f.) Gruppe   11 πέντε] ε̅ L   χωρο-
γραφίας St χωρογραφίαν L   12 [καταγραφῆς] St περιγραφῆς Gruppe περί τε τῆς
καταγραφῆς τῶν σκευῶν τῶν ἱερῶν Mayor   13 ⟨κατα⟩σκευῆς Wi Schw   15 τόν corr.
aus τό L¹   16 ⟨οἶδε⟩ St ⟨πεπαίδευται⟩ Bernays   17 καὶ ⟨τὰ⟩ St ⟨τὰ⟩ καὶ Schw   μοσχο-
σφραγιστικὰ (vgl. Herodot 2, 38; Porphyr. De abst. 4, 7) Marsham, Canon chron.
(1676) p. 242 (vgl. Wesseling zu Diod. bibl. I 70) μοσχοσφαγιστικὰ L   18 τῶν corr.
aus τὴν L¹   Αἰγυπτίων Sy   23 δέκα] ι L   28 τριάκοντα ἓξ] λϛ̅ L

ἓξ οἱ παστοφόροι ἰατρικὰς οὔσας περί τε τῆς τοῦ σώματος κατα-
σκευῆς καὶ περὶ νόσων καὶ περὶ ὀργάνων καὶ φαρμάκων καὶ περὶ
ὀφθαλμ⟨ι⟩ῶν καὶ τὸ τελευταῖον περὶ τῶν γυναικείων.

Καὶ τὰ μὲν Αἰγυπτίων ὡς ἐν βραχεῖ φάναι τοιαῦτα· Ἰνδῶν δὲ 88, 1
5 ἡ φιλοσοφία καὶ αὐτῶν διαβεβόηται.

Ἀλέξανδρος γοῦν ὁ Μακεδὼν δέκα λαβὼν Ἰνδῶν γυμνοσοφιστὰς 2
τοὺς δοκοῦντας ἀρίστους εἶναι καὶ βραχυλογωτάτους προβλήματα
αὐτοῖς προὔθηκε, τὸν μὴ ἀποκρινόμενον εὐστόχως ἀνελεῖν ἀπειλήσας,
ἕνα ⟨δὲ⟩ τὸν πρεσβύτατον αὐτῶν ἐπικρίνειν κελεύσας. ὁ μὲν οὖν 8
10 πρῶτος ἐξετασθείς, πότερον οἴεται τοὺς ζῶντας εἶναι πλείονας ἢ τοὺς
τεθνεῶτας, τοὺς ζῶντας ἔφη· οὐ γὰρ εἶναι τοὺς τεθνεῶτας. ὁ δεύ- 4
τερος δέ, πότερον τὴν γῆν ἢ τὴν θάλασσαν μείζονα θηρία τρέφειν,
τὴν γῆν ἔφη· ταύτης γὰρ μέρος εἶναι τὴν θάλασσαν. ὁ δὲ τρίτος, 5
ποῖόν ἐστι τῶν ζῴων πανουργότατον, ὃ μέχρι νῦν οὐκ ἐγνώσθη,
15 εἶπεν, ἄνθρωπος. ὁ δὲ τέταρτος ἀνακρινόμενος, τίνι λογισμῷ τὸν 6
Σάββαν ἀπέστησαν ἄρχοντα | αὐτῶν ὄντα, ἀπεκρίθη· καλῶς ζῆν βου- 759 P
λόμενοι αὐτὸν ἢ καλῶς ἀποθανεῖν. ὁ δὲ πέμπτος ἐρωτηθείς, πότε- 7
ρον οἴεται τὴν ἡμέραν πρότερον ἢ τὴν νύκτα γεγονέναι, εἶπεν· ⟨ἡ
νὺξ⟩ ἡμέρᾳ μιᾷ· τῶν γὰρ ἀπόρων ἐρωτήσεων ἀνάγκη καὶ τὰς ἀπο-
20 κρίσεις ἀπόρους εἶναι. ὁ δὲ ἕκτος ἐρωτηθείς, πῶς ἄν τις φιληθείη 8
μάλιστα, ἂν κράτιστος ὤν, ἔφη, μὴ φοβερὸς ᾖ. ὁ δὲ ἕβδομος ἐρω- 9
τηθείς, πῶς ἄν τις ἐξ ἀνθρώπων γένοιτο θεός, εἰ πράξειεν, εἶπεν, ἃ
πρᾶξαι ἄνθρωπον μὴ δυνατόν ἐστιν. ὁ δὲ ὄγδοος ἐρωτηθείς, τί ἰσχυ- 10
ρότερον, ζωὴ ἢ θάνατος, ζωή, ἔφη, τοσαῦτα κακὰ φέρουσα. ὁ δὲ 11
25 ἔνατος ἐξετασθείς, μέχρι τίνος ἀνθρώπῳ καλῶς ἔχει ζῆν, μέχρι οὗ,
ἔφη, μὴ νομίζῃ τὸ τεθνάναι τοῦ ζῆν ἄμεινον. κελεύσαντος δὲ τοῦ 12
Ἀλεξάνδρου καὶ τὸν δέκατον εἰπεῖν τι (δικαστὴς γὰρ ἦν), ἕτερος,
ἔφη, ἑτέρου χεῖρον εἶπεν· τοῦ δὲ Ἀλεξάνδρου φήσαντος· οὐκοῦν καὶ

---

* 6—S. 451, 8 Plutarch Vita Alex. 64; Pseudo-Kallisthenes III 6   9—11 Parallelen
bei Sternbach, Gnomol. Vatic. 130   17—19 als Ausspruch des Thales Diog. Laert. I
36 (Fr)

2 vor φαρμάκων ist περὶ getilgt L¹   8 ὀφθαλμ⟨ι⟩ῶν Wi   4 τοιαῦτα Ma τοσαῦτα
L   8 προὔγραφε Plut.   9 ⟨δὲ⟩ aus Plut. κρίνειν Plut.   τὸν πρεσβύτατον aus Plut.
Doehner, Quaest. Plut. III p. 44 τὸν (corr. aus τῶν) πρεσβύτερον L¹   9—27 zur Auf-
zählung α′ bis ε′ L¹, ϛ′ bis ι′ L³ am Rand   11 οὐκέτι Plut.   14 ὁ μέχρι τοῦ νῦν
ἄνθρωπος οὐκ ἔγνωκεν Plut.   15 ἀνθρώποις Sintenis, Hermes 1 (1866) p. 144; vgl.
aber Ps.-Kall.   16 Σάρβαν Plut. σαββᾶ corr. aus σαβᾶ L³   ἀπέστησεν Plut.   ἄρχον-
τα—ὄντα < Plut.   αὐτὸν Sy αὐτῶν L   16f. βουλόμενος Plut.   17 καλῶς Doehner
aus Plut. κακῶς L   18 νύκτα L³ νύκταν L*   18f. ⟨ἡ νὺξ⟩ (vgl. Diog. Laert. I 36)
Nauck, Bull. de l'Acad. de St. Pétersbourg 3 (1861) Sp. 322 ⟨τὴν ἡμέραν⟩ Doehner
aus Plut.   19f. ἀποκρίσεις Plut. ἀπορήσεις L   20 ἐρωτηθείς Di ἀπορηθείς L
21 ἄν—ᾖ Plut. ἄν—εἴη L εἰ—εἴη Doehner

σὺ πρῶτος ἀποθανῇ τοιαῦτα κρίνων; καὶ πῶς, εἶπεν, βασιλεῦ,
ἀληθὴς εἴης, φήσας πρῶτον ἀποκτεῖναι τον [πρῶτον] ἀποκρινάμενον
κάκιστα;

V. Καὶ ὡς μὲν κλέπται πάσης γραφῆς Ἕλληνες ᾕρηνται, ἱκα- 39, 1
5 νῶς, οἶμαι, διὰ πλειόνων δέδεικται τεκμηρίων· ὅτι δὲ οὐ κατ᾽ ἐπί-
γνωσιν ἴσασι τὸν θεόν, ἀλλὰ κατὰ περίφρασιν Ἑλλήνων οἱ δοκιμώ-
τατοι, Πέτρος ἐν τῷ Κηρύγματι λέγει· »γινώσκετε οὖν ὅτι εἷς θεός 2
ἐστιν, ὃς ἀρχὴν πάντων ἐποίησεν, καὶ τέλους ἐξουσίαν ἔχων·« καὶ·
»ὁ ἀόρατος, ὃς τὰ πάντα ὁρᾷ, ἀχώρητος, ὃς τὰ πάντα χωρεῖ, ἀνε- 3
10 πιδεής, οὗ τὰ πάντα ἐπιδέεται καὶ δι᾽ ὃν ἐστιν, ἀκατάληπτος, ἀέναος,
ἄφθαρτος, ἀποίητος, ὃς τὰ πάντα ἐποίησεν λόγῳ | δυνάμεως αὐτοῦ,«
[τῆς γνωστικῆς γραφῆς] τουτέστι τοῦ υἱοῦ. εἶτα ἐπιφέρει· »τοῦτον 4
τὸν θεὸν σέβεσθε μὴ κατὰ τοὺς Ἕλληνας·« ὡς δηλονότι τὸν αὐτὸν
ἡμῖν σεβόντων θεὸν καὶ τῶν παρ᾽ Ἕλλησι δοκίμων, ἀλλ᾽ οὐ κατ᾽ 760 P
15 ἐπίγνωσιν παντελῆ, τὴν δι᾽ υἱοῦ παράδοσιν ⟨μὴ⟩ μεμαθηκότων.
»μή«, τοίνυν φησί, »σέβεσθε« — οὐκ εἶπεν »θεὸν ὃν οἱ Ἕλληνες«, ἀλλὰ 5
»μὴ κατὰ τοὺς Ἕλληνας«, τὸν τρόπον τὸν τῆς σεβάσεως ἐναλλάττων
τοῦ θεοῦ, οὐχὶ δὲ ἄλλον καταγγέλλων. τί οὖν ἐστι τὸ »μὴ κατὰ 40, 1
τοὺς Ἕλληνας«, αὐτὸς διασαφήσει Πέτρος ἐπιφέρων· »ὅτι | ἀγνοίᾳ 270 S
20 φερόμενοι καὶ μὴ ἐπιστάμενοι τὸν θεὸν ὡς ἡμεῖς κατὰ τὴν γνῶσιν
τὴν τελείαν, ὧν ἔδωκεν αὐτοῖς ἐξουσίαν εἰς χρῆσιν, μορφώσαντες,
ξύλα καὶ λίθους, χαλκὸν καὶ σίδηρον, χρυσὸν καὶ ἄργυρον, τῆς ὕλης
αὐτῶν καὶ χρήσεως ⟨ἐπιλαθόμενοι⟩, τὰ δοῦλα τῆς ὑπάρξεως ἀναστή-
σαντες, σέβονται, καὶ ἃ δέδωκεν αὐτοῖς εἰς βρῶσιν ὁ θεός, ⟨τὰ⟩ πετεινὰ 2

7—S. 452, 18 Kerygma Petri Fr. 2—5 v. Dobschütz TU XI 1 S. 18—22; vgl.
Hilgenfeld, Nov. Test. extra can. rec. IV² S. 60—62; Preuschen, Antileg. S. 52f.
7f. vgl. Strom. VI 58, 1   11 vgl. Hebr 1, 3   12f. 19—22 vgl. Orig. Comm. in Io. XIII
17 p. 241, 17ff. Pr. ὡς Πέτρου διδάξαντος, μὴ δεῖν καθ᾽ Ἕλληνας προσκυνεῖν, τὰ
τῆς ὕλης πράγματα ἀποδεχομένους καὶ λατρεύοντας ξύλοις καὶ λίθοις.

1 ἀποθανῇ Plut. ḤSS ἀποθάνῃ L   πῶς ⟨ἄν⟩ Doehner   2 ἀποκτενεῖν Plut.   [πρῶ-
τον] St   4 ᾕρηνται Jackson, Journ. of Philol. 24 (1896) S. 271 εἴρηνται L   6 περί-
φρασιν Lowth περίφασιν L   7 am Rand: Πέτρου ἐκ τῶν ἀποκρύφων, ἐκ τῶν περιόδων
οἶμαι L³   8 πάντων corr. in πάντα L³   9 [ὁ] St   12 [τῆς γν. γραφῆς] St   ⟨οὐ⟩ τῆς
γν, γρ. Preuschen τῇ γνωστικῇ γραφῇ Grabe τῆς γνωστικῆς ἀρχῆς Klst (vgl. Ecl.
proph. 4); τῆς γνωστῆς διὰ τῆς γραφῆς Fr   15 ⟨τῆς γνωστικῆς γραφῆς⟩ παράδοσιν
μεμαθηκότων Schw   ⟨μὴ⟩ üb. d. Z. L³   17 σεβάσεως Sy (Index) σεβήσεως L viel-
leicht richtig vgl. S. 487, 18   19 ⟨ὁ⟩ Πέτρος Preuschen   20f. καὶ—τελείαν »Zusatz
des Clem.« v. Dobschütz   21 ὧν Ρο ἦν L ἧς Preuschen   22f. τῆς ὕλης αὐτῶν καὶ
χρήσεως] τῇ ὕλῃ αὐτῶν κεχρημένοι Preuschen   τὴν ὕλην Ρο τῆς βουλῆς Hilg. τῆς
ὕλης αὐτῶν ∼ nach χρῆσιν (Ζ. 21) Ma   23 ⟨ἐπιλαθόμενοι⟩ St   τὰ δοῦλα τῆς ὑπάρξεως
καὶ χρήσεως ∼ nach τελείαν (Ζ. 21) Ma   24 ⟨τὰ⟩ Wi

29*

τοῦ ἀέρος καὶ τῆς θαλάσσης τὰ νηκτὰ καὶ τῆς γῆς τὰ ἑρπετὰ [καὶ
τὰ] θηρία σὺν κτήνεσι τετραπόδοις τοῦ ἀγροῦ, γαλᾶς τε καὶ μῦς
αἰλούρους τε καὶ κύνας καὶ πιθήκους· καὶ τὰ ἴδια βρώματα βρω-
τοῖς θύματα θύουσιν καὶ νεκρὰ νεκροῖς προσφέροντες ὡς θεοῖς ἀχα-
5 ριστοῦσι τῷ θεῷ, διὰ τούτων ἀρνούμενοι αὐτὸν εἶναι.« καὶ ὅτι γε 41,
ὡς τὸν αὐτὸν θεὸν ἡμῶν τε αὐτῶν καὶ Ἑλλήνων ἐγνωκότων φέ-
ρεται, πλὴν οὐχ ὁμοίως, ἐποίσει πάλιν ὧδέ πως· »μηδὲ κατὰ Ἰου- 2
δαίους σέβεσθε· καὶ γὰρ ἐκεῖνοι μόνοι οἰόμενοι τὸν θεὸν γινώσκειν
οὐκ ἐπίστανται, λατρεύοντες ἀγγέλοις καὶ ἀρχαγγέλοις, μηνὶ καὶ
10 σελήνη. καὶ ἐὰν μὴ σελήνη φανῇ, σάββατον οὐκ ἄγουσι τὸ λεγόμε- 3
νον πρῶτον, οὐδὲ νεομηνίαν ἄγουσιν οὔτε ἄζυμα οὔτε ἑορτὴν οὔτε
μεγάλην ἡμέραν.« εἶτα τὸν κολοφῶνα τοῦ ζητουμένου προσεπιφέρει 4
»ὥστε καὶ ὑμεῖς ὁσίως καὶ δικαίως μανθάνοντες ἃ παραδίδομεν ὑμῖν,
φυλάσσεσθε, καινῶς τὸν θεὸν διὰ τοῦ Χριστοῦ σεβόμενοι εὕρομεν 5
15 γὰρ ἐν ταῖς γραφαῖς καθὼς | ὁ κύριος λέγει· »ἰδοὺ διατίθεμαι ὑμῖν 761
καινὴν διαθήκην, οὐχ ὡς διεθέμην τοῖς πατράσιν ὑμῶν ἐν ὄρει
Χωρήβ.« νέαν ἡμῖν διέθετο· τὰ γὰρ Ἑλλήνων καὶ Ἰουδαίων παλαιά, 6
ἡμεῖς δὲ οἱ καινῶς αὐτὸν τρίτῳ γένει σεβόμενοι Χριστιανοί.« σαφῶς 7
γάρ, οἶμαι, ἐδήλωσεν τὸν ἕνα καὶ μόνον θεὸν ὑπὸ μὲν Ἑλλήνων
20 ἐθνικῶς, ὑπὸ δὲ Ἰουδαίων Ἰουδαϊκῶς, καινῶς δὲ ὑφ᾽ ἡμῶν καὶ πνευ-
ματικῶς γινωσκόμενον. πρὸς δὲ καὶ ὅτι ὁ αὐτὸς θεὸς ἀμφοῖν ταῖν 42,
διαθήκαιν χορηγός, ὁ καὶ τῆς Ἑλληνικῆς φιλοσοφίας δοτὴρ τοῖς
Ἕλλησιν, δι᾽ ἧς ὁ παντοκράτωρ παρ᾽ Ἕλλησι δοξάζεται, παρέστησεν.
δῆλον δὲ κἀνθένδε. ἐκ γοῦν τῆς Ἑλληνικῆς παιδείας, ἀλλὰ καὶ ἐκ 2
25 τῆς νομικῆς εἰς τὸ ἓν γένος τοῦ σῳζομένου συνάγονται λαοῦ οἱ τὴν
πίστιν προσιέμενοι, ᾗ χρόνῳ διαιρουμένων τῶν τριῶν λαῶν, ἵνα
τίς φύσεις ὑπολάβοι τριττάς, διαφόροις δὲ παιδευομένων διαθήκαις
τοῦ ἑνὸς κυρίου, ** ὄντας ἑνὸς κυρίου ῥήματι· ἐπεί, ὅτι καθάπερ Ἰου- 3
δαίους σῴζεσθαι ἠβούλετο ὁ θεὸς τοὺς προφήτας διδούς, οὕτως καὶ
30 Ἑλλήνων τοὺς δοκιμωτάτους οἰκείους αὐτῶν τῇ διαλέκτῳ προφήτας

---

*   1f. vgl. Tat. or. in Gr. 9 S. 9, 25ff. (Fr)   1—4 vgl. Aristid. Apol. 12 ἄλογα ζῷα
παρεισήγαγον θεοὺς εἶναι, χερσαῖά τε καὶ ἔνυδρα ... ὁρῶντες γὰρ τοὺς θεοὺς αὐτῶν
βιβρωσκομένους ὑπὸ ἑτέρων ἀνθρώπων.   7—10 vgl. Orig. a. a. O. μηδὲ (μήτε HS)
κατὰ Ἰουδαίους σέβειν τὸ θεῖον, ἐπείπερ καὶ αὐτοὶ μόνοι οἰόμενοι ἐπίστασθαι θεὸν
ἀγνοοῦσιν αὐτόν, λατρεύοντες ἀγγέλοις καὶ μηνὶ καὶ σελήνη.   15—17 vgl. Ier 38 (31),
31f.; Deut 29, 1

      1f. [καὶ τὰ] St (vgl. Orac. Sib. Fr. 3, 28 καὶ πετεινὰ σέβεσθε καὶ ἑρπετὰ θηρία
γαίης)   2f. γαλᾶς—πιθήκους Zusatz? Wi   3 αἰλούρους Vi ἐλούρους L   3f. βρωτοῖς
Po (vgl. Aristid. Apol. 12) βροτοῖς L   4 θύοντες Wi   11 ⟨σκηνῶν⟩ ἑορτὴν Diels ἑορ-
τὴν ⟨τῆς πεντηκοστῆς⟩ Preuschen   12 τῷ ζητουμένῳ Mü   14 θῦ L¹ χ̅ν̅ L*   17f.
ἡμῖν—ἡμεῖς Sy ὑμῖν—ὑμεῖς L   28 ὄντας] ὄντως Sy etwa ⟨πιστευ⟩όντων St ⟨οὓς εἰκὸς
ἦν σῴζεσθαι ὑπακού⟩οντας Fr

ἀναστήσας, ὡς οἷοί τε ἦσαν δέχεσθαι τὴν παρὰ τοῦ θεοῦ εὐεργεσίαν,
τῶν χυδαίων ἀνθρώπων διέκρινεν, δηλώσει πρὸς τῷ Πέτρου Κηρύ-
γματι ὁ ἀπόστολος λέγων Παῦλος· ›λάβετε καὶ τὰς Ἑλληνικὰς βίβλους. **43, 1**
ἐπίγνωτε Σίβυλλαν, ὡς δηλοῖ ἕνα θεὸν καὶ τὰ μέλλοντα ἔσεσθαι, **762 P**
5 καὶ τὸν Ὑστάσπην λαβόντες ἀνάγνωτε, καὶ εὑρήσετε πολλῷ τηλαυ-
γέστερον καὶ σαφέστερον γεγραμμένον τὸν υἱὸν τοῦ θεοῦ, καὶ καθὼς
παράταξιν ποιήσουσι τῷ Χριστῷ πολλοὶ βασιλεῖς, μισοῦντες αὐτὸν
καὶ τοὺς φοροῦντας τὸ ὄνομα αὐτοῦ καὶ τοὺς πιστοὺς αὐτοῦ, καὶ τὴν
ὑπομονὴν καὶ τὴν παρουσίαν αὐτοῦ.‹ εἶτα ἑνὶ λόγῳ πυνθάνεται **2**
10 ἡμῶν· ›ὅλος δὲ ὁ κόσμος καὶ τὰ ἐν τῷ κόσμῳ τίνος; οὐχὶ τοῦ θεοῦ;‹
διὰ τοῦτό φησιν ὁ Πέτρος εἰρηκέναι τὸν κύριον τοῖς ἀποστόλοις· **3**
›ἐὰν μὲν οὖν τις θελήσῃ τοῦ Ἰσραὴλ μετανοήσας διὰ τοῦ ὀνό-
ματός μου πιστεύειν ἐπὶ τὸν θεόν, ἀφεθήσονται αὐτῷ αἱ ἁμαρτίαι.
μετὰ ⟨δὲ⟩ δώδεκα ἔτη ἐξέλθετε εἰς τὸν κόσμον, μή τις εἴπῃ· ›οὐκ
15 ἠκούσαμεν.‹«

VI. Ἀλλ᾽ ὡς κατὰ καιρὸν ἧκει τὸ κήρυγμα νῦν, οὕτως κατὰ **44, 1**
καιρὸν ἐδόθη νόμος μὲν καὶ προφῆται βαρβάροις, φιλοσοφία δὲ
Ἕλλησι, τὰς ἀκοὰς ἐθίζουσα πρὸς τὸ κήρυγμα. ›λέγει γοῦν κύριος **2**
ὁ ῥυσάμενος Ἰσραήλ· καιρῷ δεκτῷ ἐπήκουσά σου καὶ ἐν ἡμέρᾳ σω-
20 τηρίας ἐβοήθησά σοι, ἔδωκά σε εἰς διαθήκην ἐθνῶν τοῦ κατασκη-
νῶσαι τὴν γῆν καὶ κληρονομῆσαι κληρονομίαν ἐρήμου, λέγοντα τοῖς
ἐν δεσμοῖς· ἐξέλθετε, καὶ τοῖς ἐν τῷ σκότει ἀνακαλυφθῆναι.‹ εἰ γὰρ **3**
δέσμιοι μὲν Ἰουδαῖοι, ἐφ᾽ ὧν καὶ ὁ κύριος ›ἐξέλθετε‹ εἶπεν ›ἐκ τῶν
δεσμῶν οἱ θέλοντες‹, τοὺς ἑκουσίως δεδεμένους καὶ ›τὰ δυσβάστακτα
25 φορτία‹ (φησὶν) αὐτοῖς διὰ τῆς ἀνθρωπίνης παρεγχειρήσεως ἐπανα-
θεμένους λέγων, δῆλον ὡς οἱ ›ἐν σκότει‹ οὗτοι ἂν εἶεν οἱ ἐν τῇ
εἰδωλολατρείᾳ κατορωρυγμένον ἔχοντες τὸ ἡγεμονικόν. τοῖς μὲν γὰρ **4**

2 vgl. Exod 1, 7　3—9. 10 viell. aus den Πράξεις Παύλου vgl. v. Dobschütz;
TU XI 1 S. 123—127; Harnack, Gesch. d. altchr. Lit. I S. 129; II 1 S. 492; Zahn,
Gesch. d. ntl. Kanons II 2 S. 827f. 879　5 Über Hystaspes vgl. Schürer, Gesch. d.
jüd. Volkes II S. 808f.; Harnack, a. a. O. I S. 863 Nr. 81; II 1 S. 589; H. Windisch,
Die Orakel des Hystasp., Amst. 1929, Verh. d. Kon. Ak. d. W. te A., Afd. Letterk.
Nieuwe Reeks Deel XXVIII 3　12—15 Kerygma Petri Fr. 6 TU XI 1 S. 22;
vgl. Hilgenfeld, Nov. Test. extra can. rec. IV² p. 60; Resch, Agrapha² S. 128f.
14f. vgl. Strom. VI 48, 2; Apollonios bei Euseb. H. E. V 18, 14 τὸν σωτῆρά φησιν
προστεταχέναι τοῖς αὐτοῦ ἀποστόλοις ἐπὶ δώδεκα ἔτεσιν μὴ χωρισθῆναι τῆς Ἱερουσαλήμ.
Andere Stellen s. bei v. Dobschütz S. 53f.　18—22 Is 49, 7—9　23f. vgl. A. Resch,
Agrapha² S. 128f. 88　24f. vgl. Lc 11, 46 (Mt 23, 4)　27 vgl. Plato Rep. VII
p. 533 D τὸ τῆς ψυχῆς ὄμμα κατορωρυγμένον

3 λέγων [Παῦλος] oder Παῦλος λέγων St　10 τῷ corr. aus αὐτῷ L¹　12 μετα-
νοήσας Sy μετανοῆσαι L　13 ⟨καὶ⟩ πιστεύειν Credner (μετανοῆσαι . . .) πιστεύων
Hilg.　14 ⟨δὲ⟩ Dobschütz　25 αὐτοῖς L

κατὰ νόμον δικαίοις ἔλειπεν ἡ πίστις, διὸ καὶ τούτους ἰώμενος ὁ
κύριος ἔλεγεν· ⟩ἡ πίστις σου σέσωκέν σε⟨· τοῖς δὲ κατὰ φιλοσοφίαν
δικαίοις οὐχ ἡ πίστις μόνον ἡ εἰς τὸν κύριον, ἀλλὰ καὶ τὸ ἀποστῆναι
τῆς εἰδωλολατρείας ἔδει. αὐτίκα ἀποκαλυφθείσης τῆς ἀληθείας 5
5 καὶ αὐτοὶ ἐπὶ τοῖς προπεπραγμένοις μεταμέλονται· διόπερ ὁ κύριος
εὐηγγελίσατο καὶ τοῖς | ἐν ῞Αιδου. φησὶ γοῦν ἡ γραφή· ⟩λέγει ὁ 763
῞Αιδης τῇ ἀπωλείᾳ· εἶδος μὲν αὐτοῦ οὐκ εἴδομεν, φωνὴν δὲ αὐτοῦ
ἠκούσαμεν.⟨ οὐχ ὁ τόπος δή που φωνὴν λαβὼν εἶπεν τὰ προειρη- 2
μένα, ἀλλ᾽ οἱ ἐν ῞Αιδου καταγέντες καὶ εἰς ἀπώλειαν ἑαυτοὺς ἐκδε-
10 δωκότες καθάπερ ἔκ τινος νεὼς εἰς θάλασσαν ἑκόντες ἀπορρίψαντες,
οὗτοι τοίνυν εἰσὶν οἱ ἐπακούσαντες τῆς θείας δυνάμεώς τε καὶ φω-
νῆς· ἐπεὶ τίς ἂν εὖ φρονῶν ἐν μιᾷ καταδίκῃ καὶ τὰς τῶν δικαίων 3
καὶ τὰς τῶν ἁμαρτωλῶν ὑπολάβοι εἶναι ψυχάς, ἀδικίαν τῆς προνοίας
καταχέων; τί δ᾽; οὐχὶ δηλοῦσιν εὐηγγελίσθαι τὸν κύριον τοῖς τε 4
15 ἀπολωλόσιν ἐν τῷ κατακλυσμῷ, μᾶλλον δὲ πεπεδημένοις, καὶ τοῖς
ἐν | φυλακῇ τε καὶ φρουρᾷ συνεχομένοις; δέδεικται δὲ κἀν τῷ δευ- 271
τέρῳ Στρωματεῖ τοὺς ἀποστόλους ἀκολούθως τῷ κυρίῳ καὶ τοὺς
ἐν ῞Αιδου εὐηγγελισμένους· ἐχρῆν γάρ, οἶμαι, ὥσπερ κἀνταῦθα, οὕτως
δὲ κἀκεῖσε τοὺς ἀρίστους τῶν μαθητῶν μιμητὰς γενέσθαι τοῦ διδα-
20 σκάλου, ἵν᾽ ὃ μὲν τοὺς ἐξ Ἑβραίων, οἳ δὲ τὰ ἔθνη εἰς ἐπιστροφὴν
ἀγάγωσι, τουτέστιν τοὺς ἐν δικαιοσύνῃ τῇ κατὰ νόμον καὶ κατὰ
φιλοσοφίαν βεβιωκότας μέν, οὐ τελείως δέ, ἀλλ᾽ ἁμαρτητικῶς δια-
περαναμένους τὸν βίον· τουτὶ γὰρ ἔπρεπεν τῇ θείᾳ οἰκονομίᾳ τοὺς 6
ἀξίαν μᾶλλον ἐσχηκότας ἐν δικαιοσύνῃ καὶ προηγουμένως βεβιωκότας
25 ἐπί τε τοῖς πλημμεληθεῖσι μετανενοηκότας, κἂν ἐν ἄλλῳ τόπῳ τύχω-
σιν ἐξομολογούμενοι, ἐν τοῖς τοῦ θεοῦ ὄντας τοῦ παντοκράτορος
κατὰ τὴν οἰκείαν ἑκάστου γνῶσιν σωθῆναι.

Ἐνεργεῖ δέ, οἶμαι, καὶ ὁ σωτήρ, ἐπεὶ τὸ σῴζειν ἔργον αὐτοῦ· 46
ὅπερ οὖν καὶ πεποίηκεν, τοὺς εἰς αὐτὸν πιστεῦσαι βεβουλημένους διὰ
30 τοῦ κηρύγματος, ὅποι ποτ᾽ ἔτυχον γεγονότες, ἑλκύσας εἰς σωτηρίαν.
εἰ γοῦν ὁ κύριος δι᾽ οὐδὲν ἕτερον εἰς ῞Αιδου κατῆλθεν ἢ διὰ τὸ 2

---

1 vgl. zu λείπω Lc 18, 22   2 vgl. Mt 9, 22 u. ö.   5f. vgl. I Petr 3, 19   6—8 vgl.
Iob 28, 22; Deut 4, 12; Adumbr. in I Petr 3, 19f.; Hippol. Ref. V 8, 14 u. dazu
Zahn, Forsch. III S. 94f.; St. Clem. u. d. LXX S. 44   vgl. auch W. Bousset, Kyrios
Christos S. 33 A 1; R. Reitzenstein, Das Mandäische Buch des Herrn der Größe
S. 32 A 1   7 s. zu S. 448, 14   14—16 vgl. I Petr 3, 19f.   16—18 vgl. Strom. II 44, 1
26 vgl. Lc 2, 49   28 vgl. Io 5, 17; 9, 4

4 ἔδει L ἔλειπεν Ma (vgl. oben Z. 1; S. 455, 8f.) ἐνέδει Tengbl. sprachlich be-
denklich; Richtigkeit der Überl. bereits Fr PhW 59, 1939, 1090 erwiesen.   5 προ-
πεπραγμένοις corr. aus προτετραμένοις L¹   11 οὗτοι St αὐτοὶ L   14 δηλοῦσιν ⟨αἱ
γραφαί⟩ St   [τε] St   15 [τοῖς] St

εὐαγγελίσασθαι, ὥσπερ κατῆλθεν, ἤτοι πάντας εὐηγγελίσατο | ἢ 764 P
μόνους Ἑβραίους. εἰ μὲν οὖν πάντας, σωθήσονται πάντες οἱ πιστεύ- 8
σαντες, κἂν ἐξ ἐθνῶν ὄντες τύχωσιν, ἐξομολογησάμενοι ἤδη ἐκεῖ,
ἐπεὶ σωτήριοι καὶ παιδευτικαὶ αἱ κολάσεις τοῦ θεοῦ εἰς ἐπιστροφὴν
5 ἄγουσαι καὶ τὴν μετάνοιαν τοῦ ἁμαρτωλοῦ μᾶλλον ἢ τὸν θάνατον
αἱρούμεναι, καὶ ταῦτα καθαρώτερον διορᾶν δυναμένων τῶν σωμάτων
ἀπηλλαγμένων ψυχῶν, κἂν πάθεσιν ἐπισκοτῶνται, διὰ τὸ μηκέτι
ἐπιπροσθεῖσθαι σαρκίῳ· εἰ δὲ Ἰουδαίους μόνον εὐηγγελίσατο, οἷς ἔλει- 4
πεν ἡ διὰ τοῦ σωτῆρος ἐπίγνωσίς τε καὶ πίστις, δῆλόν που ὡς ἄρα
10 ἀπροσωπολήπτου ὄντος τοῦ θεοῦ καὶ οἱ ἀπόστολοι, καθάπερ ἐν-
ταῦθα, οὕτως κἀκεῖ τοὺς ἐξ ἐθνῶν ἐπιτηδείους εἰς ἐπιστροφὴν εὐηγ-
γελίσαντο, καὶ καλῶς εἴρηται τῷ Ποιμένι· ›κατέβησαν οὖν ⟨μετ'⟩ 5
αὐτῶν εἰς τὸ ὕδωρ, ἀλλ' οὗτοι μὲν ζῶντες κατέβησαν καὶ ζῶντες
ἀνέβησαν· ἐκεῖνοι δὲ οἱ προκεκοιμημένοι νεκροὶ κατέβησαν, ζῶντες
15 δὲ ἀνέβησαν.‹

Ναὶ μὴν καὶ σώματά φησι τὸ εὐαγγέλιον πολλὰ τῶν κεκοιμη- 47, 1
μένων ἀνεστάσθαι, εἰς ἀμείνω δηλονότι μετατεθειμένων τάξιν. γέγο-
νεν ἄρα τις καθολικὴ κίνησις καὶ μετάθεσις κατὰ τὴν οἰκονομίαν τοῦ
σωτῆρος. δίκαιος τοίνυν δικαίου καθὸ δίκαιός ἐστιν οὐ διαφέρει, ἐάν 2
20 τε νομικὸς ᾖ ἐάν τε Ἕλλην· οὐ γὰρ Ἰουδαίων μόνων, πάντων δὲ
ἀνθρώπων ὁ θεὸς κύριος, προσεχέστερον δὲ τῶν ἐγνωκότων· πατήρ.
εἰ γὰρ τὸ καλῶς βιοῦν καὶ νομίμως ἐστὶ βιοῦν καὶ τὸ εὐλόγως βιοῦν 3
κατὰ νόμον ἐστὶ βιοῦν, ὀρθῶς δὲ βεβιωκότες οἱ πρὸ νόμου εἰς πίστιν
ἐλογίσθησαν καὶ δίκαιοι εἶναι ἐκρίθησαν, δῆλόν που καὶ τοὺς ἐκτὸς
25 νόμου γενομένους διὰ τὴν τῆς ψυχῆς ἰδιότητα, ὀρθῶς βεβιωκότας,
εἰ καὶ ἐν Ἅιδου ἔτυχον ὄντες καὶ ἐν φρουρᾷ, ἐπακούσαντας τῆς τοῦ
κυρίου φωνῆς, εἴτε τῆς αὐθεντικῆς εἴτε καὶ τῆς διὰ τῶν ἀποστόλων
ἐνεργούσης, ᾗ τάχος ἐπιστραφῆναί τε καὶ πιστεῦσαι. μεμνήμεθα γὰρ
ὅτι δύναμις τοῦ θεοῦ ἐστιν ὁ κύριος· καὶ οὐκ ἄν ποτε ἀσθενῆσαι
30 δύναμις. οὕτως οἶμαι δείκνυσθαι ἀγαθὸν μὲν τὸν θεόν, δυνατὸν δὲ 4
τὸν κύριον σῴζειν μετὰ δικαιοσύνης καὶ ἰσότητος τῆς πρὸς τοὺς

5f. vgl. Ez 18, 23; 33,.11   10 vgl. Act 10, 34; Rom 2, 11   12—15 Herm. Sim.
IX 16, 6; vgl. Strom. II 44, 2   16f. vgl. Mt 27, 52   20f. vgl. Rom 3, 29; 10, 12
23f. vgl. Rom 4, 3; 9, 30   vgl. Strom. II 124, 3 (S. 180, 23)   29 vgl. I Cor 1, 24

1 εὐαγγελίσασθαι L   εὐηγγελίσατο Di εὐαγγελίσασθαι L   8 μόνους Mü unnötig
(Fr)   10 [καὶ] St   12 ⟨μετ'⟩ aus Herm. u. Strom. II   17 μετατεθειμένων corr. aus
μετατιθεμένων L¹   24 ἐλογίσθησαν corr. aus ἐκλογίσθησαν L¹   25 ψυχῆς (vgl. Strom.
VI 69, 2) St   φωνῆς L φύσεως Höschel ἀγωγῆς als paläographisch wahrscheinlicher
Fr   26 ἐπακούσαντας Sy ἐπακούσαντες L   28 ᾗ Sy ἢ L

ἐπιστρέφοντας εἴτε ἐνταῦθα εἴτε καὶ ἀλλαχόθι. οὐ γὰρ ἐνταῦθα
μόνον ἡ δύναμις ἡ ἐνεργητικὴ φθάνει, πάντῃ δέ ἐστι καὶ ἀεὶ
ἐργάζεται.

Αὐτίκα ἐν τῷ Πέτρου Κηρύγματι ὁ κύριός φησι πρὸς | τοὺς μα- 48,17
5 θητὰς μετὰ τὴν ἀνάστασιν· »ἐξελεξάμην ὑμᾶς δώδεκα, μαθητὰς 2
κρίνας ἀξίους ἐμοῦ, οὓς ὁ κύριος ἠθέλησεν, καὶ ἀποστόλους πιστοὺς
ἡγησάμενος εἶναι, πέμπων ἐπὶ τὸν κόσμον εὐαγγελίσασθαι τοὺς κατὰ
τὴν οἰκουμένην ἀνθρώπους, γινώσκειν ὅτι εἷς θεός ἐστιν, διὰ τῆς
τοῦ Χριστοῦ πίστεως ἐμῆς δηλοῦντας τὰ μέλλοντα, ὅπως οἱ ἀκού-
10 σαντες καὶ πιστεύσαντες σωθῶσιν, οἱ δὲ μὴ πιστεύσαντες ἀκούσαντες
μαρτυρήσωσιν, οὐκ ἔχοντες ἀπολογίαν εἰπεῖν· »οὐκ ἠκούσαμεν.« τί 3
οὖν; οὐχὶ καὶ ἐν Ἅιδου ἡ αὐτὴ γέγονεν οἰκονομία; ἵνα κἀκεῖ πᾶσαι
αἱ ψυχαὶ ἀκούσασαι τοῦ κηρύγματος ἢ τὴν μετάνοιαν ἐνδείξωνται ἢ
τὴν κόλασιν δικαίαν εἶναι, δι᾽ ὧν οὐκ ἐπίστευσαν, ὁμολογήσωσιν.
15 ἦν δ᾽ ἂν πλεονεξίας οὐ τῆς τυχούσης ἔργον τοὺς προεξεληλυθότας 4
τῆς παρουσίας τοῦ κυρίου, μὴ εὐηγγελισμένους μηδὲ ἐξ αὐτῶν τὴν
αἰτίαν παρασχομένους κατὰ τὸ πιστεῦσαι ἢ μή, ἤτοι τῆς σωτηρίας
ἢ τῆς κολάσεως μετασχεῖν. οὐ γάρ που θέμις τοὺς μὲν ἀκρίτως 5
καταδεδικάσθαι, μόνους δὲ τοὺς μετὰ τὴν παρουσίαν τῆς θείας ἀπο-
20 λελαυκέναι δικαιοσύνης. πάσαις δ᾽ ἄνωθεν ταῖς ψυχαῖς εἴρηται ταῖς 6
λογικαῖς· »ὅσα ἐν ἀγνοίᾳ τις ὑμῶν ἐποίησεν μὴ εἰδὼς σαφῶς τὸν
θεόν, ἐὰν ἐπιγνοὺς μετανοήσῃ, πάντα αὐτῷ ἀφεθήσεται τὰ ἁμαρτή-
ματα.« »ἰδοὺ γάρ«· φησί, »τέθεικα πρὸ προσώπου ὑμῶν τὸν θάνατον 7
καὶ τὴν ζωήν, ἐκλέξασθαι τὴν ζωήν«, πρὸς σύγκρισιν ἐκλογῆς τεθεῖ-
25 σθαι λέγων ὁ θεός, οὐ πεποιηκέναι ἄμφω. καὶ ἐν ἑτέρᾳ γραφῇ 49,1
λέγει· »ἐὰν ἀκούσητέ μου καὶ θελήσητε, τὰ ἀγαθὰ τῆς γῆς φάγεσθε·
ἐὰν δὲ μὴ ἀκούσητέ μου μηδὲ θελήσητε, μάχαιρα ὑμᾶς κατέδεται· τὸ
γὰρ στόμα κυρίου ἐλάλησεν ταῦτα.« πάλιν δὲ ἄντικρυς ὁ Δαβίδ. 2
μᾶλλον δὲ ὁ κύριος ἐκ προσώπου τοῦ ὁσίου (εἷς δὲ οὗτος ἐκ κατα·
30 βολῆς κόσμου, πᾶς ὁ διαφόροις χρόνοις διὰ πίστεως σωθείς τε καὶ

5—11 Kerygma Petri Fr. 7 y. Dobschütz TU XI 1 S. 22f.; vgl. Hilgenfeld, Nov.
Test. extra can. rec. IV² S. 60; Resch, Agrapha S. 392ff. 21—23 Kerygma Petri
Fr. 8 v. Dobschütz S. 23; vgl. Hilg. S. 60 vgl. Act 3, 17. 19; 17, 30 23f. Deut 30,
15. 19 26—28 Is 1, 19f.

2 εὐεργητικὴ Ma; vgl. aber S. 454, 28 πάντῃ Vi παντὶ L   6 [οὓς ὁ κύριος
ἠθέλησεν] v. Dobschütz 8f. [τῆς τοῦ Χριστοῦ] Wi   9 [τοῦ Χριστοῦ] v. Dobschütz
ἐμῆς] ἑξῆς Hilgenfeld ἐμφανῶς Ρο 10 ἀκοῦσαι Wi 11 μαρτυρηθῶσιν Hilg. τιμωρη-
θῶσιν Wendland 25 οὐ πεποιηκέναι] ἃ πεποίηκεν Schw 26 vor γῆς ist φ getilgt
L¹ 29f. καταβολῆς Ρο μεταβολῆς L

σωθησόμενος)· »ηὐφράνθη μου ἡ καρδία καὶ ἠγαλλιάσατο ἡ γλῶσσά 3
μου. ἔτι δὲ | καὶ ἡ σάρξ μου κατασκηνώσει ἐπ᾽ ἐλπίδι,« φησίν, »ὅτι 272 S
οὐκ ἐγκαταλείψεις τὴν ψυχήν μου εἰς Ἅιδην οὐδὲ δώσεις τὸν ὅσιόν
σου ἰδεῖν διαφθοράν. ἐγνώρισάς μοι ὁδὸ ᾽ς ζωῆς· πληρώσεις με
5 εὐφροσύνης μετὰ τοῦ προσώπου σου.«

  Ὥσπερ οὖν τίμιος ὁ λαὸς τῷ κυρίῳ, οὕτως ὁ λαὸς ἅγιος ἅπας 50, 1
ἐστὶν σὺν τῷ Ἰουδαίῳ καὶ ὁ ἐξ ἐθνῶν ἐπιστρέφων, ὃς ὁ προσήλυτος
προεφητεύετο. εἰκότως ἄρα βοῦν φησι καὶ ἄρκτον ἐπὶ τὸ αὐτὸ 2
ἔσε|σθαι ἡ γραφή· βοῦς μὲν γὰρ εἴρηται ὁ Ἰουδαῖος ἐκ τοῦ κατὰ 766 P
10 νόμον ὑπὸ ζυγὸν καθαροῦ κριθέντος ζῴου, ἐπεὶ καὶ διχηλεῖ καὶ
μηρυκᾶται ὁ βοῦς· ὁ ἐθνικὸς δὲ διὰ τῆς ἄρκτου ἐμφαίνεται, ἀκα- 8
θάρτου καὶ ἀγρίου θηρίου· τίκτει δὲ τὸ ζῷον σάρκα ἀτύπωτον, ἣν
σχηματίζει εἰς τὴν τοῦ θηρίου ὁμοιότητα τῇ γλώττῃ μόνον· λόγῳ
γὰρ τυποῦται εἰς τὸ ἡμερῶσθαι ἐκ τοῦ θηριώδους βίου ὁ ἐξ ἐθνῶν
15 ἐπιστρέφων, τιθασευθείς τε ἤδη καὶ αὐτὸς ὡς βοῦς ἁγνίζεται. αὐτίκα 4
φησὶν ὁ προφήτης· »σειρῆνες εὐλογήσουσίν με καὶ θυγατέρες στρου-
θῶν καὶ τὰ θηρία πάντα τοῦ ἀγροῦ.« τῶν ἀκαθάρτων ζῴων τὰ 5
θηρία τοῦ ἀγροῦ γιγνώσκεται, τουτέστι τοῦ κόσμου, ἐπεὶ τοὺς εἰς
πίστιν ἀγρίους καὶ ῥυπαροὺς τὸν βίον μηδὲ τῇ κατὰ νόμον δικαιο-
20 σύνῃ κεκαθαρμένους θηρία προσαγορεύει. μεταβαλόντες μέντοι ἐκ 6
τοῦ εἶναι θηρία διὰ τῆς κυριακῆς πίστεως ἄνθρωποι γίνονται
θεοῦ, ἐκ τοῦ τὴν ἀρχὴν θελῆσαι μεταβάλλεσθαι εἰς τὸ γενέσθαι
προκόπτοντες. τοὺς μὲν γὰρ προτρέπει ὁ κύριος, τοῖς δὲ ἤδη 7
ἐγχειρήσασι καὶ χεῖρα ὀρέγει καὶ ἀνέλκει »οὐ γὰρ ὑποστέλλεται
25 πρόσωπον ὁ πάντων δεσπότης οὐδὲ ἐντραπήσεται μέγεθος, ὅτι
μικρὸν καὶ μέγαν αὐτὸς ἐποίησεν ὁμοίως τε προνοεῖ πάντων.« καὶ 51, 1
ὁ Δαβὶδ φησιν· εἰ [δὲ] καὶ »ἐνεπάγησαν ἔθνη ἐν διαφθορᾷ ἣ ἐποίη-
σαν, ἐν παγίδι ταύτῃ ἣ ἔκρυψαν συνελήφθη ὁ ποὺς αὐτῶν«, ἀλλὰ
»ἐγένετο κύριος καταφυγὴ τῷ πένητι, βοηθὸς ἐν εὐκαιρίᾳ καὶ ἐν
30 θλίψει.« εὐκαίρως ἄρα εὐηγγελίσθησαν οἱ ἐν θλίψει ὄντες. καὶ διὰ 2
τοῦτό φησιν· »ἀναγγείλατε ἐν τοῖς ἔθνεσι τὰ ἐπιτηδεύματα αὐτοῦ«,
ἵνα μὴ ἀδίκως κριθῶσιν. εἰ τοίνυν τοὺς ἐν σαρκὶ διὰ τοῦτο εὐηγ- 8
γελίσατο, ἵνα μὴ καταδικασθῶσιν ἀδίκως, πῶς οὐ καὶ τοὺς προεξε-
ληλυθότας τῆς παρουσίας αὐτοῦ διὰ τὴν αὐτὴν εὐηγγελίσατο αἰτίαν;

1—5 Ps 15, 9—11 (beeinflußt von Act 2, 26—28)   7 ὁ προσήλυτος aus Deut 28, 43
(Fr)   8f. vgl. Is 11, 7   9—11 vgl. Lev 11, 3   12f. vgl. Plut. Mor. p. 494 C; Aelian.
hist. an. II 19 [ferner Galen XIV 254f.; M. Wellmann, Hermes 26, 1891, S. 534. 539
A 2 (Fr)]   16f. Is 43, 20   24—26 Sap 6, 7   27f. Ps 9, 16   29f. Ps 9, 10   31 Ps 9, 12

15 τιθασσευθείς L   22 ἐκ τοῦ τὴν ἀρχὴν ~ Schw τὴν ἀρχὴν ἐκ τοῦ L   27 εἰ
[δὲ] St ἴδε Ma aus Ps 9, 14

›δίκαιος γὰρ ὁ κύριος καὶ δικαιοσύνην ἠγάπησεν, εὐθύτητα εἶδεν τὸ 4
πρόσωπον αὐτοῦ.‹ ›ὁ δὲ ἀγαπῶν ἀδικίαν μισεῖ τὴν ἑαυτοῦ ψυχήν.‹

Εἰ γοῦν ἐν τῷ κατακλυσμῷ ἀπώλετο πᾶσα ἁμαρτωλὸς σάρξ, εἰς 52, 1
παιδείαν γενομένης αὐτοῖς τῆς κολάσεως, πρῶτον μὲν τὸ θέλημα
5 τοῦ θεοῦ παιδευτικὸν καὶ ἐνεργητικὸν τυγχάνον σῴζειν τοὺς ἐπιστρέ-
φοντας πιστευτέον, ἔπειτα δὲ καὶ τὸ·λεπτομερέστερον, ἡ ψυχή, οὐκ
ἄν ποτε πρὸς τοῦ παχυμερεστέρου ὕδατος πάθοι τι δεινόν, διὰ
λεπτότητα καὶ | ἁπλότητα μὴ κρατουμένη, ᾗ καὶ ἀσώματος προσα- 767 P
γορεύεται. ὃ δ' ἄν παχυμερὲς ἐκ τῆς ἁμαρτίας πεπαχυμμένον τύχῃ, 2
10 τοῦτο ἀπορρίπτεται σὺν τῷ σαρκικῷ πνεύματι τῷ κατὰ τῆς ψυχῆς
ἐπιθυμοῦντι. ἤδη δὲ καὶ τῶν τὴν κοινότητα πρεσβευόντων ὁ κορυ- 3
φαῖος Οὐαλεντῖνος ἐν τῇ Περὶ φίλων ὁμιλίᾳ κατὰ λέξιν γράφει·
›πολλὰ τῶν γεγραμμένων ἐν ταῖς δημοσίαις βίβλοις εὑρίσκεται γε- 4
γραμμένα ἐν τῇ ἐκκλησίᾳ τοῦ θεοῦ· τὰ γὰρ κοινὰ ταῦτα ἔστι τὰ ἀπὸ
15 καρδίας ῥήματα, νόμος ὁ γραπτὸς ἐν καρδίᾳ· οὗτός ἐστιν ὁ λαὸς ὁ
τοῦ ἠγαπημένου, ὁ φιλούμενος καὶ φιλῶν αὐτόν.‹ δημοσίας γὰρ 53, 1
βίβλους εἴτε τὰς Ἰουδαϊκὰς λέγει γραφὰς εἴτε τὰς τῶν φιλοσόφων,
κοινοποιεῖ τὴν ἀλήθειαν.

Ἰσίδωρός τε ὁ Βασιλείδου υἱὸς ἅμα καὶ μαθητὴς ἐν τῷ πρώτῳ 2
20 τῶν τοῦ προφήτου Παρχὼρ Ἐξηγητικῶν καὶ αὐτὸς κατὰ λέξιν γράφει·
›φασὶ δὲ οἱ Ἀττικοὶ μεμηνῦσθαί τινα Σωκράτει παρεπομένου δαί- 3
μονος αὐτῷ, καὶ Ἀριστοτέλης δαίμοσι κεχρῆσθαι πάντας ἀνθρώπους
λέγει συνομαρτοῦσιν αὐτοῖς παρὰ τὸν χρόνον τῆς ἐνσωματώσεως,
προφητικὸν τοῦτο μάθημα λαβὼν καὶ καταθέμενος εἰς τὰ ἑαυτοῦ
25 βιβλία, μὴ ὁμολογήσας ὅθεν ὑφείλετο τὸν λόγον τοῦτον.‹ καὶ πάλιν 4
ἐν τῷ δευτέρῳ τῆς αὐτῆς συντάξεως ὧδέ πως γράφει· ›καὶ μή τις
οἰέσθω, ὃ φαμεν ἴδιον εἶναι τῶν ἐκλεκτῶν, τοῦτο προειρημένον
ὑπάρχειν ὑπό τινων φιλοσόφων· οὐ γάρ ἐστιν αὐτῶν εὕρεμα, τῶν δὲ

1f. Ps 10, 7 2 Ps 10, 5 3 vgl. Gen 7, 23 10f. vgl Gal 5, 17 13—16 vgl.
Hilgenfeld, ZwTh 23 (1880) S. 295f.; Ketzergesch. S. 300ff.; Zahn, Gesch. d. ntl.
Kan. II S. 953ff. 21—S. 459, 5 vgl. Hilgenfeld, Ketzergesch. S. 214f. 22f. Aristo-
teles Fr. 193 Rose³

1 δίκαιος corr. aus δικαίους L¹ 4 αὐτοῖς] ἀνθρώποις Mü 5 ἐνεργητικὸν Ma;
vgl. S. 456, 2 6 λεπτομερέστερον (ο¹ in Ras. für ω) L¹ 7 πρὸς St πρὸ L 8 κρα-
τουμένη Höschel κρατουμένης L ᾗ Sy ἤ L 9 πεπαχυμμένον Sy πεπαχυμένον L
10 ἀπορρύπτεται Schw 13 δημοσίοις L 14 κοινὰ John Kaye S. 312² κενὰ L 15
λαὸς (richtig)] λόγος Grabe, Spicil. I p. 54; vgl. Heinrici, Valent. Gnos. S. 67²
17 λέγων Grabe 20 Παρχὼρ] vgl. Harnack, Gesch. d. altchr. Lit. I S. 159 21 παρ'
ἑπομένου Kontos, Bull. de corr. hell. 2 (1878) p. 234; Jackson, Journ. of Philol. 28
(1900) S. 131 28 τῶν δὲ] τὰ δὲ τῶν Sy

προφητῶν σφετερισάμενοι προσέθηκαν τῷ [μὴ] ὑπάρχοντι κατ᾽ αὐ-
τοὺς σοφῷ.‹ αὖθίς τε ἐν τῷ αὐτῷ· ›καὶ γάρ μοι δοκεῖ τοὺς προσ- 5
ποιουμένους φιλοσοφεῖν, ἵνα μάθωσι τί ἐστιν ἡ ὑπόπτερος δρῦς καὶ
τὸ ἐπ᾽ αὐτῇ πεποικιλμένον φᾶρος, πάντα ὅσα Φερεκύδης ἀλληγορήσας
5 ἐθεολόγησεν, λαβὼν ἀπὸ τῆς τοῦ Χὰμ προφητείας τὴν ὑπόθεσιν·‹

VII. ** ὡς πάλαι παρεσημειωσάμεθα, οὐ τὴν κατὰ ἑκάστην 54, 1
αἵρεσιν ἀγωγήν φαμεν, ἀλλ᾽, ὅπερ ὄντως ἐστὶ φιλοσοφία, † ὀρθῶς
σοφίαν τεχνικήν, τὴν ἐμπειρίαν παρέχουσαν τῶν περὶ τὸν βίον,
τὴν δὲ σοφίαν | ἔμπεδον γνῶσιν θείων τε καὶ ἀνθρωπίνων 768 P
10 πραγμάτων, κατάληψίν τινα βεβαίαν οὖσαν καὶ ἀμετάπτωτον, συνει-
ληφυῖαν τά τε ὄντα καὶ τὰ παρῳχηκότα καὶ τὰ μέλλοντα, ἣν ἐδι-
δάξατο ἡμᾶς διά τε τῆς παρουσίας διά τε τῶν προφητῶν ὁ κύριος.
καὶ ἔστιν ἀμετάπτωτος ὑπὸ λόγου, παραδοθεῖσα τῇ αὐτῇ; ⟨ἢ⟩ καὶ 2
πάντως ἀληθὴς ὑπάρχει, βουλήσει, ὡς διὰ τοῦ υἱοῦ ἐγνωσμένη. καὶ 3
15 ἢ μὲν αἰώνιός ἐστιν, ἢ δὲ χρόνῳ λυσιτελής, καὶ ἢ μὲν μία καὶ ἡ
αὐτή, αἳ δὲ πολλαὶ καὶ [ἀ]διάφοροι, καὶ ἢ μὲν ἄνευ παθητικῆς τινος
κινήσεως, ἢ δὲ μετὰ παθητικῆς ὀρέξεως, καὶ ἢ μὲν τέλειος, ἢ δὲ
ἐνδεής.

Ταύτης οὖν τῆς σοφίας | ἐπιθυμεῖ ἡ φιλοσοφία, ** τῆς ψυχῆς 55, 1 273 S
20 καὶ τῆς ὀρθότητος τοῦ λόγου καὶ τῆς τοῦ βίου καθαρότητος, ἀγα-
πητικῶς καὶ φιλητικῶς διατεθεῖσα πρὸς τὴν σοφίαν καὶ πάντα
πράττουσα ἕνεκα τοῦ τυχεῖν αὐτῆς. φιλόσοφοι δὲ λέγονται παρ᾽ ἡμῖν 2
μὲν οἱ σοφίας ἐρῶντες τῆς   πάντων δημιουργοῦ καὶ διδασκάλου,
τουτέστι γνώσεως τοῦ υἱοῦ τοῦ θεοῦ, παρ᾽ Ἕλλησι δὲ οἱ τῶν περὶ
25 ἀρετῆς λόγων ἀντιλαμβανόμενοι. εἴη δ᾽ ἂν φιλοσοφία τὰ παρ᾽ ἑκά- 3
στῃ τῶν αἱρέσεων (τῶν κατὰ φιλοσοφίαν λέγω) ἀδιάβλητα δόγματα
μετὰ τοῦ ὁμολογουμένου βίου εἰς μίαν ἀθροισθέντα ἐκλογήν. ἃ καὶ 4
αὐτά, ἐκ τῆς βαρβάρου κλαπέντα θεοδωρήτου χάριτος, Ἑλληνικῷ
κεκόσμηται λόγῳ· τῶν μὲν γὰρ κλέπται, ὧν δὲ καὶ παρήκουσαν· ἐν

3f. vgl. Strom. VI 9, 4 (S. 429, 1); Zeller, Phil. d. Gr. I⁵ S. 83; Diels, Sitzungs-
ber. d. Berl. Akad. 1897 S. 147f.   5 vgl. Harnack, Gesch. d. altchr. Lit. I S. 159.
856   8—18 zur Unterscheidung von zweierlei σοφία vgl. Strom. I 24f.; 177, 1   9f.
vgl. Paed. II 25, 3   10. 13 vgl. Strom. II 9, 4 mit Anm.   10—14 vgl. Strom. VI 61, 1
28 vgl. z. B. Rom 12, 3. 6.

1 τὸ μὴ ὑπάρχον τῷ κατ᾽ (so auch Ma) oder [μὴ ὑπάρχοντι] Neander, Genet.
Entwickl. d. vorn. gnost. Syst. (1818) S.84   2 δοκεῖ ⟨διδάσκειν⟩ oder ⟨ἐλέγχειν⟩ Fr
5 λαβεῖν Heyse   6 ⟨ἡμεῖς δὲ φιλοσοφίαν⟩ ὡς Fr κατὰ am Rand L¹   7f. etwa ⟨ἕξιν
ἐπιτηδεύουσαν⟩ ὀρθῶς ⟨οὐ⟩ St ⟨τὴν ἐπιτήδευσιν⟩ ὀρθῶς σοφίας Schw ὀρθῶς ~ nach
τὴν δὲ (Z. 9) Wi   τὸν corr. aus τῶν L¹   13 τῇ αὐτῇ ⟨ἢ⟩ St ταύτῃ L   14 ⟨θείᾳ⟩
βουλήσει ~ nach παραδοθεῖσα Ma   16 [ἀ]διάφοροι Heyse   19 etwa ⟨στοχαζομένη
τῆς ἐλευθερίας⟩ τῆς ψυχῆς St περί τε τῆς φυσικῆς Ma

δε τοῖς ἄλλοις ἃ μὲν κινούμενοι εἰρήκασιν, ἀλλ' οὐ τελείως ἐξειργά-
σαντο, τὰ δὲ ἀνθρωπίνῳ στοχασμῷ τε καὶ ἐπιλογισμῷ, ἐν οἷς καὶ
παραπίπτουσιν· ἐπιβάλλειν δ' οἴονται τῇ ἀληθείᾳ οὗτοι μὲν τελείως.
ὡς δ' ἡμεῖς αὐτοὺς καταλαμβανόμεθα, μερικῶς. πλέον γοῦν τοῦ 56,1
5 κόσμου τούτου οὐκ ἴσασιν οὐδέν. καὶ μὴν ὡς ἡ γεωμετρία περὶ
μέτρα καὶ μεγέθη καὶ σχήματα πραγματευομένη διὰ τῆς ἐν τοῖς ἐπι-
πέδοις καταγραφῆς ἥ τε ζωγραφία τὸν ὀπτικὸν ὅλον τόπον ἐπὶ τῶν
σκηνογραφουμένων φαίνεται παραλαμβάνουσα, ταύτῃ δὲ ψευδο-
γραφεῖ τὴν ὄψιν, τοῖς κατὰ προσβολὴν τῶν ὀπτικῶν γραμμῶν ση-
10 μείοις χρωμένη, κατὰ τὸ τεχνικόν (ἐντεῦθεν ἐπιφάσεις καὶ ὑποφάσεις
καὶ φάσεις σῴζονται, καὶ τὰ μὲν δοκεῖ προὔχειν, τὰ δὲ εἰσέχειν, τὰ
δ' ἄλλως πως φαντάζεσθαι ἐν τῷ ὁμαλῷ καὶ λείῳ), οὕτω δὲ καὶ οἱ
φιλόσοφοι ζωγραφίας δίκην ἀπομιμοῦνται τὴν ἀλήθειαν. φιλαυτία 2
δὲ πάντων ἁμαρτημάτων αἰτία ἑκάστοις ἑκάστοτε. διόπερ οὐ χρὴ
15 τὴν εἰς ἀνθρώπους | δόξαν αἱρούμενον φίλαυτον εἶναι, ἀλλὰ τὸν 769 P
θεὸν ἀγαπῶντα τῷ ὄντι ›ὅσιον μετὰ φρονήσεως‹ γίνεσθαι. ἂν οὖν 57,1
τις τοῖς μερικοῖς ὡς τοῖς καθολικοῖς χρώμενος τύχῃ καὶ τὸ δοῦλον
ὡς κύριον καὶ ἡγεμόνα τιμᾷ, σφάλλεται τῆς ἀληθείας οὐ συνιεὶς τὸ τῷ
Δαβὶδ κατ' ἐξομολόγησιν εἰρημένον· ›γῆν ⟨καὶ⟩ σποδὸν ὡσεὶ ἄρτον
20 ἔφαγον.‹ ἡ φιλαυτία δὲ καὶ ἡ οἴησις αὐτῷ γῆ ἐστι καὶ πλάνη. εἰ δὲ 2
τοῦτο, ἐκ μαθήσεως ἡ γνῶσις καὶ ἡ ἐπιστήμη. μαθήσεως δ' οὔσης
ζητεῖν ἀνάγκη τὸν διδάσκαλον. Κλεάνθης μὲν γὰρ Ζήνωνα ἐπιγρά- 3
φεται καὶ Θεόφραστος Ἀριστοτέλη Μητρόδωρός τε Ἐπίκουρον καὶ
Πλάτων Σωκράτην· ἀλλὰ κἂν ἐπὶ Πυθαγόραν ἔλθω καὶ Φερεκύδην
25 καὶ Θάλητα καὶ τοὺς πρώτους σοφούς, ἵσταμαι τὸν τούτων διδάσκα-
λον ζητῶν κἂν Αἰγυπτίους εἴπῃς κἂν Ἰνδοὺς κἂν Βαβυλωνίους κἂν
τοὺς Μάγους αὐτούς, οὐ παύσομαι τὸν τούτων διδάσκαλον ἀπαιτῶν,
ἀνάγω δέ σε καὶ ἐπὶ τὴν πρώτην γένεσιν ἀνθρώπων, κἀκεῖθεν ἄρ-
χομαι ζητεῖν, τίς ὁ διδάσκαλος; ἀνθρώπων μὲν οὐδείς, οὐδέπω γὰρ 4
30 μεμαθήκεσαν, ἀλλ' οὐδὲ ἀγγέλων τις, οὔτε γάρ, ὡς μηνύουσιν οἱ
ἄγγελοι καθὸ ἄγγελοι, οὕτως ἀκούουσιν ἄνθρωποι, οὔθ', ὡς ἡμῖν
τὰ ὦτα, οὕτως ἐκείνοις ἡ γλῶττα. οὐδ' ἂν ὄργανά τις δῴη φωνῆς
ἀγγέλοις, χείλη λέγω καὶ τὰ τούτοις παρακείμενα καὶ φάρυγγα καὶ

13f. φιλαυτία πάντων—ἑκάστοτε Sacr. Par. 250 Holl   16 Plato Theaet. p. 176 B
19f. Ps 101, 10   21—S. 461, 21 ἐκ μαθήσεως—διδασκαλία Ath fol. 108ᵛ (mit Aus-
lassungen)

* 8 ταύτῃ Schw ταύτης L αὕτη Wi   10 ὑποφάσεις Ma ὑποθέσεις L   11 σῴζονται]
χρῴζονται Schw   εἰσέχειν Ma ἴσχειν L   12 δὴ Heyse   16 ἂν οὖν Bywater εἰ γοῦν
L   18 ἡγεμόνα τιμᾷ St ἡγεμονεῖται L ἡγεμόνα οἴηται Bywater (wobei ὡς überflüssig
wäre) ἡγεμονικὸν σέβηται Schw   19 γῆν ⟨καὶ⟩ oder [γῆν] St   30f. οὔτε—οὔθ' Ma
οὐδὲ—οὐδ' L

ἀρτηρίαν καὶ σπλάγχνα καὶ πνεῦμα καὶ πλησσόμενον ἀέρα. πολλοῦ 5
γε δεῖ τὸν θεὸν ἐμβοᾶν, ἀπροσίτῳ ἁγιότητι καὶ ἀρχαγγέλων αὐτῶν
κεχωρισμένον. ἤδη δὲ καὶ τοὺς ἀγγέλους μεμαθηκέναι παρειλήφαμεν
τὴν ἀλήθειαν καὶ τοὺς ἐπὶ τούτων ἄρχοντας· γενητοὶ γάρ. λείπεται 58, 1
5 τοίνυν ὑπεξαναβάντας ἡμᾶς καὶ τὸν τούτων διδάσκαλον ποθεῖν.
ἐπεὶ δὲ ἓν μὲν τὸ ἀγέννητον ὁ παντοκράτωρ θεός, ἓν δὲ καὶ τὸ
προγεννηθέν, δι᾽ οὗ τὰ »πάντα ἐγένετο καὶ χωρὶς αὐτοῦ ἐγένετο
οὐδὲ ἕν« (»εἷς γὰρ τῷ ὄντι ἐστὶν ὁ θεός, ὃς ἀρχὴν τῶν ἁπάντων
ἐποίησεν«, μηνύων τὸν πρωτόγονον υἱὸν ὁ Πέτρος γράφει, συνεὶς
10 ἀκριβῶς τό· »ἐν ἀρχῇ ἐποίησεν ὁ θεὸς τὸν οὐρανὸν καὶ τὴν γῆν«),
σοφία δὲ οὗτος εἴρηται πρὸς ἁπάντων τῶν προφητῶν, οὗτός ἐστιν
ὁ τῶν γενητῶν ἁπάντων διδάσκαλος, ὁ σύμβουλος τοῦ θεοῦ τοῦ τὰ
πάντα προεγνωκότος. ὃ δὲ ἄνωθεν ἐκ πρώτης καταβολῆς κόσμου 2
»πολυτρόπως καὶ πολυμερῶς« πεπαίδευκέν τε καὶ τελειοῖ. ὅθεν
15 εἰκότως εἴρηται· »μὴ εἴπητε ἑαυτοῖς διδάσκαλον ἐπὶ τῆς γῆς.« ὁρᾷς
ὁπόθεν ἔχει τὰς λαβὰς ἡ φιλοσοφία ἡ ἀληθής. | κἂν ὁ νόμος εἰκὼν 770 P 3
καὶ σκιὰ τῆς ἀληθείας τυγχάνῃ, σκιά γε ὁ νόμος τῆς ἀληθείας, ἀλλ᾽
ἡ φιλαυτία τῶν Ἑλλήνων διδασκάλους τινὰς ἀνθρώπους ἀνακη-
ρύττει.
20 Ὡς οὖν ἐπὶ τὸν ποιητὴν τὸν θεὸν πᾶσα ἀνατρέχει πατριά, 59, 1
οὕτως καὶ ἐπὶ τὸν κύριον ἡ τῶν καλῶν διδασκαλία [καὶ] ἡ δικαιοῦσα
καὶ εἰς τοῦτο χειραγωγοῦσά τε καὶ συλλαμβάνουσα. εἰ δ᾽ ἔκ τινος 2
ποιήσεως τὰ τῆς ἀληθείας ὁτῳδήποτε τρόπῳ λαβόντες σπέρματα
οὐκ ἐξέθρεψάν τινες, γῇ δὲ ἀγόνῳ καὶ ἀνομβρίᾳ παραδεδωκότες
25 ἀγρίαις συνεπνίξαντο βοτάναις, καθάπερ οἱ Φαρισαῖοι ἐξετράπησαν
τοῦ νόμου ἀνθρωπίνας παρεισάγοντες διδασκαλίας, τούτων οὐχ ὁ
διδάσκαλος αἴτιος, ἀλλ᾽ οἱ παρακούειν προῃρημένοι. οἱ πεισθέντες 3
δὲ αὐτῶν τῇ τε τοῦ κυρίου παρουσίᾳ καὶ τῇ τῶν γραφῶν σαφηνείᾳ
ἐν ἐπιγνώσει γίνονται τοῦ νόμου, καθάπερ καὶ οἱ ἀπὸ φιλοσοφίας
30 διὰ τῆς τοῦ κυρίου διδασκαλίας ἐν ἐπιγνώσει τῆς ἀληθοῦς φιλοσοφίας
καθίστανται. »τὰ λόγια γὰρ κυρίου λόγια ἁγνά, ἀργύριον πεπυρω- 4
μένον δοκίμιον, τῇ γῇ κεκαθαρισμένον ἑπταπλασίως.« ἤτοι ὡς ἄρ- 60, 1

1 πλησσόμενος ἀήρ stoisch, vgl. z. B. Zeno Fr. 74 Arn. (Fr) 2 vgl. 1 Tim 6, 16
7f. vgl. Io 1, 3 , 8f. Kerygma Petri Fr. 2 v. Dobschütz TU XI 1 S. 18f.; vgl.
S. 451, 7f. 10 Gen 1, 1 11f. vgl. Strom. VII 7, 4 14 Hebr 1, 1 15 vgl. Mt 23, 8f.;
Strom. II 14, 3 16f. vgl. Hebr 10, 1 zu λαβαί vgl. Xenokrates bei Diog. Laert.
IV 10 und Plut. Mor. p. 452 D 17f. vgl. Method. Symp. IX 2 S. 115, 26 (Fr)
20 vgl. Eph 3, 14f. 22—25 vgl. Mc 4, 3—7; Mt 13, 3—7; Lc 8, 5—7 25f. vgl. Mt
15, 9; Mc 7, 7 (Is 29, 13) 31f. Ps 11, 7

* 2 αὐτῶν Sy αὐτὸν L 17 γε St γὰρ L 21 [καὶ] Schw 22 τοῦτο] etwa τὸ
ἀληθὲς St 23 ποιήσεως] παιδεύσεως Ma 24 ἀνόμβρῳ Ma

γυρος πολλάκις ἀποκαθαρθεὶς εἰς δοκί|μιον καθίσταται ὁ δίκαιος, 274 S
νόμισμα κυρίου γενόμενος καὶ χάραγμα βασιλικὸν ἀναδεξάμενος, ἤ,
ἐπεὶ καὶ Σολομὼν λέγει ›γλῶσσαν δικαίου ἄργυρον πεπυρωμένον‹,
τὴν δεδοκιμασμένην καὶ σοφὴν διδασκαλίαν ἐπαινετὴν καὶ ἀποδεκτὴν
5 τυγχάνει μηνύων, ὅταν ἐκκεκαθαρμένη πλουσίως τυγχάνῃ τῇ γῇ,
τουτέστιν ὅταν πολυτρόπως ἡ γνωστικὴ ψυχὴ ἁγιάζηται κατὰ τὴν
ἀποχὴν τῶν γεωδῶν πυρώσεων. ἁγνίζεται δὲ καὶ τὸ σῶμα, ἐν ᾧ 2
οἰκεῖ, ἐξιδιοποιούμενον εἰς εἰλικρίνειαν ἁγίου νεώ· ὁ δὲ ἐν τῷ σώ-
ματι καθαρισμὸς τῆς ψυχῆς [πρώτης] πρῶτος οὗτός ἐστιν, ἡ ἀποχὴ
10 τῶν κακῶν, ἥν τινες τελείωσιν ἡγοῦνται, καὶ ἔστιν ἁπλῶς τοῦ
κοινοῦ πιστοῦ, Ἰουδαίου τε καὶ Ἕλληνος, ἡ τελείωσις αὕτη· τοῦ δὲ 3
γνωστικοῦ μετὰ τὴν ἄλλοις νομιζομένην τελείωσιν ἡ δικαιοσύνη εἰς
ἐνέργειαν εὐποιίας προβαίνει· καὶ ὅτῳ δὴ ἡ ἐπίτασις τῆς δικαιοσύνης
εἰς ἀγαθοποιίαν ἐπιδέδωκεν, τούτῳ ἡ τελείωσις ἐν ἀμεταβόλῳ ἕξει
15 εὐποιίας καθ᾽ ὁμοίωσιν τοῦ θεοῦ διαμένει· οἳ μὲν γὰρ σπέρμα
Ἀβραάμ, δοῦλοι ἔτι τοῦ θεοῦ, οὗτοί εἰσιν οἱ κλητοί· υἱοὶ δὲ Ἰακὼβ
οἱ ἐκλεκτοὶ αὐτοῦ, οἱ τῆς κακίας πτερνίσαντες τὴν ἐνέργειαν.

Εἰ τοίνυν αὐτόν τε | τὸν Χριστὸν σοφίαν φαμὲν καὶ τὴν ἐνέρ- 61,1 77]
γειαν αὐτοῦ τὴν διὰ τῶν προφητῶν, δι᾽ ἧς ἔστι τὴν γνωστικὴν
20 παράδοσιν ἐκμανθάνειν, ὡς αὐτὸς κατὰ τὴν παρουσίαν τοὺς ἁγίους
ἐδίδαξεν ἀποστόλους, σοφία εἴη ἂν ἡ γνῶσις, ἐπιστήμη οὖσα καὶ
κατάληψις τῶν ὄντων τε καὶ ἐσομένων καὶ παρῳχηκότων βεβαία καὶ
ἀσφαλής, ὡς ἂν παρὰ τοῦ υἱοῦ τοῦ θεοῦ παραδοθεῖσα καὶ ἀποκα-
λυφθεῖσα. καὶ δὴ καὶ εἰ ἔστι τέλος τοῦ σοφοῦ ἡ θεωρία, ὀρέγεται 2
25 μὲν ὁ [μὲν] ἔτι φιλοσοφῶν τῆς θείας ἐπιστήμης, οὐδέπω δὲ τυγχάνει,
ἢν μὴ μαθήσει παραλάβῃ σαφηνισθεῖσαν αὐτῷ τὴν προφητικὴν φω-
νήν, δι᾽ ἧς τά τ᾽ ἐόντα τά τ᾽ ἐσόμενα πρό τ᾽ ἐόντα, ὅπως ἔχει τε
καὶ ἔσχεν καὶ ἕξει, παραλαμβάνει. ἡ γνῶσις δὲ αὕτη [ἡ] κατὰ δια- 3
δοχὰς εἰς ὀλίγους ἐκ τῶν ἀποστόλων ἀγράφως παραδοθεῖσα κατελή-
30 λυθεν.

Ἐντεῦθεν δὲ ἄρα γνῶσιν εἴτε σοφίαν συνασκηθῆναι χρὴ εἰς

3 vgl. Prov 10, 20   8 vgl. z. B. I Cor 3, 16f.   10—15 vgl. Strom. IV 130, 2
16f. zum Gegensatz κλητοί—ἐκλεκτοί vgl. Mt 22, 14 (20, 16)   Jakob heißt πτερ-
νιστής (vgl. Philo Leg. all. III 190 [I 155]) wegen Gen 25, 26; 27, 36 vgl.
A. Decker (s. zu S. 381, 18) S. 47f.; außer diesen Stellen noch Philo Qu. in Gen.
IV 163 (Fr)   18 vgl. I Cor 1, 24. 30   21—24 vgl. S. 459, 9—114   24f. vgl. Plato
Symp. p. 203 E 204 A θεῶν οὐδεὶς φιλοσοφεῖ οὐδ᾽ ἐπιθυμεῖ σοφὸς γενέσθαι· ἔστι
γάρ· οὐδ᾽ εἴ τις ἄλλος σοφός, οὐ φιλοσοφεῖ. vgl. Anaxag. Strom. II 130, 2 (S. 184, 7)
27 vgl. A 70

4 ἀποδεκτὴν L* ἀπόδεκτον L¹   5 τυγχάνει St τυγχάνειν L   πλουσίως] ἑπταπλα-
σίως St πολλαπλασίως Tengblad   9 [πρώτης] Bywater   25 ὁ [μὲν] ἔτι φιλοσοφῶν
St ἡ μὲν ἔτι φιλοσόφων L · 28 αὕτη Sy αὐτὴ L   [ἡ] Ma

ἕξιν θεωρίας ἀΐδιον καὶ ἀναλλοίωτον· VIII. ἐπεὶ καὶ Παῦλος 62, 1
ἐν ταῖς ἐπιστολαῖς οὐ φιλοσοφίαν διαβάλλων φαίνεται, τὸν δὲ
τοῦ γνωστικοῦ μεταλαμβάνοντα ὕψους οὐκέτι παλινδρομεῖν ἀξιοῖ
ἐπὶ τὴν Ἑλληνικὴν φιλοσοφίαν, »στοιχεῖα τοῦ κόσμου« ταύτην ἀλλη-
5 γορῶν, στοιχειωτικήν τινα οὖσαν καὶ προπαιδείαν τῆς ἀληθείας.
διὸ καὶ τοῖς Ἑβραίοις γράφων τοῖς ἐπανακάμπτουσιν εἰς νόμον 2
ἐκ πίστεως »[ἢ] πάλιν« φησὶ »χρείαν ἔχετε τοῦ διδάσκειν ὑμᾶς,
τίνα τὰ στοιχεῖα τῆς ἀρχῆς τῶν λογίων τοῦ θεοῦ, καὶ γεγόνατε
χρείαν ἔχοντες γάλακτος καὶ οὐ στερεᾶς τροφῆς.« ὡσαύτως ἄρα
10 καὶ τοῖς ἐξ Ἑλλήνων ἐπιστρέφουσι Κολοσσαεῦσι· »βλέπετε μή 8
τις ὑμᾶς ἔσται ὁ συλαγωγῶν διὰ τῆς φιλοσοφίας καὶ κενῆς ἀπά-
της κατὰ τὴν παράδοσιν τῶν ἀνθρώπων, κατὰ τὰ στοιχεῖα τοῦ
κόσμου τούτου καὶ οὐ κατὰ Χριστόν,« δελεάζων αὖθις εἰς φιλοσο-
φίαν ἀναδραμεῖν, τὴν στοιχειώδη διδασκαλίαν. κἂν λέγῃ τις κατὰ 4
15 σύνεσιν ἀνθρώπων φιλοσοφίαν ηὑρῆσθαι πρὸς Ἑλλήνων, ἀλλὰ τὰς
γραφὰς εὑρίσκω τὴν σύνεσιν θεόπεμπτον εἶναι λεγούσας. ὁ γοῦν 68, 1
ψαλμῳδὸς μεγίστην ἡγεῖται δωρεὰν τὴν σύνεσιν καὶ αἰτεῖ λέγων·
»δοῦλος σός εἰμι ἐγώ· συνέτισόν με.« καὶ μή τι τὸ πολύπειρον τῆς 2
γνώσεως αἰτούμενος ὁ Δαβὶδ γράφει· »χρηστότητα καὶ παιδείαν καὶ
20 γνῶσιν δίδαξόν με, ὅτι ταῖς ἐντολαῖς σου ἐπίστευσα.« κυρίας | ⟨δ'⟩ 3 772 P
εἶναι τὰς διαθήκας ὡμολόγηται καὶ τοῖς τιμιωτέροις δίδοσθαι. λέγει 4
γοῦν ὁ ψαλμὸς πάλιν ἐπὶ τοῦ θεοῦ· »οὐκ ἐποίησεν οὕτως οὐδενὶ
ἔθνει, καὶ τὰ κρίματα αὐτοῦ οὐκ ἐδήλωσεν αὐτοῖς.« τὸ δὲ »οὐκ
ἐποίησεν οὕτως« πεποιηκέναι μὲν δηλοῖ, ἀλλ' οὐχ οὕτως. ἐν συγκρί-
25 σει γοῦν τὸ »οὕτως« πρὸς τὴν ὑπεροχὴν τὴν καθ' ἡμᾶς γινομένην·
ἐξῆν δὲ δήπου τῷ προφήτῃ εἰπεῖν ἁπλῶς τὸ »οὐκ ἐποίησεν« ἄνευ
τῆς προσθήκης τοῦ »οὕτως«. ναὶ μὴν καὶ ὁ Πέτρος ἐν ταῖς Πρά-
ξεσιν »ἐπ' ἀληθείας καταλαμβάνομαι« φησίν, »ὅτι προσωπολήπτης
οὐκ ἔστιν ὁ θεός, ἀλλ' ἐν παντὶ ἔθνει ὁ φοβούμενος αὐτὸν καὶ ἐργα-
30 ζόμενος δικαιοσύνην δεκτὸς αὐτῷ ἐστιν.« οὐ χρόνῳ τοίνυν τὸ 64, 1
ἀπροσωπόληπτον τοῦ θεοῦ, ἀλλ' ἐξ αἰῶνος, οὐδὲ μὴν ἤρξατό ποτε ἡ
εὐεργεσία αὐτοῦ, ἀλλ' οὐδὲ περιορίζεται τόποις ἢ ἀνθρώποις τισίν,
οὐδὲ γὰρ μερικὴ ἡ εὐποιία αὐτοῦ. »ἀνοίξατέ μοι πύλας δικαιοσύνης« 2
φησίν· »ἐν αὐταῖς εἰσελθὼν ἐξομολογήσομαι τῷ κυρίῳ. αὕτη ἡ πύλη

4 vgl. Col 2, 8　7—9 Hebr 5, 12　10—13 Col 2, 8　18 Ps 118, 125　19f. Ps 118, 66
22f. Ps 147, 9　28—30 Act 10, 34f.　33—S. 464, 1 Ps 117, 19f. (aus I Clem. ad Cor.
48, 2f.)

5 προπαίδειαν L　7 [ἢ] St　15 εὑρῆσθαι L　20 κυρίου Schw ⟨δ'⟩ Ma　23 αὐ-
τοῖς corr. aus αὐτούς L¹

τοῦ κυρίου, δίκαιοι εἰσελεύσονται ἐν αὐτῇ.‹ ἐξηγούμενος δὲ τὸ ῥη- 3
τὸν τοῦ προφήτου Βαρνάβας ἐπιφέρει· ›πολλῶν πυλῶν ἀνεφγυιῶν
ἡ ἐν δικαιοσύνη αὕτη ἐστὶν ἡ ἐν Χριστῷ, ἐν ᾗ μακάριοι πάντες οἱ
εἰσελθόντες.‹ τῆς αὐτῆς ἔχεται ἐννοίας κἀκεῖνο τὸ προφητικόν· 4
5 ›κύριος ἐπὶ ὑδάτων πολλῶν‹, οὐ τῶν διαθηκῶν τῶν διαφόρων μό-
νων, ἀλλὰ καὶ τῶν τῆς διδασκαλίας τρόπων τῶν τε ἐν Ἕλλησιν εἰς
δικαιοσύνην ἀγόντων τῶν τε ἐν βαρβάροις. σαφῶς δὲ ἤδη καὶ ὁ 5
Δαβὶδ μαρτυρῶν τῇ ἀληθείᾳ ψάλλει· ›ἀποστραφήτωσαν οἱ ἁμαρ-
τωλοὶ εἰς τὸν Ἅιδην, πάντα τὰ ἔθνη τὰ ἐπιλανθανόμενα τοῦ θεοῦ.‹
10 ἐπιλανθάνονται δὲ δηλονότι οὗ πρότερον ἐμέμνηντο, καὶ ὃν πρὶν ἢ 6
ἐκλαθέσθαι ἐγίνωσκον, τοῦτον παραπέμπονται. ἦν ἄρα εἴδησίς τις
ἀμαυρὰ τοῦ θεοῦ καὶ παρὰ τοῖς ἔθνεσι.

Καὶ ταυτὶ μὲν τῇδε ἐχέτω· πολυμαθῆ δὲ εἶναι χρὴ τὸν γνωστι- 65, 1
κὸν καί, ἐπειδὴ Ἕλληνές φασι Πρωταγόρου προκατάρξαντος παντὶ |
15 λόγῳ λόγον ἀντικεῖσθαι, παρεσκευάσθαι καὶ πρὸς τοὺς τοιούτους 275 S
τῶν λόγων ⟨ἃ⟩ ἁρμόζει λέγεσθαι. λέγει γὰρ ἡ γραφή· ›ὁ τὰ πολλὰ 2
λέγων καὶ ἀντακούσεται.‹ ›παραβολὴν δὲ κυρίου τίς νοήσει, εἰ μὴ
σοφὸς καὶ ἐπιστήμων καὶ ἀγαπῶν τὸν κύριον αὐτοῦ;‹ ›ἔστω‹ | τοίνυν 3 77
›πιστὸς‹ ὁ τοιοῦτος, ›ἔστω δυνατὸς γνῶσιν ἐξειπεῖν, ἤτω σοφὸς ἐν
20 διακρίσει λόγων, ἤτω γοργὸς ἐν ἔργοις, ἤτω ἁγνός. τοσούτῳ γὰρ
μᾶλλον ταπεινοφρονεῖν ὀφείλει, ὅσῳ δοκεῖ μᾶλλον μείζων εἶναι‹, ὁ
Κλήμης ἐν τῇ πρὸς Κορινθίους φησί. τοιοῦτος οἷός τε ἐκείνῳ πεί- 4
θεσθαι τῷ παραγγέλματι· ›καὶ οὓς μὲν ἐκ πυρὸς ἁρπάζετε, διακρινο-
μένους δὲ ἐλεᾶτε.‹ ἀμέλει τὸ δρέπανον ἕνεκεν τοῦ κλαδεύειν προη- 5
25 γουμένως γέγονεν, ἀλλὰ καὶ πεπλεγμένα τὰ κλήματα διαστέλλομεν
[ἐν] αὐτῷ καὶ ἀκάνθας κόπτομεν τῶν συμπεφυκυιῶν ταῖς ἀμπέλοις,
αἷς οὐ ῥάδιόν ἐστι προσελθεῖν. ταῦτα δὲ πάντα τὴν ἀναφορὰν ἔχει
ἐπὶ τὸ κλαδεῦσαι. πάλιν ἄνθρωπος προηγουμένως γέγονεν εἰς 6
ἐπίγνωσιν θεοῦ, ἀλλὰ καὶ γεωργεῖ καὶ γεωμετρεῖ καὶ φιλοσοφεῖ, ὧν

2—4 I Clem. ad Cor. 48, 4; vgl. Strom. I 38, 7   5 Ps 28, 3   8f. Ps 9, 18
13f. vgl. Strom. V 140, 6   14f. Protagoras Fr. 5 Mullach FPG II p. 134; vgl.
Diels⁶ II 260, 1f.; Fr. 6ª (a. a. O. 266, 13f.); [dazu Sext. Emp. Pyrrh. hyp. I 12.
202—205 (Fr)]   16f. Iób 11, 2 wohl aus I Cl 30, 4; [zum Sinn vgl. Homer Υ 250
(Fr)]   17f. Barnab. Ep. 6, 10; vgl. Strom. V 63, 6 mit Anm.   18—21 I Clem. ad
Cor. 48, 5f.; vgl. Strom. I 38, 8   20f. τοσούτῳ—εἶναι Sacr. Par. 251 Holl; Corp.
Paris. Nr. 9; Maximus Cap. 49; Flor. Mon. fol. 74ᵛ; Antonius Melissa p. 139 Gesner
23f. vgl. Iudas 22f.

z Βαρνάβας Irrtum des Autors statt Κλήμης   15 ἀντικείμενον παρασκευάσασθαι
Menage   16 ⟨ἃ⟩ Tengblad S. 94 ⟨δια⟩λέγεσθαι Bywater ⟨διὰ τοῦ δια⟩λέγεσθαι Schw
ἀπολογεῖσθαι Ma   20 τοσούτῳ γὰρ] τοσοῦτόν τις Sacr. Par. (A; τις auch die andern
HSS) Max. Flor. Mon. Ant.   24 ἐλεᾶτε L* ἐλεεῖτε L³   26 [ἐν] Wi   29 γεωργεῖ καὶ
γεωμετρεῖ ~ St γεωμετρεῖ καὶ γεωργεῖ L

τὸ μὲν ἐπὶ τὸ ζῆν, τὸ δὲ ἐπὶ τὸ εὖ ζῆν, τὸ δὲ ἐπὶ τὸ μελετᾶν τὰ
ἀποδεικτικὰ γεγένηται.

Ναὶ μὴν οἱ λέγοντες τὴν φιλοσοφίαν ἐκ τοῦ διαβόλου ὁρμᾶσθαι 66, 1
κἀκεῖνο ἐπιστησάτωσαν, ὅτι φησὶν ἡ γραφὴ μετασχηματίζεσθαι τὸν
5 διάβολον »εἰς ἄγγελον φωτός«, τί ποιήσοντα; εὔδηλον, ὅτι προφη-
τεύσοντα. εἰ δὲ ὡς ἄγγελος φωτὸς προφητεύει, ἀληθῆ ἄρα ἐρεῖ. εἰ 2
ἀγγελικὰ καὶ φωτεινά, προφητεύσει καὶ ὠφέλιμα τότε, ὅτε καὶ μετα-
σχηματίζεται καθ᾽ ὁμοιότητα ἐνεργείας, κἂν ἄλλος ᾖ κατὰ τὸ ὑπο-
κείμενον τῆς ἀποστασίας. ἐπεὶ πῶς ἂν ἀπατήσειέν τινα, μὴ διὰ τῶν 8
10 ἀληθῶν ὑπαγόμενος τὸν φιλομαθῆ εἰς οἰκειότητα καὶ οὕτως ὕστερον
εἰς ψεῦδος ὑποσύρων; ἄλλως τε καὶ ἐπιστάμενος τὴν ἀλήθειαν 4
εὑρεθήσεται, καὶ εἰ μὴ καταληπτικῶς, ἀλλ᾽ οὖν οὐκ ἄπειρός γε αὐτῆς.
οὐ τοίνυν ψευδὴς ἡ φιλοσοφία, κἂν ὁ κλέπτης καὶ ὁ ψεύστης κατὰ 5
μετασχηματισμὸν ἐνεργείας τὰ ἀληθῆ λέγῃ, οὐδὲ μὴν διὰ τὸν λέγοντα
15 προκαταγνωστέον ἀμαθῶς καὶ τῶν λεγομένων, ὅπερ καὶ ἐπὶ τῶν
προφητεύειν νῦν δὴ λεγομένων παρατηρητέον, ἀλλὰ τὰ λεγόμενα
σκοπητέον, εἰ τῆς ἀληθείας ἔχεται.

Ἤδη δὲ καὶ καθολικῷ λόγῳ πάντα ⟨τὰ⟩ ἀναγκαῖα καὶ λυσιτελῆ 67, 1
τῷ βίῳ θεόθεν ἥκειν εἰς ἡμᾶς λέγοντες οὐκ ἂν ἁμάρτοιμεν, τὴν δὲ
20 φιλοσοφίαν καὶ μᾶλλον Ἕλλησιν, οἷον διαθήκην οἰκείαν αὐτοῖς, δεδό-
σθαι, ὑποβάθραν οὖσαν τῆς κατὰ Χριστὸν φιλοσοφίας, κἂν οἱ φιλο-
σοφοῦντες τὰ Ἑλλήνων ἐθελοκωφῶσι ⟨πρὸς⟩ τὴν ἀλήθειαν, ἐξευτελίζοντες
τὴν φωνὴν τὴν βαρβάρων ἢ καὶ ὑφορώμενοι | τὸν ἐπηρτημένον τῷ 774 P
πιστῷ κατὰ τοὺς πολιτικοὺς νόμους τοῦ θανάτου κίνδυνον. ὥσπερ 2
25 δὲ ἐν τῇ βαρβάρῳ φιλοσοφίᾳ, οὕτως καὶ ἐν τῇ Ἑλληνικῇ ἐπεσπάρη
τὰ ζιζάνια πρὸς τοῦ τῶν ζιζανίων οἰκείου γεωργοῦ. ὅθεν αἵ τε
αἱρέσεις παρ᾽ ἡμῖν συνανεφύησαν τῷ γονίμῳ πυρῷ οἵ τε τὴν Ἐπι-
κούρου ἀθεότητα καὶ τὴν ἡδονὴν καὶ ὅσα ἄλλα περὰ τὸν ὀρθὸν
λόγον ἐπέσπαρται τῇ Ἑλληνικῇ φιλοσοφίᾳ κηρύσσοντες νόθοι τῆς
30 θεόθεν δωρηθείσης γεωργίας Ἕλλησιν ὑπάρχουσι καρποί. ταύτην 68, 1
»σοφίαν τοῦ αἰῶνος τούτου« τὴν φιλήδονον καὶ φίλαυτον ὁ ἀπό-
στολος λέγει, ὡς ἂν τὰ τοῦ κόσμου τοῦδε καὶ τὰ περὶ αὐτὸν μόνον
διδάσκουσαν ὑποκειμένην τε ἀκολούθως κατὰ προστασίαν τοῖς τῇδε
ἄρχουσι· διὸ καὶ στοιχειωτική τίς ἐστιν ἡ μερικὴ αὕτη φιλοσοφία, τῆς
35 τελείας ὄντως ἐπιστήμης ἐπέκεινα ~όσμου περὶ τὰ νοητὰ καὶ ἔτι

5 vgl. II Cor 11, 14 14f. vgl. Orig. hom. in Exod. XI 6 (VI S. 260, 8) non
continuo cum auctoris nomine spernere debemus et dicta (Fr) 25—27 vgl.
Mt 13, 25f. 39 31 I Cor 2, 6

4 κἀκεῖνο L κἀκείνῳ Ma 5 ποιήσοντα Sy ποιήσαντα L 6 ὡς corr. aus εἰς L¹
12 γε Sy τε L 18 ⟨τὰ⟩ St 21 ἐπιβάθραν (vgl. Paed. II 53, 2) Cobet S. 494
22 ⟨πρὸς⟩ Sy (vgl. S. 334, 14) 80 δωρηθείσης (δω corr. aus χο) L¹

τούτων τὰ πνευματικώτερα ἀναστρεφομένης, »ἃ ὀφθαλμὸς οὐκ εἶδεν
καὶ οὓς οὐκ ἤκουσεν οὐδὲ ἐπὶ καρδίαν ἀνέβη ἀνθρώπων«, πρὶν ἢ
διασαφῆσαι τὸν περὶ τούτων λόγον ἡμῖν τὸν διδάσκαλον, ἅγια ἁγίων
καὶ ἔτι τούτων κατ᾽ ἐπανάβασιν τὰ ἁγιώτερα ἀποκαλύψαντος τοῖς
5 γνησίως καὶ μὴ νόθως τῆς κυριακῆς υἱοθεσίας κληρονόμοις. αὐτίκα 2
γὰρ τολμῶμεν φάναι (ἐνταῦθα γὰρ ἡ πίστις ἢ· γνωστικὴ) πάντων
ἐπιστήμονα εἶναι καὶ πάντων περιληπτικόν, βεβαίᾳ καταλήψει κεχρη-
μένον καὶ ἐπὶ τῶν ἡμῖν ἀπόρων, τὸν τῷ ὄντι γνωστικόν, ὁποῖος ἦν
Ἰάκωβος, Πέτρος, Ἰωάννης, Παῦλος καὶ οἱ λοιποὶ ἀπόστολοι. γνώ- 3
10 σεως γὰρ πλήρης ἡ προφητεία, ὡς ἂν παρὰ κυρίου δοθεῖσα καὶ διὰ
κυρίου πάλιν τοῖς ἀποστόλοις σαφηνισθεῖσα· καὶ μή τι ἡ γνῶσις ἰδίωμα
ψυχῆς τυγχάνει λογικῆς εἰς τοῦτο ἀσκουμένης, ἵνα διὰ τῆς γνώσεως
εἰς ἀθανασίαν ἐπιγραφῇ. ἄμφω γὰρ δυνάμεις τῆς ψυχῆς, γνῶσίς τε
καὶ ὁρμή. εὑρίσκεται δ᾽ ἡ ὁρμὴ μετά τινα συγκατάθεσιν κίνησις οὖσα· 69, 1
15 ὁ γὰρ ὁρμήσας εἴς τινα πρᾶξιν πρότερον τὴν γνῶσιν τῆς πράξεως
λαμβάνει, δεύτερον δὲ τὴν ὁρμήν. ἔτι κἀπὶ τοῦδε κατανοήσωμεν· 2
ἐπειδὴ γὰρ τὸ μαθεῖν τοῦ πρᾶξαι πρεσβύτερόν ἐστιν (φύσει γὰρ ὁ
πράσσων τοῦτο, ὃ πρᾶξαι βούλεται, μανθάνει πρότερον) καὶ ἡ μὲν
γνῶσις ἐκ τοῦ μαθεῖν, τὸ πρᾶξαι δὲ ἐκ τοῦ ὁρμῆσαι [κἀκ τοῦ μαν-
20 θάνειν ἡ γνῶσις], ἕπεται δὲ τῇ ἐπιστήμῃ ⟨ἡ⟩ ὁρμὴ μεθ᾽ ἣν ἡ πρᾶξις,
ἀρχὴ καὶ δημιουργὸς πάσης λογικῆς πράξεως ἡ γνῶσις εἴη ἄν, | ὥστ᾽ 775 P
ἂν εἰκότως ταύτῃ μόνῃ χαρακτηρίζοιτο ἡ τῆς λογικῆς ἰδιότης ψυχῆς·
τῷ ὄντι γὰρ ἡ μὲν ὁρμὴ καθάπερ γνῶσίς ἐστιν ἐπὶ τῶν ὄντων
κινουμένη, γνῶσις δὲ αὐτὸ τοῦτο, θέα τίς ἐστι τῆς ψυχῆς τῶν ὄντων 3
25 ἤτοι τινὸς ἢ τινῶν, τελειωθεῖσα δὲ τῶν συμπάντων. καίτοι φασί 70, 1
τινες τὸν σοφὸν ἄνθρωπον πεπεῖσθαι εἶναί τινα ἀκατάληπτα, ὡς
καὶ περὶ τούτων ἔχειν τινὰ κατά|ληψιν, καταλαμβάνοντος, ὅτι ἀκα- 276 S
τάληπτα ἔσται τὰ ἀκατάληπτα. ὅπερ ἐστὶ κοινὸν καὶ τῶν ὀλίγον 2
προορᾶσθαι δυναμένων· βεβαιοῖ γὰρ ὁ τοιοῦτος εἶναί τινα ἀκατά-
30 ληπτα. ὁ γνωστικὸς δὲ ἐκεῖνος, περὶ οὗ λέγω, τὰ δοκοῦντα ἀκατά-
ληπτα εἶναι τοῖς ἄλλοις αὐτὸς καταλαμβάνει, πιστεύσας ὅτι οὐδὲν
ἀκατάληπτον τῷ υἱῷ τοῦ θεοῦ, ὅθεν οὐδὲ ἀδίδακτον· ὁ γὰρ δι᾽

1f. I Cor 2, 9   14—25 vgl. Theodoret Gr. aff. c. I 92. 93   14 vgl. Chrysipp Fr.
mor. 462 Arnim

4 ἀποκαλύψαντα Lowth; aber vgl. z. B. Z. 27   8 τὸν—γνωστικόν St Ma καὶ—
γνωστικῶν L   13 ἐπιστραφῇ Schw   16 κἀπὶ] κἀκ Schw   17 πρᾶξαι (a² in Ras.) L¹
19f. [κἀκ—γνῶσις] St [κἀκ—πρᾶξις] Di κἀκ τοῦ μανθάνειν [ἡ γνῶσις] ἕπεται [δὲ]
Schw   19 nach τοῦ³ ist του von L¹ getilgt   20 ⟨ἡ⟩ St   22 ἂν St αὖ L

ἀγάπην τὴν πρὸς ἡμᾶς παθὼν οὐδὲν ἂν ὑποστείλαιτο εἰς διδασκαλίαν
τῆς γνώσεως. γίνεται τοίνυν αὕτη ἡ πίστις ἀπόδειξις βεβαία, ἐπεὶ 8
τοῖς ὑπὸ τοῦ θεοῦ παραδοθεῖσιν ἀλήθεια ἕπεται. »εἰ δὲ καὶ πολυ- 4
πειρίαν ποθεῖ τις, οἶδεν τὰ ἀρχαῖα καὶ τὰ μέλλοντα εἰκάζει, ἐπίστα-
5 ται στροφὰς λόγων καὶ λύσεις αἰνιγμάτων, σημεῖα καὶ τέρατα προ-
γινώσκει καὶ ἐκβάσεις καιρῶν καὶ χρόνων« ὁ τῆς σοφίας μαθητής.

IX. Τοιοῦτος γὰρ ὁ γνωστικός, ὡς μόνοις τοῖς διὰ τὴν ⟨δια⟩μονὴν 71, 1
τοῦ σώματος γινομένοις πάθεσι περιπίπτειν, οἷον πείνῃ, δίψει καὶ
τοῖς ὁμοίοις. ἀλλ᾽ ἐπὶ μὲν τοῦ σωτῆρος τὸ σῶμα ἀπαιτεῖν ὡς σῶμα 2
10 τὰς ἀναγκαίας ὑπηρεσίας εἰς διαμονήν, γέλως ἂν εἴη· ἔφαγεν γὰρ οὐ
διὰ τὸ σῶμα, δυνάμει συνεχόμενον ἁγίᾳ, ἀλλ᾽ ὡς μὴ τοὺς συνόντας
ἄλλως περὶ αὐτοῦ φρονεῖν ὑπεισέλθοι, ὥσπερ ἀμέλει ὕστερον δοκήσει
τινὲς αὐτὸν πεφανερῶσθαι ὑπέλαβον· αὐτὸς δὲ ἀπαξαπλῶς ἀπαθὴς
ἦν, εἰς ὃν οὐδὲν παρεισδύεται κίνημα παθητικὸν οὔτε ἡδονὴ οὔτε
15 λύπη. οἱ δὲ ἀπόστολοι ὀργῆς καὶ φόβου καὶ ἐπιθυμίας διὰ τῆς κυ- 8
ριακῆς διδασκαλίας γνωστικώτερον κρατήσαντες καὶ τὰ δοκοῦντα
ἀγαθὰ τῶν παθητικῶν κινημάτων, οἷον θάρσος, ζῆλον, χαράν, εὐθυ-
μίαν, οὐδὲ αὐτὰ ἀνεδέξαντο, ἐμπέδῳ τινὶ τῆς διανοίας καταστάσει
μηδὲ καθ᾽ ὁτιοῦν μεταβαλλόμενοι, ἀλλ᾽ ἐν ἕξει ἀσκήσεως ἀεὶ μένον-
20 τες ἀναλλοίωτοι μετά γε τὴν τοῦ κυρίου ἀνάστασιν. κἂν γὰρ | μετὰ 4 776 P
λόγου γινόμενα τὰ προειρημένα ἀγαθά τις ἐκδέχηται, ἀλλ᾽ οὖν γε
ἐπὶ τοῦ τελείου οὐ παραδεκτέον, ὃς οὔτε θαρσεῖν ἔχει (οὐδὲ γὰρ ἐν
δεινοῖς γίνεται, μηδὲν δεινὸν ἡγούμενος τῶν ἐν τῷ βίῳ, οὐδὲ ἀπο-
στῆσαί τι καὶ   τούτου αὐτὸν τῆς πρὸς τὸν θεὸν ἀγάπης δύ-
25 ναται), οὔτε εὐθυμίας χρεία ἐστίν (οὐδὲ γὰρ εἰς λύπην ἐμπίπτει,
πάντα καλῶς γίνεσθαι πεπεισμένος) οὐδὲ μὴν θυμοῦται (οὐδὲ γὰρ
ἔστιν ὅ τι συγκινήσει αὐτὸν πρὸς θυμόν, ἀγαπῶντα ἀεὶ τὸν θεὸν
καὶ πρὸς τούτῳ μόνῳ ὅλον τετραμμένον καὶ διὰ τοῦτο μηδὲν τῶν
κτισμάτων τοῦ θεοῦ μεμισηκότα)· ἀλλ᾽ οὐδὲ ζηλοῖ (οὐδὲ γὰρ ἐνδεῖ 5
30 τι αὐτῷ πρὸς ἐξομοίωσιν τῷ καλῷ καὶ ἀγαθῷ εἶναι· οὐδὲ ἄρα φιλεῖ
τινα τὴν κοινὴν ταύτην φιλίαν, ἀλλ᾽ ἀγαπᾷ τὸν κτίστην διὰ τῶν
κτισμάτων). οὔτ᾽ οὖν ἐπιθυμίᾳ καὶ ὀρέξει τινὶ περιπίπτει οὔτε ἐν- 72, 1
δεής ἐστι κατά γε τὴν ψυχὴν τῶν ἄλλων τινός, συνὼν ἤδη δι᾽

3–6 Sap 8, 8   10f. vgl. Orig. c. Cels. VII 13 (II S. 165, 3) (Fr)   11—13 vgl.
Johannes-Akten ed. Bonnet p. 196, 22   17f. vgl. Chrysipp Fr. mor. 431f. Arnim

1 ὑποστείλαιτο Wi ὑπεστείλατο L   2 ἐπεὶ Sy ἐπὶ L   7 ⟨δια⟩μονὴν Schw μόνην
L   17f. εὐθυμίαν St ἐπιθυμίαν L   24 καὶ ⟨ἄνευ⟩ τούτου (sc. τοῦ θαρσεῖν vgl. S. 468, 10)
St καὶ ⟨ἔξω⟩ τούτου (sc. τοῦ βίου) Schw καὶ τούτων Anon. bei Villoison, Epist. Vinar.
p. 96 τοιοῦτον Ma   25 οὔτε Di οὐδὲ L   οὐδὲ Di οὔτε L   28 τοῦτον μόνον Ma

ἀγάπης τῷ ἐραστῷ, ᾧ δὴ ᾠκείωται κατὰ τὴν αἵρεσιν, καὶ τῇ ἐξ
ἀσκήσεως ἕξει τούτῳ προσεχέστερον συνεγγίζων, μακάριος ὢν διὰ
τὴν τῶν ἀγαθῶν περιουσίαν, ὥστε ἕνεκά γε τούτων ἐξομοιοῦσθαι
βιάζεται τῷ διδασκάλῳ εἰς ἀπάθειαν· νοερὸς γὰρ ὁ λόγος τοῦ θεοῦ, 2
5 καθ' ὃ ὁ τοῦ νοῦ εἰκονισμὸς ὁρᾶται ἐν μόνῳ τῷ ἀνθρώπῳ, ᾗ καὶ
θεοειδὴς καὶ θεοείκελος ὁ ἀγαθὸς ἀνὴρ κατὰ ψυχὴν ὅ τε αὖ θεὸς
ἀνθρωποειδής· τὸ γὰρ εἶδος ἑκάστου ὁ νοῦς, ᾧ χαρακτηριζόμεθα.
παρ' ὃ καὶ οἱ εἰς ἄνθρωπον ἁμαρτάνοντες ἀνόσιοί τε καὶ ἀσεβεῖς.
λῆρος γὰρ καὶ τὸ φάσκειν τὸν γνωστικὸν καὶ τέλειον μὴ δεῖν ἀφαι- 8
10 ρεῖν θυμοῦ καὶ θάρσους, ὡς μὴ καὶ ἄνευ τούτων κατεξαναστησο-
μένου τῶν περιστάσεων οὐδ' ὑπομενοῦντος τὰ δεινά, ἀλλ', εἰ καὶ τὴν 78, 1
εὐθυμίαν ἀφέλοιμεν αὐτοῦ, [ὡς] πάντως ὑπὸ τῶν λυπηρῶν συγχεθησο-
μένου καὶ διὰ τοῦτο κάκιστα ἀπαλλάξοντος. τοῦ τε ζήλου εἰ μὴ
μετείη αὐτῷ, ἤ τισιν ἔδοξεν, οὐκ ἂν τῶν ὁμοίων τοῖς καλοῖς
15 κἀγαθοῖς ἔργων ἔφεσιν λάβοι. εἰ γοῦν ἡ πᾶσα οἰκείωσις ἡ πρὸς 2
τὰ καλὰ μετ' ὀρέξεως γίνεται, πῶς ἀπαθὴς μένει, φασίν, ὁ τῶν καλῶν
ὀρεγόμενος; ἀλλ' οὐκ ἴσασιν, ὡς ἔοικεν, οὗτοι τὸ θεῖον τῆς ἀγάπης· οὐ 8
γὰρ ἔστιν ἔτι ὄρεξις τοῦ ἀγαπῶντος ἡ ἀγάπη, στερκτικὴ δὲ οἰκείωσις,
»εἰς τὴν ἑνότητα τῆς πίστεως« ἀποκαθεστακυῖα τὸν γνωστικόν, χρόνου 777 P
20 καὶ τόπου μὴ προσδεόμενον. ὃ δ' ἐν οἷς ἔσται, δι' ἀγάπης ἤδη γενό- 4
μενος, τὴν ἐλπίδα προειληφὼς διὰ τῆς γνώσεως, οὐδὲ ὀρέγεται τινος,
ἔχων ὡς οἷόν τε αὐτὸ τὸ ὀρεκτόν. εἰκότως τοίνυν ἐν τῇ μιᾷ ἕξει 5
μένει τῇ ἀμεταβόλῳ γνωστικῶς ἀγαπῶν, οὐδ' ἄρα ζηλώσει ἐξομοιω-
θῆναι τοῖς καλοῖς, τὸ εἶναι δι' ἀγάπης ἔχων τοῦ κάλλους. θάρσους τε 6
25 καὶ ἐπιθυμίας τίς ἔτι τούτῳ χρεία. τὴν ἐκ τῆς ἀγάπης οἰκείωσιν πρὸς
τὸν ἀπαθῆ θεὸν ἀπειληφότι καὶ διὰ τῆς ἀγάπης ἑαυτὸν εἰς τοὺς
φίλους ἐγγεγραφότι; ἐξαιρετέον ἄρα τὸν γνωστικὸν ἡμῖν καὶ τέλειον 74, 1
ἀπὸ παντὸς ψυχικοῦ πάθους· ἡ μὲν γὰρ γνῶσις συνάσκησιν, ἡ συνά-
σκησις δὲ ἕξιν ἢ διάθεσιν, ἡ κατάστασις δὲ ἡ τοιάδε ἀπάθειαν
30 ἐργάζεται, οὐ μετριοπάθειαν· ἀπάθειαν γὰρ καρποῦται παντελὴς τῆς
ἐπιθυμίας ἐκκοπή. ἀλλ' οὐδὲ ἐκείνων τῶν θρυλουμένων ἀγαθῶν, 2
τουτέστι τῶν παρακειμένων τοῖς πάθεσιν παθητικῶν ἀγαθῶν, μετα-

19 vgl. Eph 4, 13   31—S. 469, 4 vgl. Chrysipp Fr. mor. 431 f. Arnim

*   2 μακάρις L 5 καθὸν L   ὁρᾶται Po ὁράσει L   ᾗ L 8 ὃ Sy ὧι L 10 f. κατεξ-
αναστησομένου corr. aus κατεξανισταμένου L¹ 12 εὐθυμίαν Schw ἐπιθυμίαν L [ὡς]
St 13 ἀπαλλάξοντος Di ἀπαλλάξαντος L 13 f. ἀπαλλάξοντος. τοῦ τε ζήλου Koet-
schau ἀπαλλ. τοῦ τε ζῆν L ⟨τῆς δ' ἐπιθυμίας⟩ τοῦ εὖ ζῆν Schw 13 [τε] Sy 14 ἢ
L* ἢ L³ τοῦ ὁμοίου ⟨εἶναι⟩ oder τοῦ ὁμοιοῦσθαι (vgl. Z. 23 f.) St τὴν ὁμοίαν Ma
14 f. τὴν ὁμοίαν τῶν καλῶν κἀγαθῶν Wi 15 ἔργων ἔφεσιν Fr ἔφεσιν ἔφεσιν (so) L
φασίν, ἔφεσιν Wi 16 φασίν St φησὶν L 21 οὐδὲ corr. aus οὐδὲν L¹ 24 ⟨τὸ⟩ Fr
εἶναι L ἔννοιαν Mü 30 γὰρ Wi δὲ L παντελὴς] παντελῆ ἡ Ma ⟨ἡ⟩ παντελὴς Mü

λαμβάνει ὁ γνωστικός, οἷον εὐφροσύνης λέγω (ἥτις παράκειται τῇ
ἡδονῇ) καὶ κατηφείας (αὕτη γὰρ τῇ λύπῃ παρέζευκται) καὶ εὐλαβείας
(ὑπέσταλκεν γὰρ τῷ φόβῳ), ἀλλ᾽ οὐδὲ θυμοῦ (παρὰ τὴν ὀργὴν οὗτος
τέτακται), κἂν λέγωσί τινες μηκέτ᾽ εἶναι ταῦτα κακά, ἀλλ᾽ ἤδη ἀγαθά. 75, 1
5 ἀδύνατον γὰρ τὸν ἅπαξ τελειωθέντα δι᾽ ἀγάπης καὶ τὴν ἀπλήρωτον
τῆς θεωρίας εὐφροσύνην ἀϊδίως καὶ ἀκορέστως ἑστιώμενον ἐπὶ τοῖς 277 S
μικροῖς καὶ χαμαιζήλοις ἔτι τέρπεσθαι· τίς γὰρ ὑπολείπεται ἔτι τούτῳ 2
εὔλογος αἰτία ἐπὶ τὰ κοσμικὰ παλινδρομεῖν ἀγαθὰ τῷ τὸ »ἀπρόσιτον«
ἀπειληφότι »φῶς«, κἂν μηδέπω κατὰ τὸν χρόνον καὶ τὸν τόπον,
10 ἀλλ᾽ ἐκείνῃ γε τῇ γνωστικῇ ἀγάπῃ, δι᾽ ἣν καὶ ἡ κληρονομία καὶ ἡ
παντελὴς ἕπεται ἀποκατάστασις, βεβαιοῦντος δι᾽ ἔργων τοῦ μισθα-
ποδότου, ὃ διὰ τοῦ ἑλέσθαι γνωστικῶς διὰ τῆς ἀγάπης φθάσας
προείληφεν ὁ γνωστικός; ἢ γὰρ οὐχί, ἀποδημῶν πρὸς τὸν κύριον δι᾽ 3
ἀγάπην τὴν πρὸς αὐτόν, κἂν τὸ σκῆνος αὐτοῦ ἐπὶ γῆς θεωρῆται,
15 ἑαυτὸν μὲν οὐκ ἐξάγει τοῦ βίου (οὐ γὰρ ἐπιτέτραπται αὐτῷ), ἐξήγα-
γεν δὲ τὴν ψυχὴν τῶν παθῶν (συγκεχώρηται γὰρ αὐτῷ) ζῇ τε αὖ
νεκρώσας τὰς ἐπιθυμίας καὶ οὐκέτι συγχρῆται τῷ σώματι, μόνον δὲ
αὐτῷ ἐπιτρέπει χρῆσθαι τοῖς | ἀναγκαίοις, ἵνα μὴ τὴν αἰτίαν τῆς 778 P
διαλύσεως παράσχῃ;
20	Πῶς οὖν ἔτι τούτῳ τῆς ἀνδρείας χρεία, μὴ γινομένῳ ἐν δεινοῖς, 76, 1
τῷ γε μὴ παρόντι, ὅλως δὲ ἤδη συνόντι τῷ ἐραστῷ; τίς δὲ καὶ σω- 2
φροσύνης ἀνάγκη μὴ χρῄζοντι αὐτῆς; τὸ γὰρ ἔχειν τοιαύτας ἐπιθυ-
μίας, ὡς σωφροσύνης δεῖσθαι πρὸς τὴν τούτων ἐγκράτειαν, οὐδέπω
καθαροῦ, ἀλλ᾽ ἐμπαθοῦς, ἀνδρεία τε διὰ φόβον καὶ δειλίαν παρα- 3
25 λαμβάνεται. οὐ γὰρ δὴ πρέπον ἔτι τὸν φίλον τοῦ θεοῦ, ὃν προώρι-
σεν ὁ θεὸς πρὸ καταβολῆς κόσμου εἰς τὴν ἄκραν ἐγκαταλεγῆναι
υἱοθεσίαν, ἡδοναῖς ἢ φόβοις περιπίπτειν καὶ περὶ τὴν καταστολὴν
ἀπασχολεῖσθαι τῶν παθῶν. τολμήσας γὰρ φήσαιμ᾽ ἂν· καθάπερ 4
προωρισμένως κεῖται δι᾽ ὧν πράξει [καὶ] οὗ τεύξεται, οὕτως καὶ αὐτὸς
30 προορίσας ἔχει δι᾽ ὧν ἔγνω ὃν ἠγάπησεν, οὐκ ἔχων δυστέκμαρτον
τὸ μέλλον, καθάπερ οἱ πολλοὶ στοχαζόμενοι βιοῦσιν, ἀπειληφὼς δὲ
διὰ πίστεως γνωστικῆς, ὃ τοῖς ἄλλοις ἄδηλον. κἄστιν αὐτῷ δι᾽ 77, 1
ἀγάπην ἐνεστὸς ἤδη τὸ μέλλον· πεπίστευκεν γὰρ διά τε τῆς προ-
φητείας διά τε τῆς παρουσίας τῷ μὴ ψευδομένῳ θεῷ καί, ὃ πεπί-

5—7 vgl. Hebr 6, 4   8f. vgl. I Tim 6, 16   11 vgl. Hebr 17, 6   13 vgl. II Cor 5, 8
14 zu σκῆνος vgl. II Cor 5, 1. 4   15 siehe zu S. 256, 14   17 vgl. Col 3, 5   25—27 vgl.
Eph 1. 4f.   31 στοχαζόμενοι vgl. Philo leg. ad Gaium 21 (Fr)

2 κατηφείας—εὐλαβείας Po κατηφείαι—εὐλαβείαι L   7 ἔτι τέρπεσθαι Wi ἐπι-
τέρπεσθαι L   13 ἢ (ἢ L) γὰρ οὐχί] ἢ(δη) γὰρ ψυχῇ Schw   21 ὅλως Wi ὅλωι L
28 τολμήσαις L   29 προωρισμένον St [καὶ] Schw   30 ὃν Ma ὂν L   ἀγαπήσει Ma

στευχεν, ἔχει καὶ κρατεῖ τῆς ἐπαγγελίας (ἀλήθεια δὲ ὁ ἐπαγγειλά-
μενος) καὶ τὸ τέλος τῆς ἐπαγγελίας διὰ τῆς ἀξιοπιστίας τοῦ
ἐπαγγειλαμένου κατ᾽ ἐπιστήμην βεβαίως ἀπείληφεν. ὁ δὲ τὴν ἐν οἷς 2
ἐστι κατάστασιν βεβαίαν τῶν μελλόντων κατάληψιν εἰδὼς δι᾽ ἀγάπης
5 προαπαντᾷ τῷ μέλλοντι. αὐτίκα οὐδὲ εὔξεται· τυχεῖν τῶν τῇδε ὁ 8
τεύξεσθαι πεπεισμένος τῶν ὄν.ως ἀγαθῶν, ἔχεσθαι δὲ ἀεὶ τῆς ἐπη-
βόλου καὶ κατορθωτικῆς πίστεως. καὶ πρὸς τοῖσδε παμπόλλους ὡς 4
ὅτι μάλιστα ὁμοίους αὐτῷ γενέσθαι εὔξεται, εἰς δόξαν τοῦ θεοῦ, ἣ
κατ᾽ ἐπίγνωσιν τελειοῦται· σωτήριος γάρ τις ὁ τῷ σωτῆρι ἐξομοιού- 5
10 μενος, εἰς ὅσον ἀνθρωπίνῃ φύσει χωρῆσαι τὴν εἰκόνα θέμις, ἀπαρα-
βάτως τὰ κατὰ τὰς ἐντολὰς κατορθῶν· τὸ δ᾽ ἔστι ἔχει θρησκεύειν τὸ
θεῖον διὰ τῆς ὄντως δικαιοσύνης, ἔργων τε καὶ γνώσεως· τούτου 78, 1
φωνὴν κατὰ τὴν εὐχὴν οὐκ ἀναμένει κύριος, ›αἴτησαι‹ λέγων ›καὶ
ποιήσω· ἐννοήθητι καὶ δώσω‹.

15   Καθόλου γὰρ ἐν τῷ τρεπομένῳ τὸ ἄτρεπτον ἀδύνατον λαβεῖν 2
πῆξιν καὶ σύστασιν, ἐν τροπῇ δὲ τῇ συνεχεῖ, καὶ διὰ τοῦτο ἀστάτου
τοῦ ἡγεμονικοῦ γινομένου, ἡ ἑκτικὴ δύναμις οὐ σῴζεται. ὁ γὰρ ὑπὸ 3
τῶν ἔξωθεν ὑπεισιόντων καὶ προσπιπτόντων ἀεὶ μεταβάλλεται, πῶς
ἄν ποτε ἐν ἕξει καὶ διαθέσει καὶ συλλήβδην ἐν ἐπιστήμης | κατοχῇ 779 P
20 γένοιτ᾽ ἄν; καίτοι καὶ οἱ φιλόσοφοι τὰς ἀρετὰς ἕξεις καὶ διαθέσεις
καὶ ἐπιστήμας οἴονται. ὡς δὲ οὐ συγγεννᾶται τοῖς ἀνθρώποις, ἀλλ᾽ 4
ἐπίκτητός ἐστιν ἡ γνῶσις καὶ προσοχῆς μὲν δεῖται κατὰ τὰς ἀρχὰς
ἡ μάθησις αὐτῆς ἐκθρέψεώς τε καὶ αὐξήσεως, ἔπειτα δὲ ἐκ τῆς
ἀδιαλείπτου μελέτης εἰς ἕξιν ἔρχεται, οὕτως ἐν ἕξει τελειωθεῖσα τῇ
25 μυστικῇ ἀμετάπτωτος δι᾽ ἀγάπην μένει· οὐ γὰρ μόνον τὸ πρῶτον 5
αἴτιον καὶ τὸ ὑπ᾽ αὐτοῦ γεγεν⟨ν⟩ημένον αἴτιον κατείληφεν καὶ περὶ
τούτων ἐμπέδως ἔχει, μονίμως μονίμους καὶ ἀμεταπτώτους καὶ ἀκι-
νήτους λόγους κεκτημένος, ἀλλὰ καὶ περὶ ἀγαθῶν καὶ περὶ κακῶν
περί τε γενέσεως ἁπάσης καὶ συλλήβδην εἰπεῖν, περὶ ὧν ἐλάλησεν ὁ
30 κύριος, τὴν ἀκριβεστάτην ἐκ καταβολῆς κόσμου εἰς τέλος ἀλήθειαν
παρ᾽ αὐτῆς ἔχει τῆς ἀληθείας μαθών, οὐχ, εἴ πού τι φανείη πιθανὸν
ἢ κατὰ λόγον Ἑλληνικὸν ἀναγκαστικόν, πρὸ αὐτῆς αἱρούμενος τῆς
ἀληθείας, τὰ δὲ εἰρημένα ὑπὸ κυρίου σαφῆ καὶ πρόδηλα ἔχει λαβών. 6

---

* 1f. Vermischung von Io 14, 6 mit Hebr 10, 23; 11, 11 (Fr) 12—14 vgl. Strom.
VI 101, 4; VII 73, 1 18f. vgl. Mt 7, 7 vgl. Resch Agrapha² S. 303 Logion 14

5 προαπαντᾷ Mangey zu Philo II p. 391 προσαπαντᾶι L 6f. ἐπηβόλου Di ἐπη-
βόλου L 10 ὅσον Sy ὃν L 11 das überlieferte τὸ δ᾽ ἔστιν ist richtig vgl. S. 486,
12f. (Fr) 15 γὰρ] γοῦν St 22 ἐπίκτητός Po ἐπίμικτός L 26 γεγεν⟨ν⟩ημένον Ma
32 πρὸ St Ma πρὸς J. 33 [ἔχει] Wi

κᾶν τοῖς ἄλλοις ἢ ἔτι κεκρυμμένα, ἤδη περὶ πάντων εἴληφε τὴν
γνῶσιν. τὰ λόγια δὲ τὰ παρ' ἡμῖν θεσπίζει περί τε τῶν ὄντων ὡς
ἔστι, περί τε τῶν μελλόντων ὡς ἔσται, περί τε τῶν γεγονότων ὡς
ἐγένετο. ἐν ⟨τε⟩ τοῖς ἐπιστημονικοῖς, μόνος ὢν ἐπιστήμων, κρατιστεύσει 79, 1
5 καὶ τὸν περὶ τἀγαθοῦ λόγον πρεσβεύσει, τοῖς νοητοῖς προσκείμενος
ἀεί, ἀπ' ἐκείνων ἄνωθεν τῶν ἀρχετύπων τὴν περὶ τὰ ἀνθρώπεια
αὐτοῦ διοίκησιν ἀπογραφόμενος, καθάπερ οἱ πλοϊζόμενοι καὶ πρὸς
τὸ ἄστρον τὴν ναῦν κατευθύνοντες, πρὸς πᾶσαν καθήκουσαν πρᾶξιν
ἑτοίμως ἔχειν παρεσκευασμένος, πάντα τὰ ὀχληρὰ καὶ δεινὰ εἰθισμένος
10 ὑπερορᾶν, ὅταν ὑπομεῖναι δέῃ, μηδὲν προπετὲς μηδὲ ἀσύμφωνον
μήτε αὐτῷ μήτε τοῖς κοινοῖς ποτε ἐπιτελῶν, προορατικὸς ὢν καὶ
ἄκαμπτος ἡδοναῖς ταῖς τε ὕπαρ ταῖς τε δι' ὀνειράτων· διαίτῃ γὰρ 2
λιτῇ καὶ αὐταρκείᾳ συνειθισμένος σωφρονικῶς, εὐσταλὴς μετὰ σεμ-
νότητος ὑπάρχει, ὀλίγων τῶν ἀναγκαίων· πρὸς τὸ διαζῆν δεόμενος,
15 μηδὲν περιττὸν πραγματευόμενος, ἀλλὰ μηδὲ ταῦτα ὡς προηγούμενα,
ἐκ δὲ τῆς κατὰ τὸν βίον κοινωνίας ὡς ἀναγκαῖα | τῇ τῆς σαρκὸς 278 S
ἐπιδημίᾳ, εἰς ὅσον ἀνάγκη, προσιέμενος· προηγουμένη γὰρ αὐτῷ
ἡ γνῶσις.

X. Κατ' ἐπακολούθημα τοίνυν καὶ τοῖς εἰς γνῶσιν γυμνάζουσιν 80, 1
20 αὐτὸν προσανάκειται, παρ' ἑκάστου μαθήματος τὸ πρόσφορον τῇ 780 P
ἀληθείᾳ λαμβάνων, τῆς μὲν οὖν μουσικῆς τὴν ἐν τοῖς ἡρμοσμένοις 2
ἀναλογίαν διώκων, ἐν δὲ τῇ ἀριθμητικῇ τὰς αὐξήσεις καὶ μειώσεις
τῶν ἀριθμῶν παρασημειούμενος καὶ τὰς πρὸς ἀλλήλους σχέσεις καὶ
ὡς τὰ πλεῖστα ἀναλογίᾳ τινὶ ἀριθμῶν ὑποπέπτωκεν, ⟨ἐν δὲ⟩ τῇ γεω-
25 μετρικῇ οὐσίαν αὐτὴν ἐφ' ἑαυτῆς θεωρῶν καὶ ἐθιζόμενος συνεχές τι
διάστημα νοεῖ⟨ν⟩ καὶ οὐσίαν ἀμετάβλητον, ἑτέραν τῶνδε τῶν σωμά-
των οὖσαν· ἔκ τε αὖ τῆς ἀστρονομίας γῆθεν αἰωρούμενος [τε] τῷ 8
νῷ συννυψωθήσεται οὐρανῷ καὶ τῇ περιφορᾷ συμπεριπολήσει, ἱστο-
ρῶν ἀεὶ τὰ θεῖα καὶ τὴν πρὸς ἄλληλα συμφωνίαν, ἀφ' ὧν ὁρμώ-
30 μενος Ἀβραὰμ εἰς τὴν τοῦ κτίσαντος ὑπεξανέβη γνῶσιν. ἀλλὰ καὶ 4
τῇ διαλεκτικῇ προσχρήσεται ὁ γνωστικός, τὴν εἰς εἴδη τῶν γενῶν
ἐκλεγόμενος διαίρεσιν, καὶ τὴν τῶν ὄντων προσήσεται διάκρισιν.

21—30 vgl. Strom. VI 90　27—29 vgl. Philo Quaest. in Gen. III 3 p. 174 Aucher
(Fr. in ZatW 14, 1937, 114) zu συμπεριπολεῖν vgl. auch Philo de leg. spec. II 45;
III 1 (Fr)　29f. vgl. Gen 15, 5; Strom. V 8, 5 mit Anm.

1 ἔτι κεκρυμμένα St ἐπικεκρυμμένα L εἴληφε corr. aus ἀπείληφε L¹　4 ⟨τε⟩
Wi μόνος ὢν Ρο μόνοις ὢν L　7. αὐτοῦ L　13 σωφρονικῶς Wi σοφρονικὸς (sic) L
16 ἀναγκαίαι L　21 [οὖν] Schw　23 ἀριθμῶν (ω in Ras.) L³　24 ⟨ἐν δὲ⟩ τῇ γεω-
μετρικῇ Ma τὴν γεωμετρικὴν L　25f. καὶ—νοεῖν ~ nach διώκων (Z. 22) Ma　26 νοεῖν
St νοεῖ L　27 αἰωρούμενός (αἰ corr. aus ἐ) L¹ [τε] St ~ nach συννυψωθήσεται Ma
28 vor οὐρανῷ ist ἐν von L¹ getilgt　31 τὴν in Ras. L¹　32 προσίσεται L (richtig
S. 472, 26)

472   Clemens.

μέχρις ἂν τῶν πρώτων καὶ ἁπλῶν ἐφάψηται. οἱ πολλοὶ δὲ καθάπερ 5
οἱ παῖδες τὰ μορμολύκεια, οὕτως δεδίασι τὴν Ἑλληνικὴν φιλοσοφίαν,
φοβούμενοι μὴ ἀπαγάγῃ αὐτούς. εἰ δὲ τοιαύτη παρ' αὐτοῖς ἐστιν ἡ 81, 1
πίστις (οὐ γὰρ ἂν γνῶσιν εἴποιμι), ἵνα λυθῇ πιθανολογίᾳ, λυθήτω,
5 διὰ τούτου μάλιστα ὁμολογούντων οὐχ ἕξειν τὴν ἀλήθειαν· ἀνίκητος
γάρ, φησίν, ἡ ἀλήθεια, ψευδοδοξία δὲ καταλύεται. αὐτίκα πορφύραν
ἐξ ἀντιπαραθέσεως ἄλλης πορφύρας ἐκλεγόμεθα. ὥστ' εἴ τις ὁμο- 2
λογεῖ καρδίαν μὴ ἔχειν διηρθρωμένην, τράπεζαν οὐκ ἔχει τὴν τῶν
ἀργυραμοιβῶν οὐδὲ μὴν τὸ κριτήριον τῶν λόγων. καὶ πῶς ἔτι τρα-
10 πεζίτης οὗτος, δοκιμάσαι μὴ δυνάμενος καὶ διακρῖναι τὸ ἀκίβδηλον
νόμισμα τοῦ παραχαράγματος; κέκραγεν δὲ ὁ Δαβίδ· ›ὅτι εἰς τὸν 3
αἰῶνα οὐ σαλευθήσεται δίκαιος·‹ οὔτ' οὖν ἀπατηλῷ λόγῳ οὐδὲ μὴν
πεπλανημένῃ ἡδονῇ, ὅθεν οὐδὲ τῆς οἰκείας κληρονομίας σαλευθή-
σεται. ›ἀπὸ ἀκοῆς ἄρα πονηρᾶς οὐ φοβηθήσεται.‹ οὔτ' οὖν διαβολῆς 4
15 κενῆς οὐδὲ μὴν ψευδοδοξίας τῆς περὶ αὐτόν, ἀλλ' οὐδὲ τοὺς πανούρ-
γους δεδίξεται λόγους ὁ διαγνῶναι τούτους δυνάμενος [ἢ] πρός τε
τὸ ἐρωτᾶν ὀρθῶς καὶ ἀποκρίνασθαι· οἷον θριγκὸς γάρ ἐστι διαλε-
κτική, ὡς μὴ καταπατεῖσθαι πρὸς τῶν σοφιστῶν τὴν ἀλήθειαν.
ἐπαινουμένους γὰρ χρὴ ἐν τῷ ὀνόματι τῷ ἁγίῳ τοῦ κυρίου κατὰ 5
20 τὸν προφήτην εὐφραίνεσθαι ›τὴν καρδίαν ζητοῦντας τὸν κύριον.
›ζητήσατε οὖν αὐτὸν καὶ κραταιώθητε, ζητήσατε τὸ πρόσωπον αὐτοῦ 6 781
διὰ παντός‹ παντοίως. πολυμερῶς γὰρ καὶ πολυτρόπως λαλήσας
οὐχ ἁπλῶς ‚νωρίζεται.

Οὔκουν ὡς ἀρεταῖς ταύταις συγχρώμενος ἡμῖν ὁ γνωστικὸς πο- 82, 1
25 λυμαθὴς ἔσται, ἀλλὰ συνεργοῖς τισι, κἂν τῷ διαστέλλειν τά τε κοινὰ
καὶ τὰ ἴδια προσήσεται τὴν ἀλήθειαν· ἔστι γὰρ πάσης πλάνης καὶ
ψευδοδοξίας αἴτιον τὸ μὴ δύνασθαι διακρίνειν, πῇ τε ἀλλήλοις τὰ
ὄντα κοινωνεῖ καὶ πῇ διενήνοχεν. εἰ δὲ μὴ κατὰ τὰ διωρισμένα τις 2
τὸν λόγον ἐφοδεύοι, λήσεται συγχέας τά τε κοινὰ καὶ τὰ ἴδια, τού-
30 του δὲ γινομένου εἰς ἀνοδίαν καὶ πλάνην ἐμπίπτειν ἀναγκαῖον. ἡ 3

*   5f. Stob. flor. 5, 105 εὑρὼν τὴν ἀλήθειαν ἕξεις τὸ μὴ νικᾶσθαι, August. serm. 150, 10
invictissima veritas (Fr)   7—11 vgl. Strom. I 177, 2 mit Anm.; VII 90, 5   10f. vgl.
Arr. Diss. Epict. I 7, 7f. (Fr)   11f. Ps 111, 6   14 Ps 111, 7   17f. vgl. Plato Rep. VII
p. 534 E ἆρ' οὖν δοκεῖ σοι, ἔφην ἐγώ, ὥσπερ θριγκὸς τοῖς μαθήμασιν ἡ διαλεκτικὴ
ἡμῖν ἐπάνω κεῖσθαι; Philo De agric. 14ff. (II p. 98); Albinus in C. F. Hermanns
Plato VI p. 162, 19f.; vgl. Fr. in PhW 57 (1937) 591   19f. vgl. Ps 104, 3   21f.
Ps 104, 4   22 vgl. Hebr 1, 1

2 μορμολύκια L   5 τούτου St τούτους L   ἔχειν Ma   6 φασίν Arcerius   9 τῶν
λόγων L* τὸν λόγον L¹   15 αὐτὸν L   16 δεδίξεται Sy (Index) δεδείξεται L δέξεται
Bywater S. 216   [ἢ] Ma   24 ταύταις ⟨ταῖς ἐπιστήμαις⟩ St   26 ἔστι St εἶναι L

διαστολὴ δὲ τῶν τε ὀνομάτων τῶν τε πραγμάτων κἂν ταῖς γραφαῖς
αὐταῖς μέγα φῶς ἐντίκτει ταῖς ψυχαῖς· ἀναγκαῖον γὰρ ἐπακούειν τῶν
τε πλείονα σημαινουσῶν λέξεων καὶ τῶν πλειόνων, ὅταν ἕν τι ση-
μαίνωσιν· ὅθεν καὶ τὸ ὀρθῶς ἀποκρίνεσθαι περιγίνεται. τὴν πολλὴν 4
5 δὲ ἀχρηστίαν παραιτητέον, ἀπασχολοῦσαν περὶ τὰ μηδὲν προσήκοντα,
οἱονεὶ δὲ συναιτίοις προγυμνάσμασιν εἴς τε τὴν ἀκριβῆ παράδοσιν τῆς
ἀληθείας, ὅσον ἐφικτόν, καὶ ἀπερίσπαστον συγχρωμένου τοῖς μαθή-
μασι τοῦ γνωστικοῦ καὶ εἰς προφυλακὴν τῶν κακοτεχνούντων λόγων
πρὸς ἐκκοπὴν τῆς ἀληθείας. οὐκ ἀπολειφθήσεται τοίνυν τῶν προ- 83, 1
10 κοπτόντων περὶ τὰς μαθήσεις τὰς ἐγκυκλίους καὶ τὴν Ἑλληνικὴν
φιλοσοφίαν, ἀλλ᾽ οὐ κατὰ τὸν προηγούμενον λόγον, τὸν δὲ ἀναγκαῖον
καὶ δεύτερον καὶ περιστατικόν· οἷς γὰρ ἂν πανούργως χρήσωνται οἱ
κατὰ τὰς αἱρέσεις πονούμενοι, τούτοις ὁ γνωστικὸς εἰς εὖ καταχρή-
σεται. μερικῆς οὖν τυγχανούσης τῆς κατὰ τὴν Ἑλληνικὴν φιλοσοφίαν 2
15 ἐμφαινομένης ἀληθείας, ἢ τῷ ὄντι ἀλήθεια, ὥσπερ ἥλιος ἐπιλάμψας
τὰ χρώματα καὶ τὸ λευκὸν καὶ τὸ μέλαν, ὁποῖον ἕκαστον αὐτῶν,
διαδείκνυσιν, οὕτως δὲ καὶ αὐτὴ πᾶσαν ἐλέγχει σοφιστικὴν πιθανο-
λογίαν. εἰκότως ἄρα προαναπεφώνηται καὶ τοῖς Ἕλλησιν·   3

ἀρχὰ μεγάλας ἀρετᾶς, ὤνασσα ἀλήθεια.

20   XI. Καθάπερ οὖν ἐπὶ τῆς ἀστρονομίας ἔχομεν ὑπόδειγμα τὸν 84, 1
Ἀβραάμ, οὕτως ἐπὶ τῆς ἀριθμητικῆς τὸν αὐτὸν Ἀβραάμ. ἀκούσας 2
γὰρ ὅτι αἰχμάλωτος ἐλήφθη ὁ Λώτ, τοὺς ἰδίους | οἰκογενεῖς τιη´ 782 P
ἀριθμήσας καὶ ἐπεξελθὼν πάμπολυν ἀριθμὸν τῶν πολεμίων χειροῦ-
ται. φασὶν οὖν εἶναι τοῦ μὲν κυριακοῦ σημείου τύπον κατὰ τὸ σχῆμα 3
25 τὸ τριακοσιοστὸν στοιχεῖον, τὸ δὲ ἰῶτα καὶ τὸ ἦτα τοὔνομα σημαί-
νειν τὸ σωτήριον· μηνύεσθαι τοίνυν τοὺς Ἀβραὰμ οἰκείους εἶναι 4
κατὰ τὴν σωτηρίαν, τοὺς τῷ σημείῳ καὶ τῷ ὀνόματι προσπεφευ-
γότας, κυρίους γεγονέναι τῶν αἰχμαλωτ·ζόντων καὶ τῶν τούτοις
ἀκολουθούντων παμπόλλων ἀπίστων ἐθνῶν. ἤδη δὲ ὁ μὲν τρια- 5
30 κόσια ἀριθμὸς τριάς ἐστιν ἐν ἑκατοντάδι, ἡ δεκὰς δὲ ὁμολογεῖται
παντέλειος εἶναι. ὁ δὲ ὀκτώ, κύβος ὁ πρῶτος, ἡ ἰσότης ἐν | ἁπάσαις 6 279 S
ταῖς διαστάσεσι, μήκους, πλάτους, βάθους.

14 zu μερικῆς vgl. Strom. VI 160, 1   19 Pindar Fr. 205 Schroeder 20f. vgl.
S. 471, 29f. mit Anm.   21—24 vgl. Gen 14, 14f.   24—26 vgl. Barnab. Ep. 9, 8
80f. vgl. z. B. Philo De post. Caini 173 (II p. 38); De congr. erud. gr. 88. 90
(III p. 90) 81f. vgl. z. B. Plut. Mor. p. 288 D

7 συγχρωμένου Po συγχρωμένους L   13 ⟨τὸ⟩ εὖ Ma   14 μερικῆς St μερικῶς L
19 ἀρχὰ corr. aus ἀρχή L¹ 31 am Rand ⋮ ⋮ L³

474   Clemens.

›Αἵ τε ἡμέραι τῶν ἀνθρώπων ἔσονται‹, φησίν, ›ἔτη ϱκ΄.‹ ἔστι 7
δὲ ὁ ἀριθμὸς ἀπὸ μονάδος κατὰ σύνθεσιν πεντεκαιδέκατος, σελήνη
δὲ πεντεκαιδεκάτῃ πλησιφαὴς γίνεται. ἔστι δὲ καὶ ἄλλως ὁ ἑκατὸν 85, 1
εἴκοσι τρίγωνος ἀριθμὸς καὶ συνέστηκεν ἐξ ἰσότητος μὲν τοῦ ξδ΄,
5 ὧν ἡ κατὰ μέρος σύνθεσις τετραγώνους γεννᾷ, α΄ γ΄ ε΄ ζ΄ θ΄ ια΄ ιγ΄
ιε΄, ἐξ ἀνισότητος δὲ τοῦ νς΄, ἑπτὰ τῶν ἀπὸ δυάδος ἀρτίων, οἳ γεν-
νῶσι τοὺς ἑτερομήκεις, β΄ δ΄ ς΄ η΄ ι΄ ιβ΄ ιδ΄. κατ᾽ ἄλλο πάλιν ση- 2
μαινόμενον συνέστηκεν ὁ ἑκατὸν κ΄ ἀριθμὸς ἐκ τεσσάρων, ἑνὸς μὲν
τριγώνου τοῦ πεντεκαιδεκάτου, ἑτέρου δὲ τετραγώνου τοῦ κε΄, τρίτου
10 δὲ πενταγώνου τοῦ · λε΄, τετάρτου δὲ | ἑξαγώνου τοῦ με΄. κατὰ γὰρ 783 P
τὴν αὐτὴν ἀναλογίαν ὁ ε΄ παρείληπται καθ᾽ ἕκαστον εἶδος· τῶν
μὲν γὰρ τριγώνων ἀπὸ μονάδος ε΄ [δὲ] ὁ ιε΄, τῶν δὲ τετραγώνων ὁ
κε΄, καὶ τῶν ἑξῆς ἀναλόγως. ναὶ μὴν ὁ κε΄ ἀριθμός, ε΄ ἀπὸ μονάδος 4
ὢν, τῆς Λευιτικῆς φυλῆς εἶναι σύμβολον λέγεται, ὁ δὲ λε΄ καὶ αὐτὸς
15 ἔχεται τοῦ ἐκ τῶν διπλασίων διαγράμματος ἀριθμητικοῦ καὶ γεω-
μετρικοῦ καὶ ἁρμονικοῦ τοῦ ς΄ η΄ θ΄ ιβ΄, ὧν ἡ σύνθεσις γεννᾷ τὸν
λε΄· ἐν ταύταις ταῖς ἡμέραις Ἰουδαῖοι διαπλάσσεσθαι τὰ ἑπτάμηνα
λέγουσιν. ὁ δὲ με΄ τοῦ ἐκ τῶν τριπλασίων διαγράμματος τοῦ ς΄ θ΄
ιβ΄ ιη΄, ὧν ἡ σύνθεσις γεννᾷ τὸν με΄, καὶ ἐν ταύταις ὁμοίως ταῖς
20 ἡμέραις τὰ ἐννεάμηνα διαπλάσσεσθαί φασι.

Τοῦτο μὲν οὖν τὸ εἶδος τοῦ ἀριθμητικοῦ ὑποδείγματος· γεωμε- 86, 1
τρίας δὲ ἔστω μαρτύριον ἡ κατασκευαζομένη σκηνὴ καὶ τεκταινομένη
κιβωτός, ἀναλογίαις τισὶ λογικωτάταις, θείαις ἐπινοίαις κατασκευα-
ζόμεναι, κατὰ συνέσεως δόσιν, ἐκ τῶν αἰσθητῶν εἰς τὰ νοητά, μᾶλ-
25 λον δὲ ἐκ τῶνδε εἰς τὰ ἅγια καὶ τῶν ἁγίων τὰ ἅγια μεταγούσης

1—20 aus Philo Quaest. in Gen. I 91 p. 63f. Aucher · 1 Gen 6, 3   5—7 vgl.
Nicom. Geras. Introd. arithm. II 9, 3; 17, 2; Jambl. in Nicom. arithm. p. 75, 11—15
Pistelli vgl. auch RE II 1087, 29 ff.   6 f. vgl. auch RE II 1089, 62 ff.   7—13 zu den
Polygonalzahlen vgl. Nicom. Geras. Introd. ar. II 8—11; vgl. auch RE 1089, 11 ff.
14 vgl. Num 8, 24   14—17 vgl. Philo De opif. m. 108f. (I p. 38)   15 f. arith-
metisch: 6 — 9 — 12; geometrisch: 6 — 8 — 9 — 12; harmonisch: 6 — 8 — 12 (vgl. Nicom.
a. a. O. II 27, 7)   17 f. 19 f. vgl. Philo Quaest. in Gen. IV 27 p. 266 Aucher   18 f.
arithmetisch: 6 — 12 — 18; geometrisch: 6 — 9 — 12 — 18; harmonisch: 6 — 9 — 18   23—
S. 475, 11 vgl. Philo Quaest. in Gen. II 2. 5 p. 75. 79 Aucher   24 vgl. Exod 35, 31

4 ξδ΄, ⟨ὀκτὼ δηλονότι τῶν ἀπὸ μονάδος περισσῶν⟩ Hervet   5 am Rand
· · · · · · · · L³   10 πενταγώνου Po τετραγώνου L   12 ε΄ = πέμπτος   [δὲ] oder
ἐστιν St   17 f. ἐν ταύταις—λέγουσιν] verum XVI. XVIII. XIX. XXI, quorum com-
positio parit septuaginta quatuor, quo creantur septemmensuales (nati) Philo   19 f.
καὶ—φασι] huius autem sexdecim, novemdecim, viginti duo, viginti octo, quorum
compositio parit octoginta quinque, in quo procreantur novemmensuales Philo
20 ἐννεάμηνα L

ἡμᾶς. τὰ μὲν γὰρ »τετράγωνα ξύλα« ⟨τῷ⟩ τὸ τετράγωνον σχῆμα 2
πάντη βεβηκέναι ὀρθὰς γωνίας ἐπιτελοῦν τὸ ἀσφαλὲς δηλοῖ. καὶ
μῆκος μὲν τριακόσιοι πήχεις τοῦ κατασκευάσματος, πλάτος δὲ ν',
βάθος δὲ λ'· καὶ εἰς πῆχυν ἄνωθεν συντελεῖται, ἐκ τῆς πλατείας
5 βάσεως ἀποξυνομένη πυραμίδος τρόπον, ἡ κιβωτός, τῶν διὰ πυρὸς 8
καθαιρομένων καὶ δοκιμαζομένων σύμβολον. ἡ γεωμετρικὴ αὕτη
παρέχεται ἀναλογία εἰς παραπομπὴν τῶν ἁγίων ἐκείνων μονῶν,
ὧν τὰς διαφορὰς αἱ διαφοραὶ τῶν ἀριθμῶν τῶν ὑποτεταγμένων μη-
νύουσιν. οἱ δὲ ἐμφερόμενοι λόγοι εἰσὶν ἑξαπλάσιοι ὡς τὰ τριακόσια 87, 1
10 τῶν ν', καὶ δεκαπλάσιοι ὡς τῶν λ' δεκαπλάσια τὰ τριακόσια, καὶ
ἐπιδίμοιροι· τὰ γὰρ ν' τῶν λ' ἐπιδίμοιρα. εἰσὶ δ' οἳ τοὺς τριακο- 2
σίους πήχεις σύμβολον τοῦ κυριακοῦ σημείου λέγουσι, τοὺς ν' δὲ τῆς
ἐλπίδος καὶ τῆς ἀφέσεως τῆς κατὰ τὴν πεντηκοστήν, καὶ τοὺς λ' ἤ,
ὡς ἔν τισι, δώδεκα τὸ κήρυγμα δηλοῦν ἱστοροῦσιν, ὅτι τριακοστῷ
15 μὲν ἐκήρυξεν ὁ κύριος ἔτει, ιβ' δὲ ἦσαν οἱ ἀπόστολοι, καὶ εἰς πῆχυν
συντελεῖσθαι τὸ κατασκεύασμα, εἰς μονάδα τελευτώσης τῆς τοῦ
δικαίου προκοπῆς καὶ »εἰς τὴν ἑνότητα τῆς πίστεως«.

Ἡ δὲ τράπεζα ἡ ἐν τῷ ναῷ πηχῶν ἐγεγόνει ἕξ, καὶ πόδες οἱ 784 P 8
τέσσαρες ἀνὰ πῆχυν ἕνα ἥμισυ. συνάγουσιν οὖν τοὺς πάντας πήχεις
20 δώδεκα, συμφώνως τῷ κατὰ τὸν ἐνιαύσιον κύκλον ἐλιγμῷ τῶν μη-
νῶν τῶν ιβ', καθ' οὓς τὰ πάντα φύει τε καὶ τελεσφορεῖ ἡ γῆ ταῖς
τέσσαρσιν ὥραις οἰκειουμένη. γῆς δ', οἶμαι, εἰκόνα ἡ τράπεζα δηλοῖ, 4
τέσσαρσιν ἐπερειδομένη ποσί, θέρει, μετοπώρῳ, ἔαρι, χειμῶνι, δι' ὧν
ὁδεύει τὸ ἔτος. διὸ καὶ κυμάτια στρεπτά φησιν ἔχειν τὴν τράπεζαν,
25 ἤτοι ὅτι περιόδοις καιρῶν κυκλεῖται τὰ πάντα, ἢ καὶ τάχα τὴν
ὠκεανῷ περιρρεομένην ἐδήλου γῆν.

Ἔτι τῆς μουσικῆς παράδειγμα ψάλλων ὁμοῦ καὶ προφητεύων 88, 1
ἐκκείσθω Δαβίδ, ὑμνῶν τὸν θεὸν ἐμμελῶς. προσήκει δὲ εὖ μάλα τὸ
ἐναρμόνιον γένος τῇ δωριστὶ ἁρμονίᾳ καὶ τῇ φρυγιστὶ τὸ διάτονον,
30 ὥς φησιν Ἀριστόξενος. ἡ τοίνυν ἁρμονία τοῦ βαρβάρου ψαλτηρίου, 2
τὸ σεμνὸν ἐμφαίνουσα τοῦ μέλους, ἀρχαιοτάτη τυγχάνουσα, ὑπόδειγμα

1—4 vgl. Gen 6, 14—16 1f. vgl. z. B. Philo de vita Mos. II [III] 128 (IV p. 230)
σχῆμα ... τετράγωνον, ... ὡς χρὴ ... βεβηκέναι πάντη. 5f. vgl. S. 332, 1 (τὴν
διὰ πυρὸς κάθαρσιν); I Petr. 1, 7 (διὰ πυρὸς δοκιμαζομένου) 14f. vgl. Lc 3, 23
17 vgl. Eph 4, 13 18f. vgl. Exod 25, 22 22f. vgl. Philo de op. m. 52 (Fr) 24
vgl. Exod 25, 23 80 Aristox. fr. 84 Wehrli 2 S. 31, 18—24

1 ⟨τῷ⟩ Heyse 3f. πλάτος—βάθος Ma πλάτους—βάθους L 5 ἀποξυνομένη St
ἀποξυνόμενον L was sich halten läßt (sc. τὸ κατασκεύασμα) (Fr) ⟨ἢ⟩ ἡ κιβωτός κτλ.
Fr 7 ⟨διὰ⟩ τῶν Schw 18 ἕξ bezieht sich auf den Umfang (2 Ellen lang, 1 Elle
breit) 20 τῷ Sy τὸ L 29 τῇ¹] τῇ in Ras. L¹

Τερπάνδρῳ μάλιστα γίνεται πρὸς ἁρμονίαν τὴν Δώριον ὑμνοῦντι τὸν
Δία ὧδέ πως·

Ζεῦ πάντων ἀρχά, πάντων ἁγήτωρ,
Ζεῦ, σοὶ πέμπω ταύταν ὕμνων ἀρχάν.

5 εἴη δ᾽ ἂν τῷ ψαλμῳδῷ κιθάρα ἀλληγορουμένη κατὰ μὲν τὸ πρῶτον 3
σημαινόμενον ὁ κύριος, κατὰ δὲ τὸ δεύτερον οἱ προσεχῶς κρούοντες
τὰς ψυχὰς ὑπὸ μουσηγέτῃ τῷ κυρίῳ. κἂν ὁ σῳζόμενος λέγηται λαὸς 4
κιθάρα, κατ᾽ ἐπίπνοιαν τοῦ λόγου καὶ κατ᾽ ἐπίγνωσιν τοῦ θεοῦ
δοξάζων μουσικῶς ἐξακούεται, κρουόμενος εἰς πίστιν τῷ λόγῳ. λά- 5
10 βοις δ᾽ ἂν καὶ ἄλλως μουσικὴν συμφωνίαν τὴν ἐκκλησιαστικὴν νόμου
καὶ προφητῶν ὁμοῦ καὶ ἀποστόλων σὺν καὶ τῷ εὐαγγελίῳ τήν τε
ὑποβεβηκυῖαν, τὴν καθ᾽ ἕκαστον προφήτην κατὰ τὰς μεταπηδήσεις
τῶν προσώπων συνῳδίαν.

Ἀλλ᾽, ὡς ἔοικεν, οἱ πλεῖστοι τῶν τὸ ὄνομα ἐπιγραφομένων καθ- 89, 1
15 άπερ οἱ τοῦ Ὀδυσσέως ἑταῖροι ἀγροίκως μέτιασι τὸν λόγον, οὐ τὰς
Σειρῆνας, ἀλλὰ τὸν ῥυθμὸν καὶ τὸ μέλος παρερχόμενοι, ἀμαθίᾳ βύ-
σαντες τὰ ὦτα, ἐπείπερ ἴσασιν οὐ δυνησόμενοι ἅπαξ ὑποσχόντες τὰς
ἀκοὰς Ἑλληνικοῖς μαθήμασι μετὰ ταῦτα τοῦ νόστου τυχεῖν. τῷ δ᾽ 2
ἀπανθιζομένῳ τὸ χρειῶδες εἰς ὠφέλειαν τῶν κατηχουμένων καὶ μά-
20 λιστα Ἑλλήνων ὄντων (»τοῦ κυρίου δὲ ἡ γῆ καὶ τὸ πλήρωμα αὐτῆς«)
οὐκ ἀφεκτέον τῆς | φιλομαθίας ἀλόγων δίκην ζῴων, πλείω δ᾽ ὡς 785 P
ἔνι μάλιστα βοηθήματα τοῖς ἐπαΐουσιν ἐρανιστέον. πλὴν οὐδαμῶς 8
τούτοις ἐνδιατριπτέον ἀλλ᾽ ἢ εἰς μόνον | τὸ ἀπ᾽ αὐτῶν χρήσιμον, 280 S
ὡς λαβόντας τοῦτο καὶ κτησαμένους ἀπιέναι οἴκαδε δύνασθαι ἐπὶ
25 τὴν ἀληθῆ φιλοσοφίαν, πεῖσμα τῇ ψυχῇ βέβαιον τὴν ἐκ πάντων
ἀσφάλειαν πεπορισμένους.

Ἁπτέον ἄρα μουσικῆς εἰς κατακόσμησιν ἤθους καὶ καταστολήν. 4

3f. Terpander Fr. 1 Bergk⁴ fr. 1 Diehl (Anth. lyr. II 3) wohl aus Aristoxenos
(Fr) **5** vgl. z. B. ἐξεγέρθητι, ψαλτήριον καὶ κιθάρα Ps 56, 9; 107, 3 **7—9** vgl.
Paed. II 41, 4f. **15—18** vgl. μ 165 ff. **16f.** vgl. Ps 57, 5 **20** Ps 23, 1 (I Cor 10, 26)
21—26 οὐκ—πεπορισμένους Sacr. Par. 252 Holl

---

3 ἁγήτωρ L **4** πέμπω] σπένδω Bergk ταύταν ⟨τὰν⟩ Ritschl, Opusc. philol. I
p. 272, der drei anapaest. Paroem. herstellt: Ζεῦ πάντων ἀρχά, πάντων | ἁγήτωρ
Ζεῦ, σοὶ πέμπω | ταύταν ⟨τὰν⟩ ὕμνων ἀρχάν. **12** am Rand αἱ μεταπηδήσεις L³ **22**
ἐπιοῦσιν Sacr. Par. **23** ἢ < Sacr. Par. **24** τοῦτο Sacr. Par. τούτωι L ἀπιέναι Di
ἀπεῖναι L Sacr. Par. **25** πῖσμα L **26** πεπορισμένους Sacr. Par. πεπορισμένον L

ἀμέλει καὶ παρὰ πότον ⟨τὸ⟩ ψάλλειν ἀλλήλοις προπίνομεν, κατεπᾷ- 90, 1
δοντες ἡμῶν τὸ ἐπιθυμητικὸν καὶ τὸν θεὸν δοξάζοντες ἐπὶ τῇ
ἀφθόνῳ τῶν ἀνθρωπείων ἀπολαύσεων δωρεᾷ τῶν τε εἰς τὴν τοῦ
σώματος τῶν τε εἰς τὴν τῆς ψυχῆς αὔξησιν τροφῶν ἀϊδίως ἐπιχορη-
5 γηθεισῶν. περιττὴ δὲ μουσικὴ ἀποπτυστέα ἡ κατακλῶσα τὰς ψυχὰς 2
καὶ εἰς ποικιλίαν ἐμβάλλουσα τοτὲ μὲν θρηνώδη, τοτὲ δὲ ἀκόλαστον
καὶ ἡδυπαθῆ, τοτὲ δὲ ἐκβακχευομένην καὶ μανικήν. ὁ αὐτὸς λόγος 3
καὶ περὶ ἀστρονομίας· αὕτη γάρ, μετὰ τὴν τῶν μεταρσίων ἱστορίαν
περί τε σχήματος τοῦ παντὸς καὶ φορᾶς οὐρανοῦ τῆς τε τῶν
10 ἄστρων κινήσεως πλησιαίτερον τῇ κτιζούσῃ δυνάμει προσάγουσα τὴν
ψυχήν, εὐαισθήτως ἔχειν διδάσκει ὡρῶν ἐτείων, ἀέρων μεταβολῆς,
ἐπιτολῶν ἄστρων· ἐπεὶ καὶ ναυτιλία καὶ γεωργία τῆς ἀπὸ ταύτης
χρείας πεπλήρωται, καθάπερ τῆς γεωμετρίας ἀρχιτεκτονική τε καὶ
οἰκοδομική. παρακολουθητικὴν δ' ὡς ἔνι μάλιστα τὴν ψυχὴν καὶ 4
15 τοῦτο παρασκευάζει τὸ μάθημα τοῦ τε ἀληθοῦς διορατικὴν καὶ τοῦ
ψεύδους διελεγκτικήν, ὁμολογιῶν τε καὶ ἀναλογιῶν εὑρετικήν, ὥστε
ἐν τοῖς ἀνομοίοις τὸ ὅμοιον θηρᾶν, ἐνάγει τε ἡμᾶς ἐπὶ τὸ εὑρεῖν
ἀπλατὲς μῆκος καὶ ἐπιφάνειαν ἀβαθῆ καὶ σημεῖον ἀμερὲς καὶ ἐπὶ τὰ
νοητὰ μετατίθηνιν ἀπὸ τῶν αἰσθητῶν.
20   Συνεργὰ τοίνυν φιλοσοφίας τὰ μαθήματα καὶ αὐτὴ ἡ φιλοσοφία 91, 1
εἰς τὸ περὶ ἀληθείας διαλαβεῖν. αὐτίκα ἡ χλαμὺς πόκος ἦν τὸ πρῶ-
τον, εἶτα ἐξάνθη κρόκη τε ἐγένετο καὶ στήμων, καὶ τότε ὑφάνθη.
προπαρασκευασθῆναι τοίνυν τὴν ψυχὴν καὶ ποικίλως ἐργασθῆναι 2
χρή, εἰ μέλλοι ἀρίστη κατασκευάζεσθαι, ἐπεὶ τῆς ἀληθείας τὸ μέν
25 ἐστι γνωστικόν, τὸ δὲ ποιητικόν, ἐρρύηκεν δὲ ἀπὸ τοῦ θεωρητικοῦ,
δεῖται δὲ ἀσκήσεως καὶ συγγυμνασίας πολλῆς καὶ ἐμπειρίας. ἀλλὰ καὶ 3
τοῦ θεωρητικοῦ τὸ μέν τί ἐστι πρὸς τοὺς | πέλας, τὸ δὲ ὡς πρὸς 786 P
αὑτόν. διόπερ καὶ τὴν παιδείαν οὕτως χρὴ συνεσκευάσθαι, ὥστε
ἀμφοτέροις ἐνηρμόσθαι. ἔνεστι μὲν οὖν αὐτάρκως τὰ συνεκτικὰ τῶν 4
30 πρὸς γνῶσιν φερόντων ἐκμαθόντα ἐφ' ἡσυχίας τοῦ λοιποῦ μένειν
ἀναπεπαυμένον, κατευθύνοντα τὰς πράξεις πρὸς τὴν θεωρίαν· διὰ 5
δὲ τὴν τῶν πέλας ὠφέλειαν τῶν μὲν ἐπὶ τὸ γράφειν ἱεμένων, τῶν
δὲ ἐπὶ τὸ παραδιδόναι στελλομένων τὸν λόγον ἥ τε ἄλλη παιδεία
χρήσιμος ἥ τε τῶν γραφῶν τῶν κυριακῶν ἀνάγνωσις εἰς ἀπόδειξιν

1f. vgl. Paed. II 44, 1. 3 5f. vgl. Joh. Chr. ın Is V 5ᵇ (PG 56, 62) μουσικὴ
μαλάττουσα τὸ εὔτονον τῆς διανοίας καὶ κατακλῶσα τῆς ψυχῆς τὴν ἀνδρείαν (Fr)
11ff. aus Plato, Staat VII 10 p. 527 D (Fr) 18 zu ἀπλατὲς μῆκος κτλ. vgl. Philo
De op. m. 49 (Fr)

1 καὶ—⟨τὸ⟩ ψάλλειν Schw καὶ—ψάλλοντες Lowth καὶ ⟨ἐν τῷ⟩—ψάλλειν Po 4f.
ἐπιχορηγηθεισῶν Heyse ἐπιχορηγηθῆναι L 11 ἐτείων Sy αἰτίων L* ἐτίων L³ ἐτῶν
Doehner, Quaest. Plut. III p. 49 12 ἐπιτολῆς Sy 21 χλαμὺς πόκος wohl corr. aus
χλαμύσι τόκος L¹ 22 ἐξάνθη corr. aus ἐξανθῇ L³

τῶν λεγομένων ἀναγκαῖα, καὶ μάλιστα, ἐὰν ἀπὸ τῆς Ἑλληνικῆς ἀνά-
γωνται παιδείας οἱ ἐπαΐοντες. τοιαύτην τινὰ ἐκκλησίαν ὁ Δαβὶδ 92, 1
διαγράφει· »παρέστη ἡ βασίλισσα ἐκ δεξιῶν σου, ἐν ἱματισμῷ δια-
χρύσῳ. περιβεβλημένη πεποικιλμένοις«, καὶ τοῖς Ἑλληνικοῖς καὶ περιτ-
5 τοῖς· »ἐν κροσσωτοῖς χρυσοῖς, περιβεβλημένη πεποικιλμένοις.« »ἡ
ἀλήθεια δὲ διὰ τοῦ κυρίου.« »βουλὴν γάρ σου«, φησί, »τίς ἔγνω, εἰ 2
μὴ σὺ δέδωκας σοφίαν καὶ ἔπεμψας τὸ ἅγιόν σου πνεῦμα ἀπὸ ὑψί-
στων; καὶ οὕτως διωρθώθησαν αἱ τρίβοι τῶν ἐπὶ τῆς γῆς, καὶ τὰ
ἀρεστά σου ἐδιδάχθησαν οἱ ἄνθρωποι καὶ τῇ σοφίᾳ ἐσώθησαν.«
10 ὁ γνωστικὸς γὰρ »οἶδεν« κατὰ τὴν γραφὴν »τὰ ἀρχαῖα καὶ τὰ μέλ- 8
λοντα εἰκάζει, ἐπίσταται στροφὰς λόγων καὶ λύσεις αἰνιγμάτων, ση-
μεῖα καὶ τέρατα προγινώσκει καὶ ἐκβάσεις καιρῶν καὶ χρόνων«, ὡς
προειρήκαμεν. ὁρᾷς τὴν τῶν μαθημάτων πηγὴν ἐκ τῆς σοφίας 93, 1
ὁρμωμένην; τοῖς δὲ ὑποκρούουσι, τί γὰρ ὄφελος εἰδέναι τὰς αἰτίας
15 τοῦ πῶς κινεῖται ὁ ἥλιος, φέρε εἰπεῖν, καὶ τὰ λοιπὰ ἄστρα ἢ τὰ
γεωμετρικὰ θεωρήματα ἐπεσκέφθαι ἢ τὰ διαλεκτικὰ καὶ τῶν ἄλλων
ἕκαστον μαθημάτων, πρὸς γὰρ καθηκόντων ἀπόδοσιν ταῦτα μηδὲν
ὠφελεῖν, εἶναί τε ἀνθρωπίνην σύνεσιν τὴν Ἑλληνικὴν φιλοσοφίαν,
μὴ γὰρ εἶναι διδακτὴν τῆς ἀληθείας, ἐκεῖνα λεκτέον, πρῶτον μέν,
20 ὅτι καὶ περὶ τὰ μέγιστα τῶν ὄντων πταίουσιν οὗτοι, τουτέστι τὴν
προαίρεσιν τοῦ νοῦ. »οἱ γὰρ φυλάσσοντες«, φησίν, »ὁσίως τὰ ὅσια 2
ὁσιωθήσονται, καὶ οἱ διδαχθέντες αὐτὰ εὑρήσουσιν ἀπολογίαν.« ὁ
γνωστικὸς γὰρ μόνος εὐλόγως πάντα ὁσίως πράξει τὰ πρακτέα, ὡς
μεμάθηκεν κατὰ τὴν τοῦ κυρίου διδασκαλίαν δι᾽ ἀνθρώπων παρα-
25 λαβών. πάλιν τε αὖ ἀκούειν ἔξεστιν· »ἐν γὰρ χειρὶ αὐτοῦ«, τουτέστι 8
τῇ δυνάμει καὶ σοφίᾳ, »καὶ ἡμεῖς καὶ οἱ λόγοι ἡμῶν πᾶσά τε φρό-
νησις καὶ ἐργατειῶν ἐπιστήμη.« »οὐδὲν γὰρ ἀγαπᾷ ὁ θεὸς εἰ μὴ
τὸν σοφίᾳ συνοικοῦντα.« ἔπειτα δὲ οὐκ ἀνέγνωσαν τὸ πρὸς τοῦ 4
Σολομῶντος εἰρημένον. περὶ γὰρ νεὼς κατασκευῆς διαλαβὼν ἀντι-
30 κρὺς φησίν· »τεχνῖτις δὲ σοφία | κατεσκεύασεν· ἡ δὲ σή, πάτερ, δια- 787 P
κυβερνᾷ πρόνοια.« καὶ πῶς οὐκ ἄλογον τεκτονικῆς καὶ ναυπηγικῆς 94, 1

3f. Ps 44, 10   5 Ps 44, 14   5f. vgl. Io 1, 17   6—9 Sap 9, 17f.   10—12 Sap 8, 8
13 προειρήκαμεν S. 467, 4—6   14—21 vgl. Philo De migr. Abr. 184ff. (II p. 304);
De somn. I 53ff. (III p. 216); Tatian Or. ad Gr. 27 p. 29, 13ff. Schw.; Iren. II 28, 2;
Norden, 18. Suppl.-Bd. der Jahrbb. f. Philol. (1892) S. 270   [vgl. Xen. Mem. IV 7, 5;
Philo De agr. 134; Seneca ep. 65, 15; Isid. v. Pelus. II 100. 273 (PG 78, 545 A. 704 A)
Fr in PhW 58 (1938) 62]   21f. Sap 6, 10   25—27 Sap 7, 16   27f. Sap 7, 28
30f. Sap 14, 2f.

3 vor διαγράφει ist γρ von L¹ getilgt   4f. πεποικιλμένοις (mit LXX ℵ) St
πεποικιλμένη (mit a. HSS der LXX) L   5 κροσσωτοῖς L   19 διδακτ(ικ)ὴν Sy; doch
vgl. I Cor 2, 13 u. Z. 30ff.   21 φησίν St φασίν L

χεῖρον νομίζειν φιλοσοφίαν; τάχα που καὶ ὁ κύριος τὸ πλῆθος ἐκεῖνο 2
τῶν ἐπὶ τῆς πόας κατακλιθέντων καταντικρὺ τῆς Τιβεριάδος τοῖς
ἰχθύσι τοῖς δυσὶ καὶ τοῖς ε΄ τοῖς κριθίνοις διέθρεψεν ἄρτοις, αἰνισ-
σόμενος τὴν προπαιδείαν Ἑλλήνων τε καὶ Ἰουδαίων πρὸ τοῦ θείου
5 πυροῦ τῆς κατὰ τὸν νόμον γεωργουμένης τροφῆς· προπετεστέρα γὰρ 8
εἰς ὥραν θέρους τοῦ πυροῦ μᾶλλον ἡ κριθή. τὴν δὲ ἀνὰ τὸν κλύ-
δωνα τὸν ἐθνικὸν γεννωμένην τε καὶ φερομένην φιλοσοφίαν Ἑλλη-
νικὴν οἱ ἰχθύες ἐμήνυον, εἰς διατροφὴν | ἐκτενῆ τοῖς ἔτι χαμαὶ 281 S
κειμένοις δεδομένοι· αὐξήσαντες μὲν οὐκέτι καθάπερ τῶν ἄρτων τὰ 4
10 κλάσματα, τῆς δὲ τοῦ κυρίου μεταλαβόντες εὐλογίας τὴν ἀνάστασιν
τῆς θειότητος διὰ τῆς τοῦ λόγου δυνάμεως ἐνεπνεύσθησαν. ἀλλ᾿ εἰ 5
καὶ περίεργος εἶ, ἔλαβε θάτερον τῶν ἰχθύων τὴν ἐγκύκλιον, τὸν
λοιπὸν δὲ αὐτὴν ἐκείνην τὴν ἐπαναβεβηκυῖαν μηνύειν φιλοσοφίαν,
αἳ δῆτα † συνάλογοι λόγου τοῦ κυριακοῦ·

15   χορὸς δὲ ἀναύδων ἰχθύων ἐπερρόθει,

ἡ μοῦσα ἡ τραγικὴ εἴρηκέν που. »κἀμὲ δεῖ ἐλαττοῦσθαι, αὔξειν« δὲ 6
μόνον ἤδη λοιπὸν τὸν κυριακὸν λόγον, εἰς ὃν περαιοῦται ὁ νόμος,
ὁ προφήτης εἴρηκεν Ἰωάννης. σύνες ἤδη μοι τὸ μυστήριον τῆς ἀλη- 95, 1
θείας, συγγνώμην ἀπονέμων, εἰ περαιτέρω προβαίνειν τῆς ἐξεργασίας
20 ὀκνῶ, τουτὶ μόνον ἀνακηρύσσων· »πάντα δι᾿ αὐτοῦ ἐγένετο καὶ
χωρὶς αὐτοῦ ἐγένετο οὐδὲ ἕν.« ἀμέλει »λίθος ἀκρογωνιαῖος« εἴρηται, 2
»ἐν ᾧ πᾶσα οἰκοδομὴ συναρμολογουμένη αὔξει εἰς ναὸν ἅγιον θεοῦ«
κατὰ τὸν θεῖον ἀπόστολον. σιωπῶ τὰ νῦν τὴν ἐν τῷ εὐαγγελίῳ 8
παραβολὴν λέγουσαν· »ὁμοία ἐστὶν ἡ βασιλεία τῶν οὐρανῶν ἀνθρώπῳ
25 σαγήνην εἰς θάλασσαν βεβληκότι κἀκ τοῦ πλήθους τῶν ἑαλωκότων
ἰχθύων τὴν ἐκλογὴν τῶν ἀμεινόνων ποιουμένῳ.« ἤδη δὲ καὶ τὰς 4
τέσσαρας ἀρετὰς ἄντικρυς ἡ παρ᾿ ἡμῖν σοφία ὧδέ πως ἀνακηρύσσει,
ὥστε καὶ τούτων τὰς πηγὰς τοῖς Ἕλλησιν παρὰ Ἑβραίων δεδόσθαι.
μαθεῖν δ᾿ ἐκ τῶνδ᾿ ἔξεστιν· »καὶ εἰ δικαιοσύνην | ἀγαπᾷ τις, οἱ πόνοι 788 P

1—5. 9f. vgl. Io 6, 9—11   3—14 αἰνισσόμενος—κυριακοῦ Ath fol. 49ᵛ   8f. 7f. vgl.
Pitra Spicil. Solesm. III p. 527   4f. vgl. vielleicht Exod 29, 2   15 Sophokles Fr.
inc. 695   16 vgl. Io 3, 30   17 vgl. Rom 10, 4 (τέλος νόμου Χριστός)   20f. Io 1, 3
21f. vgl. Eph 2, 20f.   24—26 vgl. Mt 13, 47f.   29—S. 480, 8 Sap 8, 7

*   4 προπαίδειαν L   8 διατροφὴν Sy u. Ath διαστροφὴν L εἰς δ. . . . δεδομένοι
~ nach Z. 10 εὐλογίας Ath   11 θεότητος Ath λόγου] ἄρτου Ath   12 λάβε Ath
14 συνάλογοι] εἰσιν ἄλογοι (vgl. ἀναύδων) St συναναλόγοι Po συνάγγελοι Heyse
15 ἐπερρόθει Athen. VII p. 277 B ἐπερρεθείη L   16 δεῖ corr. aus δὴ L³   19 εἰ
περαιτέρωι corr. aus εἴπερ ἑτέρωι L³

ταύτης εἰσὶν ἀρεταί· σωφροσύνην γὰρ καὶ φρόνησιν ἐκδιδάσκει,
δικαιοσύνην καὶ ἀνδρείαν, ὧν χρησιμώτερον οὐδέν ἐστιν ἐν βίῳ ἀν-
θρώποις.« ἐπὶ πᾶσιν εἰδέναι αὐτοὺς κἀκεῖνο ἐχρῆν, ὅτι φύσει μὲν 5
γεγόναμεν πρὸς ἀρετήν, οὐ μὴν ὥστε ἔχειϑ αὐτὴν ἐκ γενετῆς, ἀλλὰ
5 πρὸς τὸ κτήσασθαι ἐπιτήδειοι.

XII. Ὧι λόγῳ λύεται τὸ πρὸς τῶν αἱρετικῶν ἀπορούμενον ἡμῖν, 96, 1
πότερον τέλειος ἐπλάσθη ὁ Ἀδὰμ ἢ ἀτελής· ἀλλ᾽ εἰ μὲν ἀτελής, πῶς
τελείου θεοῦ ἀτελὲς τὸ ἔργον καὶ μάλιστα ἄνθρωπος; εἰ δὲ τέλειος,
πῶς παραβαίνει τὰς ἐντολάς; ἀκούσονται γὰρ καὶ παρ᾽ ἡμῶν ὅτι 2
10 τέλειος κατὰ τὴν κατασκευὴν οὐκ ἐγένετο, πρὸς δὲ τὸ ἀναδέξασθαι
τὴν ἀρετὴν ἐπιτήδειος· διαφέρει γὰρ δή που ἐπὶ τὴν ἀρετὴν γεγο-
νέναι ἐπιτήδειον πρὸς τὴν κτῆσιν αὐτῆς· ἡμᾶς δὲ ἐξ ἡμῶν αὐτῶν
βούλεται σῴζεσθαι. αὕτη οὖν φύσις ψυχῆς ἐξ ἑαυτῆς ὁρμᾶν· εἶτα
λογικοὶ ὄντες λογικῆς οὔσης τῆς φιλοσοφίας συγγενές τι ἔχομεν πρὸς
15 αὐτήν· ἡ δὲ ἐπιτηδειότης φορά μέν ἐστι πρὸς ἀρετήν, ἀρετὴ δ᾽ οὔ.

Πάντες μὲν οὖν, ὡς ἔφην, πρὸς ἀρετῆς κτῆσιν πεφύκασιν, ἀλλ᾽ ὃ 3
μὲν μᾶλλον, ὃ δ᾽ ἧττον πρόσεισι τῇ τε μαθήσει τῇ τε ἀσκήσει, διὸ
καὶ οἳ μὲν ἐξήρκεσαν μέχρι τῆς τελείας ἀρετῆς, οἳ δὲ μέχρι τινὸς
ἔφθασαν, ἀμεληθέντες δ᾽ αὖ τινες, καὶ εἰ ἄλλως ἦσαν εὐφυεῖς, εἰς
20 τοὐναντίον ἀπετράπησαν. πολὺ δὲ μᾶλλον ἢ μεγέθει πασῶν μαθή- 4
σεων καὶ ἀληθείᾳ διαφέρουσα γνῶσις χαλεπωτάτη κτήσασθαι καὶ ἐν
πολλῷ καμάτῳ περιγίνεται. ἀλλ᾽, ὡς ἔοικεν, ›οὐκ ἔγνωσαν μυστήρια 97, 1
θεοῦ, ὅτι ὁ θεὸς ἔκτισεν τὸν ἄνθρωπον ἐπ᾽ ἀφθαρσίᾳ καὶ εἰκόνα
τῆς ἰδίας ἰδιότητος ἐποίησεν αὐτόν‹, καθ᾽ ἣ» ἰδιότητα τοῦ πάντα
25 εἰδότος ὁ γνωστικὸς καὶ ›δίκαιος καὶ ὅσιος μετὰ φρονήσεως‹ εἰς
μέτρον ἡλικίας τελείας ἀφικνεῖσθαι σπεύδει. ὅτι δ᾽ οὐ μόνον αἱ 2
πράξεις καὶ αἱ ἔννοιαι, ἀλλὰ καὶ οἱ λόγοι καθαρεύουσι τῷ γνωστικῷ,
›ἐδοκίμασας τὴν καρδίαν μου, ἐπεσκέψω νυκτὸς‹ φησὶν ›ἐπύρωσάς
με καὶ οὐχ εὑρέθη ἐν ἐμοὶ ἀδικία, ὅπως ἂν μὴ λαλήσῃ τὸ στόμα μου
30 τὰ ἔργα τῶν ἀνθρώπων.« καὶ τί λέγει ›τὰ ἔργα τῶν ἀνθρώπων‹; 3
αὐτὴν τὴν ἁμαρτίαν γνωρίζει, οὐ παραχθεῖσαν ἐπὶ μετάνοιαν | (κοι- 789 P
νὸν γὰρ τοῦτο καὶ τῶν ἄλλων πιστῶν), ἀλλ᾽ ὅ ἐστιν ἁμαρτία· οὐδὲ
γὰρ τῆσδέ τινος καταγινώσκει, ἀλλ᾽ ἁπλῶς πάσης τῆς ἁμαρτίας·

3—5 Strom. VII 19, 3 (Fr)   16—20 vgl. Plut. Mor. p. 2 C   vgl. Strom. I 34, 4
(Fr)   22—24 Sap 2, 22f.   25 Plato Theaet. p. 176 B   25f. vgl. Eph 4, 13   28—30
Ps 16, 3f.

1 σωφροσύνην—φρόνησιν (Subject ist σοφία) Sap σωφροσύνη—φρόνησις L   3 μὲν]
+ ἐπιτήδειοι L³ (vgl. aber Z. 16)   4 γενέτης L   7 ἀτελεῖς L   11 ⟨τὸ⟩ ἐπὶ St   13 γοῦν
Ma   17 πρόσεισι L (sc. τῇ ἀρετῇ) πρόεισι Wi   20 ἢ corr. aus εἰ L¹   30 λέγει Po
λέγω L   31 παραχθεὶς Schw

οὐδ᾽ ὃ ἐποίησέν τις κακῶς, ἀλλὰ τὸ μὴ ποιητέον συνίστησιν. ὅθεν 4
καὶ ἡ μετάνοια διττή· ἡ μὲν κοινὴ ἐπὶ τῷ πεπλημμεληκέναι, ἡ δέ,
τὴν φύσιν τῆς ἀμαρτίας καταμαθοῦσα, ἀφίστασθαι τοῦ ἀμαρτάνειν
αὐτοῦ κατὰ προηγούμενον λόγον πείθει, ᾧ ἕπεται τὸ μὴ ἀμαρ-
5 τάνειν.

Μὴ τοίνυν λεγόντων ὡς ὁ ἀδικῶν καὶ ἀμαρτάνων κατ᾽ ἐνέργειαν 98, 1
δαιμόνων πλημμελεῖ, ἐπεὶ κἂν ἄθῷος γένοιτο, τὰ δὲ αὐτὰ τοῖς δαι-
μονίοις κατὰ τὸ ἀμαρτάνειν αἱρούμενος, ἀνέδραστος καὶ κοῦφος καὶ
εὐμετάβολος ἐν ἐπιθυμίαις, ὡς δαίμων, γίνεται ἄνθρωπος δαιμονικός.
10 αὐτίκα ὁ μὲν κακὸς φύσει, ἀμαρτητικὸς διὰ κακίαν γενόμενος, φαῦλος 2
καθέστηκεν, ἔχων ἣν ἑκὼν εἵλετο· ἀμαρτητικὸς δὲ ὢν καὶ κατὰ τὰς
πράξεις διαμαρτάνει· ἔμπαλιν δὲ ὁ σπουδαῖος κατορθοῖ. διὸ οὐ μό- 3
νον τὰς ἀρετάς, ἀλλὰ καὶ τὰς πράξεις τὰς καλὰς ἀγαθὰ καλοῦμεν·
τῶν δὲ ἀγαθῶν ἴσμεν τὰ μὲν αὐτὰ δι᾽ αὐτὰ αἱρετά, ὡς τὴν γνῶσιν
15 (οὐ γὰρ ἄλλο τι ἐξ αὐτῆς θηρῶμεν, ἐπειδὰν παρῇ, ἢ μόνον τὸ
παρεῖναι αὐτὴν καὶ ἐν ἀδιαλείπτῳ θεωρίᾳ ἡμᾶς εἶναι καὶ εἰς αὐτὴν
καὶ δι᾽ αὐτὴν ἀγωνίζεσθαι), τὰ δὲ δι᾽ ἕτερα, ⟨ὡς⟩ τὴν πίστιν διὰ
τὴν ἐξ αὐτῆς περιγενομένην φυγήν τε τῆς κολάσεως καὶ ὠφέλειαν
τὴν ἐκ τῆς ἀνταποδόσεως. φόβος μὲν γὰρ αἴτιος τοῦ μὴ ἀμαρτάνειν
20 τοῖς πολλοῖς, ἐπαγγελία δὲ ἀφορμὴ τοῦ διώκειν ὑπακοήν, δι᾽ ἧς ἡ
σωτηρία. τελειότατον ἄρα ἀγαθὸν ἡ γνῶσις, δι᾽ αὐτὴν οὖσα αἱρετή, 99, 1
κατ᾽ ἐπακολούθημα δὲ καὶ τὰ διὰ ταύτης ἀκολουθοῦντα καλά. καὶ 2
ἡ κόλασις τῷ μὲν κολαζομένῳ διορθώσεως αἰτία, τοῖς δὲ διορᾶν |
πόρρωθεν δυναμένοις παράδειγμα γίνεται, δι᾽ οὗ τὸ συνεμπίπτειν 282 S
25 τοῖς ὁμοίοις ἀνακόπτουσιν. δεξώμεθα οὖν τὴν γνῶσιν οὐ τῶν ἀπο- 3
βαινόντων ἐφιέμενοι, ἀλλ᾽ αὐτοῦ ἕνεκα τοῦ γινώσκειν ἀσπαζόμενοι.
πρώτη γὰρ ὠφέλεια ἡ ἕξις ἡ γνωστική, ἡδονὰς ἀβλαβεῖς παρεχομένη
καὶ ἀγαλλίασιν καὶ νῦν καὶ εἰς ὕστερον. τὴν δὲ ἀγαλλίασιν εὐφρο- 4
σύνην εἶναί φασιν, ἐπιλογισμὸν οὖσαν τῆς κατὰ τὴν ἀλήθειαν ἀρετῆς
30 διά τινος ἑστιάσεως καὶ διαχύσεως ψυχικῆς. τὰ δὲ μετέχοντα τῆς 5
γνώσεως ἔργα αἱ ἀγαθαὶ καὶ καλαὶ πράξεις εἰσίν. πλοῦτος μὲν | γὰρ 790 P
ἀληθὴς ὁ ἐν ταῖς κατὰ τὴν ἀρετὴν πράξεσι πλεονασμός, πενία δὲ ἡ
κατὰ τὰς κοσμικὰς ἐπιθυμίας ἀπορία. αἱ κτήσεις γὰρ καὶ χρήσεις 6
τῶν ἀναγκαίων οὐ τὴν ποιότητα ἔχουσι βλαβεράν, ἀλλὰ τὴν παρὰ

10—17 Chrysipp Fr. mor. 110 Arnim   28 Definition von ἀγαλλίασις Fiktion
des Cl ebenso wie die von ἀγάπη Strom. II 41, 1 (S. 139, 19); dem Sinn nach ähnl.
Philo De sacr. Ab. et Caini 111 ἑορτὴ γὰρ ψυχῆς ἡ ἐν ἀρεταῖς εὐφροσύνη τελείας (Fr)
31—33 vgl. QDS 19   33—S. 482, 1 αἱ—ποσότητα Sacr. Par. 253 Holl; Maximus
Cap. 13; Antonius Melissa p. 37 Gesner

17 ⟨ὡς⟩ Heyse   21 τελειώτατον L   αὐτήν L   33 κοσμικὰς Sy κοσμίας L   33 f.
ἡ τῶν ἀναγκαίων κτῆσις καὶ χρῆσις—ἔχει (ἴσχει) Sacr. Par. (RL) Max. Ant.

τὸ μέτρον ποσότητα. διόπερ τὰς ἐπιθυμίας ὁ γνωστικὸς περιγράφει 100,
κατά τε τὴν κτῆσιν κατά τε τὴν χρῆσιν, οὐχ ὑπερβαίνων τὸν τῶν
ἀναγκαίων ὅρον. τὸ ζῆν ἄρα τὸ ἐνταῦθα ἀναγκαῖον ἡγούμενος εἰς 2
ἐπιστήμης συναύξησιν καὶ τὴν περιποίησιν τῆς γνώσεως, οὐ τὸ ζῆν.
5 ἀλλὰ τὸ εὖ ζῆν περὶ πλείστου ποιήσεται, μήτ᾽ οὖν παῖδας μήτ᾽ αὖ
γάμον ἢ τοὺς γονεῖς τῆς πρὸς τὸν θεὸν ἀγάπης καὶ τῆς ἐν βίῳ
δικαιοσύνης προτιμῶν. ἀδελφὴ δὲ τούτῳ ἡ γυνὴ μετὰ τὴν παιδο- 3
ποιίαν, ὡς καὶ ὁμοπατρία, κρίνεται, τότε μόνον τοῦ ἀνδρὸς ἀνα-
μιμνησκομένη, ὁπηνίκα ἂν τοῖς τέκνοις προσβλέπῃ, ὡς ἂν ἀδελφὴ
10 τῷ ὄντι ἐσομένη καὶ μετὰ τὴν ἀπόθεσιν τῆς σαρκὸς τῆς διαχωρι-
ζούσης καὶ διοριζούσης τὴν γνῶσιν τῶν πνευματικῶν τῇ ἰδιότητι
τῶν σχημάτων. αὗται γὰρ καθ᾽ αὑτὰς ἐπ᾽ ἴσης εἰσὶ ψυχαὶ αἱ ψυχαὶ
οὐθέτεραι, οὔτε ἄρρενες οὔτε θήλειαι, ἐπὰν μήτε γαμῶσι μήτε γαμί-
σκωνται· καὶ μή τι οὕτως μετατίθεται εἰς τὸν ἄνδρα ἡ γυνή, ἀθή-
15 λυντος ἐπ᾽ ἴσης καὶ ἀνδρικὴ καὶ τελεία γενομένη. τοῦτ᾽ ἦν ἄρα ὁ 101, 1
τῆς Σάρρας γένεσιν παιδὸς εὐαγγελισθείσης γέλως, οὐκ ἀπιστησάσης,
οἶμαι, τῷ ἀγγέλῳ, καταιδεσθείσης δὲ ἐκείνην αὖθις τὴν ὁμιλίαν, δι᾽
ἧς ἔμελλεν παιδὸς γενήσεσθαι μήτηρ. καὶ μή τι ἔκτοτε ὁ Ἀβραάμ, 2
ὁπηνίκα παρὰ τῷ βασιλεῖ τῆς Αἰγύπτου διὰ τὸ τῆς Σάρρας ἐκιν-
20 δύνευεν κάλλος, οἰκείως αὐτὴν ἀδελφὴν προσεῖπεν καὶ ὁμοπατρίαν,
ἀλλ᾽ [οὔτε] ὁμομητρίαν οὐδέπω.

Τοῖς μὲν οὖν ἐξ ἁμαρτιῶν μετανενοηκόσι καὶ μὴ στερεῶς πεπι- 3
στευκόσι διὰ τῶν δεήσεων παρέχει ὁ θεὸς τὰ αἰτήματα, τοῖς δ᾽
ἀναμαρτήτως καὶ γνωστικῶς βιοῦσιν ἐννοησαμένοις μόνον δίδωσιν.
25 αὐτίκα τῇ Ἄννῃ ἐννοηθείσῃ μόνον τοῦ παιδὸς ἐδόθη σύλληψις τοῦ 4
Σαμουήλ. ›αἴτησαι‹, φησὶν ἡ γραφή, ›καὶ ποιήσω· ἐννοήθητι καὶ
δώσω.‹ ›καρδιογνώστην‹ γὰρ τὸν θεὸν παρειλήφαμεν, οὐκ ἐκ κινή- 5
ματος ψυχῆς τεκμαιρόμενον καθάπερ ἡμεῖς οἱ ἄνθρωποι, ἀλλ᾽ οὐδὲ
ἐκ τοῦ ἀποβαίνοντος (γελοῖον | γὰρ οὕτως νοεῖν), οὐδέ, ὡς ὁ 791 P
30 ἀρχιτέκτων γενόμενον τὸ ἔργον ἐπήνεσε, καὶ ὁ θεὸς οὕτως ποιήσας

4f. vgl. Plato Kriton p. 48 B οὐ τὸ ζῆν περὶ πλείστου ποιητέον, ἀλλὰ τὸ εὖ ζῆν.
13 vgl. Gal 3, 28   13f. vgl. Mt 22, 30; Mc 12, 25; Lc 20, 35   14f. vgl. Exc. ex
Theod. 21, 3 (Fr)   15—18 vgl. Gen 18, 12   18—21 vgl. Gen 12, 11—20   20f. vgl.
Gen 20, 12   22—27 vgl. Strom. VI 78, 1 mit Anm.   25f. vgl. I Reg 1, 13   26f.
vgl. Mt 7, 7   27 vgl. Act 1, 24; 15, 8

13f. γαμίσκονται L   17 ἐκείνην Sy ἐκείνης L   20f. καὶ ὁμοπατρίαν, ἀλλ᾽ [οὔτε]
ὁμομητρίαν οὐδέπω St ἀλλ᾽ οὔτε ὁμομητρίαν οὐδέπω καὶ ὁμοπατρίαν L der Reihenfolge
der Überlieferung entspräche getreuer ἀδελφὴν προσεῖπεν, ἀλλ᾽ ⟨οὔτε γυναῖκα⟩ οὔτε
ὁμομητρίαν οὐδέπω, καί⟨περ γήμας αὐτὴν οὖσαν⟩ ὁμοπατρίαν (Fr)   28 ⟨περὶ⟩ ψυχῆς
St ψυχὴν Ro ⟨πόθον⟩ ψυχῆς Fr   29 ὁ üb. d. Z. L¹

τὸ φῶς, ἔπειτα ἰδών, καλὸν εἶπεν· ὃ δέ, καὶ πρὶν ἢ ποιῆσαι, οἷον 6
ἔσται, εἰδώς, τοῦτο ἐπήνεσεν· τὸ ⟨δ'⟩ ἐγένετο δυνάμει ποιοῦντος καλὸν
ἄνωθεν διὰ τῆς ἀνάρχου προθέσεως τὸ ἐσόμενον ἐνεργείᾳ καλόν.
αὐτίκα τὸ ἐσόμενον ἤδη προεῖπεν εἶναι καλόν, τῆς φράσεως ὑπερ- 7
5 βατῷ κρυφάσης τὴν ἀλήθειαν.

Εὔχεται τοίνυν ὁ γνωστικὸς καὶ κατὰ τὴν ἔννοιαν πᾶσαν [τὴν] 102, 1
ὥραν, δι' ἀγάπης οἰκειούμενος τῷ θεῷ. καὶ τὰ μὲν πρῶτα ἄφεσιν
ἁμαρτιῶν αἰτήσεται, μετὰ δὲ τὸ μηκέτι ἁμαρτάνειν ἔτι τὸ εὖ ποιεῖν
δύνασθαι καὶ πᾶσαν τὴν κατὰ τὸν κύριον· δημιουργίαν τε καὶ οἰκονο-
10 μίαν συνιέναι, ἵνα δή, ›καθαρὸς τὴν καρδίαν‹ γενόμενος, δι' ἐπιγνώ- 2
σεως τῆς διὰ τοῦ υἱοῦ τοῦ θεοῦ ›πρόσωπον πρὸς πρόσωπον‹ τὴν
μακαρίαν θέαν μυηθῇ, ἐπακούσας τῆς λεγούσης γραφῆς ›ἀγαθὸν
νηστεία μετὰ προσευχῆς‹· νηστείαι δὲ ἀποχὰς κακῶν μηνύουσιν πάν- 8
των ἁπαξαπλῶς, τῶν τε κατ' ἐνέργειαν καὶ κατὰ λόγον καὶ κατὰ
15 τὴν διάνοιαν αὐτήν. ὡς ἔοικεν οὖν ἡ δικαιοσύνη τετράγωνός ἐστι, 4
πάντοθεν ἴση καὶ ὁμοία ἐν λόγῳ, ἐν ἔργῳ, ἐν ἀποχῇ κακῶν, ἐν
εὐποιίᾳ, ἐν τελειότητι γνωστικῇ, οὐδαμῇ οὐδαμῶς χωλεύουσα, ἵνα
μὴ ἄδικός τε καὶ ἄνισος φανῇ. ᾗ μὲν οὖν τίς ἐστι δίκαιος, πάντως 5
οὗτος καὶ πιστός, ᾗ δὲ πιστός, οὐδέπω καὶ δίκαιος, τὴν κατὰ προ-
20 κοπὴν καὶ τελείωσιν δικαιοσύνην λέγω, καθ' ἣν ὁ γνωστικὸς δίκαιος
λέγεται. αὐτίκα τῷ Ἀβραὰμ πιστῷ γενομένῳ ›ἐλογίσθη εἰς δικαιο- 108, 1
σύνην‹, εἰς τὸ μεῖζον καὶ τελειότερον τῆς πίστεως προβεβηκότι. οὐ 2
γὰρ ὁ ἀπεχόμενος μόνον τῆς κακῆς πράξεως δίκαιος, ἐὰν μὴ προσ-
εξεργάσηται καὶ τὸ εὖ ποιεῖν καὶ τὸ γινώσκειν, δι' ἣν αἰτίαν τῶν
25 μὲν ἀφεκτέον, τὰ δ' ἐνεργητέον. ›διὰ τῶν ὅπλων τῆς δικαιοσύνης 8
τῶν δεξιῶν καὶ ἀριστερῶν‹ φησὶν ὁ ἀπόστολος παραπέμπεσθαι τὸν
δίκαιον εἰς κληρονομίαν τὴν ἄκραν, ὑπὸ μεν τῶν πεφραγμένον, τοῖς

---

1 vgl. Gen 1, 3f. 6f. vgl. Strom. VII 77, 2 10 vgl. Mt 5, 8 11 vgl. I Cor
13, 12 12 zu μακαρία θέα vgl. μακαρία ὄψις καὶ θέα Plat. Phaedr. 30 p. 250 B,
oben Strom. V 138, 3 S. 420, 1 zitiert (Fr) 12f. vgl. Tob 12, 8 14f. vgl. Strom.
II 50, 2 15—18 ὡς ἔοικεν ἡ—φανῇ Sacr. Par. 254 Holl; Maximus Cap. 1; Flor. Mon.
fol. 16ᵛ vgl. Fr. J. Dölger, Die Sonne d. Gerechtigk. u. der Schwarze, Münster 1912
S. 93 15f. ὡς ἔοικεν ἡ—ὁμοία Antonius Melissa I 13 p. 14 Gesner mit dem Lemma
Μεθοδίου 15 zu τετράγωνος vgl. z. B. Plato Protag, p. 339 B; 344 A 21f. Gen
15, 6 (Rom 4, 3) 22—25 οὐχ ὁ—ἐνεργητέον Sacr. Par. 255 Holl 25f. II Cor 6, 7

2 τὸ ⟨δ'⟩ Schw δ He ποιῶν Ma;·aber vgl. z. B. S. 466, 4. 27 4 τῆς Sy τῆι L
6 [τὴν] Ma 8 ἔτι τὸ St ἐπὶ τὸ L ἐπὶ τῷ Sy ἔπειτα Ma 16 πάντοθεν < Max. Flor.
Mon. 17 χορεύουσα Flor. Mon. 18 τε < Max. Flor. Mon. γε Sacr. Par. PM ~ nach
ἄνισος Sacr. Par. OAH 18f. ἢ L² ἡ L* 23 μόνον < Sacr. Par. 23f. προεξεργ.
Sacr. Par. 27 τῶν μὲν St μὲν τῶν L

δὲ καὶ ἐνεργοῦντα, οὐ γὰρ ἡ σκέπη μόνη τῆς παντευχίας καὶ ἡ τῶν 4
ἁμαρτημάτων ἀποχὴ ἱκανὴ πρὸς τελείωσιν, εἰ μὴ προσλάβοι τὸ ἔρ-
γον τῆς δικαιοσύνης, τὴν εἰς εὐποιίαν ἐνέργειαν. τότε ὁ περιδέξιος 5
ἡμῖν καὶ γνωστικὸς ἐν δικαιοσύνῃ ἀποκαλύπτεται, δεδοξασμένος ἤδη
5 κἀνθένδε καθάπερ | ὁ Μωυσῆς τὸ πρόσωπον [τῆς ψυχῆς], ὅπερ ἐν 792
τοῖς πρόσθεν ἰδίωμα χαρακτηριστικὸν τῆς δικαίας εἰρήκαμεν ψυχῆς.
καθάπερ γὰρ τοῖς ἐρίοις ἡ στῦψις τῆς βαφῆς ἐμμείνασα τὴν ἰδιότητα 6
καὶ παραλλαγὴν πρὸς τὰ λοιπὰ παρέχει ἔρια, οὕτως κἀπὶ τῆς ψυχῆς
ὁ μὲν πόνος παρῆλθεν, μένει δὲ τὸ καλόι, καὶ τὸ μὲν ἡδὺ | κατα- 283
10 λείπεται, ἀναμάσσεται δὲ τὸ αἰσχρόν. αὗται γὰρ ἑκατέρας ψυχῆς χα- 7
ρακτηριστικαὶ ποιότητες, ἀφ' ὧν γνωρίζεται ἡ μὲν δεδοξασμένη, ἡ
δὲ κατεγνωσμένη. ναὶ μὴν καθάπερ τῷ Μωυσεῖ ἐκ τῆς δικαιοπραγίας 104
καὶ τῆς κατὰ τὸ συνεχὲς πρὸς τὸν θεὸν τὸν λαλοῦντα αὐτῷ ὁμιλίας
ἐπίχροιά τις ἐπεκάθιζε τῷ προσώπῳ δεδοξασμένη, οὕτως καὶ τῇ
15 δικαίᾳ ψυχῇ θεία τις ἀγαθωσύνης δύναμις κατά τε ἐπισκοπὴν κατά
τε τὴν προφητείαν κατά τε τὴν διοικητικὴν ἐνέργειαν ἐγχριπτομένη
οἷον ἀπαυγάσματος νοεροῦ καθάπερ ἡλιακῆς ἀλέας ἐναποσημαίνεταί
τι, »δικαιοσύνης σφραγῖδα« ἐπιφανῆ, φῶς ἡνωμένον ψυχῇ δι' ἀγάπης
ἀδιαστάτου, θεοφορούσης καὶ θεοφορουμένης. ἐνταῦθα ἡ ἐξομοίωσις 2
20 ἡ πρὸς τὸν σωτῆρα θεὸν ἀνακύπτει τῷ γνωστικῷ, εἰς ὅσον ἀνθρω-
πίνῃ θεμιτὸν φύσει, γινομένῳ τελείῳ »ὡς ὁ πατήρ«, φησίν, »ὁ ἐν
τοῖς οὐρανοῖς«. αὐτός ἐστιν ὁ εἰπών· »τεκνία, ἔτι μικρὸν μεθ' ὑμῶν 3
εἰμι«, ἐπεὶ καὶ ὁ θεός, οὐχ ᾗ φύσει ἀγαθός ἐστι, ταύτῃ μένει μακά-
ριος καὶ ἄφθαρτος, »οὔτε πράγματ' ἔχων οὔτε ἄλλῳ παρέχων«,
25 ποιῶν δὲ ἰδίως ἀγαθά, θεὸς ὄντως καὶ πατὴρ ἀγαθὸς ὤν τε καὶ
γινόμενος ἐν ἀδιαλείπτοις εὐποιίαις, ἐν ταυτότητι τῆς ἀγαθωσύνης
ἀπαραβάτως μένει. τί γὰρ ὄφελος ἀγαθοῦ μὴ ἐνεργοῦντος μηδὲ
ἀγαθύνοντος;

XIII. Ὁ τοίνυν μετριοπαθήσας τὰ πρῶτα καὶ εἰς ἀπάθειαν μελε- 105
30 τήσας αὐξήσας τε εἰς εὐποιίαν γνωστικῆς τελειότητος »ἰσάγγελος« μὲν

1–3 vgl. Strom. VI 60, 2   4f. vgl. Exod 34, 29   6 εἰρήκαμεν wo?   7f. vgl.
Plato Staat IV 7 p. 429 D; Horaz carm. III 5, 27 (Fr)   8–10 vgl. Musonius bei
Gellius N. A. XVI 1 (Musonii rell. p. 133, 3ff. Hense): ἄν τι πράξῃς καλὸν μετὰ
πόνου, ὁ μὲν πόνος οἴχεται, τὸ δὲ καλὸν μένει· ἄν τι ποιήσῃς αἰσχρὸν μετὰ ἡδονῆς,
τὸ μὲν ἡδὺ οἴχεται, τὸ δὲ αἰσχρὸν μένει.   12–14 vgl. Strom. IV 117, 1 (S. 299, 21ff.)
(Fr)   14 vgl. etwa Eupolis Fr. 94, 5 πειθώ τις ἐπεκάθιζεν ἐπὶ τοῖς χείλεσιν   18 vgl.
Rom 4, 11   19–21 vgl. Plato Theaet. p. 176 AB   21f. Mt 5, 48   22f. Io 13, 33   24
vgl. Diog. Laert. X 139; Cic. De nat. deor. I 17, 45 (Epikur Sent. I Usener p. 71, 3f.)
30 vgl. Lc 20, 36

5 [τῆς ψυχῆς] Ma Wi   6 ἰδίωμα (vgl. Strom. VI 134, 2) Lowth τὸ σῶμα L
30 τελειότητος (o¹ in Ras.) I.¹ τελειότητος ⟨ἀψάμενος⟩ Bywater S. 210

ἐνταῦθα· φωτεινὸς δὲ ἤδη καὶ ὡς ὁ ἥλιος λάμπων κατὰ τὴν εὐερ-
γεσίαν σπεύδει τῇ γνώσει τῇ δικαίᾳ δι᾽ ἀγάπης θεοῦ ἐπὶ τὴν ἁγίαν
μονὴν καθάπερ οἱ ἀπόστολοι, οὐχ, ὅτι ἦσαν ἐκλεκτοί, γενόμενοι
ἀπόστολοι κατά τι φύσεως ἐξαίρετον ἰδίωμα, ἐπεὶ καὶ ὁ Ἰούδας ἐξε-
5 λέγη σὺν αὐτοῖς, ἀλλ᾽ οἷοί τε ἦσαν ἀπόστολοι γενέσθαι ἐκλεγέντες
πρὸς τοῦ καὶ τὰ τέλη προορωμένου. ὁ γοῦν μὴ σὺν αὐτοῖς ἐκλεγεὶς 2
Ματθίας, ἄξιον ἑαυτὸν παρασχόμενος τοῦ γενέσθαι | ἀπόστολον, 793 P
ἀντικατατάσσεται Ἰούδα. ἔξεστιν οὖν καὶ νῦν ταῖς κυριακαῖς ἐνασκή- 106, 1
σαντας ἐντολαῖς, κατὰ τὸ εὐαγγέλιον τελείως βιώσαντας καὶ γνωστι-
10 κῶς, εἰς τὴν ἐκλογὴν τῶν ἀποστόλων ἐγγραφῆναι. οὗτος πρεσβύ- 2
τερός ἐστι τῷ ὄντι τῆς ἐκκλησίας καὶ διάκονος ἀληθὴς τῆς τοῦ
θεοῦ βουλήσεως, ἐὰν ποιῇ καὶ διδάσκῃ τὰ τοῦ κυρίου, οὐχ ὑπ᾽ ἀν-
θρώπων χειροτονούμενος οὐδ᾽, ὅτι πρεσβύτερος, δίκαιος νομιζόμενος,
ἀλλ᾽, ὅτι δίκαιος, ἐν πρεσβυτερίῳ καταλεγόμενος· κἂν ἐνταῦθα ἐπὶ
15 γῆς πρωτοκαθεδρίᾳ μὴ τιμηθῇ, ἐν τοῖς εἴκοσι καὶ τέσσαρσι καθε-
δεῖται θρόνοις τὸν λαὸν κρίνων, ὥς φησιν ἐν τῇ ἀποκαλύψει
Ἰωάννης. μία μὲν γὰρ τῷ ὄντι διαθήκη ἡ σωτήριος ἀπὸ καταβολῆς 3
κόσμου εἰς ἡμᾶς διήκουσα, κατὰ διαφόρους γενεάς τε καὶ χρόνους
διάφορος εἶναι τὴν δόσιν ὑποληφθεῖσα. ἀκόλουθον γὰρ εἶναι μίαν 4
20 ἀμετάθετον σωτηρίας δόσιν παρ᾽ ἑνὸς θεοῦ δι᾽ ἑνὸς κυρίου »πολυ-
τρόπως« ὠφελοῦσαν, δι᾽ ἣν αἰτίαν τὸ »μεσότοιχον« αἴρεται τὸ διορ-
ρίζον τοῦ Ἰουδαίου τὸν Ἕλληνα εἰς περιούσιον λαόν. καὶ οὕτως 107, 1
ἄμφω »εἰς τὴν ἑνότητα τῆς πίστεως« καταντῶσιν, καὶ ἡ ἐξ ἀμφοῖν
ἐκλογὴ μία. καὶ τῶν ἐκλεκτῶν, φησίν, ἐκλεκτότεροι οἱ κατὰ τὴν 2
25 τελείαν γνῶσιν καὶ τῆς ἐκκλησίας αὐτῆς ἀπηνθισμένοι καὶ τῇ μεγα-
λοπρεπεστάτῃ δόξῃ τετιμημένοι, κριταί τε καὶ διοικηταί, ἐπ᾽ ἴσης ἔκ
τε Ἰουδαίων ἔκ τε Ἑλλήνων, οἱ τέσσαρες καὶ εἴκοσι, διπλασιασθείσης
τῆς χάριτος· ἐπεὶ καὶ αἱ ἐνταῦθα κατὰ τὴν ἐκκλησίαν προκοπαὶ ἐπι-
σκόπων, πρεσβυτέρων, διακόνων μιμήματα, οἶμαι, ἀγγελικῆς δόξης
30 κἀκείνης τῆς οἰκονομίας τυγχάνουσιν, ἣν ἀναμένειν φασὶν αἱ γραφαὶ
τοὺς κατ᾽ ἴχνος τῶν ἀποστόλων ἐν τελειώσει δικαιοσύνης κατὰ τὸ
εὐαγγέλιον βεβιωκότας. »ἐν νεφέλαις« τούτους ἀρθέντας γράφει ὁ 3

---

1 vgl. Mt 13, 43 6—8 vgl. Act 1, 23. 26 12f. vgl. viell. Act 14, 23 14f. vgl.
Mt 23, 6; Mc 12, 39; Lc 11, 43; 20, 46 15f. vgl. Apc 4, 4; Mt 19, 28; Lc 22, 30
20f. vgl. Hebr 1, 1 21 vgl. Eph 2, 14 22 vgl. Tit 2, 14 23 vgl. Eph 4, 13 24 vgl.
Qu. div. salv. 36, 1 vielleicht ein Herrenwort 24—27 vgl. Apc 4, 4; Mt 19, 28; Lc
22, 30 30—32 vgl. etwa I Cor 2, 9 32 I Thess 4, 17

4 τι Sy τινα L 5 ⟨ἀλλ᾽⟩ ὅτι Pohlenz 7 ἀπόστολος Sy 22f. εἰς—λαόν ∼ nach
ἄμφω Ma 30 φασὶν Sy φησὶν L

ἀπόστολος διακονήσειν μὲν τὰ πρῶτα, ἔπειτα ἐγκαταταγῆναι τῷ
πρεσβυτερίῳ κατὰ προκοπὴν δόξης (δόξα γὰρ δόξης διαφέρει), ἄχρις
ἂν ›εἰς τέλειον ἄνδρα‹ αὐξήσωσιν. XIV. οἱ τοιοῦτοι κατὰ τὸν 108
Δαβὶδ ›καταπαύσουσιν ἐν ὄρει ἁγίῳ θεοῦ‹, τῇ ἀνωτάτω ἐκκλησίᾳ,
5 καθ᾿ ἣν οἱ φιλόσοφοι συνάγονται τοῦ θεοῦ, οἱ τῷ ὄντι Ἰσραηλῖται |
οἱ καθαροὶ τὴν καρδίαν, ἐν οἷς δόλος οὐδείς, οἱ μὴ καταμείναντες 794
ἐν ἑβδομάδι ἀναπαύσεως, ἀγαθοεργίᾳ δὲ θείας ἐξομοιώσεως εἰς ὀγ-
δοαδικῆς εὐεργεσίας κληρονομίαν ὑπερκύψαντες, ἀκορέστου θεωρίας
εἰλικρινεῖ ἐποπτείᾳ προσανέχοντες. ›ἔστιν δὲ καὶ ἄλλα‹, φησὶν ὁ 2
10 κύριος, ›πρόβατα, ἃ οὐκ ἔστιν ἐκ τῆς αὐλῆς ταύτης‹, ἄλλης αὐλῆς
καὶ μονῆς ἀναλόγως τῆς πίστεως κατηξιωμένα. ›τὰ δὲ ἐμὰ πρόβατα 3
τῆς ἐμῆς ἀκούει φωνῆς‹, συνιέντα γνωστικῶς τὰς ἐντολάς· τὸ δ᾿
ἔστιν μεγαλοφρόνως καὶ ἀξιολόγως ἐκδέχεσθαι σὺν καὶ τῇ τῶν ἔργων
ἀνταποδόσει τε καὶ ἀντακολουθίᾳ. ὥστε ὅταν ἀκούσωμεν ›ἡ πίστις 4
15 σου σέσωκέν σε‹, οὐχ ἁπλῶς τοὺς ὁπωσοῦν πιστεύσαντας σωθήσεσθαι
λέγειν αὐτὸν ἐκδεχόμεθα, ἐὰν μὴ καὶ τὰ ἔργα ἐπακολουθήσῃ. αὐτίκα 5
Ἰουδαίοις μόνοις ταύτην ἔλεγε τὴν φωνὴν τοῖς νομικῶς καὶ ἀνεπι-
λήπτως βεβιωκόσιν, οἷς μόνον ἡ εἰς τὸν κύριον ὑπελείπετο πίστις.
οὐκ ἂν οὖν μετὰ ἀκρασίας πιστός τις εἴη, ἀλλὰ κἂν ⟨μὴ⟩ ἐξέλθῃ τὴν σάρκα, 109
20 ἀποθέσθαι τὰ πάθη ἀνάγκη τοῦτον, ὡς εἰς τὴν μονὴν τὴν οἰκείαν
χωρῆσαι δυνηθῆναι. πλέον δέ ἐστι τοῦ πιστεῦσαι τὸ γνῶναι, καθά-
περ ἀμέλει τοῦ σωθῆναι τὸ καὶ μετὰ τὸ σωθῆναι τιμῆς τῆς ἀνω-
τάτω ἀξιωθῆναι. διὰ πολλῆς τοίνυν | τῆς παιδείας ἀπεκδυσάμενος 3 2
τὰ πάθη ὁ πιστὸς ἡμῖν μέτεισιν ἐπὶ | τὴν βελτίονα τῆς προτέρας 795
25 μονῆς, μεγίστην κόλασιν ἐπιφερόμενος τὸ ἰδίωμα τῆς μετανοίας ὧν
ἐξήμαρτεν μετὰ τὸ βάπτισμα. ἀνιᾶται γοῦν ἔτι μᾶλλον ἤτοι μηδέπω 4
ἢ καὶ μηδ᾿ ὅλως τυγχάνων ὧν ἄλλους ὁρᾷ μετειληφότας. πρὸς δὲ 5
καὶ ἐπαισχύνεται τοῖς πλημμεληθεῖσιν αὐτῷ, αἳ δὴ μέγισται κολάσεις
εἰσὶ τῷ πιστῷ. ἀγαθὴ γὰρ ἡ τοῦ θεοῦ δικαιοσύνη καὶ δικαία ἐστὶν
30 ἡ ἀγαθότης αὐτοῦ. κἂν παύσωνται ἄρα που αἱ τιμωρίαι κατὰ τὴν 6
ἀποπλήρωσιν τῆς ἐκτίσεως καὶ τῆς ἑκάστου ἀποκαθάρσεως, μεγίστην
ἔχουσι παραμένουσαν λύπην οἱ τῆς ἄλλης ἄξιοι εὑρεθέντες αὐλῆς τὴν
ἐπὶ τῷ μὴ συνεῖναι τοῖς διὰ δικαιοσύνην δοξασθεῖσιν.

2 vgl. I Cor 15, 41 3 Eph 4, 13 4 Ps 14, 1 5f. vgl. Io 1, 47 οἱ τῷ ὄντι
Ἰσραηλῖται schauen Gott (vgl. zu Paed. I 57, 2) ebenso wie οἱ καθαροὶ τὴν καρδίαν
6 Mt 5, 8 7f. vgl. Strom. IV 109, 2 9f. Io 10, 16 11f. Io 10, 27 14—19 ὅταν
εἴη Ath fol. 65ᵛ 14f. vgl. Mc 5, 34 u. ö. 16 vgl. vielleicht Iac 2, 17 29f. ἀγαθὴ
ἡ αὐτοῦ Sacr. Par. 256 Holl 32 vgl. Z. 10f.

1 ἐνκαταταγῆναι L 7 vor ἀναπαύσεως ist τελειώσεως von L¹ getilgt 10 vor
ἄλλης ist αὐλ von L¹ getilgt 17 νομικῶς Ath νομικοῖς L 19 τις Ath < L ⟨μὴ⟩ (vgl.
S. 469, 14) Ma 25 μονήν Po falsch. von Fr bewiesen PhW 59, 1939, 1090 32 οἱ Sy ὅτι L

Αὐτίκα ὁ Σολομὼν σοφὸν καλῶν τὸν γνωστικὸν περὶ τῶν θαυ- 110, 1
μαζόντων αὐτοῦ τὸ ἀξίωμα τῆς μονῆς τάδε φησίν· »ὄψονται γὰρ
τελευτὴν σοφοῦ καὶ οὐ νοήσουσι, τί ἐβουλεύσατο περὶ αὐτοῦ καὶ εἰς
τί ἠσφαλίσατο αὐτὸν ὁ κύριος·« ἐπί τε τῆς δόξης »ἐροῦσιν αὐτοῦ· 2
5 »οὗτος ἦν ὃν ἔσχομέν ποτε εἰς γέλωτα καὶ εἰς παραβολὴν ὀνειδισμοῦ.
οἱ ἄφρονες· τὸν βίον αὐτοῦ ἐλογισάμεθα μανίαν καὶ τὴν τελευτὴν
αὐτοῦ ἄτιμον· πῶς κατελογίσθη ἐν υἱοῖς θεοῦ καὶ ἐν ἁγίοις ὁ κλῆ-
ρος αὐτοῦ ἐστιν;« οὐ μόνον τοίνυν ὁ πιστός, ἀλλὰ καὶ ὁ ἐθνικὸς 3
δικαιότατα κρίνεται. ἐπειδὴ γὰρ ᾔδει ὁ θεός, ἅτε προγνώστης ὤν,
10 μὴ πιστεύσοντα τοῦτον, οὐδὲν ἧττον, ὅπως τήν γε καθ᾽ ἑαυτὸν ἀνα-
δέξηται τελείωσιν, ἔδωκεν μὲν φιλοσοφίαν αὐτῷ, ἀλλὰ πρὸ τῆς
πίστεως, ἔδωκεν δὲ τὸν ἥλιον καὶ τὴν σελήνην καὶ τὰ ἄστρα εἰς
θρησκείαν, ἃ ἐποίησεν ὁ θεὸς τοῖς ἔθνεσιν, φησὶν ὁ νόμος, ἵνα μὴ
τέλεον ἄθεοι γενόμενοι τελέως καὶ διαφθαρῶσιν. οἱ δὲ κἂν ταύτῃ 4
15 γενόμενοι τῇ ἐντολῇ ἀγνώμονες, γλυπτοῖς προσεσχηκότες ἀγάλμασι,
ἂν μὴ μετανοήσωσι, κρίνονται, οἱ μέν, ὅτι δυνηθέντες οὐκ ἠθέλησαν
πιστεῦσαι τῷ θεῷ, οἳ δέ, ὅτι καὶ θελήσαντες οὐκ ἐξεπόνησαν περι-
γενέσθαι πιστοί· ναὶ μὴν κἀκεῖνοι οἱ ἀπὸ τῆς τῶν ἄστρων σεβήσεως 111, 1
μὴ ἐπαναδραμόντες ἐπὶ τὸν τούτων ποιητήν. ὁδὸς γὰρ ἦν αὕτη
20 δοθεῖσα τοῖς ἔθνεσιν ἀνακύψαι πρὸς θεὸν διὰ τῆς τῶν ἄστρων
θρησκείας. οἱ δὲ μὴ ἐπὶ τούτοις θελήσαντες ἐπιμεῖναι τοῖς δοθεῖσιν 2
αὐτοῖς ἄστρασιν, ἀλλὰ καὶ τούτων ἀποπεσόντες εἰς λίθους καὶ ξύλα,
»ὡς χνοῦς«, φησίν, »ἐλογίσθησαν | καὶ ὡς σταγὼν ἀπὸ κάδου«, περισ- 796 P
σοὶ εἰς σωτηρίαν, οἱ ἀπορριπτόμενοι τοῦ σώματος. ὥσπερ οὖν τὸ 3
25 μὲν ἁπλῶς σῴζειν τῶν μέσων ἐστίν, τὸ δ᾽ ὀρθῶς καὶ δεόντως κατ-
όρθωμα, οὕτως καὶ πᾶσα πρᾶξις γνωστικοῦ μὲν κατόρθωμα, τοῦ
δὲ ἁπλῶς πιστοῦ μέση πρᾶξις λέγοιτ᾽ ἄν, μηδέπω κατὰ λόγον ἐπιτε-
λουμένη μηδὲ μὴν κατ᾽ ἐπίστασιν κατορθουμένη. πᾶσα δὲ ἔμπαλιν
τοῦ ἐθνικοῦ ἁμαρτητική· οὐ γὰρ τὸ ἁπλῶς εὖ πράττειν, ἀλλὰ τὸ
30 πρός τινα σκοπὸν τὰς πράξεις ποιεῖσθαι καὶ ⟨κατὰ⟩ λόγον ἐνεργεῖν 112, 1
καθῆκον αἱˑ γραφαὶ παριστᾶσιν. καθάπερ οὖν τοῖς ἀπείροις τοῦ
λυρίζειν λύρας οὐχ ἁπτέον οὐδὲ μὴν τοῖς ἀπείροις τοῦ αὐλεῖν αὐλῶν,
οὕτως οὐδὲ πραγμάτων ἁπτέον τοῖς μὴ τὴν γνῶσιν εἰληφόσι καὶ

2—4 Sap 4, 17	4—9 Sap 5, 3—5	11—14 vgl. Orig. Comm. in Joh. II 3, 25
p. 56, 9f. Preuschen	12f. vgl. Philo De dec. 66 (Fr)	13 vgl. Deut. 4, 19	18 zu
σεβήσεως vgl. S. 451, 17	22 vgl. z. B. Ier 2, 27	23 vgl. Ps 1, 4; Is 40, 15 u. Strom.
IV 154, 4; VII 110, 3	24—31 Chrysipp Fr. mor. 415 Arnim	24 zu σώματος vgl.
Strom. VI 87, 3	31—S. 488, 1 καθάπερ τοῖς—τὸν βίον χρηστέον Sacr. Par. 257 Holl

16 ἂν St κἂν L	19 τὸν corr. aus τῶν L¹	28 πᾶσα Schw παντὸς L	30 ⟨κατὰ⟩
(vgl. S. 488, 28f.) Po	31 καθῆκον Arnim καθῆκεν L καθῆκεν, ⟨ὡς⟩ Sy

εἰδόσιν ὅπως αὐτοῖς παρ᾽ ὅλον τὸν βίον χρηστέον. τὸν γοῦν τῆς 2
ἐλευθερίας ἀγῶνα οὐ μόνον ἐν πολέμοις ἀγωνίζονται οἱ πολέμων
ἀθληταί, ἀλλὰ καὶ ἐν συμποσίοις καὶ ἐπὶ κοίτης κἂν τοῖς δικαστη-
ρίοις οἱ ἀλειψάμενοι τῷ λόγῳ, αἰχμάλωτοι γενέσθαι ἡδονῆς αἰσχυ-
5 νόμενοι·

   οὐ μήποτε τὰν ἀρετὰν ἀλλάξομαι ἀντ᾽ ἀδίκου κέρδους.

ἄδικον δὲ ἄντικρυς κέρδος ἡδονὴ καὶ λύπη πόθος τε καὶ φόβος καὶ 3
συνελόντι εἰπεῖν τὰ πάθη τῆς ψυχῆς, ὧν τὸ παραυτίκα τερπνὸν
ἀνιαρὸν εἰς τοὐπιόν. »τί γὰρ ὄφελος, ἐὰν τὸν κόσμον κερδήσῃς,‹
10 φησί, »τὴν δὲ ψυχὴν ἀπολέσῃς;‹ δῆλον οὖν τοὺς μὴ ἐπιτελοῦντας 4
τὰς καλὰς πράξεις οὐδὲ γιγνώσκειν τὰ ὠφέλιμα ἑαυτοῖς. εἰ δὲ τοῦτο,
οὐδὲ εὔξασθαι ὀρθῶς οἷοί τε οὗτοι παρὰ τοῦ θεοῦ λαβεῖν τὰ ἀγαθά,
ἀγνοοῦντες τὰ ὄντως ἀγαθά, οὐδ᾽ ἂν λαβόντες αἴσθοιντο τῆς δω-
ρεᾶς οὐδ᾽ ἄν τι ἀπολαύσειαν κατ᾽ ἀξίαν οὐ μὴ ἔγνωσαν, ὑπό τε τῆς
15 ἀπειρίας τοῦ χρήσασθαι | τοῖς δοθεῖσι καλῶς ὑπό τε τῆς ἄγαν ἀμα- 797 P
θίας, μηδέπω ⟨πῶς⟩ χρηστέον ταῖς θείαις δωρεαῖς ἐγνωκότες. ἀμαθία
δὲ ἀγνοίας αἰτία.

  Καί μοι δοκεῖ κομπώδους μὲν εἶναι ψυχῆς καύχημα, πλὴν εὐσυν- 113, 1
ειδήτου, ἐπιφθέγγεσθαι τοῖς κατὰ περίστασιν συμβαίνουσι·

20   πρὸς ταῦθ᾽ ὅ τι χρὴ καὶ παλαμάσθων·
    τὸ γὰρ εὖ μετ᾽ ἐμοῦ
    καὶ τὸ δίκαιον σύμμαχον ἔσται,
    καὶ οὐ μή ποτε ἁλῶ, κακὰ πράσσων.

αὕτη δὲ ἡ εὐσυνειδησία τὸ ὅσιον τὸ πρὸς τὸν θεὸν καὶ τὸ πρὸς τοὺς 2
25 ἀνθρώπους δίκαιον διασῴζει, καθαρὰν τὴν ψυχὴν φυλάττουσα δια-
νοήμασι σεμνοῖς καὶ λόγοις ἁγνοῖς καὶ τοῖς δικαίοις ἔργοις. οὕτως 3
δύναμιν λαβοῦσα κυριακὴν ἡ ψυχὴ μελετᾷ εἶναι θεός, κακὸν μὲν
οὐδὲν ἄλλο πλὴν ἀγνοίας εἶναι νομίζουσα καὶ τῆς μὴ κατὰ τὸν
ὀρθὸν λόγον ἐνεργείας, ἀεὶ δὲ εὐχαριστοῦσα ἐπὶ πᾶσι τῷ θεῷ δι᾽

  2f. vgl. Plato, Staat VIII 1 p. 543 B ὥσπερ ἀθλητάς τε πολέμου καὶ φύλακας
(Fr) 6 PLG⁴ Adesp. 104 B; vgl. Pindar Pyth. IV 140 κέρδος αἰνῆσαι πρὸ δίκας
δόλιον 9f. vgl. Mt 16, 26; Mc 8, 36; Lc 9, 25 16f. ἀμαθία ἀγνοίας αἰτία im Corp.
Par. Nr. 8 als Fortsetzung zu ἄφιλος πᾶς ὅ γε ἄπιστος καὶ ἀμαθής (Strom. II 18, 1)
20—23 Euripides Fr. inc. 918, 1. 3—5; vgl. Elter, Gnom. hist. 110 27 vgl. S. 495,
9; Protr. 114, 4

  1 παρ᾽ ὅλον Sacr. Par. wie Höschel παρὰ λόγον L χρηστέον τὸν βίον Zeichen
er Umstellung L¹ 6 μήποτε τὰν Bergk μήν ποτ᾽ ἂν L μήν πω τὰν Sy ἀλλάξομαι
dy ἀλλάξωμαι L 7 πόθος (vgl. Chrysipp Fr. mor. 391 ff. Arnim) Münzel πόνος L
S2 οὗτοι am Rand L¹ 14 ἄν τι Sy ἀνεὶ L 16 μηδέπω ⟨πῶς⟩ Höschel μηδὲ πῶς Sy
18 δοκεῖ Cobet S. 454 δοκῶ L 20 παλαμάσθων Cic. Ad Att. VIII 8, 2 παλαμᾶσθαι L
13 κακὰ Eurip. (aber nicht Clem.)

ἀκοῆς δικαίας καὶ ἀναγνώσεως θείας, διὰ ζητήσεως ἀληθοῦς, διὰ
προσφορᾶς ἁγίας, δι᾽ εὐχῆς μακαρίας, αἰνοῦσα, ὑμνοῦσα, εὐλογοῦσα,
ψάλλουσα· οὐ διορίζεταί ποτε τοῦ θεοῦ κατ᾽ οὐδένα καιρὸν ἡ τοιάδε
ψυχή. εἰκότως οὖν εἴρηται· »καὶ οἱ πεποιθότες ἐπ᾽ αὐτῷ συνήσουσιν 4
5 ἀλήθειαν, καὶ οἱ πιστοὶ ἐν ἀγάπῃ προσμενοῦσιν αὐτῷ.« ὁρᾷς οἷα
περὶ τῶν γνωστικῶν διαλέγεται ἡ σοφία. ἀναλόγως ἄρα καὶ ⟨αἱ⟩ μοναὶ 114, 1
ποικίλαι κατ᾽ ἀξίαν τῶν πιστευσάντων. αὐτίκα ὁ Σολομών· »δοθή-
σεται γὰρ αὐτῷ τῆς πίστεως ἡ χάρις ἐκλεκτὴ καὶ κλῆρος ἐν ναῷ
κυρίου θυμηρέστερος.« τὸ συγκριτικὸν γὰρ δείκνυσι μὲν τὰ ὑποβε- 285 S 2
10 βηκότα ἐν τῷ ναῷ τοῦ θεοῦ, ὅς ἐστιν ἡ πᾶσα ἐκκλησία, ἀπολείπει
δὲ ἐννοεῖν καὶ τὸ ὑπερθετικόν, ἔνθα ὁ κύριός ἐστιν. ταύτας ἐκλεκτὰς 3
οὔσας τὰς τρεῖς μονὰς οἱ ἐν τῷ εὐαγγελίῳ ἀριθμοὶ αἰνίσσονται, ὁ
τριάκοντα καὶ ⟨ὁ⟩ ἑξήκοντα καὶ ὁ ἑκατόν. καὶ ἡ μὲν | τελεία κληρο- 4 798 P
νομία τῶν »εἰς ἄνδρα τέλειον« ἀφικνουμένων κατ᾽ εἰκόνα τοῦ κυ-
15 ρίου, ἡ δὲ ὁμοίωσις οὐχ, ὥς τινες, ἡ κατὰ τὸ σχῆμα τὸ ἀνθρώπειον
(ἄθεος γὰρ ἥδε ἡ ἐπιφορά) οὐδὲ μὴν ἡ κατ᾽ ἀρετήν, ἡ πρὸς τὸ πρῶ- 5
τον αἴτιον· ἀσεβὴς γὰρ καὶ ἥδε ἡ ἔκδοσις, τὴν αὐτὴν ἀρετὴν εἶναι
ἀνθρώπου καὶ τοῦ παντοκράτορος θεοῦ προσδοκησάντων· »ὑπέλα-
βες«, φησίν »ἀνομίαν, ὅτι ἔσομαί σοι ὅμοιος·« ἀλλ᾽ »ἀρκετὸν γὰρ τῷ
20 μαθητῇ γενέσθαι ὡς ὁ διδάσκαλος«, λέγει ὁ διδάσκαλος. καθ᾽ ὁμοίω- 6
σιν οὖν τοῦ θεοῦ ὁ εἰς υἱοθεσίαν καὶ φιλίαν τοῦ θεοῦ καταταγεὶς
κατὰ τὴν συγκληρονομίαν τῶν κυρίων καὶ θεῶν γίνεται, ἐάν, καθὼς
αὐτὸς ἐδίδαξεν ὁ κύριος, κατὰ τὸ εὐαγγέλιον τελειωθῇ.

XV. Ὁ γνωστικὸς ἄρα τὴν προσεχεστέραν ἀναμάσσεται ὁμοιό- 115, 1
25 τητα, τὴν διάνοιαν τὴν τοῦ διδασκάλου, ἥντινα ἐκεῖνος νοῶν ἐνετεί-
λατό τε καὶ συνεβούλευσε τοῖς φρονίμοις καὶ σώφροσι, ταύτην
συνιείς, ὡς ὁ διδάξας ἐβούλετο, καὶ ἰδίᾳ τὴν νόησιν ἀναλαβὼν τὴν
μεγαλοπρεπῆ, διδάξας μὲν ἀξιολόγως »ἐπὶ τῶν δωμάτων« τοὺς ὑψη-
λῶς οἰκοδομεῖσθαι δυναμένους, προκατάρξας δὲ τῆς τῶν λεγομένων
30 ἐνεργείας κατὰ τὸ ὑπόδειγμα τῆς πολιτείας· δυνατὰ γὰρ ἐνετείλατο, 2

4f. Sap 3, 9　6f. 11—13 vgl. Papias Fr. 5 Routh (aus Iren. V 36)　7—9 Sap 3, 14
12f. Mt 13, 8　14 Eph 4, 13　14f. 20f. vgl. Gen 1, 26　17f. vgl. Chrysipp Fr. mor.
250 Arnim (= Strom. VII 88); Strom. II 135, 3　18f. Ps 49, 21　19f. Mt 10, 25
21 vgl. Eph 1, 5　22f. vgl. Mt 5, 48　24—26 vgl. z. B. Ioh 13, 15　28 vgl. Mt 10, 27;
Lc 12, 3

3 οὐ⟨δὲ⟩ Wi　6 ⟨αἱ⟩ Schw　9 δείκνυσι corr. aus δείκνυσιν L¹　13 ⟨ὁ⟩ Sy　ἑξή-
κοντα] ξ̅ L　16 ἡ ἐπιφορά Bywater S. 216 ἐφορίᾳ L　20 γενέσθαι am Rand L¹
27 ἰδίᾳ Schw διὰ L

καὶ δεῖ τῷ ὄντι ἀρχικὸν εἶναι καὶ ἡγεμονικὸν τὸν βασιλικόν τε καὶ
Χριστιανόν, ἐπεὶ μὴ τῶν ἔξω μόνον θηρίων κατακυριεύειν ἐτάγημεν,
ἀλλὰ καὶ τῶν ἐν ἡμῖν αὐτοῖς ἀγρίων παθῶν. κατ᾽ ἐπίστασιν οὖν, 3
ὡς ἔοικεν, τοῦ κακοῦ καὶ ἀγαθοῦ βίου σῴζεται ὁ γνωστικός, ›πλέον
5 τῶν γραμματέων καὶ Φαρισαίων‹ συνιείς τε καὶ ἐνεργῶν. ›ἔντεινον 4
καὶ κατευοδοῦ καὶ βασίλευε‹, ὁ Δαβὶδ γράφει, ›ἕνεκεν ἀληθείας καὶ
πραότητος καὶ δικαιοσύνης, καὶ ὁδηγήσει σε θαυμαστῶς ἡ δεξιά
σου‹, τουτέστιν ὁ κύριος. ›τίς‹ οὖν ›σοφὸς καὶ συνήσει ταῦτα; 5
συνετὸς καὶ γνώσεται αὐτά; διότι εὐθεῖαι αἱ ὁδοὶ τοῦ κυρίου‹, φησὶν
10 ὁ προφήτης, δηλῶν μόνον δύνασθαι τὸν γνωστικὸν τὰ ἐπικεκρυμ-
μένως πρὸς τοῦ πνεύματος εἰρημένα νοῆσαί τε καὶ διασαφῆσειν· καὶ 6
›ὁ συνίων ἐν τῷ καιρῷ ἐκείνῳ σιωπήσεται‹, λέγει ἡ γραφή, δη-
λονότι πρὸς τοὺς ἀναξίους ἐξειπεῖν, ὅτι φησὶν ὁ κύριος· ›ὁ ἔχων
ὦτα ἀκούειν ἀκουέτω‹, οὐ πάντων εἶναι τὸ ἀκούειν καὶ συνιέναι
15 λέγων. αὐτίκα ὁ Δαβὶδ ›σκοτεινὸν ὕδωρ ἐν νεφέλαις ἀέρων‹ γράφει 116, 1
›ἀπὸ τῆς τηλαυγήσεως ἐνώπιον αὐτοῦ αἱ νεφέλαι διῆλθον, χάλαζα
καὶ ἄνθρακες πυρός‹, ἐπικεκρυμμένους τοὺς ἁγίους λόγους εἶναι δι-
δάσκων. καὶ δὴ τοῖς μὲν γνωστικοῖς διειδεῖς καὶ τηλαυγεῖς καθάπερ
χάλαζαν ἀβλαβῆ καταπέμπεσθαι θεόθεν μηνύει, | σκοτεινοὺς δὲ ⟨τοῖς⟩ 799 P
20 πολλοῖς καθάπερ τοὺς ἐκ πυρὸς ἀπεσβεσμένους ἄνθρακας, οὓς εἰ
μή τις ἀνάψαι καὶ ἀναζωπυρήσαι, οὐκ ἐκφλεγήσονται οὐδ᾽ ἐμφω-
τισθήσονται. ›κύριος‹, οὖν φησι, ›δίδωσί μοι γλῶσσαν παιδείας 3
τοῦ γνῶναι‹ ἐν καιρῷ, ›ἡνίκα δεῖ εἰπεῖν λόγον‹, οὐ κατὰ τὸ μαρ-
τύριον μόνον, ἀλλὰ γὰρ καὶ τὸν κατ᾽ ἐρώτησιν καὶ ἀπόκρισιν· ›καὶ
25 ἡ παιδεία κυρίου ἀνοίγει μου τὸ στόμα.‹ γνωστικοῦ ἄρα καὶ τὸ
εἰδέναι χρῆσθαι τῷ λόγῳ καὶ ὁπότε καὶ ὅπως καὶ πρὸς οὕστινας.
ἤδη δὲ καὶ ὁ ἀπόστολος, λέγων ›κατὰ τὰ στοιχεῖα τοῦ κόσμου καὶ 117, 1
οὐ κατὰ Χριστόν‹, τὴν μὲν διδασκαλίαν τὴν Ἑλληνικὴν στοιχειώδη
παραδίδωσιν εἶναι, τελείαν δὲ τὴν κατὰ Χριστόν, καθάπερ ἤδη πρό-
30 τερον ἐμηνύσαμεν.
    Αὐτίκα ἡ ἀγριέλαιος ἐγκεντρίζεται εἰς τὴν πιότητα τῆς ἐλαίας 2
καὶ δὴ καὶ φύεται ὁμοειδῶς ταῖς ἡμέροις ἐλαίαις· χρῆται γὰρ τὸ ἐμ-
φυτευόμενον ἀντὶ γῆς τῷ δένδρῳ τῷ ἐν ᾧ φυτεύεται· πάντα δὲ 3

2 vgl. Gen 1, 28   4f. vgl. Mt 5, 20   5—8 Ps 44, 5   8f. Os 14; 10   11 Inf. fut.
nach δύνασθαι: s. zu S. 382, 7   12 Am 5, 13   13f. Mt 11, 15 u. ö.   15—17 Ps 17, 12f.
22f. 24f. Is 50, 4f.   27f. Col 2, 8   29f. vgl. S. 463, 3ff.   31f. vgl. Rom 11, 37
31f.—S. 491, 17 vgl. Sven Linder, Palästinajhrb. 26, 1930, 40—43; G. Dalmann, Ar-
beit u. Sitte in Paläst. IV, Gütersl. 1935, S. 148f.

1 δεῖ He δὴ L   2 μόνον Ma μόνων L   11 νοῆσαι—διασαφῆσαι Ma   16 αὐτοῦ L
18 διηδεῖς L   19 ⟨τοῖς⟩ St   20 πολλοῖς Hervet πολλοὺς L   21f. ἐμφωτισθήσονται
(μ corr. aus κ) L¹   33 ⟨ἐμ⟩φυτεύεται L³

ὁμοῦ τὰ φυτὰ ἐκ κελεύσματος θείου βεβλάστηκεν. διὸ κἂν ἀγριέλαιος
ὁ κότινος τυγχάνῃ, ἀλλὰ τοὺς ὀλυμπιονίκας στέφει, καὶ τὴν ἄμπελον
ἢ πτελέα εἰς ὕψος ἀνάγουσα εὐκαρπεῖν διδάσκει. ὁρῶμεν δὲ ἤδη 4
πλείονα τὴν τροφὴν ἐπισπώμενα τὰ ἄγρια τῶν δένδρων διὰ τὸ μὴ
5 δύνασθαι πέττειν. τὰ οὖν ἄγρια τῶν ἡμέρων ἀπεπτότερα ὑπάρχει,
καὶ τὸ αἴτιον τοῦ ἄγρια εἶναι αὐτὰ στέρησις δυνάμεως πεπτικῆς.
λαμβάνει τοίνυν τροφὴν μὲν πλείονα ἡ ἐγκεντρισθεῖσα ἐλαία διὰ τὸ 118, 1
ἀγρίαν ἐμφύεσθαι· οἷον δὲ ἤδε πέττειν ἐθίζεται τὴν τροφήν, συνεξο-
μοιουμένη τῇ πιότητι τῆς ἡμέρου, ὡς δὲ καὶ ὁ φιλόσοφος, ἀγρίᾳ
10 εἰκαζόμενος ἐλαίᾳ, πολὺ τὸ ἄπεπτον ἔχων, διὰ τὸ εἶναι ζητητικὸς
καὶ εὐπαρακολούθητος καὶ ὀρεκτικὸς τῆς πιότητος τῆς ἀληθείας,
ἐὰν προσλάβῃ τὴν θείαν διὰ πίστεως δύναμιν, τῇ χρηστῇ καὶ ἡμέρῳ
⟨ἐγ⟩καταφυτευθεὶς γνώσει, καθάπερ ἡ ἀγριέλαιος ἐγκεντρισθεῖσα τῷ
ὄντως καλῷ καὶ ἐλεήμονι λόγῳ πέττει τε τὴν παραδιδομένην
15 τροφὴν καὶ καλλιέλαιος γίνεται. ὁ γάρ τοι ἐγκεντρισμὸς τὰς ἀχρείους 2
εὐγενεῖς ποιεῖ καὶ τὰς ἀφόρους φορίμους γίνεσθαι βιάζεται τέχνῃ τῇ
γεωργικῇ καὶ ἐπιστήμῃ τῇ γνωστικῇ.

Φασὶ δ᾽ οὖν γίνεσθαι τὸν ἐγκεντρισμὸν κατὰ τρόπους τέσσαρας· 119, 1
ἕνα μὲν καθ᾽ ὃν μεταξὺ τοῦ ξύλου καὶ τοῦ φλοιοῦ ἐναρμόζειν δεῖ
20 τὸ ἐγκεντριζόμενον, ὡς κατηχοῦνται οἱ ἐξ ἐθνῶν ἰδιῶται ἐξ ἐπι-
πολῆς δεχόμενοι τὸν λόγον· θάτερον δὲ ὅταν τὸ ξύλον σχίσαντες 2
εἰς αὐτὸ ἐμβάλωσι | τὸ εὐγενὲς φυτόν, ὃ συμβαίνει ἐπὶ τῶν φιλο- 800 P
σοφησάντων· διατμηθέντων γὰρ αὐτοῖς τῶν δογμάτων ἡ ἐπίγνωσις
τῆς ἀληθείας ἐγγίνεται· ὡς δὲ καὶ Ἰουδαίοις διοιχθείσης τῆς παλαιᾶς
25 γραφῆς τὸ νέον καὶ εὐγενὲς ἐγκεντρίζεται τῆς | ἐλαίας φυτόν. ὁ 286 S 3
τρίτος δὲ ἐγκεντρισμὸς τῶν ἀγριάδων καὶ τῶν αἱρετικῶν ἅπτεται
τῶν μετὰ βίας εἰς τὴν ἀλήθειαν μεταγομένων· ἀποξύσαντες γὰρ
ἑκάτερον ἐπίσφηνον ὀξεῖ δρεπάνῳ μέχρι τοῦ τὴν ἐντεριώνην γυμνῶ-
σαι μέν, μὴ ἑλκῶσαι δέ, δεσμεύουσι πρὸς ἄλληλα. τέταρτος δέ ἐστι 4
30 ἐγκεντρισμοῦ τρόπος ὁ λεγόμενος ἐνοφθαλμισμός· περιαιρεῖται γὰρ
ἀπὸ εὐγενοῦς στελέχους ὀφθαλμός, συμπεριγραφομένου αὐτῷ καὶ
τοῦ φλοιοῦ κύκλῳ ὅσον παλαιστιαῖον μῆκος, εἶτα ἐναποξύεται τὸ

2 vgl. Past. Herm. Sim. II 1—4   3—6 ὁρῶμεν δὴ ἤδη—πεπτικῆς Sacr. Par. 258
Holl   19—S. 492, 3 vgl. Columella De r. r. V 11f.; IV 29, 5f.; De arbor. 8; Geopon.
X 75; Theophrast De caus. plant. I 6   23 διατμηθέντων Ausdruck aus Empedokles
Fr. 4, 3 (s. zu 338, 3) (Fr)

1 θείου L·· θείω L²   2 vor ὁ ist ἐλαία von L¹ getilgt   3 δὲ] δὴ Sacr. Par.
4 [τὴν] Wi   5 ὑπάρχει] ἐστιν Sacr. Par.   6 αὐτὰ εἶναι ~ Sacr. Par.   8 ἀγρίαν St
ἀγρίαι L entweder ἀγρία (Nom.) oder, wenn der Dat. stehen bleiben soll, ἑτέρᾳ
Fr   ἤδε St ἤδη L   9 ὥς L   12f. ⟨ἐν⟩ τῇ—καταφυτευθεὶς Schw   13 ⟨ἐγ⟩καταφυτευθεὶς
(vgl. Protr. 13, 5) Ma   ἐγκεντρισθεὶς St   19 φλοιοῦ L   20 τὸ Höschel τὸν L   24
διοιχθείσης (οι corr. aus ω) L³   25 ἐλαίας] ἀληθείας Wi   28 ἐπίσφινον L

στέλεχος κατ' ὀφθαλμὸν ἴσον τῇ περιγραφῇ, καὶ οὕτως ἐντίθεται
περισχοινιζόμενον καὶ περιχριόμενον πηλῷ, τηρουμένου τοῦ ὀφθαλ-
μοῦ ἀπαθοῦς καὶ ἀμολύντου. εἶδος τοῦτο γνωστικῆς διδασκαλίας,
διαθρεῖν τὰ πράγματα δυναμένης, ἀμέλει καὶ ἐπὶ ἡμέρων δένδρων
5 τοῦτο μάλιστα χρησιμεύει τὸ εἶδος.

Δύναται δὲ ὁ ὑπὸ τοῦ ἀποστόλου λεγόμενος ἐγκεντρισμὸς εἰς 120, 1
τὴν καλλιέλαιον γίγνεσθαι, τὸν Χριστὸν αὐτόν, τῆς ἀνημέρου καὶ
ἀπίστου φύσεως καταφυτευομένης εἰς Χριστόν, τουτέστι τῶν εἰς
Χριστὸν πιστευόντων· ἄμεινον δὲ τὴν ἑκάστου πίστιν ἐν αὐτῇ ἐγκεν-
10 τρίζεσθαι τῇ ψυχῇ. καὶ γὰρ τὸ ἅγιον πνεῦμα ταύτη πως μεταφυ- 2
τεύεται διανενεμημένον κατὰ τὴν ἑκάστου περιγραφὴν ἀπεριγράφως.
περὶ δὲ τῆς γνώσεως ὁ Σολομὼν διαλεγόμενος τάδε φησί· »λαμπρὰ 3
καὶ ἀμάραντός ἐστιν ἡ σοφία καὶ εὐχερῶς θεωρεῖται ὑπὸ τῶν ἀγα-
πώντων αὐτήν· φθάνει τοὺς ἐπιθυμοῦντας προγνωσθῆναι. ὁ ὀρ-
15 θρίσας ἐπ' αὐτὴν οὐ κοπιάσει· τὸ γὰρ ἐνθυμηθῆναι περὶ αὐτῆς
φρονήσεως τελειότης, καὶ ὁ ἀγρυπνήσας δι' αὐτὴν ταχέως ἀμέριμνος
ἔσται· ὅτι τοὺς ἀξίους αὐτῆς αὕτη περιέρχεται ζητοῦσα« (»οὐ γὰρ
πάντων ἡ γνῶσις«) »καὶ ἐν ταῖς τρίβοις φαντάζεται αὐτοῖς εὐ-
μενῶς·« τρίβοι δὲ ἡ τοῦ βίου διεξαγωγὴ καὶ ἡ κατὰ τὰς διαθήκας
20 πολυειδία. αὐτίκα ἐπιφέρει· »καὶ ἐν πάσῃ ἐπινοίᾳ ὑπαντᾷ αὐτοῖς«, 121, 1
ποικίλως θεωρουμένη, διὰ πάσης δηλονότι παιδείας. εἶτα ἐπιλέγει, 2
τὴν τελειωτικὴν ἀγάπην παρατιθέμενος, διὰ λόγου συλλογιστικοῦ καὶ
λημμάτων ἀληθῶν ἀποδεικτικωτάτην ⟨καὶ⟩ ἀληθῆ ὧδέ πως ἐπάγων
ἐπιφοράν· »ἀρχὴ γὰρ αὐτῆς ἀληθεστάτη παιδείας ἐπιθυμία« (τουτ-
25 έστι τῆς γνώσεως), »φροντὶς δὲ παιδείας ἀγάπη, ἀγάπη δὲ τήρησις
νόμων αὐτῆς, προσοχὴ δὲ νόμων βεβαίωσις ἀφθαρσίας, ἀφθαρσία
δὲ ἐγγὺς εἶναι ποιεῖ θεοῦ. ἐπιθυμία ἄρα σοφίας ἀνάγει ἐπὶ | βασι- 801 P
λείαν.« διδάσκει γάρ, οἶμαι, ὡς ἀληθινὴ παιδεία ἐπιθυμία τίς ἐστι
γνώσεως, ἄσκησις δὲ παιδείας συνίσταται δι' ἀγάπην γνώσεως, καὶ
30 ἡ μὲν ἀγάπη τήρησις τῶν εἰς γνῶσιν ἀναγουσῶν ἐντολῶν, ἡ τή-
ρησις δὲ αὐτῶν βεβαίωσις τῶν ἐντολῶν, δι' ἣν ἡ ἀφθαρσία ἐπισυμ-
βαίνει, »ἀφθαρσία δὲ ἐγγὺς εἶναι ποιεῖ θεοῦ.« εἰ ἄρα ἀγάπη τῆς
γνώσεως ἄφθαρτον ποιεῖ καὶ ἐγγὺς θεοῦ βασιλέως τὸν βασιλικὸν
ἀνάγει, ζητεῖν ἄρα δεῖ τὴν γνῶσιν εἰς εὕρεσιν. ἔστιν δὲ ἡ μὲν ζή- 4

6f. vgl. Rom 11, 24 12—19. 20 Sap 6, 12—16 1·1. I Cor 8, 7 24—28. 32 Sap
6, 17—20 34—S. 493, 3 Chrysipp Fr. log. 102 Arnim; Cic. Ac. pr. 26

2 περιχρειόμενον L 8 [τῶν] Wi 11 διανενεμημένον Ma διανενεμημένως L 17
αὐτῇ L 23 ⟨καὶ⟩ ἀληθῆ·St ἀληθῶς Ma [ἀληθῆ] Wi 26 ἀφθαρσίας Sy ἀφθαρσία L
32 εἰ] ἡ Schw 34 εὕρεσιν ⟨θεοῦ⟩ Schw

τησις ὁρμὴ ἐπὶ τὸ καταλαβεῖν, διά τινων σημείων ἀνευρίσκουσα τὸ
ὑποκείμενον, ἡ εὕρεσις δὲ πέρας καὶ ἀνάπαυσις ζητήσεως ἐν κατα-
λήψει γενομένης, ὅπερ ἐστὶν ἡ γνῶσις. καὶ αὕτη κυρίως εὕρεσίς
ἐστιν ἡ γνῶσις, κατάληψις ζητήσεως ὑπάρχουσα. σημεῖον δ᾽ εἶναί
5 φασι τὸ προηγούμενον ἢ συνυπάρχον ἢ ἑπόμενον.

Τῆς τοίνυν περὶ θεοῦ ζητήσεως εὕρεσις μὲν ἡ διὰ τοῦ υἱοῦ δι- 122, 1
δασκαλία, σημεῖον δὲ τοῦ εἶναι τὸν σωτῆρα ἡμῶν αὐτὸν ἐκεῖνον τὸν
υἱὸν τοῦ θεοῦ αἵ τε προηγούμεναι τῆς παρουσίας αὐτοῦ προφητεῖαι,
τοῦτον κηρύσσουσαι, αἵ τε συνυπάρξασαι τῇ γενέσει αὐτοῦ τῇ αἰ-
10 σθητῇ περὶ αὐτοῦ μαρτυρίαι, πρὸς δὲ καὶ ⟨αἱ⟩ μετὰ τὴν ἀνάληψιν
κηρυσσόμεναί τε καὶ ἐμφανῶς δεικνύμεναι δυνάμεις αὐτοῦ. τεκμήριον 2
ἄρα τοῦ παρ᾽ ἡμῖν εἶναι τὴν ἀλήθειαν τὸ αὐτὸν διδάξαι τὸν υἱὸν
τοῦ θεοῦ· εἰ γὰρ περὶ πᾶν ζήτημα καθολικὰ ταῦτα εὑρίσκεται
πρόσωπόν τε καὶ πρᾶγμα, ἡ ὄντως ἀλήθεια παρ᾽ ἡμῖν δείκνυται
15 μόνοις, ἐπεὶ πρόσωπον μὲν τῆς δεικνυμένης ἀληθείας ὁ υἱὸς τοῦ
θεοῦ, τὸ πρᾶγμα δὲ ἡ δύναμις τῆς πίστεως ἡ καὶ παντὸς οὑτινοσοῦν
ἐναντιουμένου καὶ αὐτοῦ ὅλου ἐνισταμένου τοῦ κόσμου πλεονά-
ζουσα. ἀλλ᾽ ἐπεὶ τοῦτο ἀνωμολόγηται βεβαιωθῆναι ἐν αἰωνίοις ἔρ- 3
γοις καὶ λόγοις καὶ πέφηνεν ἤδη κολάσεως, οὐκ ἀντιρρήσεως ἄξιος
20 ἅπας ὁ μὴ νομίζων εἶναι πρόνοιαν καὶ τῷ ὄντι ἄθεος, πρόκειται
δ᾽ ἡμῖν, τί ποιοῦντες καὶ τίνα τρόπον βιοῦντες εἰς τὴν ἐπίγνωσιν
τοῦ παντοκράτορος θεοῦ ἀφικοίμεθα καὶ πῶς τιμῶντες τὸ θεῖον
σφίσιν σωτηρίας αἴτιοι γινόμεθα, οὐ παρὰ τῶν σοφιστῶν, ἀλλὰ
παρ᾽ αὐτοῦ τοῦ θεοῦ γνόντες καὶ μαθόντες τὸ εὐάρεστον αὐτῷ, τὸ
25 δίκαιον καὶ ὅσιον δρᾶν ἐγχειροῦμεν. τὸ σῴζεσθαι δ᾽ ἡμᾶς εὐάρεστον 4
αὐτῷ, καὶ ἡ σωτηρία διά τε εὐπραγίας διά τε γνώσεως παραγίνεται,
ὧν ἀμ|φοῖν ὁ κύριος διδάσκαλος.

802 P

Εἴπερ οὖν καὶ κατὰ Πλάτωνα ἢ παρὰ τοῦ θεοῦ ἢ παρὰ τῶν 123, 1
ἐκγόνων τοῦ θεοῦ τὸ ἀληθὲς ἐκμανθάνειν μόνως οἷόν τε, εἰκότως
30 παρὰ τῶν θείων λογίων τὰ μαρτύρια ἐκλεγόμενοι τὴν ἀλήθειαν
αὐχοῦμεν ἐκδιδάσκεσθαι διὰ τοῦ υἱοῦ τοῦ θεοῦ, προφητευθέντων
μὲν τὸ πρῶτον, ἔπειτα δὲ καὶ σαφηνισθέντων· τὰ συνεργοῦντα δὲ
πρὸς τὴν εὕρεσιν τῆς ἀληθείας οὐδὲ αὐτὰ ἀδόκιμα. ἢ γοῦν φιλο- 2

4f. vgl. Aristot. Analyt. prior. II 27 p. 70ᵃ 7—10 σημεῖον δὲ βούλεται εἶναι
πρότασις ἀποδεικτικὴ ἀναγκαία ἢ ἔνδοξος· οὗ γὰρ ὄντος ἐστίν, ἢ οὗ γενομένου πρό-
τερον ἢ ὕστερον γέγονε τὸ πρᾶγμα· τοῦτο σημεῖόν ἐστι τοῦ γεγονέναι ἢ εἶναι. **13f.**
Theorie der Rhetoren; vgl. z. B. Auct. ad Herenn. I 8, 13; Cic. De inv. I 24, 34
19f. vgl. Strom. V 6, 1 mit Anm. **28f.** vgl. Plato Tim. p. 40 DE; Strom. V 84, 1
34 vgl. Mt 7, 7

3 γενομένης corr. aus γινομένης L¹ **4** [ἡ γνῶσις] Wi **10** ⟨αἱ⟩ St

σοφία, πρόνοιαν καταγγέλλουσα καὶ τοῦ μὲν εὐδαίμονος βίου τὴν
ἀμοιβήν, τοῦ δ' αὖ κακοδαίμονος τὴν κόλασιν, περιληπτικῶς θεο-
λογεῖ, τὰ πρὸς ἀκρίβειαν δὲ καὶ τὰ ἐπὶ μέρους οὐκέτι σῴζει. οὔτε
γὰρ περὶ τοῦ υἱοῦ τοῦ θεοῦ οὔτε περὶ τῆς κατὰ τὴν πρό|νοιαν οἰ- 287 S
5 κονομίας ὁμοίως ἡμῖν διαλαμβάνει· οὐ γὰρ τὴν κατὰ τὸν θεὸν ἔγνω
θρησκείαν. διόπερ αἱ κατὰ τὴν βάρβαρον φιλοσοφίαν αἱρέσεις, κἂν 3
θεὸν λέγωσιν ἕνα κἂν Χριστὸν ὑμνῶσι, κατὰ περίληψιν λέγουσιν,
οὐ πρὸς ἀλήθειαν· ἄλλον τε γὰρ θεὸν παρευρίσκουσι καὶ τὸν Χριστὸν
οὐχ ὡς αἱ προφητεῖαι παραδιδόασιν, ἐκδέχονται. ἀλλ' οὔτι γε τὰ ψευδῆ
10 τῶν δογματ⟨ισθέντ⟩ων αὐτοῖς, ἔστ' ἂν ἐναντιῶνται τῇ κατὰ τὴν ἀλήθειαν
ἀγωγῇ, καθ' ἡμῶν ἐστιν. αὐτίκα ὁ Παῦλος τὸν Τιμόθεον περιέτεμεν διὰ 124, 1
τοὺς ἐξ Ἰουδαίων πιστεύοντας, ἵνα μή, καταλύοντος αὐτοῦ τὰ ἐκ τοῦ
νόμου σαρκικώτερον προειλημμένα, ἀποστῶσι τῆς πίστεως οἱ ἐκ νόμου
κατηχούμενοι, εἰδὼς ἀκριβῶς ὅτι περιτομὴ οὐ δικαιοῖ· τοῖς πᾶσι
15 γὰρ πάντα γίγνεσθαι ὡμολόγει κατὰ συμπεριφορὰν σῴζων τὰ κύρια
τῶν δογμάτων, ἵνα πάντας κερδήσῃ. Δανιὴλ δὲ τὸν μανιάκην ἐβά- 2
στασεν ἐπὶ τοῦ βασιλέως τῶν Περσῶν, μὴ ὑπεριδὼν θλιβῆναι τὸν
λεών. ψεῦσται τοίνυν τῷ ὄντι οὐχ οἱ συμπεριφερόμενοι δι' οἰκονο- 3
μίαν σωτηρίας οὐδ' οἱ περί τινα τῶν ἐν μέρει σφαλλόμενοι, ἀλλ' οἱ
20 εἰς τὰ κυριώτατα παραπίπτοντες καὶ ἀθετοῦντες μὲν τὸν κύριον τὸ
ὅσον ἐπ' αὐτοῖς, ἀποστεροῦντες δὲ τοῦ κυρίου τὴν ἀληθῆ διδασκα-
λίαν, οἱ μὴ κατ' ἀξίαν τοῦ θεοῦ καὶ τοῦ κυρίου τὰς γραφὰς λα-
λοῦντές τε καὶ παραδιδόντες· παραθήκη γὰρ ἀποδιδομένη θεῷ ἡ 4
κατὰ τὴν τοῦ κυρίου διδασκαλίαν διὰ τῶν ἀποστόλων αὐτοῦ τῆς
25 θεοσεβοῦς παραδόσεως σύνεσίς τε καὶ συνάσκησις· ›ὃ δὲ ἀκούετε εἰς 5
τὸ οὖς‹ (ἐπικεκρυμμένως δηλονότι καὶ ἐν μυστηρίῳ, τὰ τοιαῦτα γὰρ
εἰς τὸ οὖς λέγεσθαι ἀλληγορεῖται), ›ἐπὶ τῶν δωμάτων‹, φησί, ›κη-
ρύξατε‹, μεγαλοφρόνως τε ἐκδεξάμενοι καὶ ὑψηγόρως παραδιδόντες
καὶ κατὰ τὸν τῆς ἀληθείας κανόνα διασαφοῦντες τὰς γραφάς· οὔτε 6
30 γὰρ ἡ προφητεία οὔτε ὁ σωτὴρ αὐτὸς ἁπλῶς οὕτως, ὡς τοῖς | ἐπι- 803 P
τυχοῦσιν εὐάλωτα εἶναι, τὰ θεῖα μυστήρια ἀπεφθέγξατο, ἀλλ' ἐν
παραβολαῖς διελέξατο. λέγουσιν γοῦν οἱ ἀπόστολοι περὶ τοῦ κυρίου, 125, 1
ὅτι ›πάντα ἐν παραβολαῖς ἐλάλησεν καὶ οὐδὲν ἄνευ παραβολῆς ἐλάλει
αὐτοῖς‹. εἰ δὲ ›πάντα δι' αὐτοῦ ἐγένετο καὶ χωρὶς αὐτοῦ ἐγένετο 2

11f. vgl. Act 16, 3   14 vgl. I Cor 7, 19   14—16 vgl. I Cor 9, 22 vgl. Strom.
VII 53, 3   16—18 vgl. Dan 5, 7   25—28 Mt 10, 27   26f. vgl. Strom. I 56, 2   33f.
Mt 13, 34   34f. Io 1, 3

5 vor τὴν ist κατ getilgt L¹   9 οὔτι Schw οὖν L   10 δογματ⟨ισθέντ⟩ων Teng-
blad S. 96 (vgl. Strom. I 19, 2) δογμάτων L δεδογμένων Koetschau   16 μανιάκιν L
23 παραδιδοῦντες L παρα⟨κατα⟩θήκη He   30 vor ὁ ist ἁπλῶς von L¹ getilgt

οὐδὲ ἕν‹, καὶ ἡ προφητεία ἄρα καὶ ὁ νόμος δι’ αὐτοῦ τε ἐγένετο
καὶ ἐν παραβολαῖς ἐλαλήθησαν δι’ αὐτοῦ· πλὴν ›ἅπαντα ὀρθὰ
ἐνώπιον τῶν συνιέντων‹, φησὶν ἡ γραφή, τουτέστι τῶν ὅσοι ὑπ’ αὐτοῦ
σαφηνισθεῖσαν ⟨τὴν⟩ τῶν γραφῶν ἐξήγησιν κατὰ τὸν ἐκκλησιαστικὸν
5 κανόνα ἐκδεχόμενοι διασῴζουσι· κανὼν δὲ ἐκκλησιαστικὸς ἡ συνῳδία 8
καὶ ἡ συμφωνία νόμου τε καὶ προφητῶν τῇ κατὰ τὴν τοῦ κυρίου
παρουσίαν παραδιδομένῃ διαθήκῃ. γνώσει μὲν οὖν ἕπεται φρόνησις, 4
σωφροσύνη δὲ τῇ φρονήσει· εἰρήσθω γὰρ τὴν μὲν φρόνησιν ὑπάρ-
χειν γνῶσιν θείαν καὶ ἐν τοῖς θεοποιουμένοις, τὴν δὲ σωφροσύνην
10 θνητὴν καὶ ἐν ἀνθρώποις εἶναι φιλοσοφοῦσιν, οὐδέπω σοφοῖς. αὐ- 5
τίκα†, εἴπερ ἀρετή τέ ἐστιν θεία καὶ γνῶσις ἑαυτῆς· ἡ σωφροσύνη
δὲ οἷον ἀτελὴς φρόνησις, ἐφιεμένη μὲν φρονήσεως, ἐργατικὴ δὲ ἐπι-
πόνως καὶ οὐ θεωρητική, καθάπερ ἀμέλει ἡ δικαιοσύνη, ἀνθρωπίνη
οὖσα, κοινόν, ὑποβέβηκε ⟨δὲ⟩ τὴν ὁσιότητα, θείαν δικαιοσύνην ὑπάρ-
15 χουσαν. τῷ τελείῳ γὰρ οὐκ ἐν συμβολαίοις πολιτικοῖς οὐδὲ ἐν ἀπα- 6
γορεύσει νόμου, ἀλλ’ ἐξ ἰδιοπραγίας καὶ τῆς πρὸς θεὸν ἀγάπης ἡ
δικαιοσύνη.

Διὰ πολλὰς τοίνυν αἰτίας ἐπικρύπτονται τὸν νοῦν αἱ γραφαί, 126, 1
πρῶτον μὲν ἵνα ζητητικοὶ ὑπάρχωμεν καὶ προσαγρυπνῶμεν ἀεὶ τῇ
20 τῶν σωτηρίων λόγων εὑρέσει, ἔπειτα ⟨ὅτι⟩ μηδὲ τοῖς ἅπασι προσῆκον
ἦν νοεῖν, ὡς μὴ βλαβεῖεν ἑτέρως ἐκδεξάμενοι τὰ ὑπὸ τοῦ ἁγίου πνεύ-
ματος σωτηρίως εἰρημένα. διὸ δὴ τοῖς ἐκλεκτοῖς τῶν ἀνθρώπων 2
τοῖς τε ἐκ πίστεως εἰς γνῶσιν ἐγκρίτοις τηρούμενα τὰ ἅγια τῶν
προφητειῶν μυστήρια ταῖς παραβολαῖς ἐγκαλύπτεται· παραβολικὸς 3
25 γὰρ ὁ χαρακτὴρ ὑπάρχει τῶν γραφῶν, διότι καὶ ὁ κύριος, οὐκ ὢν
κοσμικός, ὡς κοσμικὸς εἰς ἀνθρώπους ἦλθεν· καὶ γὰρ ἐφόρεσεν τὴν
πᾶσαν ἀρετὴν ἔμελλέν τε τὸν σύντροφον τοῦ κόσμου | ἄνθρωπον 804 P
ἐπὶ τὰ νοητὰ καὶ κύρια διὰ τῆς γνώσεως ἀνάγειν ἐκ κόσμου εἰς
κόσμον. διὸ καὶ μεταφορικῇ κέχρηται τῇ γραφῇ· τοιοῦτον γὰρ ἡ 4
30 παραβολή, λόγος ἀπό τινος οὐ κυρίου μέν, ἐμφεροῦς δὲ τῷ κυρίῳ

* 2f. vgl. Prov 8, 9 5—7 vgl. Strom. VI 88, 5 9 zu θεοποιουμένοις vgl. Protr.
114, 4 u. ä. St 9f. vgl. Strom. VI 61, 2 14 vgl. Sext. Emp. Adv. Math. IX 124
ὁσιότης δικαιοσύνη πρὸς τοὺς θεούς 15—17 τῷ τελείῳ οὐκ—δικαιοσύνη Sacr. Par.
259 Holl 18—S. 496, 2 διὰ πολλὰς—παριστάνουσα Ath fol. 82ʳ 30—S. 496, 2 vgl.
Tryphon περὶ τρόπων (VIII p. 750, 9ff. Walz) παραβολή ἐστι λόγος διὰ παραθέσεως
ὁμοίου πράγματος τὸ ὑποκείμενον μετ’ ἐνεργείας παριστάνων.

4 ⟨τὴν⟩ Ma 7 παρουσίαν παραδιδομένῃ Sy παρουσία παραδιδομένην L 11 αὐ-
τίκα ⟨ἡ μὲν φρόνησις τιμιωτέρα⟩ Fr 14 ⟨δὲ⟩ Schw τὴν ὁσιότητα St τῇ ὁσιότητι L
15 συμβόλοις Sacr. Par. 20 ⟨ὅτι⟩ St ⟨ἐπεὶ⟩ Ma 27 ἀρετήν] ἀσθένειαν oder ἀν-
θρωπότητα Ma 28 κόσμου (ου in Ras.) L¹ 29 κόσμον] οὐρανόν Hevse

ἐπὶ τἀληθὲς καὶ κύριον ἄγων τὸν συνιέντα, ἤ, ὡς τινές φασι, λέξις
δι᾽ ἑτέρων τὰ κυρίως λεγόμενα μετ᾽ ἐνεργείας παριστάνουσα. ἤδη 127,
δὲ καὶ ἡ οἰκονομία πᾶσα ἡ περὶ τὸν κύριον προφητευθεῖσα παραβολὴ
ὡς ἀληθῶς φαίνεται τοῖς μὴ τὴν ἀλήθειαν ἐγνωκόσιν, ὅταν τις τὸν
5 υἱὸν τοῦ θεοῦ τοῦ τὰ πάντα πεποιηκότος σάρκα ἀνειληφότα καὶ ἐν
μήτρᾳ παρθένου κυοφορηθέντα, καθὸ γεγέννηται τὸ αἰσθητὸν αὐτοῦ
σαρκίον, ἀκολούθως δέ, καθὸ γέγονεν τοῦτο, πεπονθότα καὶ ἀνεστα-
μένον ὃ μὲν λέγῃ, οἳ δὲ ἀκούωσιν, »Ἰουδαίοις μὲν σκάνδαλον, Ἕλλησι
δὲ μωρίαν«, ὥς φησιν ὁ ἀπόστολος. διανοιχθεῖσαι δὲ αἱ γραφαὶ καὶ 2
10 τοῖς ὦτα ἔχουσιν ἐμφῆναι τὸ ἀληθὲς αὐτὸ ἐκεῖνο, ὃ πέπονθεν ἡ
σάρξ, ἣν ἀνείληφεν ὁ κύριος, »δύναμιν θεοῦ καὶ σοφίαν« καταγγέλ-
λουσιν. ἐπὶ πᾶσί τε τὸ παραβολικὸν εἶδος τῆς γραφῆς, ἀρχαιότατον 3
ὄν, ὡς παρεστήσαμεν, εἰκότως παρὰ τοῖς προφήταις μάλιστα ἐπλεό-
νασεν, ἵνα δὴ καὶ τοὺς φιλοσόφους τοὺς παρ᾽ Ἕλλησι καὶ τοὺς παρὰ
15 τοῖς ἄλλοις βαρβάροις σοφοὺς ἠγνοηκέναι τὸ ἅγιον ἐπιδείξῃ πνεῦμα
τὴν ἐσομένην τοῦ κυρίου παρουσίαν καὶ τὴν ὑπ᾽ αὐτοῦ παραδοθησο-
μένην μυστικὴν διδασκαλίαν. εἰκότως ἄρα κηρύσσουσα ἡ προφητεία 4
τὸν κύριον, ὡς μὴ παρὰ τὰς τῶν πολλῶν | ὑπολήψεις λέγουσα βλα- 288 S
σφημεῖν τισι δοκοίη, ἐσχημάτισε τὰ σημαινόμενα φωναῖς ταῖς καὶ ἐπὶ
20 ἑτέρας ἐννοίας ἄγειν δυναμέναις. αὐτίκα οἱ προφῆται πάντες οἱ 5
προθεσπίσαντες τὴν παρουσίαν τοῦ κυρίου καὶ σὺν αὐτῇ τὰ ἅγια
μυστήρια ἐδιώχθησαν, ἐφονεύθησαν, καθάπερ καὶ αὐτὸς ὁ κύριος
διασαφήσας αὐτῶν τὰς γραφὰς καὶ οἱ τούτου γνώριμοι οἱ κηρύξαντες
τὸν λόγον ὡσαύτως μετ᾽ αὐτὸν τὸ ζῆν παρεβάλοντο. ὅθεν καὶ ὁ 128,
25 Πέτρος ἐν τῷ Κηρύγματι περὶ τῶν ἀποστόλων λέγων φησίν· »ἡμεῖς
δὲ ἀναπτύξαντες τὰς βίβλους ἃς εἴχομεν τῶν προφητῶν, ἃ μὲν διὰ
παραβολῶν, ἃ δὲ δι᾽ αἰνιγμάτων, ἃ δὲ αὐθεντικῶς καὶ αὐτολεξεὶ τὸν
Χριστὸν Ἰησοῦν ὀνομαζόντων, εὕρομεν καὶ τὴν παρουσίαν αὐτοῦ καὶ
τὸν θάνατον καὶ τὸν σταυρὸν καὶ τὰς λοιπὰς κολάσεις πάσας ὅσας
30 ἐποίησαν αὐτῷ οἱ Ἰουδαῖοι, καὶ τὴν ἔγερσιν καὶ τὴν εἰς οὐρανοὺς
ἀνάληψιν πρὸ τοῦ Ἱεροσόλυμα κτισθῆναι, | καθὼς ἐγέγραπτο ταῦτα 805 P
πάντα, ἃ ἔδει αὐτὸν παθεῖν καὶ μετ᾽ αὐτὸν ἃ ἔσται. ταῦτα οὖν ἐπι- 2

8f. 1 Cor 1, 23 10 vgl. Mt 11, 15 u. ä. St 11 1 Cor 1, 24 13 vgl. Strom. V
19, 3f. u. ö. 25—S. 497, 1 u. S. 497, 3f. Kerygma Petri Fr. 9. 10 v. Dobschütz TU
XI 1 S. 24 ff. 31f. vgl. 1 Petr 1, 11 zu Ἱεροσόλυμα vgl. Strom. IV 172, 2 (S. 324,
25) (Fr)

2 λεγόμενα] δηλούμενα Ath 7 τοῦτο corr. aus τοῦ L¹ 8 λέγῃ – ἀκούωσιν Ma
λέγει–ἀκούουσιν L 14 τούς³] τοῖς L 23 αὐτῶν Ma αὐτοῖς L 24 ὡσαύτως Sy ὡς
αὐτὸς L 27 αὐτολεξεὶ L 31 κριθῆναι v. Dobschütz καθαιρεθῆναι oder ληφθῆναι Po
32 nach ἃ ist ein Buchst. ausrad. [ἃ] Schw

γνόντες ἐπιστεύσαμεν τῷ θεῷ διὰ τῶν γεγραμμένων εἰς αὐτόν.‹
καὶ μετ᾿ ὀλίγα ἐπιφέρει πάλιν θείᾳ προνοίᾳ τὰς προφητείας γεγενῆ- 3
σθαι παριστὰς ὧδε· ›ἔγνωμεν γὰρ ὅτι ὁ θεὸς αὐτὰ προσέταξεν
ὄντως, καὶ οὐδὲν ἄτερ γραφῆς λέγομεν.‹

5   Ἔχει δ᾿ οὖν καὶ ἄλλας τινὰς ἰδιότητας ἡ Ἑβραίων διάλεκτος, 129, 1
καθάπερ καὶ ἑκάστη τῶν λοιπῶν, λόγον τινὰ ἐμπεριέχουσα ἐθνικὸν
ἐμφαίνοντα χαρακτῆρα. διάλεκτον γοῦν ὁρίζονται λέξιν ἐθνικῷ χα-
ρακτῆρι συντελουμένην. ἀλλ᾿ οὔτι γε ἐκείναις ταῖς διαλέκτοις ἡ προ- 2
φητεία γνώριμος καθίσταται· ταῖς μὲν γὰρ Ἑλληνικαῖς κατ᾿ ἐπιτή-
10 δευσιν αἱ καλούμεναι τῶν τρόπων ἐξαλλαγαὶ τὰς ἐπικρύψεις ποιοῦνται
κατ᾿ εἰκόνα τῶν παρ᾿ ἡμῖν προφητειῶν ἀναγόμεναι, πλὴν ἑκουσίου
τῆς παρατροπῆς παρὰ τὸ ὀρθὸν ἐμμέτρῳ ἢ σχεδίῳ φράσει γινομένης
‒δείκνυται. ἔστι γοῦν ὁ τρόπος λέξις παραγεγραμμένη ἀπὸ τοῦ 3
κυρίου ἐπὶ τὸ μὴ κύριον κατασκευῆς ἕνεκα καὶ φράσεως τῆς ἐν τῷ
15 λόγῳ εὐχρηστίας χάριν. ἡ προφητεία δὲ οὐδ᾿ ὅλως τοὺς περὶ τὰς 4
λέξεις σχηματισμοὺς ἐπιτηδεύει διὰ τὸ κάλλος τῆς φράσεως, τῷ δὲ
μὴ πάντων εἶναι τὴν ἀλήθειαν ἐπικρύπτεται πολυτρόπως, μόνοις
τοῖς εἰς γνῶσιν μεμνημένοις, τοῖς δι᾿ ἀγάπην ζητοῦσι τὴν ἀλήθειαν,
τὸ φῶς ἀνατέλλουσα. λέγεται δ᾿ οὖν εἶδος τῆς προφητείας ἡ ›παρ- 130, 1
20 οιμία‹ κατὰ τὴν βάρβαρον φιλοσοφίαν λέγεταί τε καὶ ›παραβολὴ‹
τό τε ›αἴνιγμα‹ ἐπὶ τούτοις. ἀλλὰ μὴν καὶ ›σοφία‹ λέγεται, καὶ ὡς
ἕτερον αὐτῆς ἡ ›παιδεία‹ ›λόγοι‹ τε αὖ ›φρονήσεως‹ καὶ ›στροφαὶ
λόγων‹ καὶ ›δικαιοσύνη ἀληθὴς‹ διδασκαλία τε αὖ τοῦ ›κατευθῦναι
κρίμα‹ καὶ ›πανουργία ἀκάκοις‹ κατὰ τὴν παιδείαν περιγινομένη
25 ›αἴσθησίς τε καὶ ἔννοια‹ τῷ νεοκατηχήτῳ γινομένη. ›ὁ τούτων 2
ἀκούσας‹, φησί, ›τῶν προφητῶν σοφὸς σοφώτερος ἔσται, κυβέρνησιν
δὲ ὁ νοήμων κτήσεται καὶ νοήσει παραβολὴν καὶ σκοτεινὸν λόγον
ῥήσεις τε σοφῶν καὶ αἰνίγματα.‹ εἰ δὲ ἀπὸ Ἕλληνος τοῦ Διὸς τοῦ 3
κατ᾿ | ἐπίκλησιν Δευκαλίωνος τὰς Ἑλληνικὰς συνέβη κεκλῆσθαι δια- 806 P
30 λέκτους, ἐκ τῶν χρόνων, ὧν φθάσαντες παρεστήσαμεν, ῥάδιον συνι-
δεῖν ὅσαις γενεαῖς τῆς Ἑβραίων φωνῆς αἱ παρ᾿ Ἕλλησι μεταγενέστε-
ραι διάλεκτοι ὑπάρχουσι.

Προϊούσης δὲ τῆς γραφῆς τοὺς προειρημένους ὑπὸ τοῦ προφήτου 131, 1
τρόπους καθ᾿ ἑκάστην περικοπὴν σημειωσάμενοι παραστήσομεν, τὴν

7f. vgl. Strom. 1 142, 3 mit Anm.   13—15 vgl. Tryphon περὶ τρόπων (VIII
p. 728, 12ff. Walz) τρόπος ἐστὶ λόγος κατὰ παρατροπὴν τοῦ κυρίου λεγόμενος κατά τινα
δήλωσιν κοσμιωτέραν ἢ κατὰ τὸ ἀναγκαῖον.   19—28 vgl. Prov 1, 1—6 vgl. auch Strom.
II 7, 1   28f. vgl. Apollodor Bibl. I 7, 2, 6   30 vgl. Strom. I 102, 3; 103, 2; 136, 4

4 ὄντως] οὕτως Sy   11 ⟨τὸ⟩ ἑκούσιον St ἀναγόμεναι, in höherem Sinn ange-
wendet, vgl. den bei Orig. häufigen Ausdruck ὡς πρὸς ἀναγωγήν (XII 2 S. 143) (Fr)
13 [δείκνυται] Heyse δείκνυται ⟨τὸ κατασκευαστόν⟩ Ma ⟨τὸ μὴ θεῖον⟩ δείκνυται Fr
15 εὐχρήστου Lowth   20 τε He τι L

γνωστικὴν ἀγωγὴν κατὰ τὸν τῆς ἀληθείας κανόνα φιλοτέχνως ἐν-
δεικνύμενοι. ἢ γὰρ οὐχὶ καὶ ἐν τῇ ὁράσει τῷ Ἑρμᾷ ἡ δύναμις ἐν τῷ 2
τύπῳ τῆς ἐκκλησίας φανεῖσα ἔδωκεν τὸ βιβλίον εἰς μεταγραφήν, ὃ
τοῖς ἐκλεκτοῖς ἀναγγελῆναι ἐβούλετο; τοῦτο δὲ μετεγράψατο ›πρὸς
5 γράμμα‹, φησί, μὴ εὑρίσκων τὰς συλλαβὰς τελέσαι. ἐδήλου δ᾽ ἄρα 3
τὴν μὲν γραφὴν πρόδηλον εἶναι πᾶσι κατὰ τὴν ψιλὴν ἀνάγνωσιν
ἐκλαμβανομένην, καὶ ταύτην εἶναι τὴν πίστιν στοιχείων τάξιν ἔχου-
σαν, διὸ καὶ ἡ πρὸς τὸ γράμμα ἀνάγνωσις ἀλληγορεῖται· τὴν
διάπτυξιν δὲ τὴν γνωστικὴν τῶν γραφῶν, προκοπτούσης ἤδη τῆς
10 πίστεως, εἰκάζεσθαι τῇ κατὰ τὰς συλλαβὰς ἀναγνώσει ἐκδεχόμεθα.
ἀλλὰ καὶ Ἡσαΐας ὁ προφήτης βιβλίον καινὸν κελεύεται λαβὼν ἐγγρά- 4
ψαι τινά, τὴν γνῶσιν τὴν ἁγίαν διὰ τῆς τῶν γραφῶν ἐξηγήσεως
ὕστερον ἔσεσθαι προφητεύοντος τοῦ πνεύματος τὴν ἔτι κατ᾽ ἐκεῖνον
τὸν καιρὸν ἄγραφον τυγχάνουσαν διὰ τὸ μηδέπω γινώσκεσθαι· εἴρητο
15 γὰρ ἀπ᾽ ἀρχῆς μόνοις τοῖς νοοῦσιν. αὐτίκα διδάξαντος τοῦ σωτῆρος 5
τοὺς ἀποστόλους ἡ τῆς ἐγγράφου ἄγραφος ἤδη καὶ εἰς ἡμᾶς διαδίδοται
παράδοσις, καρδίαις καιναῖς κατὰ τὴν ἀνακαίνωσιν τοῦ βιβλίου τῇ
δυνάμει τοῦ θεοῦ ἐγγεγραμμένη.

Ταύτῃ οἱ τῶν παρ᾽ Ἕλλησι λογιώτατοι τῷ Ἑρμῇ, ὃν δὴ λόγον 182, 1
20 εἶναί φασι, διὰ τὴν ἑρμηνείαν καθιεροῦσι τῆς ῥοιᾶς τὸν καρπόν·
πολυκευθὴς γὰρ ὁ λόγος. εἰκότως ἄρα καὶ τὸν Μωυσέα ἀναλαμβα- 2
νόμενον διττὸν εἶδεν Ἰησοῦς ὁ τοῦ Ναυῆ, καὶ τὸν μὲν μετ᾽ ἀγγέλων,
τὸν δὲ ἐπὶ τὰ ὄρη περὶ τὰς φάραγγας κηδείας ἀξιούμενον. εἶδεν δὲ 3
Ἰησοῦς τὴν θέαν ταύτην κάτω πνεύματι ἐπαρθεὶς σὺν καὶ τῷ Χαλέβ,
25 ἀλλ᾽ οὐχ ὁμοίως ἄμφω θεῶνται, | ἀλλ᾽ ὃ μὲν καὶ θᾶττον κατῆλθεν, 807 P
πολὺ τὸ βρῖθον ἐπαγόμενος, ὃ δὲ ἐπικατελθὼν ὕστερον τὴν δόξαν
διηγεῖτο ἣν ἐθεᾶτο, διαθρῆσαι δυνηθεὶς μᾶλλον θατέρου, ἅτε καὶ
καθαρώτερος γενόμενος, δηλούσης, οἶμαι, τῆς ἱστορίας | μὴ πάντων 289 S
εἶναι τὴν γνῶσιν, ἐπεὶ οἳ μὲν τὸ σῶμα τῶν γραφῶν, τὰς λέξεις καὶ
30 τὰ ὀνόματα, καθάπερ τὸ σῶμα τὸ Μωυσέως, προσβλέπουσιν, οἳ δὲ
τὰς διανοίας καὶ τὰ ὑπὸ τῶν ὀνομάτων δηλούμενα διορῶσι, τὸν
μετὰ ἀγγέλων Μωυσέα πολυπραγμονοῦντες. ἀμέλει καὶ τῶν ἐπι- 4
βοωμένων τὸν κύριον αὐτὸν οἱ μὲν πολλοὶ ›υἱὲ Δαβίδ, ἐλέησόν με‹
ἔλεγον, ὀλίγοι δὲ υἱὸν ἐγίγνωσκον τοῦ θεοῦ, καθάπερ ὁ Πέτρος, ὃν

2—5 vgl. Herm. Vis. II 1, 3f. 11f. vgl. Is 8, 1 17f. vgl. II Cor 3, 3 19f. vgl
Cyr. v. Alex. c. Jul. I (PG 76, 544 A) 21—27 vgl. Joseph. Ant. IV 8, 48;
A. Resch Agrapha² S. 302f. Nr. 13 26f. vgl. Plato Phaed. p. 81 C 28f. vgl. I Cor
8, 7 33 vgl. Mc 10, 48 u. ö. 34 vgl. Orig. in Mt XVI 10 (X S. 505, 20) (Fr)
34—S. 499, 2 vgl. Mt 16, 17

* 2 ἢ L 23 τῷ ὄρει Ma 24 κάτωθεν Fr

καὶ ἐμακάρισεν, ὅτι αὐτῷ σὰρξ καὶ αἷμα οὐκ ἀπεκάλυψε τὴν ἀλή-
θειαν, ἀλλ᾽ ἢ ὁ πατὴρ αὐτοῦ ὁ ἐν τοῖς οὐρανοῖς, δηλῶν τὸν γνωστι-
κὸν οὐ διὰ τῆς σαρκὸς αὐτοῦ τῆς κινηθείσης, ἀλλὰ δι᾽ αὐτῆς τῆς
δυνάμεως τῆς πατρικῆς γνωρίζειν τὸν υἱὸν τοῦ παντοκράτορος. οὐ 5
5 μόνον τοίνυν τοῖς ἐπιτυγχάνουσιν ἁπλῶς οὕτως δύσκολος ἡ τῆς
ἀληθείας κτῆσις, ἀλλὰ καὶ ὧν τυγχάνει ἡ ἐπιστήμη οἰκεῖᾱ, μηδὲ τού-
τοις ἀθρόαν δίδοσθαι τὴν θεωρίαν ἡ κατὰ τὸν Μωυσέα ἱστορία
διδάσκει, μέχρις ἂν ἐθισθέντες ἀντωπεῖν, καθάπερ οἱ Ἑβραῖοι τῇ
δόξῃ τῇ Μωυσέως καὶ οἱ ἅγιοι τοῦ Ἰσραὴλ ταῖς τῶν ἀγγέλων ὀπτα-
10 σίαις, οὕτως καὶ ἡμεῖς ταῖς τῆς ἀληθείας μαρμαρυγαῖς ἀντιβλέπειν
δυνηθῶμεν.

XVI. Ὑπόδειγμα δ᾽ ἡμῖν κατὰ παραδρομὴν ἐκκείσθω εἰς σαφή- 138, 1
νειαν γνωστικὴν ἡ δεκάλογος. καὶ ὅτι μὲν ἱερὰ ἡ δεκάς, παρέλκει
λέγειν τὰ νῦν. εἰ δὲ αἱ πλάκες αἱ γεγραμμέναι ›ἔργον θεοῦ‹, φυσι-
15 κὴν ἐμφαίνουσαι δημιουργίαν εὑρεθήσονται· δάκτυλος γὰρ θεοῦ
δύναμις νοεῖται θεοῦ, δι᾽ ἧς ἡ κτίσις τελειοῦται οὐρανοῦ καὶ γῆς,
ὧν ἀμφοῖν ᾱἱ πλάκες νοηθήσονται σύμβολα. θεοῦ μὲν γὰρ γραφὴ 2
καὶ εἰδοποιΐα ἐναποκειμένη τῇ πλακὶ δημιουργία τοῦ κόσμου τυγ-
χάνει. ἡ δεκάλογος δὲ κατὰ μὲν οὐράνιον εἰκόνα περιέχει ἥλιον καὶ 3
20 σελήνην, ἄστρα, νέφη, φῶς, πνεῦμα, ὕδωρ, ἀέρα, σκότος, πῦρ. αὕτη
φυσικὴ δεκάλογος οὐρανοῦ. ἡ δὲ τῆς γῆς εἰκὼν περιέχει ἀνθρώπους, 4
κτήνη, ἑρπετά, θηρία καὶ τῶν ἐνύδρων ἰχθύας καὶ κήτη, τῶν τε αὖ
πτηνῶν ὁμοίως τά τε σαρκοβόρα καὶ τὰ ἡμέρῳ χρώμενα τροφῇ,
φυτῶν τε ὡσαύτως τὰ καρποφόρα καὶ ἄκαρπα. αὕτη φυσικὴ δεκά-
25 λογος γῆς. καὶ ἡ κιβωτὸς δὲ ἡ ταῦτα περιειληφυῖα ἡ τῶν θείων τε 5
καὶ ἀνθρωπίνων γνῶσις εἴη ἂν καὶ σοφία. τάχα δ᾽ ἂν εἶεν αἱ δύο
πλάκες αὗται δισσῶν προφητεία διαθηκῶν. ἀνεκαινίσθησαν οὖν | 134, 1
μυστικῶς, πλεοναζούσης ἀγνοίας ἅμα καὶ ἁμαρτίας. δισσῶς, ὡς ἔοι- 808 P
κεν, γράφονται δισσοῖς πνεύμασιν ἐντολαί, τῷ τε ἡγεμονικῷ τῷ τε
30 ὑποκειμένῳ, ἐπεὶ ›ἡ σὰρξ ἐπιθυμεῖ κατὰ τοῦ πνεύματος καὶ τὸ πνεῦμα

3f. vgl. Io 6, 44　8f. vgl. Exod 34, 30　9f. vgl. vielleicht Dan 10, 7f.　14 vgl.
Exod 32, 16　15 vgl. Exod 31, 18　25 vgl. Gen 7, 7—10　25f. vgl. Paed. II 25, 3
mit Anm.　26f. vgl. Exod 31, 18 ˙ 27f. vgl. Exod 34, 1ff.　28—30 vgl. Philo Quis
rer. div. her. 167 (III p. 38f.) τί δ᾽; αἱ στῆλαι τῶν γενικῶν δέκα νόμων, ἃς ὀνομάζει
πλάκας, οὐ δύο εἰσὶν ἰσάριθμοι τοῖς τῆς ψυχῆς μέρεσι, λογικῷ καὶ ἀλόγῳ, ἃ παιδευθῆναί
τε καὶ σωφρονισθῆναι χρή, τεμνόμεναι πάλιν ὑπὸ τοῦ θεσμοθέτου μόνου; vgl. S. 501,
1—3　30f. Gal 5, 17

18 ἐναποκειμένη Sy ἐνυποκειμένη L　25 ἡ ταῦτα corr. aus ταῦτα ἡ L¹　28 δισσαί
Wendland zu Philo III p. 39,.1 .29 ἐντολαί Sy ἐντολαῖς L

32*

κατὰ τῆς σαρκός«. ἔστι δὲ καὶ δεκάς τις περὶ τὸν ἄνθρωπον αὐτόν, 2
τά τε αἰσθητήρια πέντε καὶ τὸ φωνητικὸν καὶ τὸ σπερματικὸν καὶ
τοῦτο δὴ ὄγδοον τὸ κατὰ τὴν πλάσιν πνευματικόν, ἔνατον δὲ τὸ
ἡγεμονικὸν τῆς ψυχῆς καὶ δέκατον τὸ διὰ τῆς πίστεως προσγινό-
5 μενον ἁγίου πνεύματος χαρακτηριστικὸν ἰδίωμα. ἔτι πρὸς τούτοις 3
δέκα τισὶν ἀνθρωπείοις μέρεσι προστάσσειν ἡ νομοθεσία φαίνεται.
τῇ τε ὁράσει καὶ ἀκοῇ καὶ τῇ ὀσφρήσει ἀφῇ τε καὶ γεύσει καὶ τοῖς
τούτων ὑπουργοῖς ὀργάνοις δισσοῖς οὖσι, χερσί τε καὶ ποσίν· αὕτη
γὰρ ἡ πλάσις τοῦ ἀνθρώπου. ἐπεισκρίνεται δὲ ἡ ψυχὴ καὶ προσ- 135,
10 εισκρίνεται τὸ ἡγεμονικόν, ᾧ διαλογιζόμεθα, οὐ κατὰ τὴν τοῦ
σπέρματος καταβολὴν γεννώμενον, ὡς συνάγεσθαι καὶ ἄνευ τούτου
τὸν δέκατον ἀριθμόν, δι' ὧν ἡ πᾶσα ἐνέργεια τοῦ ἀνθρώπου ἐπιτε-
λεῖται. τῇ τάξει γὰρ εὐθέως γενόμενος ὁ ἄνθρωπος ἀπὸ τῶν παθη-
τικῶν τὴν ἀρχὴν τοῦ ζῆν λαμβάνει. τὸ λογιστικὸν τοίνυν καὶ ἡγε- 2
15 μονικὸν αἴτιον εἶναί φαμεν τῆς συστάσεως τῷ ζῴῳ, ἀλλὰ καὶ τοῦ
τὸ ἄλογον μέρος ἐψυχῶσθαί τε καὶ μόριον αὐτῆς εἶναι. αὐτίκα τὴν 3
μὲν ζωτικὴν δύναμιν, ᾗ ἐμπεριέχεται τὸ θρεπτικόν τε καὶ αὐξητικὸν
καὶ καθ' ὅλου κινητικόν, τὸ πνεῦμα εἴληχεν τὸ σαρκικόν, ὀξυκίνητον
ὂν καὶ πάντῃ διά τε τῶν αἰσθήσεων καὶ τοῦ λοιποῦ σώματος πο-
20 ρευόμενόν τε καὶ πρωτοπαθοῦν διὰ σώματος· τὴν προαιρετικὴν δὲ 4
τὸ ἡγεμονικὸν ἔχει δύναμιν, περὶ ἣν ἡ ζήτησις καὶ ἡ μάθησις καὶ ἡ
γνῶσις. ἀλλὰ γὰρ ἡ πάντων ἀναφορὰ εἰς ἓν συντέτακται τὸ ἡγε-
μονικὸν καὶ δι' ἐκεῖνο ζῇ τε ὁ ἄνθρωπος καί πως ζῇ. διὰ τοῦ 136, 1
σωματικοῦ ἄρα πνεύματος αἰσθάνεται ὁ ἄνθρωπος, ἐπιθυμεῖ, ἥδεται,
25 ὀργίζεται, τρέφεται, αὔξεται· καὶ δὴ καὶ πρὸς τὰς πράξεις διὰ τού-
του πορεύεται τὰς κατ' ἔννοιάν τε καὶ διάνοιαν, καὶ ἐπειδὰν κρατῇ
τῶν ἐπιθυμιῶν, βασιλεύει τὸ ἡγεμονικόν. τὸ οὖν »οὐκ ἐπιθυμήσεις« 2
οὐ δουλεύσεις φησὶ τῷ σαρκικῷ πνεύματι, ἀλλὰ ἄρξεις αὐτοῦ, ἐπεὶ
»ἡ σὰρξ ἐπιθυμεῖ κατὰ | τοῦ πνεύματος« καὶ εἰς τὸ παρὰ φύσιν 809 P
30 ἀτακτεῖν ἐπανίσταται, »καὶ τὸ πνεῦμα κατὰ τῆς σαρκὸς« εἰς τὴν
κατὰ φύσιν τοῦ ἀνθρώπου διεξαγωγὴν ἐπικρατεῖ· μή τι οὖν εἰκότως 3
»κατ' εἰκόνα θεοῦ« γεγονέναι ὁ ἄνθρωπος εἴρηται, οὐ κατὰ τῆς
κατασκευῆς τὸ σχῆμα, ἀλλ' ἐπεὶ ὁ μὲν θεὸς λόγῳ τὰ πάντα δημιουρ-
γεῖ, ὁ δὲ ἄνθρωπος ὁ γνωστικὸς γενόμενος τῷ λογικῷ τὰς καλὰς

1—5 vgl. Strom. II 50, 3 f.; Philo De mut. nom. 110 (III p. 175)   3 vgl. Gen
2, 7   18. 24 zu τὸ πνεῦμα τὸ σαρκικόν, τὸ σωματικὸν πνεῦμα vgl. zu S. 315, 2 (Fr)
27 Exod 20, 17   29 f. Gal 5, 17   32 Gen 1, 27   33 f. vgl. Gen 1, 3 ff.

9 f. προσεισκρίνεται Po προεισκρίνεται L   13 γενόμενος corr. aus γινόμενος L¹
15 f. τοῦ τὸ St τοῦτο L* τοῦτο τὸ L³   19 πάντῃ Hervet παντὶ L   26 τὰς St (vgl.
Po) τὰ L

πράξεις ἐπιτελεῖ. εἰκότως τοίνυν αἱ δύο πλάκες τοῖς δισσοῖς πνεύ- 4
μασι τὰς δεδομένας ἐντολὰς τῷ τε πλασθέντι τῷ τε ἡγεμονικῷ
τὰς πρὸ τοῦ νόμου παραδεδομένας ἀλλαχῇ εἴρηνται μηνύειν· καὶ τὰ 5
τῶν αἰσθήσεων κινήματα κατά τε τὴν διάνοιαν ἀποτυποῦνται κατά
5 τε τὴν ἀπὸ τοῦ σώματος ἐνέργειαν φανεροῦνται· ἐξ ἀμφοῖν γὰρ ἡ
κατάληψις. πάλιν τε αὖ ὡς αἴσθησις πρὸς τὸ αἰσθητόν, οὕτως νόη- 137, 1
σις πρὸς τὸ νοητόν. διτταὶ δὲ καὶ αἱ πράξεις, αἳ | μὲν κατ᾽ ἔννοιαν. 290 S
αἳ δὲ κατ᾽ ἐνέργειαν.

Καὶ ἡ μὲν πρώτη τῆς δεκαλόγου ἐντολὴ παρίστησιν, ὅτι μόνος 2
10 εἷς ἐστιν θεὸς παντοκράτωρ, ὃς ἐκ τῆς Αἰγύπτου τὸν λαὸν μετή-
γαγεν διὰ τῆς ἐρήμου εἰς τὴν πατρῴαν γῆν, ὅπως καταλαμβάνωσι
μὲν διὰ τῶν θείων ἐνεργημάτων, ὡς ἐδύναντο, τὴν δύναμιν αὐτοῦ,
ἀφιστῶνται δὲ τῆς τῶν γενητῶν εἰδωλολατρείας, τὴν πᾶσαν ἐλπίδα
ἐπὶ τὸν κατ᾽ ἀλήθειαν ἔχοντες θεόν. ὁ δεύτερος δὲ ἐμήνυεν λόγος 3
15 μὴ δεῖν λαμβάνειν μηδὲ ἐπιφέρειν τὸ μεγαλεῖον κράτος τοῦ θεοῦ (ὅπερ
ἐστὶ τὸ ὄνομα· τοῦτο γὰρ μόνον ἐχώρουν, ⟨ὡς⟩ καὶ ἔτι νῦν οἱ πολ-
λοί, μαθεῖν) — μὴ φέρειν τούτου τὴν ἐπίκλησιν ἐπὶ τὰ γενητὰ καὶ
μάταια, ἃ δὴ | οἱ τεχνῖται τῶν ἀνθρώπων πεποιήκασι, καθ᾽ ὧν ὁ 810 P
ὢν οὐ τάσσεται· ἐν ταὐτότητι γὰρ ἀγενήτῳ ὁ ὢν αὐτὸς μόνος.
20 τρίτος δέ ἐστι λόγος ὁ μηνύων γεγονέναι πρὸς τοῦ θεοῦ τὸν κόσμον 4
καὶ δεδωκέναι ἀνάπαυσιν ἡμῖν ἑβδόμην ἡμέραν διὰ τὴν κατὰ τὸν
βίον κακοπάθειαν· θεὸς γὰρ ἄκμητός τε καὶ ἀπαθὴς καὶ ἀπροσδεής,
ἀναπαύλης δὲ ἡμεῖς οἱ σαρκοφοροῦντες δεόμεθα. ἡ ἑβδόμη τοίνυν 138, 1
ἡμέρα ἀνάπαυσις κηρύσσεται, ἀποχῇ κακῶν ἑτοιμάζουσα τὴν ἀρχέ-

---

1—3 vgl. S. 499, 28—30 mit Anm. 9—11 vgl. Exod 20, 2f. 14f. vgl. Exod 20, 7
18f. zu ὁ ὤν vgl. Exod 3, 14 20—22 vgl. Exod 20, 8 20—S. 502, 11 flüchtiges Ex-
cerpt aus Aristobul (vgl. Valckenaer, De Aristob. p. 90—92) bei Euseb. Praep. Ev.
XIII 12, 9—12 ὁ θεὸς τὸν ὅλον κόσμον κατεσκεύακε καὶ δέδωκε ἀνάπαυσιν ἡμῖν
διὰ τὸ κακόπαθον εἶναι πᾶσι τὴν βιοτὴν τὴν ἑβδόμην ἡμέραν, ἣ δὴ καὶ πρώτη
φυσικῶς ἂν λέγοιτο φωτὸς γένεσις, ἐν ᾧ τὰ πάντα συνθεωρεῖται. μεταφέροιτο
δ᾽ ἂν τὸ αὐτὸ καὶ ἐπὶ τῆς σοφίας· τὸ γὰρ πᾶν φῶς ἐστιν ἐξ αὐτῆς. καί τινες εἰρήκασι
τῶν ἐκ τῆς αἱρέσεως ὄντες ἐκ τοῦ Περιπάτου λαμπτῆρος αὐτὴν ἔχειν τάξιν· ἀκο-
λουθοῦντες γὰρ αὐτῇ συνεχῶς ἀτάραχοι καταστήσονται δι᾽ ὅλου τοῦ βίου.
σαφέστερον δὲ καὶ κάλλιον τῶν ἡμετέρων προγόνων τις εἶπε Σολομὼν αὐτὴν πρὸ
οὐρανοῦ καὶ γῆς ὑπάρχειν . . . . . γνῶσιν ἔχομεν ἀνθρωπίνων καὶ θείων πραγ-
μάτων. 21f. vgl. Plato Ges. 11 1 p. 653 (D (Fr)

3 ἀλλαχῇ Sy ἀλλὰ καὶ L 14f. am Rand β L¹ 14 δεύτερος ⟨καὶ τρίτος⟩
Ma λόγος * * (Verbot des Bilderdienstes) Sy, aber die unvollständige Aufzählung
scheint durch Clemens selbst verschuldet 15 λαμβάνειν ⟨ἐπὶ ματαίῳ⟩ Höschel
16 ⟨ὡς⟩ καὶ St ὡς Schw 17 φέρειν ⟨οὖν⟩ Schw 20 τρίτος] τέταρτος (vgl. zu Z. 14)
Sy, Ma am Rand γ L¹ 24 ἀποχῇ L

γονον ἡμέραν τὴν τῷ ὄντι ἀνάπαυσιν ἡμῶν, ἢ δὴ καὶ πρώτη τῷ
ὄντι φωτὸς γένεσις, ἐν ᾧ τὰ πάντα συνθεωρεῖται καὶ πάντα κλη-
ρονομεῖται. ἐκ ταύτης τῆς ἡμέρας ἡ πρώτη σοφία καὶ ἡ γνῶσις 2
ἡμῖν ἐλλάμπεται· τὸ γὰρ φῶς τῆς ἀληθείας φῶς ἀληθές, ἄσκιον,
5 ἀμερῶς μεριζόμενον πνεῦμα κυρίου εἰς τοὺς διὰ πίστεως ἡγιασμένους,
λαμπτῆρος ἐπέχον τάξιν εἰς τὴν τῶν ὄντων ἐπίγνωσιν. ἀκολου- 8
θοῦντες οὖν αὐτῷ δι' ὅλου τοῦ βίου ἀπαθεῖς καθιστάμεθα, τὸ δέ
ἐστιν ἀναπαύσασθαι. διὸ καὶ Σολομὼν πρὸ οὐρανοῦ καὶ γῆς καὶ 4
πάντων τῶν ὄντων τῷ παντοκράτορι γεγονέναι τὴν σοφίαν λέγει,
10 ἧς ἡ μέθεξις (ἡ κατὰ δύναμιν, οὐ κατ' οὐσίαν λέγω) θείων καὶ
ἀνθρωπίνων καταληπτικῶς ἐπιστήμονα εἶναι διδάσκει. ἐνταῦθα 5
γενομένους ἐν παρέργῳ καὶ ταῦτα ὑπομνηστέον, ἐπεὶ περὶ ἑβδομάδος
καὶ ὀγδοάδος ὁ λόγος παρεισῆλθε· κινδυνεύει γὰρ ἡ μὲν ὀγδοὰς ἑβ-
δομὰς εἶναι κυρίως, ἑξὰς δὲ ἡ ἑβδομὰς κατά γε τὸ ἐμφανές, καὶ ἦ
15 μὲν κυρίως εἶναι σάββατον, ἐργάτις δὲ ἡ ἑβδομάς· ἥ τε γὰρ κοσμο- 6
γονία ἐν ἓξ περαιοῦται ἡμέραις, ἥ τε ἀπὸ τροπῶν ἐπὶ τροπὰς κίνησις
τοῦ ἡλίου ἐν ἓξ συντελεῖται μησί, καθ' ἣν πῆ μὲν φυλλορροεῖ, πῆ
δὲ βλαστάνει τὰ φυτὰ καὶ αἱ τῶν σπερμάτων γίνονται τελειώσεις.
φασὶ δὲ | καὶ τὸ ἔμβρυον ἀπαρτίζεσθαι πρὸς ἀκρίβειαν μηνὶ τῷ ἕκτῳ, 139, 1
20 τουτέστιν ἑκατὸν ἡμέραις καὶ ὀγδοήκοντα πρὸς ταῖς δύο καὶ ἡμίσει,
ὡς ἱστορεῖ Πόλυβος μὲν ὁ ἰατρὸς ἐν τῷ Περὶ ὀκταμήνων, Ἀριστο-
τέλης δὲ ὁ φιλόσοφος ἐν τῷ Περὶ φύσεως· οἵ τε Πυθαγόρειοι ἐντεῦ- 2
θεν, οἶμαι, ἀπὸ τῆς τοῦ κόσμου κατὰ τὸν προφήτην γενέσεως, τὸν
ἓξ ἀριθμὸν τέλειον νομίζουσι καὶ μεσευθὺν καλοῦσι τοῦτον καὶ γάμον
25 διὰ τὸ μέσον αὐτὸν εἶναι τοῦ εὐθέος, τουτέστι τοῦ δέκα καὶ τοῦ
δύο· φαίνεται γὰρ ἴσον ἀμφοῖν ἀπέχων. ὡς δ' ὁ γάμος ἐξ ἄρρενος 8
καὶ θηλείας γεννᾷ, οὕτως ὁ ἓξ ἐκ περισσοῦ μὲν τοῦ τρία, ἄρρενος
ἀριθμοῦ λεγομένου, ἀρτίου δὲ τοῦ δύο, θήλεος νομιζομένου, γεννᾶται·
δὶς γὰρ τὰ τρία γίνεται ὁ ἓξ. τοσαῦται πάλιν αἱ γενικώταται κινή- 4

---

*   4—6 vgl. Philo Quaest. in Gen. III 43 p. 213 Aucher Fr in ZatW 14, 1937,
S. 114 8f. vgl. Prov 8, 22f. 10f. vgl. Paed. II 25, 3 mit Anm. 13—15 vgl.
S. 503, 21f. 19—22 Aristoteles Fr. 282 Rose³ 21 vgl. Aet. plac. V 18, 5 (Diels, Dox.
p. 429); Rose, Arist. .pseud. p. 380; Pseudohipp. I p. 444 ed. Lips. 22—29 vgl.
Strom. V 93, 4 mit Anm. 29—S. 503, 2 vgl. Philo Leg. all. I 4 (I p. 62) οὐ μὴν
ἀλλὰ καὶ συγγενής ἐστι (ὁ ἕξ) ταῖς τῶν ὀργανικῶν ζῴων κινήσεσιν· ἐξαχῇ γὰρ τὸ
ὀργανικὸν σῶμα πέφυκε κινεῖσθαι, πρόσω καὶ κατόπιν, ἄνω καὶ κάτω, ἐπὶ δεξιὰ καὶ
εὐώνυμα.

1 ἡ L* ἦν L³ τὴν Valck. 1f. πρώτη—γένεσις (vgl. Arist.) St πρώτην—γένεσιν L
4 ἡμῖν St ἡμᾶς L ἐλλάμπει Valck. 15f. κοσμογονία Di κοσμογένεια L 19 ἔμβρυον
corr. aus ἔβρυον L³ 20 ἡμέραις corr. aus ἡμέραι L³ 22 πυθαγόριοι L 24 μεσευθὺν
Ro μεσεωθὴν L 28 ὀνομαζομένου Münzel 29 τοσαῦται St τοσαῦτα L

σεις, καθ᾽ ἃς ἡ πᾶσα γένεσις φέρεται, ἄνω κάτω, εἰς δεξιὰ εἰς ἀρι-
στερά, πρόσω ὀπίσω.

Εἰκότως ἄρα τὸν ἑπτὰ ἀριθμὸν ἀμήτορα καὶ ἄγονον λογίζονται, 140, 1
τὸ σάββατον ἑρμηνεύοντες καὶ τὸ τῆς ἀναπαύσεως εἶδος ἀλληγο-
5 ροῦντες, καθ᾽ ἣν ›οὔτε γαμοῦσιν οὔτε γαμίσκονται ἔτι‹· οὔτε γὰρ
ἔκ τινος ἀριθμοῦ ἐπί τινα λαμβάνουσι γίνεται ὁ ἑπτὰ οὔτε ἐπί τινα
ληφθεὶς ἀποτελεῖ τῶν ἐντὸς τῆς δεκάδος ἕτερον. τήν τε ὀγδοάδα 2
κύβον καλοῦσι, μετὰ τῶν ἑπτὰ πλανωμένων τὴν ἀπλανῆ συγκατ-
αριθμοῦντες | σφαῖραν, δι᾽ ὦν ὁ μέγας ἐνιαυτὸς γίνεται οἶον περίοδός 812 P
10 τις τῆς τῶν ἐπηγγελμένων ἀνταποδόσεως. ταύτῃ τοι ὁ κύριος τέ- 8
ταρτος ἀναβὰς εἰς τὸ ὄρος ἕκτος γίνεται καὶ φωτὶ περιλάμπεται
πνευματικῷ, τὴν δύναμιν τὴν ἀπ᾽ αὐτοῦ παραγυμνώσας εἰς ὅσον
οἶόν τε ἦν ἰδεῖν τοῖς ὁρᾶν ἐκλεγεῖσι, δι᾽ ἑβδόμης ἀνακηρυσσόμενος
τῆς φωνῆς υἱὸς εἶναι θεοῦ, ἵνα δὴ οἱ μὲν ἀναπαύσωνται πεισθέντες
15 περὶ αὐτοῦ, ὁ δέ, διὰ γενέσεως, ἣν ἐδήλωσεν ἡ ἑξάς, ἐπίσημος, ὀγδοὰς
ὑπάρχων φανῇ, θεὸς ἐν σαρκίῳ τὴν δύναμιν ἐνδεικνύμενος, ἀριθμού-
μενος μὲν ὡς ἄνθρωπος, κρυπτόμενος δὲ ὃς ἦν· τῇ μὲν γὰρ τάξει 4
τῶν ἀριθμῶν συγκαταλέγεται καὶ ὁ ἕξ, ἡ δὲ τῶν στοιχείων ἀκο-
λουθία ἐπίσημον γνωρίζει τὸ μὴ γραφόμενον. ἐνταῦθα κατὰ μὲν 141, 1
20 τοὺς ἀριθμοὺς αὐτοὺς σῴζεται τῇ τάξει ἑκάστη μονὰς εἰς ἑβδομάδα
τε καὶ ὀγδοάδα, κατὰ δὲ τὸν τῶν στοιχείων ἀριθμὸν ἕκτον γίνεται
τὸ ζῆτα, καὶ ἕβδομον τὸ η̄. εἰσκλαπέντος δ᾽ οὐκ οἶδ᾽ ὅπως τοῦ 2
ἐπισήμου εἰς τὴν γραφήν, ἐὰν οὕτως ἑπώμεθα, ἕκτη μὲν γίνεται ἡ
ἑβδομάς, ἑβδόμη δὲ ἡ ὀγδοάς· διὸ καὶ ἐν τῇ ἕκτῃ ὁ ἄνθρωπος λέγεται 8
25 πεποιῆσθαι ὁ τῷ ἐπισήμῳ πιστὸς γενόμενος ὡς εὐθέως κυριακῆς
κληρονομίας ἀνάπαυσιν ἀπολαβεῖν. τοιοῦτόν τι καὶ ἡ ἕκτη ὥρα τῆς 4
σωτηρίου οἰκονομίας ἐμφαίνει, καθ᾽ ἣν ἐτελειώθη ὁ ἄνθρωπος. καὶ 5
μὴν τῶν μὲν ὀκτὼ αἱ μεσότητες γίνονται ἑπτά, τῶν δὲ ἑπτὰ φαί-
νονται εἶναι τὰ διαστήματα ἕξ. ἄλλος γὰρ ἐκεῖνος λόγος, ἐπὰν ἑβδο- 6
30 μὰς δοξάζῃ τὴν ὀγδοάδα καὶ ›οἱ οὐρανοὶ τοῖς οὐρανοῖς διηγοῦνται |
δόξαν θεοῦ‹. οἱ τούτων αἰσθητοὶ τύποι τὰ παρ᾽ ἡμῖν φωνήεντα 291 8
στοιχεῖα. οὕτως καὶ αὐτὸς εἴρηται ὁ κύριος ›ἄλφα καὶ ὦ, ἀρχὴ καὶ 7

3—7 vgl. Philo De opif. mundi 99 f. (I p. 34); Leg. all. I 15 (I p. 64) (hier
auch ἀμήτωρ); Quis rer. div. h. 170 (III p. 39) περὶ τῆς ἀειπαρθένου καὶ ἀμήτορος
ἑβδομάδος; ἀμήτωρ dem Philolaos zugeschrieben Fr. 20 (Diels⁶ I 416, 8f.); die ein-
schlägigen Philostellen gesammelt bei K. Staehle, Die Zahlenmystik bei Philon v.
Alex., Lpz. 1931, 35—37 (Fr) 5 vgl. Mt 22, 30; Mc 12, 25; Lc 20, 35   10—14 vgl.
Mt 17, 1—5; Mc 9, 2—7; Lc 9, 28—35   13 vgl. Iren. I 14, 6   24f. vgl. Gen 1, 26
26f. vgl. Mt 27, 45; Mc 15, 33; Lc 23, 44; Io 19, 14   30f. Ps 18, 2   32f. vgl.
z. B. Apoc 21, 6

7 δεκάδος (vgl. Philo) L³ δωδεκάδος L   ἕτερον St ἑκάτερον L τινά Ma   15 ὁ Sy
οἱ L.   22 εἰσκλαπέντος Lowth ἐκκλαπέντος L   23 ἐὰν Schw κἂν L

τέλος«, »δι' οὗ τὰ πάντα ἐγένετο καὶ χωρὶς αὐτοῦ ἐγένετο οὐδὲ ἕν«.
οὐ τοίνυν, ὥσπερ τινὲς | ὑπολαμβάνουσι τὴν ἀνάπαυσιν τοῦ θεοῦ, 813 P
πέπαυται ποιῶν ὁ θεός· ἀγαθὸς γὰρ ὤν, εἰ παύσεταί ποτε ἀγαθοερ-
γῶν, καὶ τοῦ θεὸς εἶναι παύσεται, ὅπερ οὐδὲ εἰπεῖν θέμις. ἔστιν δ' 142, 1
5 οὖν καταπεπαυκέναι τὸ τὴν τάξιν τῶν γενομένων εἰς πάντα χρόνον
ἀπαραβάτως φυλάσσεσθαι τεταχέναι καὶ τῆς παλαιᾶς ἀταξίας ἕκαστον
τῶν κτισμάτων καταπεπαυκέναι· αἱ μὲν γὰρ κατὰ τὰς διαφόρους 2
ἡμέρας δημιουργίαι ἀκολουθίᾳ μεγίστῃ παρειλήφεισαν ὡς ἂν ἐκ τοῦ
προγενεστέρου τὴν τιμήν, ⟨τάξιν⟩ ἐξόντων ἁπάντων τῶν γενομένων,
10 ἅμα νοήματι κτισθέντων, ἀλλ' οὐκ ἐπ' ἴσης ὄντων τιμίων· οὐδ' ἂν
φωνῇ δεδήλωτο ἡ ἑκάστου γένεσις ἀθρόως πεποιῆσθαι λεχθείσης τῆς
δημιουργίας· ἐχρῆν γάρ τι καὶ πρῶτον ὀνομάσαι. διὰ τοῦτο ἄρα 3
προεφητεύθη πρῶτα, ἐξ ὧν τὰ δεύτερα, πάντων ὁμοῦ ἐκ μιᾶς οὐσίας
μιᾷ δυνάμει γενομένων· ἓν γάρ, οἶμαι, τὸ βούλημα τοῦ θεοῦ ἐν μιᾷ
15 ταὐτότητι. πῶς δ' ἂν ἐν χρόνῳ γένοιτο κτίσις, συγγενομένου τοῖς 4
οὖσι καὶ τοῦ χρόνου;

Ἤδη δὲ καὶ ἐν ἑβδομάσι πᾶς ὁ κόσμος κυκλεῖται τῶν ζωογονουμένων
καὶ τῶν φυομένων ἁπάντων. ἑπτὰ μέν εἰσιν οἱ τὴν μεγίστην δύναμιν 143, 1
ἔχοντες πρωτόγονοι ἀγγέλων ἄρχοντες, ἑπτὰ δὲ καὶ οἱ ἀπὸ τῶν μαθη-
20 μάτων τοὺς πλανήτας εἶναί φασιν ἀστέρας τὴν περίγειον διοίκησιν
ἐπιτελοῦντας, ὑφ' ὧν κατὰ συμπάθειαν οἱ Χαλδαῖοι πάντα γίνεσθαι νο-
μίζουσι τὰ περὶ τὸν θνητὸν βίον, παρ' ὃ καὶ περὶ τῶν μελλόντων λέγειν
τινὰ ὑπισχνοῦνται, τῶν δὲ ἀπλανῶν ἑπτὰ μὲν αἱ πλειάδες, ἑπτάστεροι δὲ
αἱ ἄρκτοι, καθ' ἃς αἱ γεωργίαι καὶ ναυτιλίαι συμπεραιοῦνται, ἡ σε-
25 λήνη τε δι' ἑπτὰ ἡμερῶν λαμβάνει τοὺς μετασχηματισμούς. κατὰ 2
μὲν οὖν τὴν πρώτην | ἑβδομάδα διχότομος γίνεται, κατὰ δὲ τὴν δευ- 814 P
τέραν πανσέληνος, τρίτῃ δὲ ἀπὸ τῆς ἀποκρούσεως αὖθις διχότομος,

* 1 Io 1, 3 2—7 vgl. Aristob. bei Euseb. Praep. Ev. XIII 12, 11 τὸ δὲ διασαφού-
μενον διὰ τῆς νομοθεσίας ἀποπεπαυκέναι τὸν θεὸν ἐν αὐτῇ, τοῦτο οὐχ, ὥς τινες
ὑπολαμβάνουσι, μηκέτι ποιεῖν τι τὸν θεὸν καθέστηκεν, ἀλλ' ἐπὶ τῷ κατα-
πεπαυκέναι τὴν τάξιν (vielleicht ⟨τὴν ἀταξίαν καὶ⟩ τὴν τάξιν) αὐτῶν οὕτως εἰς
πάντα τὸν χρόνον τεταχέναι. [vgl. H. Schenkl, Rhein. Mus. 66, 1911, S. 400'f.
(Fr)] 3f. vgl. Philo Leg. all. I 5 (I p. 62) 6 ἀταξία aus Plato, Tim. 6 p. 30 A
(Fr) 10 vgl. Strom. VII 37, 1 15f. vgl. Philo a. a. O. 2 17f. vgl. Strom. V
107, 1; Aristob. a. a. O. 12, 13 δι' ἑβδομάδων δὲ καὶ πᾶς ὁ κόσμος κυκλεῖται
τῶν ζωογονουμένων καὶ τῶν φυομένων ἁπάντων. 18f. vgl. Tob. 12, 15
19—25 vgl. Philo Leg. all. I 8 (I p. 63); De spec. leg. II 57 (V p. 101) 23f. vgl.
Philo De opif. mundi 114f. (I p. 40) 24 vgl. S. 477, 12f. 24—S. 505, 2 vgl. Philo
De opif. mundi 101 (I p. 34f.)

5 ⟨ὡς⟩ εἰς Schw 9 ⟨τάξιν⟩ St ἐξόντων L ἐξ ὄντων Heyse ἐξ οὖσαι Schw
ἐχόντων Anon. bei Villoison, Epist. Vinar. p. 97 10 ἅμα ⟨μὲν⟩ St 11 πεποιῆσθαι
Schw ποιῆσαι L

καὶ τετάρτῃ ἀφανίζεται. ἀλλὰ καὶ αὐτή, καθάπερ Σέλευχος ὁ μαθη- **8**
ματικὸς παραδίδωσιν, ἑπτάκις μετασχηματίζεται. γίνεται γὰρ ἐξ
ἀφεγγοῦς μηνοειδής, εἶτα διχότομος, εἶτα ἀμφίκυρτος πανσέληνός τε
καὶ κατὰ ἀπόκρουσιν πάλιν ἀμφίκυρτος διχότομός τε ὁμοίως καὶ
5 μηνοειδής.

   ἑπτατόνῳ φόρμιγγι νέους κελαδήσομεν ὕμνους,   **144, 1**

ποιητής τις οὐκ ἄσημος γράφει καὶ τὴν παλαιὰν λύραν ἑπτάφθογγον
εἶναι διδάσκων. ἑπτὰ καὶ περὶ τῷ προσώπῳ τῷ ἡμετέρῳ ἐπίκειται **2**
τῶν αἰσθητηρίων τὰ ὄργανα, δύο μὲν τὰ τῶν ὀφθαλμῶν, δύο δὲ τὰ
10 τῶν ἀκουστικῶν πόρων, δύο δὲ τὰ τῶν μυκτήρων, ἕβδομον δὲ τὸ
τοῦ στόματος. τάς τε τῶν ἡλικιῶν μεταβολὰς κατὰ ἑβδομάδα γίνε- **3**
σθαι Σόλωνος αἱ ἐλεγεῖαι δηλοῦσιν ὧδέ πως·

  παῖς μὲν ἄνηβος ἐὼν ἔτι νήπιος ἕρκος ὀδόντων   **4**
   φύσας ἐκβάλλει πρῶτον ἐν ἕπτ᾽ ἔτεσιν·
15   τοὺς δ᾽ ἑτέρους ὅτε δὴ τελέσῃ θεὸς ἕπτ᾽ ἐνιαυτούς,
   ἥβης ἐκφαίνει σήματα γεινομένης·
  τῇ τριτάτῃ δὲ γένειον ἀεξομένων ἐπὶ γυίων
   λαχνοῦται, χροιῆς ἄνθος ἀμειβομένης·
  τῇ δὲ τετάρτῃ πᾶς τις ἐν ἑβδομάδι μέγ᾽ ἄριστος   **5**
20   ἰσχύν, ἥν τ᾽ ἄνδρες σήματ᾽ ἔχουσ᾽ ἀρετῆς· |
  πέμπτῃ δ᾽ ὥριον ἄνδρα γάμου μεμνημένον εἶναι   **815 P**
   καὶ παίδων ζητεῖν εἰσοπίσω γενεήν·
  τῇ δ᾽ ἕκτῃ περὶ πάντα καταρτύεται νόος ἀνδρός,
   οὐδ᾽ ἔρδειν ἔθ᾽ ὁμῶς ἔργα μάταια θέλει·

---

*   1f. vgl. M. Schmidt, Philologus 3 (1848) S. 443   6 Terpander Fr. 5, 2; 44, 4
Diehl (Anth. lyr. II² p. 5); vgl. Strabo XIII 5 p. 618   8—11 vgl. Philo De opif.
mundi 119; Leg. all. I 12 (I p. 41 f. 64)   13—S. 506, 6 Solon Fr. 19; vgl. Philo De
opif. mundi 104 (I p. 36 f.); aus Philo Cod. Paris. 1843 bei Cramer, An. Par. I p. 46;
Apostolios XIV 94 und aus derselben Quelle wie Philo (vgl. G. Borghorst, De Ana-
tolii fontibus. Berl. Diss. 1905) Anatolios περὶ δεκάδος in Monac. Graec. 384 f. 58ᵛ
(herausg. von J. L. Heiberg, Annales internat. d'histoire. Congrès de Paris 1900.
5ᵃ section.)

  15 τελέσει L An.   16 ἐκφαίνει Philo δὲ φανείσης L δ᾽ ἐφάνη An. δὲ φαίνει Cram.
Ap.   16 σήματα Philo An. σπέρματα L τέρματα Schw   γεινομένης oder γι(γ)νομένης
Philo An. γινομένων L   17 ἀεξόμενον L   γυίων Philo γυιῶν An. γενύων L   18 χροιῆς
corr. aus χροῆς L¹   19 πᾶς L An. παῖς Philo   ἑβδομάδι μέγ᾽] ἑβδομάδεσ(σ)ιν oder
ἑβδομάσιν Philo ἑβδομάδεσιν An. ἑβδομάδ᾽ ἐστὶν Brunck   20. ἥν Sy ἣν L ἦ oder ἦ
(so An.) oder οἳ Philo HSS ἑῆς Schw   σῆμά γ᾽ Ma   21 ὡρίου Bergk   22 εἰς ὀπίσω
L ἐξοπίσω Philo An.   23 περὶ] κατὰ Cram.   καταρτύεται (so An.) oder καρτύ-
νεται Philo καρτύνεται L   24 ἔρδειν ἔθ᾽ ὁμῶς Philo An. ἐσιδεῖν ἔθ᾽ ὁμοίως L ἔργ᾽
ἀπάλαμνα Philo An.

ἑπτὰ δὲ νοῦν καὶ γλῶσσαν ἐν ἑβδομάσι⟨ν⟩ μέγ᾽ ἄριστος   6
ὀκτώ τ᾽· ἀμφοτέρων τέσσαρα καὶ δέκ᾽ ἔτη·
τῇ δ᾽ ἐνάτῃ ἔτι μὲν δύναται, μετριώτερα δ᾽ αὐτοῦ
πρὸς μεγάλην ἀρετὴν σῶμά τε καὶ δύναμις·
τῇ δεκάτῃ δ᾽ ὅτε δὴ τελέσῃ θεὸς ἕπτ᾽ ἐνιαυτούς,
οὐκ ἂν ἄωρος ἐὼν μοῖραν ἔχοι θανάτου.

πάλιν ἐν ταῖς νόσοις κρίσιμος ἡ ἑβδόμη καὶ ἡ τεσσαρεσκαιδεκάτη, 145, 1
καθ᾽ ἃς ἡ φύσις διαγωνίζεται πρὸς τὰ νοσοποιὰ τῶν αἰτίων. καὶ 2
μυρία τοιαῦτα ἁγιάζων τὸν ἀριθμὸν παρατίθεται Ἕρμιππος ὁ Βηρύ-
τιος ἐν τῷ Περὶ ἑβδομάδος. σαφῶς δὲ τὸν περὶ ἑβδομάδος τε καὶ 3
ὀγδοάδος μυστικὸν λόγον τοῖς γιγνώσκουσι παραδίδωσιν ὁ μακάριος
Δαβὶδ ὡδέ πως ψάλλων· »τὰ ἔτη ἡμῶν ὡς ἀράχνη ἐμελέτων. αἱ
ἡμέραι τῶν ἐτῶν ἡμῶν ἐν αὐτοῖς ἑβδομήκοντα ἔτη, ἐὰν δὲ ἐν δυνα-
στείαις, ὀγδοήκοντα ἔτη.«   εἴη δ᾽ ἡμᾶς** βασιλεύειν. ἵνα τοίνυν 4
γενητὸν εἶναι τὸν κόσμον διδαχθῶμεν, μὴ ἐν χρόνῳ δὲ ποιεῖν τὸν
θεὸν ὑπολάβωμεν, ἐπήγαγεν ἡ προφητεία· »αὕτη ἡ βίβλος γενέσεως
καὶ τῶν ἐν αὐτοῖς, ὅτε ἐγένετο· ᾗ ἡμέρᾳ ἐποίησεν ὁ θεὸς τὸν οὐρα-
νὸν καὶ τὴν γῆν.« τὸ μὲν γὰρ »ὅτε ἐγένετο« ἀόριστον ἐκφορὰν καὶ 5
ἄχρονον μηνύει, τὸ δὲ »ᾗ ἡμέρᾳ ἐποίησεν ὁ θεός«, τουτέστιν ἐν ᾗ
καὶ δι᾽ ἧς τὰ πάντα ἐποίησεν, ἧς καὶ »χωρὶς ἐγένετο οὐδὲ ἕν«, τὴν
δι᾽ υἱοῦ ἐνέργειαν δηλοῖ, ὃν φησιν ὁ Δαβίδ· »αὕτη ἡ ἡμέρα ἣν ἐποίη-
σεν ὁ κύριος· εὐφρανθῶμεν καὶ ἀγαλλιαθῶμεν ἐν αὐτῇ«, τουτέστι
κατὰ τὴν δι᾽ αὐτοῦ γνῶσιν παραδιδομένην τὴν θείαν ἑστίασιν εὐω-
χηθῶμεν. ἡμέρα γὰρ εἴρηται ὁ φωτίζων τὰ ἐπικεκρυμμένα λόγος 6
καὶ δι᾽ οὗ εἰς φῶς καὶ γένεσιν ἕκαστον τῶν κτισμάτων παρῆλθεν.
καὶ ὅλως ἡ δεκάλογος διὰ τοῦ ἰῶτα στοιχείου τὸ ὄνομα | τὸ μακάριον 7 816
δηλοῖ, λόγον ὄντα τὸν Ἰησοῦν παριστῶσα.

Ὁ δὲ πέμπτος ἑξῆς ἐστι λόγος περὶ τιμῆς πατρὸς καὶ μητρός. 146, 1

---

*   7 vgl. Philo De opif. mundi 125 (I p. 43); Leg. all. I 13 (I p. 64) ἔν γε μὴν
ταῖς νόσοις κριτικωτάτη ἑβδομάς.   vgl. auch Gellius Noct. Att. III 10, 14   9 über
Hermippos vgl. Müller FHG III p. 35 Anm.   12—14 Ps 89, 9f.   16—18 Gen 2, 4
18f. vgl. Philo Leg. all. I 20 (I p. 66); Quaest. in Gen. I 1 p. 1 Aucher   20 vgl.
Io 1, 3   21f. Ps 117, 24   24 vgl. Io 1, 9; I Cor 4, 5   26f. vgl. Paed. II 43, 3; III
89, 1; Strom. VI 84, 3   28 vgl. Exod 20, 12

1 μετ᾽ ἀρίσταις Philo HSS außer M   2 τ᾽ Mangey δ᾽ L Philo An.   ἀμφότερον
Cram. ἀμφότερα Philo ἀμφοτερ . . An.   3 μετριώτερα] μαλακώτερα Philo An.   4
σῶμά τε καὶ δύναμις] γλῶσσά τε καὶ σοφίη Philo An.   5 τῇ δεκάτῃ (τὴν δεκάτην M)
δ᾽ εἴ τις τελέσας κατὰ μέτρον ἵκοιτο Philo u. An. (nur δὲ ὅστις statt δ᾽ εἴ τις)
6 ἄωρος (ἄ üb. d. Z.) L¹   ἐὼν] ἔη An. ἔοι Heiberg   ἔχοι Philo ἔχει L Philo FG Ap.
ἔχων An.   28 am Rande ε̅ L³

πατέρα δὲ καὶ | κύριον τὸν θεὸν λέγει σαφῶς. διὸ καὶ τοὺς ἐπιγνόν- 292 S 2
τας αὐτὸν υἱοὺς ἀναγορεύει καὶ θεούς. κύριος οὖν καὶ πατὴρ ὁ
κτίστης πάντων, μήτηρ δὲ οὐχ, ὥς τινες, ἡ οὐσία ἐξ ἧς γεγόναμεν,
οὐδ᾽, ὡς ἕτεροι ἐκδεδώκασιν, ἡ ἐκκλησία, ἀλλ᾽ ἡ θεία γνῶσις καὶ ἡ
5 σοφία, ὥς φησι Σολομών, μητέρα δικαίων ἀνακαλῶν τὴν σοφίαν.
καὶ ἔστι δι᾽ αὐτὴν αἱρετή. πᾶν τε αὖ τὸ καλὸν καὶ σεμνὸν παρὰ
τοῦ θεοῦ δι᾽ υἱοῦ γιγνώσκεται.

    Ἕπεται τούτῳ ὁ περὶ μοιχείας λόγος. μοιχεία δ᾽ ἐστίν, ἐάν τις 8
καταλιπὼν τὴν ἐκκλησιαστικὴν καὶ ἀληθῆ γνῶσιν καὶ τὴν περὶ θεοῦ
10 διάληψιν ἐπὶ τὴν μὴ προσήκουσαν ἔρχηται ψευδῆ δόξαν, ἤτοι θεο-
ποιῶν τι τῶν γενητῶν ἢ καὶ ἀνειδολοποιῶν τι τῶν μὴ ὄντων εἰς
ὑπέρβασιν, μᾶλλον δὲ ἔκβασιν γνώσεως. ἀλλότρια δὲ τοῦ γνωστικοῦ
ἡ ψευδὴς δόξα ὥσπερ ἡ ἀληθὴς οἰκεία τε καὶ σύζυγος. διόπερ καὶ 147, 1
ὁ γενναῖος ἀπόστολος ἕν τι τῶν τῆς πορνείας εἰδῶν τὴν εἰδωλο-
15 λατρείαν καλεῖ ἀκολούθως τῷ προφήτῃ λέγοντι ⸱ἐμοίχευσεν τὸ ξύλον
καὶ τὸν λίθον· τῷ ξύλῳ εἶπεν ὅτι πατήρ μου εἶ σύ· καὶ τῷ λίθῳ·
σὺ ἐγέννησάς με.⸱

    Ἔπειτα ὁ περὶ φόνου λόγος ἐπακολουθεῖ. φόνος δὲ ἔξαρσίς 2
ἐστι βιαία. τὸν οὖν ἀληθῆ λόγον περὶ θεοῦ καὶ τῆς ἀϊδιότητος
20 αὐτοῦ ὁ βουλόμενος ἐξαίρειν, ἵνα τὸ ψεῦδος ἐγκρίνῃ, λέγων ἤτοι
ἀπρονόητον εἶναι τὸ πᾶν ἢ τὸν κόσμον ἀγένητον ἢ τῶν κατὰ τὴν
ἀληθῆ διδασκαλίαν βεβαίων * * ἐξωλέστατος.

    Μετὰ δὲ τοῦτον ὁ περὶ κλοπῆς ἐστι λόγος. ὡς οὖν ὁ κλέπτων 8
τὰ ἀλλότρια μεγάλως ἀδικῶν εἰκότως περιπίπτει τοῖς ἐπαξίοις κα-
25 κοῖς, οὕτως ὁ τὰ θεῖα τῶν ἔργων σφετεριζόμενος διὰ τέχνης ἤτοι
πλαστικῆς ἢ γραφικῆς καὶ λέγων ἑαυτὸν ποιητὴν εἶναι τῶν ζῴων
καὶ φυτῶν, ὁμοίως τε οἱ τὴν ἀληθῆ φιλοσοφίαν ἀπομιμούμενοι
κλέπται εἰσί. κἂν γεωργός τις ἢ κἂν πατὴρ παιδίου, διάκονός ἐστι 4
σπερμάτων καταβολῆς, ὁ θεὸς δὲ τὴν πάντων αὔξησιν καὶ τελείωσιν
80 παρέχων εἰς τὸ κατὰ φύσιν προσάγει τὰ γινόμενα. οἱ πλεῖστοι δὲ 148, 1
σὺν καὶ τοῖς φιλοσόφοις τὰς αὐξήσεις καὶ τὰς τροπὰς τοῖς ἄστροις
κατὰ τὸ προηγούμενον ἀνατιθέασιν, ἀποστεροῦντες | τὸ ὅσον ἐπ᾽ 817 P
αὐτοῖς τὴν ἀκάματον δύναμιν τὸν πατέρα τῶν ὅλων. τὰ δὲ στοιχεῖα 2

1f. vgl. Ps 81, 6 5 wo? vgl. vielleicht Sir 3, 1 (Lat.); 24, 17 (Glosse); Prov
24, 69 8 vgl. Exod 20, 13 14f. vgl. Strom. III 89, 1; VII 75, 3; Col 3, 5; Gal 5, 20
15—17 Ier 3, 9; 2, 27 18 vgl. Exod 20, 15 23 vgl. Exod 20, 14 28f. vgl.
I Cor 3, 5f.

    6 αὐτὴν L 11 ἀνειδολοποιῶν L 19 βιαία Ma βεβαία L 22 βεβαίων ⟨ἐξαίρων
τι⟩ St 22 ergänze etwa ⟨ἄλλο τι ψευδὲς εἶναι⟩ Si ἀμελητέον Fr ἐξολέστατος L

καὶ τὰ ἄστρα, τουτέστιν αἱ δυνάμεις αἱ διοικητικαί, προσετάγησαν
ἐκτελεῖν τὰ εἰς οἰκονομίαν ἐπιτήδεια, καὶ αὐτά τε πείθεται ἄγεταί
τε πρὸς τῶν ἐπιτεταγμένων αὐτοῖς, ᾗ ἂν ἡγῆται τὸ ῥῆμα κυρίου.
ἐπείπερ ἡ θεία δύναμις ἐπικεκρυμμένως πάντα ἐνεργεῖν πέφυκεν.
5 ὁ τοίνυν ἑαυτὸν φάμενος ἐπινενοηκέναι τι ἢ πεποιηκέναι τῶν 3
πρὸς δημιουργίαν συντεινόντων εὔθυναν ὑφέξει τοῦ ἀσεβοῦς τολ-
μήματος.

Δέκατος δέ ἐστιν ὁ περὶ ἐπιθυμιῶν ἁπασῶν λόγος. καθάπερ 4
οὖν ὁ τῶν μὴ καθηκόντων ἐπιθυμῶν εὐθύνεται, κατὰ τὸν αὐτὸν
10 τρόπον οὐκ ἐφεῖται ψευδῶν πραγμάτων ἐπιθυμεῖν οὐδὲ ὑπολαμβάνειν
τῶν ἐν γενέσει τὰ μὲν ἔμψυχα ἐξ ἑαυτῶν δύνασθαι, τὰ δὲ ἄψυχα
καθάπαξ μὴ δύνασθαι σῴζειν ἢ βλάπτειν· κἄν τις λέγῃ τὴν ἀντίδο-
τον ἰᾶσθαι μὴ δύνασθαι καὶ τὸ κώνειον φθείρειν, σοφιζόμενος λέλη-
θεν. οὐδὲν γὰρ τούτων ἐνεργεῖ ἄνευ τοῦ τῇ βοτάνῃ καὶ τῷ φαρ- 5
15 μάκῳ χρωμένου, ὥσπερ οὐδ᾽ ἡ ἀξίνη ἄνευ τοῦ κόπτοντος οὐδὲ ὁ
πρίων τοῦ πρίζοντος. ὡς δὲ καθ᾽ ἑαυτὰ μὲν οὐκ ἐνεργεῖ, ἔχει δέ 6
τινας ποιότητας φυσικὰς τῇ τοῦ τεχνίτου ἐνεργείᾳ συντελούσας τὸ
οἰκεῖον ἔργον, οὕτως τῇ καθολικῇ τοῦ θεοῦ προνοίᾳ διὰ τῶν προσ-
εχέστερον κινουμένων καθ᾽ ὑπόβασιν εἰς τὰ ἐπὶ μέρους διαδίδοται
20 ἡ δραστικὴ ἐνέργεια.

XVII. Ἀλλ᾽, ὡς ἔοικεν, οἱ φιλόσοφοι τῶν Ἑλλήνων θεὸν ὀνο- 149, 1
μάζοντες οὐ γιγνώσκουσιν, ἐπεὶ μὴ σέβουσι κατὰ θεὸν τὸν θεόν. τὰ
φιλοσοφούμενα δὲ παρ᾽ αὐτοῖς κατὰ τὸν Ἐμπεδοκλέα

  ὡς διὰ πολλῶν δὴ γλώσσης ἐλθόντα ματαίως
25   ἐκκέχυται στομάτων, ὀλίγον τοῦ παντὸς ἰδόντων.

ὡς γάρ που τὸ ἀπὸ τοῦ ἡλίου φῶς δι᾽ ὑέλου σκεύους πλήρους 2
ὕδατος μεθοδεύει ἡ τέχνη εἰς πῦρ, οὕτω καὶ ἡ φιλοσοφία ἐκ τῆς
θείας γραφῆς τὸ ἐμπύρευμα λαβοῦσα ἐν ὀλίγοις φαντάζεται. ναὶ μὴν 3
ὡς τὸν αὐτὸν ἀέρα ἀναπνεῖ τὰ ζῷα ἅπαντα, ἄλλα δὲ ἄλλως καὶ εἰς
30 τι διάφορον, οὕτως δὲ καὶ τὴν ἀλήθειαν μέτιασιν οἱ πλείους, μᾶλ-
λον δὲ τὸν περὶ ἀληθείας λόγον. οὐ γὰρ περὶ θεοῦ τι λέγουσιν. 4
ἀλλὰ τὰ ἑαυτῶν πάθη ἐπὶ θεὸν ἀνάγοντες ἐξηγοῦνται. γέγονεν γὰρ

8 vgl. Exod 20, 17 15 vgl. Is 10, 15 und dazu Theodor. PG 81, 308 A (Fr)
22 vgl. Rom 1, 21 24f. Empedokles Fr. 39, 2f. Diels⁶ I 329, 6f.; vgl. Aristot.
De caelo II 13 p. 294ᵃ 21; [Aristot.] De Mel. Xen. Gorg. 2 p. 976ᵇ 32 26f. vgl.
Aristoph. Nub. 766ff.; Plin. Nat. hist. 36, 199

6 εὐθύναν L 13 κώνιον L 24 γλώσσης L Arist. βροτέων [Arist.] ἐλθόντα]
ῥηθέντα Arist. [Arist.] 25 ἰδόντων Arist. [Arist.] εἰδότων L Arist. Codex H 26 ὑέλου L

αὐτοῖς ὁ βίος τὸ πιθανὸν ζητοῦσιν, οὐ τὸ ἀληθές· ἐκ μιμήσεως δὲ
ἀλήθεια οὐ διδάσκεται, ἀλλ᾽ ἐκ μαθήσεως. οὐ γὰρ ἵνα δόξωμεν 5
εἶναι ⟨χρηστοί, εἰς⟩ Χριστὸν πιστεύομεν, καθάπερ οὐδὲ εἰς τὸν ἥλιον
ἕνεκά γε τοῦ φαίνεσθαι μόνον ἐν ἡλίῳ ὄντας παρερ|χόμεθα, ἀλλ᾽ 818 P
5 ἐνταῦθα μὲν τοῦ ἀλεαίνεσθαι χάριν, ἐκεῖ δὲ τοῦ εἶναι καλοὶ καὶ ἀγα-
θοὶ ἕνεκα Χριστιανοὶ εἶναι βιαζόμεθα, ὅτι μάλιστα »βιαστῶν ἐστιν
ἡ βασιλεία«, ἐκ ζητήσεως καὶ μαθήσεως καὶ συνασκήσεως τελείας τὸ
γενέσθαι βασιλέα καρπουμένων. ὁ μιμούμενος ἄρα τὴν δόκησιν δολοῖ 150, 1
καὶ τὴν πρόληψιν. ὅταν δέ τις ἔναυσμα λαβὼν τοῦ πράγματος
10 ἐξάψῃ τοῦτο ἔνδον ἐν τῇ ψυχῇ πόθῳ καὶ μαθήσει, πάντα ἐπὶ τού-
τοις κινεῖ πρὸς τὸ ἐπιγνῶναι. οὐ γάρ τις μὴ ἀντιλαμβάνεται, οὐδὲ 2
ποθεῖ αὐτὸ οὐδὲ ἀσπάζεται τὴν ἐξ αὐτοῦ ὠφέλειαν. τὸ ὕστερον οὖν 3
ὁ γνωστικὸς ἐπὶ τέλει τῶν κατορθωμάτων μιμεῖται τὸν κύριον, εἰς
ὅσον ἐφικτὸν ἀνθρώποις, ποιότητά τινα κυριακὴν λαβὼν εἰς ἐξο-
15 μοίωσιν θεοῦ. οἱ δὲ μὴ ἐπιστάμενοι τὴν γνῶσιν οὐδὲ κανονίζειν
δύνανται τὴν ἀλήθειαν. μετα|λαμβάνειν οὖν τῶν γνωστικῶν θεωρη- 4 293 S
μάτων οὐχ οἷόν τε, ἐὰν μὴ τῶν προτέρων διανοημάτων κενώσωμεν
ἑαυτούς. ἁπλῶς γὰρ οὕτως ἀλήθεια κοινῶς λέγεται παντὸς νοητοῦ
τε καὶ αἰσθητοῦ. αὐτίκα ἔνεστι θεάσασθαι καὶ ζωγραφίας ἀλήθειαν 5
20 παρὰ τὴν δημώδη καὶ μουσικῆς σεμνότητα παρὰ τὴν ἀκόλαστον.
καὶ φιλοσοφίας οὖν ἐστιν ἀλήθειά τις παρὰ τοὺς ἄλλους φιλοσόφους
καὶ κάλλος ἀληθινὸν παρὰ τὸ δεδολωμένον. οὔκουν ποτὲ τὰς ἐπὶ 6
μέρους ἀληθείας, καθ᾽ ὧν ἡ ἀλήθεια κατηγορεῖται, αὐτὴν δὲ τὴν
ἀλήθειαν πολυπραγμονητέον, οὐκ ὀνόματα ζητοῦντας μαθεῖν· τὸ γὰρ 7
25 περὶ θεοῦ πρᾶγμα οὐκ ἔστιν ἕν, ἀλλὰ μυρία, διαφέρει δὲ τὸν θεὸν
ζητεῖν ἢ τὰ περὶ θεοῦ. καθόλου δὲ εἰπεῖν περὶ ἑκάστου πράγματος
τῆς οὐσίας τὰ συμβεβηκότα διακριτέον.

Καί μοι ἀπόχρη φάναι θεὸν εἶναι τὸν κύριον πάντων. αὐτοτε- 151, 1
λῶς δὲ λέγω τὸν κύριον πάντων, οὐδενὸς ὑπολειπομένου κατὰ ἐξαί-
30 ρεσιν. ἐπεὶ τοίνυν δύο εἰσὶν ἰδέαι τῆς ἀληθείας, τά τε ὀνόματα καὶ 2
τὰ πράγματα, οἳ μὲν τὰ ὀνόματα λέγουσιν, οἱ περὶ τὰ κάλλη τῶν
λόγων διατρίβοντες, οἱ παρ᾽ Ἕλλησι φιλόσοφοι, τὰ πράγματα δὲ
παρ᾽ ἡμῖν ἐστι τοῖς βαρβάροις. αὐτίκα ὁ κύριος οὐ μάτην ἠθέλησεν 8
εὐτελεῖ χρήσασθαι σώματος μορφῇ, ἵνα μή τις τὸ ὡραῖον ἐπαινῶν

6f. vgl. Mt 11, 12; Strom. IV 5, 3   12—15 vgl. Plato Theaet. p. 176 AB   83f.
vgl. Is 53, 2f.; Paed. III 3, 3; Strom. III 103, 3

3 ⟨χρηστοί, εἰς⟩ (vgl. Strom. II 18, 3) Heyse ⟨ἀγαθοί, εἰς⟩ Po ⟨πιστοί, εἰς⟩
Schw ⟨Χριστιανοί, εἰς⟩ Ma   4 ὄντες Wi   5f. καλοὶ καὶ ἀγαθοὶ Sy καλὸν καὶ ἀγαθὸν
L   8 δολοῖ (vgl. Z. 22) L² δηλοῖ L*   9 τοῦ L   21 ἄλλως Münzel   24 ζητοῦντας Ma
ζητοῦντες L   26 ζητεῖν Wi εἰπεῖν L

καὶ τὸ κάλλος θαυμάζων ἀφιστῆται τῶν λεγομένων καὶ τοῖς κατα-
λειπομένοις προσανέχων ἀποτέμνηται τῶν νοητῶν. | οὐ τοίνυν περὶ 819
τὴν λέξιν, ἀλλὰ περὶ τὰ σημαινόμενα ἀναστρεπτέον. τοῖς μὲν οὖν
⟨τῆς λέξεως⟩ ἀντιληπτικοῖς καὶ μὴ κινηθεῖσι πρὸς γνῶσιν οὐ πιστεύε-
5 ται ὁ λόγος, ἐπεὶ καὶ οἱ κόρακες ἀνθρωπείας ἀπομιμοῦνται φωνὰς
ἔννοιαν οὐκ ἔχοντες οὗ λέγουσι πράγματος, ἀντίληψις δὲ νοερὰ
πίστεως ἔχεται. οὕτως καὶ Ὅμηρος εἶπεν »πατὴρ ἀνδρῶν τε θεῶν 5
τε«, μὴ εἰδὼς τίς ὁ πατὴρ καὶ πῶς ὁ πατήρ. ὡς δὲ τῷ χεῖρας 152,
ἔχοντι τὸ λαβεῖν κατὰ φύσιν καὶ τῷ ὀφθαλμοὺς ὑγιαίνοντας κεκτη-
10 μένῳ τὸ φῶς ἰδεῖν, οὕτως τῷ πίστιν εἰληφότι τὸ γνώσεως μεταλα-
βεῖν οἰκεῖον πέφυκεν, εἰ προσεξεργάσασθαι καὶ προσοικοδομῆσαι
χρυσόν, ἄργυρον, λίθους τιμίους τῷ καταβληθέντι θεμελίῳ γλίχοιτο.
οὐ τοίνυν ὑπισχνεῖται βούλεσθαι μεταλαμβάνειν, ἀλλὰ ἄρχεται· οὐδὲ 2
μέλλειν, ἀλλ᾽ εἶναι βασιλικόν τε καὶ φωτεινὸν καὶ γνωστικὸν καθῆ-
15 κεν, οὐδὲ ὀνόματι, ἀλλ᾽ ἔργῳ ἐθέλειν ἅπτεσθαι τῶν πραγμάτων
προσῆκεν. ἀγαθὸς γὰρ ὢν ὁ θεὸς διὰ τὸ ἡγεμονικὸν τῆς κτίσεως 3
ἁπάσης, σῴζεσθαι βουλόμενος τοῦτο, ἐπὶ τὸ ποιεῖν ἐτράπετο καὶ τὰ
λοιπά, πρώτην ταύτην εὐεργεσίαν, τὸ γενέσθαι, ἀπ᾽ ἀρχῆς παρασχὼν
αὐτοῖς· ἄμεινον ⟨γὰρ⟩ εἶναι πολλῷ τὸ εἶναι τοῦ μὴ εἶναι πᾶς ἄν τις
20 ὁμολογήσειεν. ἔπειτα, ὡς ἐνεδέχετο φύσεως ἔχειν ἕκαστον, ἐγένετό
τε καὶ γίνεται προκόπτον εἰς τὸ αὑτοῦ ἄμεινον. ὥστ᾽ οὐκ ἄτοπον 153,
καὶ τὴν φιλοσοφίαν ἐκ τῆς θείας προνοίας δεδόσθαι προπαιδεύουσαν
εἰς τὴν διὰ Χριστοῦ τελείωσιν, ἣν μὴ ἐπαισχύνηται γνώσει βαρβάρῳ
μαθητεύουσα φιλοσοφία προκόπτειν εἰς ἀλήθειαν. ἀλλ᾽ »αἱ μὲν τρί- 2
25 χες ἠρίθμηνται« καὶ τὰ εὐτελῆ κινήματα, φιλοσοφία δὲ πῶς οὐκ ἐν
λόγῳ; καίτοι καὶ τῷ Σαμψὼν ἐν ταῖς θριξὶν ἡ δύναμις ἐδόθη, ἵνα 3
καὶ τὰς ἀποβλήτους τῶν ἐν τῷ βίῳ τέχνας, τὰς κειμένας καὶ μενού-
σας μετὰ τὴν ἔξοδον τῆς ψυχῆς χαμαί, μὴ ἄνευ τῆς θείας δυνάμεως
ἐννοήσῃ δίδοσθαι. αὐτίκα, | φησίν, ἡ πρόνοια ἄνωθεν ἐκ τῶν προη- 4 82
30 γουμένων καθάπερ κεφαλῆς εἰς πάντας διήκει, »ὡς τὸ μύρον«, φησί,
»τὸ καταβαῖνον ἐπὶ τὸν πώγωνα τὸν Ἀαρὼν καὶ ἐπὶ τὴν ᾤαν τοῦ

2f.· οὐ περὶ—ἀναστρεπτέον Sacr. Par. 260 Holl   5f. vgl. Theodor. Gr. aff. cur. I
120 (Fr)   7f. vgl. A 544   11f. vgl. I Cor 3, 12; Strom. V 26, 3f.   24f. Lc 12, 7
26 vgl. Iud 16, 17   30—S. 511, 1 Ps 132, 2

1 ἀφίστηται L   4 ⟨τῆς λέξεως⟩ ἀντιληπτικοῖς St ἀντιληπτοῖς L ⟨οὐκ⟩ ἀντιληπτι-
κοῖς Po ἀναντιληπτικοῖς Ma   13 ἄρχεται Po ἄρχεσθαι L   14f. καθῆκεν Sy καθῆκειν
L   19 ⟨γὰρ⟩ Heyse   21 αὑτοῦ St αὐτὸ L αὐτῷ Po   23 ἣν L* ἣν L²   24 [φιλοσοφία]
Wi   vor προκόπτειν ist μὴ von L¹ getilgt   25 κινήματα] κτήματα Bywater; vgl.
aber S. 512, 20   δὲ πῶς corr. aus δέ πως L²   29 ἐννοήσῃ Sy ἐννοῆσαι L ἐννοήσῃς
Schw   [φησίν] St

ἐνδύματος αὐτοῦ‹ (τουτέστι τοῦ μεγάλου ἀρχιερέως, ›δι' οὗ τὰ πάντα
ἐγένετο καὶ χωρὶς αὐτοῦ ἐγένετο οὐδὲ ἕν‹), οὐκ εἰς τὸν τοῦ σώματος
κόσμον, ἔξωθεν δὲ τοῦ λαοῦ φιλοσοφία καθάπερ ἐσθής. οἱ τοίνυν **154, 1**
φιλόσοφοι οἱ εἰς τὴν οἰκείαν συναίσθησιν πνεύματι αἰσθητικῷ συνα-
5 σκηθέντες, ἐπὰν μὴ μέρος φιλοσοφίας, ἀλλὰ τὴν αὐτοτελῶς φιλοσο-
φίαν πολυπραγμονῶσι, φιλαλήθως τε καὶ ἀτύφως προσμαρτυροῦντες
τῇ ἀληθείᾳ κἂν παρὰ τοῖς ἑτεροδόξοις ἐπὶ τῶν καλῶς εἰρημένων,
προκόπτουσιν εἰς σύνεσιν, κατὰ τὴν θείαν διοίκησιν, τὴν ἄρρητον
ἀγαθότητα, τὴν ἑκάστοτε εἰς τὸ ἄμεινον κατὰ τὸ ἐγχωροῦν προσα-
10 γομένην τὴν τῶν ὄντων φύσιν· ἔπειτα οὐχ Ἕλλησι μόνον, ἀλλὰ καὶ **2**
βαρβάροις ὁμιλήσαντες, ἐπὶ τὴν πίστιν ἐκ συνασκήσεως κοινῆς εἰς
σύνεσιν ἰδίαν ἄγονται· παραδεξάμενοι δὲ τὸν θεμέλιον τῆς ἀληθείας, **3**
δύναμιν προσλαμβάνουσι προϊέναι πρόσω ἐπὶ τὴν ζήτησιν, κἀνθένδε
ἀγαπῶσι μὲν μαθητευσάμενοι, γνώσεως δὲ ὀριγνώμενοι σπεύδουσιν
15 εἰς σωτηρίαν. ταύτῃ φησὶν ἡ γραφὴ ›πνεῦμα αἰσθήσεως‹ δεδόσθαι **4**
τοῖς τεχνίταις ἐκ τοῦ θεοῦ, τὸ δὲ οὐδὲν ἀλλ' ἢ φρόνησίς ἐστι, δύ-
ναμις ψυχῆς θεωρητικὴ τῶν ὄντων καὶ τοῦ ἀκολούθου ὁμοίου τε
καὶ ἀνομοίου διακριτική τε αὖ καὶ συνθετικὴ καὶ προστακτικὴ καὶ
ἀπαγορευτικὴ τῶν τε μελλόντων καταστοχαστική. διατείνει δὲ οὐκ
20 ἐπὶ τὰς τέχνας μόνον, ἀλλὰ καὶ ἐπὶ τὴν φιλοσοφίαν αὐτήν. τί δὴ **155, 1**
ποτε οὖν καὶ ὁ ὄφις ›φρόνιμος‹ εἴρηται; ἐπεὶ κἂν τοῖς πονηρεύ-
μασιν ἔστιν εὑρεῖν ἀκολουθίαν τινὰ καὶ διάκρισιν καὶ σύνθεσιν καὶ
στοχασμὸν τῶν μελλόντων. καὶ τὰ πλεῖστα τῶν ἀδικημάτων διὰ **2**
τοῦτο λανθάνει, ὅτι προσοικονομοῦνται σφίσιν οἱ κακοὶ τὸ πάντῃ
25 τε καὶ πάντως τὰς τιμωρίας διαφεύγειν. πολυμερὴς δὲ οὖσα ἡ φρό- **3**
νησις, δι' ὅλου τεταμένη τοῦ κόσμου διά τε τῶν ἀνθρωπίνων
ἁπάντων, καθ' ἕκαστον αὐ|τῶν μεταβάλλει τὴν προσηγορίαν, καὶ **294 S**
ἐπειδὰν μὲν ἐπιβάλλῃ τοῖς πρώτοις αἰτίοις, νόησις καλεῖται, ὅταν
δὲ ταύτην ἀποδεικτικῷ λόγῳ βεβαιώσηται, γνῶσίς τε καὶ σο|φία καὶ **821 P**
30 ἐπιστήμη ὀνομάζεται, ἐν δὲ τοῖς εἰς εὐλάβειαν συντείνουσι γινομένη
·καὶ ἄνευ θεωρίας παραδεξαμένη τὸν ἀρχικὸν λόγον κατὰ τὴν ἐν
αὐτῇ ἐξεργασίας τήρησιν πίστις λέγεται, κἂν τοῖς αἰσθητοῖς πιστω-
σαμένη τό γε δοκοῦν, ὡς ἐν τούτοις, ἀληθέστατον, δόξα ὀρθή, ἕν

1f. Io 1, 3   2f. vgl. Paed. II 61, 2   15f. vgl. Exod 28, 3   21 Gen 3, 1   31 zu
ἀρχικὸς λόγος vgl. Strom. VII 7, 4

6 φιλαλήθως corr. aus φιλαληθῶς L³   8 προκόπτουσιν St προκόπτωσιν L   9
ἀγαθότητα (α² u. o in Ras.) L¹   12 τὸν Sy τὴν L   14 ὀριγνόμενοι L   28 ἐπιβάλλῃ
corr. aus ἐπιβάλῃ L¹   33 ἀληθέστατον ist Praedikatsnomen zu δοκοῦν — zu δόξα
ὀρθή vgl. Plato Symp. 22 p. 202 A (Fr)

τε αὖ ταῖς μετὰ χειρουργίας πράξεσι τέχνη, ὅπου δ᾽ ἄνευ θεωρίας τῶν πρώτων αἰτίων τηρήσει τῶν ὁμοίων καὶ μεταβάσει ποιήσει τινὰ ὁρμὴν καὶ σύστασιν, ἐμπειρία προσαγορεύεται. ἴδιον ⟨δέ⟩ ἐστιν 4 ἐκεῖνο καὶ τῷ ὄντι κύριον καὶ ἡγεμονικόν, ὃ ἐπὶ πᾶσι προσλαμ-
5 βάνει μετὰ τὴν βεβαίαν πίστιν ἅγιον κατ᾽ ἐπισκοπὴν ὁ πιστεύσας πνεῦμα.

Διαφορωτέρας ἄρα αἰσθήσεως φιλοσοφία μεταλαβοῦσα, ὡς ἐκ 156 τῶν προειρημένων δεδήλωται, φρονήσεως μετέχει. ἡ γοῦν περὶ τῶν 2 νοηθέντων λογικὴ διέξοδος μετὰ αἱρέσεως καὶ συγκαταθέσεως δια-
10 λεκτικὴ λέγεται, βεβαιωτικὴ μὲν τῶν περὶ ἀληθείας λεγομένων δι᾽ ἀποδείξεως, διακρουστικὴ δὲ τῶν ἐπιφερομένων ἀποριῶν. κινδυ- 3 νεύουσι τοίνυν οἱ φάσκοντες μὴ θεόθεν φιλοσοφίαν δεῦρο ἥκειν ἀδύ- νατον εἶναι λέγειν πάντα τὰ ἐπὶ μέρους γινώσκειν τὸν θεὸν μηδὲ μὴν πάντων εἶναι τῶν καλῶν αἴτιον, κἂν τῶν ἐπὶ μέρους ἕκαστον
15 αὐτῶν τυγχάνῃ. οὐκ ἂν δὲ τὴν ἀρχὴν ὑπέστη τι τῶν ὄντων ἀβου- 4 λήτως ἔχοντος τοῦ θεοῦ, εἰ δὲ βουλομένου, θεόθεν ἡ φιλοσοφία, τοιαύτην εἶναι βουληθέντος αὐτήν, οἷα ἐστίν, διὰ τοὺς μὴ ἄλλως ἢ οὕτως ἀφεξομένους τῶν κακῶν. ὁ γάρ τοι θεὸς πάντα οἶδεν, οὐ 5 μόνον τὰ ὄντα, ἀλλὰ καὶ τὰ ἐσόμενα καὶ ὡς ἔσται ἕκαστον, τάς τε
20 ἐπὶ μέρους κινήσεις προορῶν ›πάντ᾽ ἐφορᾷ καὶ πάντ᾽ ἐπακούει‹, γυμνὴν ἔσωθεν τὴν ψυχὴν βλέπων, καὶ τὴν ἐπίνοιαν τὴν ἑκάστου 6 τῶν κατὰ μέρος ἔχει δι᾽ αἰῶνος· καὶ ὅπερ ἐπὶ τῶν θεάτρων γίνεται καὶ ἐπὶ τῶν ἑκάστου μερῶν κατὰ τὴν ἐνόρασίν τε καὶ περιόρασιν καὶ συνόρασιν, τοῦτο ἐπὶ τοῦ θεοῦ γίνεται. ἀθρόως τε γὰρ πάντα 7
25 καὶ ἕκαστον ἐν μέρει μιᾷ προσβολῇ προσβλέπει, οὐ πάντα μέντοι κατὰ τὴν προηγουμένην ἐπέρεισιν. ἤδη γοῦν πολλὰ τῶν ἐν τῷ βίῳ 157 καὶ διά τινος λογισμοῦ ἀνθρωπίνου λαμβάνει τὴν γένεσιν, θεόθεν τὴν ἔναυσιν εἰληφότα. αὐτίκα ἡ ὑγεία διὰ τῆς ἰατρικῆς καὶ ἡ εὐεξία 2 διὰ τῆς ἀλειπτικῆς καὶ ὁ πλοῦτος διὰ τῆς χρηματιστικῆς λαμβάνει
30 γένεσίν τε καὶ παρουσίαν κατὰ πρόνοιαν μὲν τὴν θείαν, κατὰ συνερ- γίαν δὲ τὴν ἀνθρωπίνην. θεόθεν δὲ καὶ ἡ σύνεσις. αὐτίκα τῇ τοῦ 3 θεοῦ βουλήσει μάλιστα ἡ τῶν ἀγαθῶν | ἀνδρῶν προαίρεσις ὑπακούει. 822 διόπερ κοινὰ μὲν τῶν ἀγαθῶν [μέν] ἐστιν καὶ τῶν κακῶν ἀνθρώ- πων πολλὰ τῶν προτερημάτων, γίνεται δ᾽ ὅμως ὠφέλιμα μόνοις
35 τοῖς ἀγαθοῖς τε καὶ σπουδαίοις, ὧν χάριν αὐτὰ ἐποίησεν ὁ θεός·

20 vgl. Γ 277   33—35 Chrysipp Fr. mor. 673 Arnim

1 ὅπου (ο² in Ras.) L¹   3 ⟨δέ⟩ He   9 μετὰ διαιρέσεως καὶ συνθέσεως (vgl. S. 511, 18) Bywater S. 216   33 [μέν] Arnim τε Sy

πρὸς γὰρ τῶν ἀγαθῶν χρῆσιν ἀνδρῶν ἡ τῶν θεοδωρήτων δύναμις
πέφυκεν. ἀλλὰ καὶ αἱ τῶν ἐναρέτων ἀνθρώπων ἐπίνοιαι κατὰ 4
ἐπίπνοιαν θείαν γίγνονται, διατιθεμένης πως τῆς ψυχῆς καὶ διαδιδο-
μένου τοῦ θείου θελήματος εἰς τὰς ἀνθρωπίνας ψυχάς, τῶν ἐν μέρει
5 θείων λειτουργῶν συλλαμβανομένων εἰς τὰς τοιαύτας διακονίας·
κατά τε γὰρ τὰ ἔθνη καὶ πόλεις νενέμηνται τῶν ἀγγέλων αἱ προ- 5
στασίαι, τάχα δὲ καὶ τῶν ἐπὶ μέρους [ὧν] ἐνίοις ἀποτετάχαταί τινες.
ὁ γοῦν ποιμὴν καὶ τῶν καθ᾽ ἕκαστον κήδεται προβάτων, καὶ μάλιστα 158, 1
τούτοις σύνεστι προσεχεστέρα ἡ ἐπισκοπή, ὅσοι διαπρεπεῖς τὰς φύ-
10 σεις τε καὶ δυνατοὶ τὰ πλήθη συνωφελεῖν ὑπάρχουσιν. οὗτοι δ᾽ 2
εἰσὶν οἱ ἡγεμονικοὶ καὶ παιδευτικοί, δι᾽ ὧν ἡ ἐνέργεια τῆς προνοίας
ἀριδήλως δείκνυται, ὁπηνίκα ἂν ἢ διὰ παιδείας ἢ δι᾽ ἀρχῆς τινος
καὶ διοικήσεως εὖ ποιεῖν ἐθέλῃ τοὺς ἀνθρώπους ὁ θεός. ἐθέλει δὲ
πάντοτε· διὸ συγκινεῖ τοὺς ἐπιτηδείους εἰς τὴν ὠφέλιμον ἐξεργασίαν 8
15 τῶν πρὸς ἀρετήν τε καὶ εἰρήνην καὶ εἰς εὐποιίαν συντεινόντων. τὸ 4
δὲ ἐνάρετον πᾶν ἀπ᾽ ἀρετῆς τέ ἐστι καὶ πρὸς ἀρετὴν ἀναφέρεται,
καὶ ἤτοι πρὸς τὸ γενέσθαι σπουδαίους δίδοται ἢ πρὸς τὸ ὄντας
χρῆσθαι τοῖς κατὰ φύσιν προτερήμασι· συνεργεῖ γὰρ ἔν τε τοῖς καθ᾽
ὅλου ἔν τε τοῖς ἐπὶ μέρους. πῶς οὖν οὐκ ἄτοπον τὴν ἀταξίαν καὶ 159, 1
20 τὴν ἀδικίαν προσνέμοντας τῷ διαβόλῳ ἐναρέτου πράγματος τοῦτον,
τῆς φιλοσοφίας, δοτῆρα ποιεῖν; κινδυνεύει γὰρ εὐμενέστερος τοῖς 2
Ἕλλησιν | εἰς τὸ ἀγαθοὺς ἄνδρας ⟨γίγνεσθαι⟩ γεγονέναι τῆς θείας 823 P
προνοίας τε καὶ γνώμης. ἔμπαλιν δ᾽, οἶμαι, νόμου ἴδιον καὶ λόγου 8
παντὸς ὀρθοῦ τὸ προσῆκον ἑκάστῳ καὶ τὸ ἴδιον καὶ τὸ ἐπιβάλλον
25 ἀποδιδόναι. ὡς γὰρ ἡ λύρα μόνου τοῦ κιθαριστοῦ καὶ ὁ αὐλὸς τοῦ 4
αὐλητοῦ, οὕτως τὰ προτερήματα τῶν ἀγαθῶν ἀνδρῶν ἐστι κτήματα,
καθάπερ φύσις τοῦ ἀγαθοποιοῦ τὸ ἀγαθοποιεῖν, ὡς τοῦ πυρὸς
τὸ θερμαίνειν καὶ τοῦ φωτὸς τὸ φωτίζειν. κακὸν δὲ οὐκ ἂν ποιή- 5
σαι ἀγαθός, ὡς οὐδὲ τὸ φῶς σκότος ἢ ψύξεις τὸ πῦρ. οὕτως ἔμ- 6
30 παλιν ἡ κακία οὐκ ἄν τι ἐνάρετον ποιήσαι· ἐνέργεια γὰρ αὐτῆς τὸ
κακοποιεῖν ὡς τοῦ σκότους τὸ συγχεῖν τὰς ὄψεις· οὐ τοίνυν κακίας
ἔργον ἡ φιλοσοφία ἐναρέτους ποιοῦσα. λείπεται δὴ θεοῦ, οὗ μόνον 7

---

* 6f. vgl. Deut 32, 8 (Hebr 1, 14?)   8 vgl. Io 10, 11   19—21 vgl. Strom. I 80, 5
27f. vgl. S. 504, 3f.; Philo Leg. all. I 5 (I p. 62)

2f. am Rand: ὅτι καὶ τῶν ἐναρέτων ἀνθρώπων ἐπίνοιαι κατὰ θείαν ἐπίπνοιαν
γίγνονται L³   3 ἐπίπνοιαν (vgl. S. 515, 2) Sy wie L³ im Lemma ἐπίνοιαν L¹   7 [ὧν]
Schw Wi τῶν ἐπὶ μέρους ἀνθρώπων ἐνίοις Fr   12 ἢ¹] ἢ L   22 τὸ Ma τοὺς L ⟨τὸ⟩
τοὺς Schw   ⟨γίγνεσθαι⟩ St ⟨δεδωκέναι⟩ Schw   24 ἐπιβάλλον corr. aus ἐπιβάλον L¹
28f. ποιήσαι Höschel ποιήσει L   29 ψύξεις Fr ψύξει L ψύξιν Sy; die Lesart von
St wurde beseitigt, weil σκοτόω bei Cl sonst nicht vorkommt (Fr)

τὸ ἀγαθύνειν ἔργον ἐστίν, καὶ πάνϑ᾽ ὅσα παρὰ ϑεοῦ δίδοται, κα-
λῶς δίδοταί τε καὶ λαμβάνεται. ναὶ μὴν ἡ χρῆσις τῆς φιλοσοφίας 8
οὐκ ἔστιν ἀνϑρώπων κακῶν· ἀλλ᾽ εἰ τοῖς ἀρίστοις τῶν Ἑλλήνων
δέδοται, δῆλον καὶ ὅϑεν δεδώρηται, παρὰ τῆς κατ᾽ ἀξίαν τὰ προσή-
5 κοντα ἑκάστοις ἀπονεμούσης δηλονότι προνοίας. εἰκότως οὖν | Ἰου- 9 295
δαίοις μὲν νόμος, Ἕλλησι δὲ φιλοσοφία μέχρι τῆς παρουσίας, ἐντεῦ-
ϑεν δὲ ἡ κλῆσις ἡ καϑολική, εἰς περιούσιον δικαιοσύνης λαὸν κατὰ
τὴν ἐκ πίστεως διδασκαλίαν συνάγοντος δι᾽ ἑνὸς τοῦ κυρίου τοῦ
μόνου ἑνὸς ἀμφοῖν ϑεοῦ, Ἑλλήνων τε καὶ βαρβάρων, μᾶλλον δὲ
10 παντὸς τοῦ τῶν ἀνϑρώπων γένους.

Φιλοσοφίαν πολλάκις εἰρήκαμεν τὸ κατὰ φιλοσοφίαν ἐπιτευκτικὸν 160, 1
τῆς ἀληϑείας, κἂν μερικὸν τυγχάνῃ· ἤδη δὲ καὶ τὰ ἐν τέχναις ἀγαϑὰ
ὡς ἐν τέχναις ϑεόϑεν ἔχει τὴν ἀρχήν. ὡς γὰρ τὸ τεχνικῶς τι ποιεῖν 2
ἐν τοῖς τῆς τέχνης ϑεωρήμασι περιέχεται, οὕτω τὸ φρονίμως ὑπὸ
15 τὴν φρόνησιν τέτακται· ἀρετὴ δὲ ἡ φρόνησις· καὶ ἴδιον αὐτῆς γνω-
ρίζειν τά τε ἄλλα καὶ πολὺ πρότερον τὰ καϑ᾽ ἑαυτήν· ἥ τε σοφία
δύναμις οὖσα οὐκ ἄλλο τί ἐστιν ἢ ἐπιστήμη τῶν ϑείων καὶ τῶν
ἀνϑρωπείων ἀγαϑῶν. »τοῦ ϑεοῦ δὲ ἡ γῆ καὶ τὸ πλήρωμα αὐτῆς« 3
ϑεόϑεν ἥκειν τὰ ἀγαϑὰ τοῖς ἀνϑρώποις διδάσκουσα εἴρηκεν ἡ γραφή.
20 δυνάμει ϑείᾳ καὶ ἰσχύϊ τῆς διαδόσεως καϑηκούσης εἰς ἀνϑρωπίνην
βοήϑειαν. αὐτίκα τρεῖς τρόποι πάσης ὠφελείας τε καὶ μεταδόσεως 4
ἄλλῳ παρ᾽ ἄλλου, ὃ μὲν κατὰ παρακολούϑησιν ὡς ὁ πριδοτρίβης
σχηματίζων τὸν παῖδα, ὃ δὲ καϑ᾽ ὁμοίωσιν ὡς ὁ προτρεπόμενος
ἕτερον εἰς ἐπίδοσιν τῷ προεπιδοῦναι, καὶ ὃ μὲν συνεργεῖ τῷ μαν-
25 ϑάνοντι, ὃ δὲ συνωφελεῖ | τὸν λαμβάνοντα. τρίτος δέ ἐστιν [ὁ] τρό- 824 P
πος ὁ κατὰ πρόσταξιν, ὁπόταν ὁ παιδοτρίβης μηκέτι διαπλάσσων
τὸν μανϑάνοντα μηδὲ ἐπιδεικνὺς δι᾽ ἑαυτοῦ τὸ πάλαισμα εἰς μίμησιν
τῷ παιδί, ὡς [δὲ] ἤδη ἐντριβεστέρῳ, προστάττοι ἐξ ὀνόματος τὸ πά-
λαισμα. ὁ γνωστικὸς τοίνυν ϑεόϑεν λαβὼν τὸ δύνασϑαι ὠφελεῖν 161, 1
30 ὀνίνησι τοὺς μὲν τῇ παρακολουϑήσει σχηματίζων, τοὺς δὲ τῇ ἐξο-
μοιώσει προτρεπόμενος, τοὺς δὲ καὶ τῇ προστάξει παιδεύων καὶ
διδάσκων. ἀμέλει καὶ αὐτὸς τοῖς ἴσοις παρὰ τοῦ κυρίου ὠφέληται.
οὕτως οὖν καὶ ἡ ϑεόϑεν διατείνουσα εἰς ἀνϑρώπους ὠφέλεια γνώ- 2
ριμος καϑίσταται, συμπαρακαλούντων ἀγγέλων· καὶ δι᾽ ἀγγέλων γὰρ
35 ἡ ϑεία δύναμις παρέχει τὰ ἀγαϑά, εἴτ᾽ οὖν ὁρωμένων εἴτε καὶ μή.

---

* 7 vgl. Tit 2, 14 wohl durch Vermittlung von I Clem. ad Cor. 64 8—10 vgl.
Strom. VII 107, 5 16—18 vgl. Paed. II 25, 3 mit Anm. 18 Ps 23, 1 (I Cor 10, 26)
29—32 ὁ γνωστικὸς ϑεόϑεν—διδάσκων Sacr. Par. 261 Holl

3 ἀνϑρώπων St ἂν L ἂν ** Wi εἰ Wi ἢ L 25 ⟨κατα⟩λαμβάνοντα Schw
μανϑάνοντα St [ὁ] Sy 28 [δὲ] Sy προστάττῃ Ma; aber vgl. Scham S. 113

τοιοῦτος καὶ ὁ κατὰ τὴν ἐπιφάνειαν τοῦ κυρίου τρόπος. ὁτὲ δὲ 8
καὶ κατὰ τὰς ἐπινοίας τῶν ἀνθρώπων καὶ τοὺς ἐπιλογισμοὺς ἐμπνεῖ
τι [καὶ] ἡ δύναμις καὶ ἐντίθησι ταῖς φρεσὶν ἰσχύν τε καὶ συναίσθησιν
ἀκριβεστέραν, μένος τε καὶ θάρσος προθυμίας ἐπί τε τὰς ζητήσεις
5 ἐπί τε τὰ ἔργα παρέχουσα. ἔκκειται δ᾽ ὅμως καὶ πρὸς μίμησίν τε 4
καὶ ἐξομοίωσιν ἡμῖν θαυμαστὰ τῷ ὄντι καὶ ἅγια τὰ τῆς ἀρετῆς
ὑποδείγματα διὰ τῶν ἀναγεγραμμένων πράξεων. καὶ μὲν δὴ καὶ τὸ 5
τῆς προ⟨οστ⟩άξεως εἶδος ἐμφανέστατον διά τε τῶν διαθηκῶν τῶν
κυριακῶν διά τε τῶν παρ᾽ Ἕλλησι νόμων, ἀλλὰ καὶ τῶν κατὰ τὴν
10 φιλοσοφίαν παρηγγελμένων. καὶ συνελόντι φάναι πᾶσα ὠφέλεια 6
βιωτικὴ κατὰ μὲν τὸν ἀνωτάτω λόγον ἀπὸ τοῦ παντοκράτορος θεοῦ
τοῦ πάντων ἐξηγουμένου πατρὸς δι᾽ υἱοῦ ἐπιτελεῖται, ὃς καὶ διὰ
τοῦτο ›σωτὴρ πάντων ἀνθρώπων‹, φησὶν ὁ ἀπόστολος, ›μάλιστα
δὲ πιστῶν‹, κατὰ δὲ τὸ προσεχὲς ὑπὸ τῶν προσεχῶν ἑκάστοις
15 κατὰ τὴν τοῦ προσεχοῦς τῷ πρώτῳ αἰτίῳ κυρίου ἐπίταξίν τε καὶ
πρόσταξιν.

XVIII. Ὁ γνωστικὸς δ᾽ ἡμῖν ἐν τοῖς κυριωτάτοις ἀεί ποτε δια- 162, 1
τρίβει· εἰ δέ που σχολὴ καὶ ἀνέσεως καιρὸς ἀπὸ τῶν προηγουμένων,
ἀντὶ τῆς ἄλλης ῥᾳθυμίας καὶ τῆς Ἑλληνικῆς ἐφάπτεται φιλοσοφίας,
20 οἷον τρωγάλιόν τι ἐπὶ τῷ δείπνῳ παροψώμενος, οὐ τῶν κρειττόνων
ἀμελήσας, προσλαβὼν δέ, ἐφ᾽ ὅσον πρέπει, καὶ ταῦτα δι᾽ ἃς προ-
είποι αἰτίας. οἱ δὲ τῶν οὐκ ἀναγκαίων καὶ περιττῶν τῆς φιλο- 2
σοφίας ὀρεχθέντες καὶ μόνοις¹ | τοῖς ἐριστικοῖς προσανέχοντες σο- 825 l
φίσμασι τῶν ἀναγκαίων καὶ κυριωτάτων ἀπελείφθησαν, οἱ τὰς
25 σκιὰς ἀτεχνῶς τῶν λόγων διώκοντες. καλὸν μὲν οὖν τὸ πάντα 3
ἐπίστασθαι· ὅτῳ δὲ ἀσθενεῖ ἐπεκτείνεσθαι ἡ ψυχὴ πρὸς τὴν πολυ-
μαθῆ ἐμπειρίαν, τὰ προηγούμενα καὶ βελτίω αἱρήσεται μόνα. ἢ γὰρ 4
τῷ ὄντι ἐπιστήμη, ἣν φαμεν μόνον ἔχειν τὸν γνωστικόν, κατάληψίς
ἐστι βεβαία διὰ λόγων ἀληθῶν καὶ βεβαίων ἐπὶ τὴν τῆς αἰτίας
30 γνῶσιν ἀνάγουσα, ὁ δὲ ἐπιστήμων τοῦ ἀληθοῦς περὶ ὁδηποτοῦν αὐ-
τίκα καὶ τοῦ ψεύδους περὶ τὸ αὐτὸ ἐπιστήμων ὑπάρχει. καὶ γὰρ 5
οὖν εὖ πως ἔχειν μοι φαίνεται ὁ λόγος ἐκεῖνος· εἰ φιλοσοφητέον,

2—4 vgl. K 482; P 570; E 2 (ἔμπνευσε μένος καὶ θάρσος) 131. 1 Tim 4, 10
20 vgl. Plut. Mor. p. 133 C διαλεκτικὴ δὲ τρωγάλιον ἐπὶ δείπνῳ γλυκὺ μὲν οὐδαμῶς.
Pindar Fr. 124ᶜ Schröder δείπνου δὲ λήγοντος γλυκὺ τρωγάλιον (Strom. I 100, 5)
27—30 vgl. Strom. II 9, 3   32—S. 516, 3 vgl. Aristoteles Fr. 51 Rose³

1 ὁτὲ L   3 [καὶ] St καλὸν Schw ⟨θεία⟩ δύναμις Lowth   8 προστάξεως (vgl.
S. 514, 26. 28. 31) St πράξεως L   12 [τοῦ] πάντα Schw   15 κυρίου Lowth κυρίωι
L   23f. σοφίσμασι am Rand L¹ ζητήμασι im Text L   24 [οἱ] Wi   31 ψεύδους L

⟨φιλοσοφητέον⟩· αὐτὸ γάρ τι αὐτῷ ἀκολουθεῖ· ἀλλ᾽ εἰ καὶ μὴ φιλοσοφητέον· οὐ γάρ τις καταγνώῃ ⟨ἄν⟩ τινος μὴ τοῦτο πρότερον ἐγνωκώς. φιλοσοφητέον ἄρα.

Τούτων οὕτως ἐχόντων τοὺς Ἕλληνας χρὴ διὰ νόμου καὶ προ- 163,
5 φητῶν ἐκμανθάνειν ἕνα μόνον σέβειν θεόν, τὸν ὄντως ὄντα παντοκράτορα, ἔπειτα διὰ τοῦ ἀποστόλου διδάσκεσθαι τοῦτο· »ἡμῖν δὲ οὐδὲν εἴδωλον ἐν κόσμῳ«, ἐπεὶ μηδὲν ἀπεικόνισμα τοῦ θεοῦ οἷόν τε ἐν γενητοῖς εἶναι, προσεπιδιδάσκεσθαι δὲ ὡς οὐδὲ τούτων ὧν σέβουσι τὰ ἀγάλματα εἶεν ἂν αἱ εἰκόνες· οὐ γάρ πω τοιοῦτον κατὰ
10 τὸ σχῆμα τὸ τῶν ψυχῶν γένος ὁποῖα διαπλάσσουσιν Ἕλληνες τὰ ξόανα. ψυχαὶ μὲν γὰρ ἀόρατοι, οὐ μόνον αἱ λογικαί, ἀλλὰ καὶ αἱ 2 τῶν ἀλόγων ζῴων, τὰ δὲ σώματα αὐτῶν μέρη μὲν αὐτῶν οὐδέποτε γίνεται τῶν ψυχῶν, ὄργανα δὲ ὧν μὲν ἐνιζήματα, ὧν δὲ ὀχήματα, ἄλλων δὲ ἄλλον τρόπον κτήματα. ἀλλ᾽ οὐδὲ τῶν ὀργάνων τὰς εἰ- 164,
15 κόνας οἷόν τε ἀπομιμεῖσθαι ἐναργῶς, ἐπεὶ καὶ τὸν ἥλιόν τις, ὡς ὁρᾶται, πλασσέτω καὶ τὴν ἶριν τοῖς χρώμασιν ἀπεικαζέτω. ἐπὰν δὲ 2 ἀπολείπωσι τὰ εἴδωλα, τότε ἀκούσονται τῆς γραφῆς· »ἐὰν μὴ πλεονάσῃ ὑμῶν ἡ δικαιοσύνη πλεῖον τῶν | γραμματέων καὶ Φαρισαίων«, 296 S τῶν κατὰ ἀποχὴν κακῶν δικαιουμένων, [σὺν] τῷ μετὰ τῆς ἐν τούτοις
20 τελειώσεως καὶ [τῷ] τὸν πλησίον ἀγαπᾶν καὶ εὐεργετεῖν δύνασθαι, οὐκ ἔσεσθε βασιλικοί. ἡ ἐπίτασις γὰρ τῆς κατὰ τὸν νόμον δικαιοσύνης τον γνωστικὸν δείκνυσιν. οὕτως τις κατὰ τὸ ἡγεμονοῦν τοῦ 3 οἰκείου σώματος, τὴν κεφαλήν, ταγείς, ἐπὶ τὴν ἀκρότητα τῆς πίστεως χωρήσας, τὴν γνῶσιν αὐτήν, περὶ ἣν πάντα | ἐστὶ τὰ αἰσθη- 826 P
25 τήρια, ἀκροτάτης ὁμοίως τεύξεται τῆς κληρονομίας. τὸ δὲ ἡγε- 4 μονικὸν τῆς γνώσεως σαφῶς ὁ ἀπόστολος τοῖς διαθρεῖν δυναμένοις ἐνδείκνυται, τοῖς Ἑλλαδικοῖς ἐκείνοις γράφων Κορινθίοις ὧδέ πως· »ἐλπίδα δὲ ἔχοντες αὐξανομένης τῆς πίστεως ὑμῶν ἐν ὑμῖν μεγαλυνθῆναι κατὰ τὸν κανόνα ἡμῶν εἰς περισσείαν, εἰς τὰ ὑπερέκεινα
30 ὑμῶν εὐαγγελίσασθαι«, οὐ τὴν ἐπέκτασιν τοῦ κηρύγματος τὴν κατὰ

* 6f. I Cor 8, 4   7—16 ἐπεὶ—ἀπεικαζέτω Cat. zu I Cor 8, 4 in Vatic. 692 fol. 8ʳ.
Inc. Κλήμεντος· ἐπεὶ μηδὲν expl. ἀπεικαζέτω   13 ὀχήματα aus Plato Tim. 31 p. 69 C
(Fr)   17f. Mt 5, 20   20 vgl. Mt 19, 19   21 vgl. vielleicht Iac 2, 8   28—30 II Cor
10, 15f.

1 ⟨φιλοσοφητέον⟩ Diels, Arch. f. Gesch. d. Philos. 1 (1888) S. 487   τι αὐτῷ]
τούτῳ Diels S. 488¹⁸ τοι αὐτῷ Wi   αὐτῶι corr. aus ᾽αὐτῶι L²   2 ⟨ἄν⟩ Di   6 ἔπειτα
Sy ἐπεὶ L   8 γεννητοῖς Cat. (wie Arcerius)   12 ἀλόγων Sy ἄλλων L Cat.   αὐτῶν³
am Rand (dann wieder getilgt) Cat.   13 ἰζήματα Cat.   14 ἄλλων τρόπων Cat.   15
ἀπομιμεῖσθαι οἷόν τε Cat.   19 [σὺν] St   20 [τῷ] St   22 τὸν corr. aus τὸ L³   24
χορήσας L

τὸν τόπον λέγων (ἐπεὶ καὶ ἐν Ἀχαΐᾳ πεπλεονακέναι τὴν πίστιν αὐ-
τός φησιν, φέρεται δὲ κἂν ταῖς Πράξεσι τῶν ἀποστόλων καὶ ἐν 165, 1
ταῖς Ἀθήναις κηρύξας τὸν λόγον), ἀλλὰ τὴν γνῶσιν διδάσκει, τε-
λείωσιν οὖσαν τῆς πίστεως, ἐπέκεινα περισσεύειν τῆς κατηχήσεως
5 κατὰ τὸ μεγαλεῖον τῆς τοῦ κυρίου διδασκαλίας καὶ τὸν ἐκκλησιαστι-
κὸν κανόνα. διὸ καὶ ὑποβὰς ἐπιφέρει· »εἰ δὲ καὶ ἰδιώτης τῷ λόγῳ, 2
ἀλλ᾽ οὐ τῇ γνώσει.« πλὴν οἵ γε ἐπὶ τῷ κατειλῆφθαι τὴν ἀλήθειαν
αὐχοῦντες τῶν Ἑλλήνων εἰπάτωσαν ἡμῖν, παρὰ τίνος μαθόντες
ἀλαζονεύονται. παρὰ θεοῦ μὲν γὰρ οὐκ ἂν φήσαιεν, παρὰ ἀνθρώ-
10 πων δὲ ὁμολογοῦσιν. καὶ εἰ τοῦτο, ἤτοι γε παρ᾽ ἑαυτῶν ὀψὲ ἐκ- 4
μαθόντες, ὥσπερ ἀμέλει καὶ τετυφωμένοι τινὲς αὐτῶν αὐχοῦσιν, ἢ
παρ᾽ ἑτέρων τῶν ὁμοίων. ἀλλ᾽ οὐκ ἐχέγγυοι διδάσκαλοι περὶ θεοῦ 5
λέγοντες ἄνθρωποι, καθὸ ἄνθρωποι· οὐ γὰρ ἀξιόχρεως [γε] ἄν-
θρωπός γε ὢν καὶ περὶ θεοῦ τἀληθῆ λέγειν, ὁ ἀσθενὴς καὶ ἐπίκηρος
15 περὶ τοῦ ἀγεννήτου καὶ ἀφθάρτου καὶ τὸ ἔργον περὶ τοῦ πεποιη-
κότος. εἶθ᾽ ὁ μὴ περὶ αὐτοῦ τἀληθῆ λέγειν δυνάμενος ἆρ᾽ οὐ πλέον 166, 1
οὐδὲ τὰ περὶ θεοῦ πιστευτέος; ὅσον γὰρ δυνάμει θεοῦ λείπεται
ἄνθρωπος, τοσοῦτον καὶ ὁ λόγος αὐτοῦ ἐξασθενεῖ, κἂν μὴ θεόν,
ἀλλὰ περὶ θεοῦ λέγῃ καὶ τοῦ θείου λόγου. ἀσθενὴς γὰρ φύσει ὁ 2
20 ἀνθρώπειος λόγος καὶ ἀδύνατος φράσαι θεόν, οὐ τοὔνομα λέγω
(κοινὸν γὰρ τοῦτο οὐ φιλοσόφων μόνον ὀνομάζειν, ἀλλὰ καὶ ποιη-
τῶν) οὐδὲ τὴν οὐσίαν (ἀδύνατον γάρ), ἀλλὰ τὴν δύναμιν καὶ τὰ
ἔργα τοῦ θεοῦ. καίτοι οἱ ἐπιγραφόμενοι θεὸν διδάσκαλον μόγις εἰς 3
ἔννοιαν ἀφικνοῦνται θεοῦ, τῆς χάριτος αὐτοῖς συλλαμβανούσης εἰς
25 ποσὴν ἐπίγνωσιν, οἷον θελήματι θέλημα καὶ τῷ ἁγίῳ πνεύματι τὸ
ἅγιον πνεῦμα θεωρεῖν ἐθίζοντες, »ὅτι πνεῦμα τὰ βάθη τοῦ θεοῦ
ἐρευνᾷ, ψυχικὸς δὲ ἄνθρωπος οὐ δέχεται τὰ τοῦ πνεύματος«. μόνη 4
τοίνυν ἡ παρ᾽ ἡμῖν θεοδίδακτός ἐστι σοφία, ἀφ᾽ ἧς αἱ πᾶσαι πηγαὶ
τῆς σοφίας ἤρτηνται, ὅσαι γε τῆς ἀληθείας στοχάζονται. ἀμέλει ὡς 5
30 ἂν τοῦ κυρίου ἥκοντος εἰς ἀνθρώπους τοῦ διδάξοντος ἡμᾶς μυρίοι
σημάντορες, καταγγελεῖς, ἑτοιμασταί, πρόδρομοι ἄνωθεν ἐκ κατα-
βολῆς | κόσμου, δι᾽ ἔργων, διὰ λόγων προμηνύοντες, προφητεύοντες 827 P
ἐλεύσεσθαι, καὶ ποῦ καὶ πῶς καὶ τίνα τὰ σημεῖα. ἀμέλει πόρρωθεν 167, 1
προμελετᾷ ὁ νόμος καὶ ἡ προφητεία, ἔπειτα δὲ ὁ πρόδρομος δεί-
35 κνυσι τὸν παρόντα, μεθ᾽ ὃν οἱ κήρυκες τῆς ἐπιφανείας τὴν δύναμιν

1f. vgl. II Cor 9, 2   2f. vgl. Act 17, 16ff.   6f. II Cor 11, 6   10f. vgl. Heraklit
Fr. 101 (Diels⁶ I S. 173, 11); Strom. II, 2 3; Diog. Laert. IX 5   26f. I Cor 2, 10. 14
34f. vgl. Io 1, 29. 36

10 nach τοῦτο· ist γε von L¹ getilgt   13 [γε] Ma   14 γε Ma τε L   16 αὐτοῦ
L ἆρ᾽ L   20 τὄνομα L   24 αὐτοῖς Heyse αὐτοὺς L   30 διδάξοντος Ma διδάξαντος L

ἐκδιδάσκοντες μηνύουσιν. *** μόνοις καὶ οὐδὲ τούτοις ἅπασιν 2
ἤρεσαν, ἀλλὰ Πλάτωνι μὲν Σωκράτης καὶ Ξενοκράτει Πλάτων, Ἀρι-
στοτέλης δὲ Θεοφράστῳ καὶ Κλεάνθει Ζήνων, οἳ τοὺς ἰδίους μόνον
αἱρετιστὰς ἔπεισαν· ὁ δέ γε τοῦ διδασκάλου τοῦ ἡμετέρου λόγος οὐκ 3
5 ἔμεινεν ἐν Ἰουδαίᾳ μόνῃ, καθάπερ ἐν τῇ Ἑλλάδι ἡ φιλοσοφία, ἐχύθη
δὲ ἀνὰ πᾶσαν τὴν οἰκουμένην, πείθων Ἑλλήνων τε ὁμοῦ καὶ βαρ-
βάρων κατὰ ἔθνος καὶ κώμην καὶ πόλιν πᾶσαν οἴκους ὅλους καὶ
ἰδίᾳ ἕκαστον τῶν ἐπακηκοότων καὶ αὐτῶν γε τῶν φιλοσόφων οὐκ
ὀλίγους ἤδη ἐπὶ τὴν ἀλήθειαν μεθιστάς. καὶ τὴν μὲν φιλοσοφίαν 4
10 τὴν Ἑλληνικὴν ἐὰν ὁ τυχὼν ἄρχων κωλύσῃ, οἴχεται παραχρῆμα,
τὴν δὲ ἡμετέραν διδασκαλίαν ἔκτοτε σὺν καὶ τῇ πρώτῃ καταγγελίᾳ
κωλύουσιν ὁμοῦ βασιλεῖς καὶ τύραννοι καὶ οἱ κατὰ μέρος ἄρχοντες
καὶ ἡγεμόνες μετὰ τῶν μισθοφόρων ἁπάντων, πρὸς δὲ καὶ τῶν
ἀπείρων ἀνθρώπων, καταστρατευόμενοί τε ἡμῶν καὶ ὅση δύναμις
15 ἐκκόπτειν πειρώμενοι· ἢ δὲ καὶ μᾶλλον ἀνθεῖ· οὐ γὰρ ὡς ἀνθρω- 5
πίνη ἀποθνῄσκει διδασκαλία οὐδ᾽ ὡς ἀσθενὴς μαραίνεται δωρεὰ
(οὐδεμία γὰρ ἀσθενὴς δωρεὰ θεοῦ), μένει δὲ ἀκώλυτος, διωχθήσεσθαι
εἰς τέλος προφητευθεῖσα. εἶτα περὶ μὲν ποιητικῆς Πλάτων »κοῦφον 168. 1
γάρ τι χρῆμα καὶ ἱερὸν ποιητὴς« γράφει »καὶ οὐχ οἷός τε ποιεῖν,
20 πρὶν ἂν ἔνθεός τε καὶ ἔκφρων γένηται.« καὶ ὁ Δημόκριτος ὁμοίως· 2
»ποιητὴς δὲ ἄσσα μὲν ἂν γράφῃ μετ᾽ ἐνθουσιασμοῦ καὶ ἱεροῦ πνεύ-
ματος, καλὰ κάρτα ἐστίν.« ἴσμεν δὲ οἷα ποιηταὶ λέγουσιν. τοὺς δὲ 3
τοῦ παντοκράτορος προφήτας θεοῦ οὐκ ἄν τις καταπλαγείη, ὄργανα
θείας γενομένους φωνῆς;
25 Καθάπερ οὖν ἀνδριάντα ἀποπλασάμενοι τοῦ γνωστικοῦ, ἤδη μὲν 4
ἐπεδείξαμεν, οἷός ἐστι, μέγεθός τε καὶ κάλλος ἤθους αὐτοῦ ὡς ἐν
ὑπογραφῇ δηλώσαντες· ὁποῖος γὰρ κατὰ τὴν θεωρίαν ἐν τοῖς φυ-
σικοῖς, μετὰ ταῦτα δηλωθήσεται, ἐπὰν περὶ γενέσεως κόσμου διαλαμ-
βάνειν ἀρξώμεθα. ‖

11ff. vgl. Orig. c. Cels. I 27 (I S. 78, 30) (Fr) 17f. vgl. Lc 21, 12; Io 15, 20
18—20 Plato Ion p. 534 B 21f. Demokrit Fr. 18 Diels⁶ (II 146, 14—16) 23f. vgl.
Philo Qu. rer. div. her. 259; Quaest. in Gen. IV 196 (Fr) · 25 vgl. Plato Rep. II
p. 361 D (ὥσπερ ἀνδριάντα)

1 ⟨οἱ (+ δὲ Ma) φιλόσοφοι τοῖς Ἕλλησι⟩ μόνοις Hervet; doch scheint mehr
ausgefallen zu sein 21 ἄσσα corr. aus ἄσσα L³ 26 οἷός Heyse ὅς L

Subscriptio: στρωματεὺς ἕκτος ὁ καὶ ζῆτα.

NACHTRÄGE UND BERICHTIGUNGEN ZUR 3. AUFLAGE

1. Buch

3   5 vgl. Plato Phaedr. 39 p. 257 D οἱ μέγιστον δυνάμενοί τε καὶ σεμνότατοι ἐν ταῖς πόλεσιν αἰσχύνονται λόγους τε γράφειν καὶ καταλείπειν συγγράμματα ἑαυτῶν. — Benützung dieses Dialogs auch im folgenden, bes. S. 8, 17f.; 11, 6ff.; 12, 27; 109, 2ff. (Fr) 14 vgl. Philo De somn. II 134 τοὺς παιδείας καὶ ἀσκητικῆς ψυχῆς ⟨ὡς⟩ ἂν ἐγγόνους ἀστείους λόγους (Fr) 15f. vgl. Philo Qu. o. prob. lib. 13 θειότατόν τε καὶ κοινωνικώτατον σοφία u. Sap. Sal 1, 6 φιλάνθρωπον πνεῦμα σοφία (Fr)

9   24 ἀπὸ ἀγαθοῦ σαββατίζειν gehört zusammen; Cl. faßt es „mit Gutem den Sabbat feiern"; dagegen Orig. Comm. ser. in Mt 45 (XI S. 91, 11) sabbatizare ab operibus bonis, vgl. Fr in PhW 59, 1939, Sp. 1090 (Fr)

10   10 ἀλήθειαν, ⟨εἰ πάντες χωροῦσιν τὴν ἀλήθειαν⟩ Ja², hierzu St „wohl richtig" aber von Ath nicht bestätigt 21 ἐπαγγέλλεται ὥστε vgl. Thuk. VIII 86, 8 (St)

19   8ff. das Stobäuszitat ist Excerpt aus Ariston von Chios fr. 350 Arnim (St). — Vgl. noch Flor. Mon. 172 (bei Meineke, Stob. Flor. IV p. 280) = Gorgias Fr. 29 Diels II S. 306, 20) (Fr)

28   2f. vgl. Arrian Diss. Epict. I 23, 4 ἐπινοεῖ καὶ Ἐπίκουρος ὅτι φύσει ἐσμὲν κοινωνικοί (Epic. Fr. 525 S. 319, 33 Us.; vgl. Fr in PhW 56, 1936, Sp. 1439); Orig. C. Cels. VIII 50 (Bd II S. 265, 24 K.) ἐπ' ἴσης ὁ ποιήσας ὑμᾶς πρὸς πάντας ἀνθρώπους πεποίηκε κοινωνικούς (= Chrys. Fr. mor. 346 Arn.), aber auch schon Aristot. Eth. Eud. VIII 10 p. 1242ª 23. 25 (Fr)

25   6 da aus Z. 9 hervorgeht, daß der Autor die πίστις betont, erfordert der Sinn etwa ὡς, εἴποτε οἱ μὴ ἐπιστάμενοι ⟨πίστιν⟩ διαβιοῦσιν καλῶς, ⟨οὐχ ὁμοιοῦνται τοῖς πιστεύουσι διὰ τοῦ⟩ εὖ ποιεῖν (Fr)

25   12—14 vgl. auch Philo De conf. lingu. 159 ἔστι δὲ φύσει πολέμια ταῦτα, στοχασμὸς ἀληθείᾳ, ferner Theodoret Gr. aff. cur. II 21 πολλῷ γάρ τινι διαφέρουσιν ἀλήθεια καὶ στοχασμὸς ἀληθείας ... τοιγαροῦν ἄλλως τις ἀληθείας πέρι τεκμαιρόμενος λέγει καὶ ἄλλως αὐτὴ ἑαυτὴν ἑρμηνεύει (Fr in PhW 59, 1939, Sp. 766)

27   13 ([ἦν] κυβείαν αὐτὴν ὁ ἀπόστολος ἐκάλεσεν) als Parenthese Ja² 16—19 aus Aristoteles Rhet. II 23 p. 1400ª 11 entnommen; aus Clemens schöpft Theodoret Gr. aff. cur. II 5 (Fr in PhW 59, 1939 Sp. 765)

30   7–9 St zuletzt: *ἐκ γὰρ πίστεως ἐξεδέξαντο οὕτως ὡς τὸ πνεῦμα εἴρηκεν, ἀλλ'*
οὐχ ⟨οἷόν τε⟩ οὕτως ἐκδέξασθαι μὴ μεμαθηκότες. 10–12 vgl. Plato Crat. 10 p. 390 C
τὸν δὲ ἐρωτᾶν καὶ ἀποκρίνασθαι ἐπιστάμενον ἄλλο τι σὺ καλεῖς ἢ διαλεκτικόν; (Fr)
23 Pohlenz vergleicht Plut. Mor. p. 221 C *Θεαρίδας ξίφος ἀκονῶν καὶ ἐρωτώμενος εἰ*
ὀξύ ἐστιν, εἶπεν· »ὀξύτερον διαβολῆς«, hält es aber für richtiger, in Anlehnung an
den Satz der Peripatetiker, der Zorn sei der Wetzstein der Tapferkeit (Cic. Tusc.
IV 43 u. ö.) zu lesen, *ἡ γὰρ διαβολὴ ξίφους ἀκόνη* (St)

32   10f. *τῇ Σφιγγὶ ὑποκρινάμενος* „der vor der Sphinx seine Rolle spielt" – also
nicht mit Sylburg zu ändern (Fr)

33   13f. vgl. Lucian Herm. 81 *ὁ θεὸς οὐκ ἐν οὐρανῷ ἐστιν, ἀλλὰ διὰ πάντων πεφοί-*
τηκεν, οἷον ξύλων καὶ λίθων καὶ ζῴων ἄχρι καὶ τῶν ἀτιμοτάτων (Fr) 18–22 das
zweite Stück ist auch überliefert bei Palladius Vit. Joh. Chrysost. p. 4, 17 *ἐν τοῖς*
Ὀλυμπιακοῖς ἀγῶσι καλεῖ μὲν ὁ κῆρυξ τὸν βουλόμενον, στεφανοῖ δὲ τὸν νικήσαντα, von
Coleman-Norton (der auf 1. Cor 9, 24 verweist) nicht identifiziert, von Fr. in PhW
62, 1942, Sp. 621 nachgewiesen (Fr) 23 vgl. auch Plut. Mor. p. 165 BC *ὁ ἄθεος*
ἀκίνητος πρὸς τὸ θεῖον, zusammen mit der im Apparat angegebenen Stelle Plut.
Mor. p. 84 C bei Passow-Crönert, Wörterbuch d. gr. Spr. Sp. 206 zitiert (Fr) 26
aus Col 2, 5 stammt der Ausdruck S. 34, 4 *πίστεως*

34   12 *πολιτεύεσθαι ⟨πολιτείαν⟩ εἰς δύναμιν ἐξομοιωτικὴν τῷ θεῷ* Fr 32f. emphat.
Wortstellung (*πότερ. κατὰ ἀλ. λεγόμ. δοκεῖ*) vgl. Tengblad S. 53f. (Fr)

35   20 *μεθεκτικοί*] für das überlieferte *μεθεκτοί* schrieb St *μεθέκται* und bezeich-
nete dies als eigene Konjektur; aber schon der Thesaurus von Hase-Dindorf V 666
hat *μεθέκται* mit der Bemerkung: 'affertur ex Cl. Al. p. 348' und dies ist dann in
die Lexika von Passow und Jacobitz-Seiler übergegangen. Jedoch bieten alle Cl.
Ausgaben, auch noch Klotz und Dindorf wie L *μεθεκτοί*, Potter bemerkt jedoch
p. 348 A 5 'rectius *μεθεκτικοί*'. Dieses Wort ist bei Aristoteles p. 209ᵇ 35 und
p. 335ᵇ 12 belegt; *μεθέκτης* hat überhaupt keine Bezeugung und ist auch nicht
durch das einmalige *καθέκτης* Geoponica 14, 4, 6 zu stützen (Fr). – Frau Treu ver-
weist auf die bei Liddell-Scott II 1090 stehende Stelle Proklos Instit. theol. 189,
wo beide Formen *μεθεκτός* und *-ικός* hsl. belegt sind, Dodds jedoch mit Recht
μεθεκτικός vorzieht. 25–28 das erst von Münzel entdeckte Platozitat hat auch
Theodoret Gr. aff. cur. I 115 (Fr. in PhW 59, 1939, Sp. 765); es hätte leicht durch
Nachschlagen bei Passow s. v. *καταγέλαστος* gefunden werden können (Fr)

41   10–15 genauer gibt Plinius, Nat. hist. II 53 die Zeit der Sonnenfinsternis an;
Olymp. 48, 4; sie war 28. 5. 585 v. Chr. (St). – Vgl. auch Schmid Gesch. d. Gr. Lit.
I 1 (1929) S. 725 A 1 (Fr) 25 zu Antisthenes vgl. Plut. Mor. 607 B (St)

42   18f. J. P. Postgate, The Class. Quart. 8, 1914 S. 245 vermutet, daß Platon
einen Vers zitiert, etwa *οὐ μεῖζον ἀγαθὸν οὔτε τῷ θνητῷ γένει ἦλθ' ἐκ θεῶν δωρητὸν*
οὔθ' ἥξει ποτέ (St)

43 13 ff. vgl. M. Wellmann, Hermes 61, 1926, 474 f., der die Erzählung auf den Neupythagoreer Bolos-Demokritos (vgl. Plin. n. h. 30, 9 f.) bezieht; vgl. aber die Verteidigung der Echtheit der Stelle bei Th. Gomperz, Wien. Sitz.-Ber. phil.-hist. Kl. 152, 1905, 23 f.; Ed. Meyer, Der Papyrusfund von Elephantine, Lpzg. 1912, 124 A 1; Rob. Eisler, Arch. f. Philos. I Abt. 31, 1918, 187 ff. (St)

44 7–S. 47, 16 ist mit Unterbrechungen zitiert von Cyrill Al. C. Jul. IV PG 76, 705 B; übernommen hat er S. 44, 7–11: S. 45, 21–25; S. 46, 7–9; S. 47, 11–16 (Fr. in ZntW 36, 1937 S. 88)

45 14–18 vgl. Plut. Vitae ed. Ziegler III 2 p. 68, 8; außer den dort verzeichneten Parallelen vgl. Varro bei Aug. de civ. dei IV 31 dicit etiam antiquos Romanos plus quam annos centum et septuaginta deos sine simulacro coluisse. (Fr)

46 21–24 bei Cyrill dem Juden Aristobulos zugeschrieben, der es wohl selbst als Zitat hatte (Fr)

47 20 f. vgl. auch A. Kleingünther, *Πρῶτος εὑρετής*. Philolog. Suppl. XXVI 1, Lpzg 1933

48 6–9 vgl. Gregorius Naz. or. 4, 109 (PG 35, 645 A) *τὴν δὲ δι' ὀνείρων μαντικὴν τίνων ἢ Τελμησέων* (lies -ισέων) *ἀκούεις; τὴν οἰωνιστικὴν δὲ τίνων: οὐκ ἄλλων ἢ Φρυγῶν, τῶν πρώτων περιεργασαμένων ὀρνίθων πτῆσίν τε καὶ κινήματα;* (Fr)

50 20 vgl. Plato Apol. 20 *μεγάλα δ' ἔγωγε ὑμῖν τεκμήρια παρέξομαι τούτων, οὐ λόγους, ἀλλ' ὃ ὑμεῖς τιμᾶτε, ἔργα* (Fr) 27–S. 51, 3 Diels Vors.[6] II 14, 28–31

53 20–26 vgl. Strom. VIII 27, 6–28, 1 dazu W. Ernst a. a. O. (App. I zu S. 22, 2) 44 f. 22 *ἀνενέργητον ⟨ὃν ἀναίτιον⟩ εἶναι* M. Pohlenz, Cl. Alexandrinus und sein hellenisches Christentum (Nachr. d. Ak. d. Wiss. Göttingen, Phil.-hist. Klasse 1943 Nr. 3 S. 113 f. [41 f.]) (Fr)

59 24 *πολυμαθοῦντα ⟨ἐσπουδακέναι οὐδὲ πολυπραγμονοῦντα⟩* I. P. Postgate, The Class. Quart. 8, 1914, 243 f. (St) 26–S. 60, 8 ausgeschrieben von Cyrill Al. C. Jul. V (PG 76, 773 D); völlig geheilt werden kann die Stelle erst, wenn die Cyrillhandschriften bekannt sind (Fr in ZntW 36, 1937, 89 f.)

60 5 *στοχαστική* von Fr ZntW 36, 1937, 90 aus Platon Philebus 34 p. 56 A erklärt: *μουσικὴ .... τὸ ξύμφωνον ἁρμόττουσα οὐ μέτρῳ, ἀλλὰ μελέτης στοχασμῷ,* vgl. auch ebenda 38 p. 62 C *μουσικὴν ... στοχάσεώς τε καὶ μιμήσεως μεστὴν οὖσαν* (Fr) 8 *ὥσπερ* nachgestellt, ebendort von Fr als frühe Spur eines später häufigen Sprachgebrauchs erwiesen 25 f. Das Agraphon auch herausgegeben in Hist. monach. in Aegypto, von E. Preuschen, Gießen 1897, 48, 9 und bei Dorotheos (PG 88, 1796), vgl. E. Petersen, ThLz 55, 1930, 256 (St)

61 3—4 *ἀληθείας* Markland *ἀληθεῖς* L 4 *καθορᾷ τὰ* Fr *καθορᾶται* L *ὁρώμενα καὶ* Fr *ὁρῶμεν καὶ* L *τὰ* über der Zeile L¹; die Umstellung von Reinkens p. 315 A 3 hat umständliche Korrekturen angestiftet, deren Abdruck bei St¹ die Überlieferung fast unkenntlich gemacht hat; ich glaube, daß meine Lesung die nächstliegende Deutung der Überlieferung ist Fr

68 16 Prometheus als Menschenbildner vgl. Kallim. Fr. 493 (= Strom. V 100, 2) und Anm. von Pfeiffer, ferner RE XXIII 1 Sp. 696 unter Nr. 26 (Fr)

70 13 Statt 50 Jahre geben der masoretische Text und die meisten Septuagintahandschriften 40 an; aber 50 hat auch die Septuagintahandschrift A (St) 15 f. Die Zahl 80 falsch erschlossen aus Iud 3, 30; die Angabe *ἐκ φυλῆς 'Εφραΐμ* unter dem Einfluß von Iud 3, 27 falsch statt „aus dem Stamme Benjamin"; vgl. Iud 3, 15 (St)

72 1 f. Diese Angabe steht nicht im A.T., aber bei Eupolemos bei Euseb. Praep. ev. IX 34, 4. 15 (St) 21 f. Die Bibel kennt keinen Hohenpriester Abimelech und nur einen Sohn des Sadok, nämlich Achimaas; vgl. II Reg 15, 27. 36; 18, 19 ff.; Par I 6, 8 (St) 24 zu *Σαμαίας υἱὸς Αἰλαμί* vgl. III Reg 12, 22. 24°. An der letzten Stelle steht *πρὸς Σαμαίαν τὸν 'Ελαμίτην* (so die meisten Handschriften) oder *τὸν 'Ενλαμεί* (so B.). Clemens hat *τὸν 'Ελαμί* oder *Αἰλαμί* gelesen und *Αἰλαμί* als Gen. gefaßt, darum ist *'Αμαμί* in *Αἰλαμί* zu ändern; vgl. A. Rahlfs, Septuagintastudien III S. 120 (St) 26 vgl. III Reg 15, 1 f.; hier hat der masoret. Text (wie Par II 13, 2) drei Jahre (so ist bei Clem. statt 23 hergestellt), während die Septuaginta 6 oder 16 (A) Jahre haben (St) 27 zu *μα'* vgl. III Reg 16, 9 f.; an der letzteren Stelle haben die Septuaginta 30 Jahre, nur A wie der masoret. Text und Clemens 41 Jahre (St) zu *ἐπὶ γήρως ἐποδάγρησε* vgl. III Reg 15, 23; Par II 16, 12 (St)

76 6—8 vgl. auch Par II 35, 20—23. Die Schlacht fand bei Megiddo, nicht am Euphrat statt; der Irrtum erklärt sich aus der Angabe, daß Necho an den Euphrat ziehen wollte (St)

78 8—25 vgl. auch W. Hozakowski, Clem. v. Al. über die siebzig Wochen des Propheten Daniel, Posen 1912 (polnisch; Inhaltsangabe Bibl. Zeitschr. 10, 1912, 331; Theol. Revue 11, 1912, 239 f.) (St) 26 ff. Zu der Benützung des Clem. durch Hieronymus vgl. E. Bickel, Diatribe in Senecae philosophi fragmenta, vol. I, Leipzig 1915, 98 A 1 (St)

79 4 f. zur Reihenfolge Otho, Galba vgl. S. 91, 4. 14 ff. (St) 8—15 die Angaben über Jojachin (IV Reg 24, 8—16) und über Zedekia (IV Reg 25, 1—7) sind zusammengezogen worden (St)

82 19 der Argonaute Mopsos ist hier mit dem Seher Mopsos verwechselt, vgl. RE XVI 241 ff. (St) 23—28 schreibt F. Wehrli, Die Schule des Arist. Heft 7, 32, 23—28 dem Herakleides Pontikos als Fr. 90 zu (Fr) 27 zu Empedotimos vgl. Proklos in Plat. remp. II 119, 18 Kroll (= Herakleides Pont. fr. 93 Wehrli); Servius in Verg. Georg. I 34 (= Fr. 94 Wehrli); nach Wehrli 91 nur Dialogperson des Herakleides Pontikos, aber keine historische Persönlichkeit (Fr)

88 11 vgl. Basil. M. in Is. proph. II 68 PG 30, 237 A πρὸς τὰ ἑβδομήκοντα δύο ἔθνη ἢ ὁπόσα δήποτε κατὰ τὴν οἰκουμένην ἅπασαν ἀριθμούμενα (Fr) **23—26** vgl. Plut. Mor. 972 B = Iuba Fr. 32 FHG III 474 (St). — Vgl. auch Plinius Nat. hist. VIII 24; Aelian V. hist. VI 61; VIII 15 (Fr)

90 **16—20** vgl. F. K. Ginzel, Handbuch der math. und techn. Chronol. III, Lpzg 1914, 195f.; C. Schmidt, Gespräche Jesu mit seinen Jüngern (TU 43, Lpzg 1919, 628ff. (St) **20** auf 18. Nov. 2 v. Chr. berechnet bei Protest. RE³ Bd. 21, 49 (Fr) **24—28** vgl. auch R. H. Bainbon, Basilidian Chronology and New Testament Interpretation, Journ. of Bibl. Lit. 42, 1923, 81—134 (St)

92 **9** zu Demetrius' angeblichem Anteil an der Septuagintaübersetzung vgl. F. Wehrli, Schule des Aristot. Heft 4 (Demetrios v. Phal. Fr. 67, 19, 8—19 = Joseph. adv. Ap. II 45) ebenda 55: „Demetrios' Verdienst um die Übersetzung des AT ist wohl Erfindung jüdischer Propaganda, welche sich auf angebliche Schriften des Demetrios über die Juden berufen konnte." (Fr)

100 **10** καλὴν L ἀλκὴν (vgl. Arist. Eth. Nic. III 6 p. 1115ᵇ 4) J. Cook Wilson, The Class. Quart. 2, 1908, 293 (St)

103 **3f.** vgl. auch Plut. Mor. p. 381 F (St); ferner Plotin V 5, 6, 27 ὅθεν καὶ 'Απόλλωνα οἱ Πυθαγορικοὶ συμβολικῶς πρὸς ἀλλήλους ἐσήμαινον ἀποφάσει τῶν πολλῶν (Fr) **11** bei Platon, Leg. XII 3 p. 945 D finden sich allerdings die Ausdrücke συνέχειν εἰς ἕν und ἀρχαὶ οὐκ εἰς ταὐτὸν ἔτι νεύουσαι, aber in völlig anderem Sinn. Was Clemens hier behauptet, findet bei Platon keine Stütze (Fr)

104 **10f.** schon Arist. Eth. Nic. X 9 p. 1180ᵃ 21 ὁ δὲ νόμος . . . λόγος ὢν ἀπό τινος φρονήσεως καὶ νοῦ, bei Philo z. B. De praem. et poen. 55 νόμος δὲ οὐδέν ἐστιν ἕτερον ἢ λόγος προστάττων ἃ χρὴ καὶ ἀπαγορεύων ἃ μὴ χρή (Fr) **13f.** ὁ νόμος . . . . κανὼν τυγχάνων δικαίων τε καὶ ἀδίκων stammt aus dem Anfang von Chrysippos' περὶ νόμου (Fr. mor. 314 vol. III p. 77, 37 Arnim) (Fr) **29** κόλασις δὲ ⟨ἁμαρτημάτων κώλυσις⟩ οὖσα διόρθωσίς ἐστι ψυχῆς Fr vgl. Philo De conf. lingu. 171 ἔστι δὲ καὶ ἡ κόλασις οὐκ ἐπιζήμιον, ἁμαρτημάτων οὖσα κώλυσις καὶ ἐπανόρθωσις (Fr)

105 **13f.** vgl. zu Protr. 116, 1 (St)

109 **2—5** stammt aus Platon, Phaedr. 58 p. 273 E ἦν (sc. τέχνην λόγων) οὐχ ἕνεκα τοῦ λέγειν καὶ πράττειν πρὸς ἀνθρώπους δεῖ διαπονεῖσθαι τὸν σώφρονα, ἀλλὰ τοῦ θεοῖς κεχαρισμένα μὲν λέγειν δύνασθαι, κεχαρισμένως δὲ πράττειν τὸ πᾶν εἰς δύναμιν. (Fr)

111 **24f.** vgl. Philo Quaest. in Gen. III 42 (p. 210 Aucher) quandoquidem antea dixerat foedus, inducit: ne quaeras illud per litteras, quoniam ego sum genuinum ac proprium testamentum (auf diese Stelle hat Klostermann aufmerksam gemacht). Nach dieser Philostelle ist auch S. 112, 2 in Ordnung gebracht (Fr)

2. Buch

113   12 nachdem schon St in der 2. Aufl. das von Wilamow. Z. 11 hinter ἀρετῶν eingesetzte ⟨ὤν⟩ wieder gestrichen hatte, habe ich hinter ἀρετῶν stärker interpungiert und Z. 12 das handschriftliche ὅσα τε wiederhergestellt; so auch bei Mondésert (Fr)   21 ἔλεγχος ἀγαπητικός ist nicht anzufechten, vgl. Strom. I 54, 1 οἱ μετ᾽ ἀγάπης ἔλεγχοι, dazu Isidoros von Pel. IV 139 (PG 78, 1220 A) χρὴ τῷ ἐλέγχῳ κιρνᾶν τὴν ἀγάπην. — Profan: Plat. ep. VII p. 344 B εὐμενεῖς ἔλεγχοι (zit. bei Orig. C. Cels. VI 7 Bd. II 76, 4) Cicero De off. I 137 clemens castigatio (Fr)

114   18 denkbar wäre αὐταῖς ⟨πιαίνονται⟩ αἱ δὲ κτλ., aber ὁ δὲ nach Partiz. (K. W. Krüger zu Arrian II 7, 9; Brinkmann, Rh. Mus. 56, 1901, 75) kennt auch Clem. Protr. 66, 2 (I 128, 31) Qu. div. salv. 1, 3 (III 159, 14) (Fr)

115   19–21 aus Philo De post. Caini 18 ἐπὶ τὴν δυσαλώτου πράγματος θήραν ἀναδέδυκεν ἐξαναχωροῦντος ἀεὶ καὶ μακρὰν ἀφισταμένου καὶ φθάνοντος ... τοὺς διώκοντας, ebenda 20 ἐγγύτατα ὁ αὐτὸς ὤν καὶ μακράν ἐστι (TGF 485 N² οὐχ εὕδει Διὸς ὀφθαλμός, ἐγγὺς δ᾽ ἐστὶ καίπερ ὤν πρόσω), das Wort δυσθήρατος aus 13 δυσθηράτου πράγματος ἐρᾷ (Fr)

116·   4f. aus Philo De post. Caini 7 εἰ μήτε πρόσωπον ἔχει ὁ θεὸς μήτε ἐν μέρει καταγίνεται ἅτε περιέχων, οὐ περιεχόμενος, hieraus habe ich Würzb. Jb. 1947, 149 die Überlieferung berichtigt; zu den dort gegebenen Belegen kommt jetzt Origenes Streitgespr. gegen Herakleidas 122, 12 Scherer (Kairo 1949) θεὸν ἐμπεριέχοντα τὰ πάντα καὶ μὴ ἐμπεριεχόμενον (Fr)

117   1–3 Z. 2 ist mit L ὁκόσοι wiederhergestellt und für ἐγκυρσεύουσιν L ist mit Diels ἐγκυρεῦσιν geschrieben (Fr)   13 ἐνωτικὴν συγκατάθεσιν L behält Mondésert bei, man erwartet aber einen Gegensatz zu dem in Z. 14 stehenden Wort φανερὰν und so ist die Konjektur von Schwartz beibehalten worden (Fr)   16 vgl. Aristot. Eth. Nic. VI 2 p. 1139ª 31 πράξεως οὖν ἀρχὴ ἡ προαίρεσις (St)   21–23 vgl. auch Chrys. Fr. log. 93. 95 Arnim (St); auch in den Ps.-Platon. Definitionen p. 414 BC, ferner Galen XIV 684 ἐπιστήμη γάρ ἐστι γνῶσις ἀραρυῖα καὶ βεβαία καὶ ἀμετάπτωτος ὑπὸ λόγου, Basil. M. in Is. V 176 (PG 30, 413 C) ἐπιστήμη δὲ ἕξις ἐν ἑαυτῇ τὸ βέβαιον ἔχουσα, ἀμετάπτωτος ὑπὸ λόγου (Fr)

118   32 zu σφραγίς vgl. Quis div. salv. 39, 1; Fr. J. Dölger Sphragis S. 76 (St); F. M. Sagnard, Clément, Extraits de Théodote S. 235–238 (Fr)

119   23 Das Theophrastzitat (hier ohne Autorangabe; dagegen oben S. 118, 2 mit Namen genannt) behandelt bei R. E. Witt, Albinus (Cambridge 1937) 34 A 5 und 53 (Fr)   27–31 vgl. Arist. Eth. Nic. VI 3 p. 1139ᵇ 31 ἡ μὲν ἄρα ἐπιστήμη ἐστὶν ἕξις ἀποδεικτική. Eth. M. I 35 p. 1197ª 22 αἱ ἀρχαὶ ἀναπόδεικτοι, Eth. Nic. VI 5 a. E. p. 1140ᵇ 27f. ἥ τε γὰρ δόξα περὶ τὸ ἐνδεχόμενον ἄλλως ἔχειν καὶ ἡ φρόνησις, VI 4 p. 1140ª 21 ἡ τέχνη . . . ποιητική ἐστιν, VI 3 p. 1139ᵇ 25 διδακτὴ πᾶσα ἐπιστήμη δοκεῖ εἶναι, VI 3 p. 1139ᵇ 26 ἐκ προγινωσκομένων δὲ πᾶσα διδασκαλία; die Theophrast- und Aristotelesstellen sind wahrscheinlich auf dem Umweg über Antiochos und andere Mittelquellen zu Clemens gelangt (Fr)

120   25 dies kann gefälscht sein aus Arist. Top. V 3 p. 130ᵃ 23 ὁ θεὶς ἐπιστήμης ἴδιον ὑπόληψιν τὴν πιστοτάτην (diese Stelle bei Raeder, Theodoret Gr. aff. cur. I 90); richtiger R. E. Witt Albinus 33 Anm. 13: „In Strom. II 15, 5 Aristotle 'says' that πίστις is ἑπόμενον τῇ ἐπιστήμῃ κρίμα, but Ar. De an. III 3 p. 428ᵃ 20 writes δόξῃ ἕπεται πίστις", auch Eth. Nic. VI 3 p. 1139ᵇ 33f. ὅταν γὰρ πως πιστεύῃ . . . ἐπίσταται mag mitgewirkt haben (Fr)   28 ὑπόληψις ἀσθενής auch Stob. Ecl. II 7 vol. 2 p. 112, 4 Wachsmuth (= Stoic. vet. fr. III p. 147, 4f.) (Fr)

121   1–5 Arrian Diss. Epict. II 14, 10 p. 146, 10 Schenkl ὁρῶμεν οὖν ὅτι ὁ τέκτων μαθών τινα γίνεται τέκτων, ὁ κυβερνήτης μαθών τινα γίνεται κυβερνήτης. μήποτ' οὖν καὶ ἐνθάδε οὐκ ἀπαρκεῖ τὸ βούλεσθαι καλὸν καὶ ἀγαθὸν γενέσθαι, χρεία δὲ καὶ μαθεῖν τινα (Fr, Mondésert Band II 44 Anm. 5 ist zu berichtigen)

122   2f. ἄφιλος-ἀμαθής (mit der Fortsetzung ἀμαθία ἀγνοίας αἰτία aus Strom. VI 112, 4) im Corpus Parisinum Nr. 8 (St)   7 προσαγορευθήσεται sagt Clemens vulgär für das bei Platon stehende προσρηθήσεται (Fr)   8f. vgl. Dion v. Prusa 31, 58 θεοφιλεῖς ἅπαντες οἱ χρηστοὶ λέγονται καὶ εἰσίν (Fr)   10f. ich habe die Schreibung von L wiederhergestellt: „Wie die Weisen durch ihre Weisheit weise sind, so sind die, welche durch den König Christus zu Königen werden, auch die Christen des Herrn Christus." (Fr)   17–19 σκυτάλη erklärt von Plutarch Lysander 19, wo Ziegler (Plut. Vit. III 2 p. 128, 9) die Parallelen hat (Fr)

124   16f. zu diesem Platonzitat vgl. Fr in PhW 49, 1929, 1164; vgl. auch Epikur Fr. 135 p. 142, 22 Usener (= Stob. 17, 23; Seneca Ep. 21, 7) (Fr)   17 ἡ ὀλιγοχρηματία ⟨κακόν⟩ Münzel, aber aus Z. 16 ergänzt sich als Prädikatsnomen leicht πενία (Fr)   22 δούλιον ζυγόν auch Herodot VII 8 γ, wo K. W. Krüger bemerkt: „ein poetischer Ausdruck, auch bei Platon" (Fr)

126   26–29 vgl. Joh. Philoponus De aet. mundi VII 14 p. 274, 21 Rabe ὥσπερ ἡ μαγνῆτις λίθος ἠρεμοῦσα κατὰ τόπον κινεῖ τὸν σίδηρον καὶ τὸ ἤλεκτρον τὰ κάρφη — Beseelung des Magneten und des Bernsteins lehrte schon Thales, Diog. Laërt. I 1, 24 (Diels⁶ I S. 68, 11) (Fr)   27. 29 zur Erklärung durch die συγγένεια vgl. RE XIV 478, 63ff. durch das Pneuma vgl. RE XIII 756, 38ff.; XIV 476, 40ff.; Strom. VII 9, 4 (St)

128   1 εὐγνώμονος L als Gegensatz zu Z. 2 τῶν ἄλλων unentbehrlich, vgl. Aristot. Eth. M. II 2 p. 1199ᵃ 2 τὸ μὲν κρῖναι τοῦ εὐγνώμονος (Fr)   2 καταλήψεως, ἡ δὲ ἐλπὶς προσδοκία πιστὴ ἀγαθοῦ κτήσεως Pohlenz (vgl. S. 127, 21), aber ⟨ἡ δὲ ἐλπὶς προσδοκία⟩, προσδοκία δὲ δόξα μέλλοντος dürfte ausreichen (Fr)   9 εὔνοια θεία οὖσα καὶ εὔνοια πρὸς τὸ εὖ ποιεῖν] das zweite εὔνοια ist durch εὔροια zu ersetzen vgl. A. Wifstrand, Εἰκότα 2 S. 17, der zahlreiche Beispiele für die Verwechslung beider Wörter bringt (Fr)

137   6 vgl. Plat. Lysis 14 p. 218 A κακὸν γὰρ καὶ ἀμαθῆ οὐδένα φιλοσοφεῖν, Symp. 23 p. 204 A οὐδ' αὖ οἱ ἀμαθεῖς φιλοσοφοῦσιν (St)   7 vgl. auch Albinus c. 1, 1 (VI p. 152, 2 Herm.) φιλοσοφία ἐστὶν ὄρεξις σοφίας (Fr. in PhW 58, 1938, 1000)   13 zu πρᾶξις ἑπομένη καὶ ἀκόλουθος θεῷ vgl. Plato Ges. IV 8 p. 716 C πρᾶξις φίλη καὶ ἀκόλουθος θεῷ (St)

142   2 der stoische Ausdruck διὰ πάντων φοιτᾶν (Strom. I 51, 1 S. 33, 13) auf ἀγάπη
übernommen! (Fr)   20 τελειοῦται Münzel, vielleicht richtig, vgl. Strom. VII 48, 4
(III S. 36, 13) ἡ ἐπαγγελία τελειοῦται (Fr)   21f. Philo De v. Mos. II 228 πίστις τῶν
μελλόντων ἡ τῶν προγεγονότων τελείωσις (Fr)   26 vgl. Epiktet Fr. 9 Schenkl (p. 461,
10), = Gellius 19, 1 (Fr)

145   4 ὑπερβαίνουσα Pohlenz vgl. Strom. VI p. 100, 1 (S. 482, 2) und Chrys. Fr. mor.
462 p. 111, 2. 10; Fr. 475 p. 125, 38; Fr. 479 p. 130, 12 (St)   5f. vgl. Galen De pl.
Hipp. et Plat. S. 408, 1 Müller τὸ πάθος τῆς ψυχῆς κίνησίν τινα παρὰ φύσιν ἄλογον
ὑπάρχειν οὐχ οἱ παλαιοὶ μόνον, ἀλλὰ καὶ Χρύσιππος ὁμολογεῖ. Daß bei Clemens
κίνησις richtig ist, zeigt Tengblad S. 77 (Fr)   14f. vgl. Schmid, Gesch. d. Gr. Lit.
I 2, 1934, 190 A 8 (St)

150   10f. vgl. Sext. Emp. Adv. Math. IX 168 τὴν βουλὴν ἀδήλου τινὸς ἔχεσθαι, ζήτησιν
οὖσαν περὶ τοῦ πῶς ἐν τοῖς παροῦσιν ὀρθῶς διεξάγομεν (Fr)   11f. vgl. S. Emp. a. a. O.
167 εὐβουλία φρόνησίς ἐστι πρὸς τὰ βουλευτά, also war die Konjektur περὶ voreilig.
Zum Begriff der εὐβουλία in alter Zeit vgl. Schmid, Gesch. d. Gr. Lit. I 3, 22 A 3 (Fr)

152   14 vgl. Areios Did. bei Stob. Flor. 103, 28 (vol. V p. 919, 4 Hense) τὸ γὰρ
μέρος ἐπινοεῖσθαι κατὰ τὸ συμπληρωτικὸν τοῦ ὅλου; Sext. Emp. IX 337 τὸ μέρος
εἶναι τὸ συμπληρωτικὸν τοῦ ὅλου (Fr)   31 vgl. Stob. Ecl. II 7 vol. II 111, 21 Wachs-
muth τὴν γὰρ ἄγνοιαν μεταπτωτικὴν εἶναι συγκατάθεσιν καὶ ἀσθενῆ, vgl. auch Marc
Aurel V 10, 2 (Fr)

154   17f. vgl. Plato Prot. 39 p. 360 D; Staat IV p. 430 D (St). — S. auch S. Emp.
Adv. M. IX 158 (Fr)   18 zur etymolog. Deutung von σωφροσύνη vgl. Arist. Eth.
Nic. VI 5 p. 1140^b 11 (St). — S. auch S. Emp. a. a. O. IX 174 ἕξις ἐν αἱρέσεσι καὶ
φυγαῖς σῴζουσα τὰ τῆς φρονήσεως κρίματα (Fr)   20 vgl. S. Emp. a. a. O. IX 154
καρτερία ἐστὶν ἐπιστήμη ὑπομενετέων καὶ οὐχ ὑπομενετέων (Fr)   21 vgl. S. Emp.
a. a. O. IX 161 μεγαλοψυχία ἐπιστήμη ποιοῦσα ὑπεραίρειν τῶν συμβαινόντων (Fr)

155   4f. in der von St angegebenen Andronikosstelle steht ἐγκράτεια ἕξις ἀήττητος
ὑφ' ἡδονῶν, dagegen steht die Definition des Clemens bei Stob. Ecl. II 7 (vol. II
p. 61, 11 Wachsm.) und S. Emp. Adv. Math. IX 153 (mit γινομένων für φανέντων);
beide Definitionen verbunden Diog. Laert. VII 93 (Fr)

165   13 zu den drei Stufen vgl. Strom. VI 114, 3; VII 40, 4 (St)   14 zu ὑπόστασις
vgl. L. Prestige, Journ. of Theol. Stud. 30, 1929, S. 270ff. (St); God in Patristic
Thought, London 1952, 164f.; es soll nicht philosophisch, sondern als station,
demeure (Mondésert-Camelot), Stellung (St) zu verstehen sein; dagegen R. E. Witt
Ὑπόστασις (Amicitiae corolla, presented to J. Rendel Harris, London 1933) 333
A 8: "I am not sure that ὑπόστασις does not mean simply activity." (Fr)

171   3 ⟨τὸν εὑρόντα⟩ kaum nötig; αἱ τελεταὶ ἀπαγορεύουσιν konnte Clemens ebenso-
gut sagen wie Plotin I 6, 6 Anf. αἱ τελεταὶ αἰνίττονται, im platon. Vorbild allerdings
Phaed. 13 p. 69 C steht οἱ τὰς τελετὰς καταστήσαντες (zit. Strom. III 17, 2 S. 203,
20) (Fr)   10 vgl. auch das Philofragment aus Antonius Melissa (PG 136, 823) δοκεῖ
μὲν λεία τις εἶναι κίνησις ἡ ἡδονή, τὸ δὲ ἀληθὲς τραχεῖα εὑρίσκεται καὶ ἐστί = Quaest.
in Gen. I 41 und die hierzu von P. Wendland, Neuentdeckte Fragmente Philons,
Berlin 1891, 140 A 1 gesammelten Parallelen (Fr)

176 5 ἐπεισρεῖν Tengblad S. 92 ansprechend, aber nicht nötig; τὸν διάβολον . . . ἐπισπείρειν Münzel, diesen Sinn gewinnt man ohne Änderung der Überlieferung, wenn καὶ vor πνεύματα als „auch" verstanden wird (Fr)

177 8 ῥευστός vom Körper in philosophischer Sprache häufig, vgl. auch Orig. De or. 27, 8 (II 376, 17); Comm. in Joh. XIII 204 S. 257, 24 (Fr) 18 als ἐνέργεια ist die ἡδονή bei Arist. Eth. Nik. VII 13 p. 1143ᵃ 14, als διάθεσις Rhet. I 11 p. 1370ᵃ 2 bezeichnet (St)

188 27 ἡ πρώτη vgl. auch Strom. III 4, 3; 74, 2; 82, 3 (St). — An der Richtigkeit der Überlieferung hätte man nie zweifeln sollen, vgl. Stob. Ecl. II 7 (vol. II p. 148, 5 Wachsm.) πολιτεία πρώτη σύνοδος ἀνδρὸς καὶ γυναικὸς κατὰ νόμον ἐπὶ τέκνων γεννήσει καὶ βίου κοινωνία. Clemens hat πρώτη falsch bezogen und die Definition auf γάμος übertragen (Fr)

189 13 Schon Albert Jahn, Basilius plotinizans (Bern 1838) p. 30 erinnert an Themistios' Rede 32 Anf. und Demetrios Kydonios De contemnenda morte c. 3 p. 5, 14 ἀθανασία ἐπισκευαστή (das geht auf Platons Politikos 13 p. 270 A zurück) und empfiehlt an der Clemensstelle einzusetzen ἐπισκευαστὴν ἀθανασίαν. Ferner behandelt K. Praechter PhW 31, 1911, Sp. 30 die Stelle; er zitiert den neuesten Herausgeber des Demetrios Kyd. Deckelmann, scheint aber A. Jahns Behandlung der Stelle nicht gekannt zu haben; er schlägt folgende Ergänzung vor: τὸν γάμον ἐπισκευαστὴν ἀθανασίαν τοῦ γένους ἡμῶν ⟨παρέχοντα⟩ καὶ οἱονεὶ κτλ., möglich wäre auch τὸν γάμον, ἐπισκευαστὴν ἀθανασίαν ⟨λέγων τὴν διαδοχὴν⟩ τοῦ γένους ἡμῶν καὶ οἱονεὶ κτλ. (Fr)

192 10f. vgl. Philo De ebr. Fr. 6 (Wendland, Neuentdeckte Fragmente Philons S. 23f.) πῶς οὐκ ἔστιν ἀτοπώτατον γεωπόνους μέν, ὁπόταν πυροὺς ἢ κριθὰς μέλλωσιν εἰς τὰς ἀρούρας καταβαλέσθαι, νήφοντας ἐπὶ τὸν σπόρον χωρεῖν . . . τοὺς δὲ τὸ κάλλιστον, οὐ φυτὸν μόνον, ἀλλὰ καὶ ζῷον, ἄνθρωπον, σπείρειν ἀξιοῦντας ὀλιγωρίᾳ καὶ ῥαθυμίᾳ καὶ μέθῃ κακίας συνεργάταις χρῆσθαι, Wendland gibt zahlreiche Parallelen, aber nicht die Clemensstelle, an (Fr)

3. Buch

195 1–S. 247, 16 eine neue engl. Übersetzung des 3. Buches von H. Chadwick mit Anmerkungen enthält das Werk The library of Christian Classics vol. II Alexandrian Christianity, London 1954 S. 40—92 (Fr) 13 mit Hilgenfeld streicht auch Chadwick die Zeile zu Unrecht; ab Z. 11 sollte es genauer heißen τῶν δὲ ἐξ ἀνάγκης, οἱ μὲν ἐκεῖνοι οἱ θεατρικοὶ ἀσκηταί . . . οἱ δὲ ἐκτετμημένοι κατὰ συμφορὰν κτλ., zu weggefallenem οἱ μὲν K. W. Krüger, Griech. Sprachlehre § 50, 1, 12, Wifstrand Eikota Heft 3 S. 13 A 1; es ist also auch Münzels οἵ τε überflüssig (Fr)

196 1 τῆς ἐλπίδος ⟨ἐκτρεπομένη⟩ oder ähnl. Fr, zum Sinn vgl. I Cor 7, 34 ὁ γαμήσας μεμέρισται — τῆς ἐλπίδος, d. h. τῆς περὶ τὸν κύριον ἐλπίδος (Fr) 3 τό τε πῦρ ἀποσπερματίσας dem Sinne nach = τό τε πῦρ ἀποσπερματισμῷ σβέσας, ob aber auch in den Text zu setzen, ist zweifelhaft; um die fleischliche Bedeutung des Ausdrucks kommt man nicht herum. Da die Ehe Z. 5 erst als zweiter Ausweg aus

Sexualnot genannt ist, bleibt für die heikle Stelle S. 196, 1–3 nur die peinliche Deutung, daß außerehelicher Verkehr gemeint ist. Zu Z. 2 μαχίμη zitiert man Prov 21, 19 (Fr)

197   **3f.** 9 vgl. Basil. M. Ep. 366 (PG 32, 1109 C = A. Mai, Bibl. nova patr. III 450 aus cod. Ven. 61 fol. 324) ziemlich wörtl. stehen die Sätze S. 197, 3f. = col. 1109 C a. E., S. 197, 5 col. 1112 A a. E., S. 197, 8f. = col. 1112 B Mitte (Fr) **22** zu ὀυτῶν λίθων vgl. Homer ζ 267 u. ξ 10 ὀυτοῖσι λάεσσι (Fr)

200   **10f.** vgl. Horatius carm. III 6, 28 luminibus remotis, ferner Orig. C. Cels. VI 27 (II S. 97, 26 K.) (Fr) **18f.** vgl. Arrian Diss. Epict. II 4, 9f. ἄγε, τὸ θέατρον οὐκ ἔστι κοινὸν πολιτῶν; . . . οὕτω καὶ αἱ γυναῖκες φύσει κοιναί (Chadwick). – Vgl. auch Cic. De fin. III 67 theatrum ut commune sit, recte tamen dici potest eius esse eum locum, quem quisque occuparit (Fr) **21f.** vgl. Cyrill. C. Jul. IV (PG 76, 680 D) μητρογαμεῖν φασι Χαλδαίους καὶ ἀδελφαῖς μίγνυσθαι (Fr in ZntW 36, 1937, S. 89) **28ff.** vgl. auch A. Harnack, Marcion² S. 273. 276. 277 (St)

216   **15–18** ἐπειδὴ οὐχ οἷος ὁ λόγος — ἐκ τοῦ ἄνθους καὶ τοῦ λόγου steht auch in cod. Ath fol. 40ᵛ als Schluß eines Scholions des Theodoros von Herakleia, vgl. J. Reuß, Matth.-Kommentare aus der griech. Kirche (TU 61) S. 71, fr. 51, 5 (Fr) **23f.** vgl. Arist. Eth. Nic. I 4 p. 1096ᵇ 29 ὡς γὰρ ἐν σώματι ὄψις, ἐν ψυχῇ νοῦς, Top. I 18 p. 108ᵃ 11 ὡς ὄψις ἐν ὀφθαλμῷ, νοῦς ἐν ψυχῇ (St); Celsus bei Orig. C. Cels. VII 45 (Chadwick)

223   **9f.** [Basil.] 1112 B καὶ τὸ κρατεῖν τοῦ σώματος (sic) ἐγκράτειά ἐστιν καὶ τὸ κυριεύειν λογισμῶν πονηρῶν (Fr) **10–16** a. a. O. 1112 B–1112 C in umgekehrter Reihenfolge: θεότητα ὁ Ἰησοῦς εἰργάζετο, οὐ θνητότητα. ἤσθιεν καὶ ἔπινεν ἰδίως οὐκ ἀποδιδοὺς τὰ βρώματα. τοσαύτη ἐν αὐτῷ ἡ ἐγκράτεια δύναμις ἦν ὥστε μὴ φθαρῆναι τὴν τροφὴν ἐν αὐτῷ, ἐπεὶ τὸ φθείρεσθαι αὐτὸς οὐκ εἶχεν . . . καὶ γὰρ ἀγγέλους ἠκούσαμεν ἀκρατεῖς γεγονέναι κατασπασθέντας οὐρανοῦ δι' ἐπιθυμίαν. ἑάλωσαν γάρ, οὐ κατέβησαν (Fr)

231   **20** ἐπιθυμία ἀλλοτρία ist richtig, vgl. ἐπιθυμίαι ἕτεραι Strom. III 82, 1 (S. 233, 13); ἀλλότριαι ἡδοναί Strom. III 96, 2 (S. 240, 18) (Fr) **25** βιὸν für βίαν ist Spielerei (wie S. 177, 21 οἴακος für οἴκου); wenn Arist. Pol. V 7 p. 1309ᵇ 3 von ἐπιτείνειν πολιτείαν spricht, so konnte auch Clemens ἐπιτείνειν βίον sagen; das Gegenteil ἀνειμένη δίαιτα ist wahrhaftig aus Thuk. I 6 bekannt genug (Fr)

233   **23** für die von Fr aus Petrus von Laodikeia ZntW 36, 1937 S. 85 nachgewiesene Lesart ἀπῄτει ὁ καιρός wird Würzb. Jb. 1947 S. 149 noch das Zeugnis des Joh. Chrys. De virg. 17 (PG 48, 546) beigebracht, wo es heißt: εἶπεν· αὐξάνεσθε καὶ πληθύνεσθε· τοῦτο γὰρ ὁ καιρὸς ἀπῄτει. Jetzt wird die Lesart auch noch vom arabischen Excerptor bestätigt: 'la situation exigeait.' (Fr)

234   **18f.** die auch Strom. IV 150, 2 (S. 315, 3) vorkommende Bezeichnung der Gebärmutter als τὸ τῆς φύσεως ἐργαστήριον hat Clemens aus Philon, dieser aus einem unbekannten Autor, vgl. De aet. mundi 66 μήτρα φύσεως ὡς εἶπέ τις ἐργαστήριον, bei Philon noch De vit. Mos. II 84; De spec. leg. III 33. 109; Leg. ad Gaium 56. – Notiert hat Fr. noch Greg. Naz. Or. 28, 22 (PG 36, 56 A) τίς ἡ πρώτη πλάσις ἡμῶν καὶ σύστασις ἐν τῷ τῆς φύσεως ἐργαστηρίῳ, Basil. M. De op. hom. 2, 1 (PG 30, 41 B) ἐνθυμήθητι πῶς ἐπλάσθης· τὸ ἐργαστήριον τῆς φύσεως λόγισαι· χείρ ἐστι θεοῦ ἡ κατασκευάσασα, Zacharias v. Myt. 93 Boiss. μικρὰ ῥανὶς ὑγρότητος καταβληθεῖσα ἐν τῷ τῆς φύσεως ἐργαστηρίῳ. Bei Liddell-Scott fehlt der Terminus (Fr)

236 5 vgl. Albinus c. 11, 2 (VI p. 166, 27 Herm.) *παθητικὰ τὰ σώματα καὶ ῥευστά* und Strom. II 118, 5 (S. 177, 8) (Fr) **21f.** *ὁ πατὴρ η* (sic) *τῶν πιστῶν ὁ ἐν τοῖς οὐρανοῖς* cod. Ath **25** vgl. auch Philo De cal. 119 *θεοῦ ὑπηρέται πρὸς τέκνων σπορὰν οἱ γονεῖς* (Fr)

4. Buch

249 8 vgl. Plat. Gorg. 52 p. 497 *τὰ μεγάλα μεμύησαι πρὶν τὰ μικρά* [dazu Schol. Arist. Plut. 845; Krantor bei Stob. Ecl. II 31, 27 (II p. 206, 26 Wachsm.] (Fr)

250 13 *σπέρματι* als richtig erwiesen von Fr. PhW 59 (1939) Sp. 1089f.

251 18–24 ergänzt Fr in Würzb. Jb. 1947 S. 149f. aus Maximus v. Tyrus VI Anf. (p. 65, 9 Hobein) folgendermaßen: *αἰνίσσεσθαι. καὶ τί ποτ' ἐστὶν ᾧ διαφέρει θηρίων ἄνθρωπος; ⟨καὶ τί ποτ' ἐστὶν ᾧ διαφέρει ἀνθρώπου θεός; ἐγὼ οἶμαι θηρίων μὲν ἀνθρώπους ἐπιστήμῃ κρατεῖν, θεοῦ δὲ ἐλαττοῦσθαι σοφίᾳ· σοφώτερον μὲν γὰρ ἀνθρώπου θεός, ἐπιστημονέστερον δὲ θηρίου ἄνθρωπος.⟩ τούτου τε αὖ οἱ οἱ τοῦ θεοῦ ἄγγελοι σοφώτεροι . . . παρὰ τοὺς ἀγγέλους. οὔκουν ἄλλο τι σοφίαν παρὰ τὴν ἐπιστήμην λέγω, ἐπεὶ μὴ διαφέρει ζωὴ ζωῆς. κοινὸν γὰρ κτλ.* (Fr) **20f.** die Psalmstelle ist zitiert Hebr 2, 9, wo die abgelehnte Auffassung steht (Fr) **24** dagegen Plotin III 8, 8, 21f. *ἀλλὰ ζωῆς μὲν ἴσως διαφορὰς τάχ' ἂν λέγοιμεν ἄνθρωποι* (Fr)

254 11 dem überlieferten *λιπὼν* kommt *κιὼν* paläographisch näher als Stählins *ἐλθὼν*; übrigens scheint mir *μετὰ θνητῶν ἀναστρέφεται* Paraphrase von Emp. Fr. 17, 4f. (Diels⁶ 1 S. 354, 17) zu sein (Fr)

255 10 *μολυβδίδες* vgl. Plut. Mor. p. 1096 C *κατατείναντες τὸ θεωρητικὸν εἰς τὸ σῶμα καὶ κατασπάσαντες ὥσπερ μολυβδίσι ταῖς τῆς σαρκὸς ἐπιθυμίαις* (Fr)

256 14 *ἐξάγειν ἑαυτὸν* u. S. 260, 19 *εὔλογος ἐξαγωγή* bekannte stoische Termini, vgl. Chrys. fr. mor. 757–768 Arnim; ausführlich Boissonade zu Zach. Myth. A 113 p. 361–365 (Fr)

257 82f. vgl. Iambl. Protr. 5 p. 28, 2 Pist. *τοῦ σώματος ἐπιμελεῖσθαι χρὴ ἀναφέροντας αὐτοῦ τὴν ἐπιμέλειαν ἐπὶ τὴν τῆς ψυχῆς ὑπηρεσίαν* (Fr) **34f.** vgl. Diog. Laert. VII 103 (Chrys. fr. mor. 156); Muson. bei Stob. Ecl. II 31, 125 (vol. II p. 241, 20. 24 Wachsm.) = fr. 1 p. 2, 10 Hense (Fr)

258 20 das überlieferte *φησί, πλέον θάτερον* (mehr das andere von beiden, d. h. von Gut und Übel; vgl. Plato Phaed. 63 p. 114 E; Euthydem 9 p. 280 E; 23 p. 297 D) *βλέποντας* ist von H. Jackson, Journ. of Philol. 31, 1903, S. 267 richtig gedeutet (St)

265 20 schon Aristot. De gen. an. V 4 p. 784, 33ff. *ὀρθῶς ἔχει λέγειν τὸ γῆρας νόσον φυσικήν*, ferner Philo De post. C. 71 *τὸ γῆρας, ἡ μακρὰ καὶ ἀνίατος νόσος* (Fr) **25** *ἀπαγόντων] ἀπάγειν* intr. = weggehen, aufbrechen ist durch Herod. V 126 und Xen. Hell. I, 1, 34 hinreichend gesichert und von Konjekturen freizuhalten (Fr)

266   10–14. 21 f. zu dieser Stelle war von Fr ZntW 36, 1937 S. 82 auf Petrus von Laod. S. 40, 1, aufmerksam gemacht worden, wo es heißt οἱ τὸν θυμὸν καὶ τὴν ἐπιθυμίαν κακὴν ἐξημεροῦντες . . . καὶ οἱ μεταδιδάσκοντες τοὺς ἀπίστους καὶ ἄγοντες ἐπὶ τὴν πίστιν, der Petrustext ist aber ein Bruchstück des Cyrill fr. 39. 40 (Reuß, Matth. Komm. S. 165); Cyrill hat jedoch offensichtlich Formulierungen des Clemens benützt (Fr)

273   21 vgl. Proklos in Plat. Tim. 18 C Schneider (= Chrys. fr. mor. 206 Arn.) οἱ Στωϊκοὶ λέγειν εἰώθασι «δὸς περίστασιν καὶ λάβε τὸν ἄνδρα» ferner Arrian, Diss. Epict. I 6, 37 (p. 29, 6 Schenkl) φέρε νῦν, ὦ Ζεῦ, ἣν θέλεις περίστασιν. (Fr)

274   10 Πόστουμος ὁ Ῥωμαῖος ληφθεὶς ὑπὸ Πευκετίωνος, von Fr PhW 61, 1941 Sp. 189 f. zur Erklärung von Kallim. Diegeseis V 25–32 (= fr. 107 Pfeiffer 1949) herangezogen; vgl. Pfeiffer, Kallimachos II S. 114 (Fr)   20 f. vgl. Mt 10, 28 (St) 22 f. vgl. Favorin. bei Stob. Flor. 62, 43 (St)

281   4 ἐκεῖνο οὐκ ἐπέστησεν L, ebenso Strom. VI 66, 1 S. 465, 4 κἀκεῖνο ἐπιστητάτωσαν L richtig, vgl. Orig. C. Cels. II 1 (Bd I S. 126, 6) αὐτό γε τοῦτο πρῶτον ἐφίσταμεν Plotin III 6, 13, 1 ἔτι δὲ κἀκεῖνο ἐπιστῆσαι αὐτοὺς προσήκει (Fr)   8 f. vgl. Diog. Laert. VII 89 ἡ ἀρετὴ διάθεσις ὁμολογουμένη (Chrys. fr. mor. 197 Arn.) (Fr)   14–16 bei Reuß, Matthäuskommentare S. 191 als Frg. des Cyrill Nr. 118 in folgender Form τὸ δὲ δίδοται, φησί, τισὶ λόγος ὅτε συμφέρει ἀπολογεῖσθαι, ἵνα διὰ τῆς ὁμολογίας ὠφελῶνταί τινες καὶ ἰσχυροποιηθῇ ἡ ἐκκλησία, die S. 281, 15 von Stählin aufgenommene, von Wilamowitz stammende Konjektur ἀπολογίας wird durch die Cyrill-Hss nicht bestätigt (Fr)   25 f. diese Definition auch Strom. IV 104, 1 (S. 294, 9) (St)   30 μόνος verteidigt Tengblad S. 93 treffend mit Paed. I 46, 1 (S. 117, 18) (St)

282   12 ὅλον ἑαυτὸν ἐπιδιδοὺς τῷ θεῷ Tengblad S. 93 (St); ὅλον ἑαυτὸν ἐπιδιδοὺς διὰ τὸν θεὸν L wohl richtig (Fr)

289   18–21 bei Reuß, Matthäuskommentare S. 173, als Frg. des Cyrill Nr. 67: ἀγαπῶμεν τοὺς ἐχθροὺς οὐ καθὸ μοιχοί εἰσιν ἢ φονεῖς, ἀλλὰ καθὸ ἄνθρωποι· τὸ γὰρ ἁμαρτάνειν ἐνεργείας ἐστίν, οὐκ οὐσίας· διὸ οὐδὲ ἔργον θεοῦ ἡ ἁμαρτία (Fr)   21 ἐνεργείᾳ κεῖται, οὐκ οὐσίᾳ cod. Ath wie L   22 οἱ ἐχθροί Ath wie L (οἱ ist richtig, Artikel zu γενόμενοι, ἐχθροί prädikativ) – δὴ < Ath   23 μὴ δὲ auch cod. Ath 24 ἀλλοτρίωσιν cod. Ath

292   21–23 von Klostermann Origenes XII 1 S. 33 als fr. 44 aus cod. Ath fol. 39ᵛ in folgender Form veröffentlicht: γεννήματα ἐχιδνῶν ἐκάλεσε τοὺς φιληδόνους καὶ γαστρὶ καὶ αἰδοίοις δουλεύοντας καὶ τὰς ἀλλήλων διὰ τὰς κοσμικὰς ἐπιθυμίας ἀποτέμνοντας κεφαλάς. Dem Sinne nach ist vergleichbar Cyrill fr. 19 bei Reuß, Matth.-Komm. S. 159 (Fr)

298   29 προειδομένου L (zur Form vgl. Thuk. IV 64, 1; Hss. zu Demosth. 19, 233) προβλεψαμένου Hebr 11, 40; vgl. Epiph. Pan. 32, 3, 4 (S. 442, 9 Holl) τοῦ κυρίου κρεῖττόν τι περὶ τῆς οἰκουμένης προνοοῦντος, Neilos Ep. III 2 (PG 79, 364 D) τοῦ θεοῦ κρεῖττόν τι περὶ ἡμῶν προορῶντος (sowohl bei Holl wie im Neilosband von Migne fehlt der Stellennachweis: Fr in Würzb. Jb. 1947 S. 150) (Fr)

298   10 vgl. Plato Crito 10 p. 49 B (Fr) 12 vgl. auch Rom 10, 4; Strom. IV 130, 3 (St) 27 *ἐν αὐτῇ* == *ἐν τῇ γυναικί* alle zu dem *ἐάν*-Satz (26f.) im Apparat stehenden Konjekturen mit Ausnahme der Änderung von *ἑαντῇ* in *αὐτῇ* sind unrichtig (Fr) *ἢ* L *ῇ* Fr

299   12—16 arab. bei Fleisch fr. 2; ferner bei Reuß Matth.-Komm. S. 171 als Frg. des Cyrill Nr. 57: *ὁ ἐμβλέψας γυναῖκα καὶ ἐπιθυμήσας τότε κρίνεται ὅτε φανῇ αὐτῷ ἡ σὰρξ τῆς γυναικὸς εἰς ἐπιθυμίαν καλὴ καὶ σαρκικῶς αὐτὴν ἴδῃ καὶ ἁμαρτητικῶς. ὁ γὰρ δι' ἀγάπην τῆς ἁγνῆς ὁρῶν τὸ κάλλος οὐ τὴν σάρκα ἡγεῖται καλήν, ἀλλὰ τὴν ψυχήν* (Fr)

304   23 vgl. Plato Symp. 19 p. 197 E *παραστάτης τε καὶ σωτὴρ ἄριστος* TGF Ad. 14 *σωτῆρες ἔνθα κἀγαθοὶ παραστάται (οἱ Διόσκουροι)*; vgl. Lobeck, Aglaophamus II S. 1231 f., der noch Arrian Diss. Epict. II 18, 29 und Ael. Var. hist. I 30 anführt (Fr)

305   10 Rom 10, 4 *τέλος νόμου Χριστός* Rom 13, 10 *πλήρωμα νόμου ἡ ἀγάπη* (in Strom. IV 113, 5 S. 298, 12 erweitert *καθάπερ ὁ Χριστός*) ergibt kombiniert hier *πλήρωμα νόμου Χριστός* ebenso Qu. div. salv. 9, 2 (III S. 165, 21 f.) (Fr)

309   8f. zur Scheidung von *δόξα* und *εὔκλεια* vgl. Strom. V 59, 2 S. 366, 4f. (St); dazu Basil. M. in Is. X 15, 242 (PG 30, 544 C) *ἰστέον δὲ ὅτι οἱ ἀκριβολογούμενοι περὶ τὰ σημαινόμενα τὴν δόξαν ἀπὸ τοῦ κλέους διώρισαν καί φασιν τὴν μὲν δόξαν εἶναι τὸν ἀπὸ πολλῶν ἔπαινον, τὸ δὲ κλέος τὸν ἀπὸ τῶν ἀγαθῶν ἔπαινον*, ferner Schol. ad Plat. leg. 625 A (VI p. 373 Herm.) = Chrys. fr. mor. 161 (Fr)

310   21—23 Heraklit fr. Diels[6] I S. 156, 12—15. — Mit Beibehaltung des überlieferten Textes (mit Ausnahme der allgemein anerkannten Änderung von *εὐφροσύνη* in *εὐφρόνη* durch Sylburg) habe ich durch Interpunktion die Stelle verständlich zu machen versucht: „Ein Mensch ist in der Nacht ein Licht, er wird hell, obgleich er für sich gestorben ist durch Erlöschen seiner Augen, während er in Wirklichkeit lebendig ist; einem Toten kommt er schlafend gleich, wenn seine Augen erloschen sind; wachend kommt er einem Schlafenden gleich." Hart bleibt allerdings, daß *ἅπτεται* Z. 21 einerseits und Z. 22/23 andererseits verschieden gedeutet werden muß, aber ist das bei dem *Σκοτεινός* unmöglich? (Fr)

314   10f. Epikur bei Stob. flor. 17, 23 Mein. (== fr. 469 S. 300, 26 Usener) *χάρις τῇ μακαρίᾳ φύσει, ὅτι τὰ ἀναγκαῖα ἐποίησεν εὐπόριστα, τὰ δὲ δυσπόριστα οὐκ ἀναγκαῖα* (Fr. in PhW 56, 1936 Sp. 1439)

315   2 die menschl. Seele ist bei den Stoikern *τὸ συμφυὲς ἡμῖν πνεῦμα* (St. vet. fr. II fr. 774. 885); identisch damit Strom. IV 135, 3 (S. 500, 18) *τὸ πνεῦμα τὸ σαρκικόν*, Strom. VI 136, 1 (S. 500, 24) *τὸ σωματικὸν πνεῦμα* (Fr) 23 *θεῖν] θέλειν* oder *θεῖναι* Kl., vgl. Philo De conf. ling. 137; Clemens kennt zwar auch die Ableitung des Wortes *θεός* von *τίθημι* (vgl. Strom. I 182, 2 S. 112, 2), aber Protr. 26, 1 zeigt, daß ihm die aus Plat. Crat. 16 p. 397 D stammende Herleitung von *θέω* nicht unbekannt war (Fr) 27—29 vgl. Simplicius Comm. in Epict. p. 107, 45 Dübner *οἷον οἱ πέτρας τινὸς παραλίας κάλων ἐξάψαντες καὶ τῷ ἐκεῖνον ἐπισπᾶσθαι ἑαυτούς τε καὶ τὸ ἀκάτιον τῇ πέτρᾳ προσάγοντες καὶ δι' ἀπειρίαν τοῦ γινομένου δοκοῦντες οὐκ* αὐτοὶ προσιέναι τῇ πέτρᾳ, ἀλλὰ τὴν πέτραν κατ' ὀλίγον ἐπ' αὐτοὺς ἰέναι. – W. Theiler, Die Vorbereitung des Neuplatonismus, Berlin 1930 (= Problemata I) S. 146 A 2 führt den Vergleich auf Poseidonios zurück (Fr)

317 **26** zu ἀπαρέμφατος vgl. I. A. Smith, Journ. of Theol. Stud. 21, 1920 S. 329–332, und gegen ihn F. H. Colson ebda 22, 1921, S. 156–159 (St)   **27–S. 318, 17** Scholion V in „Der Scholienkommentar des Origenes zur Apokalypse Johannis", TU 38, 3, 1911, S. 22 (St)

318 **1f.** nicht nur im App. von St, sondern schon von A. F. Dähne, De γνώσει Clementis Al. et de vestigiis neoplatonicae philosophiae in ea obviis commentatio (Lipsiae 1831) p. 96 ff. bis W. Völker, Der wahre Gnostiker nach Clem. Al. S. 108 und S. 400 findet man das Zitat Plotin V 1, 7, 8, eine nur skizzenhaft überlieferte Stelle: ἀλλ' ὁ κύκλος τοιοῦτος οἷος μερίζεσθαι· τοῦτο δὲ (τὸ ἓν) οὐχ οὕτως, die auf die Kreisbewegung des νοῦς zu deuten ist (R. Harder, Plotins Schriften Bd. I 1956, S. 503); schließlich ist doch auch κύκλος πασῶν τῶν δυνάμεων bei Clemens etwas anderes als τὸ ἓν δύναμις πάντων bei Plotin V 1, 7, 9. – Das Verbum εἰλέω findet sich bei Plotin nirgends, bei Philon an 15 Stellen, aber keine bildet eine Parallele, ich habe auch sonst keinen Beleg für εἰς ἓν εἰλεῖσθαι gefunden (Fr)

319 **12** vgl. auch Dion. Areop. e. h. II 2, 7 μήτρα τῆς υἱοθεσίας, Cyr. von Jerus. cat. 20 (PG 33, 1080 C) τὸ σωτήριον ἐκεῖνο ὕδωρ καὶ τάφος ὑμῖν ἐγίνετο καὶ μήτηρ (St)   **14–18** vgl. Philo Qu. in Gen. IV 99 (zu Gen 24, 16) p. 323 Aucher: vult palam declarare illam duplicem habuisse virginitatem, unam secundum corpus, alteram secundum animam incorruptibilem (St); ferner De post. Caini 133; dazu die von P. Wendland, Neuentdeckte Fragm. Philons S. 79 aus Prokop v. Gaza nachgewiesenen Stellen (PG 87, 398 B) (Fr)   **15f.** zu τῇ ἐπαναλήψει vgl. Orig. Hom. in Gen. X 4 (Bd. VI S. 98, 11): quia ergo Rebecca virgo erat sancta corpore et spiritu, idcirco eius duplicat laudem et dicit: 'virgo erat, vir non cognoverat eam' (Fr)   **18f.** Klosterm. nimmt nach ἑρμηνεύεται eine Lücke an, die etwa so zu ergänzen ist: ⟨ὑπομονή· ⟩ νή δὲ ὑπομονὴ δοκιμὴν κατεργάζεται, ἡ δὲ δοκιμὴ ἐλπίδα« αὐτίκα ἐλπίζεται⟩; vgl. dazu Rom 5, 2. 4; 2, 7 (St)   **21** vgl. Theophyl. Bulg. PG 123, 720 D zu Lc 1, 76–80 ὥσπερ γὰρ ἡ ἁμαρτία ἔχθρα εἰς θεόν, οὕτως ἡ δικαιοσύνη εἰρήνη und 795 B zu Lc 7, 44–50: πορεύου εἰς εἰρήνην, τουτέστιν εἰς δικαιοσύνην· εἰρήνη γὰρ ἡ δικαιοσύνη ὥσπερ ἡ ἁμαρτία ἔχθρα εἰς θεόν (Fr in ZntW 36, 1937, S. 88). – zu εὐστάθεια vgl. Basil. M. Hom. in ps. 28, 8 (PG 29, 305 A) ἡ εἰρήνη, εὐστάθειά τις οὖσα τοῦ ἡγεμονικοῦ (εὐστάθεια καὶ εἰρήνη verbunden schon Philo De Jos. 57; In Flacc. 135). Terminus des Epikur (vgl. Strom. II 119, 4; 131, 1 und Lobeck, Phrynichus S. 282 f.) (Fr)

321 **3f.** außer den von mir PhW 57, 1937, Sp. 592 angeführten Stellen (Albinus 29, 3 VI p. 182, 32 und Ps.-Plat. Def. 411 D) vgl. Philo Leg. all. I 72; Quaest. in Gen. I 13 a. E. wo zu lesen ist: non enim certa ci (sc. iustitiae) pars data fuit animae, sed omnino possidetur harmonia quadam (bei Richter VI S. 257 quaedam) trium animae partium et totidem virtutum (Fr)

324 **19–23** ist auch auf Oxyrh. Papyrus erhalten (Bd. IX S. 161 f. Nr. 1176) = Satyros, vita Euripidis fr. 39, col. XVII 30. XVIII 7 (Arnim, Suppl. Eurip. S. 8, ferner P. Maas, Berl. Philol. Woch. 32, 1912 Sp. 1077) (St)   **25–28** vgl. Basil. M. in Ps

45, 4 (PG 29, 421 C) ὁρίζονται γάρ τινες πόλιν εἶναι σύστημα ἱδρυμένον κατὰ νόμον διοικούμενον· ἐφαρμόζει δὲ καὶ τῇ ἄνω Ἱερουσαλὴμ τῇ ἐπουρανίῳ πόλει ὁ ἀποδοθεὶς ὅρος τῆς πόλεως (Fr)

5. Buch

327   20ff. ⟨ἐκλεκ⟩τὴν νόησιν τὴν ἐξαίρετον πίστιν ἅμα καὶ βασιλείαν καὶ ⟨υἱοθεσίαν⟩ καλῶν, κτίσιν οὐσίας (gen. obj.) ἀξίαν τοῦ ποιήσαντος πλησίον ὑπάρχειν (von ἀξίαν abhängig) αὐτὴν ἑρμηνεύων, οὐσίαν κτλ. versuchsweise Fr

331   20—22 Heraklit fr. 28 (Diels⁶ 1 157, 3—5); zur Deutung: 1. καὶ μέντοι καὶ halte ich mit K. Reinhardt, Hermes 77, 1942 S. 5 für Worte des Clemens; 2. bei tunlichstem Festhalten am überlieferten Text scheint es zwei Möglichkeiten zu geben: a) δοκεόντων (Neutr.) γὰρ ὁ δοκιμώτατος γινώσκει φυλάσσειν ⟨τὸ ἀτρεκέστατον⟩ b) unter teilweiser Benützung einer Konjektur von Wilamowitz, aber unter Beibehaltung von γινώσκει φυλάσσειν so: δοκεόντων γὰρ ὁ δοκιμώτατον γινώσκει (sc. τις vgl. K. W. Krüger, Gr. Spr. § 61, 4, 5), φυλάσσειν (befehlender Imperativ) dies habe ich als einfachste Lösung in den Text gesetzt (Fr)

335   6—11 nicht wörtlich in Platons Phaidros; den Text des Cl. schreibt wörtlich aus Theodoret Gr. aff. cur. VIII 44 (weder bei Stählin noch bei Räder nachgewiesen, Fr in PhW 59, 1939 Sp. 766); Z. 10 ἀγάπης] ἀγωγῆς Theodoret (Fr)

336   8 die Stelle aus Albinus 9 S. 163, 13 und 27 Herm. von Fr nachgewiesen PhW 57, 1937, Sp. 591; vgl. W. Theiler, Die Vorbereitung des Neuplatonismus (s. zu S. 315, 27) S. 16; R.E. Witt, Albinus (s. zu S. 119, 23) S. 70f.; bei Theodoret Gr. aff. cur. IV 49 lautet die Definition τὴν ἰδέαν, ἣν ἔννοιαν εἶναι τοῦ θεοῦ λέγει (Fr in PhW 59, 1939, Sp. 766). – In Verbindung mit Alb. 10, 3 (S. 164, 34) könnte man ergänzen δηλώσει ⟨ὅτι πάσης μὲν ἀληθείας ἀρχὴ ὁ θεός⟩, ἡ δὲ ἰδέα κτλ.; daß δηλώσει als Verbum, nicht als Dativ von δήλωσις aufzufassen ist, ergibt sich aus Strom. VI 42, 3 (S. 453, 2) (Fr)   22—24 Bakchylides Fr. 55 S. 111 Snell   26—29 vgl. Strom. VIII 2, 2 (Bd. III S. 80, 17—22) dazu W. Ernst (s. App. I zu S. 22, 2) S. 10 (Fr)   27 ἤλπισεν] ἠγάπησεν H. Richards, The Class. Rev. 21, 1907, S. 199 (wohl richtig St)

338   16—S. 370, 25 vgl. O. Casel, De philosophorum Graec. silentio mystico (Relig. Vers. u. Vorarb. 16, 2) Gießen 1919 S. 62ff. (St)   19—21 vgl. die Kleanthesverse S. 337, 19f. (St)

339   7 zu προρρήσεις vgl. Fr. Pfister, PhW 60, 1940 Sp. 106; RE Suppl. VI Sp. 157 (Fr)   8 zu ἐργάτις vgl. Kallimachos Fr. 29 (Pfeiffer 1949) (Fr)   11—S. 340, 4 vgl. auch P. Marestaing, Le passage de Clément d'Alex relatif aux écritures égyptiennes, Recueil de travaux relat. à la Philol. et à l'Archéol. égypt. et assyr. 33, 1911, S. 8—17; M. de Brière, Essai sur le symbolisme antique d'Orient, principalement sur le symbolisme égyptien, contenant la critique raisonnée de la traduction du passage du cinquième livre des Stromates de S. Clément d'Alex., relatif aux écritures Egyptiennes de M. Letronne, Paris 1847 (St). – C. Wendel führt die Stelle auf Chairemons Ἱερογλυφικά zurück (Hermes 75, 1940, S. 228f.) (Fr)   11—17 vgl. Porphyr. Vit. Pyth. 12 γραμμάτων δὲ (τῶν Αἰγυπτίων) τρισσὰς διαφοράς, ἐπιστολογραφικῶν τε καὶ *ἱερογλυφικῶν καὶ συμβολικῶν, τῶν μὲν κοινολογουμένων* (lies mit Clem. S. 339, 16 *κυριολογουμένων*, noch bei Liddell-Scott S. 968ᵃ 6. Zeile von unten falsch unter *κοινολογέομαι* registriert und notdürftig mit signs used with commun [i.e. direct] significance erklärt) *κατὰ μίμησιν, τῶν δ' ἀλληγορουμένων κατά τινας αἰνιγμούς.* Auf die Porphyriosstelle verwies, wie aus Naucks 2. Aufl. zu ersehen, zuerst Th. Bergk, Hermes 18 (1883) S. 519. Nach PhW 60, 1940 Sp. 229 hat über die Stelle auch J. Vergote in der Zeitschrift Muséon LII, 1939, S. 199—221 (Clément d'Alexandrie et l'écriture égyptienne, Essai d'interpretation de Stromates V, IV, 20—21) gehandelt, dort auch weitere Literatur (Fr) **15** *τὰ πρῶτα στοιχεῖα* bedeutet nur das ABC', vgl. Cyrill Al. C. Jul. VII 232 Aub. (PG 76, 853 C) *αὐτὴ τῶν πρώτων στοιχείων ἡ ἐπιστήμη παρ' Ἑβραίων ἥκει τοῖς Ἕλλησι μεσολαβοῦντος τοῦ Κάδμου* (von Fr nachgewiesen ZntW 36, 1937, S. 89), vgl. auch Gregor v. Nyssa Contr. Eunom. I 49 *τὰ πρῶτα στοιχεῖα καὶ τὰς συλλαβὰς τοῖς παιδίοις ὑποχαράσσων,* aber auch schon Horaz, Sat. I 1, 26 elementa prima (Fr) **24—26** vgl. auch H. R. Schwyzer, Chairemon, Leipzig 1932 S. 87; Plut. Mor. p. 381 B (St). — Ferner Porphyr. De abst. IV 9, von Euseb. Praep. ev. III 4, 13 ausgeschrieben (Fr) **26—S. 340, 4** vgl. Plut. Mor. p. 381 A (St)

344　　**3** *τελεῖν*] *πλεῖν* Gabrielsson, Über die Quellen des Clem. Al. (Uppsala 1906—09) II S. 90 a. 1, und ohne Kenntnis des Vorgängers Fr bei Overbeck, Register S. 737; da Strom. V 27, 7 (S. 343, 11. 12) ein Wortspiel mit *τέπος* und *τύφος* vorliegt, kann auch hier ein solches mit *πλεῖν* und *τελεῖν* angenommen werden (Fr) **19** zu Eurysos vgl. Diels⁶ 1 S. 419, 27—29; das von Clemens S. 344, 21—23 zitierte Fragment steht unter dem Namen Ekphantos bei Stob. Flor. 47, 22 (vol. II p. 248, 7—10 Meineke, vol. IV p. 245, 3—5 Hense) und 48, 64 (II p. 266, 20—23 M, IV p. 272, 11—14 H) (Fr)

348　　**10** *αἰσθήσεων πεντάδι* (für) sc. *τῶν ταύταις μόνον προσανεχόντων* (Fr) **18** zu der in L überlieferten Form *ἰαου* vgl. Ganschinietz RE IX Sp. 700, 28ff., der die Änderung in *ἰαουε* ablehnt (St) **20f.** interpungiere ich folgendermaßen: *εἰς δὲ τὸν νοητὸν κόσμον μόνος ὁ κύριος γενόμενος εἴσεισι τῶν παθῶν, εἰς τὴν κτλ.,* deute aber den Satz nicht mit Klst auf den Gnostiker, sondern auf Jesus; vgl. Strom. VII 7, 4 *ὁ κύριος ἀπαθὴς ἀνάρχως γενόμενος.* Der Plural *πάθη* kann nicht von der Passion verstanden werden (Fr)

850　　**5** die gleiche Deutung auch bei Philo Quaest. in Ex. II 62 quid sit Cherubim? explicatur scientia multa (Fr in ZatW 14, 1937 S. 114) **20f.** vgl. K. Schütz, Isaias 11, 26 die sieben Gaben des hl. Geistes in den ersten 4 christl. Jh., Alttest. Abh. 11, 4 Münster i. W. 1932 (St)

853　　**24f.** *οὐδὲν οἷον αὐτοῦ ἐπακοῦσαι τοῦ λόγου,* die gleiche Redensart Qu. div. salv. 4, 3 (III S. 162, 16), schon Aristoph. Vögel 966 *ἀλλ' οὐδὲν οἷόν ἐστ' ἀκοῦσαι τῶν ἐπῶν,* Demosth. In Mid. 21. 46 *οὐδὲν γὰρ οἷον ἀκούειν αὐτοῦ τοῦ νόμου* (von Phot. lex. 323 erklärt als *οὐδὲν οὕτω καλὸν οἷον τὸ ἀκούειν αὐτοῦ τοῦ νόμου*). (Fr)

355　　**18** daß *λογικώτατοι* L in *λογιώτατοι* zu verbessern ist, begründet St mit Strom. V 100, 6; weitere Belege sind Herodot II 3, 2; Ioseph. Ant. II 5, 4 § 75; Athenag. pro Christ. 28 S. 38, 4 Schw.; Orig. in Cels. V 21. 29 (II S. 23, 2; 30, 1) (Fr)

359   6f. vgl. auch C. Wessely, Stud. zur Paläogr. und Papyruskunde, Leipz. 1912, LV u. 13 R.; P. Beudel, Qua ratione Graeci liberos docuerint, Diss. Münster 1911 S. 6ff.; Fr. Dornseiff, Das Alphabet in Mystik und Magie, Leipz. 1922, S. 69f. (St)

366   1 es ist auffällig, daß keiner der Herausgeber, auch Stählin nicht, den Homervers Od. XI 443 identifiziert hat, Dindorf hat ihn sogar als Prosa gedruckt (Fr) 4f. zu δόξα und εὔκλεια vgl. zu 309, 3f. (Fr)

375   24f. κατὰ μόνας–ἐπιβολάς wörtlich aus Philo, De post. Caini 20; noch bei W. Völker, Der wahre Gnostiker bei Cl. Al. S. 124 A 1 als Eigentum des Cl. behandelt (Fr)

380   7–9 Empedokles Fr. 133 Diels⁶ 1 S. 365, 9–11   12 auch cod. Ath brachte keinen bes.ren Text als L (Fr)   14 ἀπέραντον L ἀπερινόητον cod. Ath wahrscheinlich mit Recht; vgl. Philo De mut. nom. 15 μήτ' οὖν διαπόρει, εἰ τὸ τῶν ὄντων πρεσβύτατον ἄρρητον . . . καὶ μὴν εἰ ἄρρητον, καὶ ἀπερινόητον καὶ ἀκατάληπτον Joh. Chrys. in Mt hom. 11 (PG 57/58, 45, 25) ὁ θεός, ὁ ἄρρητος καὶ ἀνέκφραστος καὶ ἀπερινόητος (von Jesus (Fr)   18–20 der von Fr PhW 57, 1937, 592 gebrachte Nachweis, daß die hier genannten Kategorien wörtlich aus Albinus 10, 4 stammen (VI p. 165, 5ff. Hermann) ist für die Quellenforschung des ganzen Abschnittes von Bedeutung; übrigens hat Plotin VI 9, 3, 37ff. ähnlich negativ sein ἕν an stoischen, dann an aristotelischen Kategorien gemessen; zu S. 380, 20 vgl. auch Plotin VI 9, 6, 15 ἐφ' ἑαυτοῦ γάρ ἐστιν οὐδενὸς αὐτῷ συμβεβηκότος (Fr)   23 vgl. Plotin VI 9, 6, 10 ἄπειρον οὗ τῷ ἀδιεξιτήτῳ (Fr)   28f. vgl. Orig. in Joh. XXXII 351 (Bd. IV S. 473, 34 Pr.) χρῶμαι δὲ τούτοις τοῖς ὀνόμασιν οὐχ ὡς κυρίως ἂν λεχθησομένοις ἐπὶ θεοῦ, ἀλλὰ ἀπορῶν τῶν ἵν' οὕτως ὀνομάσω ἀρρήτων ῥημάτων, ähnl. Philo, leg. ad Gaium 6; zu ἐπερείδεσθαι Max. Tyr. 2, 10 (S. 28, 12f. Hobein) οὐκ ἔχοντες αὐτοῦ (sc. τοῦ θεοῦ) λαβεῖν τὴν οὐσίαν, ἐπερειδόμεθα φωναῖς καὶ ὀνόμασιν (Fr)

381   16 μακαρία φύσις von Gott Terminus des Epikur, vgl. z. B. κύριαι δόξαι 1 und die oben zu S. 314, 10 zitierte Stelle (Fr)   18 ὑπὲρ τὰ ἐσκαμμένα aus Plato Crat. p. 413 A; Aeg. Decker, Kenntnis und Pflege des Körpers bei Cl. Al., Innsbruck 1936 S. 46 A 47 (Fr)   20 ἀνίσταται] ἀνίπταται Münzel ganz zu Unrecht; ἀνιστάναι vom Aufscheuchen von Vögeln Xen. An. I 5, 3 (vgl. Max. Tyr. VI 3, 2 p. 68, 6 Hob. αἱ γέρανοι ἐξ Αἰγύπτου ἀνιστάμεναι) von Jagdtieren Cyr. II 4, 20; also auch hier: 'die Seele wird aufgescheucht' (Fr)

382   7 der Inf. fut. wäre leicht zu beseitigen, wenn man προσμαρτυρεῖσθαι schreibt, er kommt aber bei Verben wie δύνασθαι sogar klassisch an manchen allerdings angefochtenen Stellen vor, vgl. Lobeck zu Phryn. S. 747ff. und K. W. Krüger zu Thuk. I 27, 2; ich habe mir noch notiert Orig. C. Cels. V 15 Bd. II S. 16, 24 K (Fr)

383   5 es ist falsch, die geläufige Redensart ὁ τῶν ὅλων θεός (z. B. oben S. 109, 9; 137, 11 usw.) durch Umstellung zu beseitigen; es kommt hier nicht darauf an, daß Gott ποιητὴς τῶν ὅλων ist, sondern nur, daß er ποιητής ist; Aristot. gebraucht das Wort im Sinn von Weltenschöpfer nicht (Fr)

395 13 in dem Zitat aus Plat. Ep. II p. 312 E mit den Platontexten ἁπάντων ⟨τῶν⟩ καλῶν zu schreiben, ist bedenklich; bloß ἁπάντων καλῶν auch Protr. 68, 5, ferner bei Orig. C. Cels. VI 18 (II S. 89, 4) und Plotin I 8, 2, 30; bei Euseb ist ἁπάντων zu τῶν zusammengeschrumpft (Fr)

396 2 K. Reinhardt, Hermes 77, 1942, S. 8 weist zur Parallele 12 Arbeiten des Herakles = 12 Tierkreiszeichen auf die Igeler Säule hin (Fr) 10 vgl. K. Reinhardt, Parmenides S. 170, der τόνδε (τὸν αὐτὸν ἁπάντων) schreibt und in diesen drei Worten einen (stoischen) Zusatz sieht, der auf die Worte τὸν ἐξ ἁπάσης τῆς οὐσίας ἰδίως ποιὸν κόσμον zurückweist (St)

411 3. 16 zu μητροπάτωρ („einer, der zugleich Vater und Mutter ist") vgl. G. Wobbermin, Religionsgesch. Stud. Berlin 1896 S. 81 (St). — Vgl. noch Firmicus Mat. V praef. (II p. 2, 20 Kr.- Sk.- Ziegler) deus tu omnium pater pariter ac mater (Fr) 19f. die Stelle ist un 'amalgame' (Mondésert zu Protr. 79, 2, wo das nämliche steht); Grundform Hosea 13, 4 ἐγὼ δὲ κύριος ὁ θεός σου στερεῶν οὐρανὸν καὶ κτίζων γῆν, οὐ αἱ χεῖρες ἔκτισαν πᾶσαν τὴν στρατιὰν τοῦ οὐρανοῦ, hineingearbeitet ist Amos 4, 13 ἰδοὺ ἐγὼ στερεῶν βροντὴν καὶ κτίζων πνεῦμα und für ἔκτισαν aus Ps 8, 4 ἐθεμελίωσαν. Die Herkunftsbezeichnung Protr. 79, 2 διὰ Ὠσηέ ist also so unrecht nicht, auch an unserer Stelle ἠσαίου L ist nicht völlig verkehrt, da Is 48, 13 καὶ ἡ χείρ μου ἐθεμελίωσε τὴν γῆν steht (Fr)

415 11 vgl. Ezechiel, Ἐξαγωγή V. 134 Wienecke (s. App. I zu S. 96, 19) aus Eus. Praep. ev. IX 29, 12 πηγαί τε πᾶσαι καὶ ὑδάτων συστήματα, vgl. dazu J. Geffcken, Zwei altchr. Apologeten S. XVI A 3 [τὰ συστήματα τῶν ὑδάτων stammt aus Gen 1, 10 (LXX), daraus Philo, Qu. d. sit imm. 157 a. E.; zum Bruchstück vgl. Stadtmüller in PhW 14, 1894 Sp. 360 (Fr)]

419 7–10 Oxyrh. Pap. 1176 fr. 38, col. I 8; dort lauten die Verse:

ὃς τάδε λεύσσων οὐ προδιδάσκει
ψυχὴν αὐτοῦ θεὸν ἡγεῖσθαι
μετεωρολόγων δ' ἑκὰς ἔρριψεν
σκολιὰς ἀπάτας ὧν τολμηρὰ
γλῶσσ' εἰκοβολεῖ περὶ τῶν ἀφανῶν (Fr)

420 2 ἐποπτεύσομεν auch Method. Symp. V 7 S. 62, 14, der hier von Cl. abhängig ist (St). — Das Z. 5 stehende ὑπέμεινε und der Anschluß an das vorhergehende Zitat macht auch Z. 2 und 4 die Änderungen ἐπωπτεύσαμεν und ὠργιάζομεν unabweislich, ἐποπτεύσομεν ist außerdem als Vorwegnahme von Z. 6 ἐποπτεύοντες sehr verdächtig, Platon sagte εἶδόν τε καὶ ἐτελοῦντο (Fr)

6. Buch

423 8f. ist Hippokr. Epid. VI 4, 24 (V S. 314 Littré) πόνοι σιτίων ἡγείσθωσαν, auch Paed. III 51, 2 ohne Autornennung eingefügt und an beiden Stellen noch von keinem Herausgeber identifiziert (vgl. Würzb. Jahrb. 1947 S. 150); an der Paedagogusstelle geht vorher πανταχοῦ δὲ τοῦ μέτρου στοχαστέον, dies ist ebenfalls ein bisher nicht erkanntes Hippokrateszitat περὶ ἀρχαίης ἰητρικῆς 9 (1 S. 588 Littré) (Fr)

489 26 daß die Überlieferung in Ordnung ist (zu ἰατρεύειν stand das Hauptverbum etwa ζητοῦσιν im nicht mitzitierten vorangegangenen Text) zeigt M. Pohlenz, Hippokrates, Berlin 1938, S. 62 und 111 (Anm. zu S. 62) (Fr)

442 3–7 zu Eugammon (vgl. Paus. VIII 12, 5) Schmid, Gesch. d. Gr. Lit. I 1 (1929) S. 217 A 5; Peisandros und Peisinos ebda S. 296 A 6, zu Panyassis ebda S. 298 A 1 20ff. Aristoph. und Kratin. Schmid, Gesch. d. Gr. Lit. I 4 (1946) S. 79 A 6 und S. 179 A 2; der Komiker Platon ebda S. 150, 4; Araros ebda S. 185, 5; Eumelos ebda Bd. I 1 (1929) S. 291, 10; Akusilaos ebda S. 708, 4; Melesagoras ebda S. 707 A 9 Eudemos S. 693 A 4; Bion S. 691 A 9 (Fr)

446 11–15 vgl. Seneca Nat. quaest. IVᵇ 6; S. Eitrem, Opferritus und Voropfer (Videnskapssels Kapets Skrifter II Hist.-fil. Klasse 1914 Nr. 1) Kristiania 1915, S. 433; Fr. Beckmann, Zauberei und Recht in Roms Frühzeit, Diss. Münster, Osnabrück 1923 S. 5f. (St) 19 vgl. Philo De somn. I 141 ταύτας (sc. τὰς ψυχὰς) δαίμονας μὲν οἱ ἄλλοι φιλόσοφοι, ὁ δὲ ἱερὸς λόγος ἀγγέλους εἴωθε καλεῖν (Fr)

447 11 zu φῶς ἀπρόσιτον vgl. auch Philo Qu. in Exod. II 45 p. 502 Aucher: mons autem familiaris est nimis ad recipiendum apparitionem dei, sicut declarat nomen ipsum Sina, quod in aliam linguam conversum sonat inaccessum (St). — Der Vergleich paßt nicht, da inaccessum griechisch ἄβατον lautete, wie die gr. erhaltene Fortsetzung (Harris, Fragm. of Philo S. 60) zeigt: ἄβατος καὶ ἀπροσπέλαστος ὄντως ἐστὶν ὁ θεῖος χῶρος κτλ. (Fr) 19–S. 448, 6 zur Erklärung vgl. S. Günther, Akust.-geograph. Probleme, Sitz.-Ber. d. Bayer. Akad. d. Wiss., Math.-phys. Kl. 31, 1902, S. 15ff. 211ff., wo ganz ähnliche Schilderungen moderner Reisenden mitgeteilt werden (St)

448 19–S. 450, 4 vgl. auch Fr. Zimmermann, Die ägypt. Religion nach der Darstellung der Kirchenväter, Paderborn 1912, S. 135–153; 173–177 (St) 30 zu ὡροσκόπος „Astrolog" vgl. H.-K. Schwyzer, Chairemon S. 66 (St)

449 1 über die Hermesschriften vgl. RE VIII Sp. 793, 44ff.; F. W. v. Bissing, Neue Jahrbücher 29, 1912, S. 93f. (St) 17 zu μοσχοφραγιστικά vgl. außer Herodot II 38 auch Fr. J. Dölger, Sphragis, Paderborn 1911, S. 22; H. R. Schwyzer, Chairemon S. 83 (St)

450 6–S. 451, 3 vgl. auch W. Crönert, Anz. der phil.-hist. Kl. d. Akad. d. Wiss.Wien vom 12. 3. 1924; U. Wilcken, Sitz.-Ber. d. Akad. d. Wiss. Berlin 1923 S. 155ff. (hier auch über den Berliner Pap. 13044); K. Ziegler, Die Überlieferungsgeschichte der vgl. Lebensbeschr. Plutarchs, Leipz. 1907, S. 133f. (St)

452 6 φέρεται (abh. von ὅτι) ist in Ordnung vgl. Strom. V 116, 2 (S. 404, 20); Plato Phileb. 3 p. 13 C πάλιν εἰς τὸν αὐτὸν φερόμεθα λόγον, also: 'daß er in seinen Ausführungen dahineilt' (Fr)

459   7 ⟨τὴν καθολικὴν σοφίαν, ἐμπεριλαμβάνοντες⟩ ὀρθῶς κτλ. Fr 9 hier und Strom. VI 133, 5 (S. 499, 25 f.) ist in die Formel ἐπιστήμη θείων καὶ ἀνθρωπίνων πραγμάτων an Stelle von ἐπιστήμη das Wort γνῶσις getreten; so schon IV Mac 1, 16 (Fr) 19 zu τῆς σοφίας ἐπιθυμεῖ vgl. Plato Staat V 19 p. 475 B οὐκοῦν καὶ τὸν φιλόσοφον σοφίας φήσομεν ἐπιθυμητὴν εἶναι (Fr) 19 φιλοσοφία ⟨ἐπιτήδευσις οὖσα⟩ τῆς ψυχῆς (vgl. Paed. I 101, 2) St 23 vgl. Weish. Sal. 8, 6, wo die Weisheit selbst als τῶν ὄντων τεχνῖτις gepriesen wird, also ist die Konjektur τῆς ⟨τοῦ⟩ falsch (Fr)

460   1 zu κινούμενοι vgl. ὑπὸ δαιμόνων κινηθέντες Strom. I 135, 2 (St) 18 ἡγεμονικὸν προσῆται Mü (St). — ἡγεμόνα ist auf das Neutrum τὸ δοῦλον bezogen falsch, also entweder ἡγεμονικόν oder nach Plat. Ges. I 6 p. 631 C ἡγεμονοῦν (Fr) 21 ἡ πᾶσα γνῶσις Ath. 26 f. κἂν Βαβυλωνίους καὶ τοὺς μάγους Ath. 27 f. οὐ παύσομαι – καὶ ἐπὶ Ath. 28 ἄρχομαι auch Ath., ἔρχομαι Mü unrichtig 30 μεμαθήκασιν Ath. οὐδὲ γὰρ ὡς Ath. 32—S. 461, 3 οὐδ᾽ ἂν ὄργανα—κεχωρισμένον < Ath.

461   6 ἀγένητον Ath. — τὸ προγεννηθέν] τὸ πρὸ πάντων γεννηθέν Ath. 8—10 εἰς γὰρ—τὴν γῆν < Ath. 11 σοφία δὲ οὗτος] ὃς καὶ σοφία Ath. 12 f. διδάσκαλος τῆς καταβολῆς (unter Auslassung von ὁ σύμβολος—ἐκ πρώ-) Ath. 14 πεπαίδευκέν τε καὶ διδάσκει καὶ τελειοῖ Ath. 20 ἐπὶ τὸν θεὸν ποιητήν Ath. 23 ἔκ τινος ποιήσεως ist nicht zu beanstanden, es sind die oft zitierten Orphika, die Verse des Empedokles etc. gemeint; für παιδεύσεως (Mayor) habe ich zwar eine Parallele bei Gregor v. Nyssa C. Eunom. I 385 (I S. 133, 8 Jäger) gefunden πόθεν ὁ σοφὸς οὗτος καὶ ἐκ ποίας παιδεύσεως .... ἀποφαίνεται, ich halte aber, wie gesagt, die Änderung für unnötig (Fr)

467   9 f. ἀπαιτεῖν ⟨λέγειν⟩ Klst, γέλως ἂν εἴη ⟨νοεῖν⟩ Mü, beides überflüssig, bloßes γέλως ἐστί mit Acc. c. Inf. Dem. 19, 332 (Fr) 22 zur Forderung, auch auf θάρσος zu verzichten, vgl. Plotin I 1, 2, 15 οὐδὲ θαρρεῖ τοίνυν· τούτοις γὰρ θάρρος οἷς ἂν τὰ φοβερὰ μὴ παρῇ (Fr) 24 ⟨ἔξω⟩ τούτου auch Klst, der die Stelle auf Rom 8, 38 f. bezieht. Die Angabe im App. der vorigen Aufl. κατὰ τούτου Sy (ebenso bei Dindorf Bd. III S. 180, 18) ist unrichtig, Sylb. hat S. 276, 20 τι καὶ τούτου, was in Ordnung ist (τούτου sc. τοῦ βίου) (Fr) 30 zu konstruieren τῷ καλῷ καὶ ἀγαθῷ εἶναι = διὰ τὸ καλῷ καὶ ἀγαθῷ εἶναι, Dativ wegen des vorangehenden αὐτῷ (Fr)

468   12 ὡς ⟨ἔφαμεν⟩ Fr (Hinweis auf S. 467, 25) 15 L hat ἔφεσιν ἔφεσιν; im ersten steckt wohl irgendein Genitiv, etwa ἐπιτηδεύσεων oder ἔργων, was der Kürze wegen am ehesten zu passen schien (Fr) 24 man verstehe τὸ εἶναι (sc. καλός) δι᾽ ἀγάπης ἔχων τοῦ κάλλους, 'da er das Schönsein durch seine Liebe zur Schönheit besitzt' (Fr)

470   20 f. vgl. Aristot. Eth. Nic. VI 13 p. 1143ᵇ 24 εἴπερ ἕξεις αἱ ἀρεταί εἰσιν, Eth. Eud. II 1 p. 1218ᵇ 38 ἐστὶν ἡ βελτίστη (sc. ἀρετή) διάθεσις ἢ ἕξις ἢ δύναμις ἑκάστων Philo De congr. er. gr. 142 φιλοσοφίαν δὲ καὶ τὰς ἄλλας ἀρετὰς ἐπιστήμας (sc. καλοῦμεν) καὶ τοὺς ἔχοντας αὐτὰς ἐπιστήμονας (= Chrys. fr. log. 95 vol. II p. 30, 36 f. Arnim) (Fr)

472   6 f. vgl. Ps.-Plato Demod. 5 p. 383 B; Isokr. Panath. 39; Horaz, Epist. 1, 26; dazu Phoibammon Rhet. Gr. VIII 493 Walz (Fr) 16 f. ἢ πρός τε τὸ ἐρωτᾶν ὀρθῶς καὶ ἀποκρίνασθαι ⟨ἐπιτήδειος⟩ Fr, ἠ⟨σκημένος⟩ πρός τε . . . ἀποκρίνασθαι Pohlenz; zu ἐρωτᾶν καὶ ἀποκρίνασθαι vgl. Str. I 45, 4 und Schmid I 3 (1940) S. 220 A 1 (Fr) 17 zu θριγκός: die Albinusstelle c. 7, 5 von Fr nachgewiesen PhW 57, 1937 Sp. 591; die Dialektik als Mauer bei Basil. M. in Is. II 92 (PG 30, 269 C); XVI 308 (ebda 656) (Fr)

479 **13f.** bringt leider auch der Ath. keine Klärung; er schreibt mit Dittographie αὐτὴν ἐκείνην τὴν ἐπαναβεβηκυῖαν μηνύει (sic) φιλοσοφίαν αἷ δῆτα συναλόγου τοῦ κυριακοῦ μηνύει φιλοσοφίαν αἴδητα συναλόγοι λόγου τοῦ κυριακοῦ, erlas also in seiner Vorlage συναλόγοι und schrieb es beim erstenmal falsch ab; wahrscheinlich ist zu lesen αἷ δῆτα συναμφότεραι ἄγονοι λόγου τοῦ κυριακοῦ. Den Ausdruck aus Sophokles (als sein Eigentum ist der Vers Athen. VII p. 277 B überliefert) verwendet Clem. Strom. ll 68, 3 (S. 149, 18) (Fr)

488 **27** ὑπὸ μὲν τῶν L richtig, vgl. K. W. Krüger, Griech. Sprachl. § 50, 1, 13 (Fr)

495 **10f.** möglich auch die Ergänzung αὐτίκα ⟨ἡ μὲν φρόνησις οὐ πολὺ ἀπολείπεται γνώσεως⟩ εἴπερ κτλ.; der bisher gedruckte Text αὐτίκα εἴπερ ἀρετή [τε] ἐστιν θεία, καὶ γνῶσις αὐτῆς (für ἑαυτῆς L) befriedigt in keiner Weise: a) wegen der doppelten Änderung, b) ἀρετή ohne Artikel kann unmöglich Subjekt sein, vielmehr wird das Gegensatzpaar ἡ φρόνησις / ἡ σωφροσύνη weiter erläutert, c) die Richtigkeit von γνῶσις ἑαυτῆς wird durch Strom. VI 160, 2 (S. 514, 16) erwiesen (Fr) **13f.** zum Unterschied von δικαιοσύνη und ὁσιότης vgl. auch Plato Gorg. 62 p. 507 B; Stob. Ecl. II 7, 5ᵇ 12 (vol. II p. 68, 9 Wachsm.); Philo De Abr. 208; dazu die von Fr schon ZntW 36, 1937, S. 87f. aufgezählten Stellen Olympiodoros zu Plato Gorgias p. 523 A (S. 228, 9 Norvin), Ps.-Plat. Def. p. 412 E; Ps.-Aristot. De virt. et vit. 5 p. 1250ᵇ 19. 23; Theophylaktos von Bulg. zu Lukas 1, 65—75 (PG 123, 717 C) dazu Cicero De nat. deorum I 116 est pietas iustitia adversum deos (Fr) **16** zur Entstehung des Ausdruckes ἐξ ἰδιοπραγίας verweise ich in Erweiterung meiner Darlegungen in den Würzb. Jahrb. 1947 S. 150 auf folgende Stellen: Origenes C. Cels. V 47 (Bd. II S. 51, 21 K.) κατὰ τοὺς ἀπὸ Πλάτωνος ἰδιοπραγίαν τῶν μερῶν τῆς ψυχῆς φάσκοντας εἶναι τὴν δικαιοσύνην, Olympiodoros zu Plat. Phaed. A II 14 (S. 16, 20 Norvin) ἡ δικαιοσύνη ἐν ἰδιοπραγίᾳ θεωρεῖται τῶν μορίων τῆς ψυχῆς, Athenagoras De resurr. 22 a. E. (wo das Vorhandensein von Seelenteilen und ihrer ἰδιοπραγία an einer körper- losen Seele verspottet wird), Gregorios Thaum. Lobrede auf Orig. 138f. Die Lehre hat sich entwickelt aus Plato Staat IV 11 p. 434 C χρηματιστικοῦ, ἐπικουρικοῦ, φυλακικοῦ γένους οἰκειοπραγία . . . δικαιοσύνη ἂν εἴη (so auch Galen Inst. log. 18, 4 πόλις δικαία λέγεται τῇ τῶν μερῶν αὐτῆς ἰδιοπραγίᾳ), von den Ständen auf die Seelenteile übertragen ebda IV 17 p. 443 D, übernommen von Plotin I 2, 1 und diese ἰδιοπραγία ist auch bei Clemens gemeint. Die Ausführungen von W. Völker, Der wahre Gnostiker nach Cl. von Al. S. 466 und die Anm. 6 gegebene Deutung von A. Seesemann sind ohne Beachtung der Geschichte des Terminus geschrieben und gehen fehl, allerdings versagen hier auch die Lexika, Passow zitiert die Clemens- stelle und übersetzt 'Handeln auf eigenen Antrieb', was in die Übersetzung von Stählin übergegangen ist (dies wäre δικαιοσύνη ἐκ προαιρέσεως Strom. VII 73, 5 oder αὐτοπραγία Orig. Comm. in Joh. II 112 Bd. IV S. 73, 1 Pr.) (Fr) **20** ὅτι fehlt auch im Cod. Ath. **23** τε < Ath. wohl mit Recht (Fr) **25—27** ὧν — πᾶσαν < Ath. **27** ἀρετὴν auch Ath. — ἤμελλον Ath. **30** μέν < Ath: **30f.** und S. **496, 3f.** die beiden Definitionen von παραβολή auch in den Psalmenscholien bei Pitra, Anal. sacr. III p. 111, 6 s. oben zu S. 108, 24 (St)

498 **19** daß λόγον richtig ist, zeigt außer der von Fr nachgewiesenen Cyrillstelle (ZntW 36, 1937, S. 88) Plut. De Is. et Os. 54 p. 373 B; Porphyrios Quaest. Hom. 241 Schrader (Fr) **29** zu σῶμα τῶν γραφῶν—αἱ διάνοιαι vgl. Philo De vit. cont. 78; Orig. Comm. ser. in Mt 27 (XI S. 46, 2—5) (Fr)

502   5 der Ausdruck ἀμερῶς μεριζόμενον von Gottes Macht oben Strom. II 69 1 (S. 227, 13); von der Seele Plotin IV 1, 20, vgl. auch Plotin IV 2, 1 a. E. als Ausdeutung von Plato, Timaeus 8 p. 35 A (Fr) 11ff. vgl. A. Delatte, Études sur la littérature Pythagoricienne (Bibl. de l'École des Hautes Études 217) Paris 1915 S. 229ff. (St) 21 [Hippocr.] περὶ ἑπταμήνου 1 (VII 436 Littré = I 444 Kühn); zu Polybos vgl. Littré VII 432 (Fr)

504   9f. vgl. auch Philo De op. m. 13 (Fr) 18f. Oikumenios, Komm. zur Apok. ed. Hoskier (= Un. of Michigan Studies Bd. XXIII, 1928) S. 71, 25f. ἑπτὰ τυγχάνειν τοὺς ἐν ἀγγέλοις ἄρχοντας ὁ Κλήμης φησὶν ἐν ἕκτῳ Στρωματεῖ, vgl. E. Peterson ThLZ 55, 1930 Sp. 256; siehe auch P. Heseler, PhW 55, 1935, Sp. 1191f. (St)

505   13–S. 506, 6 Solon Fr. 19 Diehl (Anth. lyr. I³ p. 38f.); vgl. W. Schadewaldt, Antike 9, 1933 S. 282ff. (St). — Inhaltsangabe der Solonstelle ohne Nennung des Autors Basil. M. hom. in ps. 114, 5 (PG 29, 493 A) (Fr)

506   14 εἴη mit Acc. c. Inf. als Wunsch Strom. VII 102, 2 (Bd. III S. 72, 9); Orig. C. Cels. I 49 (I S. 100, 28); βασιλεύειν aus Röm 5, 17, also vielleicht εἴη δ᾽ ἡμᾶς ⟨ἐν ζωῇ τῇ ὀγδοάδι⟩ βασιλεύειν, vgl. Exc. ex Th. 80, 1 (Fr) 18f. stammt aus Philo Qu. in Gen. I 1, aus dem lat. Text Auchers nachgewiesen von Fr in ZatW 14, 1937, S. 114; griechisch wurde die Stelle veröffentlicht von H. Lewy, Sitz.-Ber. d. Pr. Ak. 1932 Phil.-hist. S. 75 Nr. 1 aus cod. Hieros. S. Sep. 15 fol. 124ʳ und Const. Metochion 274 mit folgendem Wortlaut: τὸ μὲν »ὅτε ἐγένετο« ἀόριστον ἔοικε ἐμφαίνειν (Fr)

513   27f. fast wörtlich schon Strom. I 86, 3 (S. 55, 26–28) und in den Anmerk. dazu im Synesiosbrief 67 nachgewiesen; vgl. ferner Plut. Mor. 1102 D ἀγαθὸς γάρ ἐστιν (sc. ὁ θεός), ἀγαθῷ δὲ περὶ οὐδενὸς ἐγγίνεται φθόνος (Plato Tim. 6 p. 29 E) οὔτε φόβος οὔτ᾽ ὀργὴ οὔτε μῖσος· οὐδὲ γὰρ θερμοῦ τὸ ψύχειν, ἀλλὰ τὰ θερμαίνειν ὥσπερ οὐδ᾽ ἀγαθοῦ τὸ βλάπτειν, Sext. Emp. Adv. Math. XI 70, Diog. Laert. VII 103 ὡς γὰρ ἴδιον θερμοῦ τὸ θερμαίνειν, οὐ τὸ ψύχειν, οὕτω καὶ ἀγαθοῦ τὸ ὠφελεῖν, οὐ τὸ βλάπτειν (= Chrys. Fr. mor. 117) mit Einschiebung des Begriffs ἑκών Strom. VII 42, 4 (Bd. III S. 32, 1) (Fr)

514   12 zu μερικόν vgl. Strom. VI 83, 2 oben S. 473, 14f. (St) 22–29 vgl. Sext. Emp. adv. math. VIII 409 (Fr)

516   19 τῶν κατὰ ἀποχὴν κακῶν δικαιουμένων gibt eine Erklärung des Wortes vgl. die bei E. Schürer, Gesch. des jüd. Volkes Bd. II⁴ S. 467 Anm. 52 gegebene Erklärung des Nathan Bel Jechiel: „Parusch ist einer, der sich absondert von aller Unreinheit und von unreiner Speise und vom Volk des Landes, das nicht sorgfältig ist mit dem Essen" (Klst).

LITERATUR UND ADDENDA ZUR 4. AUFLAGE

F. Bolgiani, La polemica di Clemente Alessandrino contro gli gnostici libertini nel III libro degli Stromati, Studi e materiali di storia delle religioni 38, 1967, 86—136.

C. Del Grande, Brevi note al testo del primo Stromate di Clemente Alessandrino, Rivista indo-greco-italica 18, 1934, 152—158.

A. Hirner, Die Stromata des Clemens von Alexandrien, Paradigma für die mediale Bedeutung der Philosophie zur Entfaltung christlicher Lehre. Ein Beitrag zum Diastasenproblem, Diss. Innsbruck 1970 (Maschinenschrift).

G. Lazzati, Aevum 9, 1935, 565—569.

G. Lazzati, Introduzione allo studio di Clemente Alessandrino, Milano 1939 (darin S. 73—92: Note critiche).

A. Méhat, Remarques sur quelques passages du I^e Stromate de Clément d'Alexandrie, Revue des études grecques 69, 1956, 41—49.

A. Méhat, L'hypothèse des Testimonia à l'épreuve des Stromates. Remarques sur les citations de l'Ancien Testament chez Clément d'Alexandrie, in: La Bible et les Pères, Colloque de Strasbourg 1969, Strasbourg-Paris 1971, 229—242.

A. Méhat, Clément d'Alexandrie et le sens de l'Écriture, Ier Stromate, 176, 1 et 179, 3, in: Epektasis, Mélanges Jean Daniélou, Paris 1972, 355—365.

P. Nautin, Notes sur le Stromate I de Clément d'Alexandrie, Revue d'histoire ecclésiastique 47, 1952, 618—631. 641.

P. Nautin, Notes critiques sur le Stromate II de Clément d'Alexandrie, Revue d'histoire ecclésiastique 49, 1954, 835—841. 887—890.

H.-R. Schwyzer, Gnomon 37, 1965, 484—490 (Rez. zu Band II).

Zum Titel: L. Alfonsi, Στρωματεῖς. Significato e valore di un titulo, Sileno 1, 1975, 175—176.

3ff.   Dazu M. F. Osborne, Teaching and writing in the first chapter of the Stromateis of Clement of Alexandria, Journal of Theological Studies N. S. 10, 1959, 335—343.

5   28 l. τῷ.

13   17 vgl. Philo, de migr. Abr. 15; auch Min. Fel. 27, 2.

39   18 vgl. A. Fraschetti, Aristarco e le origini tireniche di Pitagora, Helikon 15/16, 1975/76, 424—437: Aristarch zu recht, nicht zu Aristoteles zu korrigieren.

41   **16** vgl. auch Herodot 8, 57.

43   **15** zu 'Ακίχαρος vgl. И. С. Клочков, «Повесть об Ахикаре»: Историчность литературного героя, Вестник древней истории 1977, Н. 3 (141) 3—10.

46   **21—24** l. FGrHist 715 F 3.

48   **13** Pego A. López, El tercer Apis, Cuadernos de Filología clásica 9, Madrid 1975, 305—317.

51   **10** L. Piccirilli, Susarione e la rivendicazione megarese dell' origine della commedia greca, Annali della Scuola Normale Superiore di Pisa, Cl. di Lettre e Filosofia 4, 1974, 1289—1299.

52   **17ff.** Einfluß Justins? Vgl. auch 53, 5ff. und 332, 17ff. S. G. Glockmann, Spuren Justins bei Clemens Alexandrinus, Helikon 15/16, 1975/76, 401—407.

71   **28—72, 5** Eupolemos 26, s. B. Z. Wacholder, Eupolemos, New York 1974 (Monographs of the Hebrew Union College 3).

80   **23—29** l. FGrHist 273 F 19; Eupolemos 2.

84   **7** vgl. P. Cox, Origen and the Bestial Soul, Vigiliae Christianae 36, 1982, 131.

87   **25—88, 6** Eupolemos 5, nicht aus Alexander Polyhistor (Wacholder S. 6, 25).

90   setze ✳ vor die Anmerkungen.

92   **23—26** l. vgl. IV Esra 14, 21—22. 42—46, s. A. F. J. Klijn, Der lateinische Text der Apokalypse des Esra, Berlin 1983 (TU 131), 11.

93   **10f.** vgl. H. D. Saffrey, Un lecteur antique des œuvres de Nouménius, Eusèbe de Césarée, Studi in onore di M. Pellegrino, Torino 1975, 145—153.

95   **20—96, 3** Eupolemos 1.

105   **6** l. ὅσιον.

108   **24—30** vgl. Hipp. Ref. 9, 30, 1—4, p. 263; Euseb. PE 10, 1, 1, p. 6; H. de Lubac, Exégèse médiévale I 1, Paris 1959, 171—177.

108   **28** ἐποπτεία vgl. Orig. Komm. zum Hohenlied Vorw. p. 75, 8 Baehrens, korrigiert von J. Kirchmeyer, Origène sur le Cantique, prol., Studia Patristica X, Berlin 1970 (TU 107), 230—235.

111   **24** l. <παραινεῖ> μὴ ζητεῖν αὐτήν.

112   **2** τάξιν.

112   **3** τῷ Πέτρου Κηρύγματι.

112   **4** προσαγορευόμενον.

115   **14** vgl. O. Schönberger, Spiegelung eines alten Verses?, Rheinisches Museum 119, 1976, 95—96.

116   **22** vgl. M. Tardieu, La lettre à Hipparque et les réminiscences pythagoriciennes de Clément d'Alexandrie, Vigiliae Christianae 28, 1978, 241—247.

133   **5f.** zu ἀποκατάστασις hier und öfter vgl. A. Méhat, Apocatastase, Vigiliae Christianae 10, 1956, 196—214.

147   **16f.** l. Fr. 3, 1 Koerte; dazu U. Treu, Neues Licht auf die Vorfabel von Menanders ‚Misumenos'?, Zeitschrift für Papyrologie und Epigraphik 14, 1974, 175—177.

77　2—4 u. **207, 17—208, 7** zu Nikolaos und παραχρῆσθαι m. Dat. vgl. P. Prigent, L'hérésie asiate et l'église confessante de l'Apocalypse à Ignace, Vigiliae Christianae 31, 1977, 13.

34　**4** l. Οὔκουν.

12　**26f.** statt Mc lies Mkk.

24　**2** Γέννοι Hesych.

30　**5—8** Rom 7, 7.

49　**7** vgl. P. Cox (wie zu **84, 7**) S. 118.

66　setze ✳ vor die Anmerkungen.

34　**5—285, 8** vgl. P. Nautin, Les fragments de Basilide sur la souffrance et leur interprétation par Clément, Mélanges d'histoire des religions offerts à H.-C. Puech, Paris 1974, 393—403.

37　**9—288, 7** vgl. A. Orbe, Los hombres y el creador según una homilia de Valentín, Gregorianum 55, 1974, 5—48. 339—368.

37f.　vgl. K. N. Booth, 'Deficiency': A gnostic technical term, Studia Patristica XIV, Berlin 1976 (TU 117) 192—193.

15　**21f.** vgl. Plat. Rep. 443d—e; Epinomis 992b 6f., s. J. W. Whittaker, A "Vetus Dictum" in St. Ambrose, Vigiliae Christianæ 32, 1978, 216—219.

26—421　Zu Buch V vgl. die neue Ausgabe in den Sources Chrétiennes 279, Paris 1981, mit der Übersetzung von P. Voulet und dem Kommentar von A. Le Boulluec.

31　**20—22** vgl. J. Lallot — H. Wismann, Le jugement cassé (Héraclite, fragment 28 D.-K.), Revue de Philologie 48, 1974, 65—70.

38　**16—365, 25** vgl. M. Harl, L' «obscurité» biblique, Vigiliae Christianae 36, 1982, 334—371, besonders 346f.

44　**19** zu Eurysos vgl. W. Burkert, Die geistesgeschichtliche Einordnung einiger Pseudopythagorica, in: Pseudepigrapha I, Vandœuvres-Genève 1972 (Fondation Hardt, Entretiens sur l'antiquité classique 18), 23—55, hier 52.

46　**14—18** nach V. Iliescu, La problème des rapports scytho-byzantins du IVᵉ siècle av. n. è., Historia 20, 1971, 172—185, ist nicht Byzanz gemeint, sondern die im Gebiet des Atoias gelegene Stadt Bizone.

55　**16—29** vgl. A. MacC. Armstrong, Anacharsis the Scythian, Greece and Rome 17, 1948, 18—23.

59　1. Apparat Z. 3 lies: **7f.** Kallimachos Fr. 75 Schneider

64　**24—27** vgl. Tardieu (wie zu 116, 22) 241—247.

65　**7f.** vgl. Tardieu 242, Anm. 9.

72　**3—6** vgl. Q. Cataudella, Citazioni bacchilidee in Clemente Alessandrino, Studi in onore di M. Pellegrino, Torino 1975, 119—125. Ilona Opelt, Bacchylides in der christlichen Spätantike, Jahrbuch für Antike und Christentum 18, 1975, 81—86.

74　**5ff.** vgl. C. W. Macleod, A note on P. Oxy. 3010, 29, Zeitschrift für Papyrologie und Epigraphik 15, 1974, 158—161.

396   setze ∗ vor die Anmerkungen.

396   **6** vgl. hierzu auch K. Deichgräber, Similia dissimilia, zuletzt veröffentlicht in Ausgewählte Kleine Schriften, Hildesheim, München, Zürich 1984, S. 344–351.

398   **21–23** vgl. E. Benz, Christus und Sokrates in der alten Kirche. Ein Beitrag zum altkirchlichen Verständnis des Märtyrers und des Martyriums, Zeitschrift für die neutestamentliche Wissenschaft 43, 1950/51, 195–224.

400   **6ff.** vgl. Paed. S. 290, 26 (Bacchyl. Fr. 26), s. I. Opelt (wie zu 372, 3–6).

400   **8–10** vgl. Cataudella, wie 372, 3–6.

402   **20ff.** vgl. M. Hengel, Anonymität, Pseudepigraphie und „Literarische Fälschung" in der jüdisch-hellenistischen Literatur, in Pseudepigrapha I (wie zu 344, 19), 229–308, hier 295 f.

410   **22–411, 15** vgl. Hengel, wie zuvor, 293.

426   **8** Π 235.

426   **10f.** Eurip. Erechtheus Fr. 367.

426   **13** Archilochos Fr. 41 Diehl.

433   **22–24** vgl. Cataudella, wie zu 372, 3–6.

435   **21** nach M. Marcovich, Orphic fragment 226 Kern, Rheinisches Museum 116, 1973, 359 f. ist ἀμοιβή als Glosse an Stelle von γαία in den Text eingedrungen.

440   **5ff.** vgl. H. Wankel, Demosthenes, Rede für Ktesiphon über den Kranz, Heidelberg 1976, I S. 530.

440   **12** vgl. Plot. Enn. 5, 1, 87 und V. Cilento, Parmenide in Plotino, Giornale critico della filosofia italiana 43, 1964, 194–203.

446   **26f.** Stählin in seiner Übersetzung in der Bibliothek der Kirchenväter faßt die Schrift über die Engel als Teil der defekten Stromata auf. Eine selbständige Engel-Schrift hält für wahrscheinlich R. Riedinger, Eine Paraphrase des Engel-Traktates von Klemens von Alexandreia in den Erotapokriseis des Pseudo-Kaisarios?, Zeitschrift für Kirchengeschichte 73, 1962, 253–271.

449   **22** zu ἔκπεμψις vgl. Ph. Derchain, Chronique d'Égypte 26, 1954, 269–279.

462   **21–24** l. 459, 9–14.

479   **24–26** vgl. Ev. Thom. Log. 7 (8), ed. J. Leipoldt, Das Evangelium nach Thomas koptisch und deutsch, Berlin 1967 (TU 101), sowie G. Quispel, New Testament Studies 5, 1958/59, 276–290.

484   **6** vgl. S. 299, 18, nach A. Méhat, Étude sur les «Stromates» 464, Anm. 223.

494   **29–495, 7** vgl. M. Harl, wie zu 338, 16.